KB182820

에듀윌과 함께 시작하면,
당신도 합격할 수 있습니다!

대학 졸업 후 취업을 위해 바쁜 시간을 쪼개며
전기기사 자격시험을 준비하는 취준생

비전공자이지만 더 많은 기회를 만들기 위해
전기기사에 도전하는 수험생

전기직 업무를 수행하면서 승진을 위해
전기기사에 도전하는 주경야독 직장인

누구나 합격할 수 있습니다.
시작하겠다는 '다짐' 하나면 충분합니다.

마지막 페이지를 덮으면,

에듀윌과 함께
전기기사 합격이 시작됩니다.

꿈을 실현하는 에듀윌
Real 합격 스토리

이○름 3주 초단기 동차합격

3주 만에 전기기사 취득, 과목별 전문 교수진 덕분

자격증을 따야겠다고 결심했던 시기가 시험 접수 기간이었습니다. 친구들에게 좋은 이야기를 많이 들었던 에듀윌이 생각나서 상담을 받고 본격적인 준비를 시작했습니다. 에듀윌은 과목별로 교수 라인업이 잘 짜여 있고, 취약한 부분은 교수님 별로 다양한 관점의 강의를 들을 수 있어서 많은 도움이 됐습니다. 또, 이 과정을 통해 학습 내용을 정리할 수 있는 점도 정말 좋았습니다.

이○학 3개월 단기 합격

나를 합격으로 이끌어 준 에듀윌 전기기사

공기업 취업을 준비하던 중에 취업에 도움이 될 거라는 생각에 전기기사 자격증 공부를 시작했습니다. 강의를 듣고 난 당일 복습했던 게 빠르게 합격할 수 있었던 이유라고 생각합니다. 아버지께서 에듀윌에서 전기산업기사 준비를 하셔서 자연스럽게 에듀윌을 선택하게 됐습니다. 전문 교수님들이 에듀윌의 가장 큰 장점이라고 생각합니다. 그리고 학습 상황을 객관적으로 파악할 수 있었던 모의고사 서비스도 만족스러웠습니다.

김○연 비전공자 3개월 합격

에듀윌이라 가능했던 3개월 단기 합격

비전공자임에도 불구하고 3개월 만에 전기기사 자격증을 취득할 수 있었습니다. 제게 맞는 강의를 선택할 수 있도록 다양한 콘텐츠를 지원해 준 에듀윌에 감사드립니다. 일반 물리학 정도의 지식만 있던 상태라 강의를 따라가기가 쉽지만은 않았습니다. 하지만 힘들어서 포기하고 싶을 때마다 용기를 주시고 격려해주신 교수님과 학습 매니저 분들에게 정말 감사 인사를 전하고 싶습니다.

다음 합격의 주인공은 당신입니다!

더 많은
합격 비법

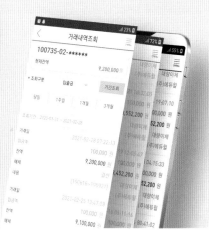

시험 직전, CBT 시험 적응을 위한

최신기출 CBT 모의고사

🖥 PC로 응시하기

1 | 최신 출제경향을 반영한 CBT 모의고사

실제 시험과 동일한 시험 환경 구현
CBT 시험 완벽 대비

에듀윌 전기수험연구소가 직접 복원한
최신기출 CBT 모의고사 3회 제공

> 모의고사 입장하기

1회 | https://eduwill.kr/2yle
2회 | https://eduwill.kr/Dyle
3회 | https://eduwill.kr/Tyle

2 | 학습자 맞춤형 성적분석

전체 응시생의 평균점수 비교를 통한
시험의 난이도와 합격예측 확인

과목별 점수와 난이도를 비교하여
스스로 취약한 부분 확인

STEP 1 모의고사 응시 후 [성적분석] 클릭

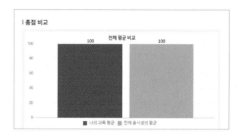

3 | 쉽고 빠르게 확인하는 오답해설

모의고사 채점을 통한 과목별 성적 및
상세한 해설 제공

문제 별 정답률을 확인하여 문제 난이도
를 한눈에 파악

STEP 1 모의고사 응시 후 [채점 결과] 클릭
STEP 2 점수 확인 후 [해설 보기] 클릭

정답: ③
(정답률 : 100%)

문제 신고

반(역)자성체
– 자화될 때 자극이 외부 자성의 자극과 같은 방향으로 자화되는
물체이다.
– 구리, 아연 등이 있다.

📱 Mobile로 응시하기

▼

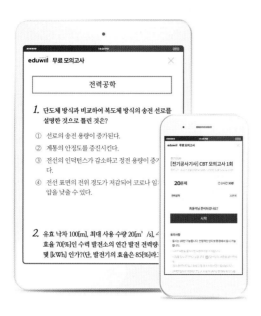

PC 버전 CBT 모의고사의 장점만을 그대로 담았습니다.
QR 코드를 스캔하여 더욱 쉽고 빠르게 서비스를 이용할 수 있습니다.

STEP 1	QR 코드 스캔(하단 참조)
STEP 2	에듀윌 로그인 또는 회원 가입
STEP 3	문제풀이 & 성적분석 & 해설

맞춤형 성적 분석

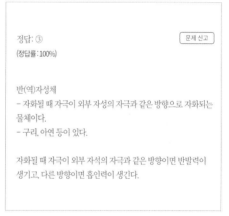

쉽고 빠른 오답해설

CBT 모의고사
QR 코드

1회

2회

3회

* CBT 모의고사는 2025년 1회차 시험 두달 전 제공됩니다.
* CBT 모의고사 유효기간은 2026년 12월 31일까지 입니다.
* 해당 서비스는 내부 사정에 따라 사전 고지 없이 변경 혹은 종료될 수 있습니다.

전기기사 필기 7개년 기출문제집

2주/4주 플래너

2주 플래너

DAY 1	DAY 2	DAY 3	DAY 4	DAY 5	DAY 6	DAY 7
핵심이론노트 (PDF) + 공학용계산기 사용법	2024년 기출문제	2023년 기출문제	2022년 기출문제	2021년 기출문제	2020년 기출문제	2019년 기출문제
완료 ☐	완료 ☐	완료 ☐	완료 ☐	완료 ☐	완료 ☐	완료 ☐
DAY 8	**DAY 9**	**DAY 10**	**DAY 11**	**DAY 12**	**DAY 13**	**DAY 14**
2018년 기출문제 **1회독 완료**	2024년~2021년 기출문제	2020년~2019년 기출문제	2018년 기출문제 + 핵심이론노트 (PDF) **2회독 완료**	2024년~2021년 기출문제	2020년~2018년 기출문제 **3회독 완료**	틀린문제 전체복습
완료 ☐	완료 ☐	완료 ☐	완료 ☐	완료 ☐	완료 ☐	완료 ☐

4주 플래너

DAY 1	DAY 2	DAY 3	DAY 4	DAY 5	DAY 6	DAY 7
핵심이론노트 (PDF) + 공학용계산기 사용법	핵심이론노트 (PDF)	2024년 기출문제	2023년 기출문제	2022년 기출문제	2021년 기출문제	2020년 기출문제
완료 ☐	완료 ☐	완료 ☐	완료 ☐	완료 ☐	완료 ☐	완료 ☐
DAY 8	**DAY 9**	**DAY 10**	**DAY 11**	**DAY 12**	**DAY 13**	**DAY 14**
2019년 기출문제	2018년 기출문제 **1회독 완료**	핵심이론노트 (PDF)	2024년 기출문제	2023년 기출문제	2022년 기출문제	2021년 기출문제
완료 ☐	완료 ☐	완료 ☐	완료 ☐	완료 ☐	완료 ☐	완료 ☐
DAY 15	**DAY 16**	**DAY 17**	**DAY 18**	**DAY 19**	**DAY 20**	**DAY 21**
2020년 기출문제	2019년 기출문제	2018년 기출문제 **2회독 완료**	핵심이론노트 (PDF)	2024년 기출문제	2023년 기출문제	2022년 기출문제
완료 ☐	완료 ☐	완료 ☐	완료 ☐	완료 ☐	완료 ☐	완료 ☐
DAY 22	**DAY 23**	**DAY 24**	**DAY 25**	**DAY 26**	**DAY 27**	**DAY 28**
2021년 기출문제	2020년 기출문제	2019년 기출문제	2018년 기출문제 **3회독 완료**	핵심이론노트 (PDF)	틀린문제 전체복습	기출문제 전체복습
완료 ☐	완료 ☐	완료 ☐	완료 ☐	완료 ☐	완료 ☐	완료 ☐

에듀윌이
너를
지지할게
ENERGY

세상을 움직이려면
먼저 나 자신을 움직여야 한다.

– 소크라테스(Socrates)

에듀윌 전기기사

필기 7개년 기출문제집

전기설비기술기준 & KEC
용어 표준화 및 국문순화

1 용어 표준화 및 국문순화란?

• 용어 변경 및 적용 기간

- 2023년 10월 12일, 산업통상부에서 전기설비기술기준 및 KEC(한국전기설비규정) 내 일본식 한자, 어려운 축약어, 외래어 등의 순화를 위해 용어 변경 관한 사항을 공고하였습니다.
- 변경된 용어가 필기 시험에 언제쯤 적용되는지는 명확하게 공고된 부분은 없으나, 문제 복원을 위해 시험 응시를 한 결과 1문제에서 용어 변경 이슈가 적용된 것을 파악했습니다.

> "수험생 여러분들은 꼭! 변경된 용어를 숙지하여
> 2025년 시험을 대비할 필요가 있습니다."

2 용어 표준화 및 국문순화란?

• 용어 변경 표 제공

- 현 페이지를 기점으로 교재의 우측 페이지 부터 용어 신구 비교표를 확인하실 수 있습니다.
  또한, 하단의 QR 코드를 통해 용어 신구 비교표를 다운받아 학습하실 수 있습니다.

용어 신구 비교표

용어 표준화 및 국문순화 적용
신구비교표(2023. 10. 12 시행)

2025 에듀윌 전기기사 필기 7개년 기출문제집

변경 전	변경 후	적용 예시
가선	전선 설치	• <u>가선</u>(⇨ 전선 설치)방식
경간	지지물 간 거리	• 지지물이 목주일 경우 그 <u>경간</u>(⇨ 지지물 간 거리)은 150[m] 이하일 것
교량	다리	• 전선의 높이를 <u>교량</u>(⇨ 다리)의 노면상 5[m] 이상으로 하여 시설할 것
금구류	금속 부속품	• 케이블을 지지하는 <u>금구류</u>(⇨ 금속 부속품)은 제외
동선	구리선	• 선도체의 단면적이 16[mm^2] 이하인 다상 회로 <u>동선</u>(⇨ 구리선)인 경우
리드선	연결선	• 발열선 또는 <u>리드선</u>(⇨ 연결선)의 피복에 사용하는 금속체
만곡	굽힘	• 브래킷의 애자는 최대 <u>만곡</u>(⇨ 굽힘)하중에 대하여 2.5 이상
말구	위쪽 끝	• 목주의 굵기는 <u>말구</u>(⇨ 위쪽 끝) 지름이 0.09[m] 이상일 것
메시	그물망	• 돌침, 수평도체, <u>메시</u>(⇨ 그물망)도체의 요소
방식조치	부식방지조치	• <u>방식조치</u>(⇨ 부식방지조치)를 한 부분에 대하여는 제외

배기	공기배출 /공기를 배출	• 연료전지내의 연료가스를 자동적으로 배기(⇨ 공기를 배출)하는 장치를 시설할 것
분진	먼지	• 폭연성 분진(⇨ 먼지)이 많은 장소
연가	전선 위치 바꿈	• 장애를 줄 우려가 없는 거리에서 연가(⇨ 전선 위치 바꿈)할 것
연접	이웃 연결	• 저압 연접(⇨ 이웃 연결)인입선에서 분기하는 점
염해	염분 피해	• 공해, 염해(⇨ 염분 피해), 각종 재해의 영향이 적거나 없는 곳을 선정
유희용	놀이용	• 유희용(⇨ 놀이용) 전차의 시설
응동	따라 움직임	• 최소 감도전류 때의 응동(⇨ 따라 움직임) 시간이 1사이클 이하
이격거리	간격	• 전선과 조영재 사이의 이격거리(⇨ 간격)는 0.05[m] 이상일 것
이도	처짐 정도	• 내열 동합금선은 2.2 이상이 되는 이도(⇨ 처짐 정도)로 시설할 것
인류형	잡아당김형	• 인류형(⇨ 잡아당김형)철탑
자복성	자동복구성	• 자복성(⇨ 자동복구성)이 있는 릴레이 보안기
자중	자체중량	• 모듈은 자중(⇨ 자체중량), 적설, 풍압, 지진 및 기타의 진동과 충격에 대하여 탈락하지 아니하도록 지지물에 의하여 견고하게 설치할 것

장간애자	긴애자	• 2련 이상의 현수애자 또는 <u>장간애자</u>(⇨ 긴애자)를 사용
전식	전기부식	• <u>전식</u>(⇨ 전기부식)방지대책
재폐로	재연결	• 자동 <u>재폐로</u>(⇨ 재연결) 차단기
조가용선	조가선	• <u>조가용선</u>(⇨ 조가선)에 행거로 시설할 것
조상기	무효전력 보상장치	• <u>조상기</u>(⇨ 무효전력 보상장치)의 내부에 고장이 생긴 경우
지선	지지선	• <u>지선</u>(⇨ 지지선)의 안전율은 2.5 이상 일 것
지주	지지기둥	• 가공전선과 삭도 또는 삭도용 <u>지주</u>(⇨ 지지기둥) 사이의 간격
차륜	차바퀴	• 철도에 있어서 <u>차륜</u>(⇨ 차바퀴)를 직접 지지하고 안내해서 차량을 안전하게 주행시키는 설비
충격섬락전압	충격불꽃방전전압	• 50[%] <u>충격섬락전압</u>(⇨ 충격불꽃방전전압) 값
커버	덮개	• 본체와 <u>커버</u>(⇨ 덮개) 구분 없이 하나로 구성된 금속덕트공사
키	스위치	• 백열전등의 전구소켓은 <u>키</u>(⇨ 스위치)나 그 밖의 점멸기구가 없는 것

교재 선택의 이유

1 최신 기출 무료특강 제공

* 해당 서비스는 2024년 9월에 오픈 예정입니다.

❶ **2024년 1회, 2회, 3회 최신 기출 무료특강 제공!**
최신 기출 경향을 전문 강사진과 함께하면 이해력은 2배! 학습 효과는 UP!

무료특강
바로가기

2 체계적인 7개년 3회독 학습시스템

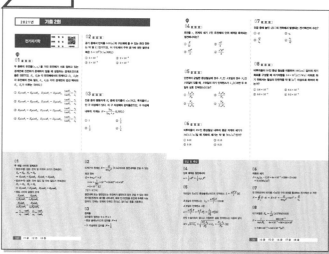

❶ **능력별 풀이 방법 제시**
각자의 학습 수준에 따라 이해할지, 암기할지 선택하여 학습할 수 있도록 [암기 포인트]를 가이드 해 줍니다.

❷ **3회독 체크표 및 자동채점**
3회독 체크표를 통해 꼼꼼하게 학습 계획을 체크할 수 있습니다. 또한 QR 코드를 스캔하여 자동채점 및 성취도를 확인할 수 있습니다.

❸ **문항별 체크표**
각 문항별 체크표에 맞힌 문제, 틀린 문제를 표시하고 다시 확인해 볼 수 있습니다.

3 단기 합격을 돕는 추가 학습 자료

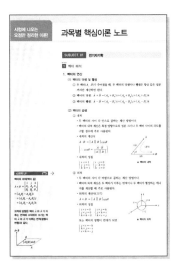

❶ 공학용 계산기 사용법

문제풀이에 자주 쓰이는 계산법을 모았습니다. QR 코드를 스캔하여 무료강의와 함께 효율적인 학습이 가능합니다.

❷ 과목별 핵심이론 노트(PDF 제공)

20년간 출제된 기출문제를 분석하여 많이 출제된 이론만을 모았습니다. 자주 출제된 이론에는 밑줄로 나타내어 중요도를 한눈에 알 수 있습니다. 또한 학습의 효과를 높여줄 개념과 관련된 Tip을 페이지 양단에서 확인할 수 있습니다.

4 CBT 모의고사 3회분 제공

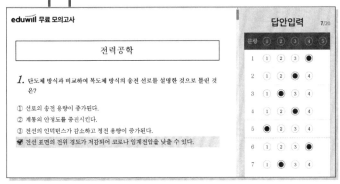

❶ 실제와 동일한 환경

실제 시험과 동일한 환경의 CBT 모의고사를 제공합니다. 이를 통해 실제 시험과 같은 현장감을 느낄 수 있습니다.

❷ 모의고사 3회분 제공

7개년 기출문제를 기반으로 CBT 시험을 총 3회분 제공합니다. 반복 학습으로 CBT 시험에 완벽히 대비할 수 있습니다.

※ CBT 모의고사는 2025년 시험 2달 전 제공
※ CBT 모의고사 경로 안내는 교재 내 광고 '최종 점검 CBT 모의고사'에서 확인

3회독 미션 가이드

전기자기학

	1회독	월	일	
	2회독	월	일	
	3회독	월	일	자동채점

01 ▫ 1 2 3

면적이 $0.02[\text{m}^2]$, 간격이 $0.03[\text{m}]$이고, 공기로 채워진 평행평판의 커패시터에 $1.0 \times 10^{-6}[\text{C}]$의 전하를 충전시킬 때, 두 판 사이에 작용하는 힘의 크기는 약 몇 $[\text{N}]$인가?

① 1.13   ② 1.41
③ 1.89   ④ 2.83

> "
> 효율적인 7개년 3회독 학습만으로도
> 충분히 합격할 수 있습니다.
> "

1회독 미션 무엇을 모르는지 알아야 한다!

STEP 1

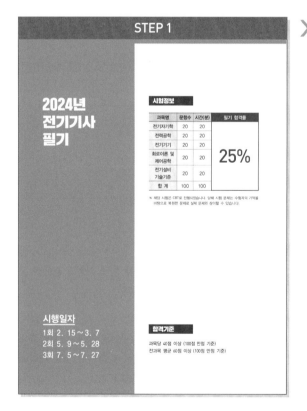

STEP 2

시간 제한(1시간 40분)을 두고 문제를 풉니다. 가급적 제한된 시간을 넘지 않도록 연습하며, 모르는 문제는 너무 많은 시간을 할애하지 않도록 합니다.

채점을 한 뒤 틀렸거나 헷갈리는 문제 또는 찍어서 맞힌 문제 등을 문항 체크표에 표시합니다. 해설을 보며 왜 틀렸는지 확실히 이해해야 합니다.

2회독 미션 아는 것은 더욱 확실하게 한다!

STEP 1

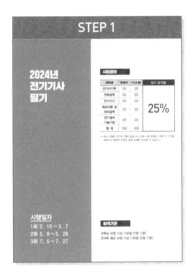

시간 제한(1시간 40분)을 두고 문제를 풉니다. 1회독 시 문항 체크표에 표시한 문제에 특히 집중해야 합니다.

STEP 2

채점을 한 뒤 문항 체크표에 다시 한 번 표시합니다. 1회독 때 체크했던 것을 바탕으로 비교 분석합니다.

STEP 3

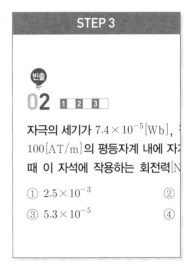

[빈출] 문제는 시험에 자주 출제되었던 문제이므로 확실하게 이해해야 합니다.

3회독 미션 모르는 것은 이제 없다!

STEP 1

시간 제한(1시간 40분)을 두고 문제를 풉니다. 2회독 시 문항 체크표에 표시한 문제 중 두 번 틀린 문제에 집중합니다.

STEP 2

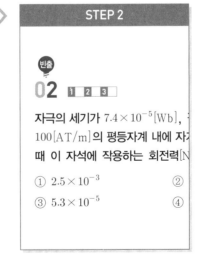

채점 후 문항 체크표에 체크를 하고 비교합니다. 특히 [빈출] 문제는 틀리는 일이 없도록 해설을 보며 충분히 학습하고 이해해야 합니다.

STEP 3

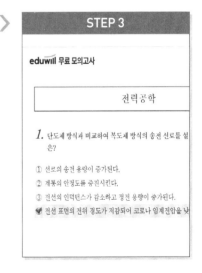

모든 준비가 끝났다면 CBT 모의고사로 최종점검을 합니다.

전기기사 시험 정보

2025 전기기사 시험 일정

구분	필기원서접수 (휴일 제외)	필기시험	필기합격 (예정자) 발표	실기원서접수 (휴일 제외)	실기시험	최종합격 발표
제1회	1월	2~3월	3월	3월	4~5월	5~6월
제2회	4월	5~6월	6월	6월	7~8월	8~9월
제3회	6월	7~8월	8월	9월	10~11월	11~12월

※ 정확한 시험 일정은 큐넷(www.q-net.or.kr) 사이트 참조 요망

• 원서접수 시간은 원서접수 첫 날 10:00부터 마지막 날 18:00까지
• 필기시험 합격(예정)자 및 최종합격자 발표시간은 해당 발표일 09:00

전기기사 시험 정보

구분	시험과목	검정방법	합격기준
필기	• 전기자기학 • 전력공학 • 전기기기 • 회로이론 및 제어공학 • 전기설비기술기준	객관식 4지 택일형, 과목당 20문항 총 1시간 40분	과목당 40점 이상, 전과목 평균 60점 이상 (100점 만점 기준)
실기	전기설비 설계 및 관리	필답형(2시간 30분)	60점 이상(100점 만점 기준)

• 원서접수: 큐넷(www.q-net.or.kr)
• 실시기관: 한국산업인력공단
• 응 시 료: 필기 - 19,400원
　　　　　실기 - 22,600원

전기기사 응시자격

구분		응시자격 조건
전기기능사	자격제한 없음	
전기산업기사	자격증 + 경력	전기기능사 + 실무경력 1년
		실무경력 2년
	관련학과 졸업	관련학과 4년제 대졸 또는 졸업 예정
		관련학과 2, 3년제 대졸 또는 졸업 예정
전기기사	자격증 + 경력	전기산업기사 + 실무경력 1년
		전기기능사 + 실무경력 3년
		실무경력 4년
	관련학과 졸업	관련학과 4년제 대졸 또는 졸업 예정
		관련학과 3년제 대졸 + 실무경력 1년
		관련학과 2년제 대졸 + 실무경력 2년

전기기사 합격률

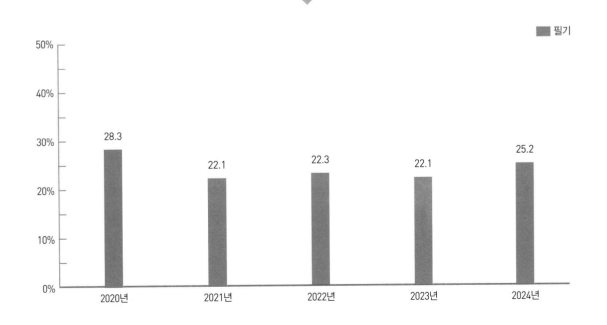

이 책의 순서

전기기사 7개년 기출문제

"

기출 학습 후 CBT 모의고사 3회분으로 최종 점검할 수 있습니다.
CBT 모의고사는 시험 두 달 전인 25년 1월 중 제공됩니다.

"

※ 경로 안내: 교재 내 광고 '최신기출 CBT 모의고사'에서 확인

공학용 계산기 사용법

실전에서 가장 많이 사용하는 계산기 테크닉만을 모았습니다.
무료강의와 함께 학습하면 학습 소화력이 배가 됩니다.

- SUBJECT 01 **연산편**
- SUBJECT 02 **응용편**

공학용 계산기를 사용하여 답을 구하는 계산문제 중 자주 출제되는 유형들을 분석하여 꼭 필요한 것만 담았습니다. 우측의 QR코드를 스캔하여 공학용 계산기 사용법 강의와 함께 학습하면 단기간에 공학용 계산기 사용법을 마스터할 수 있습니다. 공학용 계산기를 사용하여 답을 구하는 계산문제 중 자주 출제되는 유형들을 분석하여 꼭 필요한 것만 담았습니다.

무료강의

※ [공학용 계산기 사용법 편] 본문과 강의에 사용된 계산기 모델은 (CASIO)FX-570ES PLUS입니다. 일부 계산기는 지원되지 않는 기능이 있을 수 있으며, 제시된 입력 순서 외의 방법이 있을 수 있습니다.

전기기사 필기 기출문제 풀이 학습 효율을 돋우기 위한 비법 노트

실전 필수
계산 테크닉!

공학용 계산기 사용법

SUBJECT 01 연산편

1 덧셈

(1) $2+5$

입력 순서: $\boxed{2}$ > $\boxed{+}$ > $\boxed{5}$ > $\boxed{=}$

답 7

(2) $131+26$

입력 순서: $\boxed{1}$ > $\boxed{3}$ > $\boxed{1}$ > $\boxed{+}$ > $\boxed{2}$ > $\boxed{6}$ > $\boxed{=}$

답 157

2 뺄셈

(1) $4-2$

입력 순서: $\boxed{4}$ > $\boxed{-}$ > $\boxed{2}$ > $\boxed{=}$

답 2

(2) $31-132$

입력 순서: $\boxed{3}$ > $\boxed{1}$ > $\boxed{-}$ > $\boxed{1}$ > $\boxed{3}$ > $\boxed{2}$ > $\boxed{=}$

답 -101

3 곱셈

(1) 3×5

입력 순서: $\boxed{3}$ > $\boxed{\times}$ > $\boxed{5}$ > $\boxed{=}$

답 15

(2) 11×32

입력 순서: $\boxed{1}$ > $\boxed{1}$ > $\boxed{\times}$ > $\boxed{3}$ > $\boxed{2}$ > $\boxed{=}$

답 352

4 나눗셈

(1) $8 \div 2$

입력 순서: $\boxed{8}$ > $\boxed{\div}$ > $\boxed{2}$ > $\boxed{=}$

답 4

(2) $568 \div 24$

입력 순서: $\boxed{5}$ > $\boxed{6}$ > $\boxed{8}$ > $\boxed{\div}$ > $\boxed{2}$ > $\boxed{4}$ > $\boxed{=}$

답 $\dfrac{71}{3}$

5 괄호 계산

(1) $3(2+5)$

입력 순서: $\boxed{3}$ > $\boxed{(}$ > $\boxed{2}$ > $\boxed{+}$ > $\boxed{5}$ > $\boxed{)}$ > $\boxed{=}$

답 21

(2) $3(2+5)(4-2)$

입력 순서: $\boxed{3}$ > $\boxed{(}$ > $\boxed{2}$ > $\boxed{+}$ > $\boxed{5}$ > $\boxed{)}$ > $\boxed{(}$ > $\boxed{4}$ > $\boxed{-}$ > $\boxed{2}$ > $\boxed{)}$ > $\boxed{=}$

답 42

6 분수 계산

(1) $\dfrac{1}{3}+\dfrac{1}{2}$

입력 순서: $\boxed{\tfrac{\blacksquare}{\square}}$ > $\boxed{1}$ > $\boxed{\blacktriangledown}$ > $\boxed{3}$ > $\boxed{\blacktriangleright}$ > $\boxed{+}$ > $\boxed{\tfrac{\blacksquare}{\square}}$ > $\boxed{1}$ > $\boxed{\blacktriangledown}$ > $\boxed{2}$ > $\boxed{=}$

답 $\dfrac{5}{6}$

(2) $\dfrac{1}{3\times\dfrac{2}{3}}+\dfrac{1}{2}$

입력 순서: $\boxed{\tfrac{\blacksquare}{\square}}$ > $\boxed{1}$ > $\boxed{\blacktriangledown}$ > $\boxed{3}$ > $\boxed{\times}$ > $\boxed{\tfrac{\blacksquare}{\square}}$ > $\boxed{2}$ > $\boxed{\blacktriangledown}$ > $\boxed{3}$ > $\boxed{\blacktriangleright}$ > $\boxed{\blacktriangleright}$ > $\boxed{+}$ > $\boxed{\tfrac{\blacksquare}{\square}}$ > $\boxed{1}$ > $\boxed{\blacktriangledown}$ > $\boxed{2}$ > $\boxed{=}$

답 1

7 지수 계산

(1) $2^2 + 3^2$

입력 순서: $\boxed{2}$ > $\boxed{x^2}$ > $\boxed{+}$ > $\boxed{3}$ > $\boxed{x^2}$ > $\boxed{=}$

답 13

(2) $(2^2 + 3^4)^2$

입력 순서: $\boxed{(}$ > $\boxed{2}$ > $\boxed{x^2}$ > $\boxed{+}$ > $\boxed{3}$ > $\boxed{x^\blacksquare}$ > $\boxed{4}$ > $\boxed{\blacktriangleright}$ > $\boxed{)}$ > $\boxed{x^2}$ > $\boxed{=}$

답 7,225

8 루트 계산

(1) $\sqrt{2} + \sqrt{3}$

입력 순서: $\boxed{\sqrt{\blacksquare}}$ > $\boxed{2}$ > $\boxed{\blacktriangleright}$ > $\boxed{+}$ > $\boxed{\sqrt{\blacksquare}}$ > $\boxed{3}$ > $\boxed{=}$ > $\boxed{S \Leftrightarrow D}$

답 3.14626437

(2) $\sqrt{2^2 + 3^2}$

입력 순서: $\boxed{\sqrt{\blacksquare}}$ > $\boxed{2}$ > $\boxed{x^2}$ > $\boxed{+}$ > $\boxed{3}$ > $\boxed{x^2}$ > $\boxed{=}$

답 $\sqrt{13}$

SUBJECT 02 응용편

1 삼각함수 계산

(1) $\sin 30° + \cos 30°$

입력 순서: $\boxed{\sin}$ > $\boxed{3}$ > $\boxed{0}$ > $\boxed{)}$ > $\boxed{+}$ > $\boxed{\cos}$ > $\boxed{3}$ > $\boxed{0}$ > $\boxed{)}$ > $\boxed{=}$

답 $\dfrac{1+\sqrt{3}}{2}$

(2) $2\cos 60° \sin 60°$

입력 순서: $\boxed{2}$ > $\boxed{\cos}$ > $\boxed{6}$ > $\boxed{0}$ > $\boxed{)}$ > $\boxed{\sin}$ > $\boxed{6}$ > $\boxed{0}$ > $\boxed{)}$ > $\boxed{=}$

답 $\dfrac{\sqrt{3}}{2}$

(3) $\sin^2(30°) + \cos^3(30°)$

입력 순서: $\boxed{\sin}$ > $\boxed{3}$ > $\boxed{0}$ > $\boxed{)}$ > $\boxed{x^2}$ > $\boxed{+}$ > $\boxed{\cos}$ > $\boxed{3}$ > $\boxed{0}$ > $\boxed{)}$ > $\boxed{x^\blacksquare}$ > $\boxed{3}$ > $\boxed{=}$

답 $\dfrac{2+3\sqrt{3}}{8}$

2 로그함수 계산

(1) $\log(3 \times 9) + \log(10^2)$

입력 순서: $\boxed{\log}$ > $\boxed{3}$ > $\boxed{\times}$ > $\boxed{9}$ > $\boxed{)}$ > $\boxed{+}$ > $\boxed{\log}$ > $\boxed{1}$ > $\boxed{0}$ > $\boxed{x^2}$ > $\boxed{)}$ > $\boxed{=}$

답 3.431363764

(2) $\ln(e) + \ln(e^2)$

입력 순서: $\boxed{\ln}$ > $\boxed{\text{SHIFT}}$ > $\boxed{\ln}$ > $\boxed{1}$ > $\boxed{\blacktriangleright}$ > $\boxed{)}$ > $\boxed{+}$ > $\boxed{\ln}$ > $\boxed{\text{SHIFT}}$ > $\boxed{\ln}$ > $\boxed{2}$ > $\boxed{\blacktriangleright}$ > $\boxed{)}$ > $\boxed{=}$

답 3

(3) $\log(1+99) \times \ln^3(10)$

입력 순서: $\boxed{\log}$ > $\boxed{1}$ > $\boxed{+}$ > $\boxed{9}$ > $\boxed{9}$ > $\boxed{)}$ > $\boxed{\times}$ > $\boxed{\ln}$ > $\boxed{1}$ > $\boxed{0}$ > $\boxed{)}$ > $\boxed{x^\blacksquare}$ > $\boxed{3}$ > $\boxed{=}$

답 24.41614311

3 복소수 계산

(1) $i \times 2$

입력 순서: $\boxed{\text{MODE SETUP}}$ > $\boxed{2}$ > $\boxed{2}$ > $\boxed{\times}$ > $\boxed{\text{ENG}}$ > $\boxed{=}$

답 $2i$

(2) $(5+3i) \times (4-2i)$

입력 순서: | MODE SETUP | > | 2 | > | (| > | 5 | > | + | > | 3 | > | ENG | > |) | > | × | > | (| > | 4 | > | − | > | 2 | > | ENG | > |) | > | = |

답 $26+2i$

4 페이저 계산

(1) $3\angle 60° + 4\angle 30°$

입력 순서: | MODE SETUP | > | 2 | > | 3 | > | SHIFT | > | (−) | > | 6 | > | 0 | > | + | > | 4 | > | SHIFT | > | (−) | > | 3 | > | 0 | > | = |

답 $\dfrac{3+4\sqrt{3}}{2} + \dfrac{4+3\sqrt{3}}{2}i$

(2) $\dfrac{6\angle 45°}{2\angle 15°}$

입력 순서: | MODE SETUP | > | 2 | > | ▪/□ | > | 6 | > | SHIFT | > | (−) | > | 4 | > | 5 | > | ▼ | > | 2 | > | SHIFT | > | (−) | > | 1 | > | 5 | > | = |

답 $\dfrac{3\sqrt{3}}{2} + \dfrac{3}{2}i$

5 역함수(삼각함수) 계산

(1) $\sin^{-1}\left(\dfrac{1}{2}\right)$

입력 순서: | SHIFT | > | sin | > | ▪/□ | > | 1 | > | ▼ | > | 2 | > | ▶ | > |) | > | = |

답 $30°$

(2) $\tan^{-1}\left(\dfrac{4}{3}\right)$

입력 순서: | SHIFT | > | tan | > | ▪/□ | > | 4 | > | ▼ | > | 3 | > | ▶ | > |) | > | = |

답 $53.13010235°$

(3) $\cos^{-1}\left(\dfrac{\sqrt{3}}{3}\right)$

입력 순서: | SHIFT | > | cos | > | ▪/□ | > | √▪ | > | 3 | > | ▼ | > | 3 | > | ▶ | > |) | > | = |

답 $54.73561032°$

6 특수 기호

(1) 진공 유전율 ε_0

입력 순서: [SHIFT] > [7] > [3] > [2] > [=]

📋 $8.854187817 \times 10^{-12}$

예 $\dfrac{1}{4\pi\varepsilon_0} \times \dfrac{3 \times 1}{2^2}$

입력 순서: [$\frac{\blacksquare}{\square}$] > [1] > [▼] > [4] > [SHIFT] > [$\times 10^x$] > [SHIFT] > [7] > [3] >
[2] > [▶] > [×] > [$\frac{\blacksquare}{\square}$] > [3] > [×] > [1] > [▼] > [2] >
[x^2] > [=]

📋 $6{,}740{,}663{,}841$

(2) 진공 투자율 μ_0

입력 순서: [SHIFT] > [7] > [3] > [3] > [=]

📋 $1.256637061 \times 10^{-6}$

예 $\dfrac{1}{4\pi\mu_0} \times \dfrac{3 \times 1}{2^2}$

입력 순서: [$\frac{\blacksquare}{\square}$] > [1] > [▼] > [4] > [SHIFT] > [$\times 10^x$] > [SHIFT] > [7] > [3] >
[3] > [▶] > [×] > [$\frac{\blacksquare}{\square}$] > [3] > [×] > [1] > [▼] > [2] >
[x^2] > [=]

📋 $47{,}494.30483$

2024년 전기기사 필기

시험정보

과목명	문항수	시간(분)	필기 합격률
전기자기학	20	20	
전력공학	20	20	
전기기기	20	20	**25%**
회로이론 및 제어공학	20	20	
전기설비 기술기준	20	20	
합 계	100	100	

※ 해당 시험은 CBT로 진행되었습니다. 당해 시험 문제는 수험자의 기억을 바탕으로 복원한 문제로 실제 문제와 상이할 수 있습니다.

시행일자

1회 2. 15 ~ 3. 7
2회 5. 9 ~ 5. 28
3회 7. 5 ~ 7. 27

합격기준

과목당 40점 이상 (100점 만점 기준)
전과목 평균 60점 이상 (100점 만점 기준)

시험분석

전기자기학	1회	난이도 下		과난도 19 빈출 03, 04, 09, 13, 14
	2회	난이도 中		과난도 18, 19 빈출 05, 10, 11
	3회	난이도 中		과난도 04, 16, 18 빈출 06, 14

전력공학	1회	난이도 下		과난도 39 빈출 21, 22, 40
	2회	난이도 上		과난도 28, 34, 35 빈출 21, 22, 25, 32, 40
	3회	난이도 下		과난도 26, 36 빈출 27

전기기기	1회	난이도 中		과난도 51, 57 빈출 42, 44, 53
	2회	난이도 中		과난도 50, 52 빈출 45, 55, 56, 59
	3회	난이도 中		과난도 41, 47, 55 빈출 48, 52

회로이론 및 제어공학	1회	난이도 中		과난도 73, 76, 80 빈출 63, 67, 74
	2회	난이도 下		과난도 61, 66, 76 빈출 64, 68, 72, 73, 75
	3회	난이도 中		과난도 62 빈출 70, 73, 77

전기설비 기술기준	1회	난이도 上		과난도 92, 97, 99 빈출 84, 87, 93
	2회	난이도 中		과난도 88, 96, 98 빈출 82, 84, 86, 90, 93, 94
	3회	난이도 下		과난도 84, 96, 97 빈출 92, 94

전기자기학

	1회독	월	일
	2회독	월	일
	3회독	월	일	자동채점

01 `1` `2` `3`

유전율 ε, 투자율 μ인 매질 중을 주파수 $f[\mathrm{Hz}]$의 전자파가 전파되어 나갈 때의 파장은 몇 $[\mathrm{m}]$인가?

① $f\sqrt{\varepsilon\mu}$ 　　　　　 ② $\dfrac{1}{f\sqrt{\varepsilon\mu}}$

③ $\dfrac{f}{\sqrt{\varepsilon\mu}}$ 　　　　　 ④ $\dfrac{\sqrt{\varepsilon\mu}}{f}$

02 `1` `2` `3`

한 변의 길이가 $l[\mathrm{m}]$인 정사각형 도체 회로에 전류 $I[\mathrm{A}]$를 흘릴 때 회로의 중심점에서 자계의 세기는 몇 $[\mathrm{AT/m}]$인가?

① $\dfrac{2I}{\pi l}$ 　　　　　 ② $\dfrac{I}{\sqrt{2}\,\pi l}$

③ $\dfrac{\sqrt{2}\,I}{\pi l}$ 　　　　　 ④ $\dfrac{2\sqrt{2}\,I}{\pi l}$

03 `1` `2` `3`

자기 인덕턴스 L_1, L_2와 상호 인덕턴스 M 사이의 결합 계수는?(단, 단위는 $[\mathrm{H}]$이다.)

① $\dfrac{M}{L_1 L_2}$ 　　　　　 ② $\dfrac{L_1 L_2}{M}$

③ $\dfrac{M}{\sqrt{L_1 L_2}}$ 　　　　　 ④ $\dfrac{\sqrt{L_1 L_2}}{M}$

04 `1` `2` `3`

면적이 $S[\mathrm{m}^2]$이고 극간의 거리가 $d[\mathrm{m}]$인 평행판 콘덴서에 비유전율 ε_s의 유전체를 채울 때 정전용량은 몇 $[\mathrm{F}]$인가?

① $\dfrac{2\varepsilon_0\varepsilon_s S}{d}$ 　　　　　 ② $\dfrac{\varepsilon_0\varepsilon_s S}{\pi d}$

③ $\dfrac{\varepsilon_0\varepsilon_s S}{d}$ 　　　　　 ④ $\dfrac{2\pi\varepsilon_0\varepsilon_s S}{d}$

정답 및 해설

01

전파 속도 $v=\lambda f=\dfrac{1}{\sqrt{\mu\varepsilon}}[\mathrm{m/s}]$ 　 $\therefore \lambda=\dfrac{1}{f\sqrt{\mu\varepsilon}}[\mathrm{m}]$

02

구분	정삼각형	정사각형	정육각형
그림	$I[\mathrm{A}]$ $\otimes$ $I[\mathrm{m}]$ $H[\mathrm{AT/m}]$	$I[\mathrm{A}]$ $\otimes$ $I[\mathrm{m}]$ $H[\mathrm{AT/m}]$	$I[\mathrm{A}]$ $\otimes$ $I[\mathrm{m}]$ $H[\mathrm{AT/m}]$
자계의 세기	$H=\dfrac{9I}{2\pi l}[\mathrm{AT/m}]$	$H=\dfrac{2\sqrt{2}\,I}{\pi l}[\mathrm{AT/m}]$	$H=\dfrac{\sqrt{3}\,I}{\pi l}[\mathrm{AT/m}]$

$\therefore$ 정사각형 도체의 중심의 자계의 세기 $H=\dfrac{2\sqrt{2}\,I}{\pi l}[\mathrm{AT/m}]$

03

상호 인덕턴스 $M=k\sqrt{L_1 L_2}[\mathrm{H}]$이므로

결합 계수 $k=\dfrac{M}{\sqrt{L_1 L_2}}$이다.

04

평행판 사이의 전위차 $V=Ed=\dfrac{\rho_s}{\varepsilon}d$

평행판 도체의 정전용량 $C=\dfrac{Q}{V}=\dfrac{\rho_s S}{\dfrac{\rho_s}{\varepsilon}d}=\dfrac{\varepsilon S}{d}=\dfrac{\varepsilon_0\varepsilon_s S}{d}[\mathrm{F}]$

정답 　 01 ② 　 02 ④ 　 03 ③ 　 04 ③

05 ⬜1 2 3⬜

그림과 같은 동축 원통의 왕복 전류회로가 있다. 도체 단면에 고르게 퍼진 일정 크기의 전류가 내부 도체로 흘러 들어가고 외부 도체로 흘러나올 때 전류에 의하여 생기는 자계에 대한 설명으로 옳지 않은 것은?

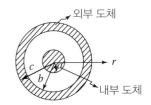

외부 도체
내부 도체

① 내부 도체 내($r < a$)에 생기는 자계의 크기는 중심으로부터 거리에 비례한다.
② 두 도체 사이(내부 공간)($a < r < b$)에 생기는 자계의 크기는 중심으로부터 거리에 반비례한다.
③ 외부 도체 내($b < r < c$)에 생기는 자계의 크기는 중심으로부터 거리에 관계없이 일정하다.
④ 외부 공간($r > c$)의 자계는 영(0)이다.

06 ⬜1 2 3⬜

그림과 같이 비투자율이 μ_{s1}, μ_{s2}인 각각 다른 자성체를 접하여 놓고 θ_1을 입사각이라 하고, θ_2를 굴절각이라 한다. 경계면에 자하가 없는 경우 미소 폐곡면을 취하여 이곳에 출입하는 자속수를 구하면?

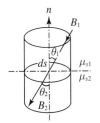

① $\int_l B \cdot n\, dl = 0$
② $\int_S B \cdot n\, dS = 0$
③ $\int_V B \cdot dV = 0$
④ $\int_S B \cdot n \sin\theta\, dS = 0$

05

외부 도체 내($b < r < c$)에 생기는 자계의 크기는 중심으로부터 거리에 따라 변한다.

선지분석

① 내부 도체 내($r < a$)에 생기는 자계의 크기를 H_1이라 하면 H_1은 다음과 같이 중심거리 r에 비례한다.

$$H_1 = \frac{rI}{2\pi a^2}\ [\mathrm{A/m}]$$

② 내부 공간($a < r < b$)에 생기는 자계의 크기를 H_2라고 하면 H_2는 다음과 같이 중심으로부터의 거리 r에 반비례한다.

$$H_2 \cdot 2\pi r = I \rightarrow H_2 = \frac{I}{2\pi r}\ [\mathrm{A/m}]$$

③ 외부 도체 내($b < r < c$)에 생기는 자계의 크기를 H_3이라 하면 H_3는 다음과 같이 중심으로부터의 거리 r에 따라 변한다.

$$H_3 = \frac{I}{2\pi r}\left(1 - \frac{r^2 - b^2}{c^2 - b^2}\right)[\mathrm{A/m}]$$

④ 외부 공간($r > c$)에 생기는 자계의 크기를 H_4라 하면 H_4는 다음과 같이 0이다.

$$H_4 \cdot 2\pi r = I - I = 0 \rightarrow H_4 = 0$$

[참고]
동축 원통의 왕복 전류회로에서 자계의 세기를 구하는 각 공식은 주회적분 법칙에 의해 증명이 가능하지만 증명과정이 복잡하고 기사 합격을 위한 학습에 필요하지 않아 서술하지 않았습니다. 다만, 각 조건별 내용을 파악하는데 공식을 참고하여 학습하시기 바랍니다.

06

자속밀도 $B = \dfrac{\phi}{S} \rightarrow \phi = BS \rightarrow \phi = B\int dS \rightarrow \phi = \int B\, lS$

이때 경계면에서 자속밀도는 수직성분이 일정하므로 면적에 수직인 n 벡터를 내적한다.
그리고 자속밀도 B_1의 수직성분과 자속밀도 B_2의 수직성분은 같으므로 이를 모두 합하면 0이 된다. 즉, 자속 ϕ는 다음과 같이 나타낼 수 있다.

$$\int_s B \cdot n\, dS = 0$$

07

플레밍(Flaming)의 왼손법칙을 나타내는 $F-B-I$에서 F는 무엇인가?

① 전동기 회전자 도체의 운동방향을 나타낸다.
② 발전기 정류자 도체의 운동방향을 나타낸다.
③ 전동기 자극의 운동방향을 나타낸다.
④ 발전기 전기자의 도체 운동방향을 나타낸다.

08

극판 간격 $d[m]$, 면적 $S[m^2]$, 유전율 $\varepsilon[F/m]$이고 정전 용량이 $C[F]$인 평행판 콘덴서에 $v = V_m \sin\omega t[V]$의 전압을 가할 때의 변위 전류$[A]$는?

① $\omega CV_m \cos\omega t$
② $CV_m \sin\omega t$
③ $-CV_m \sin\omega t$
④ $-\omega CV_m \cos\omega t$

09 빈출

유도 기전력의 크기는 폐회로에 쇄교하는 자속의 시간적 변화율에 비례하는 정량적인 법칙은?

① 패러데이 법칙
② 가우스 법칙
③ 암페어의 주회적분 법칙
④ 플레밍의 오른손 법칙

07

• 플레밍의 왼손법칙 : 전동기의 원리로 일정한 자기장 내 도체에 전류를 흘려주면 운동에너지가 발생한다.

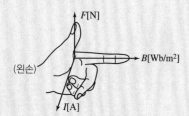

F : 힘(전동기 회전자 도체의 운동방향)
B : 자속밀도
I : 전류

• 플레밍의 오른손법칙: 발전기의 원리로 일정한 자기장 내에서 도선을 움직이면 유도기전력이 발생한다.

08

변위 전류밀도 $i_d = \dfrac{\partial D}{\partial t} = \varepsilon\dfrac{\partial E}{\partial t} = \varepsilon\dfrac{\partial\left(\dfrac{v}{d}\right)}{\partial t} = \dfrac{\varepsilon}{d}V_m\omega\cos\omega t\,[A/m^2]$

변위 전류 $I_d = i_d \times S = \dfrac{\varepsilon}{d}V_m\omega\cos\omega t \times S$

평행판 콘덴서의 정전용량 $C = \dfrac{\varepsilon S}{d}[F]$이므로 $S = \dfrac{C}{\varepsilon}d$이다.

$\therefore I_d = \omega CV_m\cos\omega t\,[A]$

09

• 유도기전력의 크기: 패러데이 법칙
• 유도기전력의 방향: 렌츠의 법칙

10 ☐ 1 ☐ 2 ☐ 3

반지름 $1[\mathrm{mm}]$, 간격 $4[\mathrm{cm}]$인 평행 원통 도체가 공기 중에 있다. 두 원통 도체 사이의 단위 길이당 정전 용량$[\mathrm{F/m}]$은?

① 7.54×10^{-12}　　② 75.4×10^{-12}

③ 9.29×10^{-12}　　④ 92.9×10^{-12}

11 ☐ 1 ☐ 2 ☐ 3

전위가 $1[\mathrm{MV}]$이고 정전 에너지가 $1[\mathrm{J}]$일 때 정전 용량 $C[\mathrm{pF}]$는?

① 1　　② 2

③ 3　　④ 4

12 ☐ 1 ☐ 2 ☐ 3

단면적 $15[\mathrm{cm}^2]$의 자석 근처에 같은 단면적을 가진 철편을 놓을 때 그 곳을 통하는 자속이 $3 \times 10^{-4}[\mathrm{Wb}]$이면 철편에 작용하는 흡인력은 약 몇 $[\mathrm{N}]$인가?

① 12.2　　② 23.9

③ 36.6　　④ 48.8

🔔빈출
13 ☐ 1 ☐ 2 ☐ 3

면전하 밀도 $\rho_s[\mathrm{C/m}^2]$인 2개의 무한 평면판 내부의 전계의 세기$[\mathrm{V/m}]$는?

① $\dfrac{\rho_s}{\varepsilon_0}$　　② $\dfrac{\rho_s}{2\varepsilon_0}$

③ $\dfrac{\rho_s}{2\pi\varepsilon_0}$　　④ $\dfrac{\rho_s}{4\pi\varepsilon_0}$

10

평행 도선 사이의 정전 용량

$$C = \frac{\pi\varepsilon_0}{\ln\dfrac{d}{a}} = \frac{\pi \times 8.854 \times 10^{-12}}{\ln\dfrac{4 \times 10^{-2}}{1 \times 10^{-3}}} = 7.54 \times 10^{-12}[\mathrm{F/m}]$$

(단, a: 반지름$[\mathrm{m}]$, d: 도체 사이 간격$[\mathrm{m}]$, ε_0: 공기 중 유전율
$(= 8.854 \times 10^{-12}[\mathrm{F/m}])$)

11

정전 에너지 $W = \dfrac{1}{2}CV^2$이므로

$$C = \frac{2W}{V^2} = \frac{2 \times 1}{(1 \times 10^6)^2} = 2 \times 10^{-12} = 2[\mathrm{pF}]$$

12

자속 $\phi = BS$이므로 자속밀도 $B = \dfrac{\phi}{S} = \dfrac{3 \times 10^{-4}}{15 \times 10^{-4}} = 0.2[\mathrm{Wb/m}^2]$

단위 면적당 흡인력 $f = \dfrac{B^2}{2\mu_0} = \dfrac{1}{2}\mu_0 H^2 = \dfrac{1}{2}BH[\mathrm{N/m}^2]\ (B = \mu_0 H)$

따라서 철편에 작용하는 흡인력 $F = fS = \dfrac{B^2}{2\mu_0}S[\mathrm{N}]$

$$\therefore F = \frac{(0.2)^2}{2 \times 4\pi \times 10^{-7}} \times 15 \times 10^{-4} ≒ 23.9[\mathrm{N}]$$

13

무한 평면 임의의 도체 표면에서 전계의 세기는 거리(r)와 무관하다.

즉, 2개의 무한 평면 도체 내부의 전계의 세기는 $\dfrac{\rho_s}{\varepsilon_0}$이다.

14 1 2 3

그림과 같은 유전체 경계면에서 전계 E_1, E_2에 대한 관계식으로 옳은 것은?

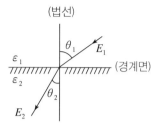

① $E_2 = \dfrac{\cos\theta_1}{\cos\theta_2} E_1$

② $E_2 = \dfrac{\cos\theta_2}{\cos\theta_1} E_1$

③ $E_2 = \dfrac{\sin\theta_2}{\sin\theta_1} E_1$

④ $E_2 = \dfrac{\sin\theta_1}{\sin\theta_2} E_1$

15 1 2 3

대지면에 높이 h로 평행하게 가설된 매우 긴 선 전하가 지면으로부터 받는 힘은?

① h^2에 비례한다.
② h^2에 반비례한다.
③ h에 비례한다.
④ h에 반비례한다.

16 1 2 3

단면적 $4[\text{cm}^2]$의 철심에 $6 \times 10^{-4}[\text{Wb}]$의 자속을 통하게 하려면 $2,800[\text{AT/m}]$의 자계가 필요하다. 이 철심의 비투자율은?

① 43
② 75
③ 324
④ 426

17 1 2 3

자화곡선에 대한 설명으로 틀린 것은?

① 곡선이 횡축과 만나는 점을 보자력이라 한다.
② 자화시키는 방향을 역방향으로 바꿀 때마다 잔류자기에 비례하는 손실이 발생한다.
③ 종축은 자속밀도의 변화를 의미한다.
④ 자계가 0일 때 남아 있는 자기를 잔류자기라고 한다.

정답 및 해설

14

경계면에서 전계의 수평 성분이 같으므로
$E_1 \sin\theta_1 = E_2 \sin\theta_2$ 이다.

$\therefore E_2 = \dfrac{\sin\theta_1}{\sin\theta_2} E_1$

15

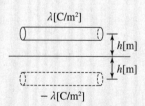

선전하 밀도가 $\lambda[\text{C/m}^2]$인 경우 대지면에 의한 영상 전하에 의해 전계가 발생한다.

전계 $E = -\dfrac{\lambda}{2\pi\varepsilon_0(2h)}[\text{V/m}]$이므로

도선에 작용하는 힘 $F = QE = \lambda l\left(-\dfrac{\lambda}{2\pi\varepsilon_0(2h)}\right) = \dfrac{-\lambda^2 l}{4\pi\varepsilon_0 h}[\text{N}]$

따라서 대지면으로부터 받는 힘은 높이 h에 반비례한다.

16

자속 밀도 $B = \mu_0\mu_s H = \dfrac{\phi}{S}[\text{Wb/m}^2]$이므로

비투자율 $\mu_s = \dfrac{B}{\mu_0 H} = \dfrac{\frac{\phi}{S}}{\mu_0 H} = \dfrac{\frac{6\times10^{-4}}{4\times10^{-4}}}{4\pi\times10^{-7}\times2,800} = 426$이다.

17

자화시키는 방향을 역방향으로 바꿀 때마다 히스테리시스 곡선의 면적에 비례하는 손실이 발생한다.

선지분석
① 횡축과 만나는 점을 보자력이라 하고, 보자력은 잔류 자기를 없애기 위해 필요한 자계의 세기이다.
③ 히스테리시스(자화) 곡선은 횡축에는 자계의 세기를, 종축에는 자속밀도를 나타내어 그린 곡선이다.
④ 종축과 만나는 점을 잔류 자기라고 하며, 잔류자기는 자계를 0으로 해도 강자성체의 내부에 소멸되지 않고 남아있는 자속 밀도 성분이다.

18 123

다음 설명 중 잘못된 것은?

① 초전도체는 임계온도 이하에서 완전 반자성을 나타낸다.
② 자화의 세기는 단위 면적당의 자기 모멘트이다.
③ 상자성체에서 자극 N극을 접근시키면 S극이 유도된다.
④ 니켈, 코발트 등은 강자성체에 속한다.

20 123

유전율이 각각 다른 두 유전체가 서로 경계를 이루며 접해 있다. 다음 중 옳지 않은 것은? (단, 이 경계면에는 진전하분포가 없다고 한다.)

① 경계면에서 전계의 접선성분은 연속이다.
② 경계면에서 전속밀도의 법선성분은 연속이다.
③ 경계면에서 전계와 전속밀도는 굴절한다.
④ 경계면에서 전계와 전속밀도는 불변이다.

19 123

최대 정전 용량 $C_0[\text{F}]$인 그림과 같은 콘덴서의 정전 용량이 각도에 비례하여 변화한다고 한다. 이 콘덴서를 전압 $V[\text{V}]$로 충전하였을 때 회전자에 작용하는 토크는?

① $\dfrac{C_0 V^2}{2}[\text{N}\cdot\text{m}]$

② $\dfrac{C_0^2 V}{2\pi}[\text{N}\cdot\text{m}]$

③ $\dfrac{C_0 V^2}{2\pi}[\text{N}\cdot\text{m}]$

④ $\dfrac{C_0 V^2}{\pi}[\text{N}\cdot\text{m}]$

18
• 자화의 세기는 단위 면적당 자극의 세기이다.
• 초전도체는 반자성 특성을 갖는 자성체 중 하나이다.
• 강자성체에는 철, 니켈, 코발트 등이 있다.

19
정전용량 $C = \dfrac{\theta}{180}\times C_0 = \dfrac{\theta}{\pi}C_0[\text{F}]$

$W = \dfrac{1}{2}CV^2 = \dfrac{1}{2}\dfrac{\theta}{\pi}C_0 V^2[\text{J}]$

$T = \dfrac{\partial W}{\partial \theta} = \dfrac{C_0 V^2}{2\pi}[\text{N}\cdot\text{m}]$

20
• 경계면에서 전계와 전속밀도는 굴절한다.
• 경계면에서 전계의 수평(접선) 성분이 같다(연속).

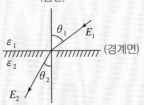

• 경계면에서 전속 밀도의 수직 성분이 같다(연속).

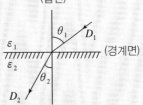

전력공학

1회독	월 일	
2회독	월 일	
3회독	월 일	자동채점

21 1 2 3

$62,000[\mathrm{kW}]$의 전력을 $60[\mathrm{km}]$ 떨어진 지점에서 송전하려면 전압$[\mathrm{kV}]$은? (단, Still의 식에 의하여 산정한다.)

① 66
② 110
③ 140
④ 154

22 1 2 3

송전 선로에서 사용하는 변압기 결선에 $\triangle$ 결선이 포함되어 있는 이유는?

① 직류분의 제거
② 제3고조파의 제거
③ 제5고조파의 제거
④ 제7고조파의 제거

23 1 2 3

차단기의 정격 차단 시간은?

① 고장 발생부터 소호까지의 시간
② 가동 접촉자 시동부터 소호까지의 시간
③ 트립 코일 여자부터 소호까지의 시간
④ 가동 접촉자 개구부터 소호까지의 시간

24 1 2 3

그림과 같은 계통에서 송전선의 S점에 3상 단락고장이 발생하였다면 고장전력은 약 몇 $[\mathrm{MVA}]$인가? (단, 발전기 G_1, G_2의 $\%$과도 리액턴스 및 변압기의 $\%$리액턴스는 각각 자기용량기준으로 25$[\%]$, 25$[\%]$, 10$[\%]$이고 변압기에서 S점까지의 $\%$리액턴스는 100$[\mathrm{MVA}]$기준으로 5$[\%]$라고 한다.)

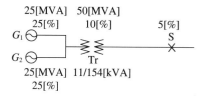

① 82
② 133
③ 154
④ 250

정답 및 해설

21

경제적 송전전압을 구하는 still식은 송전전력과 거리를 이용하여 경제적인 송전전압 V_s를 구할 수 있다.

경제적인 송전전압 $V_s = 5.5\sqrt{0.6L + \dfrac{P}{100}}\,[\mathrm{kV}]$

$\qquad = 5.5\sqrt{0.6 \times 60 + \dfrac{62,000}{100}} = 140.86 ≒ 140[\mathrm{kV}]$

(단, L: 송전거리$[\mathrm{km}]$, P: 송전전력$[\mathrm{kW}]$)

22

$\triangle$ 결선은 변압기 내부에 발생하는 제3고조파 제거가 가능하다.

23

정격차단시간
: 트립코일 여자부터 아크소호까지의 시간(개극시간 + 아크시간)으로 3~8$[\mathrm{Hz}]$이다.

24

계통의 모든 $\%$임피던스를 100$[\mathrm{MVA}]$ 기준으로 환산하면 다음과 같다.

- $G_1 = \dfrac{100}{25} \times 100 = 100[\%]$
- $G_2 = \dfrac{100}{25} \times 100 = 100[\%]$
- $Tr = \dfrac{100}{50} \times 100 = 20[\%]$
- 선로 $= \dfrac{100}{100} \times 5 = 5[\%]$

이때 G_1과 G_2는 병렬 연결되어 있으므로

합성 임피던스 $G = \dfrac{100 \times 100}{100 + 100} = 50[\%]$이다.

그러므로 전체 $\%$임피던스 $\%Z = 50 + 20 + 5 = 75[\%]$이다.

$\therefore$ 고장전력 $P_s = \dfrac{100}{\%Z} \cdot P_n = \dfrac{100}{75} \times 100 = 133.33[\mathrm{MVA}]$

정답 21 ③ 22 ② 23 ③ 24 ②

25 `1` `2` `3`

송·배전 계통에서의 안정도 향상 대책이 아닌 것은?

① 병렬 회선수 증가
② 병렬 콘덴서 설치
③ 직렬 콘덴서 설치
④ 기기의 리액턴스 감소

26 `1` `2` `3`

교류 단상 3선식 배전방식을 교류 단상 2선식과 비교한다면 어떤 차이가 있는가?

① 전압강하가 작고, 효율이 높다.
② 전압강하가 크고, 효율이 높다.
③ 전압강하가 작고, 효율이 낮다.
④ 전압강하가 크고, 효율이 낮다.

27 `1` `2` `3`

경간 $200[\mathrm{m}]$의 지지점이 수평인 가공전선로가 있다. 전선 $1[\mathrm{m}]$의 하중이 $2[\mathrm{kg}]$, 풍압하중은 없는 것으로 하고 전선의 인장하중은 $4{,}000[\mathrm{kg}]$, 안전율 2.2로 하면 이도는 몇 $[\mathrm{m}]$인가?

① 4.7
② 5.0
③ 5.5
④ 6.2

28 `1` `2` `3`

3상 전원에 접속된 $\triangle$결선의 콘덴서를 Y결선으로 바꾸면 진상용량은 $\triangle$결선시의 몇 배인가?

① $\sqrt{3}$
② $\dfrac{1}{3}$
③ $\dfrac{1}{\sqrt{3}}$
④ 3

29 `1` `2` `3`

한류 리액터를 사용하는 가장 큰 목적은?

① 충전 전류의 제한
② 접지 전류의 제한
③ 누설 전류의 제한
④ 단락 전류의 제한

25

- 병렬 콘덴서는 부하의 역률 개선을 통한 전력손실 감소가 주 목적이다.
- ① 병렬 회선수 증가, ③ 직렬 콘덴서 설치 등을 통해 계통의 직렬 리액턴스 감소가 가능하며, ④ 기기의 리액턴스가 감소하면 계통에서 안정도가 증대된다.

26

교류 단상 3선식은 교류 단상 2선식에 비해 승압된 전압을 얻을 수 있음.

- 전압강하 $e = \dfrac{P}{V_r}(R + X\tan\theta) \;\rightarrow\; e \propto \dfrac{1}{V_r}$

교류 단상 3선식은 전압이 높으므로 전압강하는 작다.

- 전력손실 $P_l = \dfrac{P^2 R}{V_r{}^2 \cos\theta^2} \;\rightarrow\; P_l \propto \dfrac{1}{V_r{}^2}$

교류 단상 3선식은 전압이 높으므로 전력손실이 낮아진다.
∴ 전압강하가 작고, 효율이 높다.

27

$$D = \frac{WS^2}{8T} = \frac{2 \times 200^2}{8 \times \dfrac{4{,}000}{2.2}} = 5.5[\mathrm{m}]$$

28

$\triangle$결선 시 $Q_\triangle = 3\omega CV^2$

Y결선 시 $Q_Y = 3\omega C \times \left(\dfrac{V}{\sqrt{3}}\right)^2 = \omega CV^2$ 이므로

$\therefore Q_Y = \dfrac{1}{3}Q_\triangle$

29

한류 리액터는 단락 전류를 제한한다.
한류 리액터는 계통에 직렬로 설치되는 리액터로서

단락 전류 $I_s = \dfrac{100}{\%Z}I_n\,[\mathrm{A}]$에서 분모의 % 임피던스 값을 증가시켜

단락 전류를 제한하는 역할을 한다.

[암기 포인트] 한류 리액터 – 단락 전류 제한

30

화력발전소에서 재열기의 목적은?

① 공기를 가열한다.
② 급수를 가열한다.
③ 증기를 가열한다.
④ 석탄을 건조한다.

31

4단자 정수가 A, B, C, D인 선로에 임피던스가 Z_T인 변압기를 수전단 측에 접속한 계통의 일반 회로 정수를 A_0, B_0, C_0, D_0라 할 때 D_0는?

① $CZ_T + D$
② $AZ_T + D$
③ $BZ_T + D$
④ D

32

유량의 크기를 구분할 때 갈수량이란?

① 하천의 수위 중에서 1년을 통하여 355일간 이보다 내려가지 않는 수위 때의 물의 양
② 하천의 수위 중에서 1년을 통하여 275일간 이보다 내려가지 않는 수위 때의 물의 양
③ 하천의 수위 중에서 1년을 통하여 185일간 이보다 내려가지 않는 수위 때의 물의 양
④ 하천의 수위 중에서 1년을 통하여 95일간 이보다 내려가지 않는 수위 때의 물의 양

33

차단기가 전류를 차단할 때, 재점호가 일어나기 쉬운 차단 전류는?

① 동상 전류
② 지상 전류
③ 진상 전류
④ 단락 전류

---

34 ☐1☐2☐3

어느 발전소에서 $40,000[\text{kWh}]$를 발전하는데 발열량 $5,000$ $[\text{kcal/kg}]$의 석탄을 $20[\text{ton}]$ 사용하였다. 이 화력발전소의 열효율$[\%]$은?

① 27.5 ② 30.4
③ 34.4 ④ 38.5

35 ☐1☐2☐3

$3,000[\text{kW}]$, 역률 $80[\%]$(뒤짐)부하에 전력을 공급하고 있는 변전소에 전력용 콘덴서를 설치하고자 한다. 변전소에서의 역률을 $90[\%]$로 향상시키는 데 필요한 전력용 콘덴서의 용량은 약 몇 $[\text{kVA}]$인가?

① 600 ② 700
③ 800 ④ 900

36 ☐1☐2☐3

승압기에 의하여 전압 V_e에서 V_h로 승압할 때, 2차 정격전압 e, 자기 용량 W인 단상 승압기가 공급할 수 있는 부하 용량은?

① $\dfrac{V_h}{e} \times W$ ② $\dfrac{V_e}{e} \times W$

③ $\dfrac{V_e}{V_h - V_e} \times W$ ④ $\dfrac{V_h - V_e}{V_e} \times W$

37 ☐1☐2☐3

선간전압, 부하역률, 선로손실, 전선중량 및 배전거리가 같다고 할 경우 단상 2선식과 3상 3선식의 1선압 공급전력의 비(단상/3상)는?

① $\dfrac{3}{2}$ ② $\dfrac{1}{\sqrt{3}}$

③ $\sqrt{3}$ ④ $\dfrac{\sqrt{3}}{2}$

34

$\eta = \dfrac{860\,W}{mH} \times 100 = \dfrac{860 \times 40,000}{20 \times 10^3 \times 5,000} \times 100 = 34.4\,[\%]$

(단, W: 발전 용량[kWh], m: 물체의 질량[kg], H: 발열량[kcal/kg])

35

역률 개선 시 콘덴서 용량
$Q_c = P(\tan\theta_1 - \tan\theta_2)[\text{kVA}]$

$= P\left(\dfrac{\sqrt{1-\cos^2\theta_1}}{\cos\theta_1} - \dfrac{\sqrt{1-\cos^2\theta_2}}{\cos\theta_2}\right)[\text{kVA}]$

$= 3,000 \times \left(\dfrac{\sqrt{1-0.8^2}}{0.8} - \dfrac{\sqrt{1-0.9^2}}{0.9}\right) = 797[\text{kVA}]$

36

부하 용량 $= \dfrac{V_h}{e} \times W$ (단, W: 자기용량)

37

단상 2선식의 한 선의 단면적을 A_2
3상 3선식의 한 선의 단면적을 A_3라 하면
- 전선의 중량이 같으므로
  $2A_2 l = 3A_3 l$ (단, l: 전선의 길이[m])

  저항 $R = \rho\dfrac{l}{A}$ 이므로 $\dfrac{A_2}{A_3} = \dfrac{R_3}{R_2} = \dfrac{3}{2}$ 이다.

- 전력 손실이 같으므로
  $2I_2^2 R_2 = 3I_3^2 R_3$

  (단, I_2: 단상 2선식에서 한 선에 흐르는 전류
  I_3: 3상 3선식에서 한 선에 흐르는 전류)

  $\dfrac{I_2^2}{I_3^2} = \dfrac{3R_3}{2R_2} = \left(\dfrac{3}{2}\right)^2 \rightarrow \dfrac{I_2}{I_3} = \dfrac{3}{2}$

∴ 공급 전력의 비

$\dfrac{P_2}{P_3} = \dfrac{VI_2\cos\theta}{\sqrt{3}\,VI_3\cos\theta} = \dfrac{1}{\sqrt{3}} \times \dfrac{I_2}{I_3} = \dfrac{1}{\sqrt{3}} \times \dfrac{3}{2} = \dfrac{\sqrt{3}}{2}$

38 ① ② ③

전력 원선도에서 알 수 없는 것은?

① 조상 용량
② 선로 손실
③ 송전단의 역률
④ 정태 안정 극한 전력

39 ① ② ③

전력계통의 주파수 변동은 주로 무엇의 변화에 기인하는가?

① 유효전력
② 무효전력
③ 계통전압
④ 계통 임피던스

40 ① ② ③

피뢰기가 구비하여야 할 조건으로 옳지 않은 것은?

① 속류의 차단 능력이 충분할 것
② 충격 방전 개시 전압이 높을 것
③ 상용 주파 방전 개시 전압이 높을 것
④ 방전 내량이 크면서 제한 전압이 낮을 것

정답 및 해설

38

전력 원선도에서 알 수 있는 사항
• 전력 계통 전압을 유지하기 위한 조상설비(조상 용량)
• 전력 손실과 송전 효율
• 송·수전할 수 있는 최대 전력(정태 안정 극한 전력)
• 송·수전단 전압 간의 상차각
• 수전단 측의 역률

[참고] 조상설비
조상설비는 전력계통 무효전력을 조정하여 전압 및 역률을 조정하는 설비로서 동기조상기, 전력용(병렬) 콘덴서, 직렬 콘덴서, 병렬(분로) 리액터 등이 있다.

39

• 주파수 변동: 유효전력 조정
• 전압 조정: 무효전력 조정

40

피뢰기 구비 조건
• 속류 차단 능력이 클 것
• 충격 방전 개시 전압이 낮을 것
• 상용 주파 방전 개시 전압이 높을 것
• 제한 전압이 낮을 것

전기기기

1회독	월 일	
2회독	월 일	
3회독	월 일	자동채점

41 1 2 3

분권 전동기의 설명 중 가장 옳은 것은? (단, 무부하의 경우이다)

① 공급전압의 극성을 반대로 하면 회전방향이 바뀐다.
② 공급전압을 증가시키면 회전속도는 별로 변하지 않는다.
③ 분권계자 권선의 계자조정기의 저항을 감소시키면 회전속도는 증가한다.
④ 발전 제동을 하는 경우에 분권 계자 권선의 접속을 반대로 접속한다.

42 (빈출) 1 2 3

동기 발전기의 돌발 단락 전류를 제한하는 것은?

① 권선 저항
② 누설 리액턴스
③ 역상 리액턴스
④ 동기 리액턴스

43 1 2 3

어떤 정류 회로의 부하 전압이 $50[\text{V}]$이고 맥동률 $3[\%]$이면 직류 출력 전압에 포함된 교류분은 몇 $[\text{V}]$인가?

① 1.2
② 1.5
③ 1.8
④ 2.1

44 (빈출) 1 2 3

동기 발전기의 권선을 분포권으로 하면?

① 집중권에 비하여 합성 유도 기전력이 높아진다.
② 권선의 리액턴스가 커진다.
③ 파형이 좋아진다.
④ 난조를 방지한다.

41

회전속도 $N = K\dfrac{E}{\phi} = K\dfrac{V - I_a(R_a + R_s)}{\phi}$ 에서 공급전압 V가 증가할 경우 ϕ도 비례하여 증가하기 때문에 회전속도는 별로 변하지 않는다.

선지 분석
① 공급전압의 극성과 무관하게 회전방향은 변하지 않는다.
③ 계자조정기의 저항이 감소하면 계자전류가 증가하여 자속 ϕ가 증가한다. 이 경우 회전속도는 자속에 반비례하므로 회전속도는 감소한다.
④ 분권 전동기에서의 발전제동은 전동기를 전원에서 분리하고 단자 사이에 저항을 접속하여 발전기에서 발생한 전력을 저항에서 줄 열로 소비시킨다. 발전 제동 시 분권 계자 권선의 접속을 반대로 접속하는 것은 직권 전동기의 경우이다.

42

동기 발전기의 3상 단락 전류
• 돌발 단락 전류: 단락 직후 누설 리액턴스에 의해 제한
• 지속 단락 전류: 단락 후 일정 시간이 지난 뒤 누설 리액턴스와 전기자 반작용에 의해 제한

43

맥동률 $= \dfrac{\text{교류분}}{\text{직류분}}$ 이므로

$\therefore$ 교류분 $=$ 맥동률 $\times$ 직류분 $= 0.03 \times 50 = 1.5[\text{V}]$

44

분포권의 특징
• 집중권에 비해 유기 기전력이 감소한다.
• 권선의 누설 리액턴스가 감소한다.
• 고조파를 감소시켜 기전력의 파형을 개선한다.
• 권선의 과열을 방지한다.

45 1 2 3

동기발전기의 단자 부근에서 단락사고가 발생했다. 이 때 단락 전류에 대한 설명으로 가장 옳은 것은?

① 서서히 증가해서 일정한 전류가 된다.
② 급격히 증가한 후 일정한 전류로 감소한다.
③ 서서히 감소해서 일정 전류가 된다.
④ 서서히 감소하다가 다시 일정 전류 이상으로 증가한다.

46 1 2 3

정현 파형의 회전 자계 중에 정류자가 있는 회전자를 놓으면 각 정류자편 사이에 연결되어 있는 회전자 권선에는 크기가 같고 위상이 다른 전압이 유기된다. 정류자 편수를 K라 하면 정류자편 사이의 위상차는?

① $\dfrac{\pi}{K}$ ② $\dfrac{2\pi}{K}$

③ $\dfrac{K}{\pi}$ ④ $\dfrac{K}{2\pi}$

47 1 2 3

스텝각이 $2°$, 스테핑 주파수(Pulse rate)가 $1,800[\text{pps}]$인 스테핑 모터의 축속도[rps]는?

① 8 ② 10

③ 12 ④ 14

48 1 2 3

변압기의 무부하 시험, 단락 시험에서 구할 수 없는 것은?

① 철손 ② 동손
③ 절연 내력 ④ 전압 변동률

정답 및 해설

45

동기 발전기의 3상 단락 전류

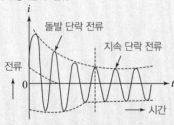

동기 발전기는 3상 단락 사고 시 처음에는 매우 큰 전류가 흐르고 이후 점점 단락 전류가 감소하는 특성이 있다.

46

일반적으로 정류자의 모양은 원통형이므로 정류자 편수가 K인 정류자 편 사이의 위상차는 $\dfrac{2\pi}{K}$이다.

47

• 1초당 회전 각도
  : $2° \times 1,800 = 3,600°$

• 스테핑 전동기의 회전 속도 $n = \dfrac{3,600°}{360°} = 10[\text{rps}]$

  (∵ 1회전 시 $360°$의 각도를 이동하기 때문에 $360°$로 나누어 준다.)

[암기 포인트]
스텝 모터(스테핑 전동기)의 회전각, 속도는 펄스 수에 비례한다.

48

변압기 시험
• 무부하(개방) 시험: 무부하 전류, 철손(히스테리시스손, 와전류손), 여자 어드미턴스를 알 수 있다.
• 단락 시험: 동손(임피던스 와트), 임피던스 전압(전압 변동)을 알 수 있다.

49 1 2 3

반발 기동형 단상 유도 전동기의 회전 방향을 변경하려면?

① 전원의 2선을 바꾼다.
② 주권선의 2선을 바꾼다.
③ 브러시의 접속선을 바꾼다.
④ 브러시의 위치를 조정한다.

50 1 2 3

동기조상기에 대한 설명 중 옳지 않은 것은?

① 무부하로 운전되는 동기전동기로 역률을 개선한다.
② 전압조정이 연속적이다.
③ 중부하시에는 과여자로 운전하여 뒤진 전류를 취한다.
④ 진상, 지상 무효전력을 모두 얻을 수 있다.

51 1 2 3

단상 유도 전압 조정기와 3상 유도 전압 조정기의 비교 설명으로 옳지 않은 것은?

① 모두 회전자와 고정자가 있으며, 한편에 1차 권선을 다른 편에 2차 권선을 둔다.
② 모두 입력전압과 이에 대응한 출력 전압 사이에 위상차가 있다.
③ 단상 유도 전압조정기에는 단락 코일이 필요하나 3상에서는 필요 없다.
④ 모두 회전자의 회전각에 따라 조정된다.

52 1 2 3

2대의 동기 발전기가 병렬 운전하고 있을 때 동기화 전류가 흐르는 경우는?

① 기전력의 크기에 차가 있을 때
② 기전력의 위상에 차가 있을 때
③ 기전력의 파형에 차가 있을 때
④ 부하 분담에 차가 있을 때

49
반발 기동형 단상 유도 전동기
• 기동 시 반발 전동기로 동작시키고 일정 속도에 이르면 유도 전동기로 동작하는 전동기이다.
• 브러시 이동만으로 기동, 정지, 속도 제어, 회전 방향 변경 등이 가능한 장점이 있다.

50
중부하 시에는 지상성분이 많아 과여자(콘덴서)로 작용하여 진상(앞선) 전류를 취한다.

51
3상 유도 전압 조정기는 입력과 출력 전압 사이에 위상차가 있으나 단상 유도 전압 조정기는 위상차가 없다.

구분	단상 유도 전압 조정기	3상 유도 전압 조정기
회전자	교번자계 이용	회전자계 이용
위상차	없음	있음
단락코일	필요함	필요없음

52
동기 발전기의 병렬 운전 조건

병렬 운전 조건	다를 경우 발생하는 전류
유기 기전력의 크기가 같을 것	무효 순환 전류
유기 기전력의 위상이 같을 것	동기화 전류
유기 기전력의 주파수가 같을 것	동기화 전류
유기 기전력의 파형이 같을 것	고조파 무효 순환 전류

53 1 2 3

다음은 단상 직권 정류자 전동기의 개념도이다. C 는 무엇인가?

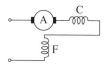

① 제어 권선
② 보상 권선
③ 보극 권선
④ 단층 권선

54 1 2 3

정격출력 $10[\text{kVA}]$, 철손 $120[\text{W}]$, 전부하 동손 $180[\text{W}]$의 단상변압기를 정격전압에서 역률 0.8, 부하 $\frac{3}{4}$ 을 걸었을때의 효율은?

① $96.4[\%]$
② $95.4[\%]$
③ $97.4[\%]$
④ $98.4[\%]$

55 1 2 3

유도 전동기의 원선도에서 원의 지름은?(단, E는 1차 전압, r 은 1차 환산 저항, x는 1차 환산 누설 리액턴스라고 한다.)

① rE에 비례
② $\frac{r}{E}$에 비례
③ $\frac{E}{r}$에 비례
④ $\frac{E}{x}$에 비례

56 1 2 3

극수가 24일 때 전기각 $180°$에 해당되는 기하각은?

① $7.5°$
② $15°$
③ $22.5°$
④ $30°$

정답 및 해설

53

단상 직권 정류자 전동기의 구성
• A: 전기자(Armature)
• C: 보상 권선(Compensating winding)
• F: 계자(Field)

54

$\frac{3}{4}$ 부하 시 효율 $\eta_{\frac{3}{4}} = \dfrac{\frac{3}{4} \times 10 \times 10^3 \times 0.8}{\frac{3}{4} \times 10 \times 10^3 \times 0.8 + 120 + \left(\frac{3}{4}\right)^2 \times 180} \times 100$

$= \dfrac{6,000}{6,221.25} \times 100[\%] = 96.4[\%]$

[참고]

$\frac{1}{m}$ 부하 시 효율 $\eta_{\frac{1}{m}} = \dfrac{\frac{1}{m} VI\cos\theta}{\frac{1}{m} VI\cos\theta + P_i + \left(\frac{1}{m}\right)^2 P_c} \times 100[\%]$

55

원선도의 특성

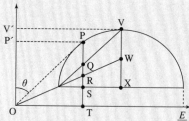

• 원선도의 지름은 $\frac{E}{x}$ 에 비례
• 역률 $\cos\theta = \dfrac{\overline{\text{OP}'}}{\overline{\text{OP}}}$
• 2차 효율 $\eta_2 = \dfrac{\overline{\text{PQ}}}{\overline{\text{PR}}}$

56

기하각 $=$ 전기각 $\times \dfrac{2}{p} = 180° \times \dfrac{2}{24} = 15°$

57 ⊡ 2 3

3상 유도전동기의 공급 전압이 일정하고, 주파수가 정격값보다 감소할 때 다음 현상중 옳지 않은 것은?

① 동기속도가 감소한다.
② 누설 리액턴스가 증가한다.
③ 철손이 약간 증가한다.
④ 역률이 나빠진다.

58 1 2 3

3상 유도 전동기에서 2차 저항을 증가하면 기동 토크는?

① 증가한다.
② 감소한다.
③ 제곱에 반비례 한다.
④ 변하지 않는다.

59 1 2 3

다음 그림은 속도 특성 곡선 및 토크 특성 곡선을 나타낸다. 그림의 특성을 나타내는 전동기로 옳은 것은?

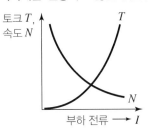

① 직류 분권 전동기
② 직류 직권 전동기
③ 직류 복권 전동기
④ 유도 전동기

60 1 2 3

변압기의 부하 전류 및 전압이 일정하고, 주파수가 낮아 졌을 때의 현상으로 옳은 것은?

① 철손 감소   ② 철손 증가
③ 동손 감소   ④ 동손 증가

57

주파수가 감소하면 2차 주파수도 감소하므로 누설 리액턴스는 감소한다.

선지 분석

① $N_s = \dfrac{120f}{p}$ 이므로 주파수가 감소하면 동기속도도 감소한다.

③ 공급전압이 일정할 경우 철손은 주파수에 반비례하므로 주파수가 감소하면 철손은 증가한다.

④ 역률은 주파수에 비례하므로 주파수가 감소하면 역률이 나빠진다.

58

2차 저항 증가 시 변화

• 기동 전류는 감소하고, 기동 토크가 증가한다.
• 슬립이 증가한다.
• 전부하 효율이 낮아진다.
• 속도가 낮아진다.
• 최대 토크는 2차 저항과 관계없이 변하지 않는다.
• 최대 토크를 발생시키는 슬립은 저항에 따라 변한다.

59

직권 전동기의 속도 – 토크 특성

• 속도 특성

$$N \propto \frac{V - I_a R_a}{\phi} \propto \frac{V - I_a R_a}{I_a}$$

전기자 저항 R_a는 일반적으로 작은 값이므로 회전 속도는 전기자 전류 I_a에 거의 반비례하는 특성을 가진다.

• 토크 특성

$$T \propto I_a^2 \propto \frac{1}{N^2}$$

전기자 전류 I_a는 부하 전류 I와 같으므로 토크 특성 곡선은 부하 전의 제곱에 비례하여 포물선 모양으로 증가하게 된다.

60

히스테리시스손 $P_h \propto \dfrac{E^2}{f}$ 이므로 주파수가 감소하면 히스테리시스손이 증가하고 철손이 증가하게 된다.

61 $\boxed{1}\boxed{2}\boxed{3}$

안정된 제어계의 특성근이 2개의 공액복소근을 가질 때, 이 근들이 허수축 가까이에 있는 경우 허수축에서 멀리 떨어져 있는 안정된 근에 비해 과도응답 영향은 어떻게 되는가?

① 천천히 사라진다.　　② 영향이 같다.
③ 빨리 사라진다.　　④ 영향이 없다.

62 $\boxed{1}\boxed{2}\boxed{3}$

그림과 같은 블록 선도에서 C의 값은?

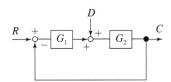

① $C = \dfrac{G_1G_2}{1+G_1G_2}R + \dfrac{G_1}{1+G_1G_2}D$

② $C = \dfrac{G_1G_2}{1+G_1G_2}R + \dfrac{G_2}{1+G_1G_2}D$

③ $C = \dfrac{G_1G_2}{1+G_1G_2}R + \dfrac{G_1G_2}{1+G_1G_2}D$

④ $C = \dfrac{G_1G_2}{1+G_1G_2}R + \dfrac{G_1G_2}{1-G_1G_2}D$

63 $\boxed{1}\boxed{2}\boxed{3}$

다음의 미분방정식으로 표시되는 시스템의 계수 행렬 A는 어떻게 표시되는가?

$$\frac{d^2c(t)}{dt^2}+5\frac{dc(t)}{dt}+3c(t)=r(t)$$

① $\begin{bmatrix} -5 & -3 \\ 0 & 1 \end{bmatrix}$ 　　② $\begin{bmatrix} -3 & -5 \\ 0 & 1 \end{bmatrix}$

③ $\begin{bmatrix} 0 & 1 \\ -3 & -5 \end{bmatrix}$ 　　④ $\begin{bmatrix} 0 & 1 \\ -5 & -3 \end{bmatrix}$

64 $\boxed{1}\boxed{2}\boxed{3}$

주파수는 $1[\text{MHz}]$이고 위상 정수(β)가 $\dfrac{\pi}{8}$일 때 전파 속도는 약 몇$[\text{m/s}]$인가?

① 8×10^6 　　② 16×10^6
③ 20×10^6 　　④ 32×10^6

61

제어계가 안정하려면 가능한 한 허수축에서 좌반 평면($-$평면)상으로 멀리 떨어져서 근이 존재해야 한다. 따라서 허수축에 가까이 있는 근은 허수축에서 멀리 있는 근에 비해 안정하기 위한 과도 응답은 천천히 사라진다.

62

입력이 R과 D 2개이므로

입력 R의 출력 $C_R = \dfrac{G_1G_2}{1+G_1G_2}R$이며

입력 D의 출력 $C_D = \dfrac{G_2}{1+G_1G_2}D$가 된다.

$\therefore C = C_R + C_D = \dfrac{G_1G_2}{1+G_1G_2}R + \dfrac{G_2}{1+G_1G_2}D$가 된다.

63

$\dot{x}_1(t) = x_2(t)$

$\dot{x}_2(t) = -3x_1(t) - 5x_2(t) + r(t)$

$\begin{bmatrix} \dot{x}_1(t) \\ \dot{x}_2(t) \end{bmatrix} = \begin{bmatrix} 0 & 1 \\ -3 & -5 \end{bmatrix}\begin{bmatrix} x_1(t) \\ x_2(t) \end{bmatrix} + \begin{bmatrix} 0 \\ 1 \end{bmatrix}r(t)$이므로

계수행렬 $A = \begin{bmatrix} 0 & 1 \\ -3 & -5 \end{bmatrix}$이다.

64

전파 속도 $v = \dfrac{\omega}{\beta}$이므로

$v = \dfrac{\omega}{\beta} = \dfrac{2\pi f}{\beta} = \dfrac{2\pi \times 1 \times 10^6}{\dfrac{\pi}{8}} = 16 \times 10^6\,[\text{m/s}]$이다.

65 1 2 3

전송선로의 특성 임피던스가 $100[\Omega]$이고, 부하 저항이 $400[\Omega]$일 때, 전압 정재파비 s의 값은 얼마인가?

① 0.25
② 0.8
③ 1.67
④ 4.0

66 1 2 3

제어시스템의 전달 함수가 $T(s) = \dfrac{25}{s^2 + 6s + 25}$과 같이 표현될 때 이 시스템의 고유주파수 $\omega_d[\text{rad/s}]$는?

① 5
② 4
③ 3
④ 2

빈출
67 1 2 3

자동제어의 추치 제어에 속하지 않는 것은?

① 프로세스 제어
② 추종 제어
③ 비율 제어
④ 프로그램 제어

68 1 2 3

자동제어계에서 중량 함수 라고 불리어 지는 것은?

① 인디셜함수
② 임펄스 함수
③ 전달 함수
④ 램프 함수

69 1 2 3

그림과 같은 신호흐름 선도에서 전달 함수 $\dfrac{C(s)}{R(s)}$는?

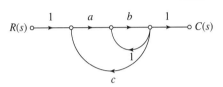

① $\dfrac{ab}{1 + b - abc}$
② $\dfrac{ab}{1 - b - abc}$
③ $\dfrac{ab}{1 - b + abc}$
④ $\dfrac{ab}{1 - ab + abc}$

65

반사계수 $\rho = \dfrac{Z_2 - Z_1}{Z_2 + Z_1} = \dfrac{400 - 100}{400 + 100} = 0.6$이므로

정재파비 $s = \dfrac{1 + \rho}{1 - \rho} = \dfrac{1 + 0.6}{1 - 0.6} = 4$ 이다.

66

2차 지연 요소의 전달 함수 $T(s) = \dfrac{\omega_d^2}{s^2 + 2\zeta\omega_d s + \omega_d^2}$이므로

$\omega_d^2 = 5^2$이다. 즉, 고유주파수 $\omega_d = 5$이다.

67

추치 제어
• 의미: 목표값이 시간 경과할 때마다 변화하는 대상을 제어
• 종류: 추종 제어, 프로그램 제어, 비율 제어

68

임펄스 함수는 여러 가지의 다른 이름으로 나타낼 수 있다.
임펄스 함수＝단위충격 함수＝델타 함수＝하중 함수＝중량 함수

69

$$G(s) = \frac{C(s)}{R(s)} = \frac{\sum \text{경로}}{1 - \sum \text{페루프}}$$

$$= \frac{1 \times a \times b \times 1}{1 - (b \times 1) - (a \times b \times c)} = \frac{ab}{1 - b - abc}$$

70 1 2 3

다음의 신호 흐름 선도에서 $\dfrac{C}{R}$ 는?

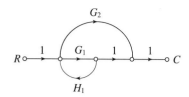

① $\dfrac{G_1 + G_2}{1 - G_1 H_1}$

② $\dfrac{G_1 G_2}{1 - G_1 H_1}$

③ $\dfrac{G_1 + G_2}{1 + G_1 H_1}$

④ $\dfrac{G_1 G_2}{1 + G_1 H_1}$

71 1 2 3

한 상의 임피던스가 $6 + j8[\Omega]$인 $\triangle$부하에 대칭 선간전압 $200[\mathrm{V}]$를 인가할 때 3상 전력은 몇 $[\mathrm{W}]$인가?

① 2,400

② 3,600

③ 7,200

④ 10,800

72 1 2 3

다음 그림의 회로가 나타내는 것은 무엇인지 고르시오.

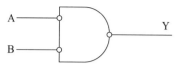

① NOR

② NAND

③ NOT

④ OR

과난도
73 1 2 3

$f(t) = \dfrac{1}{a}(\sin t \cdot \cos t)$ 를 라플라스 변환하면?

① $\dfrac{1}{a}\left(\dfrac{1}{s^2 + 2^2}\right)$

② $a\left(\dfrac{1}{s^2 + 2^2}\right)$

③ $\dfrac{1}{a}\left(\dfrac{2}{s^2 + 2^2}\right)$

④ $a\left(\dfrac{2}{s^2 + 2^2}\right)$

정답 및 해설

70

주어진 신호 흐름 선도의 전달 함수를 구하면 다음과 같다.

$$\dfrac{C}{R} = \dfrac{\sum 경로}{1 - \sum 폐루프} = \dfrac{G_1 + G_2}{1 - (G_1 \times H_1)} = \dfrac{G_1 + G_2}{1 - G_1 H_1}$$

71

$Z = \sqrt{6^2 + 8^2} = 10[\Omega]$, $\triangle$결선은 상전압과 선간전압이 동일하므로

피상 전력 $P_s = 3VI = 3 \times V \times \left(\dfrac{V}{Z}\right) = 3 \times 200 \times \left(\dfrac{200}{10}\right) = 12,000[\mathrm{VA}]$

유효 전력 $P = P_s \cos\theta = 12,000 \times \dfrac{6}{10} = 7,200[\mathrm{W}]$이다.

72

$\supset\!\!\!D = $ NAND $\Rightarrow$ OR

$\supset\!\!\!D = $ NOR $\Rightarrow$ AND

73

$\sin 2t = \sin(t + t) = \sin t \cos t + \cos t \sin t = 2\sin t \cos t$ 이므로

$\sin t \cos t = \dfrac{1}{2}\sin 2t$ 이다.

따라서, $f(t) = \dfrac{1}{a}(\sin t \cos t) = \dfrac{1}{a} \times \dfrac{1}{2} \times \sin 2t$ 이고

주어진 식을 라플라스 변환하면

$F(s) = \dfrac{1}{a} \times \dfrac{1}{2} \times \dfrac{2}{s^2 + 2^2} = \dfrac{1}{a}\left(\dfrac{1}{s^2 + 2^2}\right)$ 이다.

🔆 74 ① ② ③

불평형 3상 전류 $I_a = 15 + j2[A]$, $I_b = -20 - j14[A]$, $I_c = -3 + j10[A]$일 때 영상 전류 $I_0[A]$는?

① $1.57 - j3.25$ ② $2.85 + j0.36$

③ $-2.67 - j0.67$ ④ $12.67 + j2$

75 ① ② ③

아래 회로에서 Z 파라미터 값으로 옳지 않은 것은?

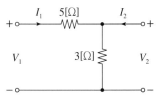

① $Z_{11} = 8[\Omega]$ ② $Z_{12} = 3[\Omega]$

③ $Z_{21} = 3[\Omega]$ ④ $Z_{22} = 5[\Omega]$

🔆 76 ① ② ③

그림과 같은 성형 평형 부하가 선간 전압 220[V]의 대칭 3상 전원에 접속되어 있다. 이 접속선 중에 한 선이 단선되었다고 하면 이 단선된 곳의 양단에 나타나는 전압은 몇 [V]인가? (단, 전원 전압은 변화하지 않는 것으로 한다.)

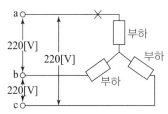

① 110 ② $110\sqrt{3}$

③ 220 ④ $220\sqrt{3}$

77 ① ② ③

대칭 5상 교류 성형 결선에서 선간전압과 상전압 간의 위상차는 몇 도인가?

① $27°$ ② $36°$

③ $54°$ ④ $72°$

74

영상 전류 $I_0 = \dfrac{1}{3}(I_a + I_b + I_c)[A]$

$\quad = \dfrac{1}{3}(15 + j2 - 20 - j14 - 3 + j10)[A]$

$\quad = -2.67 - j0.67[A]$

75

- $Z_{11} = 5 + 3 = 8[\Omega]$
- $Z_{12} = Z_{21} = 3[\Omega]$
- $Z_{22} = 0 + 3 = 3[\Omega]$

76

• 단선 전 전압 벡터도

• 단선된 후 중성점 O는 $b-c$ 선상의 중앙에 있다고 볼 수 있다. 단선된 후 a단자와 중성점 O간의 전압을 구하면

$\therefore V_{ao} = 220 \times \sin 60° = 220 \times \dfrac{\sqrt{3}}{2} = 110\sqrt{3}[V]$

77

위상차 $\theta = \dfrac{\pi}{2}\left(1 - \dfrac{2}{n}\right) = 90° \times \left(1 - \dfrac{2}{5}\right) = 54°$

78 ▪1▪2▪3▪

1상의 직렬 임피던스가 $R = 6[\Omega]$, $X_L = 8[\Omega]$인 $\triangle$결선의 평형 부하가 있다. 여기에 선간 전압 100[V]인 대칭 3상 교류 전압을 인가하면 선전류는 몇 [A]인가?

① $3\sqrt{3}$ 　　　　② $\dfrac{10\sqrt{3}}{3}$

③ 10 　　　　④ $10\sqrt{3}$

79 ▪1▪2▪3▪

회로에서 전압 $V_{ab}[V]$는?

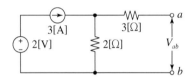

① 2 　　　　② 3

③ 6 　　　　④ 9

그림과 같은 $R - C$ 병렬 회로에서 전원 전압이 $e(t) = 3e^{-5t}[V]$인 경우 이 회로의 임피던스는?

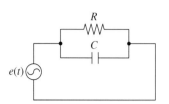

① $\dfrac{j\omega RC}{1 + j\omega RC}$ 　　　　② $\dfrac{R}{1 - 5RC}$

③ $\dfrac{R}{1 + RCs}$ 　　　　④ $\dfrac{1 + j\omega RC}{R}$

정답 및 해설

78

$$I_l = \sqrt{3}\,I_p = \sqrt{3} \times \frac{V_p}{Z_p} = \sqrt{3} \times \frac{100}{\sqrt{6^2 + 8^2}} = 10\sqrt{3}[A]$$

79

• 전압원 2[V]만 인가 시(전류원 개방)
　전류원이 개방된 상태이므로 $V_{ab}{}' = 0[V]$
• 전류원 3[A]만 인가 시(전압원 단락)

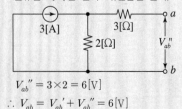

$V_{ab}{}'' = 3 \times 2 = 6[V]$
∴ $V_{ab} = V_{ab}{}' + V_{ab}{}'' = 6[V]$

80

$R - C$ 병렬 회로이므로 합성 임피던스는

$$Z = \frac{R \times \dfrac{1}{j\omega C}}{R + \dfrac{1}{j\omega C}} = \frac{R}{1 + j\omega RC}[\Omega]$$

이때, 문제에 주어진 전원 전압 $e(t) = 3e^{j\omega t} = 3e^{-5t}[V]$에서 $j\omega = -5$가 되므로 $Z = \dfrac{R}{1 + j\omega RC} = \dfrac{R}{1 - 5RC}[\Omega]$이다.

전기설비기술기준

1회독	월	일
2회독	월	일
3회독	월	일	자동채점

81 [1] [2] [3]

옥내 배선공사 중 반드시 절연전선을 사용하지 않아도 되는 공사방법은?(단, 옥외용 비닐절연전선은 제외한다.)

① 금속관공사   ② 버스덕트공사
③ 합성수지관공사   ④ 플로어덕트공사

82 [1] [2] [3]

특고압 가공전선로의 지지물 양쪽의 지지물 간 거리(경간)의 차가 큰 곳에 사용되는 철탑은?

① 내장형 철탑   ② 인류형 철탑
③ 각도형 철탑   ④ 보강형 철탑

83 [1] [2] [3]

사용전압이 $380[V]$인 저압 보안공사에 사용되는 경동선은 그 지름이 최소 몇 $[mm]$ 이상의 것을 사용하여야 하는가?

① 2.0   ② 2.6
③ 4   ④ 5

84 [1] [2] [3]

"제2차 접근상태"라 함은 가공전선이 다른 시설물과 접근하는 경우에 그 가공전선이 다른 시설물의 위쪽 또는 옆에서 수평거리로 몇 $[m]$ 미만인 곳에 시설되는 상태를 말하는가?

① 1.2   ② 2
③ 2.5   ④ 3

81
나전선의 사용 제한(한국전기설비규정 231.4)
옥내에 시설하는 저압 전선은 다음의 경우를 제외하고 나전선을 사용하여서는 아니 된다.
• 애자사용공사
• 버스덕트공사에 의하여 시설하는 경우
• 라이팅덕트공사에 의하여 시설하는 경우
• 접촉 전선을 시설하는 경우

[암기 포인트] 나전선과 사용 가능
주요 키워드: 애자, 버스덕트, 라이팅덕트, 접촉 전선

82
특고압 가공전선로의 철주·철근 콘크리트주 또는 철탑의 종류(한국전기설비규정 333.11)
• 직선형: 전선로의 직선 부분(3° 이하의 수평각도를 이루는 곳 포함)에 사용되는 것. 다만, 내장형 및 보강형에 속하는 것을 제외한다.
• 각도형: 전선로 중 3°를 초과하는 수평각도를 이루는 곳에 사용하는 것

• 잡아 당김형(인류형): 전가섭선을 잡아당기는(인류하는) 곳에 사용하는 것
• 내장형: 전선로의 지지물 양쪽의 지지물 간 거리(경간)의 차가 큰 곳에 사용하는 것
• 보강형: 전선로의 직선 부분에 그 보강을 위하여 사용하는 것

83
저압 보안공사(한국전기설비규정 222.10)
전선은 케이블인 경우 이외에는 인장강도 8.01[kN] 이상의 것 또는 지름 5[mm](사용 전압이 400[V] 이하인 경우에는 인장강도 5.26[kN] 이상의 것 또는 지름 4[mm] 이상의 경동선) 이상의 경동선이어야 한다.

84
용어 정의(한국전기설비규정 112)
제2차 접근상태: 가공전선이 다른 시설물과 접근하는 경우에 그 가공전선이 다른 시설물의 위쪽 또는 옆쪽에서 수평거리로 3[m] 미만인 곳에 시설되는 상태를 말한다.

85 1 2 3

고압 가공전선의 높이는 철도 또는 궤도를 횡단하는 경우 레일 면상 몇 [m] 이상이어야 하는가?

① 5   ② 5.5
③ 6   ④ 6.5

86 1 2 3

급전선에 대한 설명으로 틀린 것은?

① 급전선은 비절연보호도체, 매설접지도체, 레일 등으로 구성하여 단권변압기 중성점과 공통접지에 접속한다.
② 가공식은 전차선의 높이 이상으로 전차선로 지지물에 병가하며, 나전선의 접속은 직선접속을 원칙으로 한다.
③ 선상승강장, 인도교, 과선교 또는 교량 하부 등에 설치할 때에는 최소 절연이격거리 이상을 확보하여야 한다.
④ 신설 터널 내 급전선을 가공으로 설계할 경우 지지물의 취부는 C찬넬 또는 매입전을 이용하여 고정하여야 한다.

빈출 87 1 2 3

고압용의 개폐기 · 차단기 · 피뢰기 기타 이와 유사한 기구로서 동작 시에 아크가 생기는 것은 가연성 물체로부터 몇 [m] 이상 이격하여야 하는가?

① 0.5   ② 1
③ 1.5   ④ 2

88 1 2 3

$100[kV]$ 미만인 특고압 가공전선로를 인가가 밀집한 지역에 시설할 경우 전선로에 사용되는 전선의 단면적이 몇 $[mm^2]$ 이상의 경동연선이어야 하는가?

① 38   ② 55
③ 100   ④ 150

정답 및 해설

85

고압 가공전선의 높이(한국전기설비규정 332.5)

설치장소		가공전선의 높이
도로 횡단		지표상 6[m] 이상
철도 또는 궤도 횡단		레일면상 6.5[m] 이상
횡단보도교 위	저압	노면상 3.5[m] 이상 단, 절연전선 또는 케이블인 경우 3[m] 이상
	고압	노면상 3.5[m] 이상
일반장소		지표상 5[m] 이상. 단, 절연전선 또는 케이블을 사용한 저압 가공전선으로서 교통에 지장이 없도록 하여 옥외조명용에 공급하는 경우 4[m]까지 감할 수 있다.

86

급전선로(한국전기설비규정 431.4)
· 급전선은 나전선을 적용하여 가공식으로 가설을 원칙으로 한다.
· 가공식은 전차선의 높이 이상으로 전차선로 지지물에 병행 설치(병가)하며, 나전선의 접속은 직선접속을 원칙으로 한다.
· 선상승강장, 인도교, 과선교 또는 교량(다리) 하부 등에 설치할 때에는 최소 절연 간격(이격거리) 이상을 확보하여야 한다.
· 신설 터널 내 급전선을 가공으로 설계할 경우 지지물의 취부는 C찬넬 또는 매입전을 이용하여 고정하여야 한다.

87

아크를 발생하는 기구의 시설(한국전기설비규정 341.7)
고압용 또는 특고압용의 개폐기 · 차단기 · 피뢰기 기타 이와 유사한 기구로서 동작 시에 아크가 생기는 것은 목재의 벽 또는 천장 기타의 가연성 물체로부터 표에서 정한 값 이상 이격하여 시설하여야 한다.

기구 등의 구분	간격
고압용의 것	1[m] 이상
특고압용의 것	2[m] 이상 (사용전압이 35[kV] 이하의 특고압용의 기구 등으로서 동작할 때에 생기는 아크의 방향과 길이를 화재가 발생할 우려가 없도록 제한하는 경우에는 1[m] 이상)

88

시가지 등에서 특고압 가공전선로의 시설(한국전기설비규정 333.1)

사용전압의 구분	전선
100[kV] 미만	인장강도 21.67[kN] 이상의 연선 또는 단면적 55[mm²] 이상의 경동연선 또는 동등 이상의 인장강도를 갖는 알루미늄 전선이나 절연전선
100[kV] 이상	인장강도 58.84[kN] 이상의 연선 또는 단면적 150[mm²] 이상의 경동연선 또는 동등 이상의 인장강도를 갖는 알루미늄 전선이나 절연전선

89 `1` `2` `3`

중성선 다중접지식으로 전로에 지락이 생겼을 때에 2초 이내에 자동적으로 이를 전로로부터 차단하는 장치가 되어 있는 $22.9[\text{kV}]$ 가공전선을 상부 조영재의 위쪽에서 접근 상태로 시설하는 경우, 가공전선과 건조물과의 최소 간격(이격거리)은 몇 $[\text{m}]$인가?(단, 전선으로는 나전선을 사용한다.)

① 1.2
② 2
③ 2.5
④ 3

90 `1` `2` `3`

고압 가공인입선이 케이블 이외의 것으로서 그 전선의 아래쪽에 위험표시를 하였다면 전선의 지표상 높이는 몇 $[\text{m}]$까지 감할 수 있는가?

① 2.5
② 3.5
③ 4.5
④ 5.5

91 `1` `2` `3`

전차선로의 직류방식의 급전전압 종류와 각 전압별 직류(DC) 평균값에 대한 최고, 최저 전압 구분 중 틀린 것은?

① 최고 영구전압, 900, 1800
② 공칭 전압, 750, 1500
③ 장기 과전압, 950, 1950
④ 최저 영구전압, 500, 900

92 `1` `2` `3`

정격전류가 $63[\text{A}]$를 초과하는 주택용 배선차단기의 부동작 전류와 동작 전류는 정격전류의 몇 배인가?

① 부동작 전류: 1.05배, 동작 전류: 1.3배
② 부동작 전류: 1.13배, 동작 전류: 1.45배
③ 부동작 전류: 1.5배, 동작 전류: 2배
④ 부동작 전류: 1.25배, 동작 전류: 1.6배

89

25[kV] 이하인 특고압 가공전선로의 시설(한국전기설비규정 333.32)
사용전압이 15[kV]를 초과하고 25[kV] 이하인 특고압 가공전선로(중성선 다중접지 방식의 것으로서 전로에 지락이 생겼을 때에 2초 이내에 자동적으로 이를 전로로부터 차단하는 장치가 되어 있는 것에 한한다)를 다음에 따라 시설하여야 한다.
• 특고압 가공전선이 건조물과 접근하는 경우에 특고압 가공전선과 건조물의 조영재 사이의 간격(이격거리)은 다음 표에서 정한 값 이상일 것

건조물의 조영재	접근형태	전선의 종류	간격[m]
상부 조영재	위쪽	나전선	3.0
		특고압 절연전선	2.5
		케이블	1.2
	옆쪽 또는 아래쪽	나전선	1.5
		특고압 절연전선	1.0
		케이블	0.5
기타의 조영재	-	나전선	1.5
		특고압 절연전선	1.0
		케이블	0.5

90

고압 가공인입선의 시설(한국전기설비규정 331.12.1)
• 인장강도 8.01[kN] 이상의 고압 절연전선, 특고압 절연전선 또는 지름 5[mm] 이상의 경동선 사용
• 고압 가공인입선의 높이는 지표상 3.5[m]까지 감할 수 있다.(전선의 아래쪽에 위험표시를 할 경우)
• 고압 이웃 연결(연접) 인입선은 시설하여서는 안 된다.

91

전차선로의 전압(한국전기설비규정 411.2)

구분	최저 영구전압 [V]	공칭 전압 [V]	최고 영구전압 [V]	최고 비영구 전압[V]	장기 과전압 [V]
직류 (평균값)	500	750	900	950	1,269
	900	1,500	1,800	1,950	2,538

92

주택용 배선차단기의 특성(한국전기설비규정 212.3.4)

정격전류의 구분	시간	정격전류의 배수 (모든 극에 통전)	
		부동작 전류	동작 전류
63[A] 이하	60분	1.13배	1.45배
63[A] 초과	120분	1.13배	1.45배

93 ☐1 ☐2 ☐3

전력보안통신설비의 무선용 안테나 등을 지지하는 철근 콘크리트주 또는 철탑의 기초 안전율은 얼마 이상이어야 하는가?

① 1.2　　　　　　② 1.33
③ 1.5　　　　　　④ 1.8

94 ☐1 ☐2 ☐3

최대 사용전압이 22,900[V]인 3상 4선식 중성선 다중접지식 전로와 대지 사이의 절연내력 시험전압은 몇 [V]인가?

① 32,510　　　　　② 28,752
③ 25,229　　　　　④ 21,068

95 ☐1 ☐2 ☐3

풍력터빈의 피뢰설비 시설기준에 대한 설명으로 틀린 것은?

① 풍력터빈에 설치한 피뢰설비(리셉터, 인하도선 등)의 기능저하로 인해 다른 기능에 영향을 미치지 않을 것
② 풍력터빈의 내부의 계측 센서용 케이블은 금속관 또는 차폐 케이블 등을 사용하여 뇌유도과전압으로부터 보호할 것
③ 풍력터빈에 설치하는 인하도선은 쉽게 부식되지 않는 금속선으로서 뇌격전류를 안전하게 흘릴 수 있는 충분한 굵기여야 하며, 가능한 직선으로 시설할 것
④ 수뢰부를 풍력터빈 중앙부분에 배치하되 뇌격전류에 의한 발열에 용손(溶損)되지 않도록 재질, 크기, 두께 및 형상 등을 고려할 것

93

무선용 안테나 등을 지지하는 철탑 등의 시설(한국전기설비규정 364.1)
전력보안통신설비인 무선통신용 안테나를 지지하는 목주·철주·철근 콘크리트주 또는 철탑은 다음에 따라 시설하여야 한다.
• 목주는 풍압하중에 대한 안전율은 1.5 이상이어야 한다.
• 철주·철근 콘크리트주 또는 철탑의 기초 안전율은 1.5 이상이어야 한다.

94

전로의 절연저항 및 절연내력(한국전기설비규정 132)

접지방식	최대 사용전압		시험전압 (최대 사용 전압 배수)	최저 시험전압
비접지		7[kV] 이하	1.5배	−
		7[kV] 초과 60[kV] 이하	1.25배	10.5[kV]
		60[kV] 초과	1.25배	−
중성점 접지		60[kV] 초과	1.1배	75[kV]
중성점 직접접지		60[kV] 초과 170[kV] 이하	0.72배	−
		170[kV] 초과	0.64배	
중성점 다중접지		7[kV] 초과 25[kV] 이하	0.92배	−

∴ 22,900×0.92 ≒ 21,068[V]

95

풍력터빈의 피뢰설비(한국전기설비규정 532.3.5)
풍력터빈의 피뢰설비는 다음에 따라 시설하여야 한다.
• 풍력터빈에 설치한 피뢰설비(리셉터, 인하도선 등)의 기능저하로 인해 다른 기능에 영향을 미치지 않을 것
• 풍력터빈에 설치하는 인하도선은 쉽게 부식되지 않는 금속선으로서 뇌격전류를 안전하게 흘릴 수 있는 충분한 굵기여야 하며, 가능한 직선으로 시설할 것
• 풍력터빈의 내부의 계측 센서용 케이블은 금속관 또는 차폐 케이블 등을 사용하여 뇌유도과전압으로부터 보호할 것
• 수뢰부를 풍력터빈 선단부분 및 가장자리에 배치하되 뇌격전류에 의한 발열에 녹아서 손상(용손)되지 않도록 재질, 크기, 두께 및 형상 등을 고려할 것

96 1 2 3

전기저장장치를 일반인이 출입하는 건물의 부속공간에 시설하는 경우 이차전지랙과 벽면 사이의 이격거리는 몇 [m] 이상인가?(단, 전면부인 경우이고, 예외조항은 고려하지 않는다.)

① 0.8[m]
② 0.9[m]
③ 1.0[m]
④ 1.2[m]

97 1 2 3

사무실 건물의 조명설비에 사용되는 백열전등 또는 방전등에 전기를 공급하는 옥내전로의 대지전압은 몇 [V] 이하인가?

① 250
② 300
③ 350
④ 400

98 1 2 3

교통신호등 회로의 사용전압은 몇 [V] 이하이어야 하는가?

① 110[V]
② 220[V]
③ 300[V]
④ 380[V]

99 1 2 3

직류 750[V]의 전차선과 차량 간의 최소 절연간격(이격거리)은 동적일 경우 몇 [mm]인가?

① 25
② 100
③ 150
④ 170

100 1 2 3

주택용 배선차단기의 B형 순시트립 범위로 알맞은 것은?

① $3I_n$ 초과~$5I_n$ 이하
② $5I_n$ 초과~$10I_n$ 이하
③ $10I_n$ 초과~$20I_n$ 이하
④ $5I_n$ 초과~$20I_n$ 이하

96

전용건물 이외의 장소에 시설하는 경우(한국전기설비규정 512.1.6)
전기저장장치를 일반인이 출입하는 건물의 부속공간에 시설(옥상에는 설치할 수 없다)하는 경우에는 다음에 따라 시설하여야 한다.
• 이차전지랙과 랙 사이 이격거리: 1[m] 이상
• 랙과 벽면 사이 이격거리(전면부): 1[m] 이상
• 랙과 벽면 사이 이격거리(측면, 후면부): 0.8[m] 이상

97

옥내전로의 대지 전압의 제한(한국전기설비규정 231.6)
백열전등(전기스탠드 등 제외) 또는 방전등에 전기를 공급하는 옥내 전로의 대지전압은 300[V] 이하이어야 한다.

98

교통신호등(한국전기설비규정 234.15)
교통신호등 제어장치의 2차측 배선의 최대사용전압은 300[V] 이하이어야 한다.

99

전차선로의 충전부와 차량 간의 절연이격(한국전기설비규정 431.3)
차량과 전차선로나 충전부 간의 절연이격은 다음 표에 제시되어 있는 정적 및 동적 최소 절연간격(이격거리) 이상을 확보하여야 한다. 동적 절연이격의 경우 팬터그래프가 통과하는 동안의 일시적인 전선의 움직임을 고려하여야 한다.

시스템 종류	공칭전압[V]	동적[mm]	정적[mm]
직류	750	25	25
	1,500	100	150
단상교류	25,000	170	270

100

순시트립에 따른 구분(주택용 배선차단기)(한국전기설비규정 212.3.4)

형	순시트립범위
B	$3I_n$ 초과~$5I_n$ 이하
C	$5I_n$ 초과~$10I_n$ 이하
D	$10I_n$ 초과~$20I_n$ 이하

∴ I_n : 차단기 정격전류 [A]

전기자기학

1회독	월	일
2회독	월	일
3회독	월	일

자동채점

01 ⊡ ② ③

공기 중에 반지름이 $1[\mathrm{m}]$인 도체구의 중심으로부터 $5[\mathrm{m}]$떨어진 곳의 전위가 $2[\mathrm{V}]$일 때 도체구 표면에 작용하는 정전응력 $[\mathrm{J/m^3}]$은?

① 9.9×10^{-10}
② 7.7×10^{-10}
③ 4.4×10^{-10}
④ 2.2×10^{-10}

02 ① ② ③

공간 내의 한 점에 있어서 자속이 시간적으로 변화하는 경우에 성립하는 식은?

① $\nabla \times \dot{E} = \dfrac{\partial \dot{H}}{\partial t}$
② $\nabla \times \dot{E} = -\dfrac{\partial \dot{H}}{\partial t}$
③ $\nabla \times \dot{E} = \dfrac{\partial \dot{B}}{\partial t}$
④ $\nabla \times \dot{E} = -\dfrac{\partial \dot{B}}{\partial t}$

03 ① ② ③

한 변의 길이가 $l[\mathrm{m}]$인 정삼각형 회로에 전류 $I[\mathrm{A}]$가 흐르고 있을 때 삼각형 중심에서의 자계의 세기$[\mathrm{AT/m}]$는?

① $\dfrac{\sqrt{2}\,I}{3\pi l}$
② $\dfrac{9I}{\pi l}$
③ $\dfrac{2\sqrt{2}\,I}{3\pi l}$
④ $\dfrac{9I}{2\pi l}$

정답 및 해설

01

$5[\mathrm{m}]$ 거리의 전위 $V = \dfrac{Q}{4\pi \varepsilon r} = \dfrac{Q}{20\pi \varepsilon} = 2[\mathrm{V}]$이고,

전계 $E = \dfrac{V}{r} = \dfrac{Q}{4\pi \varepsilon r^2}$이므로 $E \propto \dfrac{1}{r^2}$이다.

$5[\mathrm{m}]$ 거리의 전계 $E = \dfrac{V}{r} = \dfrac{2}{5}$이고, $1[\mathrm{m}]$ 거리 즉,

표면 전계 $E = \dfrac{2}{5} \times 25 = 10[\mathrm{V/m}]$이다.

도체구 표면에 작용하는 정전응력

$f = \dfrac{1}{2}DE = \dfrac{1}{2}\varepsilon E^2 = \dfrac{1}{2} \times 8.85 \times 10^{-12} \times 10^2 = 4.43 \times 10^{-10}[\mathrm{J/m^3}]$

이다.

02

맥스웰의 제2 기본 방정식

$rot\,\dot{E} = \nabla \times \dot{E} = -\dfrac{\partial \dot{B}}{\partial t} = -\mu \dfrac{\partial \dot{H}}{\partial t}$

• 패러데이의 전자 유도 법칙에서 유도된 방정식
• 자속 밀도의 시간적 변화는 전계를 회전시키고 유기 기전력을 발생시킨다.

03

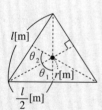

정삼각형의 한 변의 길이를 $l[\mathrm{m}]$라 하면 각 변이 만드는 자계는 비오-사바르의 공식을 이용하여 구한다.

그림에서 한 변으로부터 중심까지 거리 $r = \dfrac{l}{2}\tan 30° = \dfrac{l}{2\sqrt{3}}[\mathrm{m}]$,

$\theta_1 = \theta_2 = \dfrac{\pi}{3}$이다.

변 하나가 만드는 자계의 크기

$H = \dfrac{I}{4\pi r}(\sin\theta_1 + \sin\theta_2) = \dfrac{I}{4\pi \dfrac{l}{2\sqrt{3}}}(\sin\dfrac{\pi}{3} + \sin\dfrac{\pi}{3}) = \dfrac{3I}{2\pi l}[\mathrm{AT/m}]$

따라서 세 변이 만드는 정삼각형 중심 자계의 크기는

$H' = H \times 3 = \dfrac{9I}{2\pi l}[\mathrm{AT/m}]$

정답 01 ③ 02 ④ 03 ④

04 ▢1 ▢2 ▢3

자유 공간 중에서 점 $P(5, -2, 4)$가 도체면상에 있으며 이 점에서 전계 $\dot{E} = 6a_x - 2a_y + 3a_z$[V/m]이다. 점 P에서의 면전하 밀도 ρ_s[C/m^2]는?

① $-2\varepsilon_0$[C/m^2]   ② $3\varepsilon_0$[C/m^2]

③ $6\varepsilon_0$[C/m^2]   ④ $7\varepsilon_0$[C/m^2]

빈출

05 ▢1 ▢2 ▢3

두 종류의 금속으로 된 폐회로에 전류를 흘리면 양점속점에서 한 쪽은 온도가 올라가고 다른 쪽은 온도가 내려가는 현상은?

① 펠티에(peltier) 효과

② 볼타(volta) 효과

③ 제벡(seebeck) 효과

④ 톰슨(Thomson) 효과

06 ▢1 ▢2 ▢3

맥스웰(Maxwell) 전자 방정식의 물리적 의미 중 틀린 것은?

① 자계의 시간적 변화에 따라 전계의 회전이 발생한다.

② 전도 전류와 변위 전류는 자계를 발생시킨다.

③ 고립된 자극이 존재한다.

④ 전하에서 전속선이 발산한다.

07 ▢1 ▢2 ▢3

초전도 현상에 대한 설명으로 틀린 것은?

① 초전도체는 직류 전류에 대해 완전도체의 성질을 갖는다.

② 초전도체는 완전 반자성체의 성질을 갖는다.

③ 초전도 상태에 있는 물질 내에서는 전계가 0이다.

④ 초전도체를 관통하는 자속의 시간적 변화는 완전히 주기적이다.

04

• 임의 모양의 도체의 표면 전계 세기 $\dot{E} = \dfrac{\rho_s}{\varepsilon_0}$[V/m]

 점 $P(5, -2, 4)$는 도체표면상에 있으므로

• 점 P에서의 면전하 밀도

 $\rho_s = \varepsilon_0 |\dot{E}| = \varepsilon_0 \sqrt{6^2 + 2^2 + 3^2} = \varepsilon_0 \sqrt{49} = 7\varepsilon_0$[C/m^2]

05

펠티에 효과는 두 금속으로 이루어진 열전대에 전류를 흐르게 했을 때 열전대의 각 접점에서 발열 혹은 흡열 작용이 일어나는 현상이다.

선지분석

② 볼타 효과: 서로 다른 두 종류의 금속을 접촉시키고 얼마 후에 떼어서 각각 검사하면 양과 음으로 대전되는 현상

③ 제벡 효과: 금속선 양쪽 끝을 접합하여 폐회로를 구성하고 한 접점에 열을 가하게 되면 두 접점에 온도차로 인해 생기는 전위차에 의해 전류가 흐르게 되는 현상

④ 톰슨 효과: 동일한 금속에 부분적인 온도차가 있을 때 전류를 흘리면 발열 또는 흡열이 일어나는 현상

06

• 맥스웰의 제1 방정식

 $rot\,\dot{H} = i_c + \dfrac{\partial \dot{D}}{\partial t}$

 – 전도 전류 및 변위 전류는 회전하는 자계를 형성

 – 전류와 자계의 연속성 관계를 나타내는 방정식

• 맥스웰의 제2 방정식

 $rot\,\dot{E} = -\dfrac{\partial \dot{B}}{\partial t} = -\mu \dfrac{\partial \dot{H}}{\partial t}$

 – 패러데이의 전자 유도 법칙에서 유도된 방정식

 – 자속 밀도의 시간적 변화는 전계를 회전시키고 유기 기전력을 발생

• 맥스웰의 제3 방정식

 $div\,\dot{D} = \rho$

 – 정전계의 가우스 법칙에서 유도된 방정식

 – 임의의 폐곡면 내의 전하에서 전속선이 발산

• 맥스웰의 제4 방정식

 $div\,\dot{B} = 0$

 – 정자계의 가우스 법칙에서 유도된 방정식

 – 외부로 발산하는 자속은 없다(자속은 연속적이다).

 – 고립된 N극 또는 S극만으로 이루어진 자석은 만들 수 없다.

07

• 초전도체의 저항은 0이고, 직류 전류에 대해 완전도체의 성질을 갖는다.

• 초전도체는 자력을 반대하는 완전반자성체의 성질을 갖는다.

• 내부 전계가 0이므로 내부에 자기장이 형성되지 않는다.

08 1 2 3

액체 유전체를 넣은 콘덴서의 용량이 $20[\mu F]$이다. 여기에 $500[kV]$의 전압을 가하면 누설 전류는 몇 [A]인가? (단, 비유전율 $\varepsilon_s = 2.2$, 고유 저항 $\rho = 10^{11}[\Omega \cdot m]$이다.)

① 4.2
② 5.13
③ 54.5
④ 61

09 1 2 3

자기이력곡선(히스테리시스 루프)에 대한 설명으로 옳지 않은 것은?

① 자화의 경력이 있을 때나 없을 때나 곡선은 항상 같다.
② Y축은 자속밀도이다.
③ 자화력이 0일 때 남아있는 자기가 잔류자기이다.
④ 잔류자기를 상쇄시키기 위해선 역방향의 자화력을 가해야 한다.

10 1 2 3

자계의 벡터 포텐셜을 $\dot{A}$ 라 할 때 자계의 시간적 변화에 의하여 생기는 전계의 세기 $\dot{E}$ 는?

① $\dot{E} = rot\dot{A}$
② $rot\dot{E} = \dot{A}$

③ $\dot{E} = -\dfrac{\partial \dot{A}}{\partial t}$
④ $rot\dot{E} = -\dfrac{\partial \dot{A}}{\partial t}$

11 1 2 3

반지름 $1[cm]$인 원형 코일에 전류 $10[A]$가 흐를 때 코일의 중심에서 코일 면에 수직으로 $\sqrt{3}[cm]$ 떨어진 점의 자계의 세기는 몇 $[AT/m]$인가?

① $\dfrac{1}{16} \times 10^3$
② $\dfrac{3}{16} \times 10^3$

③ $\dfrac{5}{16} \times 10^3$
④ $\dfrac{7}{16} \times 10^3$

정답 및 해설

08

저항 $R = \dfrac{\rho\varepsilon}{C}[\Omega]$이므로

누설 전류 $I = \dfrac{V}{R} = \dfrac{CV}{\rho\varepsilon} = \dfrac{20 \times 10^{-6} \times 500 \times 10^3}{10^{11} \times 8.854 \times 10^{-12} \times 2.2} \fallingdotseq 5.13$ [A]

09

자화의 경력이 있을 때와 없을 때의 곡선은 다르다.

선지분석

② 자기이력곡선의 종축은 자속밀도, 횡축은 자기장의 세기이고 기울기는 투자율이다.
③ 자기장의 세기(자화력) H가 0인 경우에도, 남아 있는 자속의 크기를 잔류자기라 한다.
④ 잔류자기를 상쇄시키려면 역방향의 자화력을 가해야 한다.

10

• 전계와 벡터 포텐셜의 관계
$\dot{B} = \nabla \times \dot{A}$

$\nabla \times \dot{E} = rot\dot{E} = -\dfrac{\partial \dot{B}}{\partial t} = -\dfrac{\partial}{\partial t}(\nabla \times \dot{A}) = -(\nabla \times \dfrac{\partial \dot{A}}{\partial t})$

• 양변에 $\nabla \times$을 소거하면

$\dot{E} = -\dfrac{\partial \dot{A}}{\partial t}$

[암기 포인트]

자속 밀도와 벡터 퍼텐셜의 관계
$\dot{B} = \nabla \times \dot{A}$

11

원형 코일 중심에서 직각으로 $x[m]$ 떨어진 지점의 자계
$H = \dfrac{a^2 I}{2(a^2 + x^2)^{\frac{3}{2}}}[AT/m]$이다.

반지름 $a = 1[cm]$이고 수직으로 떨어진 지점 $x = \sqrt{3}[cm]$이므로

$H = \dfrac{a^2 I}{2(a^2 + x^2)^{\frac{3}{2}}} = \dfrac{(1 \times 10^{-2})^2 \times 10}{2 \times [(1 \times 10^{-2})^2 + (\sqrt{3} \times 10^{-2})^2]^{\frac{3}{2}}}$

$= \dfrac{1}{16} \times 10^3 [AT/m]$

12 ☐1 ☐2 ☐3

모든 전기 장치에 접지시키는 근본적인 이유는?

① 지구의 용량이 커서 전위가 거의 일정하기 때문이다.
② 편의상 지면을 무한대로 보기 때문이다.
③ 영상 전하를 이용하기 때문이다.
④ 지구는 전류를 잘 통하기 때문이다.

13 ☐1 ☐2 ☐3

정전 용량이 $0.03[\mu F]$인 평행판 공기 콘덴서의 두 극판 사이에 절반 두께의 비유전율 10인 유리판을 극판과 평행하게 넣었다면 이 콘덴서의 정전 용량은 약 몇 $[\mu F]$이 되는가?

① 1.83
② 18.3
③ 0.055
④ 0.55

14 ☐1 ☐2 ☐3

송전선의 전류가 0.01초 사이에 $10[kA]$ 변화될 때 이 송전선에 나란한 통신선에 유도되는 유도 전압은 몇 $[V]$인가?(단, 송전선과 통신선 간의 상호 유도 계수는 $0.3[mH]$이다.)

① 30
② 300
③ 3,000
④ 30,000

12

모든 전기 장치를 접지시키는 근본적인 이유는 지구의 용량이 커서 전위가 거의 일정하기 때문에 지구에 접지시킨다.(지면의 전위는 0[V]로 취급한다.)

13

• 공기 콘덴서의 정전 용량

$$C_0 = \frac{\varepsilon_0 S}{d} = 0.03[\mu F]$$

• 절반 두께에 유전체를 채울 경우 공기 부분의 정전 용량을 C_1 유전체 부분의 정전 용량을 C_2라 하면

$$C_1 = \frac{\varepsilon_0 S}{\frac{d}{2}} = 2C_0 = 0.06[\mu F]$$

$$C_2 = \frac{\varepsilon_0 \varepsilon_s S}{\frac{d}{2}} = 20C_0 = 0.6[\mu F]$$

• 두 콘덴서는 직렬 연결되어 있으므로 합성 정전 용량

$$C = \frac{C_1 C_2}{C_1 + C_2} = \frac{0.06 \times 0.6}{0.06 + 0.6} = 0.0545[\mu F]$$

[별해] $C = \dfrac{2C_0}{1 + \dfrac{1}{\varepsilon_s}} = \dfrac{2 \times 0.03}{1 + \dfrac{1}{10}} = \dfrac{0.6}{11} \fallingdotseq 0.055[\mu F]$

14

유도 전압의 크기 $e = \left| -M\dfrac{di}{dt} \right| = 0.3 \times 10^{-3} \times \dfrac{10 \times 10^3}{0.01} = 300[V]$

15 ☐1 ☐2 ☐3

그림과 같이 도체 1을 도체 2로 포위하여 도체 2를 일정 전위로 유지하고 도체 1과 도체 2의 외측에 도체 3이 있을 때 용량 계수 및 유도 계수의 성질로 옳은 것은?

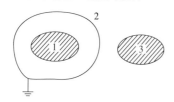

① $q_{23} = q_{11}$

② $q_{13} = -q_{11}$

③ $q_{31} = q_{11}$

④ $q_{21} = -q_{11}$

16 ☐1 ☐2 ☐3

평등 자계 내에 전자가 수직으로 입사하였을 때 전자의 운동에 대한 설명으로 옳은 것은?

① 원심력은 전자 속도에 반비례한다.

② 구심력은 자계의 세기에 반비례한다.

③ 원 운동을 하고, 반지름은 자계의 세기에 비례한다.

④ 원 운동을 하고, 반지름은 전자의 회전 속도에 비례한다.

17 ☐1 ☐2 ☐3

다이아몬드와 같은 단결정 물체에 전장을 가할 때 유도되는 분극은?

① 전자 분극

② 이온 분극과 배향 분극

③ 전자 분극과 이온 분극

④ 전자 분극, 이온 분극, 배향 분극

15

- 용량 계수 $q_{ii}(q_{11}, q_{22}, q_{33} \cdots) > 0$
  (자신의 전위를 $+1[V]$로 하여야 하므로 항상 양의 값을 가진다.)
- 유도 계수 $q_{ij}(q_{12}, q_{21}, q_{13} \cdots) \leq 0$
  (유도전하는 항상 음의 전하만 나타나고 무한 거리에 떨어져 있을 경우 유도 계수는 0이다.)

문제에서는 도체 2가 도체 1을 포위하고 있기 때문에
$q_{11} = -q_{12} = -q_{21}$을 만족한다.

16

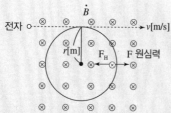

움직이는 전하에 작용하는 자기력(구심력)

$F_H = q|\vec{v} \times \vec{B}| = qvB[N]$ (원 운동)

원 운동에 따른 원심력 $F_{원심력} = \dfrac{mv^2}{r}[N]$

두 힘은 같은 크기이므로 $qvB = \dfrac{mv^2}{r}$

$\therefore$ 회전 반경 $r = \dfrac{mv}{qB}[m]$

(q: 전자 전하량, v: 전자 속도, B: 자속 밀도, m: 전자의 질량)

- 전자는 구심력과 원심력이 크기가 같아 원운동을 한다.
- 원심력은 전자 속도의 제곱에 비례한다.
- 구심력은 자계의 세기에 비례한다.
- 반지름은 자계의 세기에 반비례한다.
- 반지름은 전자의 회전 속도에 비례한다.

17

- 전자 분극: 다이아몬드와 같은 단결정체에서 외부 전계에 의해 양전하 중심인 핵의 위치와 음전하의 위치가 변화하는 분극 현상
- 이온 분극: 세라믹 화합물과 같은 이온 결합의 특성을 가진 물질에 전계를 가하면 (+), (−) 이온에 상대적 변위가 일어나 쌍극자를 유발하는 분극 현상
- 배향 분극: 물, 암모니아, 알콜 등 영구 자기 쌍극자를 가진 유극 분자들은 외부 전계와 같은 방향으로 움직이는 분극 현상

18 ① ② ③

사이클로트론에서 양자가 매초 3×10^{15}개의 비율로 가속되어 나오고 있다. 양자가 $15[\mathrm{MeV}]$의 에너지를 가지고 있다고 할 때, 이 사이클로트론은 가속용 고주파 전계를 만들기 위해서 $150[\mathrm{kW}]$의 전력을 필요로 한다면 에너지 효율$[\%]$은?

① 2.8
② 3.8
③ 4.8
④ 5.8

19 ① ② ③

높은 주파수의 전자파가 전파될 때 일기가 좋은 날보다 비 오는 날 전자파의 감쇠가 심한 원인은?

① 도전율 관계임
② 유전율 관계임
③ 투자율 관계임
④ 분극률 관계임

20 ① ② ③

정전계에서 도체에 정(+)의 전하를 주었을 때의 설명으로 틀린 것은?

① 도체 표면의 곡률 반지름이 작은 곳에 전하가 많이 분포한다.
② 도체 외측의 표면에만 전하가 분포한다.
③ 도체 표면에서 수직으로 전기력선이 출입한다.
④ 도체 내에 있는 공동면에도 전하가 골고루 분포한다.

18

에너지 $W = VQ = Pt\eta$이므로

$$\eta = \frac{QV}{Pt} = \frac{neV}{Pt} = \frac{3 \times 10^{15} \times 1.602 \times 10^{-19} \times 15 \times 10^{6}}{150 \times 10^{3} \times 1} \times 100$$

$= 4.8[\%]$

19

날씨는 주파수에 영향을 끼치며 특히, 비 같은 경우는 물의 양과 빗방울의 크기에 따라 주파수 감쇠를 일으키는 요인이 된다.
주파수가 높을수록 비에 의한 감쇠가 심하고 이는 주파수가 높을수록 도전율이 높아지기 때문이다.

20

• 대전된 도체의 전하는 도체 표면에만 존재한다.
• 도체 내부에 전하는 존재하지 않는다.
• 도체의 표면과 내부의 전위는 동일하다.
• 도체면에서 전계의 세기는 도체 표면에 항상 수직이다.
• 도체 표면에서의 전하 밀도는 곡률이 클수록, 즉 곡률 반경이 작을수록 높다.

21

비접지 계통의 지락 사고 시 계전기에 영상 전류를 공급하기 위하여 설치하는 기기는?

① PT
② CT
③ ZCT
④ GPT

22

중성점 직접 접지방식의 장점이 아닌 것은?

① 다른 접지방식에 비하여 개폐 이상 전압이 낮다.
② 1선 지락 시 건전상의 대지 전압이 거의 상승하지 않는다.
③ 1선 지락 전류가 작으므로 차단기가 처리해야 할 전류가 작다.
④ 중성점 전압이 항상 0이므로 변압기의 가격과 중량을 줄일 수 있다.

23

계전기의 반한시 특성이란?

① 동작 전류가 커질수록 동작 시간은 길어진다.
② 동작 전류가 작을수록 동작 시간은 짧다.
③ 동작 전류에 관계없이 동작 시간은 일정하다.
④ 동작 전류가 커질수록 동작 시간은 짧아진다.

24

1대의 주상 변압기에 부하 1과 부하 2가 병렬로 접속되어 있을 경우 주상 변압기에 걸리는 피상 전력[kVA]은?

| 부하 1 | 유효 전력 P_1[kW], 역률(늦음) $\cos\theta_1$ |
| 부하 2 | 유효 전력 P_2[kW], 역률(늦음) $\cos\theta_2$ |

① $\dfrac{P_1}{\cos\theta_1} + \dfrac{P_2}{\cos\theta_2}$

② $\sqrt{\left(\dfrac{P_1}{\cos\theta_1}\right)^2 + \left(\dfrac{P_2}{\cos\theta_2}\right)^2}$

③ $\sqrt{(P_1+P_2)^2 + (P_1\tan\theta_1 + P_2\tan\theta_2)^2}$

④ $\sqrt{\left(\dfrac{P_1}{\sin\theta_1}\right) + \left(\dfrac{P_2}{\sin\theta_2}\right)}$

정답 및 해설

21
영상 변류기(ZCT)
비접지 계통에서 지락 사고 시 고장 전류를 검출하여 보호 계전기에 영상 전류를 공급하는 기기

22
중성점 직접 접지방식
• 지락 사고 시 지락 전류가 커서 지락 계전기의 동작이 확실하다.
• 이상 전압이 낮아 변압기의 단절연 및 저감 절연이 가능하다.
• 차단기 동작이 빈번하여 차단기 수명이 단축되고 안정도가 나빠진다.
• 1선 지락 사고 시 건전상 대지 전위 상승이 최소이다.

23
반한시 특성이란 고장 전류의 크기에 반비례하여 동작 시한이 결정되는 것으로, 고장 전류의 크기가 크면 동작 시간이 짧아진다.

24
$$P_a = \sqrt{P^2 + Q^2} = \sqrt{(P_1+P_2)^2 + (Q_1+Q_2)^2}$$
$$= \sqrt{(P_1+P_2)^2 + (P_1\tan\theta_1 + P_2\tan\theta_2)^2} \ [kVA]$$

[암기 포인트]
$P_a = P + jQ = P_a\cos\theta + jP_a\sin\theta \rightarrow Q = P_a\sin\theta = P\tan\theta$
(단, P_a: 피상전력[VA], P: 유효전력[W], Q: 무효전력[Var], θ: 역률)

25 1 2 3

송전 선로에서 코로나 임계 전압이 높아지는 경우는?

① 기압이 낮은 경우
② 온도가 높아지는 경우
③ 전선의 지름이 큰 경우
④ 상대 공기 밀도가 작을 경우

27 1 2 3

송전단전압 $161[kV]$, 수전단전압 $154[kV]$, 상차각 $40°$, 리액턴스 $45[\Omega]$일 때 선로 손실을 무시하면 전송전력은 약 몇 $[MW]$인가?

① $323[MW]$
② $443[MW]$
③ $354[MW]$
④ $623[MW]$

26 1 2 3

3상 4선식 배전방식에서 1선 당의 최대전력은? (단, 상전압: $V[V]$, 선전류: $I[A]$라 한다.)

① $0.5\,VI$
② $0.57\,VI$
③ $0.75\,VI$
④ $1.0\,VI$

28 1 2 3

복도체에 있어서 소도체의 반지름을 $r[m]$, 소도체 사이의 간격을 $S[m]$라고 할 때 2개의 소도체를 사용한 복도체의 등가 반지름은?

① $\sqrt{rS}[m]$
② $\sqrt{r^2 S}[m]$
③ $\sqrt{rS^2}[m]$
④ $\sqrt[3]{rS^2}[m]$

25

코로나 임계 전압
- 코로나가 방전을 시작하는 개시 전압을 말한다.
- 코로나 임계 전압 $E_0 = 24.3 m_0 m_1 \delta d \log_{10} \dfrac{D}{r}[kV]$
  - m_0: 전선의 표면 계수(매끈한 전선=1, 거친 전선=0.8)
  - m_1: 날씨 계수
    (맑은 날=1, 비, 눈, 안개 등 악천후 시=0.8)
  - δ: 상대 공기밀도($\delta = \dfrac{0.386b}{273+t}$, b: 기압[mmHg], t: 기온[℃])
  - d: 전선의 직경, r: 전선의 반지름, D: 선간 거리
- 전선 표면이 매끈할수록, 날씨가 맑을수록, 상대 공기 밀도가 높을수록(기압이 높고 온도가 낮을수록), 전선의 직경이 클수록 임계 전압은 높아진다.

26

3상 공급 가능 전력 $P = 3 \times VI = 3VI$

4선식이므로 1선 당 최대 전력 $P_1 = \dfrac{3VI}{4} = 0.75VI$

[암기 포인트]

1선당 공급(최대) 전력 $P_1 = \dfrac{공급\ 가능\ 전력}{선수}$

27

$P = \dfrac{V_s V_r}{X} \sin\delta = \dfrac{161 \times 154}{45} \times \sin 40° = 354.16[MW]$

(단, P: 전송전력[MW], V_s: 송전단 전압[kV], V_r: 수전단 전압[kV], δ: 상차각, X: 리액턴스[Ω])

28

복도체(다도체)의 등가 반지름
$R_e = \sqrt[n]{r \times S^{(n-1)}}[m]$
(단, R_e: 등가 반지름[m], n: 소도체의 수, r: 소도체의 반지름[m], S: 소도체 간격[m])
2개의 소도체를 사용하므로
$R_e = \sqrt{r \times S}[m]$

29 `1` `2` `3`

다음 중 보상 변류기에 대한 설명으로 알맞은 것은?

① 변압기의 고·저압간의 전류, 위상을 보상한다.
② 계전기의 오차와 위상을 보상한다.
③ 전압강하를 보상한다.
④ 역률을 보상한다.

30 `1` `2` `3`

파동임피던스 $Z_1 = 600[\Omega]$인 선로 종단에 파동 임피던스 $Z_2 = 1,300[\Omega]$의 변압기가 접속되어 있다. 지금 선로에서 파고 $e_i = 900[kV]$의 전압이 진입되었다면 접촉점에서의 전압 반사파는 약 몇 $[kV]$인가?

① $192[kV]$
② $332[kV]$
③ $524[kV]$
④ $988[kV]$

31 `1` `2` `3`

전선 4개의 도체가 정사각형으로 그림과 같이 배치되어 있을 때 소도체간 기하 평균거리는 약 몇 $[m]$인가?

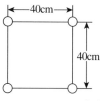

① $0.4[m]$
② $0.45[m]$
③ $0.5[m]$
④ $0.57[m]$

32 `빈출` `1` `2` `3`

전력용 콘덴서를 변전소에 설치할 때 직렬 리액터를 설치하고자 한다. 직렬 리액터의 용량을 결정하는 계산식은? (단, f_0는 전원의 기본 주파수, C는 역률 개선용 콘덴서의 용량, L은 직렬 리액터의 용량이다.)

① $L = \dfrac{1}{(2\pi f_0)^2 C}$
② $L = \dfrac{1}{(5\pi f_0)^2 C}$
③ $L = \dfrac{1}{(6\pi f_0)^2 C}$
④ $L = \dfrac{1}{(10\pi f_0)^2 C}$

정답 및 해설

29

보상 변류기는 변압기의 고·저압간의 전류, 위상을 보상한다.

30

반사 계수 $\beta = \dfrac{Z_2 - Z_1}{Z_2 + Z_1} = \dfrac{e_r}{e_i}$에서

전압의 반사파

$e_r = \dfrac{Z_2 - Z_1}{Z_2 + Z_1} e_i = \dfrac{1,300 - 600}{1,300 + 600} \times 900 = 331.6[kV]$

(단, e_r: 전압의 반사파$[kV]$, e_i: 전압의 입사파$[kV]$)

31

등가 선간 거리

$D_e = \sqrt[6]{D_1 \times D_2 \times D_3 \times D_4 \times D_5 \times D_6}$

$\quad = \sqrt[6]{0.4 \times 0.4 \times 0.4 \times 0.4 \times 0.4\sqrt{2} \times 0.4\sqrt{2}}$

$\quad = \sqrt[6]{(0.4)^6 \times \sqrt{2} \times \sqrt{2}} = 0.4 \times \sqrt[6]{2} \fallingdotseq 0.45[m]$

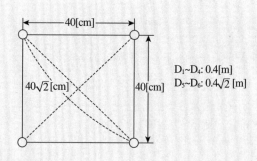

32

제5고조파 제거용 직렬 리액터 용량 결정 조건식

$5\omega L = \dfrac{1}{5\omega C}$에서

$5 \times 2\pi f_0 L = \dfrac{1}{5 \times 2\pi f_0 C} \rightarrow L = \dfrac{1}{(10\pi f_0)^2 C}$

33 ☐1 ☐2 ☐3

저항 접지방식 중 고저항 접지방식에 사용하는 저항은 몇 [Ω]인가?

① 30 ~ 50[Ω]
② 50 ~ 100[Ω]
③ 100 ~ 1,000[Ω]
④ 1,000[Ω] 이상

34 ☐1 ☐2 ☐3

전력 조류계산을 하는 목적으로 거리가 먼 것은?

① 계통의 신뢰도 평가
② 계통의 확충계획 입안
③ 계통의 운용 계획 수립
④ 계통의 사고예방제어

35 ☐1 ☐2 ☐3

유역면적 4,000[km²]의 발전 지점에서 연 강우량이 1,400[mm]이고, 유출계수가 75[%]라고 하면 그 지점을 통과하는 연평균 유량[m³/s]은?

① 121
② 133
③ 251
④ 150

36 ☐1 ☐2 ☐3

초호각(Arcing horn)의 역할은?

① 풍압을 조절한다.
② 송전 효율을 높인다.
③ 애자의 파손을 방지한다.
④ 고주파수의 섬락 전압을 높인다

33

저항 접지방식

접지방식	저항 값
중저항 방식	50 ~ 100[Ω]
고저항 방식	100 ~ 1,000[Ω]

34

전력 조류계산의 목적
• 계통의 확충계획 입안
• 계통의 운용 계획 수립
• 계통의 사고예방제어
전력 조류계산을 통해 알 수 있는 것
• 각 모선의 전압분포
• 각 모선의 전력
• 각 모선 간 상차각
• 각 선로의 전력조류
• 각 선로의 송전손실

35

연평균 유량
$$Q = 3.17 \times a \times b \times k \times 10^{-5}$$
$$= 3.17 \times 1,400 \times 4,000 \times 0.75 \times 10^{-5} = 133.14[\text{m}^3/\text{s}]$$
(단, a: 연 강우량[mm], b: 유역면적[km²], k: 유출계수)

36

소호각(환), 초호각(환)의 역할
• 섬락으로부터 애자련의 보호
• 애자련의 연능률 개선

37 ① ② ③

비등수형 원자로의 특색이 아닌 것은?

① 열 교환기가 필요하다.
② 기포에 의한 자기 제어성이 있다.
③ 방사능 때문에 증기는 완전히 기수 분리를 해야 한다.
④ 순환 펌프로서는 급수 펌프뿐이므로 펌프 동력이 작다.

38 ① ② ③

수용 설비 각각의 최대 수용 전력의 합[kW]을 합성 최대 수용 전력[kW]으로 나눈 값은?

① 부하율
② 수용률
③ 부등률
④ 역률

39 ① ② ③

3상 송전 계통에서 수전단 전압이 $60,000[V]$, 전류가 $200[A]$, 선로의 저항이 $9[\Omega]$, 리액턴스가 $13[\Omega]$일 때, 송전단 전압과 전압 강하율은 약 얼마인가?(단, 수전단 역률은 0.6이라고 한다.)

① 송전단 전압: $65,473[V]$, 전압 강하율: $9.1[\%]$
② 송전단 전압: $65,473[V]$, 전압 강하율: $8.1[\%]$
③ 송전단 전압: $82,453[V]$, 전압 강하율: $9.1[\%]$
④ 송전단 전압: $82,453[V]$, 전압 강하율: $8.1[\%]$

40 ① ② ③

1년 365일 중 185일은 이 양 이하로 내려가지 않는 유량은?

① 평수량
② 풍수량
③ 고수량
④ 저수량

정답 및 해설

37

비등수형 원자로(BWR)는 직접 열 사이클 방식으로서 열 교환기가 필요 없다.

38

• 부등률 $= \dfrac{\text{각 개별 수용가 최대 전력의 합}}{\text{합성 최대 수용 전력}} \geq 1$

• 부등률의 의미: 부하의 최대 수용 전력의 발생 시간이 서로 다른 정도

39

3상 전압 강하 $e = V_s - V_r = \sqrt{3}\,I(R\cos\theta + X\sin\theta)[V]$에서
송전단 전압을 구하면

$$V_s = V_r + \sqrt{3}\,I(R\cos\theta + X\sin\theta)$$
$$= 60,000 + \sqrt{3} \times 200 \times (9 \times 0.6 + 13 \times 0.8)$$
$$= 65,473[V]$$

전압 강하율을 구하면

$$\varepsilon = \dfrac{V_s - V_r}{V_r} \times 100$$
$$= \dfrac{65,473 - 60,000}{60,000} \times 100 = 9.1[\%]$$

40

평수량: 1년(365일) 중 185일은 이 유량 이하로 내려가지 않는 유량

1회독	월	일
2회독	월	일
3회독	월	일	자동채점

41　1 2 3

단상 직권 정류자 전동기에서 주자속의 최대치를 ϕ_m, 자극수를 P, 전기자 병렬 회로수를 a, 전기자 총도체수를 Z, 전기자의 속도를 $N[\mathrm{rpm}]$이라 하면 속도 기전력의 실횻값 $E_r[\mathrm{V}]$은? (단, 주자속은 정현파이다.)

① $E_r = \sqrt{2}\,\dfrac{P}{a}Z\dfrac{N}{60}\phi_m$

② $E_r = \dfrac{1}{\sqrt{2}}\dfrac{P}{a}ZN\phi_m$

③ $E_r = \dfrac{P}{a}Z\dfrac{N}{60}\phi_m$

④ $E_r = \dfrac{1}{\sqrt{2}}\dfrac{P}{a}Z\dfrac{N}{60}\phi_m$

42　1 2 3

$10[\mathrm{kVA}]$, $2{,}000/100[\mathrm{V}]$ 변압기의 1차 환산 등가 임피던스가 $6+j8[\Omega]$일 때 %리액턴스 강하는 몇 $[\%]$인가?

① 1.5

② 2

③ 5

④ 10

43　1 2 3

단상 유도 전동기의 기동 시 브러시를 필요로 하는 것은?

① 분상 기동형

② 반발 기동형

③ 콘덴서 분상 기동형

④ 세이딩 코일 기동형

44　1 2 3

단상 $50[\mathrm{kVA}]$ 1차 $3{,}300[\mathrm{V}]$, 2차 $210[\mathrm{V}]$, $60[\mathrm{Hz}]$, 1차 권회수 550, 철심의 유효단면적 $150[\mathrm{cm}^2]$의 변압기 철심의 자속밀도 $[\mathrm{Wb/m}^2]$는 약 얼마인가?

① 2.0

② 1.5

③ 1.2

④ 1.0

41

전동기의 기전력 $E_r = \dfrac{PZ\phi}{60a}N[\mathrm{V}]$

여기서 자속 ϕ는 실효값이며 보기의 주자속 ϕ_m은 정현파로 주어졌으므로 $\phi = \dfrac{\phi_m}{\sqrt{2}}$ 을 대입하면

기전력 실횻값 $E_r = \dfrac{1}{\sqrt{2}}\dfrac{PZ\phi}{60a}N = \dfrac{1}{\sqrt{2}}\dfrac{P}{a}Z\dfrac{N}{60}\phi_m[\mathrm{V}]$

(단, P: 극수, Z: 총 도체수, ϕ: 자속[Wb], N: 속도[rpm], a: 병렬 회로수)

42

$\%X = \dfrac{P_n X}{10\,V^2} = \dfrac{10\times 8}{10\times 2^2} = 2[\%]$

(단, P_n: 기준 용량[kVA], V: 선간 전압[kV])

43

반발 기동형 전동기의 회전자
• 기동 시 반발 전동기로 동작시키고 일정 속도에 이르면 유도 전동기로 동작하는 전동기이다.
• 브러시 이동만으로 기동, 정지, 속도 제어, 회전 방향 변경 등이 가능한 장점이 있다.

44

1차 권선수가 주어졌으므로 1차 기전력 값을 이용하여 자속밀도를 구한다.

자속 밀도 $B = \dfrac{E}{4.44 fSN}$

$= \dfrac{3{,}300}{4.44\times 60\times 150\times 10^{-4}\times 550} = 1.5[\mathrm{Wb/m}^2]$

(단, B_m: 자속밀도[Wb/m²], E: 기전력[V], f: 주파수[Hz], S: 철심의 단면적[m²], N: 권선수)

[암기 포인트]
변압기의 기전력 실효값
$E = 4.44 fN\phi = 4.44 fNBS[\mathrm{V}]$ (자속 $\phi = BS[\mathrm{Wb}]$)

45 ⬚1 ⬚2 ⬚3

동기기의 안정도를 증진시키는 방법이 아닌 것은?

① 단락비를 크게 할 것
② 속응 여자 방식을 채용할 것
③ 정상 리액턴스를 크게 할 것
④ 영상 및 역상 임피던스를 크게 할 것

46 ⬚1 ⬚2 ⬚3

제어 정류기 중 특정 고조파를 제거할 수 있는 방법은?

① 대칭각 제어기법
② 소호각 제어기법
③ 대칭 소호각 제어기법
④ 펄스폭 변조 제어기법

47 ⬚1 ⬚2 ⬚3

변압기에 있어서 부하와는 관계없이 자속만을 발생시키는 전류는?

① 1차 전류
② 자화 전류
③ 여자 전류
④ 철손 전류

48 ⬚1 ⬚2 ⬚3

정격 용량 $10,000[\text{kVA}]$, 정격 전압 $6,000[\text{V}]$, 1상의 동기 임피던스가 $3[\Omega]$인 3상 동기 발전기가 있다. 이 발전기의 단락비는 약 얼마인가?

① 1.0
② 1.2
③ 1.4
④ 1.6

45

동기 발전기의 안정도 향상 대책
• 단락비를 크게 한다.
• 회전자에 플라이-휠을 설치하여 관성을 크게 한다.
• 속응 여자 방식을 채용한다.
• 조속기 동작을 신속히 한다.(전기식 조속기 채용)
• 동기 임피던스를 작게 한다.(정상 임피던스를 작게 한다.)
• 영상 임피던스와 역상 임피던스를 크게 한다.

46

PWM(펄스폭 변조 방식)
특정한 고조파를 제거하는데 탁월한 효과가 있다.

47

변압기의 자화 전류
• 자화 전류(I_ϕ): 자속을 유기(발생)시키는 전류
• 철손 전류(I_i): 철손을 발생시키는 전류
• 여자 전류 $I_o = \sqrt{I_i^2 + I_\phi^2}$ [A]

48

• 단락 전류

$$I_s = \frac{E}{Z_s} = \frac{V}{\sqrt{3}\,Z_s}\,[\text{A}]$$

(단, I_s: 단락 전류[A], E: 상전압[V], Z_s: 동기 임피던스[Ω], V: 정격 전압[V])

• 정격 전류

$$I_n = \frac{P}{\sqrt{3}\,V}\,[\text{A}]$$

(단, I_n: 정격 전류[A], P: 용량[VA])

• 단락비

$$K_s = \frac{I_s}{I_n} = \frac{\dfrac{V}{\sqrt{3}\,Z_s}}{\dfrac{P}{\sqrt{3}\,V}} = \frac{V^2}{P Z_s}$$

$$\therefore K_s = \frac{V^2}{P Z_s} = \frac{6,000^2}{10,000\times 10^3 \times 3} = 1.2$$

49

수은 정류기의 역호가 발생하는 가장 큰 원인은?

① 전원 전압의 상승
② 내부 저항의 저하
③ 전원 주파수의 저하
④ 전압과 전류의 과대

50

3상 교류발전기의 손실은 단자전압 및 역률이 일정할 때 $P = P_o + \alpha I + \beta I^2$으로 된다. 부하전류 I가 어떤 값일 때 발전기 효율이 최대가 되는가?(단, P_o는 무부하손이며, α, β는 계수이다.)

① $I = \dfrac{P_o}{\beta}$
② $I = \sqrt{\dfrac{P_o}{\beta}}$
③ $I = \dfrac{\alpha}{\beta}$
④ $I = \sqrt{\dfrac{\alpha}{\beta}}$

51

다음은 IGBT에 관한 설명이다. 잘못된 것은?

① Insulated Gate Bipolar Thyristor의 약자다.
② 트랜지스터와 MOSFET를 조합한 것이다.
③ 고속 스위칭이 가능하다.
④ 전력용 반도체 소자이다.

52

단상전파 정류회로의 정류효율은?

① $\dfrac{4}{\pi^2} \times 100[\%]$
② $\dfrac{\pi^2}{4} \times 100[\%]$
③ $\dfrac{8}{\pi^2} \times 100[\%]$
④ $\dfrac{\pi^2}{8} \times 100[\%]$

49

수은 정류기의 밸브 작용이 상실되어 역전류에서도 통전되는 현상을 역호라고 하고, 발생 원인은 다음과 같다.
• 과전압, 과전류
• 증기 밀도 과대
• 내부 잔존 가스 압력 상승
• 양극 재료 불량 및 불순물 부착

50

손실 P의 구성요소는 다음과 같다.

P_o	무부하손(철손)
αI	표유부하손
βI^2	동손

발전기 효율이 최대가 되기 위해서 철손과 동손은 같아야 하므로 $P_o = \beta I^2$이다.

$\therefore I^2 = \dfrac{P_o}{\beta} \rightarrow I = \sqrt{\dfrac{P_o}{\beta}}$ 일 때 발전기의 효율이 최대가 된다.

51

IGBT의 특징
• Insulated Gate Bipolar Transistor의 약자이다.
• BJT(트랜지스터)와 MOSFET의 장점을 취한 전력용 반도체 소자이다.
• 게이트(G)와 에미터(E) 사이에 전압을 인가하여 구동한다.
• 스위칭 속도는 MOSFET과 BJT의 중간 정도로 비교적 빠른 편에 속한다(고속 스위칭)

52

정류효율 $\eta = \dfrac{P_{dc}}{P_{ac}} \times 100[\%] = \dfrac{\left(\dfrac{2I_m}{\pi}\right)^2 R}{\left(\dfrac{I_m}{\sqrt{2}}\right)^2 R} \times 100[\%] = \dfrac{8}{\pi^2} \times 100[\%]$

[암기 포인트]

단상전파정류 효율 $\eta = \dfrac{8}{\pi^2} \times 100[\%] = 81.1[\%]$

단상반파정류 효율 $\eta = \dfrac{4}{\pi^2} \times 100[\%] = 40.5[\%]$

53

풍력 발전기로 이용되는 유도 발전기의 단점이 아닌 것은?

① 병렬로 접속되는 동기기에서 여자 전류를 취해야 한다.
② 공극의 치수가 작기 때문에 운전시 주의해야 한다.
③ 효율이 낮다.
④ 역률이 높다.

54

다음 중 서보모터가 갖추어야 할 조건이 아닌 것은?

① 기동토크가 클 것
② 토크-속도곡선이 수하특성을 가질 것
③ 회전자를 굵고 짧게 할 것
④ 전압이 0이 되었을 때 신속하게 정지할 것

55

단상 직권 정류자 전동기에서 보상 권선과 저항 도선의 작용을 설명한 것으로 틀린 것은?

① 역률을 좋게 한다.
② 변압기 기전력을 크게 한다.
③ 전기자 반작용을 감소시킨다.
④ 저항 도선은 변압기 기전력에 의한 단락 전류를 적게 한다.

56

직류복권 발전기를 병렬운전할 때, 반드시 필요한 것은?

① 과부하 계전기
② 균압선
③ 용량이 같을 것
④ 외부특성 곡선이 일치할 것

정답 및 해설

53

유도 발전기의 특징

장점	단점
• 경제적이다. • 기동과 취급이 간단하고 고장이 적다. • 동기 발전기와 같이 동기화할 필요가 없다. • 난조 등의 이상 현상이 없다. • 동기기에 비해 단락 전류가 적고 지속 시간이 짧다.	• 효율과 역률이 낮다. • 병렬로 운전되는 동기기에서 여자 전류를 취해야 한다. • 공극의 치수가 작기 때문에 운전시 주의해야 한다.

54

서보모터의 특징
• 시동(기동) 토크가 클 것
• 토크-속도곡선이 수하특성을 가질 것
• 회전자를 가늘고 길게 할 것
• 전압이 0이 되었을 때 신속하게 정지할 것
• AC 서보모터는 구조가 간단하고 DC 서보모터에 비해 시동토크가 작을 것

55

보상 권선과 저항 도선은 변압기 기전력과 무관
• 보상 권선: 역률을 개선시키고 전기자 반작용 보상 및 기전력 감소
• 저항 도선: 변압기 기전력에 의한 단락 전류를 억제

56

직권 발전기와 복권 발전기의 병렬 운전
두 발전기의 기전력과 전압 강하 등이 동일하지 않을 때 기전력이 큰 발전기가 모든 부하 분담을 가지게 된다. 이를 방지하기 위해 균압선을 반드시 설치하여야 병렬 운전을 안전하게 할 수 있다.

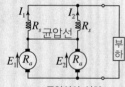

▲ 균압선의 설치

57 ▮1▮ 2 3

유도 전동기의 부하를 증가시켰을 때 옳지 않은 것은?

① 속도는 감소한다.
② 1차 부하 전류는 감소한다.
③ 슬립은 증가한다.
④ 2차 유도 기전력은 증가한다.

빈출
59 ▮1▮ 2 3

4극, 60[Hz]의 유도전동기가 슬립 5[%]로 전부하 운전하고 있을 때, 2차 권선의 손실이 94.25[W]라고 하면 토크는 약 몇 [N·m]인가?

① 1.02   ② 2.04
③ 10   ④ 20

58 ▮1▮ 2 3

3상 직권 정류자 전동기의 중간 변압기의 사용 목적은?

① 역회전의 방지
② 역회전을 위하여
③ 전동기의 특성을 조정
④ 직권 특성을 얻기 위하여

60 ▮1▮ 2 3

사이리스터 2개를 사용한 단상 전파 정류 회로에서 직류 전압 100[V]를 얻으려면 PIV가 약 몇 [V]인 다이오드를 사용하면 되는가?

① 111   ② 141
③ 222   ④ 314

57

유도 전동기의 부하가 증가하는 경우
• 전체 전류에서 자화 전류(무부하 전류)가 차지하는 비율이 적어진다.
• 역률이 좋아진다.
• 속도는 감소하고, 슬립은 증가한다.
• 2차 유도 기전력이 증가한다.

58

중간 변압기 사용 목적
• 실효 권수비를 조정하여 전동기의 특성을 조정하고 정류 전압을 조정한다.
• 직권 특성이기 때문에 경부하 시 속도 상승이 우려되지만 중간 변압기를 사용하여 철심을 포화하면 속도 상승을 제한할 수 있다.

59

• 동기속도

$$N_s = \frac{120f}{p} = \frac{120 \times 60}{4} = 1,800[\text{rpm}]$$

(단, f: 주파수[Hz], p: 극수)

• 2차 출력

$$P_2 = \frac{P_{c2}}{s} = \frac{94.25}{0.05} = 1,885[\text{W}]$$

(단, P_{c2}: 2차 권선의 손실[W], s: 슬립)

• 토크

$$T = 9.55 \times \frac{P_2}{N_s} = 9.55 \times \frac{1,885}{1,800} = 10[\text{N·m}]$$

60

• 단상 전파 정류 회로(중간탭)의 최대 역전압

$$PIV = 2\sqrt{2}\,E[\text{V}]$$

• 교류 실효 전압과 직류 전압의 관계

$$V_o = \frac{2\sqrt{2}}{\pi}E[\text{V}]$$

$$\therefore PIV = 2\sqrt{2} \times \frac{\pi}{2\sqrt{2}}V_o = \pi V_o = 314.16 ≒ 314[\text{V}]$$

61 1 2 3

2개의 교류 전압 $v_1 = 141\sin(120\pi t - 30°)[\text{V}]$와 $v_2 = 150\cos(120\pi t - 30°)[\text{V}]$의 위상차를 시간으로 표시하면 몇 [sec]인가?

① $\dfrac{1}{60}[\text{sec}]$ ② $\dfrac{1}{120}[\text{sec}]$

③ $\dfrac{1}{240}[\text{sec}]$ ④ $\dfrac{1}{360}[\text{sec}]$

62 1 2 3

그림의 2단자 회로에서 $L = 100[\text{mH}]$, $C = 10[\mu\text{F}]$일 때 주파수와 무관한 정저항 회로가 되기 위한 저항 R의 크기$[\Omega]$는?

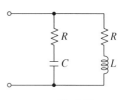

① 100 ② 147
③ 236 ④ 10,000

63 1 2 3

그림과 같은 3상 Y 결선 불평형 회로가 있다. 전원은 3상 평형 전압 E_1, E_2, E_3이고 부하는 Y_1, Y_2, Y_3일 때 전원의 중성점과 부하의 중성점 간 전위차를 나타낸 식은?

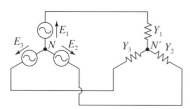

① $\dfrac{E_1 Y_1 + E_2 Y_2 + E_3 Y_3}{Y_1 + Y_2 + Y_3}$

② $\dfrac{E_1 Y_1 + E_2 Y_2 + E_3 Y_3}{Y_1 Y_2 Y_3}$

③ $\dfrac{E_1 Y_1 - E_2 Y_2 - E_3 Y_3}{Y_1 + Y_2 + Y_3}$

④ $\dfrac{E_1 Y_1 - E_2 Y_2 - E_3 Y_3}{Y_1 Y_2 Y_3}$

64 1 2 3

어떤 소자에 걸리는 전압이 $100\sqrt{2}\cos\left(314t - \dfrac{\pi}{6}\right)[\text{V}]$이고, 흐르는 전류가 $3\sqrt{2}\cos\left(314t + \dfrac{\pi}{6}\right)[\text{A}]$일 때 소비되는 전력 $[\text{W}]$은?

① 100 ② 150
③ 250 ④ 300

정답 및 해설

61

2개의 교류 전압에 대한 위상차를 구해 보면
- $v_1 = 141\sin(120\pi t - 30°)$
- $v_2 = 150\cos(120\pi t - 30°) = 150\sin(120\pi t - 30° + 90°)$
  $= 150\sin(120\pi t + 60°)$
∴ $\theta = 60° - (-30°) = 90°$

주파수 $f = \dfrac{120\pi}{2\pi} = 60[\text{Hz}]$이고 0°~360° 구간을 90°를 움직인 경우의 시간은

$t = \dfrac{1}{60} \times \dfrac{1}{4} = \dfrac{1}{240}[\text{sec}]$

62

정저항 조건 $R^2 = \dfrac{L}{C}$ 에서

$R = \sqrt{\dfrac{L}{C}} = \sqrt{\dfrac{100 \times 10^{-3}}{10 \times 10^{-6}}} = 100[\Omega]$

63

밀만의 정리를 적용한다. 이 때 $Y[\Omega]$는 어드미턴스임에 유의한다.

$E_n = \dfrac{\dfrac{E_1}{Z_1} + \dfrac{E_2}{Z_2} + \dfrac{E_3}{Z_3}}{\dfrac{1}{Z_1} + \dfrac{1}{Z_2} + \dfrac{1}{Z_3}} = \dfrac{E_1 Y_1 + E_2 Y_2 + E_3 Y_3}{Y_1 + Y_2 + Y_3}$

[암기 포인트]

$Y = \dfrac{1}{Z}$

64

소비전력 $P = VI\cos\theta = 100 \times 3 \times \cos\{30° - (-30°)\}$
$= 300 \times \cos60° = 150[\text{W}]$

65 ▢1 ▢2 ▢3

다음 함수의 라플라스 역변환은?

$$I(s) = \frac{2s + 3}{(s+1)(s+2)}$$

① $e^{-t} - e^{-2t}$

② $e^{t} - e^{-2t}$

③ $e^{-t} + e^{-2t}$

④ $e^{t} + e^{-2t}$

66 ▢1 ▢2 ▢3

선간 전압이 $V_{ab}[\text{V}]$인 3상 평형 전원에 대칭 부하 $R[\Omega]$이 그림과 같이 접속되어 있을 때, a, b 두 상 간에 접속된 전력계의 지시 값이 $W[\text{W}]$라면 c상 전류의 크기[A]는?

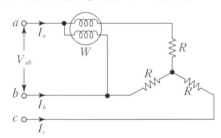

① $\dfrac{W}{3 V_{ab}}$

② $\dfrac{2W}{3 V_{ab}}$

③ $\dfrac{2W}{\sqrt{3}\, V_{ab}}$

④ $\dfrac{\sqrt{3}\, W}{V_{ab}}$

67 ▢1 ▢2 ▢3

내부 임피던스가 $0.3 + j2[\Omega]$인 발전기에 임피던스가 $1.7 + j3[\Omega]$인 선로를 연결하여 전력을 공급한다면 부하 임피던스가 몇 $[\Omega]$일 때 부하에 최대 전력이 전달되는가?

① $1.4 - j[\Omega]$

② $1.4 + j[\Omega]$

③ $2 - j5[\Omega]$

④ $2 + j5[\Omega]$

68 ▢1 ▢2 ▢3

$v = 3 + 5\sqrt{2}\,\sin\omega t + 10\sqrt{2}\,\sin\left(3\omega t - \dfrac{\pi}{3}\right)[\text{V}]$의 실횻값[V]은?

① $9.6\,[\text{V}]$

② $10.6\,[\text{V}]$

③ $11.6\,[\text{V}]$

④ $12.6\,[\text{V}]$

65

우선 문제에 주어진 함수를 부분분수 전개하면

$$I(s) = \frac{2s+3}{(s+1)(s+2)} = \frac{A}{s+1} + \frac{B}{s+2}$$

$$= \frac{1}{s+1} + \frac{1}{s+2}$$

단, $A = \dfrac{2s+3}{s+2}\Big|_{s=-1} = 1$, $B = \dfrac{2s+3}{s+1}\Big|_{s=-2} = 1$

따라서 위 식의 라플라스 역변환은

$$I(s) = \frac{1}{s+1} + \frac{1}{s+2} \rightarrow \therefore i(t) = e^{-t} + e^{-2t}$$

66

전원은 평형 3상, 부하는 대칭이다.

$V_{ab} = V_{bc} = V_{ca}$, $I_a = I_b = I_c$

2 전력계법에 의해 전체 전력

$P = 2W = \sqrt{3}\, V_{ab} I_c$

$\therefore I_c = \dfrac{2W}{\sqrt{3}\, V_{ab}}\,[\text{A}]$

67

발전기와 선로의 직렬 합성 내부 임피던스를 구하면

$Z_0 = Z_g + Z_l = 0.3 + j2 + 1.7 + j3 = 2 + j5\,[\Omega]$

'부하 임피던스 = 내부 임피던스의 공액'일 경우가 최대 전력 전달 조건이므로 $Z_L = \overline{Z_0} = 2 - j5\,[\Omega]$

68

$V = \sqrt{V_0^2 + V_1^2 + \cdots V_n^2}\,[\text{V}]$(단, V_n: n차 고조파 전압의 실횻값[V])

$V = \sqrt{3^2 + \left(\dfrac{5\sqrt{2}}{\sqrt{2}}\right)^2 + \left(\dfrac{10\sqrt{2}}{\sqrt{2}}\right)^2} = 11.6\,[\text{V}]$

69 ☐1 ☐2 ☐3

$G(s)H(s) = \dfrac{2}{(s+1)(s+2)}$ 의 이득 여유[dB]는?

① 20
② -20
③ 0
④ ∞

70 ☐1 ☐2 ☐3

그림과 같이 $R[\Omega]$의 저항을 Y 결선하여 단자의 a, b 및 c에 비대칭 3상 전압을 가할 때, a 단자의 중성점 N에 대한 전압은 약 몇 [V]인가?(단, $V_{ab} = 210[V]$, $V_{bc} = -90-j180[V]$, $V_{ca} = -120+j180[V]$)

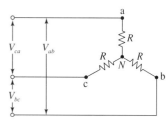

① 100
② 116
③ 121
④ 125

71 ☐1 ☐2 ☐3

개루프 전달 함수 $G(s)H(s) = \dfrac{K(s-5)}{s(s-1)^2(s+2)^2}$ 일 때 주어지는 계에서 점근선의 교차점은 얼마인가?

① $-\dfrac{3}{2}$
② $-\dfrac{7}{4}$
③ $\dfrac{5}{3}$
④ $-\dfrac{1}{5}$

빈출 72 ☐1 ☐2 ☐3

자동 제어계 구성 중 제어 요소에 해당되는 것은?

① 검출부
② 조절부
③ 기준 입력
④ 제어 대상

69

$$G(j\omega)H(j\omega) = \dfrac{2}{(j\omega+1)(j\omega+2)}\bigg|_{j\omega=0} = 1$$

∴ 이득 여유 $GM = 20\log_{10}\left|\dfrac{1}{G(j\omega)H(j\omega)}\right| = 20\log_{10}1 = 0[dB]$

[암기 포인트]
$\log_{10}1 = 0$

70

구하는 상전압 $V_a = I_a R[V]$이다.
R을 $Y \to \triangle$ 변환하면 평형 부하이므로 $3R$이다.
$\triangle$ 결선에서 상전류 $I_a = I_{ab} - I_{ac}[A]$

$I_{ab} = \dfrac{V_{ab}}{3R}$, $I_{ac} = \dfrac{V_{ac}}{3R}$

$I_a = \dfrac{210}{3R} - \dfrac{-120+j180}{3R} = \dfrac{110-j60}{R}$

상전압 V_a는 아래와 같다.

$V_a = I_a R = \dfrac{110-j60}{R} \times R = 110-j60[V]$

∴ $|V_a| = \sqrt{110^2+60^2} = 125.3[V]$

71

주어진 전달 함수에서 극점과 영점을 구한다.
Z(영점) = 5 → 1개
P(극점) = 0, 1, 1, -2, -2 → 5개

점근선의 교차점 $= \dfrac{\text{극점의 합}(\sum P) - \text{영점의 합}(\sum Z)}{\text{극점수}(P) - \text{영점수}(Z)}$

$= \dfrac{(0+1+1-2-2)-(5)}{5-1} = -\dfrac{7}{4}$

72

폐루프 제어계의 구성 요소

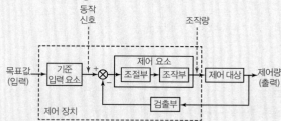

• 제어 요소: 조절부와 조작부
• 비교부: 입력과 출력값을 비교하여 오차량을 측정하는 부분
• 조작량: 제어 요소가 제어 대상에 주는 신호

[암기 포인트]
제어 요소에는 조절부와 조작부가 있다.

73 [1][2][3]

다음과 같은 미분 방정식으로 표현되는 제어 시스템의 시스템 행렬 A는?

$$\frac{d^2c(t)}{dt^2}+5\frac{dc(t)}{dt}+3c(t)=r(t)$$

① $\begin{bmatrix} -5 & -3 \\ 0 & 1 \end{bmatrix}$

② $\begin{bmatrix} -3 & -5 \\ 0 & 1 \end{bmatrix}$

③ $\begin{bmatrix} 0 & 1 \\ -3 & -5 \end{bmatrix}$

④ $\begin{bmatrix} 0 & 1 \\ -5 & -3 \end{bmatrix}$

74 [1][2][3]

그림의 블록 선도에서 K에 대한 폐루프 전달 함수 $T=\dfrac{C(s)}{R(s)}$ 의 감도 S_K^T는?

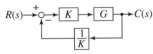

① -1

② -0.5

③ 0.5

④ 1

75 [1][2][3]

함수 $f(t)=e^{-at}$의 z변환 함수 $F(z)$는?

① $\dfrac{2z}{z-e^{aT}}$

② $\dfrac{1}{z+e^{aT}}$

③ $\dfrac{z}{z+e^{-aT}}$

④ $\dfrac{z}{z-e^{-aT}}$

76 [1][2][3]

그림과 같은 회로에서 스위치 S를 $t=0$에서 닫았을 때 $(V_L)_{t=0}=100[\text{V}]$, $\left(\dfrac{di}{dt}\right)_{t=0}=400[\text{A/s}]$ 이다. $L[\text{H}]$의 값은?

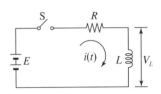

① 0.75

② 0.5

③ 0.25

④ 0.1

73

상태 방정식 $\dfrac{d^2c(t)}{dt^2}+a\dfrac{dc(t)}{dt}+bc(t)=cr(t)$ 일 때

벡터 행렬 $A=\begin{bmatrix} 0 & 1 \\ -b & -a \end{bmatrix}$, $B=\begin{bmatrix} 0 \\ c \end{bmatrix}$ 이다.

따라서 문제에 주어진 상태 방정식에서

A 행렬은 $\begin{bmatrix} 0 & 1 \\ -3 & -5 \end{bmatrix}$, B 행렬은 $\begin{bmatrix} 0 \\ 1 \end{bmatrix}$ 이다.

74

• 전달 함수

$T=\dfrac{C}{R}=\dfrac{K\times G}{1-\left(-K\times G\times\dfrac{1}{K}\right)}=\dfrac{KG}{1+G}$

• 감도

$S_K^T=\dfrac{K}{T}\cdot\dfrac{dT}{dK}=\dfrac{K}{\dfrac{KG}{1+G}}\times\dfrac{d}{dK}\left(\dfrac{KG}{1+G}\right)$

$\quad=\dfrac{1+G}{G}\times\dfrac{G}{1+G}=1$

75

시간 함수의 변환

시간 함수 $f(t)$	라플라스 변환 $F(s)$	z 변환 $F(z)$
임펄스 함수 $\delta(t)$	1	1
단위 계단 함수 $u(t)=1$	$\dfrac{1}{s}$	$\dfrac{z}{z-1}$
속도 함수 t	$\dfrac{1}{s^2}$	$\dfrac{Tz}{(z-1)^2}$
지수 함수 e^{-at}	$\dfrac{1}{s+a}$	$\dfrac{z}{z-e^{-aT}}$

76

$V_L=L\dfrac{di}{dt}[\text{V}]$ 식에 문제 조건을 대입하면

$100=L\times400$이므로 $L=\dfrac{100}{400}=0.25[\text{H}]$ 이다.

77 `1` `2` `3`

특성 방정식이 $s^4 + s^3 + 2s^2 + 3s + 2 = 0$인 경우 불안정한 근의 수는?

① 0개 ② 1개
③ 2개 ④ 3개

78 `1` `2` `3`

그림과 같은 제어계에서 단위 계단 입력 D가 인가 될 때 외란 D에 의한 정상편차는 얼마인가?

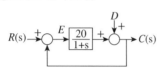

① 20 ② 21
③ $\dfrac{1}{10}$ ④ $\dfrac{1}{21}$

79 `1` `2` `3`

다음 보기 중 근궤적은 무엇에 대하여 대칭인가?

① 극점 ② 원점
③ 허수축 ④ 실수축

80 `1` `2` `3`

샘플러의 주기를 T라 할 때 s 평면상의 모든 점은 식 $z = e^{sT}$에 의하여 z 평면상에 사상된다. s 평면의 우반 평면상의 모든 점은 z 평면상 단위원의 어느 부분으로 사상되는가?

① 내점 ② 외점
③ z 평면 전체 영역 ④ 원주상의 점

77

주어진 특성 방정식을 루드표로 작성하면 다음과 같다.

차수	제1열	제2열	제3열
s^4	1	2	2
s^3	1	3	0
s^2	$\dfrac{1\times2-1\times3}{1}=-1$	$\dfrac{1\times2-1\times0}{1}=2$	0
s^1	$\dfrac{-1\times3-1\times2}{-1}=5$	$\dfrac{-1\times0-1\times0}{-1}=0$	0
s^0	2	0	0

루드표의 제1열의 부호 변화가 2번 발생하였으므로 근이 2개 존재하여 불안정이다.

78

$$K = \lim_{s \to 0} G(s) = \lim_{s \to 0} \frac{20}{1+s} = 20$$

$$e_p = \frac{1}{1+K_p} = \frac{1}{1+20} = \frac{1}{21}$$

79

근궤적의 성질
- 근궤적의 출발점($K=0$): $G(s)H(s)$의 극점으로부터 출발한다.
- 근궤적의 종착점($K=\infty$): $G(s)H(s)$의 영점에서 끝난다.
- 근궤적은 항상 실수축에 대해 대칭이다.
- 근궤적의 가짓수는 영점(Z) 수와 극점(P) 수 중 큰 것과 일치한다.
- 근궤적의 가짓수는 특성 방정식의 차수와 같다.
- 실수축에서 이득 K가 최대가 되게 하는 점이 이탈점이 될 수 있다.
- 근궤적의 이탈점은 극점을 기준으로 좌측의 홀수구간에 존재한다.
- 점근선은 실수축 상에서 교차한다.

80

자동 제어계에서 s 평면의 우반 평면에 근이 위치하면 불안정한 제어계가 되고, 이에 대응하는 z 평면상에서의 불안정근의 위치는 단위원의 외부에 존재하게 된다.

전기설비기술기준

1회독	월	일
2회독	월	일
3회독	월	일	자동채점

81 ①②③

전기철도차량의 회생제동에 관한 내용으로 옳지 않은 것은?

① 전차선로 지락이 발생한 경우 회생제동의 사용을 중단해야 한다.

② 전차선로에서 전력을 받을 수 없는 경우 회생제동의 사용을 중단해야 한다.

③ 회생전력을 다른 전기장치에서 흡수할 수 없는 경우에는 전기철도차량은 다른 제동시스템으로 전환되어야 한다.

④ 전기철도 전력공급시스템은 비상제동이 상용제동으로 사용이 가능하고 다른 전기철도차량과 전력을 지속적으로 주고받을 수 있도록 설계되어야 한다.

82 ①②③

그림은 전력선 반송 통신용 결합장치의 보안장치를 나타낸 것이다. S의 명칭으로 옳은 것은?

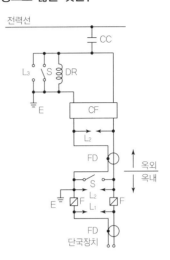

① 동축케이블
② 결합 콘덴서
③ 접지용 개폐기
④ 구상용 방전갭

81

회생제동(한국전기설비규정 441.5)
전기철도 전력공급시스템은 회생제동이 상용제동으로 사용이 가능하고 다른 전기철도차량과 전력을 지속적으로 주고받을 수 있도록 설계되어야 한다.

82

전력선 반송 통신용 결합장치의 보안장치(한국전기설비규정 362.11)

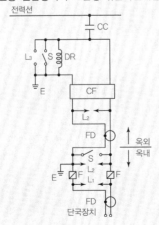

FD: 동축케이블
F: 정격전류 10[A] 이하의 포장 퓨즈
DR: 전류 용량 2[A] 이상의 배류 선륜
L_1: 교류 300[V] 이하에서 동작하는 피뢰기
L_2: 동작 전압이 교류 1,300[V]를 초과하고 1,600[V] 이하로 조정된 방전갭
L_3: 동작 전압이 교류 2[kV]를 초과하고 3[kV] 이하로 조정된 구상 방전갭
S: 접지용 개폐기 / CF: 결합 필터
CC: 결합 커패시터(결합 안테나를 포함한다)
E: 접지

83 `1` `2` `3`

가공전선과 첨가 통신선과의 시공방법으로 틀린 것은?

① 통신선은 가공전선의 아래에 시설할 것
② 통신선과 고압 가공전선 사이의 이격거리는 60[cm] 이상일 것
③ 통신선과 특고압 가공전선로의 다중 접지한 중성선 사이의 이격거리는 1.2[m] 이상일 것
④ 통신선은 특고압 가공전선로의 지지물에 시설하는 기계기구에 부속되는 전선과 접촉할 우려가 없도록 지지물 또는 완금류에 견고하게 시설할 것

84 `1` `2` `3`

가공전선로의 지지물에 시설하는 지선의 안전율은 일반적인 경우 얼마 이상이어야 하는가?

① 2.0
② 2.2
③ 2.5
④ 2.7

85 `1` `2` `3`

전로의 중성점 접지의 접지도체를 연동선으로 할 경우 공칭단면적은 몇 [mm²] 이상인가?(단, 저압 전로의 중성점에 시설하는 것은 제외한다.)

① 6
② 10
③ 16
④ 25

86 `1` `2` `3`

동일 지지물에 고압 가공전선과 저압 가공전선을 병행설치할 경우 일반적으로 양 전선 간의 이격거리는 몇 [cm] 이상인가?

① 50
② 60
③ 70
④ 80

87 `1` `2` `3`

배선공사 중 전선이 반드시 절연전선이 아니더라도 상관없는 공사 방법은?

① 금속관공사
② 합성수지관공사
③ 버스덕트공사
④ 플로어덕트공사

정답 및 해설

83

가공전선과 첨가 통신선과의 이격거리(한국전기설비규정 362.2)
통신선과 저압 가공전선 또는 특고압 가공전선로의 다중 접지한 중성선 사이의 이격거리는 0.6[m] 이상일 것

84

지선의 시설(한국전기설비규정 331.11)
• 안전율: 2.5 이상
• 최저 허용 인장하중: 4.31[kN]
• 연선일 경우 소선의 지름이 2.6[mm] 이상인 금속선 3가닥 이상을 꼬아서 사용
• 지중 및 지표상 0.3[m]까지의 부분은 아연도금을 한 철봉 등을 사용

85

접지도체(한국전기설비규정 142.3.1)
중성점 접지용 접지도체는 공칭단면적 16[mm²] 이상의 연동선 또는 동등 이상의 단면적 및 세기를 가져야 한다. 다만, 다음의 경우에는 공칭단면적 6[mm²] 이상의 연동선 또는 동등 이상의 단면적 및 강도를 가져야 한다.
• 7[kV] 이하의 전로
• 사용전압이 25[kV] 이하인 특고압 가공전선로. 다만, 중성선 다중접지 방식의 것으로서 전로에 지락이 생겼을 때 2초 이내에 자동적으로 이를 전로로부터 차단하는 장치가 되어 있는 것

86

고압 가공전선 등의 병행설치(한국전기설비규정 332.8)
저압 가공전선과 고압 가공전선을 동일 지지물에 시설하는 경우
• 별개의 완금류에 시설한다.
• 이격거리는 0.5[m] 이상으로 한다. 단, 고압 가공전선이 케이블인 경우는 0.3[m] 이상으로 한다.

87

나전선의 사용 제한(한국전기설비규정 231.4)
옥내에 시설하는 저압전선에는 나전선을 사용하여서는 아니 된다. 다만, 다음중 어느 하나에 해당하는 경우에는 그러하지 아니하다.
• 애자공사에 의하여 전개된 곳에 다음의 전선을 시설하는 경우
  – 전기로용 전선
  – 전선의 피복 절연물이 부식하는 장소에 시설하는 전선
  – 취급자 이외의 자가 출입할 수 없도록 설비한 장소에 시설하는 전선
• 버스덕트공사에 의하여 시설하는 경우
• 라이팅덕트공사에 의하여 시설하는 경우
• 접촉 전선을 시설하는 경우

88 1 2 3

중앙급전 전원과 구분되는 것으로서 전력소비지역 부근에 분산하여 배치 가능한 신·재생에너지 발전설비 등의 전원으로 정의되는 용어는?

① 임시전력원　　　　② 분전반전원
③ 분산형전원　　　　④ 계통연계전원

89 1 2 3

건조한 곳에 시설하고 또한 내부를 건조한 상태로 사용하는 진열장 안의 저압 옥내배선 공사에 사용할 수 있는 전압은 몇 [V] 이하인가?

① 110　　　　　　② 220
③ 400　　　　　　④ 380

90 1 2 3

특고압의 기계기구·모선 등을 옥외에 시설하는 변전소의 구내에 취급자 이외의 자가 들어가지 못하도록 시설하는 울타리·담 등의 높이는 몇 [m] 이상으로 하여야 하는가?

① 2　　　　　　　② 2.2
③ 2.5　　　　　　④ 3

91 1 2 3

고압 또는 특고압의 전로 중에서 기계기구 및 전선을 보호하기 위하여 필요한 곳에 시설하는 것은?

① 단로기　　　　　② 리액터
③ 전력용콘덴서　　　④ 과전류차단기

92 1 2 3

금속관 공사에서 절연부싱을 사용하는 가장 주된 목적은?

① 관의 끝이 터지는 것을 방지
② 관내 해충 및 이물질 출입 방지
③ 관의 단구에서 조영재의 접촉 방지
④ 관의 단구에서 전선 피복의 손상 방지

88
용어 정의(한국전기설비규정 112)
분산형전원이란 중앙급전 전원과 구분되는 것으로서 전력 소비지역 부근에 분산하여 배치 가능한 전원을 말하며, 신·재생에너지 발전설비, 전기저장장치 등을 포함한다.

89
진열장 또는 이와 유사한 것의 내부배선(한국전기설비규정 234.8)
건조한 장소에 시설하고 또한 내부를 건조한 상태로 사용하는 진열장 또는 이와 유사한 것의 내부에 사용전압이 400[V] 이하의 배선을 외부에서 잘 보이는 장소에 한하여 코드 또는 캡타이어케이블로 직접 조영재에 밀착하여 배선할 수 있다.

90
발전소 등의 울타리·담 등의 시설(한국전기설비규정 351.1)
고압 또는 특고압의 기계기구·모선 등을 옥외에 시설하는 발전소·변전소·개폐소 또는 이에 준하는 곳에는 울타리·담 등의 높이는 2[m] 이상으로 하고 지표면과 울타리·담 등의 하단 사이의 간격은 0.15[m] 이하로 할 것

91
고압 및 특고압 전로 중의 과전류차단기의 시설(한국전기설비규정 341.10)
고압 또는 특고압의 과전류차단기는 그 동작에 따라 그 개폐상태를 표시하는 장치가 되어있는 것이어야 한다. 다만, 그 개폐상태가 쉽게 확인될 수 있는 것은 적용하지 않는다.

92
금속관 및 부속품의 시설(한국전기설비규정 232.12.3)
관의 단구에는 전선의 피복이 손상되지 아니하도록 적당한 구조의 부싱을 사용할 것

93 1 2 3

유희용 전차의 시설에서 전차 안의 전로 및 전기공급설비의 시설방법 중 틀린 것은?

① 전로의 사용전압은 직류 60[V] 이하, 교류 40[V] 이하일 것
② 유희용 전차에 전기를 공급하는 전로에는 전용 개폐기를 시설할 것
③ 전로와 대지 절연저항은 사용전압에 대한 누설전류가 규정 전류의 2,000분의 1을 넘지 않을 것
④ 유희용 전차 안에 승압용 변압기를 시설하는 경우에는 그 변압기의 2차 전압은 150[V] 이하일 것

94 1 2 3

발전소, 변전소, 개폐소 또는 이에 준하는 곳에서 차단기에 사용하는 압축공기장치는 사용압력의 몇 배의 수압으로 몇 분간 연속하여 가했을 때 이에 견디고 새지 않아야 하는가?

① 1.25배, 15분   ② 1.25배, 10분
③ 1.5배, 15분   ④ 1.5배, 10분

95 1 2 3

철도·궤도 또는 자동차도 전용터널 안 전선로에 경동선을 저압 및 고압 전선으로 사용하는 경우 경동선의 지름은 몇 [mm]인가?

① 저압: 2.6[mm] 이상, 고압: 3.2[mm] 이상
② 저압: 2.6[mm] 이상, 고압: 4[mm] 이상
③ 저압: 3.2[mm] 이상, 고압: 4[mm] 이상
④ 저압: 3.2[mm] 이상, 고압: 4.5[mm] 이상

96 1 2 3

그림에서 1, 2, 3, 4의 X표시 중 과전류차단기를 시설할 수 있는 장소로 틀린 것은?

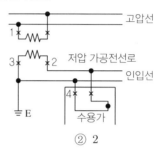

① 1   ② 2
③ 3   ④ 4

정답 및 해설

93

유희용 전차의 시설(한국전기설비규정 241.8)
유희용 전차 안의 전로와 대지와의 절연저항은 사용전압에 대한 누설전류가 규정전류의 $\frac{1}{5,000}$ 을 넘지 않도록 할 것

94

압축공기계통(한국전기설비규정 341.15)
발전소·변전소·개폐소 또는 이에 준하는 곳에서 개폐기 또는 차단기에 사용하는 압축공기장치는 최고 사용압력의 1.5배의 수압을 계속하여 10분간 가하여 시험을 한 경우에 이에 견디고 또한 새지 아니할 것
[암기 포인트] 압축공기계통의 시설은 자주 출제되는 문제이므로 1.5배, 10분을 암기하는 것이 좋다.

95

터널 안 전선로의 시설(한국전기설비규정 335.1)
철도·궤도 또는 자동차도 전용터널 내 전선로

전압	전선의 굵기	사용방법	애자사용 공사 시 높이
저압	인장강도 2.30[kN] 이상의 절연전선 또는 지름 2.6[mm] 이상의 경동선의 절연전선	• 애자사용공사 • 케이블공사 • 금속관공사 • 가요전선관공사 • 합성수지관공사	노면상, 레일면상 2.5[m] 이상
고압	인장강도 5.26[kN] 이상의 것 또는 지름 4[mm] 이상의 경동선의 고압절연전선 또는 특고압 절연전선	• 애자사용공사	노면상, 레일면상 3[m] 이상

96

과전류차단기의 시설 제한(한국전기설비규정 341.11)
접지공사의 접지선, 다선식 전로의 중성선 및 접지공사를 한 저압 가공전선로의 접지 측 전선에는 과전류차단기를 시설하여서는 안 된다.

97 1 2 3

직선형의 철탑을 사용한 특고압 가공전선로가 연속하여 10기 이상 사용하는 부분에는 몇 기 이하마다 내장 애자장치가 되어 있는 철탑 1기를 시설하여야 하는가?

① 5
② 10
③ 15
④ 20

98 1 2 3

접지공사에 사용하는 접지도체를 사람이 접촉할 우려가 있는 곳에 시설하는 경우, 「전기용품 및 생활용품 안전관리법」을 적용받는 합성수지관(두께 2[mm] 미만의 합성수지제 전선관 및 난연성이 없는 콤바인덕트관을 제외)으로 덮어야 하는 범위로 옳은 것은?

① 접지도체의 지하 0.3[m]로부터 지표상 1[m]까지의 부분
② 접지도체의 지하 0.5[m]로부터 지표상 1.2[m]까지의 부분
③ 접지도체의 지하 0.6[m]로부터 지표상 1.8[m]까지의 부분
④ 접지도체의 지하 0.75[m]로부터 지표상 2[m]까지의 부분

99 1 2 3

가요전선관 공사에 의한 저압 옥내배선으로 틀린 것은?

① 2종 금속제 가요전선관을 사용하였다.
② 전선으로 옥외용 비닐절연전선을 사용하였다.
③ 규격에 적당한 단면적 4[mm^2]의 단선을 사용하였다.
④ 접지공사를 하였다.

100 1 2 3

옥내에 시설하는 저압용 배선기구의 시설에 관한 설명으로 틀린 것은?

① 옥내에 시설하는 저압용 배선기구의 충전 부분은 노출되지 않도록 시설한다.
② 옥내에 시설하는 저압용 비포장 퓨즈는 불연성으로 제작한 함 내부에 시설하여야 한다.
③ 옥내에 시설하는 저압용의 배선기구에 전선을 접속하는 경우에는 나사로 고정해서는 안 된다.
④ 욕실 등 인체가 물에 젖어 있는 상태에서 전기를 사용하는 장소에서는 인체감전보호용 누전차단기가 부착된 콘센트를 시설하여야 한다.

97

특고압 가공전선로의 내장형 등의 지지물 시설(한국전기설비규정 333.16)
특고압 가공전선로 중 지지물로 직선형의 철탑을 연속하여 10기 이상 사용하는 부분에는 10기 이하마다 내장 애자장치를 가지는 철탑 1기를 시설하여야 한다.

98

접지도체(한국전기설비규정 142.3.1)
접지도체는 지하 0.75[m]부터 지표상 2[m]까지 부분은 합성수지관(두께 2[mm] 미만의 합성수지제 전선관 및 가연성 콤바인덕트관은 제외한다) 또는 이와 동등 이상의 절연효과와 강도를 가지는 몰드로 덮어야 한다.

99

금속제 가요전선관 공사(한국전기설비규정 232.13)
가요전선관 공사에 의한 저압 옥내배선의 시설
• 전선은 절연전선(옥외용 비닐절연전선을 제외한다)일 것
• 전선은 연선일 것. 다만, 단면적 10[mm^2](알루미늄선은 단면적 16[mm^2]) 이하인 것은 그러하지 아니하다.
• 가요전선관 안에는 전선에 접속점이 없도록 할 것
• 가요전선관은 2종 금속제 가요전선관일 것
• 가요전선관 공사는 접지공사를 할 것

100

전기자동차 전원공급설비의 저압전로 시설(한국전기설비규정 241.17.2)
옥내에 시설하는 저압용의 배선기구에 전선을 접속하는 경우에는 나사로 고정시키거나 기타 이와 동등 이상의 효력이 있는 방법에 의하여 견고하게 또한 전기적으로 완전히 접속하고 접속점에 장력이 가하여지지 아니하도록 하여야 한다.

전기자기학

1회독	월	일
2회독	월	일
3회독	월	일	자동채점

01 `1` `2` `3`

반지름 $1[\text{cm}]$인 원형 코일에 전류 $10[\text{A}]$가 흐를 때 코일의 중심에서 코일 면에 수직으로 $\sqrt{3}[\text{cm}]$ 떨어진 점의 자계의 세기는 몇 $[\text{AT/m}]$인가?

① $\dfrac{1}{16} \times 10^3$

② $\dfrac{3}{16} \times 10^3$

③ $\dfrac{5}{16} \times 10^3$

④ $\dfrac{7}{16} \times 10^3$

02 `1` `2` `3`

다이아몬드와 같은 단결정 물체에 전장을 가할 때 유도되는 분극은?

① 전자 분극

② 이온 분극과 배향 분극

③ 전자 분극과 이온 분극

④ 전자 분극, 이온 분극, 배향 분극

03 `1` `2` `3`

인덕턴스의 단위$[\text{H}]$와 같지 않은 것은?

① $[\text{J/A} \cdot \text{s}]$

② $[\Omega \cdot \text{s}]$

③ $[\text{Wb/A}]$

④ $[\text{J/A}^2]$

과난도

04 `1` `2` `3`

중심은 원점에 있고 반지름 $a[\text{m}]$인 원형 선도체가 $z=0$인 평면에 있다. 도체에 선 전하 밀도 $\rho_L[\text{C/m}]$가 분포되어 있을 때 $z=b[\text{m}]$인 점에서 전계 $\dot{E}[\text{V/m}]$는?(단, a_r, a_z는 원통 좌표계에서 r 및 z 방향의 단위 벡터이다.)

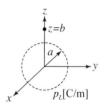

① $\dfrac{ab\rho_L}{2\pi\varepsilon_0(a^2+b^2)} a_z$

② $\dfrac{ab\rho_L}{4\pi\varepsilon_0(a^2+b^2)} a_z$

③ $\dfrac{ab\rho_L}{2\varepsilon_0(a^2+b^2)^{\frac{3}{2}}} a_z$

④ $\dfrac{ab\rho_L}{4\varepsilon_0(a^2+b^2)^{\frac{3}{2}}} a_z$

정답 및 해설

01

자계의 세기

$H = \dfrac{a^2 I}{2(a^2+x^2)^{\frac{3}{2}}} = \dfrac{(1\times 10^{-2})^2 \times 10}{2\times[(1\times 10^{-2})^2 + (\sqrt{3}\times 10^{-2})^2]^{\frac{3}{2}}}$

$= \dfrac{1}{16} \times 10^3 [\text{AT/m}]$

02

분극의 종류

• 전자 분극: 다이아몬드와 같은 단결정체에서 외부 전계에 의해 양전하 중심인 핵의 위치와 음전하의 위치가 변화하는 분극
• 이온 분극: 세라믹 화합물과 같은 이온 결합의 특성을 가진 물질에 전계를 가하면(+), (−) 이온에 상대적 변위가 일어나 쌍극자를 유발하는 분극
• 배향 분극: 물, 암모니아, 알콜 등 영구 자기 쌍극자를 가진 유극 분자들은 외부 전계와 같은 방향으로 움직이는 분극 현상

03

패러데이의 유도법칙에 의하여

$e = L\dfrac{di(t)}{dt} \Rightarrow L = e \dfrac{dt}{di(t)} = [\text{V}] \times \dfrac{[\text{s}]}{[\text{A}]} = [\Omega \cdot \text{s}]$

인덕턴스 관계식에서 단위를 도출하여 보면

$\phi = LI \Rightarrow L = \dfrac{\phi}{I} \Rightarrow [\text{Wb/A}]$

또한 인덕턴스에 저장되는 에너지 식으로부터

$W = \dfrac{1}{2}LI^2 \Rightarrow L = \dfrac{2W}{I^2} \Rightarrow [\text{J/A}^2]$

04

원형 도체 중심에서 직각으로 $r[\text{m}]$ 떨어진 지점의 전계 세기는 아래와 같다.

$\dot{E} = \dfrac{ar\rho_L}{2\varepsilon_0(a^2+r^2)^{\frac{3}{2}}} = \dfrac{ab\rho_L}{2\varepsilon_0(a^2+b^2)^{\frac{3}{2}}} [\text{V/m}]$

(ρ_L 또는 λ: 선 전하 밀도$[\text{C/m}]$)

[암기 포인트] 유도하기 어려운 문제로, 결과를 암기하는 것이 좋다.

정답 01 ① 02 ① 03 ① 04 ③

05 ☐1 ☐2 ☐3

변위 전류와 가장 관계가 깊은 것은?

① 반도체　　　　② 유전체
③ 자성체　　　　④ 도체

빈출
06 ☐1 ☐2 ☐3

비투자율이 50인 환상 철심을 이용하여 $100[\mathrm{cm}]$ 길이의 자기 회로를 구성할 때 자기저항을 $2.0 \times 10^7 [\mathrm{AT/Wb}]$ 이하로 하기 위해서는 철심의 단면적을 약 몇 $[\mathrm{m}^2]$ 이상으로 하여야 하는가?

① 3.6×10^{-4}　　② 6.4×10^{-4}
③ 8.0×10^{-4}　　④ 9.2×10^{-4}

07 ☐1 ☐2 ☐3

전기력선의 성질에 대한 설명으로 옳은 것은?

① 전기력선은 등전위면과 평행하다.
② 전기력선은 도체 표면과 직교한다.
③ 전기력선은 도체 내부에 존재할 수 있다.
④ 전기력선은 전위가 낮은 점에서 높은 점으로 향한다.

08 ☐1 ☐2 ☐3

전계 $E[\mathrm{V/m}]$가 두 유전체의 경계면에 평행으로 작용하는 경우 경계면에 단위면적당 작용하는 힘의 크기는 몇 $[\mathrm{N/m}^2]$인가?(단, ε_1, ε_2는 각 유전체의 유전율이다.)

① $f = E^2(\varepsilon_1 - \varepsilon_2)$　　② $f = \dfrac{1}{E^2}(\varepsilon_1 - \varepsilon_2)$
③ $f = \dfrac{1}{2}E^2(\varepsilon_1 - \varepsilon_2)$　　④ $f = \dfrac{1}{2E^2}(\varepsilon_1 - \varepsilon_2)$

05
변위전류
콘덴서와 같은 유전체 내에서 전기적인 변위에 의해 발생되는 전류를 말한다.

06
자기저항 $R_m = \dfrac{l}{\mu S}[\mathrm{AT/Wb}]$이므로

단면적 $S = \dfrac{1}{\mu_0 \mu_s R_m} = \dfrac{100 \times 10^{-2}}{4\pi \times 10^{-7} \times 50 \times 2.0 \times 10^7}$
$= 7.96 \times 10^{-4}[\mathrm{m}^2]$

07
전기력선의 성질
• 전기력선은 반드시 정(+)전하에서 나와 부(−)전하로 들어간다.
• 전기력선은 반드시 도체 표면에 수직으로 출입한다.
• 전기력선끼리는 서로 반발력이 작용하여 교차할 수 없다.
• 전기력선의 도체에 주어진 전하는 도체 표면에만 분포한다.(도체 내부에는 전하가 존재할 수 없다.)
• 전기력선은 그 자신만으로는 폐곡선을 이룰 수 없다.
• 전기력선의 방향은 그 점의 전계의 방향과 일치한다.
• 전기력선의 밀도는 전계의 세기와 같다.
• 전기력선은 등전위면과 수직이다.
• 전기력선은 전위가 높은 곳에서 낮은 곳으로 향한다.

08
유전체 경계면에 작용하는 힘(맥스웰 응력)
• 경계면에 작용하는 힘
  – 힘의 크기 $f = \dfrac{D^2}{2\varepsilon_0} = \dfrac{1}{2}\varepsilon_0 E^2 = \dfrac{1}{2}ED$ $[\mathrm{N/m}^2]$
  – 경계면에 작용하는 힘은 유전율이 큰 쪽에서 작은 쪽으로 작용한다.
• 전계가 경계면에 수평으로 입사되는 경우($\varepsilon_1 > \varepsilon_2$)
  – 경계면에 생기는 각각의 힘 f_1과 f_2가 압축력으로 작용한다.
  – 압축력의 크기는 다음과 같이 구한다.
  $f = f_1 - f_2 = \dfrac{1}{2}(\varepsilon_1 - \varepsilon_2)E^2$ $[\mathrm{N/m}^2]$
• 전계가 경계면에 수직으로 입사되는 경우($\varepsilon_1 > \varepsilon_2$)
  – 경계면에 생기는 각각의 힘 f_1과 f_2가 인장력으로 작용한다.
  – 인장력의 크기는 다음과 같이 구한다.
  $f = f_2 - f_1 = \dfrac{1}{2}\left(\dfrac{1}{\varepsilon_2} - \dfrac{1}{\varepsilon_1}\right)D^2$ $[\mathrm{N/m}^2]$

09 1 2 3

와전류가 이용되고 있는 것은?

① 수중 음파 탐지기　　② 레이더
③ 자기 브레이크　　　　④ 사이클로트론

10 1 2 3

Biot-Savart의 법칙에 의하면 전류소에 의해서 임의의 한 점 P에 생기는 자계의 세기를 구할 수 있다. 다음 중 설명으로 틀린 것은?

① 자계의 세기는 전류의 크기에 비례한다.
② MKS 단위계를 사용할 경우 비례 상수는 $\dfrac{1}{4\pi}$ 이다.
③ 자계의 세기는 전류소와 점 P와의 거리에 반비례한다.
④ 자계의 방향은 전류소 및 이 전류소와 점 P를 연결하는 직선을 포함하는 면에 법선 방향이다.

11 1 2 3

공기 중에서 전자기파의 파장이 $3[\mathrm{m}]$라면 그 주파수는 몇 $[\mathrm{MHz}]$인가?

① 100　　　　　　　② 300
③ 1,000　　　　　　④ 3,000

12 1 2 3

공기 중에서 $1[\mathrm{m}]$ 간격을 가진 두 개의 평행 도체 전류의 단위 길이에 작용하는 힘은 몇 $[\mathrm{N}]$인가?(단, 전류는 $1[\mathrm{A}]$라고 한다.)

① 2×10^{-7}　　　　　② 4×10^{-7}
③ $2\pi \times 10^{-7}$　　　　④ $4\pi \times 10^{-7}$

09

와전류 또는 맴돌이 전류는 도체에 걸린 자기장이 시간적으로 변화할 때 전자기 유도에 의해 도체에 생기는 소용돌이 형태의 전류이다. 적산 전력계, 자기 브레이크, 고주파 유도가열, 전류비파괴검사 등 다양하게 활용된다.

10

비오-사바르의 법칙(Biot-Savart's law)

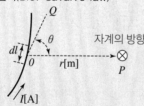

$$dH = \frac{Idl\sin\theta}{4\pi r^2} \, [\mathrm{AT/m}] \, (r: \, P점까지의 \, 거리[\mathrm{m}])$$

• 자계의 세기는 전류의 크기에 비례하고, 점 P와의 거리의 제곱에 반비례한다.
• 자계의 세기는 전류소와 점 P와의 거리의 제곱에 반비례한다.
• 자계의 방향은 전류소 및 이 전류소와 점 P를 연결하는 직선을 포함하는 면에 법선 방향이다.

11

자유공간에서 $f\lambda = c = 3 \times 10^8 \, [\mathrm{m/s}]$ 이므로

$$f = \frac{c}{\lambda} = \frac{3 \times 10^8}{3} = 100 \times 10^6 \, [\mathrm{Hz}] = 100 [\mathrm{MHz}]$$

12

평행 도선 사이에 작용하는 힘

• 간격이 $d[\mathrm{m}]$만큼 떨어진 두 평행 도선에 각각 전류 I_1, I_2를 흘리면 두 도체에서 발생하는 자계에 의하여 힘이 작용한다.
• 이 두 도선에는 전류의 방향에 따라서 힘의 종류가 다르다.
  – 두 도선에 흐르는 전류가 같은 방향일 경우에는 흡인력이 작용한다.
  – 전류가 반대 방향일 경우에는 반발력이 작용한다.
• 작용하는 힘 $F = \dfrac{\mu_0 I_1 I_2}{2\pi d} = \dfrac{4\pi \times 10^{-7} \times 1 \times 1}{2\pi \times 1} = 2 \times 10^{-7} [\mathrm{N/m}]$

13 ☐1 ☐2 ☐3

자기 회로에서 키르히호프의 법칙으로 알맞은 것은?(단, R: 자기 저항, ϕ: 자속, N: 코일 권수, I: 전류이다.)

① $\sum_{i=1}^{n}\phi_i = \infty$

② $\sum_{i=1}^{n}N_i\phi_i = 0$

③ $\sum_{i=1}^{n}R_i\phi_i = \sum_{i=1}^{n}N_iI_i$

④ $\sum_{i=1}^{n}R_i\phi_i = \sum_{i=1}^{n}N_iL_i$

14 ☐1 ☐2 ☐3

서로 같은 2개의 구 도체를 동일양의 전하로 대전시킨 후 $20[\text{cm}]$ 떨어뜨린 결과 구 도체에 서로 $8.6\times10^{-4}[\text{N}]$의 반발력이 작용하였다. 구 도체에 주어진 전하는 약 몇 $[\text{C}]$인가?

① 5.2×10^{-8}

② 6.2×10^{-8}

③ 7.2×10^{-8}

④ 8.2×10^{-8}

15 ☐1 ☐2 ☐3

다음 중 정전계의 설명으로 옳은 것은?

① 전계 에너지가 최소로 되는 전하 분포의 계이다.

② 전계 에너지가 최대로 되는 전하 분포의 계이다.

③ 전계 에너지가 항상 0인 전기장을 말한다.

④ 전계 에너지가 항상 ∞인 전기장을 말한다.

16 ☐1 ☐2 ☐3

표의 ㉠, ㉡과 같은 단위로 옳게 나열한 것은?

㉠	$[\Omega \cdot \text{s}]$
㉡	$[\text{s}/\Omega]$

① ㉠ $[\text{H}]$ ㉡ $[\text{F}]$

② ㉠ $[\text{H/m}]$ ㉡ $[\text{F/m}]$

③ ㉠ $[\text{F}]$ ㉡ $[\text{H}]$

④ ㉠ $[\text{F/m}]$ ㉡ $[\text{H/m}]$

13

임의의 폐자기 회로에 있어 각 부의 자기저항과 자속의 총합은 폐자기 회로 기자력의 총합과 같다.

$$\sum_{i=1}^{n}R_i\phi_i = \sum_{i=1}^{n}N_iI_i$$

14

쿨롱의 힘 $F = \dfrac{Q_1Q_2}{4\pi\varepsilon_0 r^2} = 9\times10^9 \times \dfrac{Q_1Q_2}{r^2}[\text{N}]$이고

$Q_1 = Q_2 = Q[\text{C}]$이므로

$F = 9\times10^9 \times \dfrac{Q^2}{(20\times10^{-2})^2} = 8.6\times10^{-4}[\text{N}]$

$\therefore Q = 6.18\times10^{-8}[\text{C}]$

[암기 포인트]

$\dfrac{1}{4\pi\varepsilon_0} = \dfrac{1}{4\pi\times\dfrac{1}{36\pi}\times10^{-9}} = 9\times10^9$

15

정전계는 전계 에너지가 최소로 되는 전하 분포의 계이다.

16

• 인덕턴스의 단위 변환

$v = L\dfrac{di}{dt}[\text{V}]$

$L = v\dfrac{dt}{di}\left[\dfrac{\text{V}\cdot\text{sec}}{\text{A}} = \Omega\cdot\text{sec} = \text{H}\right]$

• 정전 용량의 단위 변환

$i = C\dfrac{dv}{dt}[\text{A}]$

$C = i\dfrac{dt}{dv}\left[\dfrac{\text{A}\cdot\text{sec}}{\text{V}} = \dfrac{\text{sec}}{\Omega} = \text{F}\right]$

17 [1] [2] [3]

자기 인덕턴스와 상호 인덕턴스와의 관계에서 결합 계수 k의 범위는?

① $0 \leq k \leq \dfrac{1}{2}$

② $0 \leq k \leq 1$

③ $1 \leq k \leq 2$

④ $1 \leq k \leq 10$

18 [1] [2] [3]

그림과 같이 직렬로 접속된 두 개의 코일이 있을 때 $L_1 = 20[\mathrm{mH}]$, $L_2 = 80[\mathrm{mH}]$, 결합 계수 $k = 0.8$이다. 여기에 $0.5[\mathrm{A}]$의 전류를 흘릴 때 이 합성 코일에 저축되는 에너지는 약 몇 $[\mathrm{J}]$인가?

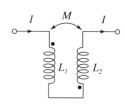

① 1.13×10^{-3}

② 2.05×10^{-2}

③ 6.63×10^{-2}

④ 8.25×10^{-2}

19 [1] [2] [3]

다음 중 ( )에 들어갈 내용으로 옳은 것은?

> 맥스웰은 전극 간의 유전체를 통하여 흐르는 전류를 해석하기 위해 (㉠)의 개념을 도입하였고, 이것도 (㉡)를 발생한다고 가정하였다.

① ㉠ 와전류, ㉡ 자계

② ㉠ 변위 전류, ㉡ 자계

③ ㉠ 전자 전류, ㉡ 전계

④ ㉠ 파동 전류, ㉡ 전계

20 [1] [2] [3]

전자파 파동 임피던스 관계식으로 옳은 것은?

① $\sqrt{\varepsilon}H = \sqrt{\mu}E$

② $\sqrt{\varepsilon\mu} = EH$

③ $\sqrt{\varepsilon}E = \sqrt{\mu}H$

④ $\varepsilon\mu = EH$

정답 및 해설

17

결합 계수는 두 개의 인덕턴스 사이의 쇄교 자속에 의한 유도 결합 정도를 나타내는 것으로 다음과 같이 나타낼 수 있다.

$$k = \frac{M}{\sqrt{L_1 L_2}} \, (0 \leq k \leq 1)$$

• $k = 0$: 무결합(두 코일 간 쇄교 자속이 없는 경우)

• $k = 1$: 완전결합(누설 자속 발생 없이 전부 쇄교 자속으로 되는 경우)

18

문제에 주어진 코일의 접속은 직렬 가동 접속이므로

• 합성 인덕턴스

$$L = L_1 + L_2 + 2M = L_1 + L_2 + 2k\sqrt{L_1 L_2}$$
$$= 20 + 80 + 2 \times 0.8 \times \sqrt{20 \times 80} = 164[\mathrm{mH}]$$

• 코일에 축적되는 에너지

$$W = \frac{1}{2}LI^2 = \frac{1}{2} \times 164 \times 10^{-3} \times 0.5^2$$
$$= 0.0205[\mathrm{J}] = 2.05 \times 10^{-2}[\mathrm{J}]$$

19

맥스웰 제 1방정식

$$rot \, \dot{H} = i_c + \frac{\partial \dot{D}}{\partial t}$$

맥스웰은 전극 간의 유전체를 통하여 흐르는 전류를 해석하기 위해 변위전류의 개념을 도입하였고, 이것도 자계를 발생한다고 가정하였다.

20

전자파의 고유(파동) 임피던스

$$\eta = \frac{E}{H} = \sqrt{\frac{\mu}{\varepsilon}} = \sqrt{\frac{\mu_0 \mu_s}{\varepsilon_0 \varepsilon_s}} = 377\sqrt{\frac{\mu_s}{\varepsilon_s}} \, [\Omega]$$

위 식을 정리하면

$$\sqrt{\varepsilon}E = \sqrt{\mu}H$$

전력공학

1회독	월	일
2회독	월	일
3회독	월	일

자동채점

21

공기차단기(ABB)의 공기 압력은 일반적으로 몇 $[kg/cm^2]$ 정도 되는가?

① $5 \sim 10$ ② $15 \sim 30$
③ $30 \sim 45$ ④ $45 \sim 55$

22

송전선로의 일반회로정수가 $A = 1$, $B = j91$, $D = 1$라 하면 C의 값은?

① $j91$ ② $\dfrac{1}{j91}$
③ 0 ④ $-\dfrac{1}{j91}$

23

화력 발전소의 기본 랭킨 사이클을 바르게 나타낸 것은?

① 보일러 → 급수펌프 → 터빈 → 복수기 → 과열기 → 다시 보일러로
② 보일러 → 터빈 → 급수펌프 → 과열기 → 복수기 → 다시 보일러로
③ 급수펌프 → 보일러 → 과열기 → 터빈 → 복수기 → 다시 급수펌프로
④ 급수펌프 → 보일러 → 터빈 → 과열기 → 복수기 → 다시 급수펌프로

24

전선의 표피 효과에 대한 설명으로 알맞은 것은?

① 전선이 굵을수록, 주파수가 높을수록 커진다.
② 전선이 굵을수록, 주파수가 낮을수록 커진다.
③ 전선이 가늘수록, 주파수가 높을수록 커진다.
④ 전선이 가늘수록, 주파수가 낮을수록 커진다.

21

공기차단기의 공기 압력은 일반적으로 $15 \sim 30[kg/cm^2]$ 정도이다.

22

$AD - BC = 1$의 관계식에서 C에 대해 정리하면

$$C = \frac{AD - 1}{B} = \frac{1 \times 1 - 1}{j91} = 0$$

23

화력발전소의 기본 랭킨 사이클은 다음과 같다.
급수펌프 → 보일러 → 과열기 → 터빈 → 복수기 → 다시 급수펌프

[참고]

기력 발전소의 열 사이클
(1) 급수펌프를 거쳐 보일러로 물을 보냄
(2) 보일러에서 물 → 습증기로 변환
(3) 과열기에서 습증기 → 과열 증기로 변환
(4) 터빈에서 과열 증기 → 습증기로 변환
(5) 복수기에서 습증기 → 급수로 변환
(6) 복수기에서 나온 물을 급수펌프를 거쳐 보일러로 다시 보내어짐

24

표피 효과는 주파수가 높을수록, 도전율과 투자율이 클수록, 전선이 굵을수록 커진다.

[암기 포인트]
표피 효과 $= \sqrt{\pi\mu fk}$

25 ①②③

인터록(Interlock)의 기능에 대한 설명으로 옳은 것은?

① 조작자의 의중에 따라 개폐되어야 한다.
② 차단기가 열려 있어야 단로기를 닫을 수 있다.
③ 차단기가 닫혀 있어야 단로기를 닫을 수 있다.
④ 차단기와 단로기를 별도로 닫고, 열 수 있어야 한다.

고난도
26 ①②③

3상 3선식 1회선 배전 선로의 말단에 역률 0.8(늦음)의 평형 3상 부하가 있다. 변전소 인출구(송전단)전압이 $6,600[V]$, 부하의 단자전압이 $6,000[V]$일 때 부하 전력은 몇 $[kW]$인가? (단, 전선 1가닥의 저항은 $4[\Omega]$, 리액턴스는 $3[\Omega]$이라 하고 기타 선로 정수는 고려하지 않는다.)

① $333[kW]$ ② $576[kW]$
③ $998[kW]$ ④ $1728[kW]$

빈출
27 ①②③

송전 철탑에서 역섬락을 방지하기 위한 대책은?

① 가공 지선의 설치   ② 탑각 접지저항의 감소
③ 전력선의 연가   ④ 아크혼의 설치

28 ①②③

선간 전압이 $154[kV]$이고, 1상 당의 임피던스가 $j8[\Omega]$인 기기가 있을 때, 기준 용량을 $100[MVA]$로 하면 % 임피던스는 약 몇 $[\%]$인가?

① 2.75   ② 3.15
③ 3.37   ④ 4.25

29 ①②③

모선 보호에 사용되는 계전 방식이 아닌 것은?

① 위상 비교 방식   ② 선택 접지 계전 방식
③ 방향 거리 계전 방식   ④ 전류 차동 보호 방식

30 ①②③

전등만으로 구성된 수용가를 2개 군으로 나누어 각 군에 변압기 1개씩을 설치할 경우 각 군의 수용가의 총 설비용량은 각각 $30[kW]$, $50[kW]$라 한다. 각 수용가의 수용률을 0.6, 수용가 간 부등률을 1.2, 변압기군의 부등률을 1.3이라고 하면 고압간선에 대한 최대 부하는 약 몇 $[kW]$인가?(단, 간선의 역률은 $100[\%]$이다.)

① 15   ② 22
③ 31   ④ 35

31

부하 전류의 차단에 사용되지 않는 것은?

① ABB
② OCB
③ VCB
④ DS

32

GIS(가스절연개폐기)의 구성으로 옳지 않은 것은?

① 단로기
② 차단기
③ 변류기
④ 주변압기

33

가공 송전선의 코로나를 고려할 때 표준 상태에서 공기의 절연 내력이 파괴되는 최소 전위 경도는 정현파 교류의 실효값으로 약 몇 $[kV/cm]$ 정도인가?

① 6
② 11
③ 21
④ 31

34

개폐 서지의 이상 전압을 감쇄할 목적으로 설치하는 것은?

① 단로기
② 차단기
③ 리액터
④ 개폐 저항기

35

케이블의 전력 손실과 관계가 없는 것은?

① 도체의 저항손
② 유전체손
③ 연피손
④ 철손

36

송전전력, 선간전압, 부하역률, 전력손실 및 송전거리가 같다고 할 때 3상 3선식에 필요한 전선량은 단상 2선식의 몇 배인가?

① 0.25
② 0.5
③ 0.75
④ 1.33

31

DS(단로기)는 아크소호능력이 없으므로 부하 전류 차단이 불가능하다.
• ABB(공기 차단기)
• OCB(유입 차단기)
• VCB(진공 차단기)

32

GIS 설비는 모선, 개폐장치, 변성기, 피뢰기 등을 내장시키고 단로기, 차단기, 변류기, 계기용변압기 등으로 구성되어 있다.

33

공기의 파열 극한 전위 경도
• 직류: 30$[kV/cm]$
• 교류: 21$[kV/cm]$(실효값)

34

개폐 저항기는 차단기와 병렬로 설치되는 것으로서, 차단기의 차단 시 발생하는 개폐 서지(이상 전압)를 억제한다.

35

케이블의 손실에는 저항손, 유전체손, 연피손이 있다.

36

전선의 중량비
송전전력, 선간전압, 부하역률, 전력손실 및 송전거리 등의 조건이 동일한 경우 전선량 비교표(단상 2선식 기준)

단상 2선식	1
단상 3선식	$\frac{3}{8}=0.375$
3상 3선식	$\frac{3}{4}=0.75$
3상 4선식	$\frac{1}{3}=0.33$

37

한류 리액터를 사용하는 가장 큰 목적은?

① 충전 전류의 제한
② 접지 전류의 제한
③ 누설 전류의 제한
④ 단락 전류의 제한

38

수력발전에서 흡출관이 필요하지 않는 수차는?

① 펠톤수차　　　② 카플란수차
③ 프로펠러수차　　④ 프란시스수차

39

보호 계전기와 그 사용 목적이 잘못된 것은?

① 비율 차동 계전기: 발전기 내부 단락 검출용
② 전압 평형 계전기: 발전기 출력 측 PT 퓨즈 단선에 의한 오작동 방지
③ 역상 과전류 계전기: 발전기 부하 불평형 회전자 과열 소손
④ 과전압 계전기: 과부하 단락 사고

40

화력 발전소에서 석탄 $1[\mathrm{kg}]$으로 발생할 수 있는 전력량은 약 몇 $[\mathrm{kWh}]$인가?(단, 석탄의 발열량은 $5,000[\mathrm{kcal/kg}]$, 발전소의 효율은 $40[\%]$이다.)

① 2.0　　　② 2.3
③ 4.7　　　④ 5.8

전기기기

	1회독	월	일
	2회독	월	일
	3회독	월	일	자동채점

고난도

41 ☐1 ☐2 ☐3

스테핑 모터의 구조형이 아닌 것은?

① 영구자석형
② PSC형
③ 하이브리드형
④ 가변 릴럭턴스형

42 ☐1 ☐2 ☐3

주파수 50[Hz]로 설계된 3상 유도전동기를 60[Hz]로 증가시켜 사용하는 경우 동기속도는 몇 배가 되는가?

① 0.98
② 0.8
③ 1
④ 1.2

43 ☐1 ☐2 ☐3

60[Hz], 120[V] 정격인 단상 유도 전동기의 역률을 88[%]에서 97[%]로 개선하기 위한 병렬 콘덴서의 용량은 약 몇 [VA]인가?(단, 이 단상 유도 전동기의 출력은 2[HP], 효율은 92[%]이다.)

① 411
② 434
③ 445
④ 469

44 ☐1 ☐2 ☐3

유도 전동기의 슬립 s의 범위는?

① $s < -1$
② $-1 < s < 0$
③ $0 < s < 1$
④ $1 < s$

41

스테핑 모터의 구조
- 영구자석형(PM형)
- 하이브리드형(복합형)
- 가변 릴럭턴스형(VR형)

42

$N_s = \dfrac{120f}{p}$ 이므로 동기속도 $N_s \propto f$ 이다.(단, f: 주파수[Hz], p:극수)

따라서 주파수가 50[Hz]에서 60[Hz]로 1.2배 증가하면, 동기속도도 1.2배 증가한다.

43

1[HP] = 746[W]이므로 2[HP] = 1,492[W]이다.

효율 $= \dfrac{출력}{입력}$ → 입력 $= \dfrac{출력}{효율} = \dfrac{1,492}{0.92} = 1,621.74$[W]

콘덴서 용량 $Q = P(\tan\theta_1 - \tan\theta_2)$

$\qquad = 1,621.74\left(\dfrac{\sqrt{1-0.88^2}}{0.88} - \dfrac{\sqrt{1-0.97^2}}{0.97}\right)$

$\qquad = 468.88$ [VA]

44

유도기의 슬립 범위

정지	전동기	발전기	제동기
$s = 1$	$0 < s < 1$	$s < 0$	$1 < s < 2$

45 ① ② ③

단상 단권 변압기 2대를 V 결선으로 해서 3상 전압 $3,000[V]$를 $3,300[V]$로 승압하고, $150[kVA]$를 송전하려고 한다. 이 경우 단상 변압기 1대분의 자기용량$[kVA]$은 약 얼마인가?

① 15.74　　　　② 13.62
③ 7.87　　　　④ 4.54

46 ① ② ③

3상 반작용 전동기(reaction motor)의 특성으로 가장 옳은 것은?

① 역률이 좋은 전동기
② 토크가 비교적 큰 전동기
③ 기동용 전동기가 필요한 전동기
④ 여자권선 없이 동기속도로 회전하는 전동기

47 ① ② ③

직류 분권 발전기에 대한 설명으로 옳은 것은?

① 단자 전압이 강하하면 계자 전류가 증가한다.
② 부하에 의한 전압의 변동이 타여자 발전기에 비하여 크다.
③ 타여자 발전기의 경우보다 외부 특성 곡선이 상향으로 된다.
④ 분권 권선의 접속 방법에 관계없이 자기 여자로 전압을 올릴 수가 있다.

48 ① ② ③

SCR에 관한 설명으로 틀린 것은?

① 3단자 소자이다.
② 스위칭 소자이다.
③ 직류 전압만을 제어한다.
④ 적은 게이트 신호로 대전력을 제어한다.

정답 및 해설

45

단권 변압기 3상 V 결선

$$\frac{\text{자기 용량}}{\text{부하 용량}} = \frac{2}{\sqrt{3}} \left(\frac{V_h - V_l}{V_h} \right)$$

자기 용량 $= \frac{2}{\sqrt{3}} \times \frac{3,300 - 3,000}{3,300} \times 150 = 15.75[kVA]$

∴ 단상 변압기 1대분 자기 용량 $= \frac{15.75}{2} ≒ 7.87[kVA]$

46

반작용 전동기는 여자권선 없이 동기속도로 회전하는 전동기이다.

47

직류 분권 발전기
• 단자 전압이 강하하면 계자 전류가 감소한다.
• 부하에 의한 전압의 변동이 타여자 발전기에 비하여 크다.
• 타여자 발전기의 경우보다 외부 특성 곡선이 하향으로 된다.
• 분권 권선의 접속 방법과 관계없이 자기 여자로 전압을 올릴 수가 없다.

48

SCR(실리콘 제어 정류기)
• 정류 기능의 단일 방향성 3단자 소자이다.
• 동작 최고 온도가 가장 높다.
• 위상 제어, 인버터, 초퍼 등에 사용한다.
• 역방향 내전압이 크다.
• 교류, 직류 모두 제어할 수 있다.

49 `1` `2` `3`

$10[\text{kVA}]$, $2,000/100[\text{V}]$ 변압기의 1차 환산 등가 임피던스가 $6+j8[\Omega]$일 때 %리액턴스 강하는 몇 $[\%]$인가?

① 1.5
② 2
③ 5
④ 10

50 `1` `2` `3`

회전자 동기 각속도 ω_0, 회전자 각속도 ω인 유도 전동기의 2차 효율은?

① $\dfrac{\omega_0-\omega}{\omega}$
② $\dfrac{\omega_0-\omega}{\omega_0}$
③ $\dfrac{\omega_0}{\omega}$
④ $\dfrac{\omega}{\omega_0}$

51 `1` `2` `3`

단상 직권 정류자 전동기의 종류에 속하지 않는 것은?

① 직권형
② 보상 직권형
③ 보극 직권형
④ 유도 보상 직권형

빈출 52 `1` `2` `3`

직류 전동기의 규약 효율을 나타낸 식으로 옳은 것은?

① $\dfrac{출력}{입력}\times100[\%]$
② $\dfrac{입력}{입력+손실}\times100[\%]$
③ $\dfrac{출력}{출력+손실}\times100[\%]$
④ $\dfrac{입력-손실}{입력}\times100[\%]$

49
• 1차 정격 전류
$$I_{1n}=\frac{P}{V_1}=\frac{10\times10^3}{2,000}=5[\text{A}]$$
• %리액턴스
$$\%X=\frac{I_{1n}X}{V_{1n}}\times100=\frac{5\times8}{2,000}\times100=2[\%]$$

50
유도 전동기의 2차 효율
$$\eta_2=\frac{P_0}{P_2}=\frac{(1-s)P_2}{P_2}=\frac{N}{N_s}=\frac{\omega}{\omega_0}$$
(단, P_0: 회전자 출력(2차 출력), P_2: 회전자 입력(2차 입력)
s: 슬립, N: 회전자 속도, N_s: 동기 속도)

51
단상 직권 정류자 전동기의 종류
• 직권형
• 보상 직권형
• 유도 보상 직권형

52
규약 효율
• 발전기 효율 $\eta=\dfrac{출력}{출력+손실}\times100[\%]$
  (발전기는 입력 토크를 측정하기 곤란하기 때문)
• 전동기 효율 $\eta=\dfrac{입력-손실}{입력}\times100[\%]$
  (전동기는 출력 토크를 측정하기 곤란하기 때문)

53

3상 직권 정류자 전동기에 중간(직렬) 변압기가 쓰이고 있는 이유가 아닌 것은?

① 정류자 전압 조정
② 회전자 상수 감소
③ 실효 권수비 선정 조정
④ 경부하 시 속도 이상 상승 방지

54

그림과 같은 정류 회로에서 전류계의 지시값은 약 몇 [mA]인가?(단, 전류계는 가동 코일형이고 정류기 저항은 무시한다.)

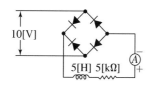

① 1.8
② 4.5
③ 6.4
④ 9.0

55

교류 분권 정류자 전동기는 어느 때에 가장 적당한 특성을 갖고 있는가?

① 부하 토크에 관계없이 완전 일정 속도를 요하는 경우
② 속도의 연속 가감과 정속도 운전을 아울러 요하는 경우
③ 무부하와 전부하의 속도 변화가 적고 거의 일정속도를 요하는 경우
④ 속도를 여러 단으로 변화시킬 수 있고 각 단에서 정속도 운전을 요하는 경우

56

7.5[kW], 6극, 200[V]용 3상 유도 전동기가 있다. 정격 전압으로 기동하면 기동 전류는 정격 전류의 615[%]이고 기동 토크는 전부하 토크의 225[%]이다. 지금 기동 토크를 전부하 토크의 1.5배로 하기 위하여 기동 전압을 약 몇 [V]로 하면 되는가?

① 133
② 143
③ 153
④ 163

53

중간 변압기의 역할
• 중간 변압기의 특성을 변경시켜 전동기의 특성을 조정할 수 있다.
• 전원 전압의 크기와 상관없이 회전자의 전압을 정류 작용에 맞는 값으로 정할 수 있다.
• 실효 권수비를 조정할 수 있다.
• 경부하 시 속도의 이상 상승 방지 역할도 한다.

54

단상 전파 정류 회로(브리지)
• 직류 전압

$$E_d = \frac{2\sqrt{2}}{\pi} E_a = \frac{2\sqrt{2}}{\pi} \times 10 ≒ 9[V]$$

• 직류 전류

$$I_d = \frac{E_d}{R} = \frac{9}{5 \times 10^3} = 1.8 \times 10^{-3}[A] = 1.8[mA]$$

[암기 포인트] 단상 전파 정류 회로에서 직류 전압

$$E_d = \frac{2\sqrt{2}}{\pi} E_a ≒ 0.9 E_a$$

55

교류 분권 정류자 전동기
• 토크 변화에 대한 속도 변화가 작다. (정속도 특성)
• 정속도 전동기인 동시에 교류 가변 속도 전동기의 특성이 있다. (속도의 연속 가감)

56

유도 전동기의 토크 $T \propto V^2$이므로

기동 전압 $V' = V \times \sqrt{\frac{T'}{T}} = 200 \times \sqrt{\frac{1.5}{2.25}} ≒ 163[V]$

57 ⬜1⬜ 2⬜ 3⬜

직류 발전기의 유기 기전력이 $230[V]$, 극수가 4, 정류자 편수가 162인 정류자 편간 평균 전압은 약 몇 $[V]$인가?(단, 권선법은 중권이다.)

① 5.68
② 6.28
③ 9.42
④ 10.2

58 ⬜1⬜ 2⬜ 3⬜

일반적인 농형 유도 전동기에 비하여 2중 농형 유도 전동기의 특징으로 옳은 것은?

① 손실이 적다.
② 슬립이 크다.
③ 최대 토크가 크다.
④ 기동 토크가 크다.

59 ⬜1⬜ 2⬜ 3⬜

다이오드를 사용하는 정류 회로에서 과대한 부하 전류로 인하여 다이오드가 소손될 우려가 있을 때 가장 적절한 조치는 어느 것인가?

① 다이오드를 병렬로 추가한다.
② 다이오드를 직렬로 추가한다.
③ 다이오드 양단에 적당한 값의 저항을 추가한다.
④ 다이오드 양단에 적당한 값의 콘덴서를 추가한다.

60 ⬜1⬜ 2⬜ 3⬜

동기 발전기의 단자 부근에서 단락이 일어났다고 하면 단락 전류는 어떻게 되는가?

① 전류가 계속 증가한다.
② 큰 전류가 증가와 감소를 반복한다.
③ 처음에는 큰 전류이나 점차 감소한다.
④ 일정한 큰 전류가 지속적으로 흐른다.

57

$$e = \frac{pE}{K} = \frac{4 \times 230}{162} ≒ 5.68[V]$$

(단, e: 정류자 편간 평균전압$[V]$, P: 극수, E: 유기 기전력$[V]$, K: 정류자 편수)

58

2중 농형 유도 전동기의 특징

• 기동 전류가 작다.
• 기동 토크가 크다.
• 기동용 권선: 저항이 크고 리액턴스가 작다.
• 운전용 권선: 저항이 작고 리액턴스가 크다.

59

• 다이오드 여러 개를 직렬로 연결 시 다이오드 여러 개에 걸리는 전압이 증가하여 전체 입력 전압을 증가시킬 수 있다.

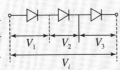

• 다이오드 여러 개를 병렬로 연결 시 다이오드 1개에 흐르는 전류를 작게 할 수 있어 전체 입력 전류를 크게 할 수 있다.

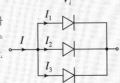

60

동기 발전기의 3상 단락 전류

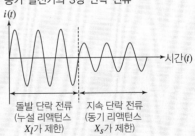

• 돌발 단락 전류(순간 단락 전류)

$$I_s = \frac{E}{X_l}[A] \text{ (단, } E: \text{상전압}[V], X_l: \text{누설 리액턴스}[\Omega])$$

• 지속 단락 전류(영구 단락 전류)

$$I_s = \frac{E}{X_s}[A] \text{ (단, } E: \text{상전압}[V], X_s: \text{동기 리액턴스}[\Omega])$$

즉, 동기 발전기는 3상 단락 사고 시 처음에는 매우 큰 전류가 흐르고 이후 점점 단락 전류가 감소하는 특성이 있다.

61 1 2 3

회로의 단자 a와 b 사이에 나타나는 전압 V_{ab}는 몇 $[\text{V}]$인가?

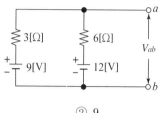

① 3
② 9
③ 10
④ 12

62 1 2 3

최대값이 $10[\text{V}]$인 정현파 전압이 있다. $t=0$에서의 순시값이 $5[\text{V}]$이고 이 순간에 전압이 증가하고 있다. 주파수가 $60[\text{Hz}]$일 때, $t=2\,[\text{ms}]$에서의 전압의 순시값$[\text{V}]$은?

① $10\sin30°$
② $10\sin43.2°$
③ $10\sin73.2°$
④ $10\sin103.2°$

63 1 2 3

그림과 같은 파형의 파고율은?

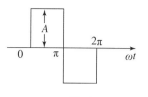

① 1
② 2
③ $\sqrt{2}$
④ $\sqrt{3}$

64 1 2 3

선간 전압이 $200[\text{V}]$, 선전류가 $10\sqrt{3}\,[\text{A}]$, 부하 역률이 $80[\%]$인 평형 3상 회로의 무효 전력$[\text{Var}]$은?

① $3{,}600[\text{Var}]$
② $3{,}000[\text{Var}]$
③ $2{,}400[\text{Var}]$
④ $1{,}800[\text{Var}]$

정답 및 해설

61

밀만의 정리를 적용한다.

$$V_{ab}=\dfrac{\dfrac{E_1}{R_1}+\dfrac{E_2}{R_2}}{\dfrac{1}{R_1}+\dfrac{1}{R_2}}=\dfrac{\dfrac{9}{3}+\dfrac{12}{6}}{\dfrac{1}{3}+\dfrac{1}{6}}=\dfrac{3+2}{\dfrac{3}{6}}=10[\text{V}]$$

62

최대값이 $10[\text{V}]$일 때 순시값이 $5[\text{V}]$인 경우
$v=V_m\sin(\omega t\pm\theta)=10\sin(0\pm\theta)=5$이므로 위상 θ는 $+30°$이다.
따라서 $t=2\times10^{-3}\,[\text{sec}]$일 때 순시값은 아래와 같다.

$$v=10\sin\!\left(2\pi\times60\times2\times10^{-3}\times\dfrac{180°}{\pi}+30°\right)$$
$$=10\sin(0.24\pi+30°)=10(43.2°+30°)=10\sin73.2°[\text{V}]$$

63

문제의 파형은 구형파이므로 실효값은 최대값과 같다.

$$\text{파고율}=\dfrac{\text{최대값}(V_m)}{\text{실효값}(V)}=\dfrac{A}{A}=1$$

[암기 포인트] 구형파
최대값 = 실효값 = 평균값

64

$$Q=\sqrt{3}\,VI\sin\theta=\sqrt{3}\times200\times10\sqrt{3}\times\sqrt{1-0.8^2}=3{,}600[\text{Var}]$$
(단, $\sin\theta$: 무효율($\sqrt{1-\text{역률}^2}$)

65

그림과 같은 회로에서 i_x는 몇 [A]인가?

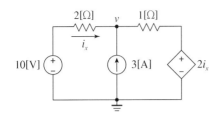

① 3.2[A]
② 2.6[A]
③ 2.0[A]
④ 1.4[A]

66

$v = 100\sqrt{2}\sin\left(\omega t + \dfrac{\pi}{3}\right)$[V]를 복소수로 나타내면?

① $25 + j25\sqrt{3}$
② $50 + j25\sqrt{3}$
③ $25 + j50\sqrt{3}$
④ $50 + j50\sqrt{3}$

67

4단자 정수 A, B, C, D 중에서 어드미턴스 차원을 가진 정수는?

① A
② B
③ C
④ D

68

그림과 같은 회로의 공진 시 어드미턴스는?

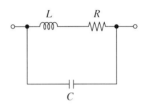

① $\dfrac{RL}{C}$
② $\dfrac{RC}{L}$
③ $\dfrac{L}{RC}$
④ $\dfrac{R}{LC}$

65

절점 v에 대하여 키르히호프의 전류 법칙을 적용한다.

- $\dfrac{v-10}{2} - 3 + \dfrac{v-2i_x}{1} = 0$ ······ ①
- $i_x = \dfrac{10-v}{2}$ ······ ②

위 ②식을 ①식에 대입하여 보면,

$\dfrac{v-10}{2} - 3 + \dfrac{v-2\times\left(\dfrac{10-v}{2}\right)}{1} = 0$, $\therefore v = \dfrac{36}{5} = 7.2$[V]

따라서 전류 i_x 값은 아래와 같다.

$i_x = \dfrac{10-v}{2} = \dfrac{10-7.2}{2} = 1.4$[A]

66

$v = 100\sqrt{2}\sin\left(\omega t + \dfrac{\pi}{3}\right) = 100\sqrt{2}\sin(\omega t + 60°)$

$\therefore V = 100\angle 60° = 100(\cos 60° + j\sin 60°) = 50 + j50\sqrt{3}$ [V]

67

$A = \dfrac{V_1}{V_2}$ (전압비), $B = \dfrac{V_1}{I_2}$ (임피던스)

$C = \dfrac{I_1}{V_2}$ (어드미턴스), $D = \dfrac{I_1}{I_2}$ (전류비)

[암기 포인트] 4단자 정수 $\begin{pmatrix} 전압비 & 임피던스 \\ 어드미턴스 & 전류비 \end{pmatrix}$

68

- $Y = \dfrac{1}{R+j\omega L} + j\omega C = \dfrac{R-j\omega L}{R^2+(\omega L)^2} + j\omega C$

  $= \dfrac{R}{R^2+(\omega L)^2} - \dfrac{j\omega L}{R^2+(\omega L)^2} + j\omega C$

  $= \dfrac{R}{R^2+(\omega L)^2} + j\left(\omega C - \dfrac{L}{R^2+(\omega L)^2}\right)$

- 공진 시 어드미턴스: $Y_0 = \dfrac{R}{R^2+(\omega L)^2}$ 이고, 허수부가 0이 되어야

  한다.

  $C - \dfrac{L}{R^2+(\omega L)^2} = 0 \rightarrow R^2+(\omega L)^2 = \dfrac{L}{C}$

  $\therefore Y_0 = \dfrac{R}{R^2+(\omega L)^2} = \dfrac{R}{\dfrac{L}{C}} = \dfrac{RC}{L}$[℧]

[암기 포인트] 공진=허수부가 0이다.

69 ⬜1 2 3⬜

인덕턴스 0.5[H], 저항 2[Ω]의 직렬 회로에 30[V]의 직류 전압을 급히 가했을 때 스위치를 닫은 후 0.1초 후의 전류의 순시값 i[A]와 회로의 시정수 τ[s]는?

① $i = 4.95,\ \tau = 0.25$ ② $i = 12.75,\ \tau = 0.35$

③ $i = 5.95,\ \tau = 0.45$ ④ $i = 13.95,\ \tau = 0.25$

빈출
70 ⬜1 2 3⬜

$F(s) = \dfrac{s+1}{s^2 + 2s}$ 로 주어졌을 때 $F(s)$의 역변환은?

① $\dfrac{1}{2}(1 + e^t)$ ② $\dfrac{1}{2}(1 + e^{-2t})$

③ $\dfrac{1}{2}(1 - e^{-t})$ ④ $\dfrac{1}{2}(1 - e^{-2t})$

71 ⬜1 2 3⬜

$R(z) = \dfrac{(1 - e^{-aT})z}{(z-1)(z - e^{-aT})}$ 를 역변환하면?

① $1 - e^{-at}$ ② $1 + e^{-at}$

③ te^{-at} ④ te^{at}

72 ⬜1 2 3⬜

$G(s) = \dfrac{1}{0.005s(0.1s + 1)^2}$ 에서 $\omega = 10$[rad/s]일 때 이득 및 위상각은?

① 20[dB], $-90°$ ② 20[dB], $-180°$

③ 40[dB], $-90°$ ④ 40[dB], $-180°$

정답 및 해설

69

• $R-L$ 직렬 회로의 과도 전류

$$i(t) = \frac{E}{R}\left(1 - e^{-\frac{R}{L}t}\right) = \frac{30}{2}\left(1 - e^{-\frac{2}{0.5} \times 0.1}\right) = 4.95[\text{A}]$$

• $R-L$ 직렬 회로의 시정수

$$\tau = \frac{L}{R} = \frac{0.5}{2} = 0.25[\text{sec}]$$

70

$$F(s) = \frac{s+1}{s^2 + 2s} = \frac{s+1}{s(s+2)} = \frac{A}{s} + \frac{B}{s+2}$$

$$A = \frac{s+1}{s+2}\bigg|_{s=0} = \frac{1}{2}$$

$$B = \frac{s+1}{s}\bigg|_{s=-2} = \frac{1}{2}$$

각각의 값을 대입하여 정리하면 다음과 같다.

$$F(s) = \frac{1}{2}\left(\frac{1}{s} + \frac{1}{s+2}\right)$$

$$\therefore f(t) = \frac{1}{2}(1 + e^{-2t})$$

71

주어진 식을 부분분수로 전개한다.

$$\frac{R(z)}{z} = \frac{1 - e^{-aT}}{(z-1)(z - e^{-aT})} = \frac{A}{z-1} + \frac{B}{z - e^{-aT}}$$

$$= \frac{1}{z-1} - \frac{1}{z - e^{-aT}}$$

단, $A = \dfrac{1 - e^{-aT}}{z - e^{-aT}}\bigg|_{z=1} = 1$

$\quad B = \dfrac{1 - e^{-aT}}{z - 1}\bigg|_{z = e^{-aT}} = -1$

위의 식에서 좌변 분모의 z를 원래의 우변 분자에 이항하여 식을 정리한다.

$$R(z) = \frac{z}{z-1} - \frac{z}{z - e^{-aT}}$$

따라서 위의 식을 z 역변환하여 시간 함수로 바꾸면 다음과 같다.

$$R(z) = \frac{z}{z-1} - \frac{z}{z - e^{-aT}} \rightarrow r(t) = 1 - e^{-at}$$

72

• $G(j\omega) = \dfrac{1}{0.005j\omega(0.1j\omega + 1)^2}\bigg|_{\omega = 10} = \dfrac{1}{j0.05(j+1)^2}$

$$= \frac{1}{j0.05(-1 + 2j + 1)} = -10$$

$|G(j\omega)| = 10$

• 이득 $g = 20\log_{10} 10 = 20$[dB]

• $G(j\omega) = \dfrac{1}{j0.05(-1 + 2j + 1)} = \dfrac{1}{0.1j^2}$ 이므로

위상각은 $\angle G(j\omega) = \angle(0° - 180°) = \angle -180°$ 이다.

[암기 포인트]

$j = \sqrt{-1}$, $j^2 = -1$

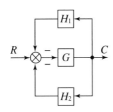

73 1 2 3

다음 블록선도의 전체 전달 함수가 1이 되기 위한 조건은?

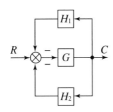

① $G = \dfrac{1}{1 - H_1 - H_2}$ ② $G = \dfrac{-1}{1 + H_1 + H_2}$

③ $G = \dfrac{-1}{1 - H_1 - H_2}$ ④ $G = \dfrac{1}{1 + H_1 + H_2}$

74 1 2 3

그림에서 ㉠에 알맞은 신호 이름은?

① 조작량   ② 제어량
③ 기준 입력량   ④ 동작 신호

75 1 2 3

벡터 궤적이 다음과 같이 표시되는 요소는 어떤 요소가 되는가?

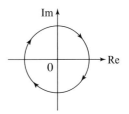

① 비례 미분 요소   ② 1차 지연 미분 요소
③ 2차 지연 미분 요소   ④ 부동작 시간 요소

76 1 2 3

Nyquist 판정법의 설명으로 틀린 설명은?

① 제어계의 안정성을 판정하는 동시에 안정도를 제시해 준다.
② 제어계의 안정도를 개선하는 방법에 대한 정보를 제시해 준다.
③ 나이퀴스트(Nyquist) 선도는 제어계의 오차 응답에 관한 정보를 준다.
④ 루드-훌비쯔(Routh-Hurwitz) 판정법과 같이 계의 안정 여부를 직접 판정해 준다.

73

전달 함수 $\dfrac{C}{R} = \dfrac{\sum 경로}{1 - \sum 폐루프} = \dfrac{G}{1 + GH_1 + GH_2} = 1$

$G = 1 + GH_1 + GH_2$, $G - GH_1 - GH_2 = 1$, $G(1 - H_1 - H_2) = 1$

∴ $G = \dfrac{1}{1 - H_1 - H_2}$

74

• 동작 신호: 기준 입력 요소가 제어 요소에 주는 신호
• 조작량: 제어 요소가 제어 대상에 주는 신호

75

$G(j\omega) = e^{-j\omega T} = \cos\omega T - j\sin\omega T$이므로
• 크기 $|G(j\omega)| = \sqrt{(\cos\omega T)^2 + (\sin\omega T)^2} = 1$

• 위상각 $\angle G(j\omega) = \tan^{-1}\left(\dfrac{-\sin\omega T}{\cos\omega T}\right)$

$\qquad\qquad\qquad = \tan^{-1}(-\tan\omega T) = -\omega T$

크기는 1로 같고 위상만 변하는 벡터궤적(원 궤적)을 부동작 요소 또는 부동작 시간 요소라 한다.

76

나이퀴스트 선도 안정도 판정법의 특징
• 제어 장치의 안정성을 판정하는 동시에 안정도를 제시해 준다.
• 제어계의 안정도를 개선하는 방법에 대한 정보를 제시해 준다.
• 제어계의 주파수 응답에 관한 정보를 준다.
• 루드-훌비쯔 안정도 판정법과 마찬가지로 제어계의 안정도를 직접 판정해 준다.

[암기 포인트]
나이퀴스트 판정법-제어계의 '주파수' 응답에 관한 정보

정답 73 ① 74 ④ 75 ④ 76 ③

2024년 전기기사 필기 3회 **95**

77 ① ② ③

다음과 같은 상태 방정식의 고유값 s_1과 s_2는?

$$\begin{bmatrix} \dot{x}_1 \\ \dot{x}_2 \end{bmatrix} = \begin{bmatrix} 1 & -2 \\ -3 & 2 \end{bmatrix} \begin{bmatrix} x_1 \\ x_2 \end{bmatrix} + \begin{bmatrix} 2 & -3 \\ -4 & 3 \end{bmatrix} \begin{bmatrix} r_1 \\ r_2 \end{bmatrix}$$

① $4,\ -1$ 　　② $-4,\ 1$
③ $6,\ -1$ 　　④ $-6,\ 1$

78 ① ② ③

전달 함수 $G(s)H(s) = \dfrac{K(s+1)}{s(s+1)(s+2)}$ 일 때 근궤적의 수는?

① 1 　　② 2
③ 3 　　④ 4

79 ① ② ③

드모르간의 정리를 나타낸 식은?

① $\overline{A+B} = A \cdot B$
② $\overline{A+B} = \overline{A} + \overline{B}$
③ $\overline{A \cdot B} = \overline{A} \cdot \overline{B}$
④ $\overline{A+B} = \overline{A} \cdot \overline{B}$

80 ① ② ③

단위 계단 입력에 대한 응답 특성이 $c(t) = 1 - e^{-\frac{1}{T}t}$ 로 나타나는 제어계는?

① 비례 제어계
② 적분 제어계
③ 1차 지연 제어계
④ 2차 지연 제어계

정답 및 해설

77

• $sI-A = s\begin{bmatrix} 1 & 0 \\ 0 & 1 \end{bmatrix} - \begin{bmatrix} 1 & -2 \\ -3 & 2 \end{bmatrix} = \begin{bmatrix} s-1 & 2 \\ 3 & s-2 \end{bmatrix}$

$\therefore |sI-A| = (s-1)(s-2)-6 = s^2 - 3s - 4 = 0$

• $s^2 - 3s - 4 = (s-4)(s+1) = 0$

따라서 특성 방정식의 근(고유값)은 4와 -1이다.

78

영점의 수는 1개($Z=-1$), 극점의 수는 3개($P=0, -1, -2$)이다. 근궤적의 개수는 영점과 극점의 개수 중 큰 것과 일치하므로 3개이다.

[암기 포인트]

근궤적 개수는 영점과 극점의 개수 중에서 큰 것과 일치한다.

79

드모르간 정리

• $\overline{A+B} = \overline{A} \cdot \overline{B}$
• $\overline{A \cdot B} = \overline{A} + \overline{B}$

80

출력을 라플라스 변환하면 다음과 같다.

$$C(s) = \frac{1}{s} - \frac{1}{s+\dfrac{1}{T}} = \frac{1}{s} - \frac{T}{Ts+1}$$

$$= \frac{Ts+1-Ts}{s(Ts+1)} = \frac{1}{s(Ts+1)}$$

단위 계단 입력에 대한 전달 함수

$$\frac{C(s)}{R(s)} = \frac{\dfrac{1}{s(Ts+1)}}{\dfrac{1}{s}} = \frac{1}{Ts+1}$$

따라서, 제어계는 1차 지연 요소로 동작한다.

[참고]

• 비례 요소 $G(s) = K$
• 미분 요소 $G(s) = Ks$
• 적분 요소 $G(s) = \dfrac{K}{s}$
• 1차 지연 요소 $G(s) = \dfrac{K}{1+Ts}$

	1회독	월	일
전기설비기술기준	2회독	월	일
	3회독	월	일

자동채점

81

저압 옥내배선을 금속덕트공사로 할 경우 금속덕트에 넣는 전선의 단면적(절연 피복의 단면적 포함)의 합계는 덕트 내부 단면적의 몇 [%]까지 할 수 있는가?

① 20
② 30
③ 40
④ 50

82

조상설비 내부고장, 과전류 또는 과전압이 생긴 경우 자동적으로 차단되는 장치를 해야 하는 전력용 커패시터의 최소 뱅크용량은 몇 [kVA]인가?

① 10,000
② 12,000
③ 13,000
④ 15,000

83

저압 가공전선으로 사용할 수 없는 것은?

① 케이블
② 절연전선
③ 다심형 전선
④ 나동복 강선

84

급전선에 대한 설명으로 틀린 것은?

① 급전선은 비절연보호도체, 매설접지도체, 레일 등으로 구성하여 단권변압기 중성점과 공통접지에 접속한다.
② 가공식은 전차선의 높이 이상으로 전차선로 지지물에 병행 설치하며, 나전선의 접속은 직선접속을 원칙으로 한다.
③ 선상승강장, 인도교, 과선교 또는 교량 하부 등에 설치할 때에는 최소 절연이격거리 이상을 확보하여야 한다.
④ 신설 터널 내 급전선을 가공으로 설계할 경우 지지물의 취부는 C찬넬 또는 매입전을 이용하여 고정하여야 한다.

81

금속덕트공사(한국전기설비규정 232.31)
전선은 절연전선(OW 제외)으로 금속덕트에 넣는 전선의 단면적(절연 피복 포함)의 합계는 덕트 내부 단면적의 20[%](전광 표시 장치 기타 이와 유사한 장치 또는 제어회로용 배선만을 넣는 경우는 50[%]) 이하일 것

82

조상설비의 보호장치(한국전기설비규정 351.5)

설비종별	뱅크용량의 구분	자동적으로 전로로부터 차단하는 장치
전력용 커패시터 및 분로리액터	500[kVA] 초과 15,000[kVA] 미만	• 내부에 고장이 생긴 경우 • 과전류가 생긴 경우
	15,000[kVA] 이상	• 내부에 고장이 생긴 경우 • 과전류가 생긴 경우 • 과전압이 생긴 경우
무효전력 보상장치	15,000[kVA] 이상	내부에 고장이 생긴 경우

83

저압 가공전선의 굵기 및 종류(한국전기설비규정 222.5)
저압 가공전선은 나전선(중성선 또는 다중접지된 접지측 전선으로 사용하는 전선에 한한다), 절연전선, 다심형 전선 또는 케이블을 사용하여야 한다.

84

급전선로(한국전기설비규정 431.4)
• 급전선은 나전선을 적용하여 가공식으로 가설을 원칙으로 한다.
• 가공식은 전차선의 높이 이상으로 전차선로 지지물에 병행 설치하며, 나전선의 접속은 직선접속을 원칙으로 한다.
• 선상승강장, 인도교, 과선교 또는 교량 하부 등에 설치할 때에는 최소 절연이격거리 이상을 확보하여야 한다.
• 신설 터널 내 급전선을 가공으로 설계할 경우 지지물의 취부는 C찬넬 또는 매입전을 이용하여 고정하여야 한다.

85

철도 또는 궤도를 횡단하는 저·고압 가공전선의 높이는 레일면상 몇 [m] 이상인가?

① 5.5 ② 6.5
③ 7.5 ④ 8.5

86

특고압용 제2종 보안장치 또는 이에 준하는 보안장치 등이 되어 있지 않은 25[kV] 이하인 특고압 가공전선로의 지지물에 시설하는 통신선 또는 이에 직접 접속하는 통신선으로 사용할 수 있는 것은?

① 광섬유 케이블
② CN/CV 케이블
③ 캡타이어케이블
④ 지름 2.6[mm] 이상의 절연전선

87

전동기 과부하 보호장치의 시설에서 전원 측 전로에 시설한 배선차단기의 정격전류가 몇 [A] 이하의 것이면 이 전로에 접속하는 단상 전동기에는 과부하 보호장치를 생략할 수 있는가?

① 16 ② 20
③ 30 ④ 50

88

가요전선관 공사에 대한 설명 중 틀린 것은?

① 가요전선관 안에서는 전선의 접속점이 없어야 한다.
② 가요전선관은 전개된 장소 또는 점검할 수 있는 은폐된 장소 이외에는 1종 가요전선관을 사용해야 한다.
③ 가요전선관 내에 수용되는 전선은 연선이어야 하며 단면적 10[mm²] 이하는 무방하다.
④ 가요전선관 내에 수용되는 전선은 옥외용 비닐절연전선을 제외하고는 절연전선이어야 한다.

정답 및 해설

85

저고압 가공전선의 높이(한국전기설비규정 고압: 332.5, 저압: 222.7)
• 도로를 횡단하는 경우에는 지표상 6[m] 이상
• 철도 또는 궤도를 횡단하는 경우에는 레일면상 6.5[m] 이상
• 횡단보도교의 위에 시설하는 경우에는 저압 가공전선은 그 노면상 3.5[m](전선이 저압 절연전선, 다심형 전선 또는 케이블인 경우에는 3[m]) 이상, 고압 가공전선은 그 노면상 3.5[m] 이상
• 다리의 하부 기타 이와 유사한 장소에 시설하는 저압의 전기 철도용 급전선은 지표상 3.5[m]까지로 감할 수 있다.

86

25[kV] 이하인 특고압 가공전선로 첨가 통신선의 시설에 관한 특례(한국전기설비규정 362.6)
통신선은 광섬유 케이블일 것. 다만, 특고압용 제2종 보안장치 또는 이에 준하는 보안장치를 시설할 경우 그러하지 아니하다.

87

저압전로 중의 전동기 보호용 과전류보호장치의 시설(한국전기설비규정 212.6.3)
다음에 해당하는 경우 과전류보호장치를 생략할 수 있다.
• 옥내에 시설하는 전동기로 정격출력이 0.2[kW] 이하인 것
• 전동기를 운전 중 상시 취급자가 감시할 수 있는 위치에 시설하는 경우
• 전동기의 구조나 부하의 성질로 보아 전동기가 소손할 수 있는 과전류가 생길 우려가 없는 경우
• 단상 전동기로서 그 전원 측 전로에 시설하는 과전류차단기의 정격전류가 16[A](배선용 차단기는 20[A]) 이하인 경우

[암기 포인트]
자주 출제되는 기출문제이므로 16[A], 20[A]는 꼭 암기할 것을 권한다.

88

금속제 가요전선관공사(시설조건)(한국전기설비규정 232.13.1)
가요전선관 공사에 의한 저압 옥내배선의 시설
• 전선은 절연전선(옥외용 비닐절연전선을 제외한다)일 것
• 전선은 연선일 것. 다만, 단면적 10[mm²](알루미늄선은 단면적 16[mm²]) 이하인 것은 그러하지 아니하다.
• 가요전선관 안에는 전선에 접속점이 없도록 할 것
• 가요전선관은 2종 금속제 가요전선관일 것. 다만, 전개된 장소 또는 점검할 수 있는 은폐된 장소(옥내배선의 사용전압이 400[V] 초과인 경우에는 전동기에 접속하는 부분으로서 가요성을 필요로 하는 부분에 사용하는 것에 한한다)에는 1종 가요전선관(습기가 많은 장소 또는 물기가 있는 장소에는 비닐 피복 1종 가요전선관에 한한다)을 사용할 수 있다.

89 ⬛1 2 3

공통접지공사 적용 시 선도체의 단면적이 $16[\text{mm}^2]$인 경우 보호도체(PE)에 적합한 단면적은?(단, 보호도체의 재질이 선도체와 같은 경우이다.)

① 4
② 6
③ 10
④ 16

90 ⬛1 2 3

가공전선로의 지지물에 시설하는 지선의 시방세목을 설명한 것 중 옳은 것은?

① 안전율은 1.2 이상일 것
② 허용 인장하중의 최저는 5.26[kN]으로 할 것
③ 소선의 지름 1.6[mm] 이상인 금속선을 사용할 것
④ 지선에 연선을 사용할 경우 소선 3가닥 이상의 연선일 것

91 ⬛1 2 3

"리플프리(Ripple-free)직류"란 교류를 직류로 변환할 때 리플성분의 실횻값이 몇 $[\%]$ 이하로 포함된 직류를 말하는가?

① 3
② 5
③ 10
④ 15

빈출
92 ⬛1 2 3

가공전선로에 사용하는 지지물의 강도 계산 시 구성재의 수직 투영면적 $1[\text{m}^2]$에 대한 풍압을 기초로 적용하는 갑종 풍압하중 값의 기준으로 틀린 것은?

① 목주: 588[Pa]
② 원형 철주: 588[Pa]
③ 철근 콘크리트주: 1,117[Pa]
④ 강관으로 구성된 철탑(단주는 제외): 1,255[Pa]

89

보호도체(한국전기설비규정 142.3.2)
선도체의 단면적이 $16[\text{mm}^2]$ 이하이고 보호도체의 재질이 선도체와 같을 때에는 보호도체의 최소 단면적을 선도체와 같게 한다.

90

지선의 시설(한국전기설비규정 331.11)
• 안전율은 2.5 이상
• 최저 인장하중은 4.31[kN]
• 연선일 경우 소선의 지름이 2.6[mm] 이상인 금속선 3가닥 이상을 꼬아서 사용
• 지중 및 지표상 0.3[m]까지의 부분은 아연도금을 한 철봉 등을 사용

91

용어 정의(한국전기설비규정 112)
리플프리(Ripple-free)직류란 교류를 직류로 변환할 때 리플성분의 실횻값이 10[%] 이하로 포함된 직류를 말한다.

92

풍압하중의 종별과 적용(한국전기설비규정 331.6)

풍압을 받는 구분			풍압[Pa]
지지물	목주		588
	철주	원형의 것	588
		삼각형 또는 마름모형의 것	1,412
		강관에 의하여 구성되는 4각형의 것	1,117
		기타의 것으로 복재가 전후면에 겹치는 경우	1,627
		기타의 것으로 겹치지 않은 경우	1,784
	철근 콘크리트주	원형의 것	588
		기타의 것	882
	철탑	강관으로 구성되는 것 (단주 제외)	1,255
		기타의 것	2,157

93 ① ② ③

애자공사를 습기가 많은 장소에 시설하는 경우 전선과 조영재 사이의 이격거리는 몇 [cm] 이상이어야 하는가?(단, 사용전압은 440[V]인 경우이다.)

① 2.0   ② 2.5

③ 4.5   ④ 6.0

94 ① ② ③

가공전선로의 지지물에 취급자가 오르고 내리는 데 사용하는 발판 볼트 등은 지표상 몇 [m] 미만에 시설하여서는 아니 되는가?

① 1.2   ② 1.5

③ 1.8   ④ 2.0

95 ① ② ③

지중전선로는 기설 지중약전류전선로에 대하여 다음의 어느 것에 의하여 통신상의 장해를 주지 아니하도록 기설 약전류전선로로부터 충분히 이격시키는가?

① 충전전류 또는 표피작용

② 누설전류 또는 유도작용

③ 충전전류 또는 유도작용

④ 누설전류 또는 표피작용

96 ① ② ③

옥내배선의 사용전압이 400[V] 이하일 때 전광표시 장치·기타 이와 유사한 장치 또는 제어회로 등의 배선에 다심케이블을 시설하는 경우 배선의 단면적은 몇 [mm²] 이상인가?

① 0.75   ② 1.5

③ 1   ④ 2.5

정답 및 해설

93

애자공사(한국전기설비규정 232.56.1)

• 전선의 종류: 절연전선. 단, 옥외용 비닐절연전선(OW) 및 인입용 비닐절연전선(DV)은 제외한다.

• 이격거리

전압		전선과 조영재와의 이격거리		전선 상호 간격	전선 지지점 간의 거리	
					조영재의 상면 또는 측면	조영재에 따라 시설하지 않는 경우
저압	400[V] 이하	25[mm] 이상		0.06[m] 이상	2[m] 이하	–
	400[V] 초과	건조한 장소	25[mm] 이상			6[m] 이하
		기타의 장소	45[mm] 이상			

94

가공전선로 지지물의 철탑오름 및 전주오름 방지(한국전기설비규정 331.4)

발판 볼트 등은 1.8[m] 미만에 시설하여서는 안 된다. 다만, 다음의 경우에는 그러지 아니하다.

• 발판 볼트를 내부에 넣을 수 있는 구조

• 지지물에 철탑오름 및 전주오름 방지장치를 시설한 경우

• 취급자 이외의 자가 출입할 수 없도록 울타리 담 등을 시설한 경우

• 산간 등에 있으며 사람이 쉽게 접근할 우려가 없는 곳

[암기 포인트] 발판 볼트 – 1.8[m](세트 암기!)

95

지중약전류전선에서의 유도장해 방지(한국전기설비규정 334.5)

지중전선로는 기설 지중약전류전선로에 대하여 누설전류 또는 유도작용에 의하여 통신상의 장해를 주지 않도록 기설 약전류전선로로부터 충분히 이격시키거나 기타 적당한 방법으로 시설하여야 한다.

96

저압 옥내배선의 사용전선(한국전기설비규정 231.3.1)

저압 옥내배선은 2.5[mm²] 이상의 연동선 또는 이와 동등 이상의 강도 및 굵기의 것. 다만, 400[V] 이하인 경우 다음에 의하여 시설할 수 있다.

• 전광표시장치 기타 이와 유사한 장치 또는 제어회로 등에 사용하는 배선에 단면적 1.5[mm²] 이상의 연동선을 사용하고 이를 합성수지관, 금속관, 금속몰드, 금속덕트, 플로어덕트 또는 셀룰러덕트 공사에 의하여 시설하는 경우

• 전광표시장치 기타 이와 유사한 장치 또는 제어회로 등의 배선에 단면적 0.75[mm²] 이상인 다심케이블 또는 다심 캡타이어케이블을 사용하고 또한 과전류가 생겼을 때에 자동적으로 전로에서 차단하는 장치를 시설하는 경우

• 진열장 안에서 0.75[mm²] 이상인 코드 또는 캡타이어케이블을 사용하는 경우

97

1 2 3

발전소, 변전소, 개폐소의 시설부지 조성을 위해 산지를 전용할 경우에 전용하고자 하는 산지의 평균 경사도는 몇 도 이하이어야 하는가?

① 10
② 15
③ 20
④ 25

98

1 2 3

의료장소에서 인접하는 의료장소와의 바닥면적 합계가 몇 $[m^2]$ 이하인 경우 등전위본딩 바를 공용으로 사용할 수 있는가?

① 30
② 50
③ 80
④ 100

99

1 2 3

태양광설비에 시설하여야 하는 계측기의 계측대상에 해당하는 것은?

① 전압과 전류
② 전력과 역률
③ 전류와 역률
④ 역률과 주파수

100

1 2 3

가공약전류전선을 사용전압이 $22.9[kV]$인 특고압 가공전선과 동일 지지물에 공용설치 하고자 할 때 가공전선으로 경동연선을 사용한다면 단면적이 몇 $[mm^2]$ 이상인가?

① 22
② 38
③ 50
④ 55

97

발전소 등의 부지 시설조건(기술기준 제21조의 2)
부지조성을 위해 산지를 전용할 경우에는 전용하고자 하는 산지의 평균 경사도가 25° 이하여야 하며, 산지전용면적 중 산지전용으로 발생되는 절·성토 경사면의 면적이 100분의 50을 초과해서는 아니 된다.

98

의료장소 내의 접지 설비(한국전기설비규정 242.10.4)
의료장소마다 그 내부 또는 근처에 등전위본딩 바를 설치할 것. 다만, 인접하는 의료장소와의 바닥면적 합계가 $50[m^2]$ 이하인 경우에는 등전위본딩 바를 공용할 수 있다.

99

태양광설비의 계측장치(한국전기설비규정 522.3.6)
태양광설비에는 전압과 전류 또는 전압과 전력을 계측하는 장치를 시설하여야 한다.

[암기 포인트]
계측 장치: 전압 + 전류, 전압 + 전력

100

특고압 가공전선과 가공약전류전선 등의 공용설치(한국전기설비규정 333.19)
사용전압이 $35[kV]$ 이하인 특고압 가공전선과 가공약전류전선 등을 동일 지지물에 시설하는 경우에는 다음에 따라야 한다.
• 특고압 가공전선로는 제2종 특고압 보안공사에 의할 것
• 특고압 가공전선은 가공약전류전선 등의 위로 하고 별개의 완금류에 시설할 것
• 특고압 가공전선은 케이블인 경우 이외에는 인장강도 21.67[kN] 이상의 연선 또는 단면적이 $50[mm^2]$ 이상인 경동연선일 것

2023년 전기기사 필기

시행일자

1회 3. 1 ~ 3. 15
2회 5. 13 ~ 6. 4
3회 7. 8 ~ 7. 23

시험정보

과목명	문항수	시간(분)	필기 합격률
전기자기학	20	20	
전력공학	20	20	
전기기기	20	20	**22%**
회로이론 및 제어공학	20	20	
전기설비 기술기준	20	20	
합 계	100	100	

※ 해당 시험은 CBT로 진행되었습니다. 당해 시험 문제는 수험자의 기억을 바탕으로 복원한 문제로 실제 문제와 상이할 수 있습니다.

합격기준

과목당 40점 이상 (100점 만점 기준)
전과목 평균 60점 이상 (100점 만점 기준)

시험분석

		회차	난이도		
전기자기학		1회	난이도 下	과난도 01	빈출 13, 15, 19
		2회	난이도 中	과난도 07, 18	빈출 06, 09, 13
		3회	난이도 中	과난도 04, 16, 18	빈출 06, 14
전력공학		1회	난이도 中	과난도 30, 36	빈출 22, 33
		2회	난이도 下	과난도 23	빈출 22, 28, 34, 38
		3회	난이도 中	과난도 40	빈출 23, 25
전기기기		1회	난이도 中	과난도 57	빈출 43, 50, 58
		2회	난이도 下		빈출 45, 48, 52
		3회	난이도 下	과난도 45, 48	빈출 42, 49, 54, 57
회로이론 및 제어공학		1회	난이도 中	과난도 64, 65, 76	빈출 68, 69, 74, 79
		2회	난이도 中	과난도 65, 75, 79	빈출 68, 71
		3회	난이도 中	과난도 66, 67	빈출 64, 72, 77
전기설비 기술기준		1회	난이도 上	과난도 92, 97, 99	빈출 84, 87, 93
		2회	난이도 中	과난도 89, 91	빈출 85, 96, 99
		3회	난이도 上	과난도 83	빈출 95, 99

	1회독	월 일
전기자기학	2회독	월 일
	3회독	월 일

자동채점

01

서로 멀리 떨어져 있는 두 도체를 각각 $V_1[\text{V}]$, $V_2[\text{V}]$ ($V_1 > V_2$)의 전위로 충전한 후 가느다란 도선으로 연결하였을 때 그 도선에 흐르는 전하 $Q[\text{C}]$는?(단, C_1, C_2는 두 도체의 정전 용량이다.)

① $\dfrac{C_1 C_2 (V_1 - V_2)}{C_1 + C_2}$

② $\dfrac{2 C_1 C_2 (V_1 - V_2)}{C_1 + C_2}$

③ $\dfrac{C_1 C_2 (V_1 - V_2)}{2(C_1 + C_2)}$

④ $\dfrac{2(C_1 V_1 - C_2 V_2)}{C_1 C_2}$

02

전기 쌍극자에 관한 설명으로 틀린 것은?

① 전계의 세기는 거리의 세제곱에 반비례한다.
② 전계의 세기는 주위 매질에 따라 달라진다.
③ 전계의 세기는 쌍극자 모멘트에 비례한다.
④ 쌍극자의 전위는 거리에 반비례한다.

03

환상철심의 평균 자계의 세기가 $3,000[\text{AT/m}]$이고, 비투자율이 600인 철심 중의 자화의 세기는 약 몇 $[\text{Wb/m}^2]$인가?

① 0.75

② 2.26

③ 4.52

④ 9.04

정답 및 해설

01
• 도체를 연결하기 전의 전하량
$Q = Q_1 + Q_2 = C_1 V_1 + C_2 V_2 [\text{C}]$
• 도체를 연결한 후의 전하량
$Q' = Q_1' + Q_2' = C_1 V + C_2 V [\text{C}]$ (V: 연결한 후의 전위)
• 도체를 연결하기 전의 전하량과 연결한 후의 전하량은 불변($Q = Q'$)이므로 공통 전위
$Q = Q_1 + Q_2 = Q_1' + Q_2' = C_1 V_1 + C_2 V_2 = C_1 V + C_2 V [\text{C}]$
$\therefore V = \dfrac{C_1 V_1 + C_2 V_2}{C_1 + C_2} [\text{V}]$
따라서 전위차에 의해 도선에 흐르는 전하량은
$\triangle Q = Q_1 - Q_1' = C_1 V_1 - C_1 V = \dfrac{C_1 C_2 (V_1 - V_2)}{C_1 + C_2} [\text{C}]$

02
• 전기 쌍극자의 정의
– 크기는 같고, 부호가 반대인 2개의 점 전하가 매우 근접하여 미소한 거리 $\delta[\text{m}]$ 만큼 떨어져 존재하는 상태의 전하를 말한다.
• 전기 쌍극자의 전계 세기 및 전위
$E = \dfrac{M}{4\pi\varepsilon_0 r^3} \sqrt{1 + 3\cos^2\theta} \ [\text{V/m}]$, $V = \dfrac{M}{4\pi\varepsilon_0 r^2} \cos\theta \ [\text{V}]$
즉, 쌍극자의 전위는 거리의 제곱에 반비례한다. $\left(V \propto \dfrac{1}{r^2}\right)$

03
자화의 세기
$B = \mu_0 H + J$
$J = B - \mu_0 H = \mu_0 \mu_s H - \mu_0 H = \mu_0 (\mu_s - 1) H$
$= 4\pi \times 10^{-7} \times (600 - 1) \times 3,000 = 2.26 [\text{Wb/m}^2]$

04 ① ② ③

압전 효과를 이용하지 않은 것은?

① 수정 발진기   ② 마이크로폰
③ 초음파 발생기   ④ 자속계

05 ① ② ③

진공 중에서 $+q[\mathrm{C}]$과 $-q[\mathrm{C}]$의 점 전하가 미소 거리 $a[\mathrm{m}]$만큼 떨어져 있을 때 이 쌍극자가 P점에 만드는 전계$[\mathrm{V/m}]$와 전위$[\mathrm{V}]$의 크기는?

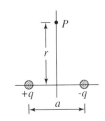

① $E = \dfrac{qa}{4\pi\varepsilon_0 r^2}$, $V = 0$

② $E = \dfrac{qa}{4\pi\varepsilon_0 r^3}$, $V = 0$

③ $E = \dfrac{qa}{4\pi\varepsilon_0 r^2}$, $V = \dfrac{qa}{4\pi\varepsilon_0 r}$

④ $E = \dfrac{qa}{4\pi\varepsilon_0 r^3}$, $V = \dfrac{qa}{4\pi\varepsilon_0 r^2}$

06 ① ② ③

그림과 같이 도선에 전류 $I[\mathrm{A}]$를 흘릴 때 도선의 바로 밑에 자침이 이 도선과 나란히 놓여 있다고 하면 자침의 N극의 회전력의 방향은?

① 지면을 뚫고 나오는 방향이다.
② 지면을 뚫고 들어가는 방향이다.
③ 좌측에서 우측으로 향하는 방향이다.
④ 우측에서 좌측으로 향하는 방향이다.

07 ① ② ③

그림과 같은 영역 $y \leq 0$은 완전 도체로 위치해 있고 영역 $y \geq 0$은 완전 유전체로 위치해 있을 때 만약 경계 무한 평면의 도체면상에 면 전하 밀도 $\rho = 2[\mathrm{nC/m^2}]$가 분포되어 있다면 P점 $(-4, 1, -5)[\mathrm{m}]$의 전계의 세기$[\mathrm{V/m}]$는?

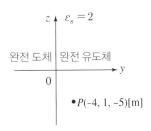

① $18\pi a_y$ ② $36\pi a_y$
③ $-54\pi a_y$ ④ $72\pi a_y$

04

압전 효과를 응용한 기기
• 수정 발진기
• 마이크로폰
• 초음파 발생기
• 크리스탈 Pick-Up

05

전기 쌍극자의 전계 세기

$E = \dfrac{M}{4\pi\varepsilon_0 r^3}\sqrt{1+3\cos^2\theta} = \dfrac{qa}{4\pi\varepsilon_0 r^3}\sqrt{1+3\cos^2 90°}$

$= \dfrac{qa}{4\pi\varepsilon_0 r^3}[\mathrm{V/m}]$

전기 쌍극자의 전위

$V = \dfrac{M}{4\pi\varepsilon_0 r^2}\cos\theta = \dfrac{M}{4\pi\varepsilon_0 r^2}\cos 90° = 0[\mathrm{V}]$

06

암페어의 법칙을 적용
• 암페어의 오른손 법칙에 의하여 직선 도선의 아래쪽의 자계의 세기는 들어가는 방향(⊗ 방향)으로 된다.
• 자석 자침의 N극의 회전 방향은 자기장의 방향과 일치하므로 지면 위에서 아래로 향하는 방향으로 회전한다.

07

전계는 도체의 표면에 수직한 방향($+y$축)으로 진행하므로 무한 평면 도체에서 생성하는 전계 $E = \dfrac{\rho}{\varepsilon}a_y[\mathrm{V/m}]$

여기서 완전 유전체의 비유전율 $\varepsilon_s = 2$이므로

전계 $\dot{E} = \dfrac{\rho}{\varepsilon_0\varepsilon_s}a_y = 36\pi\times10^9\times\dfrac{2\times10^{-9}}{2}a_y = 36\pi a_y[\mathrm{V/m}]$

08 ▢▢▢

철심이 들어 있는 환상 코일이 있다. 1차 코일의 권수 $N_1 = 100$회일 때 자기 인덕턴스는 $0.01[\mathrm{H}]$였다. 이 철심에 2차 코일 $N_2 = 200$회를 감았을 때 1, 2차 코일의 상호 인덕턴스는 몇 $[\mathrm{H}]$인가?(단, 이 경우 결합 계수 $k = 1$로 한다.)

① 0.01   ② 0.02

③ 0.03   ④ 0.04

09 ▢▢▢

변위 전류와 가장 관계가 깊은 것은?

① 도체   ② 반도체

③ 유전체   ④ 자성체

10 ▢▢▢

어느 점 전하에 의하여 생기는 전위를 처음 전위의 $\frac{1}{2}$이 되게 하려면 전하로부터의 거리를 어떻게 해야 하는가?

① $\frac{1}{2}$로 감소시킨다.   ② $\frac{1}{\sqrt{2}}$로 감소시킨다.

③ 2배 증가시킨다.   ④ $\sqrt{2}$배 증가시킨다.

11 ▢▢▢

판 간격이 d인 평행판 공기 콘덴서 중에 두께가 t이고, 비유전율이 ε_s인 유전체를 삽입하였을 경우에 공기의 절연 파괴를 발생하지 않고 가할 수 있는 판 간의 전위차$[\mathrm{V}]$는?(단, 유전체가 없을 때 가할 수 있는 전압을 V라 하고, 공기의 절연 내력은 ε_0라 한다.)

① $V\left(1 - \dfrac{t}{\varepsilon_s d}\right)$ ② $\dfrac{Vt}{d}\left(1 - \dfrac{1}{\varepsilon_s}\right)$

③ $V\left(1 + \dfrac{t}{\varepsilon_s d}\right)$ ④ $V\left\{1 - \dfrac{t}{d}\left(1 - \dfrac{1}{\varepsilon_s}\right)\right\}$

08

환상 코일의 인덕턴스 $L = \dfrac{\mu S N^2}{l}$, $L \propto N^2$

따라서 N이 2배면 $L[\mathrm{H}]$는 4배이다.

$\therefore L_2 = L_1 \times 4 = 0.04[\mathrm{H}]$

결합 계수 $k = 1$이므로 상호 인덕턴스

$M = k\sqrt{L_1 L_2} = \sqrt{0.01 \times 0.04} = 0.02[\mathrm{H}]$

09

변위 전류는 유전체에 흐르는 전류이다.

10

점 전하에 의한 전위 $V = \dfrac{Q}{4\pi \varepsilon r}[\mathrm{V}]$

처음 전위의 $\frac{1}{2}$이 되게 하려면 거리(r)를 2배 증가시킨다.

$\left(\because V \propto \dfrac{1}{r}\right)$

11

• 유전체를 삽입하기 전 공기 콘덴서의 정전 용량

$C_0 = \dfrac{\varepsilon_0 S}{d}[\mathrm{F}]$

• 유전체를 삽입한 후 유전체 콘덴서의 정전 용량

– 공기 부분 $C_1 = \dfrac{\varepsilon_0 S}{d - t}[\mathrm{F}]$

– 유전체 부분 $C_2 = \dfrac{\varepsilon_0 \varepsilon_s S}{t}[\mathrm{F}]$

– 합성 정전 용량 $\dfrac{1}{C} = \dfrac{1}{C_1} + \dfrac{1}{C_2} = \dfrac{d - t}{\varepsilon_0 S} + \dfrac{t}{\varepsilon_0 \varepsilon_s S} = \dfrac{\varepsilon_s(d - t) + t}{\varepsilon_0 \varepsilon_s S}$

$\therefore C = \dfrac{\varepsilon_0 \varepsilon_s S}{\varepsilon_s(d - t) + t}[\mathrm{F}]$

유전체를 삽입한 콘덴서에 가할 수 있는 전위차를 V'이라 할 때 전하량은 일정하므로 $C_0 V = CV'$를 만족한다.

$V' = \dfrac{C_0}{C} V = \dfrac{\varepsilon_s(d - t) + t}{\varepsilon_s d} V = \left(1 - \dfrac{t}{d} + \dfrac{t}{\varepsilon_s d}\right) V$

$= V\left\{1 - \dfrac{t}{d}\left(1 - \dfrac{1}{\varepsilon_s}\right)\right\}$

12 ▮1▮ ▮2▮ ▮3▮

그림과 같은 길이가 $1[\mathrm{m}]$인 동축 원통 사이의 정전 용량$[\mathrm{F/m}]$은?

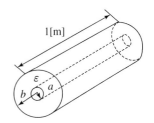

① $C = \dfrac{2\pi}{\varepsilon \ln \dfrac{b}{a}}$

② $C = \dfrac{\varepsilon}{2\pi \ln \dfrac{b}{a}}$

③ $C = \dfrac{2\pi\varepsilon}{\ln \dfrac{b}{a}}$

④ $C = \dfrac{2\pi\varepsilon}{\ln \dfrac{a}{b}}$

13 ▮1▮ ▮2▮ ▮3▮

전류에 의한 자계의 방향을 결정하는 법칙은?

① 렌츠의 법칙

② 플레밍의 왼손 법칙

③ 플레밍의 오른손 법칙

④ 암페어의 오른나사 법칙

14 ▮1▮ ▮2▮ ▮3▮

투자율 $\mu[\mathrm{H/m}]$, 자계의 세기 $H[\mathrm{AT/m}]$, 자속 밀도 $B[\mathrm{Wb/m^2}]$인 곳의 자계 에너지 밀도 $[\mathrm{J/m^3}]$는?

① $\dfrac{B^2}{2\mu}$

② $\dfrac{H^2}{2\mu}$

③ $\dfrac{1}{2}\mu H$

④ BH

15 ▮1▮ ▮2▮ ▮3▮

강자성체가 아닌 것은?

① 코발트

② 니켈

③ 철

④ 구리

12

• 동심 원통 도체의 정전 용량

$$C = \dfrac{2\pi\varepsilon l}{\ln \dfrac{b}{a}} \ [\mathrm{F}]$$

• 단위 길이당 동심 원통 도체의 정전 용량

$$C' = \dfrac{2\pi\varepsilon}{\ln \dfrac{b}{a}} \ [\mathrm{F/m}]$$

13

암페어의 오른나사의 법칙

전류에 의한 자계의 방향을 결정하는 법칙이다. 즉, 도체에 전류를 흘리면 전류와 수직인 오른손을 감아쥐는 방향으로 자계가 발생한다는 것이다.

14

자계 에너지 밀도

$$w = \frac{1}{2}BH = \frac{1}{2}\mu H^2 = \frac{B^2}{2\mu} \ [\mathrm{J/m^3}]$$

15

자성체의 종류

• 강자성체: 철, 니켈, 코발트 등

• 역자성체: 구리, 은, 비스무트 등

• 상자성체: 백금, 알루미늄, 산소 등

16

정전계에 대한 설명 중 틀린 것은?

① 도체에 주어진 전하는 도체 표면에만 분포한다.
② 중공 도체에 준 전하는 외부 표면에만 분포하고 내면에는 존재하지 않는다.
③ 단위 전하에서 나오는 전기력선의 수는 $\frac{1}{\varepsilon_0}$ 개다.
④ 전기력선은 전하가 없는 곳에서는 서로 교차한다.

17

단면적이 균일한 환상철심에 권수 100회인 A코일과 권수 400회인 B코일이 있을 때 A코일의 자기 인덕턴스가 4[H]라면 두 코일의 상호 인덕턴스는 몇 [H]인가?(단, 누설자속은 0이다.)

① 4
② 8
③ 12
④ 16

18

반지름이 r[m]인 반원형 전류 I[A]에 의한 반원의 중심(O)에서 자계의 세기[AT/m]는?

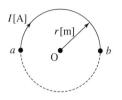

① $\frac{2I}{r}$
② $\frac{I}{r}$
③ $\frac{I}{2r}$
④ $\frac{I}{4r}$

19

서로 다른 두 종류의 금속 접합면에 전류를 흘리면 접속점에서 열의 흡수 또는 발생이 일어나는 현상은?

① 펠티에 효과
② 제벡 효과
③ 톰슨 효과
④ 코일의 상대 위치

16

전기력선의 성질
• 전기력선은 반드시 정(+) 전하에서 나와서 부(−) 전하로 들어간다.
• 전기력선은 반드시 도체 표면에 수직으로 출입한다.
• 전기력선끼리는 서로 반발력이 작용하여 교차할 수 없다.
• 도체에 주어진 전하는 도체 표면에만 분포한다.(도체 내부에는 전하가 존재할 수 없다.)
• 전기력선은 그 자신만으로는 폐곡선을 이룰 수 없다.
• 전기력선의 방향은 그 점의 전계의 방향과 일치한다.
• 전기력선의 밀도는 전계의 세기와 같다.
• 전기력선은 등전위면과 수직이다.
• 전기력선은 전위가 높은 곳에서 낮은 곳으로 향한다.
• Q[C]의 전하에서 나오는 전기력선의 개수는 $\frac{Q}{\varepsilon_0}$개다.

17

환상철심에서 상호 인덕턴스
$$M = \frac{L_A N_B}{N_A} = \frac{4 \times 400}{100} = 16[\text{H}]$$

18

반원형 코일에 의해 생성되는 중심점 자계는 원형 코일에 의해 생성되는 중심점 자계의 $\frac{1}{2}$ 배이다.

$$\therefore \ H = \frac{I}{2r} \times \frac{1}{2} = \frac{I}{4r} \ [\text{AT/m}]$$

19

• 펠티에 효과(Peltier Effect)
  서로 다른 두 금속으로 이루어진 열전대에 전류를 흐르게 했을 때, 열전대의 각 접점에서 발열 혹은 흡열 작용이 일어나는 현상
• 제벡 효과(Seebeck Effect)
  서로 다른 금속선 양쪽 끝을 접합하여 폐회로를 구성하고 한 접점에 열을 가하게 되면 두 접점에 온도차로 인해 생기는 전위차에 의해 전류가 흐르게 되는 현상
• 톰슨 효과(Thomson Effect)
  동일한 금속에 부분적인 온도차가 있을 때 전류를 흘리면 발열 또는 흡열이 일어나는 현상

20 [1] [2] [3]

공기 중에 있는 무한 직선 도체에 전류 I[A]가 흐르고 있을 때 도체에서 r[m] 떨어진 점에서의 자속 밀도는 몇 $[\mathrm{Wb/m^2}]$인가?

① $\dfrac{I}{2\pi r}$

② $\dfrac{2\mu_0 I}{\pi r}$

③ $\dfrac{\mu_0 I}{r}$

④ $\dfrac{\mu_0 I}{2\pi r}$

21 [1] [2] [3]

각 수용가의 수용설비용량이 $50[\mathrm{kW}]$, $100[\mathrm{kW}]$, $80[\mathrm{kW}]$, $60[\mathrm{kW}]$, $150[\mathrm{kW}]$이며, 각각의 수용률이 0.6, 0.6, 0.5, 0.5, 0.4일 때 부하의 부등률이 1.3이라면 변압기 용량은 약 몇 $[\mathrm{kVA}]$가 필요한가?(단, 수용설비의 역률은 80%이다.)

① 142

② 165

③ 183

④ 212

22 [1] [2] [3]

옥내 배선 공사에서 간선(도체)의 굵기를 결정하기 위해서 고려할 사항이 아닌 것은?

① 허용 전류

② 기계적 강도

③ 전선의 길이

④ 전압 강하

20

무한 직선 도체로부터의 자계

$$H = \frac{I}{2\pi r}[\mathrm{AT/m}]$$

자속 밀도 $B = \mu_0 H = \dfrac{\mu_0 I}{2\pi r}[\mathrm{Wb/m^2}]$

21

변압기 용량

$$P = \frac{(50 \times 0.6 + 100 \times 0.6 + 80 \times 0.5 + 60 \times 0.5 + 150 \times 0.4)}{1.3 \times 0.8}[\mathrm{kVA}]$$

$$= 211.5[\mathrm{kVA}]$$

22

전선 굵기 결정 시 고려 사항
• 허용 전류
• 전압 강하
• 기계적 강도

23 ⬚1 ⬚2 ⬚3

다음 중 송·배전 선로의 진동 방지 대책에 사용되지 않는 기구에 해당되는 것은?

① 댐퍼   ② 죄임쇠
③ 클램프   ④ 아머로드

24 ⬚1 ⬚2 ⬚3

유효 낙차 $30[\text{m}]$, 출력 $2,000[\text{kW}]$의 수차 발전기를 전부하로 운전하는 경우 1시간당 사용 수량은 약 몇 $[\text{m}^3]$인가?(단, 수차 및 발전기의 효율은 각각 $95[\%]$, $82[\%]$로 한다.)

① 15,500   ② 22,500
③ 25,500   ④ 31,500

25 ⬚1 ⬚2 ⬚3

전력선과 통신선과의 상호 인덕턴스에 의하여 발생되는 유도 장해는?

① 전력 유도 장해   ② 전자 유도 장해
③ 정전 유도 장해   ④ 고조파 유도 장해

26 ⬚1 ⬚2 ⬚3

서울과 같이 부하밀도가 큰 지역에서는 일반적으로 변전소의 수와 배전거리를 어떻게 결정하는 것이 좋은가?

① 변전소의 수는 적게, 배전거리는 길게 결정한다.
② 변전소의 수는 많게, 배전거리는 짧게 결정한다.
③ 변전소의 수는 적게, 배전거리는 짧게 결정한다.
④ 변전소의 수는 많게, 배전거리는 길게 결정한다.

27 ⬚1 ⬚2 ⬚3

어떤 발전소에서 발열량 $5,000[\text{kcal/kg}]$의 석탄 $15[\text{ton}]$을 사용하여 $40,000[\text{kWh}]$의 전력을 발생하였을 경우 이 발전소의 열효율은 약 몇 $[\%]$인가?

① 23.5   ② 34.4
③ 45.9   ④ 53.4

정답 및 해설

23

송·배전 선로의 진동 방지 장치에는 댐퍼, 아머로드, 프리센터형 현수 클램프 등이 있다.

24

$P = 9.8QH\eta[\text{kW}]$에서

$Q = \dfrac{P}{9.8H\eta} = \dfrac{2,000}{9.8 \times 30 \times 0.95 \times 0.82} = 8.73[\text{m}^3/\text{sec}]$

$\therefore Q[\text{m}^3/\text{h}] = 8.73 \times 60 \times 60 = 31,428[\text{m}^3/\text{h}]$

25

• 전자 유도 장해: 전력선과 통신선 간의 상호 인덕턴스에 의한 영상 전류가 원인
  – 전자 유도 전압 $E_m = -j\omega Ml(3I_0)[\text{V}]$(여기서, M: 상호 인덕턴스)

• 정전 유도 장해: 전력선과 통신선 간의 상호 정전 용량에 의한 영상 전압이 원인

26

배전거리가 늘어날수록 전력 손실이 증가한다. 또한, 곳곳에 알맞은 전력을 보내기 위해서는 변전소의 수는 증가하는 것이 좋다. 따라서 변전소의 수를 증가시키고, 배전거리를 짧게 결정한다.

27

열효율 $\eta = \dfrac{860W}{mH} \times 100[\%] = \dfrac{860 \times 40,000}{15 \times 10^3 \times 5,000} \times 100 = 45.9[\%]$

(여기서, W: 발전 전력량$[\text{kWh}]$, m: 연료량$[\text{kg}]$, H: 발열량$[\text{kcal/kg}]$)

28 1 2 3

송전 선로에서 코로나 임계 전압이 높아지는 경우는?

① 기압이 낮은 경우
② 온도가 높아지는 경우
③ 전선의 지름이 큰 경우
④ 상대 공기 밀도가 작은 경우

29 1 2 3

임피던스 Z_1, Z_2 및 Z_3을 그림과 같이 접속한 선로의 A쪽에서 전압파 E가 진행해 왔을 때 접속점 B에서 무반사로 되기 위한 조건은?

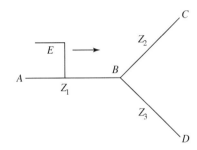

① $Z_1 = Z_2 + Z_3$

② $\dfrac{1}{Z_1} = \dfrac{1}{Z_3} - \dfrac{1}{Z_2}$

③ $\dfrac{1}{Z_1} = \dfrac{1}{Z_2} + \dfrac{1}{Z_3}$

④ $\dfrac{1}{Z_1} = -\dfrac{1}{Z_2} - \dfrac{1}{Z_3}$

고난도
30 1 2 3

그림과 같은 선로에서 점 F에서의 1선 지락이 발생한 경우 영상 임피던스는?

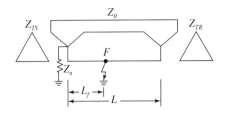

① $Z_{TS} + Z_n + 3Z_0$

② $Z_{TS} + 3Z_n + Z_0$

③ $Z_{TS} + Z_n + Z_0 \dfrac{L_f}{L}$

④ $Z_{TS} + 3Z_n + Z_0 \dfrac{L_f}{L}$

31 1 2 3

과전류 계전기의 탭 값은 무엇으로 표시되는가?

① 변류기의 권수비
② 계전기의 동작 시한
③ 계전기의 최대 부하 전류
④ 계전기의 최소 동작 전류

28

코로나가 발생하는 임계 전압 $E_0 = 24.3 m_0 m_1 \delta d \log_{10} \dfrac{D}{r}$ [kV]에서 코로나 임계 전압을 높이는 가장 유효한 방법은 전선의 지름(d)을 크게 하는 방법이다. 이 방법에는 굵은 전선 사용, 다도체(복도체)의 사용이 있다.

상대 공기 밀도($\delta = \dfrac{0.386b}{273+t}$, 여기서 b: 기압[mmHg], t: 온도[℃])가 커져야 임계 전압이 높아진다.

29

무반사로 되기 위해서는 AB 구간의 임피던스 값과 BC, BD구간의 병렬 합성 임피던스 값이 같아야 한다.

$$Z_1 = \dfrac{Z_2 Z_3}{Z_2 + Z_3}$$

이 식을 좌변과 우변 모두 역수를 취해 정리하면

$$\dfrac{1}{Z_1} = \dfrac{Z_2 + Z_3}{Z_2 Z_3} \Rightarrow \dfrac{1}{Z_1} = \dfrac{1}{Z_2} + \dfrac{1}{Z_3}$$

30

영상 전류의 성질
- 영상분은 변압기 △ 결선 내부에서 순환하여 소멸하고 비접지 회로에는 흐를 수 없다.
- 접지 임피던스에는 영상 전류가 3배 흐르므로 접지 임피던스 값을 3배로 한다.
- 선로 전체 길이 L 중에서 지락 고장점이 L_f 지점에서 발생하였으므로 이를 감안한다.

위 내용을 주어진 회로에 적용하여 영상 임피던스를 구하면

$$Z = Z_{TS} + 3Z_n + Z_0 \times \dfrac{L_f}{L} \ [\Omega]$$

31

과전류 계전기는 고장 발생 시 신속하게 동작해야 하므로 최소 동작 전류에 탭 값을 조정한다.

32 [1] [2] [3]

그림과 같은 수전단의 전력원선도가 있다. 부하 직선을 참고하여 전압 조정을 위한 조상설비가 없어도 정전압 운전이 가능한 부하전력은 대략 어느정도일 때인가?

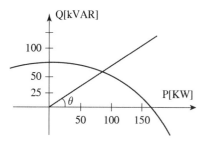

① 무부하 일 때
② 50[kW]일 때
③ 100[kW]일 때
④ 150[kW]일 때

빈출

33 [1] [2] [3]

차단기와 비교하여 전력 퓨즈에 대한 설명으로 적합하지 않은 것은?

① 가격이 저렴하다.
② 보수가 간단하다.
③ 고속 차단을 할 수 있다.
④ 재투입을 할 수 있다.

34 [1] [2] [3]

154[kV] 송전 선로에 10개의 현수 애자가 연결되어있다. 다음 중 전압 분담이 가장 적은 것은?(단, 애자는 같은 간격으로 설치되어 있다.)

① 철탑에서 가장 가까운 것
② 철탑에서 3번째에 있는 것
③ 전선에서 가장 가까운 것
④ 전선에서 3번째에 있는 것

정답 및 해설

32
조상설비가 없어도 정전압 운전이 가능한 부하전력은 전력원선도와 부하곡선이 만나는 점에서의 유효전력값이다. 따라서 그림상에서 전력원선도와 부하곡선이 만나는 점에서의 유효전력은 약 100[kW], 무효전력은 약 50[kVar]이다.

33
전력 퓨즈(PF)의 특징
• 소형, 경량이다.
• 차단 용량이 크다.
• 유지 보수가 용이하다.
• 재투입이 불가하다.
• 과도 전류에 용단되기 쉽다.
• 가격이 저렴하다.
• 고속차단이 가능하다.

34

• 전압 분담이 가장 큰 애자: 전선에서 가장 가까운 애자
• 전압 분담이 가장 적은 애자: 전선에서 8번째 애자 또는 철탑에서 3번째 애자

35 1 2 3

전선의 자체 중량과 빙설의 종합 하중을 W_1, 풍압 하중을 W_2 라 할 때 합성 하중은?

① $W_1 + W_2$
② $W_1 - W_2$
③ $\sqrt{W_1 - W_2}$
④ $\sqrt{W_1^2 + W_2^2}$

36 1 2 3

교류 송전에서는 송전 거리가 멀어질수록 동일 전압에서의 송전 가능 전력이 적어진다. 그 이유는 무엇인가?

① 표피 효과가 커지기 때문이다.
② 코로나 손실이 증가하기 때문이다.
③ 선로의 어드미턴스가 커지기 때문이다.
④ 선로의 유도성 리액턴스가 커지기 때문이다.

37 1 2 3

어느 일정한 방향으로 일정한 크기 이상의 단락 전류가 흘렀을 때 동작하는 보호 계전기의 약어는?

① ZR
② UFR
③ OVR
④ DOCR

38 1 2 3

보호 계전기 동작 속도에 관한 사항으로 한시 특성 중 반한시 형을 바르게 설명한 것은?

① 입력 크기에 관계없이 정해진 한시에 동작하는 것
② 입력이 커질수록 짧은 한시에 동작하는 것
③ 일정 입력(200[%])에서 0.2[초] 이내로 동작하는 것
④ 일정 입력(200[%])에서 0.04[초] 이내로 동작하는 것

35

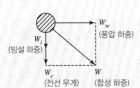

합성 하중 $W = \sqrt{W_1^2 + W_2^2}$
(여기서, $W_1 = W_c + W_i$, $W_2 = W_w$)

36

인덕턴스 $L = 0.05 + 0.4605\log_{10}\dfrac{D}{r}$[mH/km]에서 송전 거리가 멀어질수록 인덕턴스가 증가하여 선로의 유도성 리액턴스가 커진다. 송전 전력식 $P = \dfrac{V_s V_r}{X}\sin\delta$[MW]에서 선로의 유도성 리액턴스($X$)가 커지게 되면 송전 가능 전력($P$)은 적어진다.

37

DOCR(방향 과전류 계전기)은 어느 일정한 방향으로 일정한 크기 이상의 단락 전류가 흘렀을 때 동작하는 계전기이다.

38

보호 계전기의 동작 시간에 따른 종류
• 순한시(순시) 계전기: 최소 동작 전류 이상이 흐르면 전류의 크기에 관계없이 즉시 동작하는 것
• 정한시 계전기: 최소 동작 전류 이상이 흐르면 전류의 크기에 관계없이 일정한 시간이 지난 후 동작하는 것
• 반한시 계전기: 동작 시간이 전류 값의 크기에 따라 변하는 것으로 전류 값이 클수록 빠르게 동작하고 반대로 전류 값이 작아질수록 느리게 동작하는 것
• 반한시성 정한시 계전기: 반한시 계전기와 정한시 계전기를 조합한 것으로 어느 전류 값까지는 반한시성이지만 그 이상이 되면 정한시로 동작하는 것

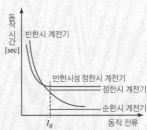

39

다음 중 배전 선로의 부하율이 F일 때 손실 계수 H와의 관계로 옳은 것은?

① $H = F$

② $H = \dfrac{1}{F}$

③ $H = F^3$

④ $0 \leq F^2 \leq H \leq F \leq 1$

40

우리나라의 화력 발전소에서 가장 많이 사용되고 있는 복수기는?

① 분사 복수기 ② 방사 복수기

③ 표면 복수기 ④ 증발 복수기

41

유도 전동기에 게르게스 현상이 발생하는 슬립은 대략 얼마인가?

① 0.25 ② 0.50

③ 0.70 ④ 0.80

42

정전압 계통에 접속된 동기 발전기의 여자를 약하게 하면?

① 출력이 감소한다.

② 전압이 강하한다.

③ 앞선 무효 전류가 증가한다.

④ 뒤진 무효 전류가 증가한다.

정답 및 해설

39

배전 선로에서 부하율(F)과 손실 계수(H)의 관계는 다음과 같다.

$0 \leq F^2 \leq H \leq F \leq 1$

[참고]

손실계수 $H = \alpha F + (1 - \alpha) F^2$ (손실 정수 $\alpha = 0.1 \sim 0.4$)

$\left(\because \text{손실계수} H = \dfrac{\text{평균손실전력}}{\text{최대손실전력}} \right)$

40

우리나라에서 가장 널리 쓰이는 복수기는 표면 복수기이다. 증기관을 설치하고 이 증기관에 냉각수를 접촉시켜 복수시키는 방식으로 해안가 근처에 발전소를 건설하여 바닷물을 냉각수로 사용한다.

41

게르게스 현상

권선형 유도 전동기에서 무부하 또는 경부하 운전 중 2차 측 3상 권선 중 1상이 결상되어도 전동기가 소손되지 않고 슬립이 50[%] 근처에서 (정격 속도의 $\dfrac{1}{2}$ 배) 운전되며 그 이상 가속되지 않는 현상이다.

42

동기 발전기의 여자를 약하게 하면 그 발전기의 역률이 좋아져 90° 앞선 무효 전류가 증가한다.

43 １ ２ ３

비례 추이와 관계가 있는 전동기는?

① 동기 전동기
② 정류자 전동기
③ 3상 농형 유도 전동기
④ 3상 권선형 유도 전동기

44 １ ２ ３

$200[kVA]$의 단상 변압기가 있다. 철손이 $1.6[kW]$이고 전부하 동손이 $2.5[kW]$이다. 이 변압기의 역률이 0.8일 때 전부하 시의 효율은 약 몇 $[\%]$인가?

① 96.5
② 97.0
③ 97.5
④ 98.0

45 １ ２ ３

어떤 정류기의 부하 전압이 $2,000[V]$이고 맥동률이 $3[\%]$이면 교류분의 진폭$[V]$은?

① 20
② 30
③ 50
④ 60

46 １ ２ ３

12극의 3상 동기 발전기가 있다. 기계각 $15°$에 대응하는 전기 각은?

① $30°$
② $45°$
③ $60°$
④ $90°$

47 １ ２ ３

교류 정류자 전동기의 설명 중 틀린 것은?

① 정류 작용은 직류기와 같이 간단히 해결된다.
② 구조가 일반적으로 복잡하여 고장이 생기기 쉽다.
③ 기동 토크가 크고 기동 장치가 필요 없는 경우가 많다.
④ 역률이 높은 편이며 연속적인 속도 제어가 가능하다.

43

비례 추이
- 3상 권선형 유도 전동기는 회전자에도 권선이 감겨 있으므로 2차 회로에 저항을 연결할 수 있다.
- 회전자에 외부 저항을 접속시켜 전동기의 최대 토크가 낮은 속도 쪽으로 이동하는 것을 토크의 비례 추이라고 한다.

44

$$\eta = \frac{P_a\cos\theta}{P_a\cos\theta + P_i + P_c}\times 100$$
$$= \frac{200\times 0.8}{200\times 0.8 + 1.6 + 2.5}\times 100$$
$$= 97.5[\%]$$

45

맥동률 $= \dfrac{\text{교류분}}{\text{직류분}}$ 이므로

∴ 교류분 $=$ 맥동률 $\times$ 직류분 $= 0.03\times 2,000 = 60[V]$

46

전기각 $= \dfrac{\text{극수}(p)}{2}\times$ 기계각(기하각) $= \dfrac{12}{2}\times 15° = 90°$

47

교류 정류자 전동기
- 직류기와 같이 정류자가 있는 회전자와 유도기와 같은 고정자를 갖고 있다.
- 교류 정류자 전동기는 정류작용 문제가 직류기보다 어려운 단점이 있다. 때문에, 출력에 제한을 받는다.

48 ☐1 ☐2 ☐3

변압기의 전일 효율이 최대가 되는 조건은?

① 하루 중의 무부하손의 합 = 하루 중의 부하손의 합
② 하루 중의 무부하손의 합 < 하루 중의 부하손의 합
③ 하루 중의 무부하손의 합 > 하루 중의 부하손의 합
④ 하루 중의 무부하손의 합 = 2×하루 중의 부하손의 합

49 ☐1 ☐2 ☐3

단상 변압기에 정현파 유기 기전력을 유기하기 위한 여자 전류의 파형은?

① 정현파
② 삼각파
③ 왜형파
④ 구형파

50 ☐1 ☐2 ☐3

직류 직권 전동기에서 토크 T와 회전수 N과의 관계는?

① $T \propto N$
② $T \propto N^2$
③ $T \propto \dfrac{1}{N}$
④ $T \propto \dfrac{1}{N^2}$

51 ☐1 ☐2 ☐3

$60[\text{Hz}]$, 4극 유도 전동기의 슬립이 $4[\%]$인 때의 회전수$[\text{rpm}]$는?

① 1,728
② 1,738
③ 1,748
④ 1,758

52 ☐1 ☐2 ☐3

교류기에서 유기 기전력의 특정 고조파분을 제거하고 또 권선을 절약하기 위하여 자주 사용되는 권선법은?

① 전절권
② 분포권
③ 집중권
④ 단절권

정답 및 해설

48

철손(무부하 손실)과 동손(부하손)이 같을 때 변압기의 전일 효율이 최대가 된다.

49

여자 전류는 무부하 시 자속 공급을 위한 전류로, 대부분 철손 전류와 자화 전류로 구성된다. 따라서 여자 전류에 많이 포함된 제3고조파의 영향으로 여자 전류 파형은 왜형파가 된다.

50

$$T \propto I_a^2 \propto \dfrac{1}{N^2}$$

토크는 회전수의 제곱(N^2)에 반비례하고, 회전수의 제곱의 역수 $\left(\dfrac{1}{N^2}\right)$에 비례한다.

51

• 동기 속도
$$N_s = \frac{120f}{p} = \frac{120 \times 60}{4} = 1,800[\text{rpm}]$$

• 회전자 속도
$$N = (1-s)N_s = (1-0.04) \times 1,800 = 1,728[\text{rpm}]$$

52

단절권
• 고조파를 제거하여 기전력의 파형을 개선
• 권선단의 길이가 짧아져 기계 전체의 길이가 축소
• 동량이 적게 들어 동손 감소
• 전절권에 비해 유기 기전력이 감소

53 [1][2][3]

동기기의 과도 안정도를 증가시키는 방법이 아닌 것은?

① 속응 여자 방식을 채용한다.
② 동기화 리액턴스를 크게 한다.
③ 동기 탈조 계전기를 사용한다.
④ 발전기의 조속기 동작을 신속히 한다.

54 [1][2][3]

변압기유 열화 방지 방법 중 틀린 것은?

① 밀봉 방식   ② 흡착제 방식
③ 수소 봉입 방식   ④ 개방형 콘서베이터

55 [1][2][3]

대칭 3상 권선에 평형 3상 교류가 흐르는 경우 회전 자계의 설명으로 틀린 것은?

① 발생 회전 자계 방향 변경 가능
② 발생 회전 자계는 전류와 같은 주기
③ 발생 회전 자계 속도는 동기 속도보다 늦음
④ 발생 회전 자계의 세기는 각 코일 최대 자계의 1.5배

56 [1][2][3]

4극 3상 유도 전동기가 있다. 전원 전압 $200[\mathrm{V}]$로 전부하를 걸었을 때 전류는 $21.5[\mathrm{A}]$이다. 이 전동기의 출력은 약 몇 $[\mathrm{W}]$인가?(단, 전부하 역률 $86[\%]$, 효율 $85[\%]$이다.)

① 5,029   ② 5,444
③ 5,820   ④ 6,103

53

동기 발전기의 안정도 향상 대책
• 단락비를 크게 한다.
• 회전자에 플라이 – 휠을 설치하여 관성을 크게 한다.
• 속응 여자 방식을 채용한다.
• 조속기 동작을 신속히 한다.(전기식 조속기 채용)
• 동기 임피던스를 작게 한다.(정상 임피던스를 작게 한다.)
• 영상 임피던스와 역상 임피던스를 크게 한다.
• 동기 탈조 계전기를 사용한다.

54

변압기유 열화 방지 대책
• 개방형 콘서베이터를 사용하여 공기의 침입 방지
• 콘서베이터 내에 질소 및 흡착제 삽입
수소 봉입 방식은 열화 방지 대책과 거리가 멀다.

55

회전 자계의 특성
• 발생 회전 자계 방향 변경 가능
• 발생 회전 자계는 전류와 같은 주기
• 발생 회전 자계 속도는 동기 속도와 같은 속도
• 발생 회전 자계의 세기는 각 코일 최대 자계의 1.5배

56

3상 전동기의 출력
$$P = \sqrt{3}\,VI\cos\theta\,\eta = \sqrt{3} \times 200 \times 21.5 \times 0.86 \times 0.85$$
$$\fallingdotseq 5,444[\mathrm{W}]$$

과난도
57 [1 2 3]

변압비 $3,000/100[\text{V}]$인 단상 변압기 2대의 고압 측을 그림과 같이 직렬로 $3,300[\text{V}]$ 전원에 연결하고 저압 측에 각각 $5[\Omega]$, $7[\Omega]$의 저항을 접속하였을 때 고압 측의 단자 전압 E_1은 약 몇 $[\text{V}]$인가?

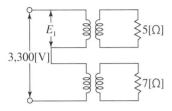

① $471[\text{V}]$　　　　② $660[\text{V}]$
③ $1,375[\text{V}]$　　　④ $1,925[\text{V}]$

빈출
58 [1 2 3]

동기 발전기의 제동 권선의 주요 작용은?

① 제동 작용　　　　② 난조 방지 작용
③ 시동 권선 작용　　④ 자려작용(自勵作用)

59 [1 2 3]

회전형 전동기와 선형 전동기(Linear Motor)를 비교한 설명 중 틀린 것은?

① 선형의 경우 회전형에 비해 공극의 크기가 작다.
② 선형의 경우 직접적으로 직선 운동을 얻을 수 있다.
③ 선형의 경우 회전형에 비해 부하 관성의 영향이 크다.
④ 선형의 경우 전원의 상 순서를 바꾸어 이동 방향을 변경한다.

60 [1 2 3]

3상 $3,300[\text{V}]$, $100[\text{kVA}]$의 동기 발전기의 정격 전류는 약 몇 $[\text{A}]$인가?

① 17.5　　　　　② 25
③ 30.3　　　　　④ 33.3

정답 및 해설

57
주어진 회로에 전압 분배의 법칙을 적용하여 풀이하면 다음과 같다.
$$E_1 = \frac{R_1}{R_1 + R_2}E = \frac{5}{5+7} \times 3,300 = 1,375[\text{V}]$$

58
제동 권선의 역할
• 난조의 방지: 제동 권선은 기계적인 플라이 휠과 비슷한 작용을 전기적으로 작용한다.
• 일정 속도로 회전하고 있는 발전기가 특정 이유로 속도가 변할 때 제동 권선에 전류가 발생하고 이 전류에 의해 동력이 발생하여 속도 변화를 막아 준다.
• 불평형 부하 시 전류, 전압 파형을 개선시킨다.
• 송전선의 불평형 단락 시 이상 전압을 방지한다.
• 기동 토크 발생: 동기 전동기의 경우, 제동 권선은 유도기의 농형 권선과 같은 역할을 하며 기동 토크를 발생시킨다.

59
선형 전동기
• 회전자에서 발생하는 전자력을 직선의 기계 에너지로 변환하는 전동기이다.
• 회전형에 비해 부하 관성의 영향이 크다.
• 전원의 상 순서를 바꾸어 이동 방향을 변경할 수 있다.
• 큰 공극으로 인해 효율이 떨어진다.

60
$P = \sqrt{3}\, VI_n\,[\text{VA}]$(단, V: 정격 전압[V] I_n: 정격 전류[A])이므로

정격 전류 $I_n = \dfrac{P}{\sqrt{3}\, V} = \dfrac{100 \times 10^3}{\sqrt{3} \times 3,300} = 17.5[\text{A}]$이다.

61 ☐1 ☐2 ☐3

불평형 회로에서 영상분이 존재하는 3상 회로 구성은?

① $\Delta - \Delta$ 결선의 3상 3선식

② $\Delta - Y$ 결선의 3상 3선식

③ $Y - Y$ 결선의 3상 3선식

④ $Y - Y$ 결선의 3상 4선식

62 ☐1 ☐2 ☐3

테브난의 정리를 이용하여 그림 (a)의 회로를 그림(b)와 같은 등가 회로로 만들려고 한다. $E[\text{V}]$와 $R[\Omega]$의 값은 각각 얼마인가?

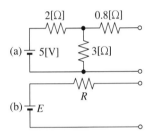

① $E = 3$, $R = 2$

② $E = 5$, $R = 2$

③ $E = 5$, $R = 5$

④ $E = 3$, $R = 1.2$

63 ☐1 ☐2 ☐3

상순이 $a - b - c$인 3상 회로의 각 상전압이 보기와 같을 때 역상분 전압은 약 몇 $[\text{V}]$인가?(단, 보기 전압의 단위는 $[\text{V}]$이다.)

> [보기]
> - $V_a = 220 \angle 0°$
> - $V_b = 220 \angle -130°$
> - $V_c = 185.95 \angle 115°$

① 22

② 28

③ 30

④ 35

64 ☐1 ☐2 ☐3

그림과 같은 주기 파형의 전류 $i(t) = 10e^{-100t}[\text{A}]$의 평균값은 약 몇 $[\text{A}]$인가?

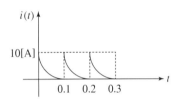

① 0.5

② 1

③ 2.5

④ 5

61

영상 전류는 접지도체에 흐르므로 접지 계통인 $Y - Y$ 결선의 3상 4선식에서만 영상분이 존재한다.

62

전압 분배의 법칙에 의하여

테브난 전압 $E = \dfrac{3}{2+3} \times 5 = 3[\text{V}]$

$5[\text{V}]$ 전압원을 단락시켜 소거시킨 상태에서의

테브난 저항 $R = 0.8 + \dfrac{2 \times 3}{2+3} = 2[\Omega]$

63

$$V_2 = \frac{1}{3}\left(V_a + a^2 V_b + a V_c\right)$$

$$= \frac{1}{3}\left(220 \angle 0° + 1 \angle 240° \times 220 \angle -130° \right.$$

$$\left. + 1 \angle 120° \times 185.95 \angle 115°\right)$$

$$= \frac{1}{3}\left(220 \angle 0° + 220 \angle 110° + 185.95 \angle 235°\right)$$

$$= \frac{1}{3}\left\{220 + 220(\cos 110° + j\sin 110°)\right.$$

$$\left. + 185.95(\cos 235° + j\sin 235°)\right\}$$

$$= \frac{1}{3}(38 + j54) = 12.67 + j18[\text{V}]$$

$$\therefore |V_2| = \sqrt{12.67^2 + 18^2} = 22[\text{V}]$$

64

그림의 파형 주기 $T = 0.1$이다.

평균값 $I_a = \dfrac{1}{T}\displaystyle\int_0^T i(t)\,dt = \dfrac{1}{0.1}\int_0^{0.1} 10e^{-100t}\,dt$

$$= \frac{10}{0.1}\left[\frac{1}{-100}e^{-100t}\right]_0^{0.1}$$

$$= 100 \times \frac{1}{-100}(e^{-10} - 1) = 1[\text{A}]$$

65 🔦

그림과 같은 $R-C$ 직렬 회로에 비정현파 전압 $v(t) = 20 + 220\sqrt{2}\sin\omega t + 40\sqrt{2}\sin 3\omega t$[V]를 가할 때 제3고조파 전류 $i_3(t)$는 몇 [A]인가?(단, $\omega = 120\pi$[rad/s]이다.)

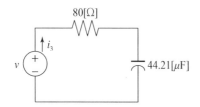

① $0.49\sin(360\pi t - 14.04°)$

② $0.49\sin(360\pi t + 14.04°)$

③ $0.49\sqrt{2}\sin(360\pi t - 14.04°)$

④ $0.49\sqrt{2}\sin(360\pi t + 14.04°)$

66 🔦

$i(t) = 10\sin\left(\omega t - \dfrac{\pi}{3}\right)$[A]로 표시되는 전류 파형보다 위상이 30° 앞서고, 최대치가 100[V]인 전압 파형을 식으로 나타내면?

① $100\sin\left(\omega t - \dfrac{\pi}{2}\right)$

② $100\sin\left(\omega t - \dfrac{\pi}{6}\right)$

③ $100\sqrt{2}\sin\left(\omega t - \dfrac{\pi}{6}\right)$

④ $100\sqrt{2}\cos\left(\omega t - \dfrac{\pi}{6}\right)$

67 🔦

그림에서 저항 양단의 전압 V[V]는 얼마인가?

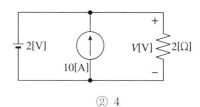

① 2

② 4

③ 18

④ 22

68 🔦

$R-L-C$ 직렬 회로에서 진동 조건은 어느 것인가?

① $R < 2\sqrt{\dfrac{L}{C}}$

② $R < 2\sqrt{\dfrac{C}{L}}$

③ $R < 2\sqrt{LC}$

④ $R < \dfrac{1}{2\sqrt{LC}}$

정답 및 해설

65

$R-C$ 직렬 회로에 대한 제3고조파 임피던스 값

$Z_3 = R - j\dfrac{1}{3\omega C} = 80 - j\dfrac{1}{3\times 120\pi\times 44.21\times 10^{-6}}$

$\quad = 80 - j20$ [Ω]이므로

$|Z_3| = \sqrt{80^2 + 20^2} = 82.46$ [Ω]

제3고조파의 위상 $\theta = \tan^{-1}\dfrac{\frac{1}{3\omega C}}{R} = \tan^{-1}\dfrac{\frac{1}{3\times 120\pi\times 44.21\times 10^{-6}}}{80}$

$\quad = 14.04°$이다.

$v_3(t) = 40\sqrt{2}\sin(3\omega t + 14.04°)$ [V]

∴ 제3고조파 전류의 순시값

$i_3(t) = \dfrac{v_3(t)}{|Z_3|} = \dfrac{40\sqrt{2}\sin(3\omega t + 14.04°)}{82.46}$

$\quad = 0.49\sqrt{2}\sin(360\pi t + 14.04°)$ [A]

66

문제에 주어진 전류식 $i(t) = 10\sin\left(\omega t - \dfrac{\pi}{3}\right)$[A]에 대해서 위상이

$30°\left(= \dfrac{\pi}{6}\right)$ 앞서고, 최대값이 100[V]인 전압의 순시값 표현은

$v(t) = 100\sin\left(\omega t - \dfrac{\pi}{3} + \dfrac{\pi}{6}\right) = 100\sin\left(\omega t - \dfrac{\pi}{6}\right)$[V]

67

주어진 회로에서 전압원과 전류원 및 저항이 모두 병렬 회로이고, 전압원 2[V]가 저항 2[Ω]에 바로 걸리게 되므로 전류원과는 상관없이 저항에는 2[V]가 걸리게 된다.

별해

중첩의 원리에 의해 전압원과 전류원이 단독으로 있을 때의 값을 각각 계산하여 더한다.

• 전압원 단독(전류원 개방)

$\quad V_{R1} = 2$[V]

• 전류원 단독(전압원 단락)

전압원이 단락되어 단락된 쪽(저항이 0)으로 전류가 흐른다.

$\quad V_{R2} = 0$[V]

∴ $V = V_{R1} + V_{R2} = 2$[V]

68

$R-L-C$ 직렬 회로에서 진동(부족제동) 조건은 $R^2 < 4\dfrac{L}{C}$이다.

제곱 형태를 소거하면 $R < 2\sqrt{\dfrac{L}{C}}$이다.

정답 65 ④ 66 ② 67 ① 68 ①

69 1 2 3

구형파의 파고율은?

① 1
② 2
③ 1.414
④ 1.732

70 1 2 3

다음 중 $\mathcal{L}^{-1}\left[\dfrac{1}{s^2+a^2}\right]$ 는?

① $a\cos at$
② $\dfrac{1}{a}\cos at$
③ $a\sin at$
④ $\dfrac{1}{a}\sin at$

71 1 2 3

다음 중 Routh 안정도 판별법에서 그림과 같은 제어가 안정되기 위한 K의 값으로 적합한 것은?

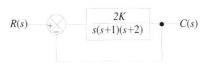

① 1
② 3
③ 5
④ 7

72 1 2 3

다음과 같은 회로는 어떤 회로인가?

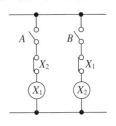

① 인터록 회로
② 자기 유지 회로
③ 일치 회로
④ 우선 선택 회로

69

구형파(사각파)의 실효값과 평균값은 모두 V_m 이므로

파고율 $= \dfrac{\text{최대값}(V_m)}{\text{실효값}(V)} = \dfrac{V_m}{V_m} = 1$이 된다.

70

삼각함수 라플라스 변환 공식에서 $\mathcal{L}[\sin at] = \dfrac{a}{s^2+a^2} = a \times \dfrac{1}{s^2+a^2}$

이므로 구하고자 하는 $\mathcal{L}^{-1}\left[\dfrac{1}{s^2+a^2}\right] = \dfrac{1}{a}\sin at$ 이다.

71

전체 전달 함수 $M(s) = \dfrac{G(s)}{1+G(s)}$ 이므로

$M(s) = \dfrac{G(s)}{1+G(s)} = \dfrac{\dfrac{2K}{s(s+1)(s+2)}}{1+\dfrac{2K}{s(s+1)(s+2)}}$ 이다.

특성방정식 $F(s) = 1 + \dfrac{2K}{s(s+1)(s+2)}$

$= s(s+1)(s+2) + 2K$

$= s(s^2+3s+2) + 2K$

$= s^3 + 3s^2 + 2s + 2K = 0$

이므로

차수	제1열 계수	제2열 계수	제3열 계수
s^3	1	2	0
s^2	3	$2K$	
s^1	$\dfrac{6-2K}{3}$	0	
s^0	$\dfrac{2K \times \dfrac{6-2K}{3} - 0}{\dfrac{6-2K}{3}} = 2K$	0	

$\dfrac{6-2K}{3} > 0,\ 2K > 0$ 이어야 안정하므로

$\therefore 0 < K < 3$

즉, 보기 중 범위에 들어가는 값은 1이 된다.

72

인터록 회로: 동시동작을 방지하는 회로

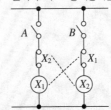

73 ⬚1⬚2⬚3

일정 입력에 대해 잔류 편차가 있는 제어계는?

① 비례 제어계
② 적분 제어계
③ 비례 적분 제어계
④ 비례 적분 미분 제어계

74 ⬚1⬚2⬚3

과도 응답이 소멸되는 정도를 나타내는 감쇠비(Damping ratio)는?

① 최대 오버슈트 / 제2 오버슈트
② 제3 오버슈트 / 제2 오버슈트
③ 제2 오버슈트 / 최대 오버슈트
④ 제2 오버슈트 / 제3 오버슈트

75 ⬚1⬚2⬚3

$G(j\omega) = j0.1\,\omega$에서 $\omega = 0.01[\text{rad/sec}]$일 때, 계의 이득 [dB]은 얼마인가?

① -100
② -80
③ -60
④ -40

76 ⬚1⬚2⬚3

상태 방정식으로 표시되는 제어계의 천이 행렬 $\phi(t)$는?

$$\dot{X} = \begin{bmatrix} 0 & 1 \\ 0 & 0 \end{bmatrix} X + \begin{bmatrix} 0 \\ 1 \end{bmatrix} U$$

① $\begin{bmatrix} 0 & t \\ 1 & 1 \end{bmatrix}$
② $\begin{bmatrix} 0 & 1 \\ 0 & t \end{bmatrix}$
③ $\begin{bmatrix} 1 & t \\ 0 & 1 \end{bmatrix}$
④ $\begin{bmatrix} 0 & t \\ 1 & 0 \end{bmatrix}$

정답 및 해설

73

비례 제어(P 제어)는 장치는 간단하나, 동작 시간이 느리고 정상 상태에서 잔류 편차가 존재한다.

74

감쇠비 $\delta = \dfrac{\text{제2 오버슈트}}{\text{최대 오버슈트}}$

75

$g = 20\log|G(j\omega)| = 20\log|0.001j|$
 $= 20\log|0.001| = -60[\text{dB}]$

76

천이 행렬 $\phi(t) = \mathcal{L}^{-1}[(sI-A)^{-1}]$이므로 순서대로 풀이하면 다음과 같다.

- $sI - A = \begin{bmatrix} s & 0 \\ 0 & s \end{bmatrix} - \begin{bmatrix} 0 & 1 \\ 0 & 0 \end{bmatrix} = \begin{bmatrix} s & -1 \\ 0 & s \end{bmatrix}$

 $|sI - A| = s \times s - (-1) \times 0 = s^2$

- $(sI-A)^{-1} = \dfrac{1}{s^2} \begin{bmatrix} s & 1 \\ 0 & s \end{bmatrix} = \begin{bmatrix} \dfrac{1}{s} & \dfrac{1}{s^2} \\ 0 & \dfrac{1}{s} \end{bmatrix}$

$\therefore \phi(t) = \mathcal{L}^{-1}[(sI-A)^{-1}] = \begin{bmatrix} 1 & t \\ 0 & 1 \end{bmatrix}$

77 1 2 3

제어 장치가 제어 대상에 가하는 제어 신호로 제어 장치의 출력인 동시에 제어 대상의 입력인 신호는?

① 목표값
② 조작량
③ 제어량
④ 동작 신호

78 1 2 3

단위 피드백(Feedback) 제어계의 개루프 전달함수의 벡터 궤적이다. 이 중 안정한 궤적은?

①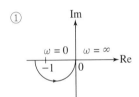

②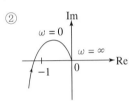

③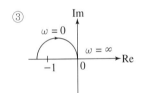

④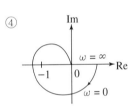

빈출 79 1 2 3

근궤적은 무엇에 대하여 대칭인가?

① 극점
② 원점
③ 허수축
④ 실수축

80 1 2 3

근궤적이 s 평면의 $j\omega$축과 교차할 때 폐루프의 제어계는?

① 안정
② 알 수 없음
③ 불안정
④ 임계 상태

77

조작량은 제어 장치가 제어 대상에 가하는 제어 신호로서 제어 장치의 출력인 동시에 제어 대상의 입력인 신호이다.

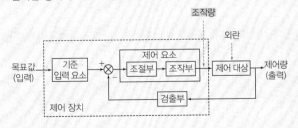

78

벡터 궤적상 제어계가 안정할 궤적 조건
• 시계 방향으로 가는 벡터 궤적은 임계점(-1, $j0$)을 포위하지 않아야 한다.
• 반시계 방향으로 가는 벡터 궤적은 임계점(-1, $j0$)을 포위하여 감싸야 한다.

79

근궤적은 항상 실수축에 대해 대칭인 성질이 있다.

80

근궤적법에서 허수축과의 교점은 임계 상태를 의미한다.

81 ☐1 ☐2 ☐3

전로를 대지로부터 반드시 절연하여야 하는 것은?

① 시험용 변압기
② 저압 가공전선로의 접지 측 전선
③ 전로의 중성점에 접지공사를 하는 경우의 접지점
④ 계기용 변성기의 2차 측 전로에 접지공사를 하는 경우의 접지점

82 ☐1 ☐2 ☐3

정류기의 전로로 대지전압이 220[V]라고 한다. 이 전로의 절연저항 값으로 옳은 것은?

① 0.5[MΩ] 미만으로 유지하여야 한다.
② 1.0[MΩ] 미만으로 유지하여야 한다.
③ 0.5[MΩ] 이상으로 유지하여야 한다.
④ 1.0[MΩ] 이상으로 유지하여야 한다.

83 ☐1 ☐2 ☐3

과전류 차단기로 시설하는 퓨즈 중 고압전로에 사용하는 포장 퓨즈는 정격전류의 몇 배에 견디어야 하는가?(단, 퓨즈 이외의 과전류 차단기와 조합하여 하나의 과전류 차단기로 사용하는 것을 제외한다.)

① 1.1
② 1.3
③ 1.5
④ 1.7

84 ☐1 ☐2 ☐3

가공전선로의 지지물에 시설하는 지지선(지선)의 시설 기준으로 옳은 것은?

① 지지선(지선)의 안전율은 2.2 이상이어야 한다.
② 연선을 사용할 경우에는 소선(素線) 3가닥 이상이어야 한다.
③ 도로를 횡단하여 시설하는 지지선(지선)의 높이는 지표상 4[m] 이상으로 하여야 한다.
④ 지중부분 및 지표상 20[cm]까지의 부분에는 내식성이 있는 것 또는 아연도금을 한다.

정답 및 해설

81

전로의 절연 원칙(한국전기설비규정 131)
전로는 다음의 경우를 제외하고 대지로부터 절연하여야 한다.
• 각 접지공사를 하는 경우의 접지점
• 전로의 중성점을 접지하는 경우의 접지점
• 계기용변성기의 2차 측 전로에 접지공사를 하는 경우의 접지점
• 25[kV] 이하로서 다중접지하는 경우의 접지점
• 시험용 변압기, 전력선 반송용 결합 리액터, 전기울타리용 전원장치, X선 발생장치, 전기방식용 양극, 단선식 전기 철도의 귀선 등 전로의 일부를 대지로부터 절연하지 아니하고 전기를 사용하는 것이 부득이한 것
• 전기욕기, 전기로, 전기보일러, 전해조 등 대지로부터 절연하는 것이 기술상 곤란한 것

82

저압전로의 절연성능(기술기준 제52조)
전기사용 장소의 사용전압이 저압인 전로의 전선 상호 간 및 전로와 대지 사이의 절연저항은 개폐기 또는 과전류 차단기로 구분할 수 있는 전로마다 다음 표에서 정한 값 이상이어야 한다.

전로의 사용전압[V]	DC시험전압 [V]	절연저항 [MΩ]
SELV 및 PELV	250	0.5
FELV, 500[V] 이하	500	1.0
500[V] 초과	1,000	1.0

83

고압 및 특고압 전로 중의 과전류 차단기의 시설(한국전기설비규정 341.10)
과전류 차단기로 시설하는 퓨즈 중 고압전로에 사용하는 포장 퓨즈(퓨즈 이외의 과전류 차단기와 조합하여 하나의 과전류 차단기로 사용하는 것 제외)는 정격전류의 1.3배의 전류에 견디고 또한 2배의 전류로 120분 안에 용단되는 것이어야 한다.

84

지지선의 시설(한국전기설비규정 331.11)
• 안전율: 2.5 이상
• 최저 인장하중: 4.31[kN]
• 연선일 경우 소선의 지름이 2.6[mm] 이상인 금속선 3가닥 이상을 꼬아서 사용
• 지중 및 지표상 0.3[m]까지의 부분은 아연도금 철봉 등을 사용
• 도로를 횡단하여 시설하는 지지선(지선)의 높이는 지표상 5[m] 이상, 교통에 지장을 초래할 우려가 없는 경우에는 지표상 4.5[m] 이상, 보도의 경우에는 2.5[m] 이상으로 할 수 있다.
• 가공전선로의 지지물로 사용하는 철탑은 지지선(지선)을 사용하여 그 강도를 분담시켜서는 아니 된다.
• 지선근가는 지지선(지선)의 인장하중에 충분히 견디도록 시설할 것

85 ☐ 1 2 3

고압 보안공사에서 지지물이 A종 철주인 경우 지지물 간 거리 (경간)는 몇 [m] 이하인가?

① 100 ② 150
③ 250 ④ 400

86 ☐ 1 2 3

사용전압이 25[kV] 이하인 특고압 가공전선이 상부 조영재의 위쪽에 시설되는 경우, 특고압 가공전선과 건조물의 조영재 사이의 간격(이격거리)은 몇 [m] 이상이어야 하는가?(단, 전선의 종류는 특고압 절연전선이라고 한다.)

① 0.5 ② 1.2
③ 2.5 ④ 3.0

87 ☐ 1 2 3

지중전선로를 직접 매설식에 의하여 시설하는 경우에는 매설깊이를 차량 기타 중량물의 압력을 받을 우려가 있는 장소에서는 몇 [cm] 이상으로 하면 되는가?

① 40 ② 60
③ 80 ④ 100

88 ☐ 1 2 3

이동형의 용접 전극을 사용하는 아크 용접장치의 시설기준으로 틀린 것은?

① 용접변압기는 절연변압기일 것
② 용접변압기의 1차 측 전로의 대지전압은 300[V] 이하일 것
③ 용접변압기의 2차 측 전로에는 용접변압기에 가까운 곳에 쉽게 개폐할 수 있는 개폐기를 시설할 것
④ 용접변압기의 2차 측 전로 중 용접변압기로부터 용접전극에 이르는 부분의 전로는 용접 시 흐르는 전류를 안전하게 통할 수 있는 것일 것

85

고압 보안공사(한국전기설비규정 332.10)

지지물의 종류	지지물 간 거리[m]
목주, A종 철주 또는 A종 철근 콘크리트주	100
B종 철주 또는 B종 철근 콘크리트주	150
철탑	400

86

25[kV] 이하인 특고압 가공전선로의 시설(한국전기설비규정 333.32)
사용전압이 15[kV]를 초과하고 25[kV] 이하인 특고압 가공전선로(중성선 다중접지식의 것으로서 전로에 지락이 생겼을 때에 2초 이내에 자동적으로 이를 전로로부터 차단하는 장치가 되어 있는 것에 한한다)를 다음에 따라 시설하여야 한다.
• 특고압 가공전선이 건조물과 접근하는 경우에 특고압 가공전선과 건조물의 조영재 사이의 간격(이격거리)은 다음 표에서 정한 값 이상일 것

건조물 조영재의 구분	접근형태	전선의 종류	간격 [m]
상부 조영재	위쪽	나전선	3.0
		특고압 절연전선	2.5
		케이블	1.2
	옆쪽 또는 아래쪽	나전선	1.5
		특고압 절연전선	1.0
		케이블	0.5
기타의 조영재	–	나전선	1.5
		특고압 절연전선	1.0
		케이블	0.5

87

지중전선로의 시설(한국전기설비규정 334.1)
지중전선로를 직접 매설식에 의하여 시설하는 경우에는 매설깊이를 차량 기타 중량물의 압력을 받을 우려가 있는 장소에는 1[m] 이상, 기타 장소에는 0.6[m] 이상으로 하고 또한 지중 전선을 견고한 트로프 기타 방호물에 넣어 시설하여야 한다.

88

아크 용접기(한국전기설비규정 241.10)
이동형의 용접 전극을 사용하는 아크 용접장치는 다음에 따라 시설하여야 한다.
• 용접변압기는 절연변압기일 것
• 용접변압기의 1차 측 전로의 대지전압은 300[V] 이하일 것
• 용접변압기의 1차 측 전로에는 용접변압기에 가까운 곳에 쉽게 개폐할 수 있는 개폐기를 시설할 것
• 용접변압기의 2차 측 전로 중 용접변압기로부터 용접전극에 이르는 부분 및 용접변압기로부터 피용접재에 이르는 부분(전기기계기구 안의 전로를 제외한다)의 전로는 용접 시 흐르는 전류를 안전하게 통할 수 있는 것일 것

89

발전기의 내부에 고장이 생긴 경우, 발전기를 자동적으로 전로로부터 차단하는 장치를 설치하여야 하는 발전기의 최소용량 [kVA]은?

① 1,000
② 1,500
③ 10,000
④ 15,000

90

뱅크용량이 몇 [kVA] 이상인 무효전력 보상장치(조상기)에는 그 내부에 고장이 생긴 경우에 자동적으로 이를 전로로부터 차단하는 보호장치를 하여야 하는가?

① 10,000
② 15,000
③ 20,000
④ 25,000

91

무효전력 보상장치(조상기)를 시설하는 경우 계측하는 장치를 시설하여 계측하는 대상으로 틀린 것은?

① 무효전력 보상장치(조상기)의 전압
② 무효전력 보상장치(조상기)의 전력
③ 무효전력 보상장치(조상기)의 회전자의 온도
④ 무효전력 보상장치(조상기)의 베어링의 온도

92

발전소, 변전소, 개폐소 또는 이에 준하는 곳에서 차단기에 사용하는 압축공기장치는 사용압력의 몇 배의 수압으로 몇 분간 연속하여 가했을 때 이에 견디고 새지 않아야 하는가?

① 1.25배, 15분
② 1.25배, 10분
③ 1.5배, 15분
④ 1.5배, 10분

정답 및 해설

89

발전기 등의 보호장치(한국전기설비규정 351.3)
발전기에는 다음의 경우에 자동적으로 이를 전로로부터 차단하는 장치를 시설하여야 한다.
- 발전기에 과전류나 과전압이 생긴 경우
- 용량이 500[kVA] 이상인 발전기를 구동하는 수차의 압유장치의 유압 또는 전동식 가이드밴 제어장치, 전동식 니이들 제어장치 또는 전동식 디플렉터 제어장치의 전원전압이 현저히 저하한 경우
- 용량이 100[kVA] 이상인 발전기를 구동하는 풍차(風車)의 압유장치의 유압, 압축공기장치의 공기압 또는 전동식 브레이드 제어장치의 전원전압이 현저히 저하한 경우
- 용량이 2,000[kVA] 이상인 수차 발전기의 스러스트 베어링의 온도가 현저히 상승한 경우
- 용량이 10,000[kVA] 이상인 발전기의 내부에 고장이 생긴 경우
- 정격출력이 10,000[kW]를 초과하는 증기터빈은 그 스러스트 베어링이 현저하게 마모되거나 그의 온도가 현저히 상승한 경우

90

조상설비의 보호장치(한국전기설비규정 351.5)
조상설비에는 그 내부에 고장이 생긴 경우에 보호하는 장치를 다음 표와 같이 시설하여야 한다.

설비종별	뱅크용량의 구분	자동적으로 전로로부터 차단하는 장치
전력용 커패시터 및 분로리액터	500[kVA] 초과 15,000[kVA] 미만	• 내부에 고장이 생긴 경우 • 과전류가 생긴 경우
	15,000[kVA] 이상	• 내부에 고장이 생긴 경우 • 과전류가 생긴 경우 • 과전압이 생긴 경우
무효전력 보상장치 (조상기)	15,000[kVA] 이상	내부에 고장이 생긴 경우

91

계측장치(한국전기설비규정 351.6)
무효전력 보상장치(조상기)를 시설하는 경우에는 다음의 사항을 계측하는 장치 및 동기검정장치를 시설하여야 한다.
- 무효전력 보상장치(조상기)의 전압 및 전류 또는 전력
- 무효전력 보상장치(조상기)의 베어링 및 고정자의 온도

92

압축공기계통(한국전기설비규정 341.15)
발전소·변전소·개폐소 또는 이에 준하는 곳에서 개폐기 또는 차단기에 사용하는 압축공기장치는 최고 사용압력의 1.5배의 수압을 계속하여 10분간 가하여 시험을 한 경우에 이에 견디고 또한 새지 아니할 것

93 1 2 3

무선용 안테나 등을 지지하는 철탑의 기초 안전율은 얼마 이상 이어야 하는가?

① 1.0
② 1.5
③ 2.0
④ 2.4

94 1 2 3

옥내에 시설하는 저압전선에 나전선을 사용할 수 있는 경우는?

① 버스덕트공사에 의하여 시설하는 경우
② 금속덕트공사에 의하여 시설하는 경우
③ 합성수지관공사에 의하여 시설하는 경우
④ 후강전선관공사에 의하여 시설하는 경우

95 1 2 3

어느 유원지의 어린이 놀이기구인 놀이용(유희용) 전차에 전기를 공급하는 전로의 사용전압은 교류인 경우 몇 [V] 이하이어야 하는가?

① 20
② 40
③ 60
④ 100

96 1 2 3

가요전선관 공사에 대한 설명 중 틀린 것은?

① 가요전선관 안에서는 전선의 접속점이 없어야 한다.
② 가요전선관은 전개된 장소 또는 점검할 수 있는 은폐된 장소 이외에는 1종 가요전선관을 사용해야 한다.
③ 가요전선관 내에 수용되는 전선은 연선이어야 하며 단면적 $10[mm^2]$ 이하는 무방하다.
④ 가요전선관 내에 수용되는 전선은 옥외용 비닐절연전선을 제외하고는 절연전선이어야 한다.

93
무선용 안테나 등을 지지하는 철탑 등의 시설(한국전기설비규정 364.1)
전력보안 통신설비인 무선통신용 안테나를 지지하는 목주·철주·철근 콘크리트주 또는 철탑은 다음에 따라 시설하여야 한다.
• 목주는 풍압하중에 대한 안전율은 1.5 이상이어야 한다.
• 철주·철근 콘크리트주 또는 철탑의 기초 안전율은 1.5 이상이어야 한다.

94
나전선의 사용 제한(한국전기설비규정 231.4)
옥내에 시설하는 저압전선에는 나전선을 사용하여서는 아니 된다. 다만, 다음 중 어느 하나에 해당하는 경우에는 그러하지 아니하다.
• 애자사용공사에 의하여 전개된 곳에 다음의 전선을 시설하는 경우
  – 전기로용 전선
  – 전선의 피복 절연물이 부식하는 장소에 시설하는 전선
  – 취급자 이외의 자가 출입할 수 없도록 설비한 장소에 시설하는 전선
• 버스덕트공사에 의하여 시설하는 경우
• 라이팅덕트공사에 의하여 시설하는 경우
• 접촉 전선을 시설하는 경우

95
놀이용 전차(전원장치)(한국전기설비규정 241.8.2)
놀이용(유희용) 전차에 전기를 공급하는 전원장치는 다음에 의하여 시설하여야 한다.
• 전원장치의 2차 측 단자의 최대 사용전압은 직류의 경우 60[V] 이하, 교류의 경우 40[V] 이하일 것
• 전원장치의 변압기는 절연변압기일 것

96
금속제 가요전선관공사(시설조건)(한국전기설비규정 232.13.1)
가요전선관 공사에 의한 저압 옥내배선의 시설
• 전선은 절연전선(옥외용 비닐절연전선을 제외한다)일 것
• 전선은 연선일 것. 다만, 단면적 $10[mm^2]$(알루미늄선은 단면적 $16[mm^2]$) 이하인 것은 그러하지 아니하다.
• 가요전선관 안에는 전선에 접속점이 없도록 할 것
• 가요전선관은 2종 금속제 가요전선관일 것. 다만, 전개된 장소 또는 점검할 수 있는 은폐된 장소(옥내배선의 사용전압이 400[V] 초과인 경우에는 전동기에 접속하는 부분으로서 가요성을 필요로 하는 부분에 사용하는 것에 한한다)에는 1종 가요전선관(습기가 많은 장소 또는 물기가 있는 장소에는 비닐 피복 1종 가요전선관에 한한다)을 사용할 수 있다.

97 1 2 3

의료장소에서 인접하는 의료장소와의 바닥면적 합계가 몇 $[m^2]$ 이하인 경우 등전위본딩 바를 공용으로 사용할 수 있는가?

① 30
② 50
③ 80
④ 100

98 1 2 3

전주외등의 시설 시 사용하는 공사방법으로 틀린 것은?

① 애자공사
② 케이블공사
③ 금속관공사
④ 합성수지관공사

99 1 2 3

전기부식(전식)방지대책에서 매설금속체 측의 누설전류에 의한 전기부식(전식)의 피해가 예상되는 곳에 고려하여야 하는 방법으로 틀린 것은?

① 절연코팅
② 배류장치 설치
③ 변전소 간 간격 축소
④ 저준위 금속체를 접속

100 1 2 3

주택의 전기저장장치의 축전지에 접속하는 부하 측 옥내전로에 지락이 생겼을 때 자동적으로 전로를 차단하는 장치를 시설한 경우에 주택의 옥내전로의 대지전압은 직류 몇 $[V]$까지 적용할 수 있는가?(단, 전로에 지락이 생겼을 때 자동적으로 전로를 차단하는 장치를 시설한 경우이다.)

① 150
② 300
③ 400
④ 600

정답 및 해설

97

의료장소 내의 접지 설비(한국전기설비규정 242.10.4)
의료장소마다 그 내부 또는 근처에 등전위본딩 바를 설치할 것. 다만, 인접하는 의료장소와의 바닥면적 합계가 50[m²] 이하인 경우에는 등전위본딩 바를 공용할 수 있다.

98

전주외등 배선(한국전기설비규정 234.10.3)
배선은 단면적 2.5[mm²] 이상의 절연전선 또는 이와 동등 이상의 절연성능이 있는 것을 사용하고 다음 공사방법 중에서 시설하여야 한다.
• 케이블공사
• 합성수지관공사
• 금속관공사

99

전기부식(전식)방지대책(한국전기설비규정 461.4)
매설금속체 측의 누설전류에 의한 전기부식(전식)의 피해가 예상되는

곳은 다음 방법을 고려하여야 한다.
• 배류장치 설치
• 절연코팅
• 매설금속체 접속부 절연
• 저준위 금속체를 접속
• 궤도와의 간격(이격거리) 증대
• 금속판 등의 도체로 차폐

100

옥내전로의 대지전압 제한(한국전기설비규정 511.3)
주택의 전기저장장치의 축전지에 접속하는 부하 측 옥내배선을 다음에 따라 시설하는 경우에 주택의 옥내전로의 대지전압은 직류 600[V]까지 적용할 수 있다.
• 전로에 지락이 생겼을 때 자동적으로 전로를 차단하는 장치를 시설할 것
• 사람이 접촉할 우려가 없는 은폐된 장소에서 합성수지관공사, 금속관공사 및 케이블공사에 의하여 시설하거나, 사람이 접촉할 우려가 없도록 케이블공사에 의하여 시설하고 전선에 적당한 방호장치를 시설할 것

2023년 CBT 2회

전기자기학

1회독	월	일
2회독	월	일
3회독	월	일	자동채점

01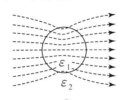

평등 전계 중에 유전체 구에 의한 전속 분포가 그림과 같이 되었을 때 ε_1과 ε_2의 크기 관계는?

① $\varepsilon_1 > \varepsilon_2$
② $\varepsilon_1 < \varepsilon_2$
③ $\varepsilon_1 = \varepsilon_2$
④ $\varepsilon_1 \leq \varepsilon_2$

02

자성체 경계면에서 정자계가 만족하는 것은?

① 자계의 법선 성분이 같다.
② 자속 밀도의 접선 성분이 같다.
③ 자속은 투자율이 작은 자성체에 모인다.
④ 양측 경계면상의 두 점 간의 자위차가 같다.

03

극판 간격 $d[\text{m}]$, 면적 $S[\text{m}^2]$, 유전율 $\varepsilon[\text{F/m}]$이고 정전 용량이 $C[\text{F}]$인 평행판 콘덴서에 $v = V_m \sin\omega t[\text{V}]$의 전압을 가할 때의 변위 전류[A]는?

① $\omega C V_m \cos\omega t$
② $C V_m \sin\omega t$
③ $-C V_m \sin\omega t$
④ $-\omega C V_m \cos\omega t$

04

다음 식에서 관계 없는 것은?

$$\oint_c \dot{H} d\dot{l} = \int_s \dot{J} d\dot{s} = \int_s (\nabla \times \dot{H}) d\dot{s} = I$$

① 맥스웰의 방정식
② 암페어의 주회 적분 법칙
③ 스토크스의 정리
④ 패러데이의 법칙

01

유전속(전속선)은 유전율이 큰 쪽으로 모이려는 성질이 있다. 문제에 주어진 유전속 분포 그림에서 보면 구의 내부 쪽이 유전속 밀도가 높으므로 $\varepsilon_1 > \varepsilon_2$의 상태임을 알 수 있다.

02

정자계
• 자속 밀도의 법선 성분은 서로 같다.
• 자계의 접선 성분은 서로 같다.
• 자속은 투자율이 큰 자성체에 모인다.
• 양측 경계면상의 두 점 간의 자위차가 같다.

03

변위 전류 밀도

$$i_d = \frac{\partial D}{\partial t} = \varepsilon \frac{\partial E}{\partial t} = \varepsilon \frac{\partial \left(\frac{v}{d}\right)}{\partial t} = \frac{\varepsilon}{d} V_m \omega \cos\omega t [\text{A/m}^2]$$

변위 전류

$$I_d = i_d \times S = \frac{\varepsilon}{d} V_m \omega \cos\omega t \times S[\text{A}]$$

$C = \frac{\varepsilon S}{d}[\text{F}]$에서 $S = \frac{C}{\varepsilon}d$이므로

$$I_d = \omega C V_m \cos\omega t [\text{A}]$$

04

맥스웰의 방정식
$$\int_s (\nabla \times \dot{H}) d\dot{s} = I$$

암페어의 주회 적분 법칙
$$\int_c \dot{H} d\dot{l} = \int_s \dot{J} d\dot{s} = I$$

스토크스의 정리
$$\oint_c \dot{H} d\dot{l} = \int_s (\nabla \times \dot{H}) d\dot{s}$$

05 `1` `2` `3`

두께 d[m]인 판상 유전체의 양면 사이에 150[V]의 전압을 가하였을 때 내부에서의 전계가 3×10^4[V/m]이었다. 이 판상 유전체의 두께는 몇 [mm]인가?

① 2 ② 5
③ 10 ④ 20

06 `1` `2` `3`

접지구 도체와 점 전하 사이에 작용하는 힘은?

① 항상 반발력이다. ② 항상 흡인력이다.
③ 조건적 반발력이다. ④ 조건적 흡인력이다.

07 `1` `2` `3`

한 변의 길이가 l[m]인 정삼각형 회로에 전류 I[A]가 흐르고 있을 때 삼각형 중심에서의 자계의 세기[AT/m]는?

① $\dfrac{\sqrt{2}\,I}{3\pi l}$ ② $\dfrac{9I}{\pi l}$

③ $\dfrac{2\sqrt{2}\,I}{3\pi l}$ ④ $\dfrac{9I}{2\pi l}$

08 `1` `2` `3`

비투자율 $\mu_s = 1$, 비유전율 $\varepsilon_s = 90$인 매질 내의 고유 임피던스는 약 몇 [Ω]인가?

① 32.5 ② 39.7
③ 42.3 ④ 45.6

05

전계 $E = \dfrac{V}{d}$[V/m]이므로

$d = \dfrac{V}{E} = \dfrac{150}{3 \times 10^4} = 5 \times 10^{-3}$[m] = 5[mm]

06

접지 도체구와 점 전하 간의 전기 영상법
• 영상 전하의 크기

$Q' = -\dfrac{a}{r}Q$[C]

• 전기 영상법에서 영상 전하는 항상 실제 전하와는 극성이 반대인 전하가 생기므로 이에 의해 발생하는 작용력은 항상 흡인력이 작용한다.

07

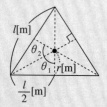

정삼각형의 한 변의 길이를 l[m]라 하면 각 변이 만드는 자계는 비오-사바르의 공식을 이용하여 구한다.
그림에서 한 변으로부터 중심까지 거리는

$r = \dfrac{l}{2}\tan 30° = \dfrac{l}{2\sqrt{3}}$[m], $\theta_1 = \theta_2 = \dfrac{\pi}{3}$

변 하나가 만드는 자계의 크기는

$H = \dfrac{I}{4\pi r}(\sin\theta_1 + \sin\theta_2) = \dfrac{I}{4\pi \dfrac{l}{2\sqrt{3}}}\left(\sin\dfrac{\pi}{3} + \sin\dfrac{\pi}{3}\right) = \dfrac{3I}{2\pi l}$[AT/m]

따라서 세 변이 만드는 정삼각형 중심 자계의 크기는

$H' = H \times 3 = \dfrac{9I}{2\pi l}$[AT/m]

08

$Z_0 = \dfrac{E}{H} = \sqrt{\dfrac{\mu}{\varepsilon}} = \sqrt{\dfrac{\mu_0\mu_s}{\varepsilon_0\varepsilon_s}} = \sqrt{\dfrac{\mu_0}{\varepsilon_0}} \times \sqrt{\dfrac{\mu_s}{\varepsilon_s}} = 377 \times \sqrt{\dfrac{\mu_s}{\varepsilon_s}}$

$= 377 \times \sqrt{\dfrac{1}{90}} = 39.7[\Omega]$

09 ❶ ❷ ❸

변위 전류 밀도와 관계 없는 것은?

① 전계의 세기
② 유전율
③ 자계의 세기
④ 전속 밀도

10 ❶ ❷ ❸

다음 중 기자력(magnetomotive force)에 대한 설명으로 틀린 것은?

① SI 단위는 암페어[A]이다.
② 전기회로의 기전력에 대응한다.
③ 자기회로의 자기저항과 자속의 곱과 동일하다.
④ 코일에 전류를 흘렸을 때 전류밀도와 코일의 권수의 곱의 크기와 같다.

11 ❶ ❷ ❸

원형 선전류 I[A]의 중심축상 점 P의 자위[A]를 나타내는 식은?(단, θ는 점 P에서 원형 전류를 바라보는 평면각이다.)

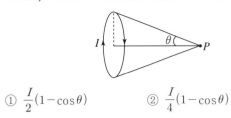

① $\dfrac{I}{2}(1-\cos\theta)$　　　② $\dfrac{I}{4}(1-\cos\theta)$

③ $\dfrac{I}{2}(1-\sin\theta)$　　　④ $\dfrac{I}{4}(1-\sin\theta)$

12 ❶ ❷ ❸

쌍극자 모멘트가 M[C·m]인 전기 쌍극자에서 점 P의 전계는 $\theta=\dfrac{\pi}{2}$에서 어떻게 되는가?(단, θ는 전기 쌍극자의 중심에서 축 방향과 점 P를 잇는 선분의 사잇각이다.)

① 0　　　　　　　② 최소
③ 최대　　　　　④ $-\infty$

09

변위 전류 밀도

$$i_d = \frac{\partial D}{\partial t} = \varepsilon\frac{\partial E}{\partial t} = \varepsilon\frac{\partial}{\partial t}\left(\frac{V}{d}\right)[\text{A/m}^2]$$

변위 전류 밀도는 전속 밀도, 유전율, 전계의 세기, 전위와 관계가 있다.

10

기자력

$$F_m = R_m\phi = NI\ [\text{A}],\ [\text{AT}]$$

기자력은 전기회로의 기전력과 대응되며 자기저항과 자속의 곱 또는 코일의 권수와 전류의 곱으로 표현한다.

11

P점에서 자위 U

$$U = \frac{I}{4\pi}\omega = \frac{I}{4\pi}\times 2\pi(1-\cos\theta) = \frac{I}{2}(1-\cos\theta)[\text{A}]$$

여기서, 입체각 $\omega = 2\pi(1-\cos\theta)[\text{sr}]$

12

전기 쌍극자의 전계 세기 및 전위

$$E = \frac{M}{4\pi\varepsilon_0 r^3}\sqrt{1+3\cos^2\theta}\ [\text{V/m}],\ \ V = \frac{M}{4\pi\varepsilon_0 r^2}\cos\theta[\text{V}]$$

• $\theta = 0°$일 때, E와 V는 최댓값을 가진다.
• $\theta = 90°$일 때, E와 V는 최솟값을 가진다.

13 [1] [2] [3]

비투자율 μ_s는 역자성체에서 어떤 값을 갖는가?

① $\mu_s = 0$ ② $\mu_s < 1$

③ $\mu_s > 1$ ④ $\mu_s = 1$

14 [1] [2] [3]

진공 중에서 점 $(0, 1)[\text{m}]$의 위치에 $-2 \times 10^{-9}[\text{C}]$의 점 전하가 있을 때 점 $(2, 0)[\text{m}]$에 있는 $1[\text{C}]$의 점 전하에 작용하는 힘은 몇 $[\text{N}]$인가?(단 $\hat{x}$, $\hat{y}$는 단위벡터이다.)

① $-\dfrac{18}{3\sqrt{5}}\hat{x} + \dfrac{36}{3\sqrt{5}}\hat{y}$

② $-\dfrac{36}{5\sqrt{5}}\hat{x} + \dfrac{18}{5\sqrt{5}}\hat{y}$

③ $-\dfrac{36}{3\sqrt{5}}\hat{x} + \dfrac{18}{3\sqrt{5}}\hat{y}$

④ $\dfrac{36}{5\sqrt{5}}\hat{x} + \dfrac{18}{5\sqrt{5}}\hat{y}$

15 [1] [2] [3]

평균 자로의 길이가 $10[\text{cm}]$, 평균 단면적이 $2[\text{cm}^2]$인 환상 솔레노이드의 자기 인덕턴스를 $5.4[\text{mH}]$ 정도로 하고자 한다. 이때 필요한 코일의 권선수는 약 몇 회인가?(단, 철심의 비투자율은 $15,000$이다.)

① 6   ② 12

③ 24   ④ 29

16 [1] [2] [3]

모든 전기 장치를 접지시키는 근본적 이유는?

① 영상 전하를 이용하기 때문에

② 지구는 전류가 잘 통하기 때문에

③ 편의상 지면의 전위를 무한대로 보기 때문에

④ 지구의 용량이 커서 전위가 거의 일정하기 때문에

정답 및 해설

13

역자성체
- 역자성체의 예: 은(Ag), 구리(Cu), 비스무트(Bi) 등
- 역자성체의 비투자율: $\mu_s < 1$(1보다 작다.)

14

두 점 전하 사이의 거리 벡터는
$\dot{r} = (2-0)\hat{x} + (0-1)\hat{y} = 2\hat{x} - 1\hat{y}\,[\text{m}]$
따라서 $1[\text{C}]$의 점전하가 받는 힘은 다음과 같다.

$\dot{F} = 9 \times 10^9 \times \dfrac{Q_1 Q_2}{r^2} \times \dfrac{\dot{r}}{|\dot{r}|}$

$= 9 \times 10^9 \times \dfrac{Q_1 Q_2}{r^3}\dot{r}$

$= 9 \times 10^9 \times \dfrac{-2 \times 10^{-9}}{(\sqrt{5})^3} \times (2\hat{x} - \hat{y}) = \dfrac{-36\hat{x} + 18\hat{y}}{5\sqrt{5}}[\text{N}]$

15

- 환상 솔레노이드의 자기 인덕턴스

$L = \dfrac{N\phi}{I} = \dfrac{\mu_0 \mu_s N^2 S}{l}[\text{H}]$

- 코일의 권선수

$N = \sqrt{\dfrac{Ll}{\mu_0 \mu_s S}} = \sqrt{\dfrac{5.4 \times 10^{-3} \times 10 \times 10^{-2}}{4\pi \times 10^{-7} \times 15,000 \times 2 \times 10^{-4}}}$

≒ 12회

16

모든 전기 장치를 접지시키는 근본적 이유는 지구의 용량이 커서 전위가 거의 일정하기 때문이다.(편의상 지면의 전위를 $0[\text{V}]$로 취급한다.)

17 `1` `2` `3`

권선수가 N회인 코일에 전류 $I[\text{A}]$를 흘릴 경우, 코일에 $\phi[\text{Wb}]$의 자속이 지나간다면 이 코일에 저장된 자계 에너지$[\text{J}]$는?

① $\frac{1}{2}N\phi^2 I$ ② $\frac{1}{2}N\phi I$

③ $\frac{1}{2}N^2\phi I$ ④ $\frac{1}{2}N\phi I^2$

고난도
18 `1` `2` `3`

벡터 $\dot{A}=5e^{-r}\cos\phi\, a_r - 5\cos\phi\, a_z$가 원통 좌표계로 주어졌을 때, 점 $(2, \frac{3\pi}{2}, 0)$에서의 $\nabla\times\dot{A}$를 구하였다. a_z 방향의 계수는?

① 2.5 ② -2.5

③ 0.34 ④ -0.34

19 `1` `2` `3`

동심 구형 콘덴서의 내외 반지름을 각각 5배로 증가시키면 정전 용량은 몇 배로 증가하는가?

① 5 ② 10

③ 15 ④ 20

20 `1` `2` `3`

점 전하 $+Q$의 무한 평면 도체에 대한 영상 전하는?

① $+Q$ ② $-Q$

③ $+2Q$ ④ $-2Q$

17

$LI=N\phi$이고 자계 에너지 $W=\frac{1}{2}LI^2$이므로

코일에 축적되는 에너지

$W=\frac{1}{2}LI^2=\frac{1}{2}N\phi I[\text{J}]$

18

원통 좌표계의 외적

$$\nabla\times\dot{A}=\frac{1}{r}\begin{vmatrix} a_r & ra_\phi & a_z \\ \frac{\partial}{\partial r} & \frac{\partial}{\partial \phi} & \frac{\partial}{\partial z} \\ 5e^{-r}\cos\phi & 0 & -5\cos\phi \end{vmatrix}$$

$$=\frac{1}{r}(5\sin\phi\, a_r + 5e^{-r}\sin\phi\, a_z)$$

따라서 점 $(2, \frac{3\pi}{2}, 0)$에서 a_z의 계수는

$\frac{1}{r}5e^{-r}\sin\phi=\frac{1}{2}\times 5e^{-2}\sin\frac{3\pi}{2}=-0.34$

19

동심 구형 콘덴서의 정전 용량

$C=\dfrac{4\pi\varepsilon_0 ab}{b-a}[\text{F}]$

따라서 내외 반지름을 각각 5배로 증가시키면

$C'=\dfrac{4\pi\varepsilon_0\times(5a)\times(5b)}{5b-5a}=5\times\dfrac{4\pi\varepsilon_0 ab}{b-a}=5C$

20

점 전하 $+Q[\text{C}]$에 의해서 생기는 영상 전하는 크기가 같고 부호는 반대인 $-Q[\text{C}]$이 유기되며, 무한 평면 도체를 기준으로 대칭되는 위치에 발생된다.

21 1 2 3

그림과 같이 일직선 배치로 완전 연가한 경우의 등가 선간 거리는?

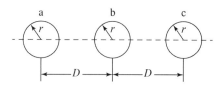

① $\sqrt{D}$
② $\sqrt{2}\,D$
③ $\sqrt[3]{2}\,D$
④ $\sqrt[3]{3}\,D$

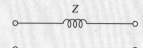
22 1 2 3

경간 $200[\mathrm{m}]$, 장력 $1{,}000[\mathrm{kg}]$, 하중 $2[\mathrm{kg/m}]$인 가공 전선의 이도(Dip)는 몇 $[\mathrm{m}]$인가?

① 10
② 11
③ 12
④ 13

고난도
23 1 2 3

어떤 화력 발전소의 증기 조건이 고온원 $540[℃]$, 저온원 $30[℃]$일 때 이 온도 간에서 움직이는 카르노 사이클의 이론 열효율$[\%]$은?

① 85.2
② 80.5
③ 75.3
④ 62.7

24 1 2 3

그림과 같은 회로의 일반 회로 정수가 아닌 것은?

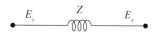

① $B = Z+1$
② $A = 1$
③ $C = 0$
④ $D = 1$

정답 및 해설

21

등가 선간 거리 $D_e = \sqrt[3]{D_1 \times D_2 \times D_3} = \sqrt[3]{D \times D \times 2D} = \sqrt[3]{2}\,D$

22

이도 $D = \dfrac{WS^2}{8T} = \dfrac{2 \times 200^2}{8 \times 1{,}000} = 10[\mathrm{m}]$

23

카르노 사이클의 열효율

: $\eta = 1 - \dfrac{T_C}{T_H}$ (T_C : 저온 켈빈 온도[K], T_H : 고온 켈빈 온도[K])

$\eta = 1 - \dfrac{273+30}{273+540} = 0.627 (\therefore 62.7[\%])$

24

직렬 임피던스 회로

$\begin{bmatrix} A & B \\ C & D \end{bmatrix} = \begin{bmatrix} 1 & Z \\ 0 & 1 \end{bmatrix}$

25

그림과 같은 전력 계통에서 A점에 설치된 차단기의 단락 용량은 몇 [MVA]인가?(단, 각 기기의 리액턴스는 발전기 $G_1 = G_2 = 15[\%]$(정격 용량 15[MVA] 기준), 변압기 8[%](정격 용량 20[MVA] 기준), 송전선 11[%](정격 용량 10[MVA] 기준)이며, 기타 다른 정수는 무시한다.)

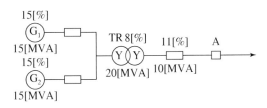

① 20
② 30
③ 40
④ 50

26

다음 (㉮), (㉯), (㉰)에 들어갈 내용으로 옳은 것은?

> 원자력이란 일반적으로 무거운 원자핵이 핵분열하여 가벼운 핵으로 바뀌면서 발생하는 핵분열 에너지를 이용하는 것이고, (㉮) 발전은 가벼운 원자핵을(과) (㉯)하여 무거운 핵으로 바꾸면서 (㉰) 전후의 질량 결손에 해당하는 방출 에너지를 이용하는 방식이다.

① ㉮ 원자핵 융합 ㉯ 융합 ㉰ 결합
② ㉮ 핵결합 ㉯ 반응 ㉰ 융합
③ ㉮ 핵융합 ㉯ 융합 ㉰ 핵반응
④ ㉮ 핵반응 ㉯ 반응 ㉰ 결합

27

보호 계전기와 그 사용 목적이 잘못된 것은?

① 비율 차동 계전기: 발전기 내부 단락 검출용
② 전압 평형 계전기: 발전기 출력 측 PT 퓨즈 단선에 의한 오작동 방지
③ 역상 과전류 계전기: 발전기 부하 불평형 회전자 과열 소손
④ 과전압 계전기: 과부하 단락 사고

28

부하 전류가 흐르는 전로는 개폐할 수 없으나 기기의 점검이나 수리를 위하여 회로를 분리하거나 계통의 접속을 바꾸는 데 사용하는 것은?

① 차단기
② 단로기
③ 전력용 퓨즈
④ 부하 개폐기

25

15[MVA](발전기 용량) 기준의 각각의 % 리액턴스

$\%X_{G_1} = X_{G_2} = 15[\%]$

$\%X_T = 8 \times \dfrac{15}{20} = 6[\%]$

$\%X_L = 11 \times \dfrac{15}{10} = 16.5[\%]$

고장점 A에서의 합성 % 리액턴스

$\%X = \dfrac{15 \times 15}{15 + 15} + 6 + 16.5 = 30[\%]$

∴ 단락 용량 $P_s = \dfrac{100}{\%X} P_n = \dfrac{100}{30} \times 15 = 50[\text{MVA}]$

26

핵융합 발전
• 중수소를 결합하여 헬륨으로 바뀌면서 열에너지를 방출한다.
• 핵융합 발전은 가벼운 원자핵을 융합하여 무거운 핵으로 바꾸면서 핵반응 전후의 질량 결손에 해당하는 방출에너지를 이용한다.

27

• 단락 시 과전압은 발생하지 않는다.
• 과전류 계전기(OCR): 과부하 및 단락 사고 보호

28

단로기(DS)의 특징
• 소호 장치가 없다.
• 무부하 상태에서 개폐 가능하므로 계통의 점검이나 분리 및 변경에 적용된다.

29 1 2 3

송전 용량이 증가함에 따라 송전선의 단락 및 지락 전류도 증가하여 계통에 여러 가지 장해 요인이 되고 있다. 이들의 경감 대책으로 적합하지 않은 것은?

① 계통의 전압을 높인다.
② 고장 시 모선 분리 방식을 채용한다.
③ 발전기와 변압기의 임피던스를 작게 한다.
④ 송전선 또는 모선 간에 한류 리액터를 삽입한다.

30 1 2 3

유수(流水)가 갖는 에너지가 아닌 것은?

① 위치 에너지   ② 수력 에너지
③ 속도 에너지   ④ 압력 에너지

31 1 2 3

조상설비가 아닌 것은?

① 정지형 무효 전력 보상 장치
② 자동 고장 구분 개폐기
③ 전력용 콘덴서
④ 분로 리액터

32 1 2 3

코로나 현상에 대한 설명이 아닌 것은?

① 전선을 부식시킨다.
② 코로나 현상은 전력의 손실을 일으킨다.
③ 코로나 방전에 의하여 전파 장해가 일어난다.
④ 코로나 손실은 전원 주파수의 $\frac{2}{3}$ 제곱에 비례한다.

33 1 2 3

피뢰기의 구비 조건이 아닌 것은?

① 상용 주파 방전 개시 전압이 낮을 것
② 충격 방전 개시 전압이 낮을 것
③ 속류 차단 능력이 클 것
④ 제한 전압이 낮을 것

34 1 2 3

전원이 양단에 있는 환상 선로의 단락 보호에 사용되는 계전기는?

① 방향 거리 계전기
② 부족 전압 계전기
③ 선택 접지 계전기
④ 부족 전류 계전기

정답 및 해설

29

단락 용량($P_s = \frac{100}{\%Z} P_n$)을 감소시키려면
• 계통을 분리한다.
• 한류 리액터를 설치하여 임피던스를 크게 한다.

30

유수 에너지의 종류
• 위치 에너지: h[m]
• 압력 에너지: $\frac{p}{\omega}$[m]
• 속도 에너지: $\frac{v^2}{2g}$[m]

31

조상설비는 무효 전력을 공급하거나 흡수하는 설비로 동기 조상기, 분로 리액터, 전력용 콘덴서, 정지형 무효 전력 보상 장치(SVC) 등이 있다. ② 자동 고장 구분 개폐기는 배전 계통 보호 장치에 속한다.

32

코로나 손실(P)은 주파수에 비례한다.
$$P = \frac{241}{\delta}(f+25)\sqrt{\frac{d}{2D}}(E-E_0)^2 \times 10^{-5} \text{[kW/km/line]}$$

33

피뢰기의 구비 조건
• 충격 방전 개시 전압이 낮을 것
• 상용 주파 방전 개시 전압이 높을 것
• 제한 전압이 낮을 것
• 속류 차단 능력이 우수하고 방전 내량이 클 것

34

방향 거리 계전기는 주로 전원이 2개소 이상인 환상 선로의 단락 보호용으로 사용된다.

35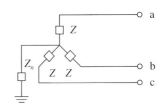

그림과 같은 회로의 영상, 정상, 역상 임피던스 Z_0, Z_1, Z_2 는?

① $Z_0 = Z + 3Z_n$, $Z_1 = Z_2 = Z$

② $Z_0 = 3Z_n$, $Z_1 = Z$, $Z_2 = 3Z$

③ $Z_0 = 3Z + Z_n$, $Z_1 = 3Z$, $Z_2 = Z$

④ $Z_0 = Z + Z_n$, $Z_1 = Z_2 = Z + 3Z_n$

36 1 2 3

전원 전압 $6,600[\mathrm{V}]$, 1선의 저항 $3[\Omega]$, 리액턴스 $4[\Omega]$의 단상 2선식 전선로의 중간 지점에서 단락한 경우, 단락 용량은 약 몇 $[\mathrm{MVA}]$인가?(단, 전원 임피던스는 무시한다.)

① 6.4   ② 6.7

③ 7.4   ④ 8.7

37 1 2 3

전력 계통의 안정도 향상 방법이 아닌 것은?

① 선로 및 기기의 리액턴스를 낮게 한다.

② 고속도 재폐로 차단기를 채용한다.

③ 중성점 직접 접지방식을 채용한다.

④ 고속도 AVR을 채용한다.

38 1 2 3

송전 선로의 중성점을 접지하는 목적이 아닌 것은?

① 송전 용량의 증가

② 과도 안정도의 증진

③ 이상 전압 발생의 억제

④ 보호 계전기의 신속, 확실한 동작

35

- 영상 임피던스(접지 회로 포함): $Z_0 = Z + 3Z_n$ (접지 임피던스 ×3)
- 정상, 역상 임피던스(접지 회로 제외): $Z_1 = Z_2 = Z$

36

단락 용량 $P_s = EI_s$에서 I_s를 구하면

$$I_s = \frac{E}{Z} = \frac{6,600}{3+j4} = \frac{6,600}{\sqrt{3^2+4^2}} = 1,320[\mathrm{A}]$$

$$\therefore P_s = 6,600 \times 1,320 \times 10^{-6}[\mathrm{MVA}] = 8.7[\mathrm{MVA}]$$

37

안정도 향상 대책
- 리액턴스를 적게 한다.
  - 복도체 또는 다도체 채용
  - 직렬 콘덴서 설치
  - 발전기나 변압기의 리액턴스 감소
  - 선로의 병렬 회선 수 증가
- 전압 변동을 적게 한다.
  - 중간 조상 방식 채용
  - 고장 구간을 신속히 차단
  - 고속도 계전기, 고속도 차단기 설치
  - 속응 여자 방식 채용
- 계통에 충격을 주지 말아야 한다.
  - 제동 저항기 설치
  - 단락비를 크게 함
  직접 접지방식은 지락 사고 시 지락 전류(I_g)가 커서 계통의 안정도가 나빠진다.

38

중성점 접지 목적
- 1선 지락 사고 시 건전상 대지 전위 상승 억제
- 보호 계전기의 신속, 확실한 동작
- 과도 안정도의 증진
- 이상 전압 발생 방지

39 [1] [2] [3]

송전 선로의 정상 임피던스를 Z_1, 역상 임피던스를 Z_2, 영상 임피던스를 Z_0라 할 때 옳은 것은?

① $Z_1 = Z_2 = Z_0$ ② $Z_1 = Z_2 < Z_0$
③ $Z_1 > Z_2 = Z_0$ ④ $Z_1 < Z_2 = Z_0$

40 [1] [2] [3]

영상 변류기를 사용하는 계전기는?

① 과전류 계전기
② 과전압 계전기
③ 부족 전압 계전기
④ 선택 지락 계전기

41 [1] [2] [3]

그림은 단상 직권 정류자 전동기의 개념도이다. C를 무엇이라고 하는가?

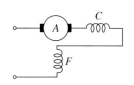

① 제어 권선   ② 보상 권선
③ 보극 권선   ④ 단층 권선

42 [1] [2] [3]

동기 발전기의 단락 시험, 무부하 시험에서 구할 수 없는 것은?

① 철손   ② 단락비
③ 동기 리액턴스   ④ 전기자 반작용

39
- 송전 선로: $Z_0 > Z_1 = Z_2$
- 변압기: $Z_0 = Z_1 = Z_2$

40
영상 변류기(ZCT)는 영상 전류를 검출하여 지락 계전기(GR) 또는 선택 지락 계전기(SGR)를 동작시킨다.

41
단상 직권 정류자 전동기의 구성
- A: 전기자(Armature)
- C: 보상 권선(Compensator)
- F: 계자(Field)

42
동기 발전기의 무부하 시험, 3상 단락 시험으로 다음과 같은 값을 알 수 있다.
- 무부하 시험: 철손, 기계손, 여자 전류
- 3상 단락 시험: 동기 임피던스, 임피던스 와트, 임피던스 전압, 단락비

43

단상 반발 유도 전동기에 대한 설명으로 옳은 것은?

① 역률은 반발 기동형보다 나쁘다.
② 기동 토크는 반발 기동형보다 크다.
③ 전부하 효율은 반발 기동형보다 좋다.
④ 속도의 변화는 반발 기동형보다 크다.

44

상수 m, 매극 매상당 슬롯수 q인 동기 발전기에서 n차 고조파분에 대한 분포 계수는?

① $\dfrac{q\sin\dfrac{n\pi}{mq}}{\sin\dfrac{n\pi}{m}}$

② $\dfrac{\sin\dfrac{n\pi}{m}}{q\sin\dfrac{n\pi}{mq}}$

③ $\dfrac{\sin\dfrac{\pi}{2m}}{q\sin\dfrac{n\pi}{2mq}}$

④ $\dfrac{\sin\dfrac{n\pi}{2m}}{q\sin\dfrac{n\pi}{2mq}}$

45

3상 유도 전동기의 원선도 작성에 필요한 기본량이 아닌 것은?

① 저항 측정　　　　② 슬립 측정
③ 구속 시험　　　　④ 무부하 시험

46

VVVF(Variable Voltage Variable Frequency)는 어떤 전동기의 속도 제어에 사용되는가?

① 동기 전동기
② 유도 전동기
③ 직류 복권 전동기
④ 직류 타여자 전동기

43
반발 유도 전동기
• 효율은 떨어지지만 역률이 좋다.
• 반발 기동형보다 기동 시 토크는 작고 속도 변화가 크다.

44
n차 고조파분에 대한 분포권 계수

$$K_{d,\,n} = \frac{\sin\dfrac{n\pi}{2m}}{q\sin\dfrac{n\pi}{2mq}}$$

45
원선도 작성에 필요한 시험
• 권선의 저항 측정 시험
• 무부하 시험
• 구속 시험

46
VVVF(가변 전압 가변 주파수 제어)
• 전압 제어로 주파수를 변화시키는 제어법으로 유도 전동기의 속도 제어에 주로 사용한다.
• 인버터를 이용한 PWM(Pulse Width Modulation) 제어를 한다.

47 ☐1 ☐2 ☐3

PN 접합 구조로 되어 있고 제어는 불가능하나 교류를 직류로 변환하는 반도체 정류 소자는?

① IGBT
② 다이오드
③ MOSFET*
④ 사이리스터

빈출
48 ☐1 ☐2 ☐3

비돌극형 동기 발전기의 단자 전압(1상)을 V, 유도 기전력(1상)을 E, 동기 리액턴스(1상)를 X_s, 부하각을 δ라 하면 1상의 출력을 나타내는 관계식은?

① $\dfrac{EV}{X_s}\sin\delta$
② $\dfrac{E^2 V}{X_s}\sin\delta$

③ $\dfrac{EV}{X_s}\cos\delta$
④ $\dfrac{EV^2}{X_s}\cos\delta$

49 ☐1 ☐2 ☐3

유도 전동기에서 공간적으로 본 고정자에 의한 회전 자계와 회전자에 의한 회전 자계는?

① 항상 동상으로 회전한다.
② 슬립만큼의 위상각을 가지고 회전한다.
③ 역률각만큼의 위상각을 가지고 회전한다.
④ 항상 180°만큼의 위상각을 가지고 회전한다.

50 ☐1 ☐2 ☐3

단권 변압기 2대를 V 결선하여 선로 전압 3,000[V]를 3,300[V]로 승압하여 300[kVA]의 부하에 전력을 공급하려고 한다. 단권 변압기 1대의 자기 용량은 몇 [kVA]인가?

① 9.09
② 15.74
③ 21.72
④ 31.50

정답 및 해설

47
다이오드
양극(애노드)에서 음극(캐소드) 측으로는 전류가 흐르고 역방향으로 전류가 차단되는 PN 접합 반도체의 특성을 이용하여 교류를 직류로 정류하는 데 쓰이는 소자이다.

48
3상 동기 발전기 1상의 출력(비돌극형)

$P = \dfrac{EV}{X_s}\sin\delta\,[\mathrm{W}]$

49
3상 유도 전동기에서 공간적으로 본 고정자의 자속이 대칭 3상 교류(정현파)에 의한 회전 자계라고 하면 이것에 의해 유기되는 회전자 전압의 분포도 대칭 3상 교류(정현파)가 되고 공간적으로 동상이다.

50
단권 변압기 3상 V 결선

$\dfrac{\text{자기 용량}}{\text{부하 용량}} = \dfrac{2}{\sqrt{3}}\left(\dfrac{V_h - V_l}{V_h}\right)$

자기 용량 $= \dfrac{2}{\sqrt{3}} \times \dfrac{3,300 - 3,000}{3,300} \times 300 = 31.49\,[\mathrm{kVA}]$

∴ 단상 변압기 1대분 자기 용량 $= \dfrac{31.49}{2} = 15.74\,[\mathrm{kVA}]$

51 1 2 3

직류 발전기의 병렬 운전에서 균압 모선을 필요로 하지 않는 것은?

① 분권 발전기　　　　② 직권 발전기
③ 평복권 발전기　　　④ 과복권 발전기

빈출
52 1 2 3

변압기의 내부 고장에 대한 보호용으로 사용되는 계전기는 어느 것이 적당한가?

① 방향 계전기　　　　② 온도 계전기
③ 접지 계전지　　　　④ 비율 차동 계전기

53 1 2 3

슬롯수 36의 고정자 철심이 있다. 여기에 3상 4극의 2층권으로 권선할 때 매극 매상의 슬롯수와 코일수는?

① 3과 18　　　　　　② 9와 36
③ 3과 36　　　　　　④ 8과 18

54 1 2 3

3상 반파 정류 회로에서 직류 전압의 파형은 전원 전압 주파수의 몇 배의 교류분을 포함하는가?

① 1　　　　　　　　② 2
③ 3　　　　　　　　④ 6

51

직권 발전기와 복권 발전기의 병렬 운전

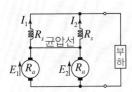

▲ 균압선의 설치

• 두 발전기의 기전력과 전압 강하 등이 동일하지 않을 때 기전력이 큰 발전기가 모든 부하 분담을 가지게 된다. 이를 방지하기 위해 균압선을 반드시 설치하여야 병렬 운전을 안전하게 할 수 있다.
• 분권 발전기는 균압선이 필요하지 않다.

52

변압기 내부 고장 검출용 계전기
• 비율 차동 계전기
• 부흐홀츠 계전기
• 충격 압력 계전기
• 가스검출 계전기

53

• 매극 매상당 슬롯수 $= \dfrac{\text{슬롯수}}{\text{극수} \times \text{상수}} = \dfrac{36}{4 \times 3} = 3$

• 총 코일수 $= \dfrac{\text{슬롯수} \times \text{층수}}{2} = \dfrac{36 \times 2}{2} = 36$

54

종류	직류 출력 E_d[V]	PIV[V]	맥동 주파수	정류 효율	맥동률
단상 반파	$\dfrac{\sqrt{2}}{\pi}E$ $= 0.45E$	$\sqrt{2}\,E$	f[Hz]	40.5[%]	121[%]
단상 전파 (중간탭)	$\dfrac{2\sqrt{2}}{\pi}E$ $= 0.9E$	$2\sqrt{2}\,E$	$2f$[Hz]	57.5[%]	48[%]
단상 전파 (브릿지)	$\dfrac{2\sqrt{2}}{\pi}E$ $= 0.9E$	$\sqrt{2}\,E$	$2f$[Hz]	81.1[%]	48[%]
3상 반파	$\dfrac{3\sqrt{6}}{2\pi}E$ $= 1.17E$	$\sqrt{6}\,E$	$3f$[Hz]	96.7[%]	17[%]
3상 전파 (브릿지)	$\dfrac{3\sqrt{6}}{\pi}E$ $= 2.34E$ 또는 $1.35E_l$	$\sqrt{6}\,E$	$6f$[Hz]	99.8[%]	4[%]

55

어떤 변압기의 부하 역률이 $60[\%]$일 때 전압 변동률이 최대라고 한다. 지금 이 변압기의 부하 역률이 $100[\%]$일 때 전압 변동률을 측정했더니 $3[\%]$였다. 이 변압기의 부하 역률이 $80[\%]$일 때 전압 변동률은 몇 $[\%]$인가?

① 2.4
② 3.6
③ 4.8
④ 5.0

56

6극 직류 발전기의 정류자 편수가 132, 유기 기전력이 $210[\mathrm{V}]$, 직렬 도체수가 132개이고 중권이다. 정류자 편간 전압은 약 몇 $[\mathrm{V}]$인가?

① 4
② 9.5
③ 12
④ 16

57

1상의 유도 기전력이 $6{,}000[\mathrm{V}]$인 동기 발전기에서 1분간 회전수를 $900[\mathrm{rpm}]$에서 $1{,}800[\mathrm{rpm}]$으로 하면 유도 기전력은 약 몇 $[\mathrm{V}]$인가?

① 6,000
② 12,000
③ 24,000
④ 36,000

58

3상 유도 전동기에서 고조파 회전 자계가 기본파 회전 방향과 역방향인 고조파는?

① 제3고조파
② 제5고조파
③ 제7고조파
④ 제13고조파

55

• $\cos\theta = 1$일 경우
전압 변동률 $\varepsilon = p\cos\theta + q\sin\theta = p\times 1 + q\times 0 = p$
$\therefore\ p = 3[\%]$
• $\cos\theta = 0.6$일 경우
$\cos\theta = \dfrac{p}{\sqrt{p^2+q^2}} = \dfrac{3}{\sqrt{3^2+q^2}} = 0.6$
$\therefore\ q = 4[\%]$
• $\cos\theta = 0.8$일 경우
전압 변동률 $\varepsilon = p\cos\theta + q\sin\theta = 3\times 0.8 + 4\times 0.6 = 4.8[\%]$

56

정류자 편간 전압
$e_a = \dfrac{pE}{k} = \dfrac{6\times 210}{132} = 9.5[\mathrm{V}]$

57

• 동기 속도
$N_s = \dfrac{120f}{p}[\mathrm{rpm}]$이므로 $N_s \propto f$이다.

• 유도 기전력
$E = 4.44K_w f\phi w[\mathrm{V}] \propto f \propto N_s$
• 회전 수 변경 후 유도 기전력
$E' = E\times\dfrac{N_s{}'}{N_s} = 6{,}000\times\dfrac{1{,}800}{900} = 12{,}000[\mathrm{V}]$

58

고조파의 회전 자계 방향

구분	기본파와 같은 방향	기본파와 반대 방향	회전 자계 없음
고조파	$2mn+1$ (7, 13, …)	$2mn-1$ (5, 11, …)	$3n$ (3, 6, 9, …)
속도	$\dfrac{1}{2mn+1}$ 배 속도로 회전	$\dfrac{1}{2mn-1}$ 배 속도로 회전	—

(단, $m=3$(상수), $n=1, 2, 3, \cdots$)

따라서 5고조파의 경우 기자력의 회전 방향은 기본파와 역방향이고 $\dfrac{1}{5}$배의 속도이다.

59 [1][2][3]

$75[W]$ 이하의 소출력 단상 직권 정류자 전동기의 용도로 적합하지 않은 것은?

① 믹서
② 소형 공구
③ 공작기계
④ 치과 의료용

60 [1][2][3]

직류 직권 전동기의 속도 제어에 사용되는 기기는?

① 초퍼
② 인버터
③ 듀얼 컨버터
④ 사이클로 컨버터

회로이론 및 제어공학

61 [1][2][3]

$20[mH]$의 두 자기 인덕턴스가 있다. 결합 계수를 0.1부터 0.9까지 변화시킬 수 있다면 이것을 접속시켜 얻을 수 있는 합성 인덕턴스의 최대값과 최소값의 비는?

① $9 : 1$
② $19 : 1$
③ $13 : 1$
④ $16 : 1$

62 [1][2][3]

다음 회로에서 $t = 0^+$일 때 스위치 K를 닫았다. $i_1(0^+)$, $i_2(0^+)$의 값은?(단, $t < 0$에서 C 전압과 L 전압은 각각 $0[V]$이다.)

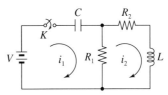

① $\dfrac{V}{R_1}$, 0
② 0, $\dfrac{V}{R_2}$
③ 0, 0
④ $-\dfrac{V}{R_1}$, 0

59

단상 직권 정류자 전동기의 용도
기동 토크와 고속 회전수가 필요한 전기 청소기, 믹서, 재봉틀, 영사기, 소형 공구, 치과 의료용 기기 등에 사용된다.

60

초퍼
• 직류 직권 전동기의 속도 제어를 위해 초퍼를 사용한다.
• 초퍼는 On-Off 고속도 반복 스위칭이 가능하다.

61

$$L_M = L_1 + L_2 + 2M = L_1 + L_2 + 2k\sqrt{L_1 L_2}$$
$$= 20 + 20 + 2 \times 0.9\sqrt{20 \times 20} = 76[mH]$$
$$L_S = L_1 + L_2 - 2M = L_1 + L_2 - 2k\sqrt{L_1 L_2}$$
$$= 20 + 20 - 2 \times 0.9\sqrt{20 \times 20} = 4[mH]$$
$$\therefore L_M : L_S = 76 : 4 = 19 : 1$$

62

$t \to 0$일 때, C는 단락, L은 개방 조건이 된다.
$$\therefore i_1(0^+) = \frac{V}{R_1}, \ i_2(0^+) = 0$$

63 [1] [2] [3]

그림과 같은 회로에서 $i_1 = I_m \sin \omega t$ [A]일 때, 개방된 2차 단자에 나타나는 유기기전력 e_2는 몇 [V]인가?

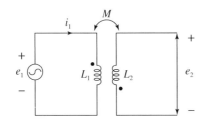

① $\omega M I_m \sin(\omega t - 90°)$

② $\omega M I_m \cos(\omega t - 90°)$

③ $-\omega M \sin \omega t$

④ $\omega M \cos \omega t$

64 [1] [2] [3]

전압의 순시값이 $v = 3 + 10\sqrt{2} \sin \omega t$ [V]일 때 실효값은 약 몇 [V]인가?

① 10.4   ② 11.6

③ 12.5   ④ 16.2

65 [1] [2] [3]

그림과 같은 회로에서 단자 a, b 사이의 합성 저항[Ω]은?

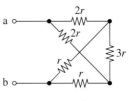

① r ② $\dfrac{1}{2}r$

③ $\dfrac{3}{2}r$ ④ $3r$

66 [1] [2] [3]

그림과 같은 회로에서 공진 각주파수 ω_r[rad/s]는?

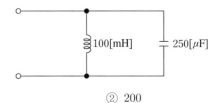

① 100   ② 200

③ 400   ④ 800

정답 및 해설

63

$$e_2 = -M \frac{di_1}{dt} = -M \frac{d}{dt}(I_m \sin \omega t)$$
$$= -M I_m \omega \cos \omega t$$
$$= -M I_m \omega \sin(\omega t + 90°)$$
$$= M I_m \omega \sin(\omega t - 90°)$$
$$= \omega M I_m \sin(\omega t - 90°) [V]$$

64

실효값 $V = \sqrt{3^2 + 10^2} = 10.4$[V]

65

주어진 회로는 브리지 평형 상태이므로 $3r$ 저항은 개방시켜 소거시킬 수 있다.

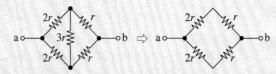

따라서 단자 a, b 사이의 합성 저항은 아래와 같다.

$$R_{ab} = \frac{(2r+r) \times (2r+r)}{(2r+r) + (2r+r)} = \frac{3r \times 3r}{6r} = \frac{9r^2}{6r} = \frac{3}{2}r [\Omega]$$

66

공진 각주파수

$$\omega_r = \frac{1}{\sqrt{LC}} = \frac{1}{\sqrt{100 \times 10^{-3} \times 250 \times 10^{-6}}} = 200 [\text{rad/s}]$$

67

최대값 V_a, 내부 임피던스 $Z_0 = R_0 + jX_0$ 인 전원에서 공급할 수 있는 최대 전력은?

① $\dfrac{V_a^2}{8R_0}$　　　　② $\dfrac{V_a^2}{4R_0}$

③ $\dfrac{V_a^2}{2R_0}$　　　　④ $\dfrac{V_a^2}{2\sqrt{2}R_0}$

69

회로에서 전압 $V_{ab}[\text{V}]$는?

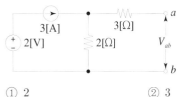

① 2　　　　② 3

③ 6　　　　④ 9

빈출
68

분포 정수 회로가 무왜형 선로로 되는 조건은?(단, 선로의 단위 길이당 저항은 R, 인덕턴스는 L, 정전 용량은 C, 누설 컨덕턴스는 G 이다.)

① $RL = CG$　　　　② $RC = LG$

③ $R = \sqrt{\dfrac{L}{C}}$　　　　④ $R = \sqrt{LC}$

70

그림과 같은 $R-C$ 병렬 회로에서 전원 전압이 $e(t) = 3e^{-5t}[\text{V}]$인 경우 이 회로의 임피던스는?

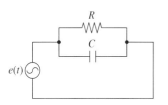

① $\dfrac{j\omega RC}{1 + j\omega RC}$　　　　② $\dfrac{R}{1 - 5RC}$

③ $\dfrac{R}{1 + RCs}$　　　　④ $\dfrac{1 + j\omega RC}{R}$

67

최대 공급 가능 전력은 부하(R_L)가 내부 저항(R_0)과 같을 때이다.

즉, $P = I^2 R_L = \left(\dfrac{V}{R_0 + R_L}\right)^2 R_L = \left(\dfrac{V}{R_0 + R_0}\right)^2 R_0$

$= \dfrac{V^2}{4R_0} = \dfrac{\left(\dfrac{V_a}{\sqrt{2}}\right)^2}{4R_0} = \dfrac{V_a^2}{8R_0}$

68

분포 정수 회로에서
무손실 선로의 조건은 $R = G = 0$,
무왜형 선로의 조건은 $LG = RC$이다.

69

• 전압원 2[V]만 인가 시(전류원 개방)
　전류원이 개방된 상태이므로 $V_{ab}' = 0[\text{V}]$
• 전류원 3[A]만 인가 시(전압원 단락)

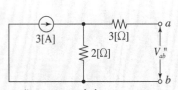

$V_{ab}'' = 3 \times 2 = 6[\text{V}]$
$\therefore V_{ab} = V_{ab}' + V_{ab}'' = 6[\text{V}]$

70

$R-C$ 병렬 회로이므로 합성 임피던스는

$Z = \dfrac{R \times \dfrac{1}{j\omega C}}{R + \dfrac{1}{j\omega C}} = \dfrac{R}{1 + j\omega RC}[\Omega]$

또한 문제에 주어진 전원 전압이
$e(t) = 3e^{j\omega t} = 3e^{-5t}[\text{V}]$에서 $j\omega = -5$ 가 되므로
$Z = \dfrac{R}{1 + j\omega RC} = \dfrac{R}{1 - 5RC}[\Omega]$이다.

71 1 2 3

다음 블록 선도의 전달 함수 $\dfrac{C}{A}$는?

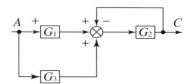

① $\dfrac{G_2(G_1+G_3)}{1+G_2}$

② $\dfrac{G_2(G_1+G_3)}{1-G_2}$

③ $\dfrac{G_2(G_1-G_3)}{1+G_2}$

④ $\dfrac{G_2(G_1+G_3)}{1+G_3}$

72 1 2 3

그림과 같은 계전기 접점 회로의 논리식은?

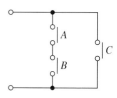

① $A \cdot B \cdot C$

② $A \cdot B + C$

③ $A + B + C$

④ $(A + B) \cdot C$

73 1 2 3

$G(j\omega) = \dfrac{K}{j\omega(j\omega+1)}$ 의 나이퀴스트 선도를 도시한 것은?(단, $K > 0$이다.)

①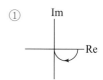

②

③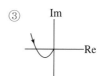

④

74 1 2 3

다음 블록 선도의 전체 전달 함수가 1이 되기 위한 조건은?

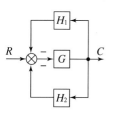

① $G = \dfrac{1}{1-H_1-H_2}$

② $G = \dfrac{-1}{1+H_1+H_2}$

③ $G = \dfrac{-1}{1-H_1-H_2}$

④ $G = \dfrac{1}{1+H_1+H_2}$

정답 및 해설

71

$\dfrac{C}{A} = \dfrac{\sum 경로}{1 - \sum 폐루프} = \dfrac{G_1 G_2 + G_3 G_2}{1-(-G_2)} = \dfrac{G_2(G_1+G_3)}{1+G_2}$

72

A 및 B 접점은 AND 회로이고, C 접점은 $A \cdot B$에 대한 OR 회로가 되므로 이에 대한 논리식은 $A \cdot B + C$ 가 된다.

73

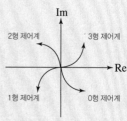

▲ 제어계의 형에 따른 벡터 궤적

$G(s) = \dfrac{1}{s^k(s+a)(s+b)(s+c)}$

• $k = 0$: 0형 제어계로 4사분면에 그려진다.(분모 괄호 항의 개수만큼 위치)
• $k = 1$: 1형 제어계로 3사분면에 그려진다.(분모 괄호 항의 개수만큼 위치)
• $k = 2$: 2형 제어계로 2사분면에 그려진다.(분모 괄호 항의 개수만큼 위치)

주어진 전달 함수는 1형 제어계이므로 3사분면에 도시되어야 한다.

74

주어진 블록 선도의 전달 함수를 구하면 다음과 같다.

$\dfrac{C}{R} = \dfrac{G}{1+GH_1+GH_2}$

$\dfrac{G}{1+GH_1+GH_2} = 1$

$G = 1 + GH_1 + GH_2$

$G - GH_1 - GH_2 = 1$

$G(1-H_1-H_2) = 1$

$\therefore G = \dfrac{1}{1-H_1-H_2}$

과난도
75 ① ② ③

다음의 특성 방정식을 Routh-Hurwitz 방법으로 안정도를 판별하고자 한다. 이때 안정도를 판별하기 위하여 가장 잘 해석한 것은 어느 것인가?

$$q(s) = s^5 + 2s^4 + 2s^3 + 4s^2 + 11s + 10$$

① s 평면의 우반면에 근은 없으나 불안정이다.
② s 평면의 우반면에 근이 1개 존재하여 불안정이다.
③ s 평면의 우반면에 근이 2개 존재하여 불안정이다.
④ s 평면의 우반면에 근이 3개 존재하여 불안정이다.

76 ① ② ③

근궤적에 관한 설명으로 틀린 것은?

① 근궤적은 허수축에 대칭이다.
② 근궤적은 $K=0$ 일 때 극에서 출발하고 $K=\infty$ 일 때 영점에 도착한다.
③ 실수축 위의 극과 영점을 더한 수가 홀수 개가 되는 극 또는 영점에서 왼쪽의 실수축에 근궤적이 존재한다.
④ 극의 수가 영점보다 많을 경우, K 가 무한에 접근하면 근궤적은 점근선을 따라 무한원점으로 간다.

77 ① ② ③

특성 방정식 $s^4 + 7s^3 + 17s^2 + 17s + 6 = 0$ 의 특성근 중에는 양의 실수부를 갖는 근이 몇 개인가?

① 1   ② 2
③ 3   ④ 무근

75

주어진 특성 방정식을 이용하여 루드표를 작성하면 다음과 같다.

차수	제1열	제2열	제3열
s^5	1	2	11
s^4	2	4	10
s^3	$\dfrac{2\times2-1\times4}{2}=0$		
s^2			

루드표 작성 중 제1열에 0이 발생하였으므로 특성 방정식을 s 에 대하여 한 번 미분한 후, 다시 루드표를 작성한다.

$$\frac{dq(s)}{ds} = 5s^4 + 8s^3 + 6s^2 + 8s + 11 = 0$$

차수	제1열	제2열	제3열
s^4	5	6	11
s^3	8	8	0
s^2	$\dfrac{8\times6-5\times8}{8}=1$	$\dfrac{8\times11-5\times0}{8}=11$	0
s^1	$\dfrac{1\times8-8\times11}{1}$ $=-80$	$\dfrac{1\times0-8\times0}{1}=0$	0
s^0	$\dfrac{-80\times11-1\times0}{-80}$ $=11$	0	0

루드표의 제1열의 부호 변화가 2번 발생하였으므로 s 평면의 우반면에 근이 2개 존재하여 불안정이다.

76

근궤적

• 개루프 전달 함수의 이득 정수 K 를 $0 \sim \infty$ 까지 변화시킬 때의 극점의 이동 궤적을 그린 선도이다.
• 근궤적의 출발점($K=0$)은 $G(s)H(s)$ 의 극점으로부터 출발한다.
• 근궤적의 종착점($K=\infty$)은 $G(s)H(s)$ 의 영점에서 끝난다.
• 근궤적은 항상 실수축에 대해 대칭이다.
• 근궤적의 개수는 영점수(Z)와 극점수(P) 중 큰 것과 일치한다.

77

주어진 특성 방정식의 루드표로 작성하면 다음과 같다.

차수	제1열	제2열	제3열
s^4	1	17	6
s^3	7	17	0
s^2	$\dfrac{7\times17-1\times17}{7}$ $=\dfrac{102}{7}$	$\dfrac{7\times6-1\times0}{7}=6$	0
s^1	$\dfrac{\frac{102}{7}\times17-7\times6}{\frac{102}{7}}$ $=14.12$	$\dfrac{\frac{102}{7}\times0-7\times0}{\frac{102}{7}}=0$	0
s^0	$\dfrac{14.12\times6-\frac{102}{7}\times0}{14.12}$ $=6$	$\dfrac{14.12\times0-\frac{102}{7}\times0}{14.12}$ $=0$	0

루드표의 제1열의 부호 변화가 없으므로 제어계는 안정하고, 양의 실수부에는 근이 존재하지 않는다.

78 123

s평면의 우반면에 3개의 극점이 있고, 2개의 영점이 있다. 이때 다음과 같은 설명 중 어느 나이퀴스트 선도일 때 시스템이 안정한가?

① $(-1, j0)$ 점을 반 시계방향으로 1번 감쌌다.
② $(-1, j0)$ 점을 시계방향으로 1번 감쌌다.
③ $(-1, j0)$ 점을 반 시계방향으로 5번 감쌌다.
④ $(-1, j0)$ 점을 시계방향으로 5번 감쌌다.

79 123

그림과 같은 스프링 시스템을 전기적 시스템으로 변환했을 때 이에 대응하는 회로는?

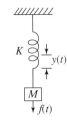

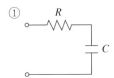
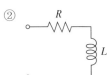
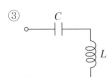
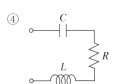

80 123

정상 상태 응답 특성과 응답의 속응성을 동시에 개선시키는 제어는?

① P 제어
② PI 제어
③ PD 제어
④ PID 제어

정답 및 해설

78

제어계가 안정하기 위한 나이퀴스트 선도 조건은 아래와 같다.
• 나이퀴스트 선도가 시계 방향으로 진행할 경우
  : 임계점$(-1, j0)$을 포위하지 않을 것
• 나이퀴스트 선도가 반시계 방향으로 진행할 경우
  : 임계점$(-1, j0)$을 포위할 것
이 조건을 통해 ①번과 ③번으로 정답이 좁혀진다.
이때,
Z : s평면의 우반 평면상에 존재하는 영점의 수
P : s평면의 우반 평면상에 존재하는 극의 개수
N : GH평면상의$(-1, j0)$점을 $G(s)H(s)$ 선도가 원점 둘레를 오른쪽으로 일주하는 회전수 $N = Z - P$ 따라서, $N = 2 - 3 = -1$이므로 -1회, 왼쪽으로 1회 일주하여야 안정하다.

79

주어진 물리계를 방정식으로 표현한다.
$$f(t) = M\frac{d^2y(t)}{dt^2} + Ky(t)$$
$$\rightarrow f(t) = M\frac{d}{dt}v(t) + K\int v(t)\,dt$$
위 방정식과 등가인 전기 회로 방정식을 비교한다.
$$e(t) = L\frac{di(t)}{dt} + \frac{1}{C}\int i(t)\,dt$$
따라서 인덕턴스 L과 정전 용량 C의 직렬 회로와 같다.

80

PID 제어는 적분 기능과 미분 기능을 동시에 갖춘 제어 장치로, 정상 상태 응답 특성과 응답 속응성에 최적이다.

전기설비기술기준	1회독	월	일	
	2회독	월	일	
	3회독	월	일	자동채점

81 ☐1 ☐2 ☐3

전압의 종별에서 교류 600[V]는 무엇으로 분류하는가?

① 저압
② 고압
③ 특고압
④ 초고압

82 ☐1 ☐2 ☐3

하나 또는 복합하여 시설하여야 하는 접지극의 방법으로 틀린 것은?

① 지중 금속구조물
② 토양에 매설된 기초 접지극
③ 케이블의 금속외장 및 그 밖의 금속피복
④ 대지에 매설된 강화콘크리트의 용접된 금속 보강재

83 ☐1 ☐2 ☐3

최대 사용전압이 220[V]인 전동기의 절연내력 시험을 하고자할 때 시험전압은 몇 [V]인가?

① 300
② 330
③ 450
④ 500

84 ☐1 ☐2 ☐3

옥내에 시설하는 전동기가 소손되는 것을 방지하기 위한 과부하 보호장치를 하지 않아도 되는 것은?

① 정격출력이 7.5[kW] 이상인 경우
② 정격출력이 0.2[kW] 이하인 경우
③ 정격출력이 2.5[kW]이며, 과전류 차단기가 없는 경우
④ 전동기 출력이 4[kW]이며, 취급자가 감시할 수 없는 경우

81

전압의 구분(한국전기설비규정 111.1)
• 저압: 교류는 1[kV] 이하, 직류는 1.5[kV] 이하인 것
• 고압: 교류는 1[kV]를, 직류는 1.5[kV]를 초과하고, 7[kV] 이하인 것
• 특고압: 7[kV]를 초과하는 것

82

접지극의 시설 및 접지저항(한국전기설비규정 142.2)
접지극의 시설
• 콘크리트에 매입된 기초 접지극
• 토양에 매설된 기초 접지극
• 토양에 수직 또는 수평으로 직접 매설된 금속전극(봉, 전선, 테이프, 배관, 판 등)
• 케이블의 금속외장 및 그 밖의 금속피복
• 지중 금속구조물(배관 등)
• 대지에 매설된 철근콘크리트의 용접된 금속 보강재(강화콘크리트 제외)

83

회전기 및 정류기의 절연내력(한국전기설비규정 133)

종류		시험전압	시험방법
회전기	발전기·전동기·무효전력 보상장치(조상기)·기타 회전기(회전변류기 제외)	최대 사용 전압 7[kV] 이하	최대 사용전압의 1.5배의 전압(500[V] 미만으로 되는 경우에는 500[V])	권선과 대지 사이에 연속하여 10분간 가한다.
		최대 사용 전압 7[kV] 초과	최대 사용전압의 1.25배의 전압(10.5[kV] 미만으로 되는 경우에는 10.5[kV])	
	회전변류기		직류측의 최대 사용전압의 1배의 교류전압(500[V] 미만으로 되는 경우에는 500[V])	

∴ 시험전압 = 220×1.5 = 330[V]이나 최저 시험전압이 500[V]이므로 시험전압은 500[V]가 되어야 한다.

84

저압전로 중의 전동기 보호용 과전류보호장치의 시설(한국전기설비규정 212.6.3)
옥내에 시설하는 전동기의 과부하보호장치의 생략 조건
• 정격출력이 0.2[kW] 이하
• 전동기를 운전 중 상시 취급자가 감시할 수 있는 위치에 시설하는 경우
• 전동기의 구조나 부하의 성질로 보아 전동기가 손상될 수 있는 과전류가 생길 우려가 없는 경우
• 단상 전동기로서 그 전원 측 전로에 시설하는 과전류 차단기의 정격전류가 16[A](배선용 차단기는 20[A]) 이하인 경우

85 ☐1 ☐2 ☐3

피뢰기 설치기준으로 틀린 것은?

① 가공전선로와 특고압 전선로가 접속되는 곳
② 고압 및 특고압 가공전선로로부터 공급받는 수용장소의 인입구
③ 발전소·변전소 또는 이에 준하는 장소의 가공전선의 인입구 및 인출구
④ 가공전선로에 접속한 1차 측 전압이 35[kV] 이하인 배전용 변압기의 고압 측 및 특고압 측

86 ☐1 ☐2 ☐3

고압 옥내배선의 공사방법으로 틀린 것은?

① 케이블공사
② 합성수지관공사
③ 케이블트레이공사
④ 애자사용공사(건조한 장소에 전개된 장소에 한한다.)

87 ☐1 ☐2 ☐3

사용전압이 22.9[kV]인 가공전선로를 시가지에 시설하는 경우 전선의 지표상 높이는 몇 [m] 이상인가?(단, 전선은 특고압 절연전선을 사용한다.)

① 6   ② 7
③ 8   ④ 10

88 ☐1 ☐2 ☐3

옥외용 비닐절연전선을 사용한 저압 가공전선이 횡단보도교 위에 시설되는 경우에 그 전선의 노면상 높이는 몇 [m] 이상으로 하여야 하는가?

① 2.5   ② 3.0
③ 3.5   ④ 4.0

정답 및 해설

85

피뢰기의 시설(한국전기설비규정 341.13)
고압 및 특고압의 전로 중 다음에 열거하는 곳 또는 이에 근접한 곳에는 피뢰기를 시설하여야 한다.
• 발전소·변전소 또는 이에 준하는 장소의 가공전선 인입구 및 인출구
• 가공전선로에 접속하는 배전용 변압기의 고압 측 및 특고압 측
• 고압 및 특고압 가공전선로로부터 공급을 받는 수용장소의 인입구
• 가공전선로와 지중전선로가 접속되는 곳

86

고압 옥내배선 등의 시설(한국전기설비규정 342.1)
고압 옥내배선은 다음에 따라 시설하여야 한다.
• 애자사용공사(건조한 장소로서 전개된 장소에 한한다.)
• 케이블공사
• 케이블트레이공사

87

시가지 등에서 특고압 가공전선로의 시설(한국전기설비규정 333.1)

사용전압의 구분	지표상의 높이
35[kV] 이하	10[m](전선이 특고압 절연전선인 경우에는 8[m]) 이상
35[kV] 초과	10[m]에 35[kV]를 초과하는 10[kV] 또는 그 단수마다 0.12[m]를 더한 값 이상

88

저압 가공전선의 높이(한국전기설비규정 222.7)

설치장소	가공전선의 높이
도로 횡단	지표상 6[m] 이상
철도 또는 궤도 횡단	레일면상 6.5[m] 이상
횡단보도교 위 (저압)	노면상 3.5[m] 이상 단, 절연전선의 경우 3[m] 이상
일반장소	지표상 5[m] 이상. 단, 절연전선 또는 케이블을 사용하여 교통에 지장이 없도록 하여 옥외조명용에 공급하는 경우 지표상 4[m]까지 감할 수 있다.

89 1 2 3

농사용 저압 가공전선로의 지지점 간 거리는 몇 [m] 이하이어야 하는가?

① 30   ② 50

③ 60   ④ 100

90 1 2 3

특고압 가공전선이 건조물과 제1차 접근 상태로 시설되는 경우에 특고압 가공전선로는 어떤 보안공사를 하여야 하는가?

① 고압 보안공사
② 제1종 특고압 보안공사
③ 제2종 특고압 보안공사
④ 제3종 특고압 보안공사

91 1 2 3

고압 가공인입선이 케이블 이외의 것으로서 그 전선의 아래쪽에 위험표시를 하였다면 전선의 지표상 높이는 몇 [m]까지로 감할 수 있는가?

① 2.5   ② 3.5

③ 4.5   ④ 5.5

92 1 2 3

변전소에 울타리·담 등을 시설할 때, 사용전압이 345[kV]이면 울타리·담 등의 높이와 울타리·담 등으로부터 충전부분까지의 거리의 합계는 몇 [m] 이상으로 하여야 하는가?

① 8.16   ② 8.28

③ 8.40   ④ 9.72

89

농사용 저압 가공전선로의 시설(한국전기설비규정 222.22)
- 저압 가공전선은 인장강도 1.38[kN] 이상의 것 또는 지름 2[mm] 이상의 경동선일 것
- 저압 가공전선의 지표상의 높이는 3.5[m] 이상일 것
  다만, 저압 가공전선을 사람이 쉽게 출입하지 아니하는 곳에 시설하는 경우에는 3[m]까지로 감할 수 있다.
- 전선로의 지지점 간 거리는 30[m] 이하일 것
- 목주의 굵기는 위쪽 끝(말구) 지름이 0.09[m] 이상일 것

90

특고압 가공전선과 도로 등의 접근 또는 교차(한국전기설비규정 333.23)
- 특고압 가공전선이 건조물과 제1차 접근상태로 시설되는 경우: 제3종 특고압 보안공사
- 35[kV] 이하인 특고압 가공전선이 건조물과 제2차 접근상태로 시설되는 경우: 제2종 특고압 보안공사
- 35[kV] 초과 400[kV] 미만인 특고압 가공전선이 건조물과 제2차 접근상태에 있는 경우: 제1종 특고압 보안공사

91

고압 가공인입선의 시설(한국전기설비규정 331.12.1)
- 인장강도 8.01[kN] 이상의 고압 절연전선 또는 지름 5[mm] 이상의 경동선 사용
- 고압 가공인입선의 높이 3.5[m]까지 감할 수 있다.(전선의 아래쪽에 위험표시를 할 경우)
- 고압 이웃 연결(연접)인입선은 시설하여서는 안 된다.

92

발전소 등의 울타리·담 등의 시설(한국전기설비규정 351.1)
고압 또는 특고압의 기계기구·모선 등을 옥외에 시설하는 발전소·변전소·개폐소 또는 이에 준하는 곳에는 구내에 취급자 이외의 사람이 들어가지 아니하도록 시설하여야 한다.

사용전압의 구분	울타리·담 등의 높이와 울타리·담 등으로부터 충전부분까지의 거리의 합계
35[kV] 이하	5[m] 이상
35[kV] 초과 160[kV] 이하	6[m] 이상
160[kV] 초과	6[m]에 160[kV]를 초과하는 10[kV] 또는 그 단수마다 0.12[m]를 더한 값 이상

$$단수 = \frac{345-160}{10} = 18.5 \rightarrow 19단$$

$$\therefore 6 + 19 \times 0.12 = 8.28[m]$$

93 ☐①②③

발전기를 전로로부터 자동적으로 차단하는 장치를 시설하여야 하는 경우에 해당되지 않는 것은?

① 발전기에 과전류가 생긴 경우
② 용량이 5,000[kVA] 이상인 발전기의 내부에 고장이 생긴 경우
③ 용량이 500[kVA] 이상의 발전기를 구동하는 수차의 압유장치의 유압이 현저히 저하한 경우
④ 용량이 100[kVA] 이상의 발전기를 구동하는 풍차의 압유장치의 유압, 압축공기장치의 공기압이 현저히 저하한 경우

94 ☐①②③

전력보안 가공통신선(광섬유 케이블은 제외)을 조가 할 경우 조가선(조가용선)은?

① 금속으로 된 단선
② 강심 알루미늄 연선
③ 금속선으로 된 연선
④ 알루미늄으로 된 단선

95 ☐①②③

저압 옥내배선의 사용전선으로 틀린 것은?

① 단면적 2.5[mm²] 이상의 연동선
② 사용전압이 400[V] 이하의 전광표시장치 배선 시 단면적 0.75[mm²] 이상의 다심 캡타이어케이블
③ 사용전압이 400[V] 이하의 전광표시장치 배선 시 단면적 1.5[mm²] 이상의 연동선
④ 사용전압이 400[V] 이하의 전광표시장치 배선 시 단면적 0.5[mm²] 이상의 다심 케이블

96 ☐①②③

케이블트레이공사에 사용하는 케이블트레이의 시설기준으로 틀린 것은?

① 케이블트레이 안전율은 1.3 이상이어야 한다.
② 비금속제 케이블트레이는 난연성 재료의 것이어야 한다.
③ 전선의 피복 등을 손상시킬 돌기 등이 없이 매끈해야 한다.
④ 금속제 트레이는 접지공사를 하여야 한다.

정답 및 해설

93

발전기 등의 보호장치(한국전기설비규정 351.3)
발전기에는 다음의 경우에 자동적으로 이를 전로로부터 차단하는 장치를 시설하여야 한다.
- 발전기에 과전류나 과전압이 생긴 경우
- 용량이 500[kVA] 이상인 발전기를 구동하는 수차의 압유장치의 유압 또는 전동식 가이드밴 제어장치, 전동식 니이들 제어장치 또는 전동식 디플렉터 제어장치의 전원전압이 현저히 저하한 경우
- 용량이 100[kVA] 이상인 발전기를 구동하는 풍차(風車)의 압유장치의 유압, 압축공기장치의 공기압 또는 전동식 브레이드 제어장치의 전원전압이 현저히 저하한 경우
- 용량이 2,000[kVA] 이상인 수차 발전기의 스러스트 베어링의 온도가 현저히 상승한 경우
- 용량이 10,000[kVA] 이상인 발전기의 내부에 고장이 생긴 경우
- 정격출력이 10,000[kW]를 초과하는 증기터빈은 그 스러스트 베어링이 현저하게 마모되거나 그의 온도가 현저히 상승한 경우

94

조가선 시설기준(한국전기설비규정 362.3)
조가선은 단면적 38[mm²] 이상의 아연도강연선을 사용할 것
※ 아연도강연선은 금속으로 된 연선이다.

95

저압 옥내배선의 사용전선(한국전기설비규정 231.3.1)
저압 옥내배선의 전선은 단면적 2.5[mm²] 이상의 연동선 또는 이와 동등 이상의 강도 및 굵기의 것을 사용해야 한다. 단, 옥내배선의 사용전압이 400[V] 이하인 경우로 다음 중 어느 하나에 해당하는 경우에는 그렇지 아니하다.
- 전광표시장치 기타 이와 유사한 장치 또는 제어회로 등에 사용하는 배선에 단면적 1.5[mm²] 이상의 연동선을 사용하고 이를 합성수지관공사·금속관공사·금속몰드공사·금속덕트공사·플로어덕트공사 또는 셀룰러덕트공사에 의하여 시설하는 경우
- 전광표시장치 기타 이와 유사한 장치 또는 제어회로 등의 배선에 단면적 0.75[mm²] 이상인 다심 케이블 또는 다심 캡타이어케이블을 사용하고 또한 과전류가 생겼을 때에 자동적으로 전로에서 차단하는 장치를 시설하는 경우

96

케이블트레이의 선정(한국전기설비규정 232.41.2)
- 수용된 모든 전선을 지지할 수 있는 적합한 강도의 것이어야 한다. 이 경우 케이블트레이의 안전율은 1.5 이상으로 하여야 한다.
- 전선의 피복 등을 손상시킬 수 있는 돌기 등이 없이 매끈하여야 한다.
- 금속제 케이블트레이 시스템은 기계적 또는 전기적으로 완전하게 접속하여야 하며 금속제 트레이는 접지공사를 하여야 한다.
- 비금속제 케이블트레이는 난연성 재료의 것이어야 한다.

97

전기욕기에 전기를 공급하기 위한 전원장치에 내장되어 있는 전원변압기의 2차 측 전로의 사용전압은 몇 [V] 이하인 것을 사용하여야 하는가?

① 5   ② 10

③ 20   ④ 30

98

사무실 건물의 조명설비에 사용되는 백열전등 또는 방전등에 전기를 공급하는 옥내전로의 대지전압은 몇 [V] 이하인가?

① 250   ② 300

③ 350   ④ 400

99

다음 (   )의 ㉠, ㉡에 들어갈 내용으로 옳은 것은?

> 전기철도용 급전선이란 전기철도용 (㉠)(으)로부터 다른 전기철도용 (㉠) 또는 (㉡)에 이르는 전선을 말한다.

① ㉠: 급전소   ㉡: 개폐소
② ㉠: 궤전선   ㉡: 변전소
③ ㉠: 변전소   ㉡: 전차선
④ ㉠: 전차선   ㉡: 급전소

100

태양전지 모듈의 시설에 대한 설명으로 옳은 것은?

① 충전 부분은 노출하여 시설할 것
② 출력배선은 극성별로 확인 가능토록 표시할 것
③ 전선은 공칭단면적 1.5[mm²] 이상의 연동선을 사용할 것
④ 전선을 옥내에 시설할 경우에는 애자사용공사에 준하여 시설할 것

97

전기욕기 전원장치(한국전기설비규정 241.2.1)
- 전기욕기에 전기를 공급하기 위한 전기욕기용 전원장치(내장되는 전원변압기의 2차 측 전로의 사용전압이 10[V] 이하인 것에 한한다.)는 「전기용품 및 생활용품 안전관리법」에 의한 안전기준에 적합하여야 한다.
- 전기욕기용 전원장치는 욕실 이외의 건조한 곳으로서 취급자 이외의 자가 쉽게 접촉하지 아니하는 곳에 시설하여야 한다.

98

옥내전로의 대지전압의 제한(한국전기설비규정 231.6)
백열전등(전기스탠드 등 제외) 또는 방전등에 전기를 공급하는 옥내 전로의 대지전압은 300[V] 이하이어야 한다.

99

용어 정의(한국전기설비규정 112)
전기철도용 급전선이란 전기철도용 변전소로부터 다른 전기철도용 변전소 또는 전차선에 이르는 전선을 말한다.

100

태양광설비의 시설(전기배선)(한국전기설비규정 522.1.1)
- 전선은 공칭단면적 2.5[mm²] 이상의 연동선 또는 이와 동등 이상의 세기 및 굵기의 것일 것
- 옥내에 시설할 경우에는 합성수지관공사, 금속관공사, 금속제 가요전선관공사 또는 케이블공사로 시설할 것
- 모듈의 출력배선은 극성별로 확인 가능토록 표시할 것
- 충전 부분은 노출되지 아니하도록 시설할 것

전기자기학

1회독	월	일
2회독	월	일
3회독	월	일

자동채점

01 1 2 3

균일한 자장 내에 놓여 있는 직선 도선에 전류 및 길이를 각각 2배로 하면 이 도선에 작용하는 힘은 몇 배가 되는가?

① 1
② 2
③ 4
④ 8

02 1 2 3

전자석에 사용하는 연철(soft iron)은 다음 중 어느 성질을 갖는가?

① 잔류 자기, 보자력이 모두 크다.
② 보자력이 크고, 잔류 자기가 작다.
③ 보자력과 히스테리시스 곡선의 면적이 모두 작다.
④ 보자력이 크고, 히스테리시스 곡선의 면적이 작다.

03 1 2 3

비투자율이 μ_r인 철제 무한 솔레노이드가 있다. 평균 자로의 길이를 $l[\text{m}]$라 할 때 솔레노이드에 공극(Air Gap) $l_0[\text{m}]$를 만들어 자기 저항을 원래의 2배로 하려면 얼마만한 공극을 만들면 되는가?(단, $\mu_r \gg 1$이고, 자기력은 일정하다고 한다.)

① $l_0 = \dfrac{l}{2}$
② $l_0 = \dfrac{l}{\mu_r}$

③ $l_0 = \dfrac{l}{2\mu_r}$
④ $l_0 = 1 + \dfrac{l}{\mu_r}$

고난도

04 1 2 3

반지름이 $3[\text{m}]$인 구에 공간 전하 밀도가 $1[\text{C/m}^3]$로 분포되어 있을 경우 구의 중심으로부터 $1[\text{m}]$인 곳의 전계는 몇 $[\text{V/m}]$인가?

① $\dfrac{1}{2\varepsilon_0}$
② $\dfrac{1}{3\varepsilon_0}$

③ $\dfrac{1}{4\varepsilon_0}$
④ $\dfrac{1}{5\varepsilon_0}$

정답 및 해설

01

$F = I|\ i \times \dot{B}| = IBl\sin\theta[\text{N}]$
전류 및 길이를 각각 2배로 하면
$F' = 2I \cdot B \cdot 2l\sin\theta = 4IBl\sin\theta = 4F[\text{N}]$

02

전자석의 재료(연철 등)의 특징은 다음과 같다.
• 잔류 자기: 크다.
• 보자력: 작다.
• 히스테리시스 곡선의 면적: 작다.

03

공극이 없을 경우의 자기 저항
$R = \dfrac{l}{\mu_0\mu_r S}$

공극이 있을 경우의 자기 저항
$R_m = \dfrac{l}{\mu_0\mu_r S} + \dfrac{l_0}{\mu_0 S} = \dfrac{l}{\mu_0\mu_r S}\left(1 + \dfrac{l_0}{l}\mu_r\right) = R\left(1 + \dfrac{l_0}{l}\mu_r\right)$

$R_m = 2R$이므로

$1 + \dfrac{l_0}{l}\mu_r = 2 \Rightarrow l_0 = (2-1) \times \dfrac{l}{\mu_r} = \dfrac{l}{\mu_r}$

04

구도체 전계 $E = \dfrac{r \times Q}{4\pi\varepsilon_0 a^3}[\text{V/m}]$

(떨어진 거리가 반지름보다 작은 경우, 즉 $r < a$)

체적(공간) 전하 밀도 $\rho_v = \dfrac{Q}{v}$에서 $Q = \rho_v \times v$이다.

즉, 전계 $E = \dfrac{r \times \rho_v \times v}{4\pi\varepsilon_0 a^3} = \dfrac{r\rho_v \times \frac{4}{3}\pi a^3}{4\pi\varepsilon_0 a^3} = \dfrac{r\rho_v}{3\varepsilon_0} = \dfrac{1 \times 1}{3\varepsilon_0} = \dfrac{1}{3\varepsilon_0}[\text{V/m}]$

05 □1 □2 □3

자속 밀도 $0.5[\mathrm{Wb/m^2}]$인 균일한 자장 내에 반지름 $10[\mathrm{cm}]$, 권수 $1{,}000$회인 원형 코일이 매분 $1{,}800$회 회전할 때 이 코일의 저항이 $100[\Omega]$일 경우 이 코일에 흐르는 전류의 최댓값은 약 몇 $[\mathrm{A}]$인가?

① 14.4

② 23.5

③ 29.6

④ 43.2

06 □1 □2 □3
(빈출)

서로 다른 두 유전체 사이의 경계면에 전하 분포가 없다면 경계면 양쪽에서의 전계 및 전속 밀도는?

① 전계 및 전속 밀도의 접선 성분은 서로 같다.

② 전계 및 전속 밀도의 법선 성분은 서로 같다.

③ 전계의 법선 성분이 서로 같고, 전속 밀도의 접선 성분이 서로 같다.

④ 전계의 접선 성분이 서로 같고, 전속 밀도의 법선 성분이 서로 같다.

07 □1 □2 □3

그림과 같이 전류 $I[\mathrm{A}]$가 흐르는 반지름 $a[\mathrm{m}]$인 원형 코일의 중심으로부터 $x[\mathrm{m}]$인 점 P의 자계의 세기는 몇 $[\mathrm{AT/m}]$인가?(단, θ는 각 APO라 한다.)

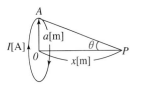

① $\dfrac{I}{2a}\cos^2\theta$

② $\dfrac{I}{2a}\sin^3\theta$

③ $\dfrac{I}{2a}\cos^3\theta$

④ $\dfrac{I}{2a}\sin^2\theta$

08 □1 □2 □3

다음 회로도의 $2[\mu\mathrm{F}]$ 콘덴서에 $100[\mu\mathrm{C}]$의 전하가 축적되었을 때, $3[\mu\mathrm{F}]$ 콘덴서 양단에 걸리는 전위차$[\mathrm{V}]$는?

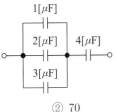

① 50

② 70

③ 100

④ 150

05

원형 코일을 통과하는 자속은 다음과 같다.
$$\phi = \phi_m \sin\omega t[\mathrm{Wb}], \quad \phi_m = BS[\mathrm{Wb}]$$
코일에 생성되는 유도 기전력의 크기
$$e = \left| -N\frac{d\phi}{dt} \right| = \left| -\omega N\phi_m \cos\omega t \right|[\mathrm{V}] = \omega NBS\cos\omega t[\mathrm{V}]$$
최대 유도 기전력 $e_m = \omega NBS[\mathrm{V}]$이다. ($\because \cos\omega t$의 최댓값은 1)
따라서 전류의 최댓값은 다음과 같이 나타낼 수 있다.
$$I_m = \frac{e_m}{R} = \frac{2\pi \times \dfrac{1{,}800}{60} \times 1{,}000 \times 0.5 \times \pi \times (10 \times 10^{-2})^2}{100} = 29.6[\mathrm{A}]$$
※ 주파수 = 사이클 = 초당 회전수

06

• 경계면에서 전계의 수평(접선) 성분은 같다.
$$E_1 \sin\theta_1 = E_2 \sin\theta_2$$

• 경계면에서 전속 밀도의 수직(법선) 성분은 같다.
$$D_1 \cos\theta_1 = D_2 \cos\theta_2$$

07

원형 코일 중심에서 직각으로 $x[\mathrm{m}]$ 떨어진 지점의 자계
$$H = \frac{a^2 I}{2(a^2 + x^2)^{\frac{3}{2}}} = \frac{I}{2a}\sin^3\theta\,[\mathrm{AT/m}] \left(\because \sin\theta = \frac{a}{\sqrt{a^2 + x^2}} \right)$$

08

$2[\mu\mathrm{F}]$ 콘덴서에 걸리는 전압 $V_2 = \dfrac{Q}{C} = \dfrac{100 \times 10^{-6}}{2 \times 10^{-6}} = 50[\mathrm{V}]$

그런데 $2[\mu\mathrm{F}]$ 콘덴서와 $3[\mu\mathrm{F}]$ 콘덴서는 병렬로 연결되어 있으므로 같은 전압이 걸린다. 즉, $3[\mu\mathrm{F}]$ 콘덴서 양단에 걸리는 전위차는 $50[\mathrm{V}]$이다.

09 `1` `2` `3`

어떤 TV 방송 전자파의 주파수를 $190[\text{MHz}]$의 평면파로 보고 $\mu_s = 1, \varepsilon_s = 64$인 물 속에서의 전자파 속도$[\text{m/s}]$와 파장$[\text{m}]$을 구하면?

① $v = 0.375 \times 10^8, \ \lambda = 0.2$

② $v = 2.33 \times 10^8, \ \lambda = 0.21$

③ $v = 0.87 \times 10^8, \ \lambda = 0.17$

④ $v = 0.425 \times 10^8, \ \lambda = 1.2$

10 `1` `2` `3`

자극의 세기가 $7.4 \times 10^{-5}[\text{Wb}]$, 길이가 $10[\text{cm}]$인 막대자석이 $100[\text{AT/m}]$의 평등자계 내에 자계의 방향과 $30°$로 놓여 있을 때 이 자석에 작용하는 회전력$[\text{N} \cdot \text{m}]$은?

① 2.5×10^{-3} ② 3.7×10^{-4}

③ 5.3×10^{-5} ④ 6.2×10^{-6}

11 `1` `2` `3`

인덕턴스$[\text{H}]$의 단위를 나타낸 것으로 틀린 것은?

① $[\Omega \cdot \text{s}]$ ② $[\text{Wb/A}]$

③ $[\text{J/A}^2]$ ④ $[\text{N/A} \cdot \text{m}]$

12 `1` `2` `3`

반지름 $a[\text{m}]$인 구대칭 전하에 의한 구 내외의 전계의 세기에 해당되는 것은?(단, 전하는 도체 표면에만 분포한다.)

①   ②

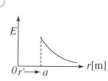 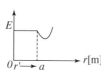

③   ④

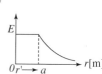 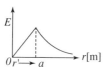

09

- 진공 중의 전자파 속도

$$v = \frac{1}{\sqrt{\varepsilon_0 \mu_0}} = 3 \times 10^8 [\text{m/s}]$$

- 유전체 중의 전자파 속도

$$v = \frac{1}{\sqrt{\varepsilon \mu}} = \frac{1}{\sqrt{\varepsilon_0 \varepsilon_s \mu_0 \mu_s}} = \frac{3 \times 10^8}{\sqrt{\varepsilon_s \mu_s}} = \frac{3 \times 10^8}{\sqrt{64 \times 1}}$$
$$= 0.375 \times 10^8 [\text{m/s}]$$

- 유전체 중의 전자파 파장

$$\lambda = \frac{v}{f} = \frac{0.375 \times 10^8}{190 \times 10^6} \fallingdotseq 0.2[\text{m}]$$

10

막대자석에 작용하는 회전력

$$T = MH\sin\theta = mlH\sin\theta$$
$$= 7.4 \times 10^{-5} \times 10 \times 10^{-2} \times 100 \times \sin30°$$
$$= 3.7 \times 10^{-4}[\text{N} \cdot \text{m}]$$

11

인덕턴스의 단위

- $e = L\dfrac{di}{dt}$에서 $L = e\dfrac{dt}{di} = \dfrac{e}{di}dt\left[\dfrac{\text{V}}{\text{A}} \cdot \text{s} = \Omega \cdot \text{s}\right]$

- $N\phi = LI$에서 $L = \dfrac{N\phi}{I}[\text{Wb/A}]$

- $W = \dfrac{1}{2}LI^2$에서 $L = \dfrac{2W}{I^2}[\text{J/A}^2]$

12

- 도체 내부에서의 전계($r < a$)

$E = 0$(실제: 도체 내부에 전하가 없는 경우)

$E = \dfrac{Q \times r}{4\pi\varepsilon_0 a^3}$ $[\text{V/m}]$(가정: 도체 내부에 전하가 고르게 분포된 경우)

- 도체 표면에서의 전계($r = a$)

$$E = \frac{Q}{4\pi\varepsilon_0 a^2} [\text{V/m}]$$

- 도체 외부에서의 전계($r > a$)

$$E = \frac{Q}{4\pi\varepsilon_0 r^2} [\text{V/m}]$$

13 ![1][2][3]

등전위면을 따라 전하 Q[C]를 운반하는 데 필요한 일은?

① 항상 0이다.
② 전하의 크기에 따라 변한다.
③ 전위의 크기에 따라 변한다.
④ 전하의 극성에 따라 변한다.

14 ![1][2][3]

자화율(magnetic susceptibility) χ 는 상자성체에서 일반적으로 어떤 값을 갖는가?

① $\chi = 0$
② $\chi > 0$
③ $\chi < 0$
④ $\chi = 1$

15 ![1][2][3]

자속밀도 B[Wb/m²]의 평등 자계 내에서 길이 l[m]인 도체 ab가 속도 v[m/s]로 그림과 같이 도선을 따라서 자계와 수직으로 이동할 때, 도체 ab에 의해 유기된 기전력의 크기 e[V]와 폐회로 abcd 내 저항 R에 흐르는 전류의 방향은?(단, 폐회로 abcd 내 도선 및 도체의 저항은 무시한다.)

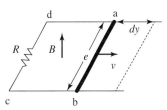

① $e = Blv$, 전류 방향: c → d
② $e = Blv$, 전류 방향: d → c
③ $e = Blv^2$, 전류 방향: c → d
④ $e = Blv^2$, 전류 방향: d → c

16 ![1][2][3]

대전된 구 도체를 반지름이 2배가 되는 대전이 되지 않은 구 도체에 가는 도선으로 연결했을 때, 기존 에너지 대비 손실된 에너지의 비율은 얼마인가?(단, 구 도체는 충분히 떨어져 있다.)

① $\dfrac{1}{2}$
② $\dfrac{1}{3}$
③ $\dfrac{2}{3}$
④ $\dfrac{2}{5}$

13

전하 Q[C]를 운반하는 데 필요한 일 $W = VQ$
등전위면에서는 전위의 변화가 없으므로 $W = 0$

14

자화율 $\chi = \mu_0(\mu_s - 1)$이고, 자성체의 종류 중 상자성체의 비투자율은 $\mu_s > 1$이므로 상자성체에서의 자화율 $\chi > 0$

15

유도 기전력 $e = vBl \sin\theta$[V]에서 $\theta = 90°$이므로
$e = vBl \sin 90° = Blv$[V]이고
전류 방향은 플레밍의 오른손 법칙에 의해 c → d 방향으로 흐른다.

16

대전된 정전 용량 $C = 4\pi\varepsilon_0 a$[F], 충전된 에너지 $W = \dfrac{Q^2}{2C}$[J]

반지름 2배 구 도체의 정전 용량 $C' = 2C$[F]
가는 도선으로 연결하면 병렬 연결이므로
합성 정전 용량 $C_0 = C + C' = C + 2C = 3C$
합성 전하량 $Q_0 = Q + 0 = Q$

연결 후 충전된 에너지 $W' = \dfrac{Q_0^2}{2C_0} = \dfrac{Q^2}{6C}$[J]

∴ 손실된 에너지 $W_1 = W - W' = \dfrac{Q^2}{2C} - \dfrac{Q^2}{6C} = \dfrac{Q^2}{3C}$[J]

기존 에너지 대비 손실된 에너지의 비율은 다음과 같다.

$$\frac{W_1}{W} = \frac{\dfrac{Q^2}{3C}}{\dfrac{Q^2}{2C}} = \frac{2}{3}$$

17 [1] [2] [3]

전계 $6[V/m]$, 주파수 $10[MHz]$인 전자파에서 포인팅 벡터는 몇 $[W/m^2]$인가?

① 9.5×10^{-3}　　　　② 9.5×10^{-2}

③ 1.5×10^{-3}　　　　④ 1.5×10^{-2}

18 [1] [2] [3]

그림과 같은 손실 유전체에서 전원의 양극 사이에 채워진 동축 케이블의 전력 손실은 몇 $[W]$인가?(단, 모든 단위는 MKS 유리화 단위이며, σ는 매질의 도전율$[S/m]$이라 한다.)

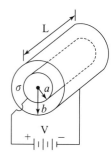

① $\dfrac{\pi\sigma V^2 L}{2\ln\dfrac{b}{a}}$　　　　② $\dfrac{\pi\sigma V^2 L}{\ln\dfrac{b}{a}}$

③ $\dfrac{2\pi\sigma V^2 L}{\ln\dfrac{b}{a}}$　　　　④ $\dfrac{4\pi\sigma V^2 L}{\ln\dfrac{b}{a}}$

19 [1] [2] [3]

우주선 중에 $10^{20}[eV]$의 정전 에너지를 가진 하전 입자가 있다고 할 때, 이 에너지는 약 몇 $[J]$인가?

① 2　　　　② 9

③ 16　　　　④ 91

20 [1] [2] [3]

진공 중 $1[C]$의 전하에 대한 정의로 옳은 것은?(단, Q_1, Q_2는 전하이며 F는 작용력이다.)

① $Q_1 = Q_2$, 거리 $1[m]$, 작용력 $F = 9 \times 10^9[N]$일 때이다.

② $Q_1 < Q_2$, 거리 $1[m]$, 작용력 $F = 6 \times 10^9[N]$일 때이다.

③ $Q_1 = Q_2$, 거리 $1[m]$, 작용력 $F = 1[N]$일 때이다.

④ $Q_1 > Q_2$, 거리 $1[m]$, 작용력 $F = 1[N]$일 때이다.

정답 및 해설

17

포인팅 벡터의 크기 $P = EH = E \times \dfrac{E}{377} = \dfrac{E^2}{377}$ 이므로 주어진 조건을 대입하면 $P = \dfrac{6^2}{377} = 9.5 \times 10^{-2}[W/m^2]$

18

동축 케이블의 정전용량 $C = \dfrac{2\pi\varepsilon L}{\ln\dfrac{b}{a}}[F]$, 전력 손실 $P_l = I^2 R = \dfrac{V^2}{R}[W]$

저항과 정전용량의 관계 $RC = \rho\varepsilon = \dfrac{\varepsilon}{\sigma}$

(여기서 ρ: 고유저항, σ: 도전율)이므로

$R = \dfrac{\rho\varepsilon}{C} = \dfrac{\varepsilon}{C\sigma} = \dfrac{\varepsilon}{\dfrac{2\pi\varepsilon L}{\ln\dfrac{b}{a}} \times \sigma} = \dfrac{\ln\dfrac{b}{a}}{2\pi L\sigma}[\Omega]$

따라서 전력 손실 $P_l = \dfrac{V^2}{R} = \dfrac{V^2}{\dfrac{\ln\dfrac{b}{a}}{2\pi L\sigma}} = \dfrac{2\pi\sigma V^2 L}{\ln\dfrac{b}{a}}[W]$

19

에너지 $W = QV = eV$이고, $e = 1.602 \times 10^{-19}[C]$이므로
$W = 1.602 \times 10^{-19} \times 10^{20} \fallingdotseq 16[J]$

20

$F = \dfrac{Q_1 Q_2}{4\pi\varepsilon_0 r^2} = 9 \times 10^9 \times \dfrac{1 \times 1}{1^2} = 9 \times 10^9[N]$

즉, 진공 중 $1[C]$의 전하는 $Q_1 = Q_2$, 거리 $1[m]$,
작용력 $F = 9 \times 10^9[N]$일 때이다.

21 1 2 3

차단기의 정격 투입 전류란 투입되는 전류의 최초 주파수의 어느 값을 말하는가?

① 평균값
② 최대값
③ 실효값
④ 직류값

22 1 2 3

동작 시간에 따른 보호 계전기의 분류와 설명이 옳지 않은 것은?

① 순한시 계전기는 설정된 최소 작동 전류 이상의 전류가 흐르면 즉시 작동하는 것으로 한도를 넘은 양과는 관계가 없다.
② 반한시 계전기는 작동 시간이 전류 값의 크기에 따라 변하는 것으로 전류 값이 클수록 느리게 동작하고 반대로 전류 값이 작아질수록 빠르게 작동하는 계전기이다.
③ 정한시 계전기는 설정된 값 이상의 전류가 흘렀을 때 작동 전류의 크기와는 관계없이 항상 일정한 시간 후에 작동하는 계전기이다.
④ 반한시성 정한시 계전기는 어느 전류 값까지는 반한시성이지만 그 이상이 되면 정한시로 작동하는 계전기이다.

23 1 2 3

단로기의 사용 목적으로 옳은 것은?

① 부하의 차단
② 과전류의 차단
③ 단락 사고의 차단
④ 무부하 선로의 개폐

24 1 2 3

가공 송전 선로에서 총 단면적이 같은 경우 단도체와 비교하여 복도체의 장점이 아닌 것은?

① 안정도를 증대시킬 수 있다.
② 공사비가 저렴하고 시공이 간편하다.
③ 전선 표면 전위 경도를 감소시켜 코로나 임계 전압이 높아진다.
④ 선로의 인덕턴스가 감소되고 정전 용량이 증가해서 송전 용량이 증대된다.

21

정격 투입 전류
차단기의 투입 전류의 최초 주파수의 최대 값으로 표시되며 크기는 정격 차단 전류(실횻값)의 2.5배를 표준으로 한다.

22

반한시 계전기는 동작 전류가 작을 때에는 늦게 동작했다가 동작 전류가 클 때는 빨리 동작하는 특성을 가지는 계전기이다.

23

단로기는 소호 장치가 없으므로 전류가 흐르지 않는 상태(무부하 선로)에서의 회로 개폐만이 가능하다.

24

복도체의 장점
• 코로나 방지(주된 목적)
 − 전선 표면의 전위 경도 감소
 − 코로나 임계 전압 상승
• 안정도 증대
• 송전 용량 증대
복도체는 소도체를 2개 이상으로 만든 전선으로서 공사비가 증가하고 부속 장치인 스페이서를 부착하므로 시공이 어렵게 된다.

25 `1` `2` `3`

수용 설비 각각의 최대 수용 전력의 합[kW]을 합성 최대 수용 전력[kW]으로 나눈 값은?

① 부하율
② 수용률
③ 부등률
④ 역률

26 `1` `2` `3`

진공 차단기의 특징이 아닌 것은?

① 전류 재단 현상이 있어 개폐 서지가 작다.
② 접점 소모가 적어 수명이 길다.
③ 화재 및 폭발의 위험이 없다.
④ 고속도 차단 성능이 우수하다.

27 `1` `2` `3`

일반적으로 부하의 역률을 저하시키는 원인은?

① 전등의 과부하
② 선로의 충전 전류
③ 유도 전동기의 경부하 운전
④ 동기 전동기의 중부하 운전

28 `1` `2` `3`

화력 발전소에서 열 사이클의 효율 향상을 위한 방법이 아닌 것은?

① 조속기의 설치
② 재생, 재열 사이클의 채용
③ 절탄기, 공기 예열기의 설치
④ 고압, 고온 증기의 채용과 과열기의 설치

29 `1` `2` `3`

저압 뱅킹 배전 방식에서 캐스케이딩이란?

① 변압기의 전압 배분을 자동으로 하는 것
② 수전단 전압이 송전단 전압보다 높아지는 현상
③ 저압선에 고장이 생기면 건전한 변압기의 일부 또는 전부가 연쇄적으로 차단되는 현상
④ 전압 동요가 일어나면 연쇄적으로 파도치는 현상

30 `1` `2` `3`

출력 $185,000[kW]$의 화력 발전소에 매시간 $140[t]$의 석탄을 사용한다고 한다. 이 발전소의 열효율은 약 몇 $[\%]$인가?(단, 사용하는 석탄의 발열량은 $4,000[kcal/kg]$이다.)

① 28.4
② 30.7
③ 32.6
④ 34.5

정답 및 해설

25

• 부등률 $= \dfrac{\text{각 개별 수용가 최대 전력의 합}}{\text{합성 최대 수용 전력}} \geq 1$

• 부등률의 의미: 부하의 최대 수용 전력의 발생 시간이 서로 다른 정도

26

진공 차단기(VCB)는 차단 성능이 우수하여 전류가 0점이 되기 전에 전류를 차단시키는 전류 재단 현상으로 인한 개폐 서지를 크게 발생시킨다. 따라서 진공 차단기 2차 측에 반드시 서지 흡수기(SA)를 설치한다.

27

역률이 저하되는 원인은 유도성 부하에 의한 지상 전류 때문이다. 특히 유도 전동기를 경부하 운전할 경우에 가장 역률 저하가 심하다.

28

조속기는 발전기 및 수차(터빈)의 회전수를 자동으로 조정해 주는 속도 (주파수) 조정 장치이다.

29

캐스케이딩
저압선의 고장 사고가 다른 건전한 변압기의 일부나 전체 선로에 파급되는 현상

30

$$\eta = \frac{860W}{mH} \times 100 = \frac{860 \times 185,000 \times 1}{140 \times 10^3 \times 4,000} \times 100 = 28.4[\%]$$

(여기서, m: 연료량[kg], H: 발열량[kcal/kg], W: 출력량[kWh])

31 ▢1 ▢2 ▢3

통신선과 병행인 $60[\text{Hz}]$의 3상 1회선 송전선에서 1선 지락으로 $110[\text{A}]$의 영상 전류가 흐르고 있을 때 통신선에 유기되는 전자 유도 전압은 약 몇 $[\text{V}]$인가?(단, 영상 전류는 송전선 전체에 걸쳐 같은 크기이고, 통신선과 송전선의 상호 인덕턴스는 $0.05[\text{mH/km}]$, 양 선로의 평행 길이는 $55[\text{km}]$이다.)

① 252   ② 293

③ 342   ④ 365

32 ▢1 ▢2 ▢3

전력선과 통신선 간의 상호 정전 용량 및 상호 인덕턴스에 의해 발생되는 유도 장해로 옳은 것은?

① 정전 유도 장해 및 전자 유도 장해
② 전력 유도 장해 및 정전 유도 장해
③ 정전 유도 장해 및 고조파 유도 장해
④ 전자 유도 장해 및 고조파 유도 장해

33 ▢1 ▢2 ▢3

다음의 보기 중에서 특유 속도가 가장 낮은 수차는?

① 펠턴 수차
② 사류 수차
③ 프로펠라 수차
④ 프란시스 수차

34 ▢1 ▢2 ▢3

그림과 같은 단상 2선식 배선에서 급전점의 전압이 $220[\text{V}]$일 때 A점과 B점의 전압$[\text{V}]$은 얼마인가?(단, 저항 값은 1선당 저항 값이다.)

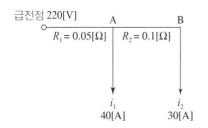

① 211, 205   ② 215, 209

③ 213, 207   ④ 209, 203

31

전자 유도 전압
$$E_m = -j\omega Ml(3I_0)$$
$$= -j2\pi \times 60 \times 0.05 \times 10^{-3} \times 55 \times 3 \times 110$$
$$= -j342.12[\text{V}]$$
$$\therefore |E_m| = 342.12[\text{V}]$$

32

• 정전 유도 장해: 전력선과 통신선 간의 상호 정전 용량에 의해 발생
• 전자 유도 장해: 전력선과 통신선 간의 상호 인덕턴스에 의해 발생

33

특유 속도 $N_s = N\dfrac{P^{\frac{1}{2}}}{H^{\frac{5}{4}}}[\text{rpm}]$(단, H: 낙차[m], P: 출력[kW])

에서 특유 속도는 유효 낙차와 반비례의 관계에 있으므로 고낙차에 적용하는 펠턴 수차($300\sim1,800[\text{m}]$)가 가장 특유 속도가 낮다.

34

A점의 전압 $V_A = V - 2IR = V - 2(i_1 + i_2)R_1$
$$= 220 - 2 \times (40 + 30) \times 0.05 = 213[\text{V}]$$
B점의 전압 $V_B = V_A - 2IR = V_A - 2i_2 R_2$
$$= 213 - 2 \times 30 \times 0.1 = 207[\text{V}]$$

35

가공선 계통을 지중선 계통과 비교할 때 인덕턴스 및 정전 용량은 어떠한가?

① 인덕턴스, 정전 용량이 모두 작다.
② 인덕턴스, 정전 용량이 모두 크다.
③ 인덕턴스는 크고, 정전 용량은 작다.
④ 인덕턴스는 작고, 정전 용량은 크다.

36

배전 선로에서 전압 강하를 보상하기 위하여 일반적으로 정격 1차 전압의 $10[\%]$ 범위 내에서 전압 조정을 하고 있다. 전압 조정 방법으로 틀린 것은?

① 배전 선로에서 모선을 일괄 조정
② 배전용 변압기를 V 결선하여 조정
③ 배전용 변압기에서 주상 변압기의 탭 조정
④ 배전용 변전소의 주변압기 부하 시 탭 조정

37

차단기의 동작 책무에 의한 차단기를 재투입할 경우 전자 또는 기계력에 의한 반발력을 견뎌야 한다. 차단기의 정격 투입 전류는 정격 차단 전류의 몇 배 이상을 선정하여야 하는가?

① 1.2
② 1.5
③ 2.2
④ 2.5

38

송전 계통의 중성점을 직접 접지하는 방식의 특징이 아닌 것은?

① 계통의 과도 안정도가 좋아짐
② 대지 전위 상승을 억제하여 전선로 및 기기 절연 레벨의 경감
③ 지락 고장 시 보호 계전기의 동작을 신속 정확하게 함
④ 소호 리액터 방식에서는 1선 지락 시 아크를 신속히 소멸

정답 및 해설

35
선로의 인덕턴스 및 정전 용량 관계식

- $L = 0.05 + 0.4605 \log_{10} \dfrac{D}{r} \, [\text{mH/km}]$

- $C = \dfrac{0.02413}{\log_{10} \dfrac{D}{r}} \, [\mu\text{F/km}]$

가공 선로는 지중 선로에 비하여 선간 거리 $D[\text{m}]$가 크므로 인덕턴스는 증가하고 정전 용량은 감소한다

36
배전 선로의 전압 조정 방법
- 배전선로의 모선 일괄 조정 방식
- 배전용 주상 변압기의 탭 조정 방식

- 배전 변전소의 주변압기 부하 시 탭 조정 방식

단상 변압기 3대로 Δ 결선 운전 중 1대 고장 시 나머지 2대로 V 결선하여 3상 전원을 지속 공급하는 것이다.

37
차단기의 정격 투입 전류란 차단기를 투입할 때의 최초 주파수의 최대 값이다. 보통 정격 차단 전류(실효 값)의 2.5배 이상으로 한다.

38
중성점 직접 접지방식
- 차단기 동작이 빈번하여 차단기 수명이 단축되고 안정도가 저하된다.
- 지락 사고 시 지락 전류가 커서 지락 계전기의 동작이 확실하다.
- 이상 전압이 낮아 변압기의 단절연 및 저감 절연이 가능하다.
- 1선 지락 사고 시 건전상 대지 전위 상승이 최소이다.

39 ☐1 ☐2 ☐3

지락 고장 시 이상 전압의 발생 우려가 거의 없는 접지방식은?

① 비접지방식   ② 직접 접지방식
③ 저항 접지방식   ④ 소호 리액터 접지방식

40 ☐1 ☐2 ☐3

장거리 송전 선로의 수전단을 개방할 경우, 송전단 전류 I_s를 나타내는 식은?(단, 송전단 전압을 V_s, 선로의 임피던스를 Z, 선로의 어드미턴스를 Y라 한다.)

① $I_s = \sqrt{\dfrac{Y}{Z}} \tanh \sqrt{ZY}\, V_s$

② $I_s = \sqrt{\dfrac{Z}{Y}} \tanh \sqrt{ZY}\, V_s$

③ $I_s = \sqrt{\dfrac{Y}{Z}} \coth \sqrt{ZY}\, V_s$

④ $I_s = \sqrt{\dfrac{Z}{Y}} \coth \sqrt{ZY}\, V_s$

41 ☐1 ☐2 ☐3

정격 $150[\text{kVA}]$, 철손 $1[\text{kW}]$, 전부하 동손이 $4[\text{kW}]$인 단상 변압기의 최대 효율[%]과 최대 효율 시의 부하[kVA]를 구하면?

① $96.8[\%]$, $125[\text{kVA}]$ ② $97.4[\%]$, $75[\text{kVA}]$
③ $97[\%]$, $50[\text{kVA}]$ ④ $97.2[\%]$, $100[\text{kVA}]$

42 ☐1 ☐2 ☐3

변압기 온도 시험을 하는 데 가장 좋은 방법은?

① 실부하법   ② 반환 부하법
③ 단락 시험법   ④ 내전압 시험법

39

직접 접지방식은 지락 사고 발생 시 건전상 대지 전위 상승이 최소이다.

40

- $V_s = \cosh \gamma l\, V_r + Z_0 \sinh \gamma l\, I_r$
- $I_s = \dfrac{1}{Z_0} \sinh \gamma l\, V_r + \cosh \gamma l\, I_r$

무부하시(개방) $I_r = 0$ 이므로

$V_s = \cosh \gamma l\, V_r$, $I_s = \dfrac{1}{Z_0} \sinh \gamma l\, V_r$

위의 두 식을 I_s에 대해 정리하면

$I_s = \dfrac{1}{Z_0} \sinh \gamma l\, V_r [\text{A}]$

$= \dfrac{1}{Z_0} \sinh \gamma l \times \dfrac{V_s}{\cosh \gamma l} = \dfrac{1}{Z_0} \tanh \gamma l\, V_s [\text{A}]$

따라서 위 식에 특성 임피던스 $Z_0 = \sqrt{\dfrac{Z}{Y}}$ 와 전파 정수 $\gamma l = \sqrt{ZY}$ 를 대입하여 정리하면

$\therefore I_s = \dfrac{1}{\sqrt{\dfrac{Z}{Y}}} \tanh \sqrt{ZY}\, V_s = \sqrt{\dfrac{Y}{Z}} \tanh \sqrt{ZY}\, V_s$

41

변압기의 최고 효율 조건은 $P_i = m^2 P_c$이므로

최대 효율일 때의 부하율 $m = \sqrt{\dfrac{P_i}{P_c}} = \sqrt{\dfrac{1}{4}} = 0.5 (50[\%])$

최대 효율 운전 용량 $p = 150 \times 0.5 = 75[\text{kVA}]$
최대 효율

$\eta_m = \dfrac{m P_a \cos\theta}{m P_a \cos\theta + P_i + m^2 P_c} = \dfrac{0.5 \times 150 \times 1}{0.5 \times 150 \times 1 + 1 + 0.5^2 \times 4}$
$= 0.974 (\therefore 97.4[\%])$

42

반환 부하법
중용량 이상에 사용하는 시험법으로 변압기에 철손과 동손만을 따로 공급하여 실부하 시험과 같은 효과를 내는 시험법이며, 변압기 온도 시험 시 가장 많이 사용한다.

43 1 2 3

단상 전파 정류에서 공급 전압이 E일 때 무부하 직류 전압의 평균값은?(단, 브리지 다이오드를 사용한 전파 정류 회로이다.)

① $0.90E$ ② $0.45E$

③ $0.75E$ ④ $1.17E$

44 1 2 3

유도 전동기의 회전력 발생 요소 중 제곱에 비례하는 요소는?

① 슬립 ② 2차 권선저항

③ 2차 임피던스 ④ 2차 기전력

45 1 2 3

어떤 IGBT의 열용량은 $0.02[\mathrm{J}/℃]$, 열저항은 $0.625[℃/\mathrm{W}]$이다. 이 소자에 직류 $25[\mathrm{A}]$가 흐를 때 전압강하는 $3[\mathrm{V}]$이다. 몇 $[℃]$의 온도 상승이 발생하는가?

① 1.5 ② 1.7

③ 47 ④ 52

46 1 2 3

직류기에서 전류 용량이 크고 저전압 대전류에 가장 적합한 브러시 재료는?

① 탄소질 ② 금속 탄소질

③ 금속 흑연질 ④ 전기 흑연질

정답 및 해설

43

단상 전파 정류의 직류 전압

$$E_d = \frac{2\sqrt{2}}{\pi}E = 0.9E[\mathrm{V}]$$

44

토크(회전력) $T = K\dfrac{sE_2^2 r_2}{r_2^2 + (sx_2)^2}[\mathrm{N}\cdot\mathrm{m}]$에서

$T \propto E_2^2$ 이므로 토크는 2차 기전력의 제곱에 비례한다.

45

열저항은 $1[\mathrm{W}]$의 전력이 전달될 때 발생하는 온도 변화이다.
$P = 3 \times 25 = 75[\mathrm{W}]$
$\therefore\ T = PR_\theta = 75 \times 0.625 = 46.88[℃]$(단, R_θ: 열저항$[℃/\mathrm{W}]$)

46

종류	특징
탄소 브러시	접촉 저항이 큼
흑연질 브러시	접촉 저항이 작음
전기 흑연질 브러시	정류 능력이 높아 대부분의 전기기계에 사용
금속 흑연질 브러시	전기 분해 등의 저전압 대전류용 기기에 사용

47 `1` `2` `3`

동기기의 과도 안정도를 증가시키는 방법이 아닌 것은?

① 단락비를 크게 한다.
② 속응 여자 방식을 채용한다.
③ 회전부의 관성을 작게 한다.
④ 역상 및 영상 임피던스를 크게 한다.

48 `1` `2` `3`

12극과 8극인 2개의 유도 전동기를 종속법에 의한 직렬 접속법으로 속도 제어할 때 전원 주파수가 60[Hz]인 경우 무부하 속도 N_o는 몇 [rps]인가?

① 5   ② 6
③ 200   ④ 360

49 `1` `2` `3`

3상 동기 발전기에 평형 3상 전류가 흐를 때 반작용은 이 전류가 기전력에 대하여 (A)때 감자 작용이 되고, (B)때 증자 작용이 된다. A, B에 들어가는 내용으로 옳은 것은?

① A: 90° 뒤질, B: 90° 앞설
② A: 90° 앞설, B: 90° 뒤질
③ A: 90° 뒤질, B: 동상일
④ A: 동상일, B: 90° 앞설

50 `1` `2` `3`

유도 전동기의 슬립 s의 범위는?

① $s < -1$ ② $-1 < s < 0$
③ $0 < s < 1$ ④ $1 < s$

47
동기 발전기의 안정도 향상 대책
• 단락비를 크게 한다.
• 속응 여자 방식을 채용한다.
• 회전자에 플라이 휠을 설치하여 관성을 크게 한다.
• 영상 임피던스와 역상 임피던스를 크게 한다.
• 조속기 동작을 신속히 한다.(전기식 조속기 채용)
• 동기 임피던스를 작게 한다.(정상 임피던스를 작게 한다.)

48
종속법
• 직렬 종속: $N = \frac{120f}{p_1 + p_2}$ [rpm]

• 차동 종속 $N = \frac{120f}{p_1 - p_2}$ [rpm]

• 병렬 종속 $N = \frac{120f}{p_1 + p_2} \times 2$ [rpm]

$\therefore N_o = \frac{120f}{p_1 + p_2} = \frac{120 \times 60}{12 + 8} = 360$ [rpm] = 6 [rps]

49
동기 발전기의 전기자 반작용
• 교차 자화 작용(횡축 반작용): I_a와 E가 동상인 경우(R 부하) 교차 자화 작용이 생기며 편자 작용으로 인해 전동기의 기전력이 감소한다.
• 감자 작용: I_a가 E보다 $\frac{\pi}{2}$[rad]만큼 뒤진 지상 전류(L 부하)일 때 발생하며 기전력이 감소한다.
• 증자 작용: I_a가 E보다 $\frac{\pi}{2}$[rad]만큼 앞선 진상 전류(C 부하)일 때 발생하며 기전력이 증가한다.

기기 종류	R 부하(동상)	L 부하(지상)	C 부하(진상)
동기 발전기	교차 자화 작용	감자 작용	증자 작용
동기 전동기	교차 자화 작용	증자 작용	감자 작용

50
유도기의 슬립 범위

정지	전동기	발전기	제동기
$s = 1$	$0 < s < 1$	$s < 0$	$1 < s < 2$

51 `1` `2` `3`

1차 전압 $6,900[\mathrm{V}]$, 1차 권선 $3,000$회, 권수비 20의 변압기가 $60[\mathrm{Hz}]$에 사용할 때 철심의 최대 자속$[\mathrm{Wb}]$은?

① 0.76×10^{-4}
② 8.63×10^{-3}
③ 80×10^{-3}
④ 90×10^{-3}

52 `1` `2` `3`

$5[\mathrm{kVA}]$, $3,000/200[\mathrm{V}]$의 변압기의 단락 시험에서 임피던스 전압 $120[\mathrm{V}]$, 동손 $150[\mathrm{W}]$라 하면 %저항 강하는 몇 [%]인가?

① 2
② 3
③ 4
④ 5

53 `1` `2` `3`

자극수 p, 파권, 전기자 도체수가 z인 직류 발전기를 $N[\mathrm{rpm}]$의 회전 속도로 무부하 운전할 때 기전력이 $E[\mathrm{V}]$이다. 1극당 주자속$[\mathrm{Wb}]$은?

① $\dfrac{120E}{pzN}$
② $\dfrac{120z}{pEN}$
③ $\dfrac{120zN}{pE}$
④ $\dfrac{120pz}{EN}$

54 `1` `2` `3` (빈출)

권선형 유도 전동기의 2차 저항을 변화시켜 속도를 제어하는 경우 최대 토크는?

① 항상 일정하다.
② 2차 저항에만 비례한다.
③ 최대 토크 시 생기는 점의 슬립에 비례한다.
④ 최대 토크 시 생기는 점의 슬립에 반비례한다.

55 `1` `2` `3`

직류 분권 발전기의 브러시를 중성축에서 회전 방향 쪽으로 이동하면 전압은?

① 상승한다.
② 급격히 상승한다.
③ 변화하지 않는다.
④ 감소한다.

정답 및 해설

51

유기 기전력 $E_1 = 4.44 f \phi_m N_1 [\mathrm{V}]$

최대 자속 $\phi_m = \dfrac{E_1}{4.44 f N_1} = \dfrac{6,900}{4.44 \times 60 \times 3,000}$

$\qquad = 8.63 \times 10^{-3} [\mathrm{Wb}]$

52

$\%R = \dfrac{P_c}{P_n} \times 100 = \dfrac{150}{5 \times 10^3} \times 100 = 3[\%]$

53

유기 기전력 $E = \dfrac{pz\phi}{60a} N [\mathrm{V}]$

자속 $\phi = E \times \dfrac{60a}{pzN} = \dfrac{60 \times 2 \times E}{pzN} = \dfrac{120E}{pzN} [\mathrm{Wb}]$

($\because$ 파권이므로 $a = 2$)

54

2차 저항 증가 시 변화

• 최대 토크는 2차 저항과 관계없이 변하지 않는다.
• 기동 전류는 감소하고, 기동 토크가 증가한다.
• 슬립이 증가한다.
• 전부하 효율이 낮아진다.
• 속도가 낮아진다.
• 최대 토크를 발생시키는 슬립은 저항에 따라 변한다.

55

브러시가 중성축에서 회전 방향 쪽으로 이동하면 코일에 단락 전류가 흘러서 불꽃이 발생하고, 전압 강하가 발생하여 기전력이 감소한다.

정답 51 ② 52 ② 53 ① 54 ① 55 ④

56

$15[\text{kVA}]$, $3,000/200[\text{V}]$ 변압기의 1차 측 환산 등가 임피던스가 $5.4 + j6[\Omega]$일 때 % 저항 강하 p와 % 리액턴스 강하 q는 각각 약 몇 $[\%]$인가?

① $p = 0.9$, $q = 1$
② $p = 0.7$, $q = 1.2$
③ $p = 1.2$, $q = 1$
④ $p = 1.3$, $q = 0.9$

57

동기기의 전기자 권선법으로 적합하지 않은 것은?

① 중권
② 2층권
③ 분포권
④ 환상권

58

계자 권선이 전기자에 병렬로만 연결된 직류기는?

① 분권기
② 직권기
③ 복권기
④ 타여자기

59

$3,300/200[\text{V}]$, $50[\text{kVA}]$인 단상 변압기의 % 저항, % 리액턴스를 각각 $2.4[\%]$, $1.6[\%]$라 하면 이때의 임피던스 전압은 약 몇 $[\text{V}]$인가?

① 95
② 100
③ 105
④ 110

60

주파수 $60[\text{Hz}]$, 슬립 0.2인 경우 회전자 속도가 $720[\text{rpm}]$일 때 유도 전동기의 극수는?

① 4
② 6
③ 8
④ 12

56

1차 측 정격 전류 $I_{1n} = \dfrac{15,000}{3,000} = 5[\text{A}]$

$\%R = p = \dfrac{I_{1n} \times r_{21}}{V_{1n}} \times 100 = \dfrac{5 \times 5.4}{3,000} \times 100 = 0.9[\%]$

$\%X = q = \dfrac{I_{1n} \times x_{21}}{V_{1n}} \times 100 = \dfrac{5 \times 6}{3,000} \times 100 = 1[\%]$

57

동기기 전기자 권선법: 2(이)층권, 중권, 분포권, 단절권

58

직류기의 종류
• 타여자기: 독립된 직류 전원에 의해 여자
• 분권기: 계자 권선이 전기자에 병렬로 구성
• 직권기: 계자 권선이 전기자에 직렬로 구성
• 복권기: 계자 권선이 전기자에 직렬 및 병렬로 구성

59

$\%Z = \sqrt{\%R^2 + \%X^2} = \sqrt{2.4^2 + 1.6^2} = 2.88[\%]$

임피던스 전압 $V_s = \dfrac{\%Z \times V_{1n}}{100} = \dfrac{2.88 \times 3,300}{100} = 95[\text{V}]$

60

동기 속도 $N_s = \dfrac{N}{1-s} = \dfrac{720}{1-0.2} = 900[\text{rpm}]$

극수 $p = \dfrac{120f}{N_s} = \dfrac{120 \times 60}{900} = 8[\text{극}]$

61 1 2 3

정현파 교류 전압의 평균값은 최대값의 약 몇 [%]인가?

① 50.1
② 63.7
③ 70.7
④ 90.1

62 1 2 3

그림과 같은 성형 평형부하가 선간 전압 $220[\text{V}]$의 대칭 3상 전원에 접속되어 있다. 이 접속선 중에 한 선이 X점에서 단선되었다고 하면 이 단선점 X의 양단에 나타나는 전압은 몇 $[\text{V}]$인가?(단, 전원전압은 변화하지 않는 것으로 한다.)

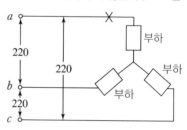

① 110
② $110\sqrt{3}$
③ 220
④ $220\sqrt{3}$

63 1 2 3

시간 지연 요인을 포함한 어떤 특정계가 다음 미분방정식 $\dfrac{dy(t)}{dt} + y(t) = x(t-T)$로 표현된다. $x(t)$를 입력, $y(t)$를 출력이라 할 때 이 계의 전달 함수는?

① $\dfrac{e^{-sT}}{s+1}$
② $\dfrac{s+1}{e^{-sT}}$
③ $\dfrac{e^{sT}}{s-1}$
④ $\dfrac{e^{-2sT}}{s+2}$

빈출 64 1 2 3

RL 직렬 회로에서 $R=20[\Omega]$, $L=40[\text{mH}]$일 때, 이 회로의 시정수[sec]는?

① 2×10^3
② 2×10^{-3}
③ $\dfrac{1}{2}\times10^3$
④ $\dfrac{1}{2}\times10^{-3}$

61

정현파 교류 평균값 $V_a = \dfrac{2}{\pi}V_m = 0.637\,V_m\,[\text{V}]$

∴ 평균값은 최대값의 $63.7[\%]$

62

$\dot{V} = \dfrac{\sqrt{3}}{2}V = \dfrac{\sqrt{3}}{2}\times220 = 110\sqrt{3}\,[\text{V}]$

63

문제에 주어진 미분 방정식
$\dfrac{dy(t)}{dt} + y(t) = x(t-T)$를 라플라스 변환하면
$sY(s) + Y(s) = X(s)e^{-Ts}$ 이다.
따라서 이 계의 전달 함수를 구하면
$Y(s)(s+1) = X(s)e^{-Ts}$
∴ $\dfrac{Y(s)}{X(s)} = \dfrac{e^{-sT}}{s+1}$ 이다.

64

$\tau = \dfrac{L}{R} = \dfrac{40\times10^{-3}}{20} = 2\times10^{-3}\,[\text{sec}]$

65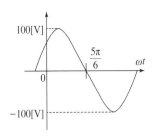

그림과 같은 파형의 전압 순시값은?

① $100\sin\left(\omega t + \dfrac{\pi}{6}\right)$

② $100\sqrt{2}\sin\left(\omega t + \dfrac{\pi}{6}\right)$

③ $100\sin\left(\omega t - \dfrac{\pi}{6}\right)$

④ $100\sqrt{2}\sin\left(\omega t - \dfrac{\pi}{6}\right)$

66

회로에서 4단자 정수 A, B, C, D의 값은?

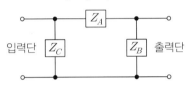

① $A = 1 + \dfrac{Z_A}{Z_B}$, $B = Z_A$, $C = \dfrac{1}{Z_A}$, $D = 1 + \dfrac{Z_B}{Z_A}$

② $A = 1 + \dfrac{Z_A}{Z_B}$, $B = Z_A$, $C = \dfrac{1}{Z_B}$, $D = 1 + \dfrac{Z_A}{Z_B}$

③ $A = 1 + \dfrac{Z_A}{Z_B}$, $B = Z_A$, $C = \dfrac{Z_A + Z_B + Z_C}{Z_B Z_C}$, $D = \dfrac{1}{Z_B Z_C}$

④ $A = 1 + \dfrac{Z_A}{Z_B}$, $B = Z_A$, $C = \dfrac{Z_A + Z_B + Z_C}{Z_B Z_C}$, $D = 1 + \dfrac{Z_A}{Z_C}$

67

임피던스 함수가 $Z(s) = \dfrac{s + 50}{s^2 + 3s + 2}$ [Ω]으로 주어지는 2단자 회로망에 100[V]의 직류 전압을 가했다면 회로의 전류는 몇 [A]인가?

① 4

② 6

③ 8

④ 10

68

$R = 10$[Ω], $C = 50\,[\mu F]$의 직렬 회로에 200[V]의 직류를 가할 때 완충된 전기량 Q[C]는?

① 10

② 0.1

③ 0.01

④ 0.001

65

위와 같이 위상이 $\dfrac{\pi}{6}$ 만큼 진상으로 이동된 파형이다.

$v(t) = V_m \sin(\omega t \pm \theta) = 100\sin\left(\omega t + \dfrac{\pi}{6}\right)$

66

$\begin{bmatrix} A & B \\ C & D \end{bmatrix} = \begin{bmatrix} 1 & 0 \\ \dfrac{1}{Z_C} & 1 \end{bmatrix} \begin{bmatrix} 1 & Z_A \\ 0 & 1 \end{bmatrix} \begin{bmatrix} 1 & 0 \\ \dfrac{1}{Z_B} & 1 \end{bmatrix}$

$= \begin{bmatrix} 1 & Z_A \\ \dfrac{1}{Z_C} & 1 + \dfrac{Z_A}{Z_C} \end{bmatrix} \begin{bmatrix} 1 & 0 \\ \dfrac{1}{Z_B} & 1 \end{bmatrix}$

$= \begin{bmatrix} 1 + \dfrac{Z_A}{Z_B} & Z_A \\ \dfrac{Z_A + Z_B + Z_C}{Z_B Z_C} & 1 + \dfrac{Z_A}{Z_C} \end{bmatrix}$

67

직류 전압을 가했으므로 $s = j\omega = j2\pi f$에서 $f = 0$을 대입하면 $s = 0$

$Z = \dfrac{s + 50}{s^2 + 3s + 2}\bigg|_{s=0} = 25\,[\Omega]$

$I = \dfrac{V}{Z} = \dfrac{100}{25} = 4[A]$

68

전기량 $Q = CV = 50 \times 10^{-6} \times 200 = 0.01[C]$

69

위상 정수가 $\dfrac{\pi}{8}[\mathrm{rad/m}]$인 선로의 주파수가 $1[\mathrm{MHz}]$일 때, 전파 속도는 몇 $[\mathrm{m/s}]$인가?

① 1.6×10^7

② 3.2×10^7

③ 8×10^7

④ 5×10^7

70

다음과 같은 회로에서 a, b 양단의 전압은 몇 $[\mathrm{V}]$인가?

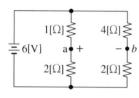

① 1

② 2

③ 2.5

④ 3.5

71

미분 방정식 $\ddot{x} + 2\dot{x} + x = 3u$로 표시되는 계의 시스템 행렬과 입력 행렬은?

① $\begin{bmatrix} 0 & 1 \\ -1 & -2 \end{bmatrix}$, $\begin{bmatrix} 0 \\ 3 \end{bmatrix}$

② $\begin{bmatrix} 0 & 1 \\ -1 & 2 \end{bmatrix}$, $\begin{bmatrix} 0 \\ 3 \end{bmatrix}$

③ $\begin{bmatrix} 0 & 1 \\ -1 & 0 \end{bmatrix}$, $\begin{bmatrix} 3 \\ 0 \end{bmatrix}$

④ $\begin{bmatrix} 0 & 1 \\ -1 & 2 \end{bmatrix}$, $\begin{bmatrix} 3 \\ 0 \end{bmatrix}$

빈출 72

$G(j\omega) = \dfrac{1}{j\omega T + 1}$의 크기와 위상각은?

① $G(j\omega) = \sqrt{\omega^2 T^2 + 1}$, $\angle \tan^{-1}\omega T$

② $G(j\omega) = \sqrt{\omega^2 T^2 + 1}$, $\angle -\tan^{-1}\omega T$

③ $G(j\omega) = \dfrac{1}{\sqrt{\omega^2 T^2 + 1}}$, $\angle \tan^{-1}\omega T$

④ $G(j\omega) = \dfrac{1}{\sqrt{\omega^2 T^2 + 1}}$, $\angle -\tan^{-1}\omega T$

정답 및 해설

69

전파 속도 $v = \dfrac{\omega}{\beta} = \dfrac{2\pi f}{\beta} = \dfrac{2\pi \times 1 \times 10^6}{\dfrac{\pi}{8}} = 16 \times 10^6 = 1.6 \times 10^7 [\mathrm{m/s}]$

70

$V_a = \dfrac{2}{1+2} \times 6 = 4[\mathrm{V}]$, $V_b = \dfrac{2}{4+2} \times 6 = 2[\mathrm{V}]$

$\therefore V_{ab} = V_a - V_b = 4 - 2 = 2[\mathrm{V}]$

71

$\ddot{x} + 2\dot{x} + x = 3u$에 대한 시스템 행렬($A$ 행렬)과 입력 행렬(B 행렬)은 다음과 같다.

• 계수 행렬 A

 – 1행 요소(불변): $[0 \quad 1]$

 – 2행 요소(부호 반대): $[-1 \quad -2]$

$A = \begin{bmatrix} 0 & 1 \\ -1 & -2 \end{bmatrix}$

• 계수 행렬 B

 – 1행 요소(불변): $[0]$

 – 2행 요소(u의 계수): $[3]$

$B = \begin{bmatrix} 0 \\ 3 \end{bmatrix}$

$A = \begin{bmatrix} 0 & 1 \\ -1 & -2 \end{bmatrix}$, $B = \begin{bmatrix} 0 \\ 3 \end{bmatrix}$

72

크기 $|G(j\omega)| = \dfrac{\sqrt{1^2}}{\sqrt{(\omega T)^2 + 1^2}} = \dfrac{1}{\sqrt{\omega^2 T^2 + 1}}$

위상각 $\angle G(j\omega) = \dfrac{\angle\tan^{-1}\dfrac{0}{1}}{\angle\tan^{-1}\dfrac{\omega T}{1}} = \angle(0° - \tan^{-1}\omega T)$

$= \angle -\tan^{-1}\omega T$

73 _{1 2 3}

폐루프 전달 함수 $\dfrac{C(s)}{R(s)}$ 가 다음과 같을 때 2차 제어계에 대한 설명 중 틀린 것은?

$$\frac{C(s)}{R(s)} = \frac{\omega_n^2}{s^2 + 2\delta\omega_n s + \omega_n^2}$$

① 최대 오버슈트는 $e^{-\pi\delta/\sqrt{1-\delta^2}}$ 이다.

② 이 폐루프계의 특성 방정식은 $s^2 + 2\delta\omega_n s + \omega_n^2 = 0$ 이다.

③ 이 계는 $\delta = 0.1$ 일 때 부족 제동된 상태에 있다.

④ δ 값을 작게 할수록 제동은 많이 걸리게 되어 비교 안정도는 향상된다.

74 _{1 2 3}

노내 온도를 제어하는 프로세스 제어계에서 검출부에 해당하는 것은?

① 노
② 밸브
③ 증폭기
④ 열전대

75 _{1 2 3}

블록 선도 변환이 틀린 것은?

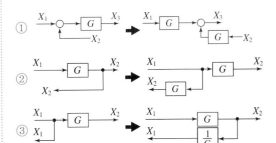

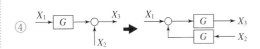

76 _{1 2 3}

n차 선형 시불변 시스템의 상태 방정식을 $\dfrac{d}{dt}X(t) = AX(t) + Br(t)$ 로 표시할 때 상태 천이 행렬 $\phi(t)$ ($n \times n$ 행렬)에 관하여 틀린 것은?

① $\phi(t) = e^{At}$

② $\dfrac{d\phi(t)}{dt} = A \cdot \phi(t)$

③ $\phi(t) = \mathcal{L}^{-1}[(sI-A)^{-1}]$

④ $\phi(t)$는 시스템의 정상 상태 응답을 나타낸다.

73

제동 계수 δ가 작아질수록 제동이 적게 걸리므로 안정도는 저하되는 특성이 있다.

74

열전대는 제벡효과를 이용하여 서로 다른 금속체 접합점에 온도차가 생기면 열기전력이 발생하는 소자로, 프로세스 제어계에서 검출부에 해당한다.

75

보기의 블록 선도의 출력을 나타내면 다음과 같다.

① 왼쪽 그림: $X_3 = GX_1 + GX_2$

오른쪽 그림: $X_3 = GX_1 + GX_2$

(∴ 등가 회로 성립)

② 왼쪽 그림: $X_2 = GX_1$

오른쪽 그림: $X_2 = GX_1$

(∴ 등가 회로 성립)

③ 왼쪽 그림: $X_2 = GX_1$, $X_1 = X_1$

오른쪽 그림: $X_2 = GX_1$, $X_1 = G \times \dfrac{1}{G} \times X_1 = X_1$

(∴ 등가 회로 성립)

④ 왼쪽 그림: $X_3 = GX_1 + X_2$

오른쪽 그림: $X_3 = GX_1 + G \times G \times X_2$

$= GX_1 + G^2 X_2$

(∴ 등가 회로 성립 안 됨)

76

n차 선형 시불변 시스템의 상태 방정식을

$\dfrac{d}{dt}X(t) = AX(t) + Br(t)$로 표시할 때

상태 천이 행렬 $\phi(t)$ ($n \times n$ 행렬)에 관한 성질

• $\phi(t) = e^{At}$

• $\dfrac{d\phi(t)}{dt} = A\phi(t)$

• $\phi(t) = \mathcal{L}^{-1}[(sI-A)^{-1}]$

• $\phi(t)$함수: 시스템의 과도 상태 응답을 표현

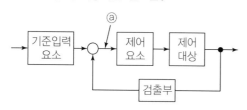

77 [1][2][3]

블록 선도에서 ⓐ에 해당하는 신호는?

① 조작량   ② 제어량
③ 기준 입력   ④ 동작 신호

78 [1][2][3]

다음의 신호 흐름 선도를 메이슨의 공식을 이용하여 전달 함수를 구하고자 한다. 이 신호 흐름 선도에서 루프(Loop)는 몇 개인가?

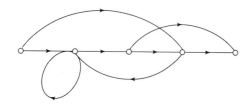

① 0   ② 1
③ 2   ④ 3

79 [1][2][3]

다음의 상태전도에서 가관측정(observability)에 대해 설명한 것 중 옳은 것은?

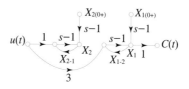

① X_1은 관측할 수 없다.
② X_2는 관측할 수 없다.
③ X_1, X_2 모두 관측할 수 없다.
④ 이 계통은 완전히 가관측에 있다.

80 [1][2][3]

논리식 $L = \overline{X}\,\overline{Y}\,Z + \overline{X}\,YZ + X\overline{Y}\,Z + XYZ$를 간소화한 식은?

① Z ② XZ
③ YZ ④ $X\overline{Z}$

정답 및 해설

77

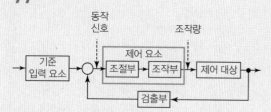

78

다음 그림과 같이 폐루프는 2개이다.

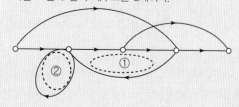

79

$C(t)$의 정보를 통해 X_1은 알 수 있지만, X_2는 확인할 수 없다. $C(t)$가 X_1과는 연결되어 있지만 X_2와는 연결되어 있지 않기 때문이다.

80

$L = \overline{X}\,\overline{Y}Z + \overline{X}\,YZ + X\overline{Y}\,Z + XYZ$
$= \overline{X}Z(\overline{Y} + Y) + XZ(\overline{Y} + Y)$
$= \overline{X}Z + XZ = Z(\overline{X} + X) = Z$

81 1 2 3

다음은 특별저압 SELV와 PELV에 대한 설명이다. 빈칸에 들어갈 알맞은 것을 고르시오.

> 특별저압 계통의 전압한계는 KS C IEC 60449(건축전기설비의 전압밴드)에 의한 전압밴드 I의 상한 값인 교류 (㉠)[V] 이하, 직류 (㉡)[V] 이하이어야 한다.

① ㉠ 50 ㉡ 120
② ㉠ 50 ㉡ 100
③ ㉠ 100 ㉡ 120
④ ㉠ 100 ㉡ 200

82 1 2 3

전기저장장치에 자동으로 전로로부터 차단하는 장치를 시설하여야 하는 경우로 틀린 것은?

① 과저항이 발생한 경우
② 과전압이 발생한 경우
③ 제어장치에 이상이 발생한 경우
④ 이차전지 모듈의 내부 온도가 상승할 경우

83 1 2 3

분산형전원설비 사업자의 한 사업장의 설비 용량 합계가 몇 [kVA] 이상일 경우에는 송·배전계통과 연계지점의 연결 상태를 감시 또는 유효전력, 무효전력 및 전압을 측정할 수 있는 장치를 시설하여야 하는가?

① 100
② 150
③ 200
④ 250

84 1 2 3

가섭선에 의하여 시설하는 안테나가 있다. 이 안테나 주위에 경동연선을 사용한 고압 가공전선이 지나가고 있다면 수평 간격(이격거리)은 몇 [cm] 이상이어야 하는가?

① 40
② 60
③ 80
④ 100

81

특별저압에 의한 보호(한국전기설비규정 211.5.1)
특별저압 계통의 전압한계는 KS C IEC 60449(건축전기설비의 전압밴드)에 의한 전압밴드 I의 상한 값인 교류 50[V] 이하, 직류 120[V] 이하이어야 한다.

82

제어 및 보호장치의 시설(한국전기설비규정 511.2.7)
• 과전압, 저전압, 과전류가 발생한 경우
• 제어장치에 이상이 발생한 경우
• 이차전지 모듈의 내부 온도가 상승할 경우

83

분산형전원 계통 연계설비(한국전기설비규정 503.2.1)
분산형전원설비 사업자의 한 사업장의 설비 용량 합계가 250[kVA] 이상일 경우에는 송·배전계통과 연계지점의 연결 상태를 감시 또는 유효전력, 무효전력 및 전압을 측정할 수 있는 장치를 시설할 것

84

고압 가공전선과 안테나의 접근 또는 교차(한국전기설비규정 332.14)
간격(이격거리)은 다음 표의 값 이상이어야 한다.

	구분	저압	고압
안테나	일반적인 경우	0.6[m]	0.8[m]
	전선이 고압 절연전선	0.3[m]	0.8[m]
	전선이 케이블인 경우	0.3[m]	0.4[m]

85

1 2 3

전로에 대한 설명 중 옳은 것은?

① 통상의 사용상태에서 전기를 절연한 곳

② 통상의 사용상태에서 전기를 접지한 곳

③ 통상의 사용상태에서 전기가 통하고 있는 곳

④ 통상의 사용상태에서 전기가 통하고 있지 않는 곳

86

1 2 3

목장에서 가축의 탈출을 방지하기 위하여 전기울타리를 시설하는 경우 전선은 인장강도가 몇 [kN] 이상의 것이어야 하는가?

① 1.38

② 2.78

③ 4.43

④ 5.93

87

1 2 3

어떤 공장에서 케이블을 사용하는 사용전압이 $22[kV]$인 가공전선을 건물 옆쪽에서 1차 접근상태로 시설하는 경우, 케이블과 건물의 조영재 간격(이격거리)은 몇 [cm] 이상이어야 하는가?

① 50

② 80

③ 100

④ 120

88

1 2 3

폭발성 또는 연소성의 가스가 침입할 우려가 있는 곳에 시설하는 지중함으로서 그 크기가 몇 $[m^3]$ 이상인 것에는 통풍장치 기타 가스를 방산시키기 위한 적당한 장치를 시설하여야 하는가?

① 0.5

② 0.75

③ 1

④ 2

정답 및 해설

85

정의(기술기준 제3조)
전로란 통상의 사용상태에서 전기가 통하고 있는 곳을 말한다.

86

전기울타리의 시설(한국전기설비규정 241.1.3)
• 전기울타리는 사람이 쉽게 출입하지 아니하는 곳에 시설할 것
• 전선은 인장강도 1.38[kN] 이상의 것 또는 지름 2[mm] 이상의 경동선일 것
• 전선과 이를 지지하는 기둥 사이의 간격(이격거리)은 25[mm] 이상일 것
• 전선과 다른 시설물(가공전선을 제외한다) 또는 수목과의 간격(이격거리)은 0.3[m] 이상일 것

87

25[kV] 이하인 특고압 가공전선로의 시설(한국전기설비규정 333.32)
간격(이격거리)은 다음 표에서 정한 값 이상이어야 한다.

건조물의 조영재	접근형태	전선의 종류	간격[m]
상부 조영재	위쪽	나전선	3.0
		특고압 절연전선	2.5
		케이블	1.2
	옆쪽 또는 아래쪽	나전선	1.5
		특고압 절연전선	1.0
		케이블	0.5
기타의 조영재	–	나전선	1.5
		특고압 절연전선	1.0
		케이블	0.5

88

지중함의 시설(한국전기설비규정 334.2)
지중전선로에 사용하는 지중함은 다음에 따라 시설하여야 한다.
• 지중함은 견고하고 차량 기타 중량물의 압력에 견디는 구조일 것
• 지중함은 그 안의 고인물을 제거할 수 있는 구조로 되어 있을 것
• 폭발성 또는 연소성의 가스가 침입할 우려가 있는 것에 시설하는 지중함으로서 그 크기가 1[m³] 이상인 것에는 통풍장치 기타 가스를 방산시키기 위한 적당한 장치를 시설할 것

89

가공전선로에 사용하는 지지물의 강도계산에 적용하는 갑종 풍압하중을 계산할 때 구성재의 수직 투영면적 $1[\mathrm{m}^2]$에 대한 풍압의 기준으로 틀린 것은?

① 목주: 588[Pa]
② 원형 철주: 588[Pa]
③ 원형 철근 콘크리트주: 882[Pa]
④ 강관으로 구성(단주는 제외)된 철탑: 1,255[Pa]

90

사용전압이 $400[\mathrm{V}]$ 이하인 저압 옥측전선로를 애자공사에 의해 시설하는 경우 전선 상호 간의 간격은 몇 $[\mathrm{m}]$ 이상이어야 하는가?(단, 비나 이슬에 젖지 않는 장소에 사람이 쉽게 접촉될 우려가 없도록 시설한 경우이다.)

① 0.025
② 0.045
③ 0.06
④ 0.12

91

계통 접지에서 누전차단기를 사용하지 않는 접지 방식은?

① TN-C
② TN-S
③ TT
④ IT

92

전개된 장소에서 저압 옥상전선로의 시설기준으로 적합하지 않은 것은?

① 전선은 절연전선을 사용하였다.
② 전선 지지점 간의 거리를 20[m]로 하였다.
③ 전선은 지름 2.6[mm]의 경동선을 사용하였다.
④ 저압 절연전선과 그 저압 옥상전선로를 시설하는 조영재와의 간격(이격거리)을 2[m]로 하였다.

89

풍압하중의 종별과 적용(한국전기설비규정 331.6)

풍압을 받는 구분			풍압[Pa]
지지물	목주		588
	철주	원형의 것	588
		삼각형 또는 마름모형의 것	1,412
		강관에 의하여 구성되는 사각형의 것	1,117
		기타의 것으로 복재가 전후면에 겹치는 경우	1,627
		기타의 것으로 겹치지 않은 경우	1,784
	철근 콘크리트주	원형의 것	588
		기타의 것	882
	철탑	강관으로 구성되는 것(단주는 제외함)	1,255
		기타의 것	2,157

원형 철근 콘크리트주의 수직 투영면적 $1[\mathrm{m}^2]$에 대한 풍압은 588[Pa]이다.

90

옥측전선로(한국전기설비규정 221.2)

시설 장소	전선 상호 간의 간격		전선과 조영재 사이의 간격	
	400[V] 이하	400[V] 초과	400[V] 이하	400[V] 초과
비나 이슬에 젖지 않는 장소	0.06[m]	0.06[m]	0.025[m]	0.025[m]

비나 이슬에 젖는 장소	0.06[m]	0.12[m]	0.025[m]	0.045[m]

91

TN계통(한국전기설비규정 211.2.5)
TN-C 계통에는 누전차단기를 사용해서는 아니 된다. TN-C-S 계통에 누전차단기를 설치하는 경우에는 누전차단기의 부하측에는 PEN 도체를 사용할 수 없다. 이러한 경우 PE도체는 누전차단기의 전원측에서 PEN 도체에 접속하여야 한다.

92

옥상전선로(한국전기설비규정 221.3)
저압 옥상전선로는 전개된 장소에 다음에 따르고 또한 위험의 우려가 없도록 시설하여야 한다.
• 전선은 인장강도 2.30[kN] 이상의 것 또는 지름 2.6[mm] 이상의 경동선을 사용할 것
• 전선은 절연전선(OW전선 포함) 또는 이와 동등 이상의 절연성능이 있는 것을 사용할 것
• 전선은 조영재에 견고하게 붙인 지지주 또는 지지대에 절연성·난연성 및 내수성이 있는 애자를 사용하여 지지하고 또한 그 지지점 간의 거리는 15[m] 이하일 것
• 전선과 그 저압 옥상전선로를 시설하는 조영재와의 간격(이격거리)은 2[m](전선이 고압 절연전선, 특고압 절연전선 또는 케이블인 경우에는 1[m]) 이상일 것

93

가공공동지선에 의한 접지공사에 있어 가공공동지선과 대지간의 합성 전기저항 값은 몇 [km]를 지름으로 하는 지역 안마다 규정하는 접지 저항값을 가지는 것으로 하여야 하는가?

① 0.4
② 0.6
③ 0.8
④ 1.0

94

고·저압 혼촉 시에 저압전로의 대지전압이 150[V]를 넘는 경우로서 1초를 넘고 2초 이내에 자동 차단장치가 되어 있는 고압전로의 1선 지락 전류가 30[A]인 경우, 이에 결합된 변압기 저압 측의 중성점 접지저항 값은 몇 [Ω] 이하로 유지하여야 하는가?

① 10
② 50
③ 100
④ 200

95

케이블트레이공사에 사용할 수 없는 케이블은?

① 연피 케이블
② 난연성 케이블
③ 캡타이어케이블
④ 알루미늄피 케이블

96

애자공사에 의한 저압 옥내배선 시설 중 틀린 것은?

① 전선은 인입용 비닐절연전선일 것
② 전선 상호 간의 간격은 6[cm] 이상일 것
③ 전선의 지지점 간의 거리는 전선을 조영재의 윗면에 따라 붙일 경우에는 2[m] 이하일 것
④ 전선과 조영재 사이의 간격(이격거리)은 사용전압이 400[V] 이하인 경우에는 2.5[cm] 이상일 것

정답 및 해설

93

가공공동지선에 의한 접지공사(한국전기설비규정 322.1)
가공공동지선과 대지 사이의 합성 전기저항 값은 1[km]를 지름으로 하는 지역 안마다 규정하는 접지 저항값을 가지는 것으로 하고 또한 각 접지도체를 가공공동지선으로부터 분리하였을 경우의 각 접지도체와 대지 사이의 전기저항 값은 300[Ω] 이하로 할 것

94

변압기 중성점 접지(한국전기설비규정 142.5)
1초를 넘고 2초 이내에 자동 차단장치가 되어 있으므로

$$R = \frac{300}{1선\ 지락전류} = \frac{300}{30} = 10[\Omega]$$

따라서 중성점 접지저항 값은 10[Ω] 이하로 한다.

95

케이블트레이공사(한국전기설비규정 232.41)
전선은 연피 케이블, 알루미늄피 케이블 등 난연성 케이블 또는 기타 케이블(적당한 간격으로 연소(延燒)방지 조치를 하여야 한다) 또는 금속관 혹은 합성수지관 등에 넣은 절연전선을 사용하여야 한다.

96

애자공사(한국전기설비규정 232.56)
• 전선의 종류: 절연전선. 단, 옥외용 비닐절연전선(OW) 및 인입용 비닐절연전선(DV)은 제외한다.

전압		전선과 조영재와의 간격	전선 상호 간격	전선 지지점 간의 거리	
				조영재의 윗면 또는 옆면	조영재에 따라 시설하지 않는 경우
저압	400[V] 이하	25[mm] 이상	0.06 [m] 이상	2[m] 이하	–
	400[V] 초과	건조한 장소	25 [mm] 이상			6[m] 이하
		기타의 장소	45 [mm] 이상			

97 1 2 3

특고압용 타냉식 변압기의 냉각장치에 고장이 생긴 경우를 대비하여 어떤 보호장치를 하여야 하는가?

① 경보장치 ② 속도조정장치
③ 온도시험장치 ④ 냉매흐름장치

98 1 2 3

태양광설비에 시설하여야 하는 계측기의 계측대상에 해당하는 것은?

① 전압과 전류 ② 전력과 역률
③ 전류와 역률 ④ 역률과 주파수

99 1 2 3

가공전선로의 지지물에 시설하는 지지선(지선)에 관한 사항으로 옳은 것은?

① 소선은 지름 2.0[mm] 이상인 금속선을 사용한다.
② 도로를 횡단하여 시설하는 지지선(지선)의 높이는 지표상 6.0[m] 이상이다.
③ 지지선(지선)의 안전율은 1.2 이상이고 허용인장하중의 최저는 4.31[kN]으로 한다.
④ 지지선(지선)에 연선을 사용할 경우에는 소선은 3가닥 이상의 연선을 사용한다.

100 1 2 3

일반주택 및 아파트 각 호실의 현관등은 몇 분 이내에 소등되는 타임스위치를 시설하여야 하는가?

① 1분 ② 3분
③ 5분 ④ 10분

97

특고압용 변압기의 보호장치(한국전기설비규정 351.4)
특고압용의 변압기에는 그 내부에 고장이 생겼을 경우에 보호하는 장치를 다음 표와 같이 시설하여야 한다.

뱅크용량의 구분	동작조건	장치의 종류
5,000[kVA] 이상 10,000[kVA] 미만	변압기 내부 고장	자동차단장치 또는 경보장치
10,000[kVA] 이상	변압기 내부 고장	자동차단장치
타냉식 변압기(변압기의 권선 및 철심을 직접 냉각시키기 위하여 봉입한 냉매를 강제 순환시키는 냉각 방식을 말한다)	냉각장치에 고장이 생긴 경우 또는 변압기의 온도가 현저히 상승한 경우	경보장치

98

태양광설비의 계측장치(한국전기설비규정 522.3.6)
태양광설비에는 전압과 전류 또는 전압과 전력을 계측하는 장치를 시설하여야 한다.

99

지지선의 시설(한국전기설비규정 331.11)
• 안전율: 2.5 이상
• 최저 인장하중: 4.31[kN]
• 연선일 경우 소선의 지름이 2.6[mm] 이상인 금속선 3가닥 이상을 꼬아서 사용
• 지중 및 지표상 0.3[m]까지의 부분은 아연도금 철봉 등을 사용
• 도로를 횡단하여 시설하는 지지선(지선)의 높이는 지표상 5[m] 이상, 교통에 지장을 초래할 우려가 없는 경우에는 지표상 4.5[m] 이상, 보도의 경우에는 2.5[m] 이상으로 할 수 있다.
• 가공전선로의 지지물로 사용하는 철탑은 지지선(지선)을 사용하여 그 강도를 분담시켜서는 아니 된다.
• 지선근가는 지지선(지선)의 인장하중에 충분히 견디도록 시설할 것

100

점멸기의 시설(한국전기설비규정 234.6)
• 「관광진흥법」과 「공중위생관리법」에 의한 관광숙박업 또는 숙박업(여인숙업을 제외한다)에 이용되는 객실의 입구등은 1분 이내에 소등되는 것
• 일반주택 및 아파트 각 호실의 현관등은 3분 이내에 소등되는 것

2022년
전기기사
필기

과목명	문항수	시간(분)	필기합격률
전기자기학	20	20	
전력공학	20	20	
전기기기	20	20	**22%**
회로이론 및 제어공학	20	20	
전기설비 기술기준	20	20	
합 계	100	100	

※ 해당 시험의 3회는 CBT로 진행되었습니다. 당해 시험 문제는 수험자의 기억을 바탕으로 복원한 문제로 실제 문제와 상이할 수 있습니다.

시행일자

1회 3. 5

2회 4. 24

3회 7. 2 ~ 7. 22

합격기준

과목당 40점 이상 (100점 만점 기준)

전과목 평균 60점 이상 (100점 만점 기준)

시험분석

				과난도	빈출
전기자기학	1회	난이도 中		09, 11	02, 13
	2회	난이도 中		20	07, 09
	3회	난이도 中		01, 08, 15, 19	05, 12 18

				과난도	빈출
전력공학	1회	난이도 中		26, 29, 30	23, 25, 35
	2회	난이도 下		29, 39	21, 24
	3회	난이도 下		23, 40	27, 31

				과난도	빈출
전기기기	1회	난이도 中		55	50, 57
	2회	난이도 中		45, 48, 59	49, 52, 60
	3회	난이도 中		51	46, 50, 55

				과난도	빈출
회로이론 및 제어공학	1회	난이도 下		61, 70	63, 75
	2회	난이도 上		64, 70, 73, 75	62, 72, 77
	3회	난이도 中		80	61, 69

				과난도	빈출
전기설비 기술기준	1회	난이도 中		86, 89	85, 88, 96, 100
	2회	난이도 中		90	81, 89, 97, 100
	3회	난이도 中		84, 89	88, 96, 98

전기자기학

1회독	월	일
2회독	월	일
3회독	월	일 / 자동채점

01 ☐ 1 2 3

면적이 $0.02[\text{m}^2]$, 간격이 $0.03[\text{m}]$이고, 공기로 채워진 평행평판의 커패시터에 $1.0 \times 10^{-6}[\text{C}]$의 전하를 충전시킬 때, 두 판 사이에 작용하는 힘의 크기는 약 몇 $[\text{N}]$인가?

① 1.13
② 1.41
③ 1.89
④ 2.83

빈출
02 ☐ 1 2 3

자극의 세기가 $7.4 \times 10^{-5}[\text{Wb}]$, 길이가 $10[\text{cm}]$인 막대자석이 $100[\text{AT/m}]$의 평등자계 내에 자계의 방향과 $30°$로 놓여 있을 때 이 자석에 작용하는 회전력$[\text{N} \cdot \text{m}]$은?

① 2.5×10^{-3}
② 3.7×10^{-4}
③ 5.3×10^{-5}
④ 6.2×10^{-6}

03 ☐ 1 2 3

유전율이 $\varepsilon = 2\varepsilon_0$이고 투자율이 $\mu = \mu_0$인 비도전성 유전체에서 전자파의 전계의 세기가 $E(z,t) = 120\pi \cos(10^9 t - \beta z)$ $\hat{y}[\text{V/m}]$일 때, 자계의 세기 $H[\text{A/m}]$는?(단, $\hat{x}$, $\hat{y}$는 단위벡터이다.)

① $-\sqrt{2}\cos(10^9 t - \beta z)\hat{x}$
② $\sqrt{2}\cos(10^9 t - \beta z)\hat{x}$
③ $-2\cos(10^9 t - \beta z)\hat{x}$
④ $2\cos(10^9 t - \beta z)\hat{x}$

04 ☐ 1 2 3

자기회로에서 전기회로의 도전율 $\sigma[\text{℧/m}]$에 대응되는 것은?

① 자속
② 기자력
③ 투자율
④ 자기저항

정답 및 해설

01

• 단위 면적당 정전 응력
$$f = \frac{D^2}{2\varepsilon_0} = \frac{1}{2\varepsilon_0}\left(\frac{Q}{S}\right)^2 [\text{N/m}^2]$$

• 극판 간 작용하는 힘
$$F = \frac{1}{2\varepsilon_0}\left(\frac{Q}{S}\right)^2 \times S = \frac{Q^2}{2\varepsilon_0 S}$$
$$= \frac{(1.0 \times 10^{-6})^2}{2 \times 8.854 \times 10^{-12} \times 0.02} ≒ 2.83[\text{N}]$$

02

막대자석에 작용하는 회전력
$$T = MH\sin\theta = mlH\sin\theta$$
$$= 7.4 \times 10^{-5} \times 10 \times 10^{-2} \times 100 \times \sin30°$$
$$= 3.7 \times 10^{-4}[\text{N} \cdot \text{m}]$$

03

• 고유 임피던스
$$\eta = \frac{E}{H} = \sqrt{\frac{\mu}{\varepsilon}} = 377\sqrt{\frac{\mu_s}{\varepsilon_s}}$$

• 자계의 세기
$$H = \frac{E}{377} \times \sqrt{\frac{2}{1}} = \frac{1}{377} \times \sqrt{2} \times 120\pi\cos(10^9 t - \beta z)$$
$$= \sqrt{2}\cos(10^9 t - \beta z)$$

• 전자파의 진행방향이 z방향이고 $\dot{E} \times \dot{H}$에서, $\dot{E}$의 방향이 y방향이므로 $\dot{H}$의 방향은 $-x$이다.
∴ $\dot{H} = -\sqrt{2}\cos(10^9 t - \beta z)\hat{x}$

04

자기회로와 전기회로의 대응 관계

자기회로	전기회로
자속 $\phi[\text{Wb}]$	전류 $I[\text{A}]$
기자력 $F[\text{AT}]$	기전력 $E[\text{V}]$
자기 저항 $R_m[\text{AT/Wb}]$	전기 저항 $R[\Omega]$
자속 밀도 $B[\text{Wb/m}^2]$	전류 밀도 $i[\text{A/m}^2]$
투자율 $\mu[\text{H/m}]$	도전율 $\sigma[\text{℧/m}]$
퍼미언스 $P[\text{Wb/AT}]$	컨덕턴스 $G[\text{℧}]$

05 ▢1 ▢2 ▢3

단면적이 균일한 환상철심에 권수 1,000회인 A코일과 권수 N_B회인 B코일이 감겨져 있다. A코일의 자기 인덕턴스가 100[mH]이고, 두 코일 사이의 상호 인덕턴스가 20[mH]이고, 결합계수가 1일 때, B코일의 권수(N_B)는 몇 회인가?

① 100 ② 200
③ 300 ④ 400

06 ▢1 ▢2 ▢3

공기 중에서 1[V/m]의 전계의 세기에 의한 변위 전류 밀도의 크기를 2[A/m²]으로 흐르게 하려면 전계의 주파수는 몇 [MHz]가 되어야 하는가?

① 9,000 ② 18,000
③ 36,000 ④ 72,000

07 ▢1 ▢2 ▢3

내부 원통 도체의 반지름이 a[m], 외부 원통 도체의 반지름이 b[m]인 동축 원통 도체에서 내외 도체 간 물질의 도전율이 σ[℧/m]일 때 내외 도체 간의 단위 길이당 컨덕턴스[℧/m]는?

① $\dfrac{2\pi\sigma}{\ln\dfrac{b}{a}}$ ② $\dfrac{2\pi\sigma}{\ln\dfrac{a}{b}}$

③ $\dfrac{4\pi\sigma}{\ln\dfrac{b}{a}}$ ④ $\dfrac{4\pi\sigma}{\ln\dfrac{a}{b}}$

08 ▢1 ▢2 ▢3

z축 상에 놓인 길이가 긴 직선 도체에 10[A]의 전류가 $+z$ 방향으로 흐르고 있다. 이 도체의 주위의 자속 밀도가 $3\hat{x}-4\hat{y}$ [Wb/m²]일 때 도체가 받는 단위 길이당 힘[N/m]은?(단, $\hat{x}$, $\hat{y}$는 단위 벡터이다.)

① $-40\hat{x}+30\hat{y}$ ② $-30\hat{x}+40\hat{y}$
③ $30\hat{x}+40\hat{y}$ ④ $40\hat{x}+30\hat{y}$

05

• 환상 철심에서 상호 인덕턴스
$$M=\frac{L_A N_B}{N_A}=\frac{L_B N_A}{N_B}[\text{H}]$$
• B 코일의 권수
$$N_B=\frac{M\times N_A}{L_A}=\frac{20\times10^{-3}\times1,000}{100\times10^{-3}}=200$$

06

• 변위 전류 밀도의 크기
$$i_d=\omega\varepsilon E=2\pi f\varepsilon E=2[\text{A/m}^2]$$
• 전계의 주파수
$$f=\frac{2}{2\pi\varepsilon E}=\frac{i_d}{2\pi\times\frac{1}{36\pi}\times10^{-9}\times1}=18\times10^9\times\frac{2}{1}$$
$$=36\times10^9=36,000[\text{MHz}]$$

07

• 동심 원통 도체의 단위 길이당 정전 용량
$$C=\frac{2\pi\varepsilon}{\ln\dfrac{b}{a}}[\text{F/m}]$$

• 저항과 정전 용량의 관계 $R=\dfrac{\rho\varepsilon}{C}$이고, 컨덕턴스 $G=\dfrac{1}{R}$이므로
$$G=\frac{1}{R}=\frac{C}{\rho\varepsilon}=\frac{2\pi\varepsilon}{\ln\dfrac{b}{a}}\times\frac{1}{\rho\varepsilon}=\frac{2\pi}{\rho\ln\dfrac{b}{a}}[\text{℧/m}]$$
• 도전율 $\sigma=\dfrac{1}{\rho}$[℧/m]이므로
$$G=\frac{2\pi\sigma}{\ln\dfrac{b}{a}}[\text{℧/m}]$$

08

• 플레밍의 왼손 법칙에 의한 도체가 받는 힘
$$\dot{F}=(\dot{I}\times\dot{B})l[\text{N}]$$
• 단위 길이당 힘을 구하기 위해서 도선의 길이를 단위 벡터로 구한 뒤 계산한다.
$$\dot{F}=(\dot{I}\times\dot{B})l=10\times\begin{bmatrix}a_x & a_y & a_z\\0 & 0 & 1\\3 & -4 & 0\end{bmatrix}$$
$$=10\times\{(0+4)a_x-(0-3)a_y+(0-0)a_z\}$$
$$=40a_x+30a_y[\text{N/m}]$$
$$=40\hat{x}+30\hat{y}[\text{N/m}]$$

09 ☐1 ☐2 ☐3

진공 중 한 변의 길이가 $0.1\,[\mathrm{m}]$인 정삼각형의 3정점 A, B, C에 각각 $2.0 \times 10^{-6}\,[\mathrm{C}]$의 점 전하가 있을 때, 점 A의 전하에 작용하는 힘은 몇 $[\mathrm{N}]$인가?

① $1.8\sqrt{2}$　　　　　② $1.8\sqrt{3}$

③ $3.6\sqrt{2}$　　　　　④ $3.6\sqrt{3}$

10 ☐1 ☐2 ☐3

투자율이 $\mu\,[\mathrm{H/m}]$, 자계의 세기가 $H\,[\mathrm{AT/m}]$, 자속 밀도가 $B\,[\mathrm{Wb/m^2}]$인 곳에서의 자계 에너지 밀도$[\mathrm{J/m^3}]$는?

① $\dfrac{B^2}{2\mu}$　　　　　② $\dfrac{H^2}{2\mu}$

③ $\dfrac{1}{2}\mu H$　　　　　④ BH

11 ☐1 ☐2 ☐3

진공 내 전위 함수가 $V = x^2 + y^2\,[\mathrm{V}]$로 주어졌을 때, $0 \le x \le 1$, $0 \le y \le 1$, $0 \le z \le 1$인 공간에 저장되는 정전에너지$[\mathrm{J}]$는?

① $\dfrac{4}{3}\varepsilon_0$　　　　　② $\dfrac{2}{3}\varepsilon_0$

③ $4\varepsilon_0$　　　　　④ $2\varepsilon_0$

12 ☐1 ☐2 ☐3

전계가 유리에서 공기로 입사할 때 입사각 θ_1과 굴절각 θ_2의 관계와 유리에서의 전계 E_1과 공기에서의 전계 E_2의 관계는?

① $\theta_1 > \theta_2$, $E_1 > E_2$　　② $\theta_1 < \theta_2$, $E_1 > E_2$

③ $\theta_1 > \theta_2$, $E_1 < E_2$　　④ $\theta_1 < \theta_2$, $E_1 < E_2$

정답 및 해설

09

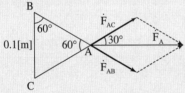

정삼각형 꼭짓점 A에 발생되는 힘은 꼭짓점 B 및 C의 전하량에 의한 힘의 벡터 합이다.

$$\dot{F}_A = \dot{F}_{AB} + \dot{F}_{AC}\,[\mathrm{N}]$$

그림에서처럼 두 전하로부터의 힘의 크기는 같고 수직 성분은 상쇄되므로

$$|\dot{F}_A| = \dot{F}_{AB}\cos 30° \times 2$$

$$= 9 \times 10^9 \times \frac{2.0 \times 10^{-6} \times 2.0 \times 10^{-6}}{(0.1)^2} \times \frac{\sqrt{3}}{2} \times 2$$

$$= 3.6\sqrt{3}\,[\mathrm{N}]$$

10

단위 체적당 자계 에너지

$$w = \frac{1}{2}BH = \frac{1}{2}\mu H^2 = \frac{B^2}{2\mu}\,[\mathrm{J/m^3}]$$

11

• 전위함수로부터의 전계 식

$$\dot{E} = -\mathrm{grad}\,V$$

$$= -\left\{ \frac{\partial(x^2+y^2)}{\partial x}a_x + \frac{\partial(x^2+y^2)}{\partial y}a_y + \frac{\partial(x^2+y^2)}{\partial z}a_z \right\}$$

$$= -2x\,a_x - 2y\,a_y\,[\mathrm{V/m}]$$

• E^2은 전계 벡터의 내적으로부터 구할 수 있다.

$$E^2 = \dot{E}\cdot\dot{E} = (-2x\,a_x - 2y\,a_y)\cdot(-2x\,a_x - 2y\,a_y)$$

$$= 4x^2 + 4y^2$$

• 전계에 저장되는 에너지

$$W = \iiint \frac{1}{2}\varepsilon_0 E^2\,dv\,[\mathrm{J}]$$

$$= \frac{1}{2}\varepsilon_0 \int_0^1 \int_0^1 \int_0^1 (4x^2 + 4y^2)\,dxdydz$$

$$= \frac{1}{2}\varepsilon_0 \int_0^1 \int_0^1 \left(\frac{4}{3} + 4y^2\right)dydz$$

$$= \frac{1}{2}\varepsilon_0 \int_0^1 \left(\frac{4}{3} + \frac{4}{3}\right)dz = \frac{1}{2}\varepsilon_0 \times \frac{8}{3} = \frac{4}{3}\varepsilon_0\,[\mathrm{J}]$$

12

유전체에서 경계면 조건

• $\varepsilon_1 > \varepsilon_2$일 때, $\theta_1 > \theta_2$의 관계가 있다.

• $\varepsilon_1 > \varepsilon_2$일 때, $D_1 > D_2$의 관계가 있다.

• $\varepsilon_1 > \varepsilon_2$일 때, $E_1 < E_2$의 관계가 있다.

즉, 보기에서 ③이 옳다.

13 ☐ 1 2 3 ☐

진공 중에 $4[\mathrm{m}]$ 간격으로 평행한 두 개의 무한 평판 도체에 각각 $+4[\mathrm{C/m^2}]$, $-4[\mathrm{C/m^2}]$의 전하를 주었을 때, 두 도체 간의 전위차는 약 몇 $[\mathrm{V}]$인가?

① 1.36×10^{11} ② 1.36×10^{12}

③ 1.8×10^{11} ④ 1.8×10^{12}

14 ☐ 1 2 3 ☐

인덕턴스[H]의 단위를 나타낸 것으로 틀린 것은?

① $[\Omega \cdot \mathrm{s}]$ ② $[\mathrm{Wb/A}]$

③ $[\mathrm{J/A^2}]$ ④ $[\mathrm{N/A \cdot m}]$

15 ☐ 1 2 3 ☐

진공 중 반지름이 $a[\mathrm{m}]$인 무한 길이의 원통 도체 2개가 간격 $d[\mathrm{m}]$로 평행하게 배치되어 있다. 두 도체 사이의 정전용량 C를 나타낸 것으로 옳은 것은?

① $\pi\varepsilon_0\ln\dfrac{d-a}{a}$ ② $\dfrac{\pi\varepsilon_0}{\ln\dfrac{d-a}{a}}$

③ $\pi\varepsilon_0\ln\dfrac{a}{d-a}$ ④ $\dfrac{\pi\varepsilon_0}{\ln\dfrac{a}{d-a}}$

16 ☐ 1 2 3 ☐

진공 중에 $4[\mathrm{m}]$의 간격으로 놓여진 평행 도선에 같은 크기의 왕복 전류가 흐를 때 단위 길이당 $2.0 \times 10^{-7}[\mathrm{N}]$의 힘이 작용하였다. 이때 평행 도선에 흐르는 전류는 몇 $[\mathrm{A}]$인가?

① 1 ② 2

③ 4 ④ 8

13

• 무한 평판 도체의 내부 전계

$$E=\frac{\sigma}{\varepsilon_0}[\mathrm{V/m}]$$

• 두 도체 간의 전위차

$$V=Ed=\frac{\sigma}{\varepsilon_0}d=\frac{4}{8.854\times10^{-12}}\times4\fallingdotseq1.8\times10^{12}[\mathrm{V}]$$

14

인덕턴스의 단위

• $e=L\dfrac{di}{dt}$에서 $L=e\dfrac{dt}{di}=\dfrac{e}{di}dt\left[\dfrac{\mathrm{V}}{\mathrm{A}}\cdot\mathrm{s}=\Omega\cdot\mathrm{s}\right]$

• $N\phi=LI$에서 $L=\dfrac{N\phi}{I}[\mathrm{Wb/A}]$

• $W=\dfrac{1}{2}LI^2$에서 $L=\dfrac{2W}{I^2}[\mathrm{J/A^2}]$

15

• 평행 도선의 단위 길이당 정전용량

$$C=\frac{\pi\varepsilon_0}{\ln\dfrac{d-a}{a}}[\mathrm{F/m}]$$

• $d\gg a$인 경우

$$C=\frac{\pi\varepsilon_0}{\ln\dfrac{d}{a}}[\mathrm{F/m}]$$

16

크기가 같은 왕복 전류가 흐르므로 $I_1=I_2=I[\mathrm{A}]$

• 평행 도선 사이에 작용하는 힘

$$F=\frac{\mu_0I_1I_2}{2\pi d}=\frac{4\pi\times10^{-7}\times I^2}{2\pi\times4}=2\times10^{-7}\times\frac{I^2}{4}=2.0\times10^{-7}[\mathrm{N}]$$

• 왕복 전류의 크기

$$I=\sqrt{\frac{2.0\times10^{-7}\times4}{2\times10^{-7}}}=2[\mathrm{A}]$$

17 ▪1 ▪2 ▪3

평행 극판 사이의 간격이 $d[\mathrm{m}]$이고 정전 용량이 $0.3[\mu\mathrm{F}]$인 공기 커패시터가 있다. 그림과 같이 두 극판 사이에 비유전율이 5인 유전체를 절반 두께만큼 넣었을 때 이 커패시터의 정전 용량은 몇 $[\mu\mathrm{F}]$이 되는가?

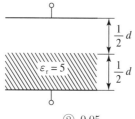

① 0.01
② 0.05
③ 0.1
④ 0.5

18 ▪1 ▪2 ▪3

반지름이 $a[\mathrm{m}]$인 접지된 구 도체와 구 도체의 중심에서 거리 $d[\mathrm{m}]$ 떨어진 곳에 점 전하가 존재할 때, 점 전하에 의한 접지된 구도체에서의 영상 전하에 대한 설명으로 틀린 것은?

① 영상 전하는 구 도체 내부에 존재한다.
② 영상 전하는 점 전하와 구 도체 중심을 이은 직선상에 존재한다.
③ 영상 전하의 전하량과 점 전하의 전하량은 크기는 같고 부호는 반대이다.
④ 영상 전하의 위치는 구 도체의 중심과 점 전하 사이 거리 $(d[\mathrm{m}])$와 구도체의 반지름$(a[\mathrm{m}])$에 의해 결정된다.

19 ▪1 ▪2 ▪3

평등 전계 중에 유전체 구에 의한 전속 분포가 그림과 같이 되었을 때 ε_1과 ε_2의 크기 관계는?

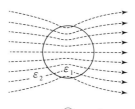

① $\varepsilon_1 > \varepsilon_2$
② $\varepsilon_1 < \varepsilon_2$
③ $\varepsilon_1 = \varepsilon_2$
④ 무관하다.

정답 및 해설

17

- 공기 콘덴서의 정전 용량

$$C_0 = \frac{\varepsilon_0 S}{d} = 0.3[\mu\mathrm{F}]$$

- 절반을 유전체로 채운 콘덴서 중 공기 부분의 정전 용량을 $C_1[\mu\mathrm{F}]$, 유전체 부분의 정전 용량을 $C_2[\mu\mathrm{F}]$라 하면

$$- \ C_1 = \frac{\varepsilon_0 S}{\frac{d}{2}} = 2C_0 = 0.6[\mu\mathrm{F}]$$

$$- \ C_2 = \frac{\varepsilon_0 \varepsilon_r S}{\frac{d}{2}} = 2\varepsilon_r C_0 = 10C_0 = 3[\mu\mathrm{F}]$$

- 두 콘덴서는 직렬 연결되어 있으므로 합성 정전 용량 $C[\mu\mathrm{F}]$은

$$C = \frac{C_1 \times C_2}{C_1 + C_2} = \frac{0.6 \times 3}{0.6 + 3} = 0.5[\mu\mathrm{F}]$$

18

접지 도체구와 점 전하 간의 전기 영상법

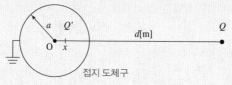

- 영상 전하의 크기

$$Q' = -\frac{a}{d}Q[\mathrm{C}]$$

- 영상 전하의 위치

$$x = \frac{a^2}{d}[\mathrm{m}]$$

영상 전하의 크기는 점 전하량의 $\frac{a}{d}$배이며, 부호는 반대이다.

19

유전속(전속선)은 유전율이 큰 쪽으로 모이려는 성질이 있다. 유전속 분포 그림에서 구의 내부 쪽이 유전속 밀도가 높으므로 $\varepsilon_1 > \varepsilon_2$이다.

20

어떤 도체에 교류 전류가 흐를 때 도체에서 나타나는 표피 효과에 대한 설명으로 틀린 것은?

① 도체 중심부보다 도체 표면부에 더 많은 전류가 흐르는 것을 표피 효과라 한다.
② 전류의 주파수가 높을수록 표피 효과는 작아진다.
③ 도체의 도전율이 클수록 표피 효과는 커진다.
④ 도체의 투자율이 클수록 표피 효과는 커진다.

21

3상 1회선 송전선을 정삼각형으로 배치한 3상 선로의 자기 인덕턴스를 구하는 식은?(단, D는 전선의 선간거리[m], r은 전선의 반지름[m]이다.)

① $L = 0.5 + 0.4605 \log_{10} \dfrac{D}{r}$

② $L = 0.5 + 0.4605 \log_{10} \dfrac{D}{r^2}$

③ $L = 0.05 + 0.4605 \log_{10} \dfrac{D}{r}$

④ $L = 0.05 + 0.4605 \log_{10} \dfrac{D}{r^2}$

22

3상 송전선로가 선간 단락(2선 단락)이 되었을 때 나타나는 현상으로 옳은 것은?

① 역상전류만 흐른다.
② 정상전류와 역상전류가 흐른다.
③ 역상전류와 영상전류가 흐른다.
④ 정상전류와 영상전류가 흐른다.

20

도체 중심부보다 도체 표면부에 더 많은 전류가 흐르는 것을 표피 효과라 한다.
- 표피 두께(침투 깊이)가 감소할수록 표피 효과는 커진다.
- 전류의 주파수가 높을수록 표피 효과는 커진다.
- 도체의 도전율이 클수록 표피 효과는 커진다.
- 도체의 투자율이 클수록 표피 효과는 커진다.

21

- 정삼각형 배열 등가선간거리
$$D = \sqrt[3]{D \times D \times D} = D$$
- 선로의 인덕턴스
$$L = 0.05 + 0.4605 \log_{10} \frac{D}{r} \, [\text{mH/km}]$$

22

사고 종류에 따른 대칭분의 종류
- 1선 지락 사고: 영상분, 정상분, 역상분
- 선간 단락 사고: 정상분, 역상분
- 3상 단락 사고: 정상분

23 `1` `2` `3`

송전단 전압이 $100[\mathrm{V}]$, 수전단 전압이 $90[\mathrm{V}]$인 단거리 배전선로의 전압 강하율[%]은 약 얼마인가?

① 5
② 11
③ 15
④ 20

24 `1` `2` `3`

중거리 송전선로의 4단자 정수가 $A = 1.0$, $B = j190$, $D = 1.0$일 때 C의 값은 얼마인가?

① 0
② $-j120$
③ j
④ $j190$

25 `1` `2` `3`

다음 중 재점호가 가장 일어나기 쉬운 차단 전류는?

① 동상 전류
② 지상 전류
③ 진상 전류
④ 단락 전류

26 `1` `2` `3`

송전전력, 선간전압, 부하역률, 전력손실 및 송전거리를 동일하게 하였을 경우 단상 2선식에 대한 3상 3선식의 총 전선량(중량)비는 얼마인가?(단, 전선은 동일한 전선이다.)

① 0.75
② 0.94
③ 1.15
④ 1.33

27 `1` `2` `3`

배전전압을 $\sqrt{2}$ 배로 하였을 때 같은 손실률로 보낼 수 있는 전력은 몇 배가 되는가?

① $\sqrt{2}$
② $\sqrt{3}$
③ 2
④ 3

정답 및 해설

23

전압 강하율

$$\varepsilon = \frac{V_s - V_r}{V_r} \times 100 = \frac{100 - 90}{90} \times 100 = 11.11 \fallingdotseq 11[\%]$$

24

4단자 정수가 주어졌을 경우 다음의 관계가 성립한다.
$AD - BC = 1$

$$\therefore C = \frac{AD - 1}{B} = \frac{1.0 \times 1.0 - 1}{j190} = 0$$

25

계통이 무부하 시 진상 전류(충전 전류)가 흐르게 되므로 이때 차단기의 재점호가 많이 발생한다.

[암기 포인트] "진상"전류가 흘러 "차단"기의 재점호가 발생(진상 차단)

26

전기적 특성 비교표

구분	소요 전선비
1φ2W	W_1(100[%])
1φ3W	$\dfrac{W_2}{W_1} = \dfrac{3}{8}$ (37.5[%])
3φ3W	$\dfrac{W_3}{W_1} = \dfrac{3}{4}$ (75[%])
3φ4W	$\dfrac{W_4}{W_1} = \dfrac{1}{3}$ (33.3[%])

27

전력 손실률이 일정할 경우 전력은 전압의 제곱에 비례하므로

$$\frac{P'}{P} = \left(\frac{V'}{V}\right)^2 = \left(\frac{\sqrt{2}\,V}{V}\right)^2 = 2$$

$$\therefore P' = 2P$$

28

교류발전기의 전압조정 장치로 속응 여자 방식을 채택하는 이유 중 틀린 것은?

① 전력계통에 고장이 발생할 때 발전기의 동기 화력을 증가시킨다.
② 송전계통의 안정도를 높인다.
③ 여자기의 전압 상승률을 크게 한다.
④ 전압조정용 탭의 수동변환을 원활히 하기 위함이다.

29

다음 중 환상(루프)방식과 비교할 때 방사상 배전 선로 구성 방식에 해당되는 사항은?

① 전력 수요 증가 시 간선이나 분기선을 연장하여 쉽게 공급이 가능하다.
② 전압 변동 및 전력 손실이 작다.
③ 사고 발생 시 다른 간선으로의 전환이 쉽다.
④ 환상방식보다 신뢰도가 높은 방식이다.

30

다음 중 동작속도가 가장 느린 계전 방식은?

① 전류 차동 보호 계전 방식
② 거리 보호 계전 방식
③ 전류 위상 비교 보호 계전 방식
④ 방향 비교 보호 계전 방식

31

어느 발전소에서 40,000[kWh]를 발전하는 데 발열량 5,000[kcal/kg]의 석탄을 20톤 사용하였다. 이 화력 발전소의 열효율[%]은 약 얼마인가?

① 27.5
② 30.4
③ 34.4
④ 38.5

32

소호 리액터를 송전계통에 사용하면 리액터의 인덕턴스와 선로의 정전 용량이 어떤 상태로 되어 지락 전류를 소멸시키는가?

① 병렬 공진
② 직렬 공진
③ 고임피던스
④ 저임피던스

33

현수애자에 대한 설명이 아닌 것은?

① 애자를 연결하는 방법에 따라 클레비스(Clevis)형과 볼 소켓형이 있다.
② 애자를 표시하는 기호는 P이며 구조는 2~5층의 갓 모양의 자기편을 시멘트로 접착하고 그 자기를 주철제 base로 지지한다.
③ 애자의 연결개수를 가감함으로써 임의의 송전전압에 사용할 수 있다.
④ 큰 하중에 대하여는 2련 또는 3련으로 하여 사용할 수 있다.

28

속응 여자 방식은 발전기의 일반 여자기보다 동작 속도를 높인 여자 방식으로 발전기의 전압조정 속도를 크게 향상시키며, 발전기의 동기 화력을 증가시켜 계통의 안정도를 향상시킨다.

29

방사상 방식
배전 선로를 부하 증설에 따라 간선이나 분기선을 추가로 인출하여 구성하는 배전 방식으로 다음과 같은 특성이 있다.
• 배전 선로가 간단하고 건설비가 싸다.
• 사고에 의한 정전 범위가 커서 공급 신뢰도가 떨어진다.
• 전압 강하 및 전력 손실이 크다.

30

거리 보호 계전 방식은 계전기의 기억작용으로 인해 동작속도가 느리다.

31

화력 발전소의 열효율
$$\eta = \frac{860P}{BH} \times 100 = \frac{860 \times 40,000}{20 \times 10^3 \times 5,000} \times 100 = 34.4[\%]$$
(P: 발전 전력량[kWh], B: 연료량[kg], H: 연료 발열량[kcal/kg])

32

소호 리액터 접지
• 병렬 공진을 이용하여 지락 전류를 소멸시킨다.
• 대지 정전 용량과 공진을 일으키는 유도성 리액터로 접지하는 방식이다.
• 지락 전류가 최소가 되어 통신선에 대한 유도 장해가 줄어든다.

[암기 포인트] 소호 리액터 – 병렬 공진(세트 암기)

33

핀 애자는 2층 이상의 갓 모양의 자기편을 시멘트로 접착하고 그 자기를 주철제 베이스로 지지한 애자로 주로 저압용으로 사용한다.

34

초호각(Arcing horn)의 역할은?

① 풍압을 조절한다.
② 송전 효율을 높인다.
③ 선로의 섬락 시 애자의 파손을 방지한다.
④ 고주파수의 섬락전압을 높인다.

35

불평형 부하에서 역률[%]은?

① $\dfrac{유효전력}{각\ 상의\ 피상전력의\ 산술합} \times 100$

② $\dfrac{무효전력}{각\ 상의\ 피상전력의\ 산술합} \times 100$

③ $\dfrac{무효전력}{각\ 상의\ 피상전력의\ 벡터합} \times 100$

④ $\dfrac{유효전력}{각\ 상의\ 피상전력의\ 벡터합} \times 100$

36

부하 회로에서 공진 현상으로 발생하는 고조파 장해가 있을 경우 공진 현상을 회피하기 위하여 설치하는 것은?

① 진상용 콘덴서
② 직렬 리액터
③ 방전코일
④ 진공 차단기

37

발전기 또는 주변압기의 내부 고장 보호용으로 가장 널리 쓰이는 것은?

① 거리 계전기
② 과전류 계전기
③ 비율 차동 계전기
④ 방향단락 계전기

38

경간이 $200[\mathrm{m}]$인 가공 전선로가 있다. 사용전선의 길이는 경간보다 몇 $[\mathrm{m}]$ 더 길게 하면 되는가?(단, 사용전선의 $1[\mathrm{m}]$당 무게는 $2[\mathrm{kg}]$, 인장하중은 $4,000[\mathrm{kg}]$, 전선의 안전율은 2로 하고 풍압하중은 무시한다.)

① $\dfrac{1}{2}$
② $\sqrt{2}$
③ $\dfrac{1}{3}$
④ $\sqrt{3}$

정답 및 해설

34

소호각(환), 초호각(환)의 역할
• 섬락으로부터 애자련의 보호
• 애자련의 연능률 개선

35

불평형 부하에서의 역률 $= \dfrac{유효전력}{각\ 상의\ 피상전력의\ 벡터\ 합} \times 100[\%]$

36

직렬 리액터
일반적으로 부하 회로에서 공진 현상으로 발생하는 고조파 중 발생량이 많은 제5고조파를 제거(공진 현상 회피)하기 위해 사용한다.

37

비율 차동 계전기는 발전기, 변압기의 내부 고장 시 양쪽 전류의 벡터 차에 의해 동작하여 차단기를 개로시킨다. 따라서 발전기나 변압기의 내부 고장 보호용으로 사용한다.

38

이도 $D = \dfrac{WS^2}{8T} = \dfrac{2 \times 200^2}{8 \times \dfrac{4,000}{2}} = 5[\mathrm{m}]$

전선의 길이 $L = S + \dfrac{8D^2}{3S}[\mathrm{m}]$ 이므로

$\therefore L - S = \dfrac{8D^2}{3S} = \dfrac{8 \times 5^2}{3 \times 200} = \dfrac{1}{3}[\mathrm{m}]$

(여기서 W: 사용전선 무게$[\mathrm{kg/m}]$, S: 경간$[\mathrm{m}]$, k: 안전율, T: 수평장력)

[암기 포인트] T 수평장력 $= \dfrac{인장하중}{안전율}$

39 ☐1 2 3

유효낙차 $90[\mathrm{m}]$, 출력 $104,500[\mathrm{kW}]$, 비속도(특유속도) 210 $[\mathrm{m\cdot kW}]$인 수차의 회전속도는 약 몇 $[\mathrm{rpm}]$인가?

① 150   ② 180

③ 210   ④ 240

40 ☐1 2 3

차단기의 정격 차단 시간에 대한 설명으로 옳은 것은?

① 고장 발생부터 소호까지의 시간

② 트립 코일 여자로부터 소호까지의 시간

③ 가동 접촉자의 개극부터 소호까지의 시간

④ 가동 접촉자의 동작 시간부터 소호까지의 시간

41 ☐1 2 3

유도 전동기 1극의 자속을 ϕ, 2차 유효전류 $I_2\cos\theta_2$, 토크 τ의 관계로 옳은 것은?

① $\tau \propto \phi \times I_2\cos\theta_2$ ② $\tau \propto \phi \times (I_2\cos\theta_2)^2$

③ $\tau \propto \dfrac{1}{\phi \times I_2\cos\theta_2}$ ④ $\tau \propto \dfrac{1}{\phi \times (I_2\cos\theta_2)^2}$

42 ☐1 2 3

변압기의 등가회로 구성에 필요한 시험이 아닌 것은?

① 단락 시험   ② 부하 시험

③ 무부하 시험   ④ 권선저항 측정

39

수차의 특유속도(비속도)

$$N_s = N\frac{P^{\frac{1}{2}}}{H^{\frac{5}{4}}}$$

(단, N_s: 수차의 특유속도[rpm], N: 수차의 정격 회전수[rpm], P: 수차의 출력[kW], H: 유효낙차[m])

$$\therefore N = N_s\frac{H^{\frac{5}{4}}}{P^{\frac{1}{2}}} = 210 \times \frac{90^{\frac{5}{4}}}{104,500^{\frac{1}{2}}}$$

$$= 210 \times \frac{277.21}{323.26} = 180[\mathrm{rpm}]$$

[암기 포인트] 특유속도[m·kW]: 단위 낙차에서 단위 출력을 발생시키기 위해 필요한 회진수[rpm]

40

차단기의 정격 차단 시간
차단기의 정격 차단 시간은 차단기의 트립 코일 여자 순간부터 아크가 완전히 소호될 때까지의 시간(보통 3~8 사이클)이다.

41

유도 전동기 토크 $\tau = k\phi I_2\cos\theta_2[\mathrm{N\cdot m}]$에서 토크($\tau$)는 1극의 자속($\phi$)과 2차 도체에 흐르는 유효전류 $I_2\cos\theta_2$에 비례한다.

42

변압기 등가회로 작성 시 필요한 시험
• 단락 시험: 임피던스 와트(동손), 임피던스 전압, 내부 임피던스, 전압 변동률
• 무부하 시험: 여자 어드미턴스, 철손, 여자 전류, 철손 전류, 자화 전류
• 권선의 저항 측정

43

동기기의 권선법 중 기전력의 파형을 좋게 하는 권선법은?

① 전절권, 2층권
② 단절권, 집중권
③ 단절권, 분포권
④ 전절권, 집중권

44

직류 직권 전동기의 발생 토크는 전기자 전류를 변화시킬 때 어떻게 변하는가?(단, 자기포화는 무시한다.)

① 전류에 비례한다.
② 전류에 반비례한다.
③ 전류의 제곱에 비례한다.
④ 전류의 제곱에 반비례한다.

45

불꽃 없는 정류를 하기 위해 평균 리액턴스 전압(A)과 브러시 접촉면 전압 강하(B) 사이에 필요한 조건은?

① A > B
② A < B
③ A = B
④ A, B에 관계없다.

46

동기발전기의 병렬운전 중 유도기전력의 위상차로 인하여 발생하는 현상으로 옳은 것은?

① 무효전력이 생긴다.
② 동기화 전류가 흐른다.
③ 고조파 무효순환전류가 흐른다.
④ 출력이 요동하고 권선이 가열된다.

47

단상 직권 정류자전동기에서 보상 권선과 저항 도선의 작용에 대한 설명으로 틀린 것은?

① 보상 권선은 역률을 좋게 한다.
② 보상 권선은 변압기의 기전력을 크게 한다.
③ 보상 권선은 전기자 반작용을 제거해준다.
④ 저항 도선은 변압기 기전력에 의한 단락 전류를 작게 한다.

정답 및 해설

43
기전력의 파형을 개선하기 위해 쓰이는 권선법은 단절권과 분포권이다.
• 단절권: 코일 간격을 극 간격보다 짧게 하는 권선법
• 분포권: 매극 매상의 도체를 2개 이상의 슬롯에 분포시켜서 권선하는 방법

[암기 포인트] 교류 발전기의 파형 개선을 위해 단절권, 분포권 사용

44
직류 직권 전동기의 토크 $T = k\phi I_a$ [N·m]에서 자기포화를 무시하면 $\phi \propto I_a \propto I_f \propto I$가 되므로 $T \propto kI^2$으로 된다. 따라서 부하 토크는 전류의 제곱에 비례한다.

45
양호한 정류를 얻는 조건
평균 리액턴스 전압(A)을 브러시 접촉면 전압 강하(B)보다 작게 한다.

[암기 포인트] 대표적인 양호한 정류를 얻는 조건은 리액턴스 전압을 낮추는 것이다.

46
위상이 다르면 발전기 내부에 유효순환전류(동기화 전류)가 흘러 위상을 같게 만들지만 발전기의 온도 상승을 초래한다.

47
• 보상 권선: 전기자의 반작용을 상쇄시켜 역률을 좋게 하고 변압기의 기전력을 작게 해 정류 작용을 개선한다.(누설 리액턴스 감소)
• 저항 도선: 변압기 기전력에 의한 단락 전류를 작게 해 정류를 좋게 한다.

정답 43 ③ 44 ③ 45 ② 46 ② 47 ②

48

회전자가 슬립 s로 회전하고 있을 때 고정자와 회전자의 실효 권수비를 α라고 하면 고정자 기전력 E_1과 회전자 기전력 E_{2s}의 비는?

① $s\alpha$

② $(1-s)\alpha$

③ $\dfrac{\alpha}{s}$

④ $\dfrac{\alpha}{1-s}$

49

비돌극형 동기발전기 한 상의 단자전압을 V, 유도기전력을 E, 동기리액턴스를 X_s, 부하각이 δ이고, 전기자저항을 무시할 때 한 상의 최대출력은?

① $\dfrac{EV}{X_s}$

② $\dfrac{3EV}{X_s}$

③ $\dfrac{E^2 V}{X_s}$

④ $\dfrac{EV^2}{X_s}$

50

권수비 $a=\dfrac{6,600}{220}$, 주파수 $60[\text{Hz}]$, 변압기의 철심 단면적 $0.02[\text{m}^2]$, 최대 자속밀도 $1.2[\text{Wb/m}^2]$일 때 변압기의 1차 측 유도기전력은 약 몇 $[\text{V}]$인가?

① $1,407$

② $3,521$

③ $42,198$

④ $49,814$

51

SCR을 이용한 단상 전파 위상제어 정류회로에서 전원전압은 실효값이 $220[\text{V}]$, $60[\text{Hz}]$인 정현파이며, 부하는 순 저항으로 $10[\Omega]$이다. SCR의 점호각 α를 $60°$라고 할 때 출력전류의 평균값$[\text{A}]$은?

① 7.54

② 9.73

③ 11.43

④ 14.86

48

고정자 기전력 $E_1 = 4.44fN\phi[\text{V}]$
회전자 기전력 $E_{2s} = 4.44f'N'\phi[\text{V}]$
(단, f': 회전자 주파수, N: 고정자 권수, N': 회전자 권수)
회전자 주파수 $f' = sf$이므로

$$\frac{E_1}{E_{2s}} = \frac{4.44fN\phi}{4.44f'N'\phi} = \frac{fN}{f'N'} = \frac{f}{sf} \times \frac{N}{N'} = \frac{1}{s} \times \alpha = \frac{\alpha}{s}$$

49

비돌극형 발전기 한 상의 출력

$$P = \frac{EV}{X_s}\sin\delta[\text{kW}]$$

부하각 $\delta = 90°$에서 최대출력이며 이때 출력값은 $\dfrac{EV}{X_s}[\text{kW}]$이다.

[암기 포인트] 3상 동기발전기의 출력 $P = \dfrac{3EV}{X_s}\sin\delta[\text{kW}]$

50

1차 측 유도기전력
$$E = 4.44fN\phi = 4.44fNBS$$
$$= 4.44 \times 60 \times 6,600 \times 1.2 \times 0.02 = 42,197.76[\text{V}]$$

51

단상 전파 정류 제어회로에서 직류 평균전압

$$E_d = \frac{\sqrt{2}\,V}{\pi}(1+\cos\alpha)[\text{V}]$$

$$= \frac{220\sqrt{2}}{\pi}(1+\cos 60°) = \frac{330\sqrt{2}}{\pi}[\text{V}]$$

부하 저항이 $10[\Omega]$이므로 출력전류의 평균값은

$$I = \frac{E_d}{R} = \frac{\frac{330\sqrt{2}}{\pi}}{10} = \frac{33\sqrt{2}}{\pi} \fallingdotseq 14.86[\text{A}]$$

52 [1][2][3]

변압기에 임피던스 전압을 인가할 때의 입력은?

① 철손   ② 와류손
③ 정격용량   ④ 임피던스 와트

53 [1][2][3]

직류발전기가 $90[\%]$ 부하에서 최대 효율이 된다면 이 발전기의 전부하에 있어서 고정손과 부하손의 비는?

① 0.81   ② 0.9
③ 1.0   ④ 1.1

54 [1][2][3]

단권 변압기 두 대를 V 결선하여 전압을 $2,000[\mathrm{V}]$에서 $2,200[\mathrm{V}]$로 승압한 후 $200[\mathrm{kVA}]$의 3상 부하에 전력을 공급하려고 한다. 이때 단권 변압기 1대의 용량은 약 몇 $[\mathrm{kVA}]$인가?

① 4.2   ② 10.5
③ 18.2   ④ 21

55 [1][2][3]

3상 동기발전기에서 그림과 같이 1상의 권선을 서로 똑같은 2조로 나누어 그 1조의 권선전압을 $E[\mathrm{V}]$, 각 권선의 전류를 $I[\mathrm{A}]$라 하고 지그재그 Y형(Zigzag Star)으로 결선하는 경우 선간 전압[V], 선전류[A] 및 피상 전력[VA]은?

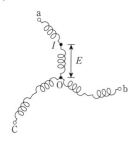

① $3E,\ I,\ \sqrt{3} \times 3E \times I = 5.2EI$
② $\sqrt{3}\,E,\ 2I,\ \sqrt{3} \times \sqrt{3}\,E \times 2I = 6EI$
③ $E,\ 2\sqrt{3}\,I,\ \sqrt{3} \times E \times 2\sqrt{3} = 6EI$
④ $\sqrt{3}\,E,\ \sqrt{3}\,I,\ \sqrt{3} \times \sqrt{3}\,E \times \sqrt{3}\,I = 5.2EI$

56 [1][2][3]

회전형 전동기와 선형 전동기(Linear Motor)를 비교한 설명으로 틀린 것은?

① 선형의 경우 회전형에 비해 공극의 크기가 작다.
② 선형의 경우 직접적으로 직선운동을 얻을 수 있다.
③ 선형의 경우 회전형에 비해 부하 관성의 영향이 크다.
④ 선형의 경우 전원의 상 순서를 바꾸어 이동 방향을 변경한다.

52

임피던스 와트
1차 정격 전류가 흐를 때의 변압기 내의 전압 강하를 임피던스 전압이라 한다. 임피던스 전압을 인가할 때의 입력을 임피던스 와트라고 한다.

53

변압기의 최대 효율 조건은 철손과 동손이 같을 때이다.($P_i = m^2 P_c$)

$$\therefore \frac{P_i}{P_c} = m^2 = (0.9)^2 = 0.81$$

54

단권 변압기 3상 V 결선

$$\frac{\text{자기 용량}}{\text{부하 용량}} = \frac{2}{\sqrt{3}} \left(\frac{V_h - V_l}{V_h} \right)$$

$$\text{자기 용량} = \frac{2}{\sqrt{3}} \times \frac{2,200 - 2,000}{2,200} \times 200 \fallingdotseq 21[\mathrm{kVA}]$$

$$\therefore \text{단권 변압기 1대분 자기 용량} = \frac{21}{2} = 10.5[\mathrm{kVA}]$$

55

지그재그 결선은 이중 Y결선 형태로서, Y결선의 특징이 2번 나타나므로 선간 전압은 $V_{2Y} = \sqrt{3} \times \sqrt{3}\,E = 3E[\mathrm{V}]$

따라서 피상 전력은 $P_a = \sqrt{3}\,V_{2Y}I = \sqrt{3} \times 3EI \fallingdotseq 5.2EI[\mathrm{VA}]$

(지그재그 Y결선에서 선전류와 상전류는 같다.)

56

선형 전동기
• 회전형에 비해 공극이 커 역률과 효율이 나쁘다.
• 회전자에서 발생하는 전자력을 직선의 기계 에너지로 변환하는 전동기이다.
• 회전 운동을 직선운동으로 바꾸어 주는 부품이 필요 없다.
• 회전형에 비해 부하 관성의 영향이 크다.
• 전원의 상 순서를 바꾸어 이동 방향을 변경할 수 있다.

57 ① ② ③

단자전압 $200[\mathrm{V}]$, 계자저항 $50[\Omega]$, 부하전류 $50[\mathrm{A}]$, 전기자 저항 $0.15[\Omega]$, 전기자 반작용에 의한 전압 강하 $3[\mathrm{V}]$인 직류 분권발전기가 정격속도로 회전하고 있다. 이때 발전기의 유도 기전력은 약 몇 $[\mathrm{V}]$인가?

① 211.1
② 215.1
③ 225.1
④ 230.1

58 ① ② ③

3상 유도기의 기계적 출력(P_0)에 대한 변환식으로 옳은 것은?(단, 2차 입력은 P_2, 2차 동손은 P_{2c}, 동기속도는 N_s, 회전자속도는 N, 슬립은 s이다.)

① $P_0 = P_2 + P_{2c} = \dfrac{N}{N_s}P_2 = (2-s)P_2$

② $(1-s)P_2 = \dfrac{N}{N_s}P_2 = P_0 - P_{2c} = P_0 - sP_2$

③ $P_0 = P_2 - P_{2c} = P_2 - sP_2 = \dfrac{N}{N_s}P_2 = (1-s)P_2$

④ $P_0 = P_2 + P_{2c} = P_2 + sP_2 = \dfrac{N}{N_s}P_2 = (1+s)P_2$

59 ① ② ③

다음 중 비례 추이를 하는 전동기는?

① 동기 전동기
② 정류자 전동기
③ 단상 유도 전동기
④ 권선형 유도 전동기

60 ① ② ③

정류기의 직류 측 평균전압이 $2,000[\mathrm{V}]$이고 리플률이 $3[\%]$일 경우, 리플전압의 실효값$[\mathrm{V}]$은?

① 20
② 30
③ 50
④ 60

57

• 단자전압
$V = E - I_a R_a - V'[\mathrm{V}]$
(단, V': 전기자 반작용에 의한 전압 강하$[\mathrm{V}]$)

• 전기자 전류
$I_a = I + I_f = 50 + \dfrac{200}{50} = 54[\mathrm{A}]$
(단, I_f: 계자 전류$[\mathrm{A}]$)

• 유도 기전력
$E = V + I_a R_a + V' = 200 + 54 \times 0.15 + 3 = 211.1[\mathrm{V}]$

58

출력 $P_0 = P_2 - P_{2c} = P_2 - sP_2 = (1-s)P_2$

2차 효율 $\eta_2 = \dfrac{P_0}{P_2} = (1-s) = \dfrac{N}{N_s}$

따라서 출력은 아래와 같다.

$P_0 = P_2 - P_{2c} = P_2 - sP_2 = \dfrac{N}{N_s}P_2 = (1-s)P_2$

[암기 포인트] $P_2 : P_{c2}(=P_{2c}) : P_0 = 1 : s : 1-s$

59

비례 추이는 2차 회로의 저항을 조정하여 전류와 토크의 크기를 제어할 수 있다는 의미로 권선형 유도 전동기에 해당한다. 3상 권선형 유도 전동기에서 2차 합성 저항에 비례하여 최대 토크가 발생하는 슬립이 변한다.

[암기 포인트] 비례 추이와 관계없이 최대 토크는 "일정"하다.

60

리플률(맥동률) $= \dfrac{교류분}{직류분} \times 100[\%]$

$\therefore$ 교류분(실효값) $=$ 리플률 $\times$ 직류분 $= \dfrac{3}{100} \times 2,000 = 60[\mathrm{V}]$

1회독	월	일
2회독	월	일
3회독	월	일

자동채점

고난도
61

그림의 신호 흐름 선도에서 전달 함수 $\dfrac{C(s)}{R(s)}$ 는?

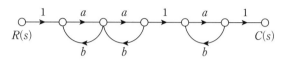

① $\dfrac{a^3}{(1-ab)^3}$

② $\dfrac{a^3}{1-3ab+a^2b^2}$

③ $\dfrac{a^3}{1-3ab}$

④ $\dfrac{a^3}{1-3ab+2a^2b^2}$

62 1 2 3

다음의 특성 방정식 중 안정한 제어시스템은?

① $s^3+3s^2+4s+5=0$

② $s^4+3s^3-s^2+s+10=0$

③ $s^5+s^3+2s^2+4s+3=0$

④ $s^4-2s^3-3s^2+4s+5=0$

빈출
63 1 2 3

블록 선도에서 ⓐ에 해당하는 신호는?

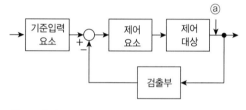

① 조작량

② 제어량

③ 기준입력

④ 동작신호

정답 및 해설

61

메이슨 공식에 의해 전달 함수 $G=\dfrac{경로}{\varDelta}$ 이다.

(단, $\varDelta=1-$(서로 다른 루프의 이득의 합) + (서로 접촉하지 않은 두 개의 루프의 이득의 곱) − (서로 접촉하지 않은 세 개의 루프의 이득의 곱) + …)

• 전향 경로

$1\times a\times a\times 1\times a\times 1=a^3$

• 서로 다른 루프의 이득의 합

$a\times b+a\times b+a\times b=3ab$

• 서로 접촉하지 않은 두 개의 루프의 이득의 곱의 합

 − 좌측 루프과 우측 루프의 이득: $ab\times ab=a^2b^2$

 − 중간 루프와 우측 루프의 이득: $ab\times ab=a^2b^2$

 ∴ $a^2b^2+a^2b^2=2a^2b^2$

따라서 전달 함수는 다음과 같다.

$\dfrac{C(s)}{R(s)}=\dfrac{a^3}{1-3ab+2a^2b^2}$

62

제어계가 안정하기 위한 필수 조건

• 특성 방정식의 모든 계수의 부호가 같아야 한다.

• 특성 방정식의 모든 차수가 존재하여야 한다.

• 루드표를 작성하여 제1열의 부호 변화가 없어야 한다.(부호 변화 개수는 s 평면의 우반 평면에 존재하는 근의 수를 의미한다.)

따라서 보기의 특성 방정식 중 안정한 시스템은 ①이다.

63

제어량(출력)

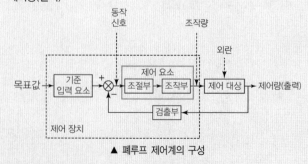

▲ 폐루프 제어계의 구성

[암기 포인트] 제어 요소에는 조절부와 조작부가 있다.

64 ▫ 1 2 3

그림과 같은 보드 선도의 이득선도를 갖는 제어시스템의 전달 함수는?

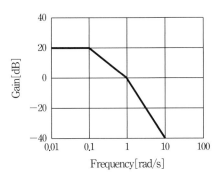

① $G(s) = \dfrac{10}{(s+1)(s+10)}$

② $G(s) = \dfrac{10}{(s+1)(10s+1)}$

③ $G(s) = \dfrac{20}{(s+1)(s+10)}$

④ $G(s) = \dfrac{20}{(s+1)(10s+1)}$

65 ▫ 1 2 3

다음의 개루프 전달 함수에 대한 근궤적의 점근선이 실수축과 만나는 교차점은?

$$G(s)H(s) = \frac{K(s+3)}{s^2(s+1)(s+3)(s+4)}$$

① $\dfrac{5}{3}$

② $-\dfrac{5}{3}$

③ $\dfrac{5}{4}$

④ $-\dfrac{5}{4}$

66 ▫ 1 2 3

그림과 같은 블록 선도의 제어시스템에 단위 계단 함수가 입력되었을 때 정상 상태 오차가 0.01이 되는 a의 값은?

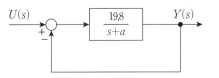

① 0.2

② 0.6

③ 0.8

④ 1.0

64

주어진 보드 선도의 절점 주파수는 0.1과 1에 위치해 있으므로 전달 함수의 형태는 다음과 같다.

$$G(s) = \frac{K}{(s+1)(s+0.1)}$$

주어진 보드 선도에서 $\omega = 0$인 경우의 이득 여유값에서 미정 계수 K를 구해보면 다음과 같다.

$$G(j\omega) = \frac{K}{(j\omega+1)(j\omega+0.1)}\Bigg|_{\omega=0} = \frac{K}{0.1} = 10K$$

$$\rightarrow g = 20\log_{10}10K = 20[\text{dB}]$$

$$\therefore K = 1$$

따라서 주어진 보드 선도의 전달 함수는 다음과 같다.

$$G(s) = \frac{1}{(s+1)(s+0.1)} = \frac{10}{(s+1)(10s+1)}$$

※ 실제 시험에서 그림의 세로축이 0, -40, $-20[\text{dB}]$순으로 표기되어 풀 수 없는 문제로 전항정답 처리가 되었습니다.

[암기 포인트] 절점 주파수는 그래프가 꺾인 부분!

65

주어진 전달 함수에서 극점과 영점을 구한다.

Z(영점) $= -3 \rightarrow$ 1개

P(극점) $= 0, 0, -1, -3, -4 \rightarrow$ 5개

이를 점근선의 교차점 공식에 대입한다.

$$\text{점근선의 교차점} = \frac{\text{극점의 합}(\sum P) - \text{영점의 합}(\sum Z)}{\text{극점수}(P) - \text{영점수}(Z)}$$

$$= \frac{(0+0-1-3-4)-(-3)}{5-1} = -\frac{5}{4}$$

66

오차 상수 $K_p = \lim\limits_{s \to 0} G(s) = \lim\limits_{s \to 0} \dfrac{19.8}{s+a} = \dfrac{19.8}{a}$

정상 상태 오차 $e_p = \dfrac{1}{1+K_p} = \dfrac{1}{1+\dfrac{19.8}{a}} = 0.01$

위 식을 정리하면 $\dfrac{19.8}{a} = 99$에서 $a = 0.2$이다.

67 ▢1 ▢2 ▢3

그림과 같은 블록 선도의 전달함수 $\dfrac{C(s)}{R(s)}$ 는?

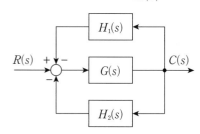

① $\dfrac{G(s)H_1(s)H_2(s)}{1+G(s)H_1(s)H_2(s)}$

② $\dfrac{G(s)}{1+G(s)H_1(s)H_2(s)}$

③ $\dfrac{G(s)}{1-G(s)(H_1(s)+H_2(s))}$

④ $\dfrac{G(s)}{1+G(s)(H_1(s)+H_2(s))}$

68 ▢1 ▢2 ▢3

그림과 같은 논리회로와 등가인 것은?

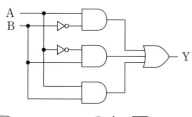

① A B ─[AND]─ Y

② A B ─[OR]─ Y

③ A B ─[NAND]○─ Y

④ A B ─[NOR]○─ Y

69 ▢1 ▢2 ▢3

다음의 미분방정식과 같이 표현되는 제어 시스템이 있다. 이 제어시스템을 상태 방정식 $\dot{\mathrm{x}}=\mathrm{Ax}+\mathrm{Bu}$ 로 나타내었을 때 시스템 행렬 A는?

$$\frac{d^3 C(t)}{dt^3}+5\frac{d^2 C(t)}{dt^2}+\frac{dC(t)}{dt}+2C(t)=r(t)$$

① $\begin{bmatrix} 0 & 1 & 0 \\ 0 & 0 & 1 \\ -2 & -1 & -5 \end{bmatrix}$

② $\begin{bmatrix} 1 & 0 & 0 \\ 0 & 1 & 0 \\ -2 & -1 & -5 \end{bmatrix}$

③ $\begin{bmatrix} 0 & 1 & 0 \\ 0 & 0 & 1 \\ 2 & 1 & 5 \end{bmatrix}$

④ $\begin{bmatrix} 1 & 0 & 0 \\ 0 & 1 & 0 \\ 2 & 1 & 5 \end{bmatrix}$

67

전달 함수는 다음과 같다.

$$\frac{C(s)}{R(s)}=\frac{\sum 경로}{1-\sum 폐루프}$$

$$=\frac{G(s)}{1-(-H_1(s)G(s)-H_2(s)G(s))}$$

$$=\frac{G(s)}{1+H_1(s)G(s)+H_2(s)G(s)}$$

$$=\frac{G(s)}{1+G(s)(H_1(s)+H_2(s))}$$

68

그림의 회로를 불 대수로 표현하면 다음과 같다.

$Y = A\overline{B}+\overline{A}\,\overline{B}+AB = A\overline{B}+\overline{A}\,\overline{B}+AB+AB$

$=A(\overline{B}+B)+(\overline{A}+A)B = A+B$

$\bigcirc$: 논리합(OR), $\square$: 논리곱(AND), $\triangleright\!\circ$: NOT 게이트

[암기 포인트]

$\overline{A}+A=1$, $\overline{AB}+AB = AB$

69

상태 방정식 계수 행렬의 특성(3차 방정식인 경우)

• 계수 행렬 A

 - 1행 및 2행 요소(불변): $\begin{bmatrix} 0 & 1 & 0 \\ 0 & 0 & 1 \end{bmatrix}$

 - 3행 요소(부호 반대): $[-2\ -1\ -5]$

$\therefore A = \begin{bmatrix} 0 & 1 & 0 \\ 0 & 0 & 1 \\ -2 & -1 & -5 \end{bmatrix}$

70

$F(z) = \dfrac{(1-e^{-aT})z}{(z-1)(z-e^{-aT})}$ 의 역 z변환은?

① $1-e^{-at}$

② $1+e^{-at}$

③ te^{-at}

④ te^{at}

71

3상 평형회로에 Y 결선의 부하가 연결되어 있고, 부하에서의 선간 전압이 $V_{ab} = 100\sqrt{3} \angle 0° [\mathrm{V}]$일 때 선전류가 $I_a = 20\angle -60°[\mathrm{A}]$ 이었다. 이 부하의 한 상의 임피던스$[\Omega]$는?

① $5\angle 30°$

② $5\sqrt{3}\angle 30°$

③ $5\angle 60°$

④ $5\sqrt{3}\angle 60°$

72

그림의 회로에서 $120[\mathrm{V}]$와 $30[\mathrm{V}]$의 전압원(능동소자)에서의 전력은 각각 몇 $[\mathrm{W}]$인가?(단, 전압원(능동소자)에서 공급 또는 발생하는 전력은 양수(+)이고, 소비 또는 흡수하는 전력은 음수(−)이다.)

① $240[\mathrm{W}], 60[\mathrm{W}]$

② $240[\mathrm{W}], -60[\mathrm{W}]$

③ $-240[\mathrm{W}], 60[\mathrm{W}]$

④ $-240[\mathrm{W}], -60[\mathrm{W}]$

73

순시치 전류 $i(t) = I_m \sin(\omega t + \theta_1)[\mathrm{A}]$의 파고율은 약 얼마인가?

① 0.577

② 0.707

③ 1.414

④ 1.732

70

주어진 식을 부분분수로 전개한다.

$$\frac{F(z)}{z} = \frac{(1-e^{-aT})}{(z-1)(z-e^{aT})} = \frac{A}{z-1} + \frac{B}{z-e^{-aT}}$$

$$= \frac{1}{z-1} - \frac{1}{z-e^{-aT}}$$

(단, $A = \dfrac{1-e^{-aT}}{z-e^{-aT}}\bigg|_{z=1} = 1$, $B = \dfrac{1-e^{-aT}}{z-1}\bigg|_{z=e^{-aT}} = -1$)

위의 식에서 좌변 분모의 z를 원래의 우변 분자에 이항하여 식을 정리한다.

$$F(z) = \frac{z}{z-1} - \frac{z}{z-e^{-aT}}$$

따라서 위의 식을 z 역변환하여 시간 함수로 바꾸면 다음과 같다.

$$F(z) = \frac{z}{z-1} - \frac{z}{z-e^{-aT}} \rightarrow f(t) = 1 - e^{-at}$$

71

a상의 상전압

$$V_a = \frac{V_{ab}}{\sqrt{3} \angle 30°} = \frac{100\sqrt{3}\angle 0°}{\sqrt{3}\angle 30°} = 100\angle -30°[\mathrm{V}]$$

Y결선 시 상전류는 선전류와 위상과 크기가 같으므로 a상의 임피던스

$$Z_a = \frac{V_a}{I_a} = \frac{100\angle -30°}{20\angle -60°} = 5\angle 30°[\Omega]$$

72

• 회로 전체에 흐르는 전류

$$I = \frac{V}{R} = \frac{120-30}{30+15} = \frac{90}{45} = 2[\mathrm{A}]$$

• $120[\mathrm{V}]$ 전압원에서 공급하는 전력

$$P_{120} = V_{120} \times I = 120 \times 2 = 240[\mathrm{W}]$$

• $30[\mathrm{V}]$ 전압원에서 공급하는 전력

$$P_{30} = V_{30} \times I = 30 \times 2 = 60[\mathrm{W}]$$

전류의 방향을 기준으로 $30[\mathrm{V}]$ 전압원은 반대 방향에 있으므로 $-60[\mathrm{W}]$를 공급 또는 $60[\mathrm{W}]$를 흡수한다.

73

$$\text{파고율} = \frac{\text{최댓값}}{\text{실횻값}} = \frac{I_m}{\dfrac{I_m}{\sqrt{2}}} = \sqrt{2} ≒ 1.414$$

[암기 포인트]

• 정현파의 최댓값 $I_{\max} = I_m$

• 정현파의 실횻값 $I_{\mathrm{rms}} = \dfrac{I_m}{\sqrt{2}}$

74 1 2 3

정전용량이 $C[\text{F}]$인 커패시터에 단위 임펄스의 전류원이 연결되어 있다. 이 커패시터의 전압 $v_C(t)$는?(단, $u(t)$는 단위 계단함수이다.)

① $v_C(t) = C$
② $v_C(t) = Cu(t)$
③ $v_C(t) = \dfrac{1}{C}$
④ $v_C(t) = \dfrac{1}{C}u(t)$

빈출
75 1 2 3

그림의 회로에서 $t = 0[\text{s}]$에 스위치(S)를 닫은 후 $t = 1[\text{s}]$일 때 이 회로에 흐르는 전류는 약 몇 $[\text{A}]$인가?

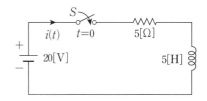

① 2.53
② 3.16
③ 4.21
④ 6.33

76 1 2 3

분포정수 회로에 있어서 선로의 단위 길이당 저항이 $100[\Omega/\text{m}]$, 인덕턴스가 $200[\text{mH}/\text{m}]$, 누설컨덕턴스가 $0.5[\mho/\text{m}]$일 때 일그러짐이 없는 조건(무왜형 조건)을 만족하기 위한 단위 길이당 커패시턴스는 몇 $[\mu\text{F}/\text{m}]$인가?

① 0.001
② 0.1
③ 10
④ 1,000

77 1 2 3

그림의 회로가 정저항 회로로 되기 위한 $L[\text{mH}]$은?(단, $R = 10[\Omega]$, $C = 1,000[\mu\text{F}]$이다.)

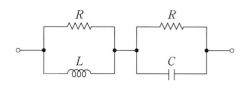

① 1
② 10
③ 100
④ 1,000

정답 및 해설

74
주어진 조건을 시간 함수로 나타내면 다음과 같다.
$$i(t) = C\frac{dv_C(t)}{dt} = \delta(t)$$
위 식을 주파수 영역으로 라플라스 변환하면 다음과 같다.
$$I(s) = Cs\,V_C(s) = 1$$
$V_C(s)$에 대해 정리를 하면 $V_C(s) = \dfrac{1}{Cs}$이 된다.
위 식을 다시 시간 함수로 나타내면 다음과 같다.
$$v_C(t) = \frac{1}{C}u(t)$$

75
RL회로의 계단응답
$$i(t) = \frac{E}{R}\left(1 - e^{-\frac{R}{L}t}\right)[\text{A}]$$
$E = 20[\text{V}]$, $R = 5[\Omega]$, $L = 5[\text{H}]$이므로
$$i(t) = \frac{20}{5}\left(1 - e^{-\frac{5}{5}t}\right) = 4(1 - e^{-t})[\text{A}]$$

스위치를 닫은 후 1초 뒤에 흐르는 전류는
$$i(1) = 4(1 - e^{-1}) \fallingdotseq 2.53[\text{A}]$$

[암기 포인트] $i(t) = \dfrac{E}{R}\left(1 - e^{-\frac{R}{L}t}\right)[\text{A}]$

76
무왜형 조건 $RC = LG$에서
$$C = \frac{LG}{R} = \frac{(200\times10^{-3})\times0.5}{100} = 10^{-3}[\text{F}/\text{m}] = 1,000[\mu\text{F}/\text{m}]$$

[암기 포인트] 무왜형 조건 $RC = LG$

77
그림의 회로가 정저항 회로가 되기 위한 조건
$$R = \sqrt{\frac{L}{C}} \rightarrow R^2 = \frac{L}{C}$$
$$\therefore L = R^2C = 10^2 \times 1,000 \times 10^{-6} = 0.1[\text{H}] = 100[\text{mH}]$$

78 [1] [2] [3]

그림과 같이 3상 평형의 순저항 부하에 단상 전력계를 연결하였을 때 전력계가 $W[\mathrm{W}]$를 지시하였다. 이 3상 부하에서 소모하는 전체 전력[W]은?

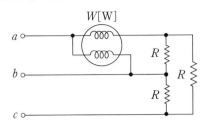

① $2W$ ② $3W$

③ $\sqrt{2}\,W$ ④ $\sqrt{3}\,W$

79 [1] [2] [3]

$f_e(t)$가 우함수이고 $f_o(t)$가 기함수일 때 주기함수 $f(t) = f_e(t) + f_o(t)$에 대한 다음 식 중 틀린 것은?

① $f_e(t) = f_e(-t)$

② $f_o(t) = -f_o(-t)$

③ $f_o(t) = \dfrac{1}{2}[f(t) - f(-t)]$

④ $f_e(t) = \dfrac{1}{2}[f(t) - f(-t)]$

80 [1] [2] [3]

각 상의 전압이 다음과 같을 때 영상분 전압[V]의 순시치는? (단, 3상 전압의 상순은 $a-b-c$이다.)

$$v_a(t) = 40\sin\omega t\,[\mathrm{V}]$$
$$v_b(t) = 40\sin\left(\omega t - \frac{\pi}{2}\right)[\mathrm{V}]$$
$$v_c(t) = 40\sin\left(\omega t + \frac{\pi}{2}\right)[\mathrm{V}]$$

① $40\sin\omega t$ ② $\dfrac{40}{3}\sin\omega t$

③ $\dfrac{40}{3}\sin\left(\omega t - \dfrac{\pi}{2}\right)$ ④ $\dfrac{40}{3}\sin\left(\omega t + \dfrac{\pi}{2}\right)$

78

3상 평형 순저항 부하이므로 단상 전력계를 어디에 연결하여도 전력계는 $W[\mathrm{W}]$를 지시한다.
따라서 2전력계법에 의해 $P = W_1 + W_2 = W + W = 2W[\mathrm{W}]$이다.

79

보기 ④의 함수는 주어진 조건의 함수로 표현할 수 없다.
① 우함수의 특성을 나타낸 것으로 Y축 대칭을 뜻한다.
② 기함수의 특성을 나타낸 것으로 원점 기준으로 점대칭을 뜻한다.
③ 주어진 식을 전개하면 다음과 같다.

$$\frac{1}{2}[f(t) - f(-t)] = \frac{1}{2}[f_e(t) + f_o(t) - f_e(-t) - f_o(-t)]$$
$$= \frac{1}{2}[f_e(t) - f_e(-t) + f_o(t) - f_o(-t)]$$
$$= \frac{1}{2}[f_e(t) - f_e(t) + f_o(t) - (-f_o(t))]$$
$$= \frac{1}{2} \times 2f_o(t) = f_o(t)$$

80

영상 전압

$$v_0 = \frac{v_a + v_b + v_c}{3} = \frac{40\sin\omega t + 40\sin\left(\omega t - \frac{\pi}{2}\right) + 40\sin\left(\omega t + \frac{\pi}{2}\right)}{3}$$

$\sin$함수는 다음과 같이 변환이 가능하다.
$$\sin(\omega t + \theta) = -\sin(\omega t + \theta + \pi)$$
따라서 영상분 전압은 다음과 같이 표현할 수 있다.

$$v_0 = \frac{40\sin\omega t + 40\sin\left(\omega t - \frac{\pi}{2}\right) + 40\sin\left(\omega t + \frac{\pi}{2}\right)}{3}$$
$$= \frac{40\sin\omega t - 40\sin\left(\omega t + \frac{\pi}{2}\right) + 40\sin\left(\omega t + \frac{\pi}{2}\right)}{3}$$
$$= \frac{40}{3}\sin\omega t\,[\mathrm{V}]$$

[암기 포인트] $\sin(t + \theta) = -\sin(t + \theta + \pi)$

81 **1 2 3**

애자공사에 의한 저압 옥측전선로는 사람이 쉽게 접촉될 우려가 없도록 시설하고, 전선의 지지점 간의 거리는 몇 [m] 이하이어야 하는가?

① 1
② 1.5
③ 2
④ 3

82 **1 2 3**

특고압 가공전선로의 지지물 양측의 경간의 차가 큰 곳에 사용하는 철탑의 종류는?

① 내장형
② 보강형
③ 직선형
④ 인류형

83 **1 2 3**

전력보안통신설비인 무선통신용 안테나 등을 지지하는 철주의 기초 안전율은 얼마 이상이어야 하는가?(단, 무선용 안테나 등이 전선로의 주위상태를 감시할 목적으로 시설되는 것이 아닌 경우이다.)

① 1.3
② 1.5
③ 1.8
④ 2.0

84 **1 2 3**

전기저장장치를 전용건물에 시설하는 경우에 대한 설명이다. 다음 (   )에 들어갈 내용으로 옳은 것은?

> 전기저장장치 시설장소는 주변 시설(도로, 건물, 가연물질 등)로부터 (㉠)[m] 이상 이격하고 다른 건물의 출입구나 피난계단 등 이와 유사한 장소로부터는 (㉡)[m] 이상 이격하여야 한다.

① ㉠ 3 ㉡ 1
② ㉠ 2 ㉡ 1.5
③ ㉠ 1 ㉡ 2
④ ㉠ 1.5 ㉡ 3

정답 및 해설

81

저압 옥측전선로(한국전기설비규정 221.2)
애자공사에 의한 저압 옥측전선로는 다음에 의하고 또한 사람이 쉽게 접촉될 우려가 없도록 시설해야 한다.
• 전선은 공칭단면적 4[mm²] 이상의 연동 절연전선일 것(옥외용 비닐 절연전선 및 인입용 절연전선은 제외)
• 전선의 지지점 간의 거리는 2[m] 이하일 것
• 애자는 절연성·난연성 및 내수성이 있는 것일 것

82

특고압 가공전선로의 철주·철근 콘크리트주 또는 철탑의 종류(한국전기설비규정 333.11)
• 내장형: 전선로의 지지물 양쪽의 경간의 차가 큰 곳에 사용
• 보강형: 전선로의 직선 부분에 그 보강을 위하여 사용
• 인류형: 전가섭선을 인류하는 곳에 사용
• 각도형: 전선로 중 3°를 넘는 수평각도를 이루는 곳에 사용

[암기 포인트] 내장형 철탑
주요 키워드: 양측의 경간 차이, 10기

83

무선용 안테나 등을 지지하는 철탑 등의 시설(한국전기설비규정 364.1)
전력보안통신설비인 무선통신용 안테나 또는 반사판을 지지하는 목주·철주·철근 콘크리트주 또는 철탑은 다음에 따라 시설하여야 한다.
• 목주의 풍압하중에 대한 안전율: 1.5 이상
• 철주·철근 콘크리트주 또는 철탑의 기초 안전율: 1.5 이상

84

전용건물에 시설하는 경우(한국전기설비규정 515.2.1)
전기저장장치를 일반인이 출입하는 건물과 분리된 별도의 장소에 시설하는 경우에는 다음에 따라 시설하여야 한다.
• 바닥, 천장(지붕), 벽면 재료는 불연재료로 할 것. 단, 단열재는 준불연재료 또는 이와 동등 이상의 것을 사용할 수 있다.
• 지표면을 기준으로 높이 22[m] 이내로 하고 해당 장소의 출구가 있는 바닥면을 기준으로 깊이 9[m] 이내로 하여야 한다.
• 주변 시설(도로, 건물, 가연물질 등)로부터 1.5[m] 이상 이격하고 다른 건물의 출입구나 피난계단 등 이와 유사한 장소로부터는 3[m] 이상 이격하여야 한다.

85 1 2 3

지중전선로를 직접 매설식에 의하여 시설할 때, 차량 기타 중량물의 압력을 받을 우려가 있는 장소인 경우 매설 깊이는 몇 [m] 이상으로 시설하여야 하는가?

① 0.6   ② 1.0
③ 1.2   ④ 1.5

86 1 2 3

급전선에 대한 설명으로 틀린 것은?

① 급전선은 비절연보호도체, 매설접지도체, 레일 등으로 구성하여 단권변압기 중성점과 공통접지에 접속한다.
② 가공식은 전차선의 높이 이상으로 전차선로 지지물에 병가하며, 나전선의 접속은 직선접속을 원칙으로 한다.
③ 선상승강장, 인도교, 과선교 또는 교량 하부 등에 설치할 때에는 최소 절연이격거리 이상을 확보하여야 한다.
④ 신설 터널 내 급전선을 가공으로 설계할 경우 지지물의 취부는 C찬넬 또는 매입전을 이용하여 고정하여야 한다.

87 1 2 3

진열장 내의 배선으로 사용전압 400[V] 이하에 사용하는 코드 또는 캡타이어케이블의 최소 단면적은 몇 [mm²]인가?

① 1.25   ② 1.0
③ 0.75   ④ 0.5

88 1 2 3

조상기에 내부 고장이 생긴 경우, 조상기의 뱅크용량이 몇 [kVA] 이상일 때 전로로부터 자동 차단하는 장치를 시설하여야 하는가?

① 5,000   ② 10,000
③ 15,000   ④ 20,000

85
지중전선로의 시설(한국전기설비규정 334.1)
지중전선로를 직접 매설식에 의하여 시설하는 경우에는 매설 깊이를 차량 기타 중량물의 압력을 받을 우려가 있는 장소에는 1.0[m] 이상, 기타 장소에는 0.6[m] 이상으로 하고 또한 지중 전선을 견고한 트라프 기타 방호물에 넣어 시설하여야 한다.

[암기 포인트] 지중전선로의 시설
주요 키워드: 1.0[m], 0.6[m], 직접 매설식, 암거식, 관로식

86
급전선로(한국전기설비규정 431.4)
• 급전선은 나전선을 적용하여 가공식으로 가설을 원칙으로 한다.
• 가공식은 전차선의 높이 이상으로 전차선로 지지물에 병가하며, 나전선의 접속은 직선접속을 원칙으로 한다.
• 선상승강장, 인도교, 과선교 또는 교량 하부 등에 설치할 때에는 최소 절연이격거리 이상을 확보하여야 한다.
• 신설 터널 내 급전선을 가공으로 설계할 경우 지지물의 취부는 C찬넬 또는 매입전을 이용하여 고정하여야 한다.

87
진열장 또는 이와 유사한 것의 내부 배선(한국전기설비규정 234.8)
• 건조한 장소에 시설하고 또한 내부를 건조한 상태로 사용하는 진열장

또는 이와 유사한 것의 내부에 사용전압이 400[V] 이하의 배선을 외부에서 잘 보이는 장소에 한하여 코드 또는 캡타이어케이블로 직접 조영재에 밀착하여 배선할 수 있다.
• 배선은 단면적 0.75[mm²] 이상의 코드 또는 캡타이어 케이블일 것
• 배선 또는 이것에 접속하는 이동전선과 다른 사용전압이 400[V] 이하인 배선과의 접속은 꽂음 플러그 접속기 기타 이와 유사한 기구를 사용하여 시공하여야 한다.

88
조상설비의 보호장치(한국전기설비규정 351.5)
조상설비에는 그 내부에 고장이 생긴 경우에 보호하는 장치를 다음 표와 같이 시설하여야 한다.

설비종별	뱅크용량의 구분	자동적으로 전로로부터 차단하는 장치
전력용 커패시터 및 분로리액터	500[kVA] 초과 15,000[kVA] 미만	• 내부에 고장이 생긴 경우 • 과전류가 생긴 경우
	15,000[kVA] 이상	• 내부에 고장이 생긴 경우 • 과전류가 생긴 경우 • 과전압이 생긴 경우
조상기	15,000[kVA] 이상	내부에 고장이 생긴 경우

[암기 포인트]
조상기 – 15,000[kVA]

89 1 2 3

고장보호에 대한 설명으로 틀린 것은?

① 고장보호는 일반적으로 직접접촉을 방지하는 것이다.
② 고장보호는 인축의 몸을 통해 고장전류가 흐르는 것을 방지하여야 한다.
③ 고장보호는 인축의 몸에 흐르는 고장전류를 위험하지 않는 값 이하로 제한하여야 한다.
④ 고장보호는 인축의 몸에 흐르는 고장전류의 지속시간을 위험하지 않은 시간까지로 제한하여야 한다.

90 1 2 3

네온방전등의 관등회로의 전선을 애자공사에 의해 자기 또는 유리제 등의 애자로 견고하게 지지하여 조영재의 아랫면 또는 옆면에 부착한 경우 전선 상호 간의 이격거리는 몇 [mm] 이상이어야 하는가?

① 30
② 60
③ 80
④ 100

91 1 2 3

중앙급전 전원과 구분되는 것으로서 전력 소비지역 부근에 분산하여 배치 가능한 신·재생에너지 발전설비 등의 전원으로 정의되는 용어는?

① 임시전력원
② 분전반전원
③ 분산형전원
④ 계통연계전원

92 1 2 3

교류 전차선 등 충전부와 식물 사이의 이격거리는 몇 [m] 이상이어야 하는가?(단, 현장여건을 고려한 방호벽 등의 안전조치를 하지 않은 경우이다.)

① 1
② 3
③ 5
④ 10

정답 및 해설

89
감전에 대한 보호(한국전기설비규정 113.2)
고장보호는 일반적으로 기본절연의 고장에 의한 간접접촉을 방지하는 것이다.
• 노출도전부에 인축이 접촉하여 일어날 수 있는 위험으로부터 보호되어야 한다.
• 고장보호는 다음 중 어느 하나에 적합하여야 한다.
  – 인축의 몸을 통해 고장전류가 흐르는 것을 방지
  – 인축의 몸에 흐르는 고장전류를 위험하지 않는 값 이하로 제한
  – 인축의 몸에 흐르는 고장전류의 지속시간을 위험하지 않은 시간까지로 제한

90
네온방전등(관등회로의 배선)(한국전기설비규정 234.12.3)
옥내에 시설하는 관등회로의 배선은 애자공사에 의하여 시설하고 또한 다음에 의할 것
• 전선은 네온관용 전선을 사용할 것
• 배선은 외상을 받을 우려가 없고 사람이 접촉될 우려가 없는 노출장소에 시설할 것
• 전선은 조영재의 옆면 또는 아랫면에 붙일 것. 다만, 전선을 노출된 장소에 시설하는 경우에 공사 여건상 부득이한 때에는 조영재의 윗면에 부착할 수 있다.
• 전선의 지지점 간의 거리는 1[m] 이하로 할 것
• 전선 상호 간의 이격거리는 60[mm] 이상일 것

91
용어 정의(한국전기설비규정 112)
분산형전원이란 중앙급전 전원과 구분되는 것으로서 전력 소비지역 부근에 분산하여 배치 가능한 전원을 말하며, 신·재생에너지 발전설비, 전기저장장치 등을 포함한다.

92
전차선 등과 식물 사이의 이격거리(한국전기설비규정 431.11)
교류 전차선 등 충전부와 식물 사이의 이격거리는 5[m] 이상이어야 한다. 다만, 5[m] 이상 확보하기 곤란한 경우에는 현장여건을 고려하여 방호벽 등 안전조치를 하여야 한다.

93
1 2 3

수소냉각식 발전기에서 사용하는 수소 냉각 장치에 대한 시설
기준으로 틀린 것은?

① 수소를 통하는 관으로 동관을 사용할 수 있다.
② 수소를 통하는 관은 이음매가 있는 강판이어야 한다.
③ 발전기 내부의 수소의 온도를 계측하는 장치를 시설하여
야 한다.
④ 발전기 내부의 수소의 순도가 85[%] 이하로 저하한 경우
에 이를 경보하는 장치를 시설하여야 한다.

94
1 2 3

사용전압이 22.9[kV]인 특고압 가공전선과 그 지지물·완금
류·지주 또는 지선 사이의 이격거리는 몇 [cm] 이상이어야 하
는가?

① 15 　　　　② 20
③ 25 　　　　④ 30

95
1 2 3

플로어덕트공사에 의한 저압 옥내배선 공사 시 시설기준으로
틀린 것은?

① 덕트의 끝부분은 막을 것
② 옥외용 비닐절연전선을 사용할 것
③ 덕트 안에는 전선에 접속점이 없도록 할 것
④ 덕트 및 박스 기타의 부속품은 물이 고이는 부분이 없도
록 시설하여야 한다.

96

1 2 3

사무실 건물의 조명설비에 사용되는 백열전등 또는 방전등에
전기를 공급하는 옥내전로의 대지전압은 몇 [V] 이하인가?

① 250 　　　　② 300
③ 350 　　　　④ 400

93
수소냉각식 발전기 등의 시설(한국전기설비규정 351.10)
• 발전기 또는 조상기는 기밀구조(氣密構造)의 것이고 또한 수소가 대
기압에서 폭발하는 경우에 생기는 압력에 견디는 강도를 가지는 것
일 것
• 발전기축의 밀봉부에는 질소 가스를 봉입할 수 있는 장치 또는 발전
기축의 밀봉부로부터 누설된 수소 가스를 안전하게 외부에 방출할 수
있는 장치를 설치할 것
• 발전기 안 또는 조상기 안의 수소의 순도가 85[%] 이하로 저하한 경
우에 이를 경보하는 장치를 시설할 것
• 발전기 안 또는 조상기 안의 수소의 압력을 계측하는 장치 및 그 압력
이 현저히 변동한 경우에 이를 경보하는 장치를 시설할 것
• 발전기 안 또는 조상기 안의 수소의 온도를 계측하는 장치를 시설
할 것
• 수소를 통하는 관은 동관 또는 이음매가 없는 강판이어야 하며 또한
수소가 대기압에서 폭발하는 경우에 생기는 압력에 견디는 강도의
것일 것

94
특고압 가공전선과 지지물 등의 이격거리(한국전기설비규정 333.5)
특고압 가공전선과 그 지지물·완금류·지주 또는 지선 사이의 이격거
리는 표에서 정한 값 이상이어야 한다. 다만, 기술상 부득이한 경우에
위험의 우려가 없도록 시설한 때에는 표에서 정한 값의 0.8배까지 감
할 수 있다.

사용전압	이격거리[m]
15[kV] 미만	0.15 이상
15[kV] 이상 25[kV] 미만	0.2 이상
25[kV] 이상 35[kV] 미만	0.25 이상
35[kV] 이상 50[kV] 미만	0.3 이상

95
플로어덕트공사(한국전기설비규정 232.32)
• 전선은 절연전선(옥외용 비닐절연전선을 제외한다)일 것
• 전선은 연선일 것. 다만, 단면적 10[mm²](알루미늄선은 단면적 16
[mm²]) 이하인 것은 그러하지 아니하다.
• 플로어덕트 안에는 전선에 접속점이 없도록 할 것. 다만, 전선을 분기
하는 경우에 접속점을 쉽게 점검할 수 있을 때에는 그러하지 아니하다.
• 덕트의 끝부분은 막을 것
• 덕트 및 박스 기타의 부속품은 물이 고이는 부분이 없도록 시설하여야
한다.
• 덕트 상호 간 및 덕트와 박스 및 인출구와는 견고하고 또한 전기적으로
완전하게 접속할 것

96
옥내전로의 대지전압의 제한(한국전기설비규정 231.6)
백열전등(전기스탠드 등 제외) 또는 방전등에 전기를 공급하는 옥내 전
로의 대지전압은 300[V] 이하이어야 한다.

[암기 포인트] 특별한 경우를 제외하고 대지전압은 300[V] 이하

97

고압 가공전선으로 사용한 경동선은 안전율이 얼마 이상인 이도로 시설하여야 하는가?

① 2.0
② 2.2
③ 2.5
④ 3.0

98

저압 가공전선이 안테나와 접근상태로 시설될 때 상호 간의 이격거리는 몇 [cm] 이상이어야 하는가?(단, 전선이 고압 절연전선, 특고압 절연전선 또는 케이블이 아닌 경우이다.)

① 60
② 80
③ 100
④ 120

99

저압 가공전선로의 지지물이 목주인 경우 풍압하중의 몇 배의 하중에 견디는 강도를 가지는 것이어야 하는가?

① 1.2
② 1.5
③ 2
④ 3

100

최대사용전압이 23,000[V]인 중성점 비접지식 전로의 절연내력 시험전압은 몇 [V]인가?

① 16,560
② 21,160
③ 25,300
④ 28,750

97

고압 가공전선의 안전율(한국전기설비규정 332.4)
고압 가공전선은 케이블인 경우 이외에는 안전율이 경동선 또는 내열 동합금선은 2.2 이상, 그 밖의 전선은 2.5 이상이 되는 이도로 시설하여야 한다.

98

고압 가공전선과 안테나의 접근 또는 교차(한국전기설비규정 332.14)
가공전선과 안테나 사이의 이격거리는 다음 표에서 정한 값 이상이어야 한다.

구분		저압	고압
안테나	일반적인 경우	0.6[m]	0.8[m]
	전선이 고압절연전선	0.3[m]	0.8[m]
	전선이 케이블인 경우	0.3[m]	0.4[m]

99

저압 가공전선로의 지지물의 강도(한국전기설비규정 222.8)
저압 가공전선로의 지지물은 목주인 경우에는 풍압하중의 1.2배의 하중, 기타의 경우에는 풍압하중에 견디는 강도를 가지는 것이어야 한다.

100

변압기 전로의 절연내력(한국전기설비규정 135)

권선의 종류	시험전압	시험방법
최대 사용전압 7[kV] 초과 60[kV] 이하의 권선	최대 사용전압의 1.25 배의 전압(최저 시험 전압 10.5[kV])	전로와 대지 사이에 시험전압을 연속하여 10 분간 가한다.
최대 사용전압이 60[kV]를 초과하는 권선으로서 중성점 비접지식 전로에 접속하는 것	최대 사용전압의 1.25 배의 전압	

∴ 전로의 절연내력 시험전압
$$23,000 \times 1.25 = 28,750[V]$$

전기자기학

1회독	월	일
2회독	월	일
3회독	월	일

자동채점

01 ①②③

$\varepsilon_r = 81$, $\mu_r = 1$인 매질의 고유 임피던스는 약 몇 $[\Omega]$인가? (단, ε_r은 비유전율이고, μ_r은 비투자율이다.)

① 13.9
② 21.9
③ 33.9
④ 41.9

02 ①②③

강자성체의 $B-H$ 곡선을 자세히 관찰하면 매끈한 곡선이 아니라 자속 밀도가 어느 순간 급격히 계단적으로 증가 또는 감소하는 것을 알 수 있다. 이러한 현상을 무엇이라 하는가?

① 퀴리점(Curie point)
② 자왜현상(Magneto-striction)
③ 바크하우젠 효과(Barkhausen effect)
④ 자기여자 효과(Magnetic after effect)

03 ①②③

진공 중에 무한 평면도체와 $d[\mathrm{m}]$만큼 떨어진 곳에 선전하밀도 $\lambda[\mathrm{C/m}]$의 무한 직선도체가 평행하게 놓여 있는 경우 직선 도체의 단위 길이당 받는 힘은 몇 $[\mathrm{N/m}]$인가?

① $\dfrac{\lambda^2}{\pi\varepsilon_0 d}$
② $\dfrac{\lambda^2}{2\pi\varepsilon_0 d}$
③ $\dfrac{\lambda^2}{4\pi\varepsilon_0 d}$
④ $\dfrac{\lambda^2}{16\pi\varepsilon_0 d}$

04 ①②③

평행 극판 사이에 유전율이 각각 ε_1, ε_2 인 유전체를 그림과 같이 채우고, 극판 사이에 일정한 전압을 걸었을 때 두 유전체 사이에 작용하는 힘은?(단, $\varepsilon_1 > \varepsilon_2$이다.)

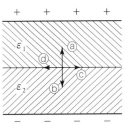

① ⓐ의 방향
② ⓑ의 방향
③ ⓒ의 방향
④ ⓓ의 방향

01

고유 임피던스

$\eta = \dfrac{E}{H} = \sqrt{\dfrac{\mu}{\varepsilon}} = \dfrac{\sqrt{\mu_0 \mu_r}}{\sqrt{\varepsilon_0 \varepsilon_r}} = 377\sqrt{\dfrac{\mu_r}{\varepsilon_r}}$

$= 377 \times \sqrt{\dfrac{1}{81}} = 377 \times \dfrac{1}{9} \fallingdotseq 41.9$

02

• 퀴리점: 강자성체가 강자성 상태에서 상자성 상태로 변하거나 그 반대로 변하는 전이 온도
• 자(기)왜현상: 니켈 등의 강자성체를 자기장 안에 두면 왜곡 등의 일그러짐이 발생하는 현상
• 바크하우젠 효과: 강자성체에 자계를 인가할 경우, 내부 자속이 불연속적으로 변화하는 현상
• 자기여효: 강자성체에 자계 인가 시 자화가 시간적으로 늦게 일어나는 현상

03

선전하밀도가 $\lambda[\mathrm{C/m^2}]$인 경우 대지면에 의한 영상 전하에 의해 전계가 발생한다.

전계 $E = \dfrac{\lambda}{2\pi\varepsilon_0(2d)}[\mathrm{V/m}]$이므로

단위 길이당 도선에 작용하는 힘

$F = QE = -\lambda \times \left(\dfrac{\lambda}{2\pi\varepsilon_0(2d)}\right) = -\dfrac{\lambda^2}{4\pi\varepsilon_0 d}[\mathrm{N/m}]$

여기서, (−) 부호는 흡인력을 의미한다.

04

• 전계가 경계면에 수평 입사할 경우: 압축력 발생

$f = f_1 - f_2 = \dfrac{1}{2}(\varepsilon_1 - \varepsilon_2)E^2[\mathrm{N/m^2}]$

• 전계가 경계면에 수직 입사할 경우: 인장력 발생

$f = f_1 - f_2 = \dfrac{1}{2}\left(\dfrac{1}{\varepsilon_2} - \dfrac{1}{\varepsilon_1}\right)D^2[\mathrm{N/m^2}]$

전계가 경계면에 수직 입사하고 있고 $\varepsilon_1 > \varepsilon_2$이므로 $f > 0$을 만족한다.
따라서 유전율이 큰 유전체가 작은 유전체 쪽으로 끌려 들어가는 힘이 발생하므로 힘의 방향은 ⓑ이다.

05 ☐1 ☐2 ☐3

정전 용량이 $20[\mu F]$인 공기의 평행판 커패시터에 $0.1[C]$의 전하량을 충전하였다. 두 평행판 사이에 비유전율이 10인 유전체를 채웠을 때 유전체 표면에 나타나는 분극 전하량$[C]$은?

① 0.009   ② 0.01

③ 0.09   ④ 0.1

06 ☐1 ☐2 ☐3

유전율이 ε_1과 ε_2인 두 유전체가 경계를 이루어 평행하게 접하고 있는 경우 유전율이 ε_1인 영역에 전하 $Q[C]$가 존재할 때 이 전하와 ε_2인 유전체 사이에 작용하는 힘에 대한 설명으로 옳은 것은?

① $\varepsilon_1 > \varepsilon_2$인 경우 반발력이 작용한다.

② $\varepsilon_1 > \varepsilon_2$인 경우 흡인력이 작용한다.

③ ε_1과 ε_2에 상관없이 반발력이 작용한다.

④ ε_1과 ε_2에 상관없이 흡인력이 작용한다.

07 ☐1 ☐2 ☐3
(빈출)

단면적이 균일한 환상철심에 권수 100회인 A코일과 권수 400회인 B코일이 있을 때 A코일의 자기 인덕턴스가 $4[H]$라면 두 코일의 상호 인덕턴스는 몇 $[H]$인가?(단, 누설자속은 0이다)

① 4   ② 8

③ 12   ④ 16

08 ☐1 ☐2 ☐3

평균 자로의 길이가 $10[cm]$, 평균 단면적이 $2[cm^2]$인 환상 솔레노이드의 자기 인덕턴스를 $5.4[mH]$ 정도로 하고자 한다. 이때 필요한 코일의 권선수는 약 몇 회인가?(단, 철심의 비투자율은 $15,000$이다)

① 6   ② 12

③ 24   ④ 29

정답 및 해설

05

• 분극의 세기

$$P = D\left(1 - \frac{1}{\varepsilon_s}\right)$$

$P = \dfrac{Q_{\text{분극}}[C]}{S[m^2]}, \ D = \dfrac{Q[C]}{S[m^2]}$ 이므로

$$\frac{Q_{\text{분극}}[C]}{S[m^2]} = \frac{Q[C]}{S[m^2]} \times \left(1 - \frac{1}{\varepsilon_s}\right)$$

• 분극 전하량

$$Q_{\text{분극}}[C] = Q\left(1 - \frac{1}{\varepsilon_s}\right) = Q\left(1 - \frac{1}{10}\right) = \frac{9}{10}Q$$

$Q = 0.1[C]$이므로

$$Q_{\text{분극}}[C] = 0.1 \times 0.9 = 0.09[C]$$

06

• 두 유전체가 무한 평면으로 경계를 이루고 있으므로 전기영상법을 이용하여 푼다.
• 비유전율 ε_2 영역의 영상 전하

$$Q' = \frac{\varepsilon_1 - \varepsilon_2}{\varepsilon_1 + \varepsilon_2}Q[C]$$

– $\varepsilon_1 > \varepsilon_2$인 경우 $Q'[C] > 0$

– $\varepsilon_1 < \varepsilon_2$인 경우 $Q'[C] < 0$

• 작용하는 힘

– $\varepsilon_1 > \varepsilon_2$인 경우 영상 전하와 부호가 같으므로 반발력

– $\varepsilon_1 < \varepsilon_2$인 경우 영상 전하와 부호가 다르므로 흡인력

07

환상철심에서 상호 인덕턴스

$$M = \frac{L_A N_B}{N_A} = \frac{4 \times 400}{100} = 16[H]$$

08

• 환상 솔레노이드의 자기 인덕턴스

$$L = \frac{N\phi}{I} = \frac{\mu_0 \mu_s N^2 S}{l}[H]$$

• 코일의 권선수

$$N = \sqrt{\frac{Ll}{\mu_0 \mu_s S}} = \sqrt{\frac{5.4 \times 10^{-3} \times 10 \times 10^{-2}}{4\pi \times 10^{-7} \times 15,000 \times 2 \times 10^{-4}}}$$

≒ 12회

빈출

09 ▮1▮ ▮2▮ ▮3▮

투자율이 $\mu[\mathrm{H/m}]$, 단면적이 $S[\mathrm{m^2}]$, 길이가 $l[\mathrm{m}]$인 자성체에 권선을 N회 감아서 $I[\mathrm{A}]$의 전류를 흘렸을 때 이 자성체의 단면적 $S[\mathrm{m^2}]$를 통과하는 자속$[\mathrm{Wb}]$은?

① $\mu\dfrac{I}{Nl}S$ 　　② $\mu\dfrac{NI}{Sl}$

③ $\dfrac{NI}{\mu S}l$ 　　④ $\mu\dfrac{NI}{l}S$

10 ▮1▮ ▮2▮ ▮3▮

그림은 커패시터의 유전체 내에 흐르는 변위 전류를 보여준다. 커패시터의 전극 면적을 $S[\mathrm{m^2}]$, 전극에 축적된 전하를 $Q[\mathrm{C}]$, 전극의 표면전하 밀도를 $\sigma[\mathrm{C/m^2}]$, 전극 사이의 전속밀도를 $D[\mathrm{C/m^2}]$라 하면 변위 전류 밀도 $i_d[\mathrm{A/m^2}]$는?

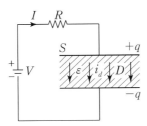

① $\dfrac{\partial D}{\partial t}$ 　　② $\dfrac{\partial q}{\partial t}$

③ $S\dfrac{\partial D}{\partial t}$ 　　④ $\dfrac{1}{S}\dfrac{\partial D}{\partial t}$

11 ▮1▮ ▮2▮ ▮3▮

진공 중에서 점$(1,3)[\mathrm{m}]$의 위치에 $-2\times10^{-9}[\mathrm{C}]$의 점 전하가 있을 때 점$(2,1)[\mathrm{m}]$에 있는 $1[\mathrm{C}]$의 점 전하에 작용하는 힘은 몇 $[\mathrm{N}]$인가?(단, $\hat{x}$, $\hat{y}$ 는 단위벡터이다.)

① $-\dfrac{18}{5\sqrt{5}}\hat{x}+\dfrac{36}{5\sqrt{5}}\hat{y}$

② $-\dfrac{36}{5\sqrt{5}}\hat{x}+\dfrac{18}{5\sqrt{5}}\hat{y}$

③ $-\dfrac{36}{5\sqrt{5}}\hat{x}-\dfrac{18}{5\sqrt{5}}\hat{y}$

④ $\dfrac{18}{5\sqrt{5}}\hat{x}+\dfrac{36}{5\sqrt{5}}\hat{y}$

12 ▮1▮ ▮2▮ ▮3▮

정전용량이 $C_0[\mu\mathrm{F}]$인 평행판의 공기 커패시터가 있다. 두 극판 사이에 극판과 평행하게 절반을 비유전율이 ε_r인 유전체로 채우면 커패시터의 정전용량$[\mu\mathrm{F}]$은?

① $\dfrac{C_0}{2\left(1+\dfrac{1}{\varepsilon_r}\right)}$ 　　② $\dfrac{C_0}{1+\dfrac{1}{\varepsilon_r}}$

③ $\dfrac{2C_0}{1+\dfrac{1}{\varepsilon_r}}$ 　　④ $\dfrac{4C_0}{1+\dfrac{1}{\varepsilon_r}}$

09

- 기자력

$$F=NI=R_m\phi[\mathrm{AT}]$$

- 자성체의 단면적을 통과하는 자속

$$\phi=\dfrac{NI}{R_m}=\dfrac{NI}{\dfrac{l}{\mu S}}=\dfrac{\mu SNI}{l}=\mu\dfrac{NI}{l}S[\mathrm{Wb}]$$

10

변위 전류 밀도

$$i_d=\dfrac{\partial D}{\partial t}=\varepsilon\dfrac{\partial E}{\partial t}[\mathrm{A/m^2}]$$

11

- 두 점 전하 사이의 거리벡터

$$\dot{r}=(2-1)\hat{x}+(1-3)\hat{y}=\hat{x}-2\hat{y}$$

- 벡터의 크기

$$|\dot{r}|=\sqrt{1^2+(-2)^2}=\sqrt{5}$$

- $1[\mathrm{C}]$의 점 전하가 받는 힘

$$\dot{F}=9\times10^9\times\dfrac{Q_1Q_2}{r^2}\times\dfrac{\dot{r}}{|\dot{r}|}$$

$$=9\times10^9\times\dfrac{-2\times10^{-9}\times1}{(\sqrt{5})^2}\times\dfrac{\hat{x}-2\hat{y}}{\sqrt{5}}$$

$$=-\dfrac{18}{5\sqrt{5}}\hat{x}+\dfrac{36}{5\sqrt{5}}\hat{y}[\mathrm{N}]$$

12

- 공기 콘덴서의 정전용량

$$C_0=\dfrac{\varepsilon_0 S}{d}[\mu\mathrm{F}]$$

- 절반을 유전체로 채운 콘덴서 중 공기 부분의 정전용량을 $C_1[\mu\mathrm{F}]$, 유전체 부분의 정전용량을 $C_2[\mu\mathrm{F}]$라 하면

$$-C_1=\dfrac{\varepsilon_0 S}{\dfrac{d}{2}}=2C_0[\mu\mathrm{F}]$$

$$-C_2=\dfrac{\varepsilon_0\varepsilon_r S}{\dfrac{d}{2}}=2\varepsilon_r C_0[\mu\mathrm{F}]$$

- 두 콘덴서는 직렬 연결되어 있으므로 합성 정전용량 $C[\mu\mathrm{F}]$은

$$C=\dfrac{C_1\times C_2}{C_1+C_2}=\dfrac{2C_0\times2\varepsilon_r C_0}{2C_0+2\varepsilon_r C_0}$$

$$=\dfrac{2\varepsilon_r C_0}{1+\varepsilon_r}=\dfrac{2C_0}{1+\dfrac{1}{\varepsilon_r}}[\mu\mathrm{F}]$$

13

그림과 같이 점 O를 중심으로 반지름이 a[m]인 구도체 1과 안쪽 반지름이 b[m]이고 바깥쪽 반지름이 c[m]인 구도체 2가 있다. 이 도체계에서 전위계수 P_{11}[1/F]에 해당하는 것은?

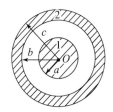

① $\dfrac{1}{4\pi\varepsilon} \cdot \dfrac{1}{a}$

② $\dfrac{1}{4\pi\varepsilon}\left(\dfrac{1}{a} - \dfrac{1}{b}\right)$

③ $\dfrac{1}{4\pi\varepsilon}\left(\dfrac{1}{b} - \dfrac{1}{c}\right)$

④ $\dfrac{1}{4\pi\varepsilon}\left(\dfrac{1}{a} - \dfrac{1}{b} + \dfrac{1}{c}\right)$

14

자계의 세기를 나타내는 단위가 아닌 것은?

① [A/m]

② [N/Wb]

③ $[\text{H}\cdot\text{A/m}^2]$

④ [Wb/H·m]

15

그림과 같이 평행한 무한장 직선의 두 도선에 I[A], $4I$[A]인 전류가 각각 흐른다. 두 도선 사이 점 P에서의 자계의 세기가 0이라면 $\dfrac{a}{b}$는?

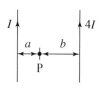

① 2

② 4

③ $\dfrac{1}{2}$

④ $\dfrac{1}{4}$

16

내압 및 정전용량이 각각 $1{,}000[\text{V}]-2[\mu\text{F}]$, $700[\text{V}]-3[\mu\text{F}]$, $600[\text{V}]-4[\mu\text{F}]$, $300[\text{V}]-8[\mu\text{F}]$인 4개의 커패시터가 있다. 이 커패시터들을 직렬로 연결하여 양단에 전압을 인가한 후, 전압을 상승시키면 가장 먼저 절연이 파괴되는 커패시터는?(단, 커패시터의 재질이나 형태는 동일하다.)

① $1{,}000[\text{V}]-2[\mu\text{F}]$

② $700[\text{V}]-3[\mu\text{F}]$

③ $600[\text{V}]-4[\mu\text{F}]$

④ $300[\text{V}]-8[\mu\text{F}]$

정답 및 해설

13

그림과 같은 동심 구 도체의 전위

$$V = \dfrac{Q}{4\pi\varepsilon}\left(\dfrac{1}{a} - \dfrac{1}{b} + \dfrac{1}{c}\right)[\text{V}]$$

여기서, $P_{11} = \dfrac{V_1}{Q_1}$[1/F]이고 $V = V_1$, $Q = Q_1$을 만족하므로 전위계수 P_{11}은 다음과 같다.

$$P_{11} = \dfrac{V_1}{Q_1} = \dfrac{V}{Q} = \dfrac{1}{4\pi\varepsilon}\left(\dfrac{1}{a} - \dfrac{1}{b} + \dfrac{1}{c}\right)[\text{1/F}]$$

14

자계의 세기

• H[A/m](또는 [AT/m])

• $H = \dfrac{F}{m}$[N/Wb]

• $H = \dfrac{NI}{l} = \dfrac{N^2\phi}{Ll}$ ($\because LI = N\phi$)

N이 1인 경우 $H = \dfrac{\phi}{Ll}$[Wb/H·m]

15

• 왼쪽 전류가 P점에서 만드는 자계의 세기

$$H_a = \dfrac{I}{2\pi a}[\text{AT/m}]$$

• 오른쪽 전류가 P점에서 만드는 자계의 세기

$$H_b = \dfrac{4I}{2\pi b}[\text{AT/m}]$$

$H_a = H_b$이므로

$$\dfrac{I}{2\pi a} = \dfrac{4I}{2\pi b} \rightarrow \dfrac{1}{a} = \dfrac{4}{b}$$

$$\therefore \dfrac{a}{b} = \dfrac{1}{4}$$

16

각 콘덴서에 저장되는 최대 전하량을 구하면

$Q_1 = C_1 V_1 = 2\times10^{-6}\times1{,}000 = 2\times10^{-3}[\text{C}]$

$Q_2 = C_2 V_2 = 3\times10^{-6}\times700 = 2.1\times10^{-3}[\text{C}]$

$Q_3 = C_3 V_3 = 4\times10^{-6}\times600 = 2.4\times10^{-3}[\text{C}]$

$Q_4 = C_4 V_4 = 8\times10^{-6}\times300 = 2.4\times10^{-3}[\text{C}]$

콘덴서를 직렬 연결할 경우 충전되는 전하량 Q[C]은 동일하므로 최대 충전 전하량이 가장 작은 $C_1 = 2[\mu\text{F}]$ 콘덴서가 가장 먼저 파괴된다.

17 1 2 3

반지름이 $2[\mathrm{m}]$이고, 권수가 120회인 원형코일 중심에서의 자계의 세기를 $30[\mathrm{AT/m}]$로 하려면 원형코일에 몇 $[\mathrm{A}]$의 전류를 흘려야 하는가?

① 1   ② 2
③ 3   ④ 4

18 1 2 3

내구의 반지름이 $a = 5[\mathrm{cm}]$, 외구의 반지름이 $b = 10[\mathrm{cm}]$이고, 공기로 채워진 동심구형 커패시터의 정전용량은 약 몇 $[\mathrm{pF}]$인가?

① 11.1   ② 22.2
③ 33.3   ④ 44.4

19 1 2 3

자성체의 종류에 대한 설명으로 옳은 것은?(단, χ_m는 자화율이고, μ_r는 비투자율이다.)

① $\chi_m > 0$이면, 역자성체이다.
② $\chi_m < 0$이면, 상자성체이다.
③ $\mu_r > 1$이면, 비자성체이다.
④ $\mu_r < 1$이면, 역자성체이다.

20 1 2 3

구좌표계에서 $\nabla^2 r$의 값은 얼마인가?(단, $r = \sqrt{x^2 + y^2 + z^2}$ 이다.)

① $\dfrac{1}{r}$ ② $\dfrac{2}{r}$
③ r ④ $2r$

17

• 원형코일 중심 자계의 세기
$$H = \frac{NI}{2a}[\mathrm{AT/m}]$$
• 원형코일의 전류
$$I = \frac{2aH}{N} = \frac{2 \times 2 \times 30}{120} = 1[\mathrm{A}]$$

18

동심구 도체 정전용량
$$C = \frac{4\pi\varepsilon_0 ab}{b-a} = \frac{\dfrac{1}{9\times10^9} \times (5\times10^{-2} \times 10\times10^{-2})}{10\times10^{-2} - 5\times10^{-2}}$$
$$= \frac{1}{9\times10^9} \times \frac{50\times10^{-4}}{5\times10^{-2}} \fallingdotseq 11.1\times10^{-12}[\mathrm{F}] = 11.1[\mathrm{pF}]$$

19

자성체의 종류
• $\mu_r \gg 1$: 강자성체, $\chi_m = \mu_r - 1 \gg 0$: 강자성체
• $\mu_r > 1$: 상자성체, $\chi_m = \mu_r - 1 > 0$: 상자성체
• $\mu_r < 1$: 반(역)자성체, $\chi_m = \mu_r - 1 < 0$: 반(역)자성체

20

• 구 좌표계는 r, θ, ϕ의 성분으로 이루어져 있다.
• 구 좌표계 라플라시안
$$\nabla^2 = \frac{1}{r^2}\frac{\partial}{\partial r}\left(r^2\frac{\partial}{\partial r}\right) + \frac{1}{r^2\sin\theta}\frac{\partial}{\partial\theta}\left(\sin\theta\frac{\partial}{\partial\theta}\right) + \frac{1}{r^2\sin^2\theta}\frac{\partial^2}{\partial\phi^2}$$
문제에서는 r성분만 고려하므로 θ, ϕ성분은 무시한다.
$$\nabla^2 r = \frac{1}{r^2}\frac{\partial}{\partial r}\left(r^2\frac{\partial r}{\partial r}\right)$$
$$= \frac{1}{r^2}\frac{\partial r^2}{\partial r} = \frac{1}{r^2} \times 2r = \frac{2}{r}$$

빈출 21 1 2 3

직접 접지방식에 대한 설명으로 틀린 것은?

① 1선 지락 사고 시 건전상의 대지 전압이 거의 상승하지 않는다.

② 계통의 절연수준이 낮아지므로 경제적이다.

③ 변압기의 단절연이 가능하다.

④ 보호계전기가 신속히 동작하므로 과도 안정도가 좋다.

22 1 2 3

전력계통의 안정도에서 안정도의 종류에 해당 하지 않는 것은?

① 정태 안정도

② 상태 안정도

③ 과도 안정도

④ 동태 안정도

23 1 2 3

수차의 캐비테이션 방지책으로 틀린 것은?

① 흡출수두를 증대시킨다.

② 과부하 운전을 가능한 한 피한다.

③ 수차의 비속도를 너무 크게 잡지 않는다.

④ 침식에 강한 금속재료로 러너를 제작한다.

빈출 24 1 2 3

보호계전기의 반한시·정한시 특성은?

① 동작 전류가 커질수록 동작시간이 짧게 되는 특성

② 최소 동작 전류 이상의 전류가 흐르면 즉시 동작하는 특성

③ 동작 전류의 크기에 관계없이 일정한 시간에 동작하는 특성

④ 동작 전류가 커질수록 동작 시간이 짧아지며, 어떤 전류 이상이 되면 동작 전류의 크기에 관계없이 일정한 시간에서 동작하는 특성

25 1 2 3

부하전류가 흐르는 전로는 개폐할 수 없으나 기기의 점검이나 수리를 위하여 회로를 분리하거나, 계통의 접속을 바꾸는 데 사용하는 것은?

① 차단기

② 단로기

③ 전력용 퓨즈

④ 부하 개폐기

정답 및 해설

21

중성점 직접 접지방식
- 1선 지락 사고 시 건전상 대지 전위 상승이 최소이다.
- 이상 전압이 낮아 변압기의 단절연 및 저감 절연이 가능하다.
- 지락 사고 시 지락 전류가 커서 지락 계전기의 동작이 확실하다.
- 차단기 동작이 빈번하여 차단기 수명이 단축되고 안정도가 저하된다.

22

안정도의 종류
- 정태 안정도: 부하 불변 혹은 완만한 부하 변화 시
- 과도 안정도: 부하 급변 혹은 사고 발생 시
- 동태 안정도: AVR, 조속기 고려 시

23

캐비테이션 방지 대책
- 수차의 특유 속도(N_s)를 너무 크게 하지 않을 것
- 흡출관의 높이(흡출수두)를 너무 높게 취하지 않을 것

- 수차 러너를 침식에 강한 스테인레스강, 특수강으로 제작한다.
- 러너의 표면을 매끄럽게 가공한다.
- 수차의 과도한 부분 부하, 과부하 운전을 피한다.

24

반한시성 정한시 계전기
동작 전류가 커질수록 동작 시간이 짧아지며(반한시성) 어떤 전류 이상이 되면 동작 전류의 크기에 관계없이 일정한 시간이 지난 후 동작하는 특성(정한시)

[암기 포인트] 동작 시간 $\propto \dfrac{1}{\text{동작 전류}}$ → '반'비례 관계이므로 '반'한시

25

단로기(DS)
- 소호 장치가 없다.
- 무부하 상태에서 개폐 가능하므로 계통의 점검이나 분리 및 변경에 적용된다.

26 123

밸런서의 설치가 가장 필요한 배전방식은?

① 단상 2선식
② 단상 3선식
③ 3상 3선식
④ 3상 4선식

27 123

직렬 콘덴서를 선로에 삽입할 때의 이점이 아닌 것은?

① 선로의 인덕턴스를 보상한다.
② 수전단의 전압 강하를 줄인다.
③ 정태 안정도를 증가한다.
④ 송전단의 역률을 개선한다.

28 123

배기가스의 여열을 이용해서 보일러에 공급되는 급수를 예열함으로써 연료 소비량을 줄이거나 증발량을 증가시키기 위해서 설치하는 여열회수장치는?

① 과열기
② 공기 예열기
③ 절탄기
④ 재열기

29 123

저압 뱅킹 배전방식에서 캐스케이딩 현상을 방지하기 위하여 인접 변압기를 연락하는 저압선의 중간에 설치하는 것으로 알맞은 것은?

① 구분 퓨즈
② 리클로저
③ 섹셔널라이저
④ 구분개폐기

30 123

전력용 콘덴서에 비해 동기 조상기의 이점으로 옳은 것은?

① 소음이 적다.
② 진상전류 이외에 지상전류를 취할 수 있다.
③ 전력손실이 적다.
④ 유지보수가 쉽다.

26

밸런서는 단상 3선식 배전 선로에서 부하 불평형에 의한 배전 말단의 전압 불평형을 줄이기 위해 설치한다.

[암기 포인트] 밸런서 – 단상 3선식

27

직렬 콘덴서 설치 효과
• 유도성 리액턴스를 보상하여 전압 강하가 감소한다.
• 송전 용량이 증가한다.
• 계통의 안정도가 좋아진다.
부하의 역률을 개선하는 것은 병렬 콘덴서이다.

28

절탄기(Economizer)
보일러 본체와 과열기를 통과한 배기가스의 여열을 이용해서 보일러에 공급되는 급수를 예열함으로써 연료 소비량을 줄이거나 증발량을 증가시키기 위해서 설치하는 장치

[암기 포인트] 절탄기 – 급수 예열

29

캐스케이딩 방지 대책
캐스케이딩 방지를 위해 인접 변압기와 연결되어 있는 저압선의 중간에 구분 퓨즈를 삽입하여 고장구간으로부터 분리한다.

30

전력용 콘덴서와 동기 조상기의 비교

구분	전력용 콘덴서	동기 조상기
시충전	불가능	가능
전력 손실	작다	크다
무효 전력 조정	계단적	연속적
무효 전력	진상	진상, 지상

31 1 2 3

전선의 굵기가 균일하고 부하가 균등하게 분산되어 있는 배전 선로의 전력 손실은 전체 부하가 선로 말단에 집중되어 있는 경우에 비하여 어느 정도가 되는가?

① $\frac{1}{2}$　　　　　　　② $\frac{1}{3}$

③ $\frac{2}{3}$　　　　　　　④ $\frac{3}{4}$

32 1 2 3

피뢰기의 충격 방전 개시 전압은 무엇으로 표시하는가?

① 직류전압의 크기　　　② 충격파의 평균치

③ 충격파의 최대치　　　④ 충격파의 실효치

33 1 2 3

그림과 같이 지지점 A, B, C 에는 고저차가 없으며, 경간 AB 와 BC 사이에 전선이 가설되어 그 이도가 각각 12[cm] 이다. 지지점 B 에서 전선이 떨어져 전선의 이도가 D 로 되었다면 D 의 길이[cm]는?(단, 지지점 B 는 A 와 C 의 중점이며 지지점 B 에서 전선이 떨어지기 전, 후의 길이는 같다.)

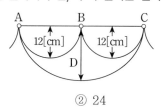

① 17　　　　　　　　② 24

③ 30　　　　　　　　④ 36

34 1 2 3

정전용량 $0.01[\mu F/km]$, 길이 $173.2[km]$, 선간전압 $60[kV]$, 주파수 $60[Hz]$인 3상 송전선로의 충전전류는 약 몇 [A]인가?

① 6.3　　　　　　　② 12.5

③ 22.6　　　　　　④ 37.2

31

말단 부하와 균등 부하에 따른 전압 강하 및 전력 손실비

구분	전압 강하(e)	전력 손실(P_l)
말단 부하	IR	I^2R
균등 부하	$\frac{1}{2}IR$	$\frac{1}{3}I^2R$

따라서 균등 부하의 전력 손실은 말단 부하의 전력 손실의 $\frac{1}{3}$ 이다.

32

피뢰기의 충격 방전 개시 전압은 충격파의 최대값에서 기기의 절연이 위협이 되므로 반드시 최대치로 표시한다.

33

• 떨어지기 전 전선 길이(L)

$$L = \left(S + \frac{8(D')^2}{3S}\right) \times 2 = 2S + 2 \times \frac{8(D')^2}{3S}[m]$$

(단, S: 경간[m], D': 떨어지기 전 이도[m])

• 떨어진 후 전선 길이(L')

$$L' = 2S + \frac{8D^2}{3 \times 2S}[m]$$

전선 길이는 변함이 없으므로 $L = L'$ 이다.

$$2S + 2 \times \frac{8(D')^2}{3S} = 2S + \frac{8D^2}{3 \times 2S}$$

$$D = 2D' = 2 \times 12 = 24[cm]$$

34

충전전류

$$I_c = \frac{E}{X_c} = \omega CE = 2\pi fCE = 2\pi fC\left(\frac{V}{\sqrt{3}}\right)$$

$$= 2\pi \times 60 \times (0.01 \times 10^{-6} \times 173.2) \times \frac{60,000}{\sqrt{3}}$$

$$\approx 22.6[A]$$

[암기 포인트] $I_c = \omega CE[A]$

35

승압기에 의하여 전압 V_e에서 V_h로 승압할 때, 2차 정격전압 e, 자기 용량 W인 단상 승압기가 공급할 수 있는 부하 용량은?

① $\dfrac{V_h}{e} \times W$

② $\dfrac{V_e}{e} \times W$

③ $\dfrac{V_e}{V_h - V_e} \times W$

④ $\dfrac{V_h - V_e}{V_e} \times W$

36

배전선로의 역률 개선에 따른 효과로 적합하지 않은 것은?

① 선로의 전력 손실 경감
② 선로의 전압 강하의 감소
③ 전원 측 설비의 이용률 향상
④ 선로 절연의 비용 절감

37

송전단 전압 $161[\mathrm{kV}]$, 수전단 전압 $154[\mathrm{kV}]$, 상차각 $35°$, 리액턴스 $60[\Omega]$일 때 선로 손실을 무시하면 전송전력$[\mathrm{MW}]$은 약 얼마인가?

① 356 ② 307
③ 237 ④ 161

38

송전선로에 매설 지선을 설치하는 목적은?

① 철탑 기초의 강도를 보강하기 위하여
② 직격뢰로부터 송전선을 차폐보호하기 위하여
③ 현수애자 1련의 전압 분담을 균일화하기 위하여
④ 철탑으로부터 송전 선로로의 역섬락을 방지하기 위하여

35

▲ 단상 승압기 회로

$$\dfrac{\text{자기 용량}}{\text{부하 용량}} = \dfrac{eI}{V_h I} = \dfrac{e}{V_h}$$

$$\therefore \text{부하 용량} = \dfrac{V_h}{e} \times \text{자기 용량} = \dfrac{V_h}{e} \times W$$

36

역률 개선 효과
• 전력 손실 감소   • 설비용량 여유 증대(이용률 향상)
• 전압 강하 감소   • 전기 요금 절감

37

전송전력
$$P = \dfrac{V_s V_r}{X} \sin\delta = \dfrac{161 \times 154}{60} \times \sin 35° = 237.02 \fallingdotseq 237[\mathrm{MW}]$$

38

매설 지선은 철탑 상부에 설치된 가공 지선을 접지할 때 사용한다. 탑각 접지 저항값을 줄여 송전 선로의 역섬락 사고를 방지한다.

[암기 포인트] 매설 지선 – 역섬락 방지(세트 암기)

39 ☐1 ☐2 ☐3

1회선 송전선과 변압기의 조합에서 변압기의 여자 어드미턴스를 무시하였을 경우 송수전단의 관계를 나타내는 4단자 정수 C_0는?(단, $A_0 = A + CZ_{ts}$, $B_0 = B + AZ_{tr} + DZ_{ts} + CZ_{tr}Z_{ts}$, $D_0 = D + CZ_{tr}$, 여기서 Z_{ts}는 송전단 변압기의 임피던스이며, Z_{tr}은 수전단 변압기의 임피던스이다.)

① C

② $C + DZ_{ts}$

③ $C + AZ_{ts}$

④ $CD + CA$

40 ☐1 ☐2 ☐3

단락보호방식에 관한 설명으로 틀린 것은?

① 방사상 선로의 단락보호방식에서 전원이 양단에 있을 경우 방향 단락 계전기와 과전류 계전기를 조합시켜서 사용한다.

② 전원이 1단에만 있는 방사상 송전 선로에서의 고장 전류는 모두 발전소로부터 방사상으로 흘러나간다.

③ 환상 선로의 단락보호방식에서 전원이 두 군데 이상 있는 경우에는 방향 거리 계전기를 사용한다.

④ 환상 선로의 단락보호방식에서 전원이 1단에만 있을 경우 선택 단락 계전기를 사용한다.

41 ☐1 ☐2 ☐3

$380[V]$, $60[Hz]$, 4극, $10[kW]$인 3상 유도 전동기의 전부하 슬립이 $4[\%]$이다. 전원 전압을 $10[\%]$ 낮추는 경우 전부하 슬립은 약 몇 $[\%]$인가?

① 3.3

② 3.6

③ 4.4

④ 4.9

42 ☐1 ☐2 ☐3

3상 권선형 유도 전동기의 기동 시 2차 측 저항을 2배로 하면 최대 토크 값은 어떻게 되는가?

① 3배로 된다.

② 2배로 된다.

③ 1/2로 된다.

④ 변하지 않는다.

정답 및 해설

39

송수전단의 임피던스를 고려하는 경우 4단자 정수는 다음과 같다.

송전 Z_{ts} ── $\boxed{A\ B\ C\ D}$ ── 수전 Z_{tr}

$$\begin{bmatrix} A_0 & B_0 \\ C_0 & D_0 \end{bmatrix} = \begin{bmatrix} 1 & Z_{ts} \\ 0 & 1 \end{bmatrix}\begin{bmatrix} A & B \\ C & D \end{bmatrix}\begin{bmatrix} 1 & Z_{tr} \\ 0 & 1 \end{bmatrix}$$

$$= \begin{bmatrix} A + CZ_{ts} & B + DZ_{ts} \\ C & D \end{bmatrix}\begin{bmatrix} 1 & Z_{tr} \\ 0 & 1 \end{bmatrix}$$

$$= \begin{bmatrix} A + CZ_{ts} & B + AZ_{tr} + DZ_{ts} + CZ_{tr}Z_{ts} \\ C & D + CZ_{tr} \end{bmatrix}$$

따라서 $C_0 = C$이다.

40

단락보호방식

구분	방사상 선로	환상 선로
전원 1단	• 과전류 계전기	• 방향 단락 계전기
전원 양단	• 방향 단락 계전기 • 과전류 계전기	• 방향 거리 계전기

41

유도 전동기의 슬립과 공급 전압의 관계는 $s \propto \dfrac{1}{V^2}$ 이다.

$$\frac{s'}{s} = \left(\frac{V}{V'}\right)^2$$

$$\therefore\ s' = \left(\frac{V}{V'}\right)^2 \times s = \left(\frac{V}{(1-0.1)V}\right)^2 \times 4 = 4.94 \fallingdotseq 4.9[\%]$$

42

3상 유도 전동기의 최대 토크

$$T_m = k\frac{E_2^2}{2X_2}[\text{kg}\cdot\text{m}]$$

최대 토크(T_m)는 2차 저항(r_2) 및 슬립(s)과 관계가 없으므로 일정하다.

[암기 포인트] 최대 토크는 2차 저항에 무관하여 '불변'

43 `1` `2` `3`

일반적인 3상 유도전동기에 대한 설명으로 틀린 것은?

① 불평형 전압으로 운전하는 경우 전류는 증가하나 토크는 감소한다.
② 원선도 작성을 위해서는 무부하시험, 구속시험, 1차 권선 저항 측정을 하여야 한다.
③ 농형은 권선형에 비해 구조가 견고하며 권선형에 비해 대형 전동기로 널리 사용된다.
④ 권선형 회전자의 3선 중 1선이 단선되면 동기속도의 50[%]에서 더 이상 가속되지 못 하는 현상을 게르게스현상이라 한다.

44 `1` `2` `3`

슬립 s_t 에서 최대 토크를 발생하는 3상 유도 전동기에 2차 측한 상의 저항을 r_2 라 하면 최대 토크로 기동하기 위한 2차 측한 상에 외부로부터 가해 주어야 할 저항[Ω]은?

① $\dfrac{1-s_t}{s_t}r_2$ ② $\dfrac{1+s_t}{s_t}r_2$

③ $\dfrac{r_2}{1-s_t}$ ④ $\dfrac{r_2}{s_t}$

45 `1` `2` `3`

직류기의 다중 중권 권선법에서 전기자 병렬 회로수 a 와 극수 p 사이의 관계로 옳은 것은?(단, m 은 다중도이다.)

① $a=2$ ② $a=2m$
③ $a=p$ ④ $a=mp$

46 `1` `2` `3`

단상 직권 정류자 전동기의 전기자 권선과 계자 권선에 대한 설명으로 틀린 것은?

① 계자 권선의 권수를 적게 한다.
② 전기자 권선의 권수를 크게 한다.
③ 변압기 기전력을 적게 하여 역률 저하를 방지한다.
④ 브러시로 단락되는 코일 내의 단락전류를 크게 한다.

43

권선형에 비해 농형은 구조가 견고하지만 토크가 작기 때문에 소형 전동기로 널리 사용된다.

[암기 포인트] 농형 – 소형, 권선형 – 대형

44

- 기동 시 슬립과 2차 저항을 각각 s_s, r_{2s} 라고 하고 저항을 연결하지 않았을 때 슬립과 2차 저항을 각각 s_t, r_2 라고 하면 $\dfrac{r_2}{s_t}=\dfrac{r_{2s}}{s_s}$ 이다.
- 기동 시 $s_s=1$ 에서 전부하 토크를 발생시키는 데 필요한 외부 저항은 다음과 같다.

$$\frac{r_2}{s_t}=\frac{r_2+R_e}{1} \Rightarrow R_e=\frac{r_2}{s_t}-r_2=\frac{1-s_t}{s_t}r_2[\Omega]$$

45

다중도(m)를 고려한 파권과 중권의 비교

구분	파권	중권
병렬 회로수(a)	$2m$	mp
브러시 수(b)	2	p

46

단상 직권 정류자 전동기(만능 전동기)

- 정의: 계자 권선과 전기자 권선이 직렬로 연결되어 있어 직류, 교류 모두에서 사용할 수 있는 전동기이다.

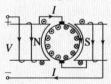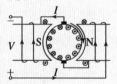

▲ 단상 직권 정류자 전동기

- 구조
  - 계자극에서 발생하는 철손을 줄이기 위해 성층 철심으로 한다.
  - 보상 권선 설치: 역률 개선, 전기자 반작용 억제, 누설 리액턴스 감소
  - 저항 도선 설치: 변압기 기전력에 의한 단락 전류 감소
  - 변압기 기전력
    직권 정류자 전동기의 브러시에 의해 단락 되는 코일 내의 전압
    $e_t=4.44f\phi N[V]$ $(e_t\propto\phi\propto I)$
  - 회전 속도가 고속일수록 역률이 개선된다.(주로 고속도 운전)
  - 브러시로 단락 되는 코일 내의 단락 전류를 많게 하면 정류가 불량하므로 단락 전류를 작게 하는 것이 좋다.
- 용도: 기동 토크와 고속 회전수가 필요한 미싱, 소형 공구, 치과 의료용 기기

47 1 2 3

3상 전원전압 $220[\text{V}]$를 3상 반파 정류회로의 각 상에 SCR을 사용하여 정류제어 할 때 위상각을 $60°$로 하면 순저항부하에서 얻을 수 있는 출력전압 평균값은 약 몇 $[\text{V}]$인가?

① 74.3
② 148.55
③ 257.3
④ 297.1

48 1 2 3

권수비가 a인 단상 변압기 3대가 있다. 이것을 1차에 $\triangle$, 2차에 Y로 결선하여 3상 교류 평형회로에 접속할 때 2차 측의 단자전압을 $V[\text{V}]$, 전류를 $I[\text{A}]$라고 하면 1차 측 단자전압 및 선전류는 얼마인가?(단, 변압기의 저항, 누설리액턴스, 여자전류는 무시한다.)

① $\dfrac{aV}{\sqrt{3}}[\text{V}], \ \dfrac{\sqrt{3}\,I}{a}[\text{A}]$
② $\sqrt{3}\,aV[\text{V}], \ \dfrac{I}{\sqrt{3}\,a}[\text{A}]$
③ $\dfrac{\sqrt{3}\,V}{a}[\text{V}], \ \dfrac{aI}{\sqrt{3}}[\text{A}]$
④ $\dfrac{V}{\sqrt{3}\,a}[\text{V}], \ \sqrt{3}\,aI[\text{A}]$

49 1 2 3

직류 분권전동기에서 정출력 가변속도의 용도에 적합한 속도 제어법은?

① 계자 제어
② 저항 제어
③ 전압 제어
④ 극수 제어

50 1 2 3

전부하 시의 단자전압이 무부하 시의 단자전압보다 높은 직류 발전기는?

① 분권 발전기
② 평복권 발전기
③ 과복권 발전기
④ 차동복권 발전기

정답 및 해설

47

SCR 3상 반파 정류회로의 직류 전압

$E_d = \dfrac{3\sqrt{6}}{2\pi}E\cos\alpha[\text{V}]$(단, E: 상전압$[\text{V}]$, α: 위상각$[°]$)

3상 전원전압 $220[\text{V}]$라고 표현할 경우 선간 전압을 뜻하므로

$E_d = \dfrac{3\sqrt{6}}{2\pi}\dfrac{V_l}{\sqrt{3}}\cos\alpha = 1.17 \times \dfrac{220}{\sqrt{3}} \times \dfrac{1}{2} ≒ 74.3[\text{V}]$

※ 실제 시험에서는 보기 ① 값이 128.65로 주어져 답이 없는 문제로 전항정답 처리가 되었습니다.

48

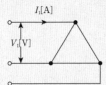 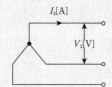

- 1차 측 단자전압
  - 2차 측 상전압 $V_{p2} = \dfrac{V_2}{\sqrt{3}} = \dfrac{V}{\sqrt{3}}[\text{V}] (\because Y결선)$
  - 1차 측 상전압 $V_{p1} = aV_{p2} = \dfrac{aV}{\sqrt{3}}[\text{V}]$
  - 1차 측 단자전압 $V_1 = V_{p1} = \dfrac{aV}{\sqrt{3}}[\text{V}] (\because \triangle결선)$
- 1차 측 선전류
  - 2차 측 상전류 $I_{p2} = I_2 = I[\text{A}]$
  - 1차 측 상전류 $I_{p1} = \dfrac{I_2}{a} = \dfrac{I}{a}[\text{A}]$

- 1차 측 선전류 $I_1 = \sqrt{3}\,I_{P1} = \dfrac{\sqrt{3}\,I}{a}[\text{A}]$

49

직류 전동기 속도 제어

전압 제어	• 정토크 제어 • 효율이 양호 • 워드 레오나드 방식(광범위한 속도 제어 가능) • 일그너 방식(부하가 급변하는 곳, 플라이 휠 효과 이용, 제철용 압연기)
계자 제어	• 정출력 제어 • 세밀하고 안정된 속도 제어 가능 • 속도 제어 범위가 좁음
저항 제어	• 속도 제어 범위가 좁음 • 효율이 저하

50

V_n을 전부하 시 단자전압, V_o을 무부하 시 단자전압이라 하였을 때 발전기별 외부 특성 곡선

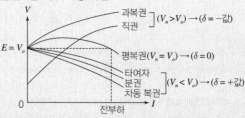

전부하 시의 단자전압이 무부하 시의 단자전압보다 높은 직류발전기는 과복권 발전기와 직권 발전기이다.

51

3상 동기발전기의 여자전류 10[A]에 대한 단자전압이 $1,000\sqrt{3}$[V], 3상 단락 전류가 50[A]인 경우 동기 임피던스는 몇 [Ω]인가?

① 5
② 11
③ 20
④ 34

52

단상 변압기를 병렬 운전할 경우 부하전류의 분담은?

① 용량에 비례하고 누설 임피던스에 비례
② 용량에 비례하고 누설 임피던스에 반비례
③ 용량에 반비례하고 누설 리액턴스에 비례
④ 용량에 반비례하고 누설 리액턴스의 제곱에 비례

53

동기발전기에서 무부하 정격전압일 때의 여자전류를 I_{fo}, 정격 부하 정격전압일 때의 여자전류를 I_{f1}, 3상 단락 정격전류에 대한 여자전류를 I_{fs}라 하면 정격속도에서의 단락비 K는?

① $K = \dfrac{I_{fs}}{I_{fo}}$
② $K = \dfrac{I_{fo}}{I_{fs}}$
③ $K = \dfrac{I_{fs}}{I_{f1}}$
④ $K = \dfrac{I_{f1}}{I_{fs}}$

54

변압기의 습기를 제거하여 절연을 향상시키는 건조법이 아닌 것은?

① 열풍법
② 단락법
③ 진공법
④ 건식법

51

$$I_s = \frac{E}{X_l + X_a} = \frac{E}{X_s}[A]$$

$$\therefore \ X_s = \frac{E}{I_s} = \frac{\frac{V}{\sqrt{3}}}{I_s} = \frac{1,000}{50} = 20[\Omega]$$

(단, X_s: 동기 리액턴스($X_s = X_l + X_a$)[Ω]
   X_l: 누설 리액턴스[Ω]
   X_a: 전기자 반작용 리액턴스[Ω])

52

병렬 운전 시 부하 분담은 용량에 비례하고 %임피던스(%Z)에 반비례한다.

$$\frac{A \ 변압기}{B \ 변압기} = \frac{P_A}{P_B} \times \frac{\%Z_B}{\%Z_A}$$

[암기 포인트] 부하 분담은 용량에 비례, %Z에 반비례

53

단락비 $K = \dfrac{I_s}{I_n} = \dfrac{I_{fo}}{I_{fs}}$

(단, I_s: 단락전류[A], I_n: 정격전류[A]
I_{fo}: 무부하 시 정격전압을 유기하는 데 필요한 계자전류[A]
I_{fs}: 3상 단락 시 정격전류와 같은 단락전류를 흐르게 하는 계자전류[A])

54

변압기 건조법
- 열풍법: 전열기로 변압기에 열풍을 불어 넣어 건조하는 방법
- 단락법: 변압기의 한쪽 권선을 단락 시켜 발생하는 줄열을 이용해 건조하는 방법
- 진공법: 변압기에 증기를 집어넣고 진공 펌프로 증기와 수분을 빼내는 방법

55

직류 분권전동기의 전기자전류가 $10[\text{A}]$일 때 $5[\text{N}\cdot\text{m}]$의 토크가 발생하였다. 이 전동기의 계자가 자속이 $80[\%]$로 감소되고, 전기자전류가 $12[\text{A}]$로 되면 토크는 약 몇 $[\text{N}\cdot\text{m}]$인가?

① 3.9   ② 4.3

③ 4.8   ④ 5.2

56

유도자형 동기발전기의 설명으로 옳은 것은?

① 전기자만 고정되어 있다.

② 계자극만 고정되어 있다.

③ 회전자가 없는 특수 발전기이다.

④ 계자극과 전기자가 고정되어 있다.

57

스텝 모터(Step Motor)의 장점으로 틀린 것은?

① 회전각과 속도는 펄스 수에 비례한다.

② 위치제어를 할 때 각도 오차가 적고 누적된다.

③ 가속, 감속이 용이하며 정·역전 및 변속이 쉽다.

④ 피드백 없이 오픈 루프로 손쉽게 속도 및 위치제어를 할 수 있다.

58

단상 변압기의 무부하 상태에서 $V_1 = 200\sin(\omega t + 30°)[\text{V}]$의 전압이 인가되었을 때 $I_0 = 3\sin(\omega t + 60°) + 0.7\sin(3\omega t + 180°)[\text{A}]$의 전류가 흘렀다. 이때 무부하손은 약 몇 $[\text{W}]$인가?

① 150   ② 259.8

③ 415.2   ④ 512

정답 및 해설

55

토크 $T = k\phi I_a[\text{N}\cdot\text{m}]$에서 $T \propto \phi I_a$ 이다.
전기자전류가 $12[\text{A}]$인 분권전동기의 토크를 T' 이라 하면
$T' = k(\phi' I_a') = k(0.8\phi \times 1.2 I_a)$
$\quad\quad = 0.96 k\phi I_a = 0.96 T = 0.96 \times 5 = 4.8[\text{N}\cdot\text{m}]$

56

유도자형 고주파발전기
- 계자와 전기자를 고정시키고 중앙에 유도자라는 회전자를 설치한 특수 동기발전기이다.
- 주로 고주파 발전에 사용된다.
- 슬립 링이 필요 없다.

57

스텝 모터(Step Motor)
- 회전각과 속도는 펄스 수에 비례하여 동작한다.
- 위치제어를 할 때 각도 오차가 작고 누적되지 않는다.
- 가속, 감속이 용이하며 정·역전 및 변속이 쉽다.
- 피드백 없이 오픈 루프로 손쉽게 속도 및 위치제어를 할 수 있다.
- 브러시가 필요 없어 기계적으로 견고하다.

58

무부하손 $P_0 = V_1 I_0 \cos\theta[\text{W}]$(단, θ: 위상차)
전류는 비정현파로 주어졌으므로 고조파 차수가 일치하는 전압의 실횻값과 전류의 실횻값을 곱한다.
$\therefore P_0 = \dfrac{200}{\sqrt{2}} \times \dfrac{3}{\sqrt{2}} \times \cos(30° - 60°)$
$\quad\quad = 300 \times \dfrac{\sqrt{3}}{2} ≒ 259.8[\text{W}]$

59 1 2 3

극수 20, 주파수 60[Hz]인 3상 동기발전기의 전기자권선이 2층 중권, 전기자 전 슬롯 수 180, 각 슬롯 내의 도체 수 10, 코일피치 7 슬롯인 2중 성형결선으로 되어 있다. 선간전압 3,300[V]를 유도하는 데 필요한 기본파 유효자속은 약 몇 [Wb]인가?(단, 코일피치와 자극피치의 비 $\beta = \dfrac{7}{9}$ 이다.)

① 0.004
② 0.062
③ 0.053
④ 0.07

60 1 2 3

2방향성 3단자 사이리스터는 어느 것인가?

① SCR
② SSS
③ SCS
④ TRIAC

61 1 2 3

다음의 논리식과 등가인 것은?

$$Y = (A+B)(\overline{A}+B)$$

① Y = A
② Y = B
③ Y = $\overline{A}$
④ Y = $\overline{B}$

62 1 2 3

기본 제어요소인 비례요소의 전달함수는?(단, K는 상수이다.)

① $G(s) = K$
② $G(s) = Ks$
③ $G(s) = \dfrac{K}{s}$
④ $G(s) = \dfrac{K}{s+K}$

59

- 3상 동기발전기 유도기전력
  $E = 4.44 f w \phi K_w$ [V]
- w는 한 상의 권선 수이며 다음과 같이 구한다.

$$w = \frac{\text{총 도체 수}}{2 \times m(\text{상수})} = \frac{\text{슬롯수} \times \text{슬롯 도체 수}}{2 \times m(\text{상수})}$$
$$= \frac{180 \times 10}{2 \times 3} = 300$$

조건에서 2중 성형결선이라 주어졌으므로 위에서 구한 300에 2를 나누어주면 한상의 권선 수는 $w = 150$이 된다.

- K_w는 권선 계수이며 다음과 같이 구한다.
  $K_w = K_d$(분포권 계수)$\times K_p$(단절권 계수)

$$K_d = \frac{\sin\dfrac{\pi}{2m}}{q\sin\dfrac{\pi}{2mq}} \left(q = \frac{\text{총 슬롯 수}}{\text{상수} \times \text{극수}} = \frac{180}{3 \times 20} = 3 \right)$$

$$= \frac{\sin\dfrac{\pi}{2 \times 3}}{3 \times \sin\dfrac{\pi}{2 \times 3 \times 3}} = \frac{\sin\dfrac{\pi}{6}}{3\sin\dfrac{\pi}{18}} ≒ 0.9597$$

$$K_p = \sin\frac{\beta\pi}{2} = \sin\frac{\dfrac{7}{9}\pi}{2} ≒ \sin\frac{7\pi}{18} ≒ 0.9396$$

$$∴ K_w = 0.9597 \times 0.9396 ≒ 0.9017$$

- 유효자속

$$\phi = \frac{E}{4.44 f w K_w} = \frac{\dfrac{V_l}{\sqrt{3}}}{4.44 f w K_w}$$
$$= \frac{\dfrac{3,300}{\sqrt{3}}}{4.44 \times 60 \times 150 \times 0.9017} ≒ 0.053[\text{Wb}]$$

60

사이리스터의 종류

구분	2단자	3단자	4단자
단방향	–	SCR, LASCR, GTO	SCS
쌍방향	DIAC, SSS	TRIAC	–

[암기 포인트] 2방향성 3단자: TRIAC

61

$$Y = (A+B) \cdot (\overline{A}+B) = A\overline{A} + AB + \overline{A}B + BB = AB + \overline{A}B + B$$
$$= B(A + \overline{A} + 1) = B$$

[암기 포인트]
- 항등 법칙: $A + 1 = 1$
- 보원 법칙: $A + \overline{A} = 1$

62

- 비례 요소: $G(s) = K$
- 미분 요소: $G(s) = Ks$
- 적분 요소: $G(s) = \dfrac{K}{s}$
- 1차 지연 요소: $G(s) = \dfrac{K}{1+Ts}$

63

$F(z) = \dfrac{(1-e^{-aT})z}{(z-1)(z-e^{-aT})}$ 의 역 z 변환은?

① te^{-at}

② $a^t e^{-at}$

③ $1 + e^{-at}$

④ $1 - e^{-at}$

과난도
64

다음의 상태 방정식으로 표현되는 시스템의 상태 천이 행렬은?

$$\begin{bmatrix} \dfrac{d}{dt}x_1 \\ \dfrac{d}{dt}x_2 \end{bmatrix} = \begin{bmatrix} 0 & 1 \\ -3 & -4 \end{bmatrix} \begin{bmatrix} x_1 \\ x_2 \end{bmatrix}$$

① $\begin{bmatrix} 1.5e^{-t} - 0.5e^{-3t} & -1.5e^{-t} + 1.5e^{-3t} \\ 0.5e^{-t} - 0.5e^{-3t} & -0.5e^{-t} + 1.5e^{-3t} \end{bmatrix}$

② $\begin{bmatrix} 1.5e^{-t} - 0.5e^{-3t} & 0.5e^{-t} - 0.5e^{-3t} \\ -1.5e^{-t} + 1.5e^{-3t} & -0.5e^{-t} + 1.5e^{-3t} \end{bmatrix}$

③ $\begin{bmatrix} 1.5e^{-t} - 0.5e^{-4t} & 0.5e^{-t} - 0.5e^{-4t} \\ -1.5e^{-t} + 1.5e^{-4t} & -0.5e^{-t} + 1.5e^{-4t} \end{bmatrix}$

④ $\begin{bmatrix} 1.5e^{-t} - 0.5e^{-4t} & -1.5e^{-t} + 1.5e^{-4t} \\ 0.5e^{-t} - 0.5e^{-4t} & -0.5e^{-t} + 1.5e^{-4t} \end{bmatrix}$

65

다음 블록 선도의 전달 함수 $\left(\dfrac{C(s)}{R(s)}\right)$는?

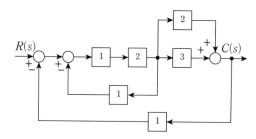

① $\dfrac{10}{9}$

② $\dfrac{10}{13}$

③ $\dfrac{12}{9}$

④ $\dfrac{12}{13}$

63

주어진 식을 부분분수로 전개한다.

$\dfrac{F(z)}{z} = \dfrac{(1-e^{-aT})}{(z-1)(z-e^{aT})} = \dfrac{A}{z-1} + \dfrac{B}{z-e^{-aT}}$

$\qquad = \dfrac{1}{z-1} - \dfrac{1}{z-e^{-aT}}$

(단, $A = \dfrac{1-e^{-aT}}{z-e^{-aT}}\bigg|_{z=1} = 1$, $B = \dfrac{1-e^{-aT}}{z-1}\bigg|_{z=e^{-aT}} = -1$)

위의 식에서 좌변 분모의 z를 원래의 우변 분자에 이항하여 식을 정리한다.

$F(z) = \dfrac{z}{z-1} - \dfrac{z}{z-e^{-aT}}$

따라서 위의 식을 z 역변환하여 시간 함수로 바꾸면 다음과 같다.

$F(z) = \dfrac{z}{z-1} - \dfrac{z}{z-e^{-aT}} \rightarrow f(t) = 1 - e^{-at}$

64

천이 행렬 $\phi(t) = \mathcal{L}^{-1}[(sI-A)^{-1}]$이므로 순서대로 풀이하면 다음과 같다.

• $sI - A = \begin{bmatrix} s & 0 \\ 0 & s \end{bmatrix} - \begin{bmatrix} 0 & 1 \\ -3 & -4 \end{bmatrix} = \begin{bmatrix} s & -1 \\ 3 & s+4 \end{bmatrix}$

$|sI - A| = s(s+4) - (-1) \times 3 = s^2 + 4s + 3 = (s+1)(s+3)$

• $(sI-A)^{-1} = \dfrac{1}{(s+1)(s+3)} \begin{bmatrix} s+4 & 1 \\ -3 & s \end{bmatrix}$

$\qquad = \begin{bmatrix} \dfrac{s+4}{(s+1)(s+3)} & \dfrac{1}{(s+1)(s+3)} \\ \dfrac{-3}{(s+1)(s+3)} & \dfrac{s}{(s+1)(s+3)} \end{bmatrix}$

$\qquad = \begin{bmatrix} \dfrac{1.5}{s+1} - \dfrac{0.5}{s+3} & \dfrac{0.5}{s+1} - \dfrac{0.5}{s+3} \\ \dfrac{-1.5}{s+1} + \dfrac{1.5}{s+3} & \dfrac{-0.5}{s+1} + \dfrac{1.5}{s+3} \end{bmatrix}$

행렬 각각의 s함수를 시간 함수로 역변환하면 다음과 같다.

$\phi(t) = \mathcal{L}^{-1}[(sI-A)^{-1}] = \begin{bmatrix} 1.5e^{-t} - 0.5e^{-3t} & 0.5e^{-t} - 0.5e^{-3t} \\ -1.5e^{-t} + 1.5e^{-3t} & -0.5e^{-t} + 1.5e^{-3t} \end{bmatrix}$

65

주어진 블록 선도의 전달 함수를 메이슨 공식에 적용하여 구하면 다음과 같다.

$\dfrac{C(s)}{R(s)} = \dfrac{\sum 전향\ 이득}{1 - \sum 폐루프\ 이득}$

• 전향 이득

① $1 \times 2 \times 2 = 4$　　　　② $1 \times 2 \times 3 = 6$

• 폐루프 이득

① $1 \times 2 \times (-1) = -2$　　② $1 \times 2 \times 3 \times (-1) = -6$

③ $1 \times 2 \times 2 \times (-1) = -4$

따라서 전달 함수는 다음과 같다.

$\dfrac{C(s)}{R(s)} = \dfrac{4+6}{1-(-2-6-4)} = \dfrac{10}{13}$

66 ▢1 ▢2 ▢3

제어시스템의 전달 함수가 $T(s) = \dfrac{1}{4s^2 + s + 1}$ 과 같이 표현

될 때 이 시스템의 고유주파수(ω_n[rad/s])와 감쇠율(ζ)은?

① $\omega_n = 0.25$, $\zeta = 1.0$ ② $\omega_n = 0.5$, $\zeta = 0.25$

③ $\omega_n = 0.5$, $\zeta = 0.5$ ④ $\omega_n = 1.0$, $\zeta = 0.5$

67 ▢1 ▢2 ▢3

다음의 개루프 전달 함수에 대한 근궤적이 실수축에서 이탈하게 되는 분지점은 약 얼마인가?

$$G(s)H(s) = \frac{K}{s(s+3)(s+8)}, \quad K \geq 0$$

① -0.93 ② -5.74

③ -6.0 ④ -1.33

68 ▢1 ▢2 ▢3

전달 함수가 $G(s) = \dfrac{1}{0.1s(0.01s+1)}$ 과 같은 제어시스템에서

$\omega = 0.1$[rad/s]일 때의 이득[dB]과 위상각[°]은 약 얼마인가?

① 40[dB], $-90°$ ② -40[dB], $90°$

③ 40[dB], $-180°$ ④ -40[dB], $-180°$

66

2차 지연 요소의 전달 함수

$$T(s) = \frac{\omega_n^2}{s^2 + 2\zeta\omega_n s + \omega_n^2} = \frac{1}{4s^2 + s + 1} = \frac{\frac{1}{4}}{s^2 + \frac{1}{4}s + \frac{1}{4}}$$

$\omega_n^2 = \dfrac{1}{4}$ 이므로 고유주파수 $\omega_n = \dfrac{1}{2} = 0.5$[rad/s]이다.

$2\zeta\omega_n = \dfrac{1}{4}$ 이므로 감쇠율 $\zeta = \dfrac{1}{8\omega_n} = \dfrac{1}{4} = 0.25$이다.

67

주어진 식을 이득 상수 K에 대하여 정리한 후 s에 대해 미분한다.

$s(s+3)(s+8) + K = 0 \rightarrow K = -s^3 - 11s^2 - 24s$

$\dfrac{dK}{ds} = -3s^2 - 22s - 24 = 0 \rightarrow 3s^2 + 22s + 24 = (s+6)(3s+4) = 0$

$\therefore s = -\dfrac{4}{3}, -6$

극점 = 0, -3, -8이므로
근궤적의 범위는 $(-3 \sim 0)$, $(-\infty \sim -8)$이다.

따라서 분지점은 $-\dfrac{4}{3} \fallingdotseq -1.33$만 가능하다.

68

• 전달 함수

$$G(j\omega) = \frac{1}{0.1j\omega(0.01j\omega + 1)}\bigg|_{\omega = 0.1} = \frac{1}{j0.01(j0.001 + 1)}$$

$$\fallingdotseq \frac{1}{j0.01 \times 1} = -j100 (\because j0.001 \ll 1)$$

• 전달 함수의 크기

$|G(j\omega)| = |-j100| = 100$

• 이득

$g = 20\log_{10}100 = 20 \times 2 = 40$[dB]

• 위상각

$G(j\omega) \fallingdotseq \dfrac{1}{j0.01}$ 이므로 $\theta = \dfrac{\angle 0°}{\angle 90°} = \angle -90°$

정답   66 ②   67 ④   68 ①   2022년 전기기사 필기 2회   **221**

69 1 2 3

그림의 신호흐름선도를 미분방정식으로 표현한 것으로 옳은 것은?(단, 모든 초기 값은 0이다.)

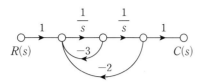

① $\dfrac{d^2c(t)}{dt^2}+3\dfrac{dc(t)}{dt}+2c(t)=r(t)$

② $\dfrac{d^2c(t)}{dt^2}+2\dfrac{dc(t)}{dt}+3c(t)=r(t)$

③ $\dfrac{d^2c(t)}{dt^2}-3\dfrac{dc(t)}{dt}-2c(t)=r(t)$

④ $\dfrac{d^2c(t)}{dt^2}-2\dfrac{dc(t)}{dt}-3c(t)=r(t)$

70 1 2 3

제어시스템의 특성 방정식이 $s^4+s^3-3s^2-s+2=0$와 같을 때, 이 특성 방정식에서 s 평면의 오른쪽에 위치하는 근은 몇 개인가?

① 0   ② 1

③ 2   ④ 3

71 1 2 3

상의 순서가 $a-b-c$인 불평형 3상 교류회로에서 각 상의 전류가 $I_a=7.28\angle15.95°[\text{A}]$, $I_b=12.81\angle-128.66°[\text{A}]$, $I_c=7.21\angle123.69°[\text{A}]$일 때 역상분 전류는 약 몇 [A]인가?

① $8.95\angle-1.14°$ ② $8.95\angle1.14°$

③ $2.51\angle-96.55°$ ④ $2.51\angle96.55°$

정답 및 해설

69

• 전달 함수

$$\frac{C(s)}{R(s)}=\frac{\frac{1}{s}\times\frac{1}{s}}{1-\left(-\frac{3}{s}-\frac{2}{s^2}\right)}=\frac{\frac{1}{s^2}}{1+\frac{3}{s}+\frac{2}{s^2}}=\frac{1}{s^2+3s+2}$$

• 미분방정식

$$C(s)(s^2+3s+2)=R(s)$$
$$s^2C(s)+3sC(s)+2C(s)=R(s)$$
$$\therefore\ \frac{d^2c(t)}{dt^2}+3\frac{dc(t)}{dt}+2c(t)=r(t)$$

70

주어진 특성 방정식을 루드표로 작성하면 다음과 같다.

차수	제1열	제2열	제3열
s^4	1	-3	2
s^3	1	-1	0
s^2	$\dfrac{1\times(-3)-1\times(-1)}{1}=-2$	$\dfrac{1\times2-1\times0}{1}=2$	0
s^1	$\dfrac{(-2)\times(-1)-1\times2}{-2}=0$	$\dfrac{(-2)\times0-1\times0}{-2}=0$	0

s^1 행의 모든 열에서 0이 발생하였으므로 바로 위 s^2 행의 열 값을 s에 대하여 미분하여 s^1 차수의 제1열 값을 다시 계산한다.

$$\frac{d}{ds}(-2s^2+2)=-4s$$

s^1의 계수는 -4이며 이 값을 적용하여 루드표를 작성한다.

차수	제1열	제2열	제3열
s^4	1	-3	2
s^3	1	-1	0
s^2	-2	2	0
s^1	-4	0	0
s^0	2	0	0

루드표의 제1열의 부호 변화가 2번 발생하였으므로 s 평면의 우반면에 근이 2개 존재한다.

[암기 포인트] 루드표의 제1열의 부호 변화는 우반면의 근의 존재를 의미한다.

71

3상 불평형에서 역상분

$$I_2=\frac{1}{3}(I_a+a^2I_b+aI_c)[\text{A}]$$

$$I_2=\frac{1}{3}(7.28\angle15.95°+1\angle240°\times12.81\angle-128.66°$$
$$+1\angle120°\times7.21\angle123.69°)$$
$$=\frac{1}{3}(7.28\angle15.95°+12.81\angle111.34°+7.21\angle243.69°)$$
$$=\frac{1}{3}(7.28(\cos15.95°+j\sin15.95°)$$
$$+12.81(\cos111.34°+j\sin111.34°)$$
$$+7.21(\cos243.69°+j\sin243.69°)$$
$$\fallingdotseq2.51\angle96.55°[\text{A}]$$

72 ① ② ③

그림과 같은 T형 4단자 회로의 임피던스 파라미터 Z_{22}는?

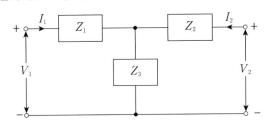

① Z_3

② $Z_1 + Z_2$

③ $Z_1 + Z_3$

④ $Z_2 + Z_3$

73 ① ② ③

$f(t) = \mathcal{L}^{-1}\left[\dfrac{s^2 + 3s + 2}{s^2 + 2s + 5}\right]$는?

① $\delta(t) + e^{-t}(\cos 2t - \sin 2t)$

② $\delta(t) + e^{-t}(\cos 2t + 2\sin 2t)$

③ $\delta(t) + e^{-t}(\cos 2t - 2\sin 2t)$

④ $\delta(t) + e^{-t}(\cos 2t + \sin 2t)$

74 ① ② ③

RL 직렬회로에서 시정수가 $0.03[\text{s}]$, 저항이 $14.7[\Omega]$일 때 이 회로의 인덕턴스[mH]는?

① 441

② 362

③ 17.6

④ 2.53

75 ① ② ③

그림과 같은 부하에 선간 전압이 $V_{ab} = 100\angle 30°[\text{V}]$인 평형 3상 전압을 가했을 때 선전류 $I_a[\text{A}]$는?

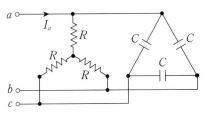

① $\dfrac{100}{\sqrt{3}}\left(\dfrac{1}{R} + j3\omega C\right)$

② $100\left(\dfrac{1}{R} + j\sqrt{3}\,\omega C\right)$

③ $\dfrac{100}{\sqrt{3}}\left(\dfrac{1}{R} + j\omega C\right)$

④ $100\left(\dfrac{1}{R} + j\omega C\right)$

72

T형 4단자 회로 임피던스 파라미터

$$\begin{bmatrix} Z_{11} & Z_{12} \\ Z_{21} & Z_{22} \end{bmatrix} = \begin{bmatrix} Z_1 + Z_3 & Z_3 \\ Z_3 & Z_2 + Z_3 \end{bmatrix}$$

73

$$\frac{s^2 + 3s + 2}{s^2 + 2s + 5} = 1 + \frac{s - 3}{s^2 + 2s + 5} = 1 + \frac{s - 3}{(s+1)^2 + 2^2}$$

$$= 1 + \frac{(s+1)}{(s+1)^2 + 2^2} - 2\frac{2}{(s+1)^2 + 2^2}$$

복소 추이의 정리를 이용하여 위 식을 역라플라스 변환하면 다음과 같다.

$$f(t) = \delta(t) + e^{-t}\cos 2t - 2e^{-t}\sin 2t$$

$$= \delta(t) + e^{-t}(\cos 2t - 2\sin 2t)$$

[암기 포인트] 라플라스 변환 $\cos t \rightarrow \dfrac{s}{s^2 + 1^2}$, $\sin t \rightarrow \dfrac{1}{s^2 + 1^2}$

74

시정수 $\tau = \dfrac{L}{R}$

$\therefore L = \tau R = 0.03 \times 14.7 = 0.441[\text{H}] = 441[\text{mH}]$

[암기 포인트] 시정수란 정상상태의 63[%]까지 도달하는 시간을 의미한다.

75

Y 결선으로 변환한 콘덴서 부하를 C'이라고 하면

리액턴스는 $X_{C'} = \dfrac{1}{3}X_C$ 를 만족한다.

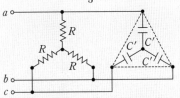

위 회로는 다음과 같이 등가 회로로 나타낼 수 있다.

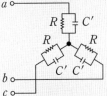

한 상의 어드미턴스 $Y = \dfrac{1}{R} + j\omega C' = \dfrac{1}{R} + j3\omega C$ 이므로 Y 결선의 선전류는 다음과 같다.

$$I_a = \frac{\dfrac{V_l}{\sqrt{3}}}{Z} = \frac{V_l}{\sqrt{3}} \times Y = \frac{100}{\sqrt{3}}\left(\frac{1}{R} + j3\omega C\right)[\text{A}]$$

76 ⬛1 ⬛2 ⬛3

회로에서 $6[\Omega]$에 흐르는 전류[A]는?

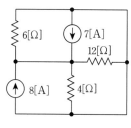

① 2.5
② 5
③ 7.5
④ 10

빈출

77 ⬛1 ⬛2 ⬛3

그림 (a)의 Y 결선 회로를 그림 (b)의 Δ 결선 회로로 등가 변환했을 때 R_{ab}, R_{bc}, R_{ca}는 각각 몇 $[\Omega]$인가?(단, $R_a = 2[\Omega]$, $R_b = 3[\Omega]$, $R_c = 4[\Omega]$)

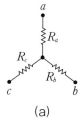
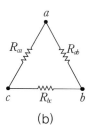

(a)　　　　　　　　(b)

① $R_{ab} = \dfrac{6}{9}$, $R_{bc} = \dfrac{12}{9}$, $R_{ca} = \dfrac{8}{9}$

② $R_{ab} = \dfrac{1}{3}$, $R_{bc} = 1$, $R_{ca} = \dfrac{1}{2}$

③ $R_{ab} = \dfrac{13}{2}$, $R_{bc} = 13$, $R_{ca} = \dfrac{26}{3}$

④ $R_{ab} = \dfrac{11}{3}$, $R_{bc} = 11$, $R_{ca} = \dfrac{11}{2}$

정답 및 해설

76

• 8[A] 전류원만을 고려하였을 때
7[A] 전류원은 개방되므로 다음과 같이 등가 회로를 만들 수 있다.

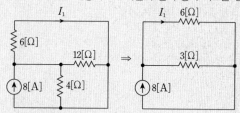

이때 6[Ω]으로 흐르는 전류를 I_1[A]라 하면

$$I_1 = 8 \times \frac{3}{6+3} = \frac{8}{3}[A]$$

• 7[A] 전류원만을 고려하였을 때
8[A] 전류원은 개방되므로 다음과 같이 등가 회로를 만들 수 있다.

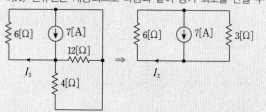

이때 6[Ω]으로 흐르는 전류를 I_2[A]라 하면

$$I_2 = 7 \times \frac{3}{6+3} = \frac{7}{3}[A]$$

• 중첩의 원리를 이용하여 6[Ω]에 흐르는 전류를 구한다.

$$I = I_1 + I_2 = \frac{8}{3} + \frac{7}{3} = 5[A]$$

[암기 포인트] 중첩의 원리 사용 시
전압원: 단락, 전류원: 개방

77

$Y - \Delta$ 변환 공식을 이용한다.

• $R_{ab} = \dfrac{R_a R_b + R_b R_c + R_c R_a}{R_c} = \dfrac{2 \times 3 + 3 \times 4 + 4 \times 2}{4} = \dfrac{13}{2}[\Omega]$

• $R_{bc} = \dfrac{R_a R_b + R_b R_c + R_c R_a}{R_a} = \dfrac{2 \times 3 + 3 \times 4 + 4 \times 2}{2} = 13[\Omega]$

• $R_{ca} = \dfrac{R_a R_b + R_b R_c + R_c R_a}{R_b} = \dfrac{2 \times 3 + 3 \times 4 + 4 \times 2}{3} = \dfrac{26}{3}[\Omega]$

78 1 2 3

분포정수로 표현된 선로의 단위 길이당 저항이 $0.5[\Omega/\mathrm{km}]$, 인덕턴스가 $1[\mu\mathrm{H}/\mathrm{km}]$, 커패시턴스가 $6[\mu\mathrm{F}/\mathrm{km}]$일 때 일그러짐이 없는 조건(무왜형 조건)을 만족하기 위한 단위 길이당 컨덕턴스$[\mho/\mathrm{km}]$는?

① 1   ② 2

③ 3   ④ 4

79 1 2 3

회로에서 $I_1 = 2e^{-j\frac{\pi}{6}}[\mathrm{A}]$, $I_2 = 5e^{j\frac{\pi}{6}}[\mathrm{A}]$, $I_3 = 5.0[\mathrm{A}]$, $Z_3 = 1.0[\Omega]$일 때 부하(Z_1, Z_2, Z_3) 전체에 대한 복소전력은 약 몇 $[\mathrm{VA}]$인가?

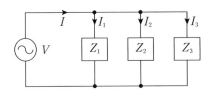

① $55.3 - j7.5$ ② $55.3 + j7.5$

③ $45 - j26$ ④ $45 + j26$

80 1 2 3

다음과 같은 비정현파 교류 전압 $v(t)$와 전류 $i(t)$에 의한 평균전력은 약 몇 $[\mathrm{W}]$인가?

$$v(t) = 200\sin 100\pi t + 80\sin\left(300\pi t - \frac{\pi}{2}\right)[\mathrm{V}]$$

$$i(t) = \frac{1}{5}\sin\left(100\pi t - \frac{\pi}{3}\right) + \frac{1}{10}\sin\left(300\pi t - \frac{\pi}{4}\right)[\mathrm{A}]$$

① 6.414   ② 8.586

③ 12.828   ④ 24.212

78

무왜형 선로 조건은 $RC = LG$ 이므로

$$G = \frac{RC}{L} = \frac{0.5[\Omega/\mathrm{km}] \times 6[\mu\mathrm{F}/\mathrm{km}]}{1[\mu\mathrm{H}/\mathrm{km}]}$$

$$= 3[\mho/\mathrm{km}]$$

※ 실제 시험에서 컨덕턴스의 단위를 $[\mho/\mathrm{km}]$가 아닌 $[\mho/\mathrm{m}]$로 주어져 정답이 없는 문제로 전항정답 처리가 되었습니다.

79

• 그림의 회로는 병렬 임피던스 회로이므로 전압이 걸리는 크기는 같다.

$$V = I_3 Z_3 = 5.0 \times 1.0 = 5[\mathrm{V}]$$

• 오일러 식으로 표현된 I_1, I_2 전류를 각각 페이저로 표현한다.

$$I_1 = 2e^{-j\frac{\pi}{6}} = 2\angle -30° = 2(\cos(-30°) + j\sin(-30°))$$

$$\fallingdotseq 1.73 - j[\mathrm{A}]$$

$$I_2 = 5e^{j\frac{\pi}{6}} = 5\angle 30° = 5(\cos 30° + j\sin 30°) \fallingdotseq 4.33 + j2.5[\mathrm{A}]$$

• 회로 전체에 흐르는 전류

$$I = I_1 + I_2 + I_3 = 1.73 + 4.33 + 5 + j(-1 + 2.5)$$

$$= 11.06 + j1.5[\mathrm{A}]$$

• 전체 복소전력

$$P_a = V\overline{I} = 5 \times (11.06 - j1.5) = 55.3 - j7.5[\mathrm{VA}]$$

※ 일반적으로 복소전력을 구하기 위해서는 전압 또는 전류에 공액을 취하나, 이 문제에서는 전압의 허수부가 없으므로 전류에 공액을 취한다.

80

고조파 성분이 동일한 전압과 전류를 곱하여 전력을 구한다.

• 기본파 전력

$$P_1 = \frac{200}{\sqrt{2}} \times \frac{\frac{1}{5}}{\sqrt{2}} \times \cos\left(0 - \left(-\frac{\pi}{3}\right)\right) = 20 \times \cos\frac{\pi}{3} = 10[\mathrm{W}]$$

• 제3고조파 전력

$$P_3 = \frac{80}{\sqrt{2}} \times \frac{\frac{1}{10}}{\sqrt{2}} \times \cos\left(-\frac{\pi}{2} - \left(-\frac{\pi}{4}\right)\right)$$

$$= 4 \times \cos\left(-\frac{\pi}{4}\right) = 2\sqrt{2} \fallingdotseq 2.828[\mathrm{W}]$$

따라서 평균전력은 다음과 같다.

$$P = P_1 + P_3 = 10 + 2.828 = 12.828[\mathrm{W}]$$

정답 78 ③   79 ①   80 ③   2022년 전기기사 필기 2회 225

빈출
81 1 2 3

최대 사용전압이 $10.5[\text{kV}]$를 초과하는 교류의 회전기 절연내력을 시험하고자 한다. 이때 시험전압은 최대 사용전압의 몇 배의 전압으로 하여야 하는가?(단, 회전 변류기는 제외한다.)

① 1
② 1.1
③ 1.25
④ 1.5

82 1 2 3

강관으로 구성된 철탑의 갑종 풍압하중은 수직 투영면적 $1[\text{m}^2]$에 대한 풍압을 기초로 하여 계산한 값이 몇 $[\text{Pa}]$인가?(단, 단주는 제외한다.)

① 1,255
② 1,412
③ 1,627
④ 2,157

83 1 2 3

가요전선관 및 부속품의 시설에 대한 내용이다. 다음 (   )에 들어갈 내용으로 옳은 것은?

> 1종 금속제 가요전선관에는 단면적 (   )$[\text{mm}^2]$ 이상의 나연동선을 전체 길이에 걸쳐 삽입 또는 첨가하여 그 나연동선과 1종 금속제 가요전선관을 양쪽 끝에서 전기적으로 완전하게 접속할 것. 다만, 관의 길이가 4[m] 이하인 것을 시설하는 경우에는 그러하지 아니하다.

① 0.75
② 1.5
③ 2.5
④ 4

정답 및 해설

81

회전기 및 정류기의 절연내력(한국전기설비규정 133)

종류			시험전압	시험방법
회전기	발전기·전동기·조상기·기타 회전기(회전 변류기를 제외한다)	최대 사용전압 7[kV] 이하	최대 사용전압의 1.5배의 전압(500[V] 미만으로 되는 경우에는 500[V])	권선과 대지 사이에 연속하여 10분간 가한다.
		최대 사용전압 7[kV] 초과	최대 사용전압의 1.25배의 전압(10.5[kV] 미만으로 되는 경우에는 10.5[kV])	
	회전 변류기		직류 측의 최대 사용전압의 1배의 교류전압(500[V] 미만으로 되는 경우에는 500[V])	
정류기	최대 사용전압이 60[kV] 이하		직류 측의 최대 사용전압의 1배의 교류전압(500[V] 미만으로 되는 경우에는 500[V])	충전부분과 외함 간에 연속하여 10분간 가한다.
	최대 사용전압 60[kV] 초과		교류 측의 최대 사용전압의 1.1배의 교류전압 또는 직류 측의 최대 사용전압의 1.1배의 직류전압	교류 측 및 직류고전압 측단자와 대지 사이에 연속하여 10분간 가한다.

7[kV]를 초과하는 회전기의 절연내력은 최대 사용전압의 1.25배의 전압에서 10분간 견디어야 한다.

82

풍압하중의 종별과 적용(한국전기설비규정 331.6)

풍압을 받는 구분			풍압[Pa]
지지물	목주		588
	철주	원형의 것	588
		삼각형 또는 마름모	1,412
		강관에 의하여 구성되는 4각형의 것	1,117
		기타의 것으로 복재가 전후면에 겹치는 경우	1,627
		기타의 것으로 겹치지 않은 경우	1,784
	철근 콘크리트주	원형의 것	588
		기타의 것	882
	철탑	강관으로 구성되는 것(단주는 제외)	1,255
		기타의 것	2,157

83

가요전선관 및 부속품의 시설(한국전기설비규정 232.13.3)
1종 금속제 가요전선관에는 단면적 2.5$[\text{mm}^2]$ 이상의 나연동선을 전체 길이에 걸쳐 삽입 또는 첨가하여 그 나연동선과 1종 금속제가요전선관을 양쪽 끝에서 전기적으로 완전하게 접속할 것. 다만, 관의 길이가 4[m] 이하인 것을 시설하는 경우에는 그러하지 아니하다.

84 □1 □2 □3

전압의 구분에 대한 설명으로 옳은 것은?

① 직류에서의 저압은 1,000[V] 이하의 전압을 말한다.
② 교류에서의 저압은 1,500[V] 이하의 전압을 말한다.
③ 직류에서의 고압은 3,500[V]를 초과하고 7,000[V] 이하인 전압을 말한다.
④ 특고압은 7,000[V]를 초과하는 전압을 말한다.

85 □1 □2 □3

한국전기설비규정에 따른 용어의 정의에서 감전에 대한 보호 등 안전을 위해 제공되는 도체를 말하는 것은?

① 접지도체   ② 보호도체
③ 수평도체   ④ 접지극도체

86 □1 □2 □3

사용전압이 22.9[kV]인 가공전선이 철도를 횡단하는 경우, 전선의 레일면상의 높이는 몇 [m] 이상인가?

① 5   ② 5.5
③ 6   ④ 6.5

87 □1 □2 □3

사용전압이 154[kV]인 전선로를 제1종 특고압 보안공사로 시설할 경우, 여기에 사용되는 경동연선의 단면적은 몇 [mm²] 이상이어야 하는가?

① 100   ② 125
③ 150   ④ 200

84

전압의 구분(한국전기설비규정 111.1)
이 규정에서 적용하는 전압의 구분은 다음과 같다.
• 저압: 교류는 1[kV] 이하, 직류는 1.5[kV] 이하인 것
• 고압: 교류는 1[kV]를, 직류는 1.5[kV]를 초과하고, 7[kV] 이하인 것
• 특고압: 7[kV]를 초과하는 것

[암기 포인트] 한국전기설비규정을 적용하면서 2021년부터 전압의 구분이 변경되었다. 위의 기준으로 반드시 암기!

85

용어 정의(한국전기설비규정 112)
보호도체란 감전에 대한 보호 등 안전을 위해 제공되는 도체를 말한다.

86

특고압 가공전선의 높이(한국전기설비규정 333.7)

사용전압의 구분	지표상의 높이
35[kV] 이하	5[m](철도 또는 궤도를 횡단하는 경우에는 6.5[m], 도로를 횡단하는 경우에는 6[m], 횡단보도교의 위에 시설하는 경우로서 전선이 특고압 절연전선 또는 케이블인 경우에는 4[m]) 이상
35[kV] 초과 160[kV] 이하	6[m](철도 또는 궤도를 횡단하는 경우에는 6.5[m], 산지(山地) 등에서 사람이 쉽게 들어갈 수 없는 장소에 시설하는 경우에는 5[m], 횡단보도교의 위에 시설하는 경우 전선이 케이블인 때에는 5[m]) 이상
160[kV] 초과	6[m](철도 또는 궤도를 횡단하는 경우에는 6.5[m], 산지 등에서 사람이 쉽게 들어갈 수 없는 장소를 시설하는 경우에는 5[m])에 160[kV]를 초과하는 10[kV] 또는 그 단수마다 0.12[m]를 더한 값 이상

[암기 포인트] 철도 횡단: 6.5[m]

87

특고압 보안공사(한국전기설비규정 333.22)
제1종 특고압 보안공사 시 전선의 단면적은 다음 표에서 정한 값 이상이어야 한다.(단, 케이블인 경우는 제외한다.)

사용전압	전선
100[kV] 미만	인장강도 21.67[kN] 이상의 연선 또는 단면적 55[mm²] 이상의 경동연선 또는 동등 이상의 인장강도를 갖는 알루미늄 전선이나 절연전선
100[kV] 이상 300[kV] 미만	인장강도 58.84[kN] 이상의 연선 또는 단면적 150[mm²] 이상의 경동연선 또는 동등 이상의 인장강도를 갖는 알루미늄 전선이나 절연전선
300[kV] 이상	인장강도 77.47[kN] 이상의 연선 또는 단면적 200[mm²] 이상의 경동연선 또는 동등 이상의 인장강도를 갖는 알루미늄 전선이나 절연전선

[암기 포인트] 제1종 특고압 보안공사
주요 키워드: 55[mm²], 150[mm²], 200[mm²], 목주, A종

정답 84 ④   85 ②   86 ④   87 ③

88 1 2 3

전력보안통신설비의 조가선은 단면적 몇 $[mm^2]$ 이상의 아연
도강연선을 사용하여야 하는가?

① 16   ② 38
③ 50   ④ 55

89 1 2 3

통신상의 유도 장해방지 시설에 대한 설명이다. 다음 (   )에
들어갈 내용으로 옳은 것은?

교류식 전기철도용 전차선로는 기설가공약전류 전선로에 대
하여 (   )에 의한 통신상의 장해가 생기지 않도록 시설하
여야 한다.

① 정전작용   ② 유도작용
③ 가열작용   ④ 산화작용

90 1 2 3

풍력터빈의 피뢰설비 시설기준에 대한 설명으로 틀린 것은?

① 풍력터빈에 설치한 피뢰설비(리셉터, 인하도선 등)의 기
  능저하로 인해 다른 기능에 영향을 미치지 않을 것
② 풍력터빈의 내부의 계측 센서용 케이블은 금속관 또는 차폐
  케이블 등을 사용하여 뇌유도과전압으로부터 보호할 것
③ 풍력터빈에 설치하는 인하도선은 쉽게 부식되지 않는 금
  속선으로서 뇌격전류를 안전하게 흘릴 수 있는 충분한 굵
  기여야 하며, 가능한 직선으로 시설할 것
④ 수뢰부를 풍력터빈 중앙부분에 배치하되 뇌격전류에 의
  한 발열에 용손(溶損)되지 않도록 재질, 크기, 두께 및 형
  상 등을 고려할 것

91 1 2 3

주택의 전기저장장치의 축전지에 접속하는 부하 측 옥내배선
을 사람이 접촉할 우려가 없도록 케이블배선에 의하여 시설하
고 전선에 적당한 방호장치를 시설한 경우 주택의 옥내전로의
대지전압은 직류 몇 $[V]$까지 적용할 수 있는가?(단, 전로에 지
락이 생겼을 때 자동적으로 전로를 차단하는 장치를 시설한 경
우이다.)

① 150   ② 300
③ 400   ④ 600

정답 및 해설

88

조가선 시설기준(한국전기설비규정 362.3)
조가선은 단면적 38$[mm^2]$ 이상의 아연도강연선을 사용하여야 한다.

89

통신상의 유도 장해방지 시설(한국전기설비규정 461.7)
교류식 전기철도용 전차선로는 기설가공약전류 전선로에 대하여 유도
작용에 의한 통신상의 장해가 생기지 않도록 시설하여야 한다.

[암기 포인트] 통신선 – 유도작용(세트 암기)

90

풍력터빈의 피뢰설비(한국전기설비규정 532.3.5)
풍력터빈의 피뢰설비는 다음에 따라 시설하여야 한다.
• 수뢰부를 풍력터빈 선단부분 및 가장자리에 배치하되 뇌격전류에 의
  한 발열에 용손(溶損)되지 않도록 재질, 크기, 두께 및 형상 등을 고려
  할 것

• 풍력터빈에 설치하는 인하도선은 쉽게 부식되지 않는 금속선으로서
  뇌격전류를 안전하게 흘릴 수 있는 충분한 굵기여야 하며, 가능한 직
  선으로 시설할 것
• 풍력터빈의 내부의 계측 센서용 케이블은 금속관 또는 차폐 케이블
  등을 사용하여 뇌유도과전압으로부터 보호할 것
• 풍력터빈에 설치한 피뢰설비(리셉터, 인하도선 등)의 기능저하로 인
  해 다른 기능에 영향을 미치지 않을 것

91

옥내전로의 대지전압 제한(한국전기설비규정 511.3)
주택의 전기저장장치의 축전지에 접속하는 부하 측 옥내배선을 다음에
따라 시설하는 경우에 주택의 옥내전로의 대지전압은 직류 600$[V]$까
지 적용할 수 있다.
• 전로에 지락이 생겼을 때 자동적으로 전로를 차단하는 장치를 시설할 것
• 사람이 접촉할 우려가 없는 은폐된 장소에서 합성수지관배선, 금속관
  배선 및 케이블배선에 의하여 시설하거나, 사람이 접촉할 우려가 없
  도록 케이블배선에 의하여 시설하고 전선에 적당한 방호장치를 시설
  할 것

92

과전류차단기로 전압전로에 사용하는 범용의 퓨즈(「전기용품 및 생활용품 안전관리법」에서 규정하는 것을 제외한다.)의 정격전류가 16[A]인 경우 용단전류는 정격전류의 몇 배인가? (단, 퓨즈(gG)인 경우이다.)

① 1.25　　　　　　② 1.5
③ 1.6　　　　　　④ 1.9

93

특고압용 변압기의 내부에 고장이 생겼을 경우에 자동차단장치 또는 경보장치를 하여야 하는 최소 뱅크용량은 몇 [kVA]인가?

① 1,000　　　　　　② 3,000
③ 5,000　　　　　　④ 10,000

94

고압 가공전선로의 가공지선으로 나경동선을 사용할 때의 최소 굵기는 지름 몇 [mm] 이상인가?

① 3.2　　　　　　② 3.5
③ 4.0　　　　　　④ 5.0

92

보호장치의 특성(한국전기설비규정 212.3.4)
gG, gM 퓨즈의 용단특성

정격전류의 구분	시간	정격전류의 배수		적용
		불용단 전류	용단 전류	
4[A] 이하	60분	1.5배	2.1배	gG
4[A] 초과 16[A] 미만	60분	1.5배	1.9배	gG
16[A] 이상 63[A] 이하	60분	1.25배	1.6배	gG, gM
63[A] 초과 160[A] 이하	120분	1.25배	1.6배	gG, gM
160[A] 초과 400[A] 이하	180분	1.25배	1.6배	gG, gM
400[A] 초과	240분	1.25배	1.6배	gG, gM

93

특고압용 변압기의 보호장치(한국전기설비규정 351.4)

뱅크용량의 구분	동작조건	장치의 종류
5,000[kVA] 이상 10,000[kVA] 미만	변압기 내부 고장	자동차단장치 또는 경보장치
10,000[kVA] 이상	변압기 내부 고장	자동차단장치
타냉식 변압기	냉각장치에 고장이 생긴 경우 또는 변압기의 온도가 현저히 상승한 경우	경보장치

94

고압 가공전선로의 가공지선(한국전기설비규정 332.6)
고압 가공전선로에 사용하는 가공지선은 인장강도 5.26[kN] 이상의 것 또는 지름 4[mm] 이상의 나경동선을 사용하여야 한다.

95

합성수지관 및 부속품의 시설에 대한 설명으로 틀린 것은?

① 관의 지지점 간의 거리는 1.5[m] 이하로 할 것
② 합성수지제 가요전선관 상호 간은 직접 접속할 것
③ 접착제를 사용하여 관 상호 간을 삽입하는 깊이는 관의 바깥지름의 0.8배 이상으로 할 것
④ 접착제를 사용하지 않고 관 상호 간을 삽입하는 깊이는 관의 바깥지름의 1.2배 이상으로 할 것

96

지중전선로는 기설 지중약전류전선로에 대하여 통신상의 장해를 주지 않도록 기설 약전류전선로로부터 충분히 이격시키거나 기타 적당한 방법으로 시설하여야 한다. 이때 통신상의 장해가 발생하는 원인으로 옳은 것은?

① 충전전류 또는 표피작용
② 충전전류 또는 유도작용
③ 누설전류 또는 표피작용
④ 누설전류 또는 유도작용

97

샤워시설이 있는 욕실 등 인체가 물에 젖어있는 상태에서 전기를 사용하는 장소에 콘센트를 시설할 경우 인체감전보호용 누전차단기의 정격감도전류는 몇 [mA] 이하인가?

① 5   ② 10
③ 15   ④ 30

95

합성수지관 및 부속품의 시설(한국전기설비규정 232.11.3)
• 관 상호 간 및 박스와는 관을 삽입하는 길이를 관의 바깥지름의 1.2배 (접착제를 사용하는 경우에는 0.8배) 이상으로 하고 또한 꽂음 접속에 의하여 견고하게 접속할 것
• 관의 지지점 간의 거리는 1.5[m] 이하로 하고, 또한 그 지지점은 관의 끝·관과 박스의 접속점 및 관 상호 간의 접속점 등에 가까운 곳에 시설할 것

96

지중약전류전선의 유도장해 방지(한국전기설비규정 334.5)
지중전선로는 기설 지중약전류전선로에 대하여 누설전류 또는 유도작용에 의하여 통신상의 장해를 주지 아니하도록 기설 약전류전선로로부터 충분히 이격시키거나 기타 적당한 방법으로 시설하여야 한다.

97

콘센트의 시설(한국전기설비규정 234.5)
욕조나 샤워 시설이 있는 욕실 또는 화장실 등 인체가 물에 젖어있는 상태에서 전기를 사용하는 장소에 콘센트를 시설하는 경우에는 다음에 따라 시설하여야 한다.
• 「전기용품 및 생활용품 안전관리법」의 적용을 받는 인체감전보호용 누전차단기(정격감도전류 15[mA] 이하, 동작시간 0.03초 이하의 전류동작형의 것에 한한다) 또는 절연변압기(정격용량 3[kVA] 이하인 것에 한한다)로 보호된 전로에 접속하거나, 인체감전보호용 누전차단기가 부착된 콘센트를 시설하여야 한다.
• 콘센트는 접지극이 있는 방적형 콘센트를 사용하여 접지하여야 한다.

[암기 포인트] 인체감전보호용 누전차단기
주요 키워드: 15[mA], 0.03초

98 1 2 3

가공전선로의 지지물에 시설하는 통신선 또는 이에 직접 접속하는 가공 통신선이 궤도를 횡단하는 경우 그 높이는 레일면상 몇 [m] 이상으로 하여야 하는가?

① 3
② 3.5
③ 5
④ 6.5

99 1 2 3

사용전압이 400[V] 이하인 저압 옥측전선로를 애자공사에 의해 시설하는 경우 전선 상호 간의 간격은 몇 [m] 이상이어야 하는가?(단, 비나 이슬에 젖지 않는 장소에 사람이 쉽게 접촉될 우려가 없도록 시설한 경우이다.)

① 0.025
② 0.045
③ 0.06
④ 0.12

100 1 2 3

폭연성 분진 또는 화약류의 분말에 전기설비가 발화원이 되어 폭발할 우려가 있는 곳에 시설하는 저압 옥내배선의 공사방법으로 옳은 것은?(단, 사용전압이 400[V] 초과인 방전등을 제외한 경우이다.)

① 금속관공사
② 애자사용공사
③ 합성수지관공사
④ 캡타이어케이블공사

98

전력보안통신선의 시설 높이와 이격거리(한국전기설비규정 362.2)
전력보안 가공통신선의 높이는 다음을 따른다.
• 도로 위에 시설하는 경우에는 지표상 5[m] 이상. 다만, 교통에 지장을 줄 우려가 없는 경우에는 4.5[m]까지 감할 수 있다.
• 철도 또는 궤도를 횡단하는 경우에는 레일면상 6.5[m] 이상
• 횡단보도교 위에 시설하는 경우에는 그 노면상 3[m] 이상
• 이 외의 경우에는 지표상 3.5[m] 이상

[암기 포인트] 철도 또는 궤도를 횡단하는 경우 특별한 경우를 제외하고는 6.5[m] 이상

99

저압 옥측전선로(한국전기설비규정 221.2)
저압 옥측전선로를 애자공사에 의해 시설하는 경우 전선 상호 간의 간격은 다음 표의 값 이상일 것

시설장소	전선 상호 간의 간격	
	사용전압이 400[V] 이하인 경우	사용전압이 400[V] 초과인 경우
비나 이슬에 젖지 않는 장소	0.06[m]	0.06[m]
비나 이슬에 젖는 장소	0.06[m]	0.12[m]

100

폭연성 분진 위험장소(한국전기설비규정 242.2.1)
폭연성 분진 또는 화약류의 분말이 존재하는 곳에는 금속관공사 또는 케이블공사(캡타이어케이블을 사용하는 것은 제외)를 적용한다.

전기자기학

1회독	월 일	
2회독	월 일	
3회독	월 일	자동채점

01 ① ② ③

진공 내 전위함수가 $V = x^2 + y^2$ [V]로 주어졌을 때 $0 \le x \le 1$, $0 \le y \le 1$, $0 \le z \le 1$인 공간에 저장되는 정전에너지는?

① $\frac{4}{3}\varepsilon_0$

② $4\varepsilon_0$

③ $\frac{2}{3}\varepsilon_0$

④ $2\varepsilon_0$

02 ① ② ③

진공 중의 도체계에서 유도계수와 용량계수의 성질 중 옳지 않은 것은?

① 용량계수는 항상 0보다 크다.

② $q_{11} > 0$

③ $q_{rs} = q_{sr}$ 이다.

④ 유도계수와 용량계수는 항상 0보다 크다.

03 ① ② ③

그림과 같은 직각 코일이 $\dot{B} = 0.05 \dfrac{a_x + a_y}{\sqrt{2}}$ [T]인 자계에 위치하고 있다. 코일에 5[A] 전류가 흐를 때 Z축에서의 토크[N·m]는?

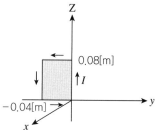

① $2.66 \times 10^{-4} a_x$ [N·m]

② $5.66 \times 10^{-4} a_x$ [N·m]

③ $2.66 \times 10^{-4} a_z$ [N·m]

④ $5.66 \times 10^{-4} a_z$ [N·m]

정답 및 해설

01

- 전위함수로부터의 전계식

$$\dot{E} = -grad V$$
$$= -\left\{ \frac{\partial(x^2+y^2)}{\partial x}a_x + \frac{\partial(x^2+y^2)}{\partial y}a_y + \frac{\partial(x^2+y^2)}{\partial z}a_z \right\}$$
$$= -2x\,a_x - 2y\,a_y \text{[V/m]}$$

- E^2은 전계 벡터의 내적으로부터 구할 수 있다.

$$E^2 = \dot{E} \cdot \dot{E} = (-2x\,a_x - 2y\,a_y) \cdot (-2x\,a_x - 2y\,a_y)$$
$$= 4x^2 + 4y^2$$

- 전계에 저장되는 에너지

$$W = \int\int\int \frac{1}{2}\varepsilon_0 E^2\,dv \text{[J]}$$
$$= \frac{1}{2}\varepsilon_0 \int_0^1 \int_0^1 \int_0^1 (4x^2 + 4y^2)dxdydz$$
$$= \frac{1}{2}\varepsilon_0 \int_0^1 \int_0^1 \left(\frac{4}{3} + 4y^2\right)dydz$$
$$= \frac{1}{2}\varepsilon_0 \int_0^1 \left(\frac{4}{3} + \frac{4}{3}\right)dz = \frac{1}{2}\varepsilon_0 \times \frac{8}{3} = \frac{4}{3}\varepsilon_0 \text{[J]}$$

02

- 용량 계수 $q_{ii}(q_{11}, q_{22}, q_{33} \cdots) > 0$
(자신의 전위를 $+1$[V]로 하여야 하므로 항상 양의 값을 가진다.)

- 유도 계수 $q_{ij}(q_{12}, q_{21}, q_{13} \cdots) \le 0$
(유도전하는 항상 음의 전하만 나타나고 무한 거리에 떨어져 있을 경우 유도 계수는 0이다.)
일반적으로 유도 계수는 0보다 작거나 같다.

03

전류가 흐를 때 발생하는 토크

$$\dot{T} = I(\dot{S} \times \dot{B})$$

전류 $I = 5$[A]이고, $\dot{S} = (0.04 \times 0.08)a_x$ 이므로

$$\dot{T} = 5\left\{ (0.04 \times 0.08)a_x \times \frac{0.05}{\sqrt{2}}(a_x + a_y) \right\}$$
$$= 5 \times 32 \times 10^{-4} \times \frac{0.05}{\sqrt{2}}a_z = 5.66 \times 10^{-4}a_z \text{[N·m]}$$

04 [1][2][3]

유전율 ε, 투자율 μ인 매질 내에서 전자파의 전파속도는?

① $\sqrt{\dfrac{\mu}{\varepsilon}}$

② $\sqrt{\mu\varepsilon}$

③ $\sqrt{\dfrac{\varepsilon}{\mu}}$

④ $\dfrac{1}{\sqrt{\mu\varepsilon}}$

빈출
05 [1][2][3]

접지된 구도체와 점전하간에 작용하는 힘은?

① 항상 흡인력이다.

② 항상 반발력이다.

③ 조건적 흡인력이다.

④ 조건적 반발력이다.

06 [1][2][3]

전계 $E[\mathrm{V/m}]$, 자계 $H[\mathrm{AT/m}]$의 전자계가 평면파를 이루고 자유공간으로 전파될 때 진행방향에 수직되는 단위면적을 단위시간에 통과하는 에너지는 몇 $[\mathrm{W/m^2}]$인가?

① EH^2

② EH

③ $\dfrac{1}{2}EH^2$

④ $\dfrac{1}{2}EH$

07 [1][2][3]

반지름 $a[\mathrm{m}]$, 단위 길이당 권수 N, 전류 $I[\mathrm{A}]$인 무한 솔레노이드 내부 자계의 세기$[\mathrm{A/m}]$는?

① NI

② $\dfrac{NI}{2\pi a}$

③ $\dfrac{2\pi NI}{a}$

④ $\dfrac{aNI}{2\pi}$

과난도
08 [1][2][3]

내압이 $1[\mathrm{kV}]$이고 용량이 각각 $0.01[\mu\mathrm{F}]$, $0.02[\mu\mathrm{F}]$, $0.04[\mu\mathrm{F}]$인 콘덴서를 직렬로 연결했을 때 전체 콘덴서의 내압은 몇 $[\mathrm{V}]$인가?

① $1{,}750$

② $2{,}000$

③ $3{,}500$

④ $4{,}000$

04

전자파의 전파 속도

$$v = \frac{1}{\sqrt{\mu\varepsilon}} = \frac{1}{\sqrt{\mu_0\mu_s\,\varepsilon_0\,\varepsilon_s}} = \frac{c}{\sqrt{\mu_s\,\varepsilon_s}}\,[\mathrm{m/s}]$$

05

접지 도체구와 점전하 간의 전기 영상법

• 영상 전하의 크기

$$Q' = -\frac{a}{r}\,Q\,[\mathrm{C}]$$

• 전기 영상법에서 영상 전하는 항상 실제 전하와는 극성이 반대인 전하가 생성되므로 이에 의해 발생하는 작용력은 항상 흡인력이 작용한다.

06

• 전기회로의 전력

$$P = VI\,[\mathrm{W}]$$

• 전자파의 전력밀도(포인팅 벡터)

$$\dot{P} = \dot{E} \times \dot{H}\,[\mathrm{W/m^2}]$$

$$P = |\dot{E} \times \dot{H}| = EH\sin\theta = EH\sin90° = EH\,[\mathrm{W/m^2}]$$

07

무한장 솔레노이드

• 철심 내부의 자계 세기

$H = NI\,[\mathrm{AT/m}]$(단, N: 단위 길이당 권수[회/m])

• 철심 외부의 자계 세기

$H = 0\,[\mathrm{AT/m}]$(즉, 솔레노이드는 누설 자속이 없다.)

08

콘덴서를 직렬 연결할 경우 충전되는 전하량 $Q[\mathrm{C}]$는 동일하고 각 콘덴서에 걸리는 전압은 $V = \dfrac{Q}{C}\,[\mathrm{V}]$이므로 정전 용량 $C[\mathrm{F}]$에 반비례한다.

콘덴서에 걸리는 전압을 $V_1[\mathrm{V}]$, $V_2[\mathrm{V}]$, $V_3[\mathrm{V}]$라 하면

$$V_1 : V_2 : V_3 = \frac{1}{0.01} : \frac{1}{0.02} : \frac{1}{0.04} = 4 : 2 : 1$$

콘덴서의 최대 내압이 $1[\mathrm{kV}]$이므로

전체 내압 $V_1 + V_2 + V_3 = V_1 + \dfrac{1}{2}V_1 + \dfrac{1}{4}V_1 = \dfrac{7}{4}V_1 = 1{,}750[\mathrm{V}]$

09

분극 중 온도의 영향을 받는 분극은?

① 전자분극(electronic polarization)
② 이온분극(ionic polarization)
③ 배향분극(orientational polarization)
④ 전자분극과 이온분극

10

무손실 전송회로의 특성 임피던스를 나타낸 것은?

① $Z_0 = \sqrt{\dfrac{C}{L}}$ ② $Z_0 = \sqrt{\dfrac{L}{C}}$

③ $Z_0 = \dfrac{1}{\sqrt{LC}}$ ④ $Z_0 = \sqrt{LC}$

11

평행한 두 도선 간의 전자력은?(단, 두 도선 간의 거리는 r[m]라 한다.)

① r^2에 반비례 ② r^2에 비례
③ r에 반비례 ④ r에 비례

12

단면적 S, 길이 l, 투자율 μ인 자성체의 자기회로에 권선을 N회 감아서 I의 전류를 흐르게 할 때 자속은?

① $\dfrac{\mu SI}{Nl}$ ② $\dfrac{\mu NI}{Sl}$

③ $\dfrac{NIl}{\mu S}$ ④ $\dfrac{\mu NIS}{l}$

13

임의의 단면을 가진 2개의 원주상의 무한히 긴 평행도체가 있다. 지금 도체의 도전률을 무한대라고 하면 C, L, ε 및 μ 사이의 관계는?(단, C는 두 도체간의 단위길이당 정전용량, L은 두 도체를 한개의 왕복회로로 한 경우의 단위길이당 자기인덕턴스, ε은 두 도체 사이에 있는 매질의 유전율, μ는 두 도체 사이에 있는 매질의 투자율이다.)

① $\dfrac{C}{\varepsilon} = \dfrac{L}{\mu}$ ② $\dfrac{1}{LC} = \varepsilon\mu$

③ $C\varepsilon = L\mu$ ④ $LC = \varepsilon\mu$

정답 및 해설

09
배향분극은 전계와 열에너지(온도)의 상호작용에 의해 발생한다.

10
선로의 특성 임피던스
$Z_0 = \sqrt{\dfrac{Z}{Y}} = \sqrt{\dfrac{R+j\omega L}{G+j\omega C}}\,[\Omega]$에서
무손실 선로(전선의 저항과 누설 컨덕턴스가 작은 선로)이므로
$Z_0 = \sqrt{\dfrac{L}{C}}\,[\Omega]$

11
평행한 두 도선 간의 전자력
$F = \dfrac{\mu I_1 I_2}{2\pi r}\,[\text{N/m}]$
따라서 전자력은 r에 반비례한다.

12
자기 저항 $R_m = \dfrac{l}{\mu S}\,[\text{AT/Wb}]$이고, $NI = R_m\phi$이므로
자속 $\phi = \dfrac{NI}{R_m} = \dfrac{NI}{\dfrac{l}{\mu S}} = \dfrac{\mu NIS}{l}\,[\text{Wb}]$

13
• 무한히 긴 평행도체 간 정전용량
$C = \dfrac{\pi\varepsilon}{\ln\dfrac{d}{a}}\,[\text{F/m}]$

• 무한히 긴 평행도체 간 인덕턴스
$L = \dfrac{\mu}{\pi}\ln\dfrac{d}{a}\,[\text{H/m}]$

$L \cdot C = \dfrac{\mu}{\pi}\ln\dfrac{d}{a} \times \dfrac{\pi\varepsilon}{\ln\dfrac{d}{a}} = \varepsilon\mu$

14 ① ② ③

투자율이 다른 두 자성체가 평면으로 접하고 있는 경계면에서 전류 밀도가 0일 때 성립하는 경계 조건은?

① $\mu_2 \tan\theta_1 = \mu_1 \tan\theta_2$

② $H_1 \cos\theta_1 = H_2 \cos\theta_2$

③ $B_1 \sin\theta_1 = B_2 \cos\theta_2$

④ $\mu_1 \tan\theta_1 = \mu_2 \tan\theta_2$

15 ① ② ③

유전율이 $\varepsilon = 4\varepsilon_0$이고 투자율이 μ_0인 비도전성 유전체에서 전자파 전계의 세기가 $E(z, t) = a_y 377\cos(10^9 t - \beta z)[\text{V/m}]$일 때의 자계의 세기 H는 몇 $[\text{A/m}]$인가?

① $-a_z 2\cos(10^9 - \beta z)$

② $-a_x 2\cos(10^9 - \beta z)$

③ $-a_z 7.1 \times 10^4 \cos(10^9 t - \beta z)$

④ $-a_x 7.1 \times 10^4 \cos(10^9 t - \beta z)$

16 ① ② ③

간격 $3[\text{cm}]$, 면적 $30[\text{cm}^2]$의 평판 콘덴서에 $220[\text{V}]$의 전압을 가하면 양판 간에 작용하는 힘은 약 몇 $[\text{N}]$인가?

① $6.3 \times 10^{-6}[\text{N}]$

② $7.14 \times 10^{-7}[\text{N}]$

③ $8 \times 10^{-5}[\text{N}]$

④ $5.75 \times 10^{-4}[\text{N}]$

17 ① ② ③

간격에 비해서 충분히 넓은 평행판 콘덴서의 판 사이에 비유전율 ε_s인 유전체를 채우고 외부에서 판에 수직방향으로 전계 E_0를 가할 때 분극전하에 의한 전계의 세기는 몇 $[\text{V/m}]$인가?

① $\dfrac{\varepsilon_s + 1}{\varepsilon_s} \times E_0$

② $\dfrac{\varepsilon_s - 1}{\varepsilon_s} \times E_0$

③ $\dfrac{\varepsilon_s}{\varepsilon_s + 1} \times E_0$

④ $\dfrac{\varepsilon_s}{\varepsilon_s - 1} \times E_0$

14

경계 조건(굴절의 법칙)

$\dfrac{\tan\theta_1}{\tan\theta_2} = \dfrac{\mu_1}{\mu_2}$

$\mu_2 \tan\theta_1 = \mu_1 \tan\theta_2$

15

- 전자파의 전계와 자계는 방향이 90° 차가 발생하고 전파가 y축 방향이면 자파는 $\pm x$축 방향이다.

$\eta = \dfrac{E}{H} = \sqrt{\dfrac{\mu}{\varepsilon}} = \sqrt{\dfrac{\mu_0 \mu_s}{\varepsilon_0 \varepsilon_s}} = \sqrt{\dfrac{\mu_0}{4\varepsilon_0}} = \dfrac{377}{2}[\Omega]$

- 자계의 세기

$H = \dfrac{2}{377} E = \dfrac{2}{377} \times 377 = 2[\text{AT/m}]$

- 자계의 방향

전자파의 진행 방향이 z축이고 $\dot{E} \times \dot{H}$에서, $\dot{E}$의 방향이 y 방향이므로 $\dot{H}$의 방향은 $-x$이다.

$\therefore H = -a_x 2\cos(10^9 - \beta z)[\text{A/m}]$

16

$f_0 = \dfrac{1}{2}\varepsilon E^2 = \dfrac{1}{2}ED = \dfrac{D^2}{2\varepsilon}[\text{N/m}^2]$

$E = \dfrac{V}{d}[\text{V/m}]$

$F = f_0 \times S = \dfrac{1}{2}\varepsilon_0 \left(\dfrac{V}{d}\right)^2 \times S$

$= \dfrac{1}{2} \times 8.854 \times 10^{-12} \times \left(\dfrac{220}{3 \times 10^{-2}}\right)^2 \times 30 \times 10^{-4}$

$= 7.14 \times 10^{-7}[\text{N}]$

17

유전체 내에 비유전율 ε_s를 채웠을 때의 분극 전하에 의한 전속 밀도

$D_p = \varepsilon_0 \varepsilon_s E_p = D - D_0 = \varepsilon_0 \varepsilon_s E_0 - \varepsilon_0 E_0$

$\quad = \varepsilon_0 (\varepsilon_s - 1)E_0$

따라서 분극 전하에 의한 전계의 세기 E_p는

$E_p = \dfrac{\varepsilon_0 (\varepsilon_s - 1)E_0}{\varepsilon_0 \varepsilon_s} = \dfrac{\varepsilon_s - 1}{\varepsilon_s} \times E_0[\text{V/m}]$

점전하 $Q[\mathrm{C}]$에 의한 무한 평면도체의 영상전하는?

① $-Q[\mathrm{C}]$보다 작다.　　② $Q[\mathrm{C}]$보다 크다.

③ $-Q[\mathrm{C}]$와 같다.　　④ $Q[\mathrm{C}]$와 같다.

19 1 2 3

매질이 완전 유전체인 경우의 전자 파동방정식을 표시하는 것은?

① $\nabla^2 E = \varepsilon\mu\dfrac{\partial E}{\partial t}, \quad \nabla^2 H = k\mu\dfrac{\partial H}{\partial t}$

② $\nabla^2 E = \varepsilon\mu\dfrac{\partial^2 E}{\partial t^2}, \quad \nabla^2 H = \varepsilon\mu\dfrac{\partial^2 H}{\partial t^2}$

③ $\nabla^2 E = \varepsilon\mu\dfrac{\partial^2 E}{\partial t^2}, \quad \nabla^2 H = k\mu\dfrac{\partial^2 H}{\partial t^2}$

④ $\nabla^2 E = \varepsilon\mu\dfrac{\partial E}{\partial t}, \quad \nabla^2 H = \varepsilon\mu\dfrac{\partial H}{\partial t}$

20 1 2 3

자속밀도 $B[\mathrm{Wb/m^2}]$의 평등 자계 내에서 길이 $l[\mathrm{m}]$인 도체 ab가 속도 $v[\mathrm{m/s}]$로 그림과 같이 도선을 따라서 자계와 수직으로 이동할 때, 도체 ab에 의해 유기된 기전력의 크기 $e[\mathrm{V}]$와 폐회로 abcd 내 저항 R에 흐르는 전류의 방향은? (단, 폐회로 abcd 내 도선 및 도체의 저항은 무시한다.)

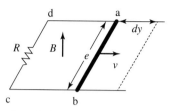

① $e = Blv$, 전류 방향: $\mathrm{c} \to \mathrm{d}$

② $e = Blv$, 전류 방향: $\mathrm{d} \to \mathrm{c}$

③ $e = Blv^2$, 전류 방향: $\mathrm{c} \to \mathrm{d}$

④ $e = Blv^2$, 전류 방향: $\mathrm{d} \to \mathrm{c}$

18

점전하와 무한 평면도체 간에 생기는 영상 전하는 실제 전하와 크기는 같고 부호가 항상 반대인 전하로 존재한다.
$$Q' = -Q[\mathrm{C}]$$

19

맥스웰 방정식
$$\nabla \times H = kE + \frac{\partial D}{\partial t}$$
패러데이 법칙
$$\nabla \times E = -\frac{\partial B}{\partial t}$$
에서 주어진 조건의 완전 유전체인 경우, 비도전성 균일 매질로 $k=0$, $i=0$, $\rho=0$이다.
위 식에 대입하면 다음과 같다.
$$\nabla \times H = kE + \frac{\partial D}{\partial t} = \frac{\partial D}{\partial t} = \varepsilon_0 \frac{\partial E}{\partial t}$$
$$\nabla \times E = -\frac{\partial B}{\partial t} = -\mu_0 \frac{\partial H}{\partial t}$$
이다. 위 두 식에 curl을 취하면

$$\nabla \times \nabla \times H = \nabla \times \left(\varepsilon_0 \frac{\partial E}{\partial t}\right)$$
$$= \varepsilon_0 \frac{\partial}{\partial t}(\nabla \times E) = \varepsilon_0 \frac{\partial}{\partial t}\left(-\mu_0 \frac{\partial H}{\partial t}\right) = -\varepsilon_0 \mu_0 \frac{\partial^2 H}{\partial t^2}$$

여기서 $\nabla \times \nabla \times H = -\nabla^2 H$이므로

즉, $-\nabla^2 H = -\varepsilon_0 \mu_0 \dfrac{\partial^2 H}{\partial t^2}$이고

$\therefore \nabla^2 H = \varepsilon\mu\dfrac{\partial^2 H}{\partial t^2}$($\because$ 진공 상태가 아닌 매질이 있는 공간)이다.

전계에서 보면
$$\nabla^2 E = \varepsilon\mu\frac{\partial^2 E}{\partial t^2}$$
이다.

20

유도 기전력 $e = vBl\sin\theta[\mathrm{V}]$에서
$\theta = 90°$이므로
$$e = vBl\sin 90° = Blv[\mathrm{V}]$$
전류 방향은 플레밍의 오른손 법칙에 의해
$\mathrm{c} \to \mathrm{d}$ 방향으로 흐른다.

전력공학

21

화력 발전소에서 가장 큰 손실은 무엇인가?

① 소내용 동력
② 송풍기 손실
③ 복수기에서의 손실
④ 연도 배출 가스 손실

22

그림과 같은 3상 송전 계통에 송전단 전압은 $3,300[\text{V}]$이다. 점 P에서 3상 단락 사고가 발생하였다면 발전기에 흐르는 단락 전류는 약 몇 $[\text{A}]$인가?

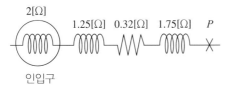

① 320
② 330
③ 380
④ 410

23

장거리 송전 선로의 수전단을 개방할 경우, 송전단 전류 I_s를 나타내는 식은?(단, 송전단 전압을 V_s, 선로의 임피던스를 Z, 선로의 어드미턴스를 Y라 한다.)

① $I_s = \sqrt{\dfrac{Y}{Z}} \tanh \sqrt{ZY}\, V_s$

② $I_s = \sqrt{\dfrac{Z}{Y}} \tanh \sqrt{ZY}\, V_s$

③ $I_s = \sqrt{\dfrac{Y}{Z}} \coth \sqrt{ZY}\, V_s$

④ $I_s = \sqrt{\dfrac{Z}{Y}} \coth \sqrt{ZY}\, V_s$

21

복수기는 증기 터빈에서 방출된 습증기를 냉각수로 응축시켜 급수로 환원시키는 설비이다. 습증기가 가지고 있는 열량을 냉각수가 대부분 빼앗으므로 열손실이 화력 발전 전체 열량 손실의 $50[\%]$를 차지하여 가장 많이 발생한다.

22

P점까지의 총 임피던스는
$Z = R + jX = j2 + j1.25 + 0.32 + j1.75 = 0.32 + j5[\Omega]$
따라서 P점에서의 3상 단락 전류는

$$I_s = \frac{E}{|Z|} = \frac{\dfrac{V}{\sqrt{3}}}{|Z|} = \frac{\dfrac{3,300}{\sqrt{3}}}{\sqrt{0.32^2 + 5^2}} = 380[\text{A}]$$

23

• $V_s = \cosh\gamma l\, V_r + Z_0 \sinh\gamma l\, I_r$

• $I_s = \dfrac{1}{Z_0} \sinh\gamma l\, V_r + \cosh\gamma l\, I_r$

장거리 선로의 송전단 전압, 전류식에서 무부하(개방) 시에는 $I_r = 0$이므로

• $V_s = \cosh\gamma l\, V_r$

• $I_s = \dfrac{1}{Z_0} \sinh\gamma l\, V_r$

위의 두 식을 I_s에 대해 정리하면

$$I_s = \frac{1}{Z_0} \sinh\gamma l\, V_r$$

$$= \frac{1}{Z_0} \sinh\gamma l \times \frac{V_s}{\cosh\gamma l} = \frac{1}{Z_0} \tanh\gamma l\, V_s$$

따라서 위 식에 특성 임피던스 $Z_0 = \sqrt{\dfrac{Z}{Y}}$와 전파 정수 $\gamma l = \sqrt{ZY}$를 대입하여 정리하면

$$\therefore I_s = \frac{1}{\sqrt{\dfrac{Z}{Y}}} \tanh \sqrt{ZY}\, V_s = \sqrt{\frac{Y}{Z}} \tanh \sqrt{ZY}\, V_s$$

24

3상 송전선로의 선간 전압을 $100[\mathrm{kV}]$, 3상 기준용량을 $10,000[\mathrm{kVA}]$로 할 때 선로 리액턴스(1선당) $100[\Omega]$을 %임피던스로 환산하면 약 몇 $[\%]$인가?

① 0.33

② 3.33

③ 10

④ 1

25

다음 중 첨두 부하용 발전으로 적합한 것은?

① 양수 발전

② 수로식 발전

③ 조류 발전

④ 유역 변경식 발전

26

단로기에 대한 설명으로 옳지 않은 것은?

① 무부하 및 여자 전류의 개폐에 사용된다.

② 회로의 분리 또는 계통의 접속 변경 시 사용된다.

③ 점검 시에는 단로기를 열고 난 후 차단기를 열어야 하며, 점검 후에는 차단기로 부하 회로를 연결한 후 단로기를 닫아야 한다.

④ 내부에 소호 장치가 없다.

27

연가를 하는 주된 목적은?

① 혼촉방지

② 유도뢰 방지

③ 단락 사고 방지

④ 선로 정수 평형

28

3상 1회선 전선로의 작용 정전 용량을 C, 선간 정전 용량을 C_1, 대지 정전 용량을 C_2라 할 때 C, C_1, C_2의 관계는?

① $C = C_1 + 3C_2$

② $C = 3C_1 + C_2$

③ $C = C_1 + C_2$

④ $C = 3(C_1 + C_2)$

정답 및 해설

24

$$\%Z = \frac{P_n Z}{10 V^2} = \frac{10,000 \times 100}{10 \times 100^2} = 10[\%]$$

(단, 기준용량 $P_n [\mathrm{kVA}]$, 선간 전압 $V[\mathrm{kV}]$)

25

양수 발전소는 심야 경부하 시 잉여 전력을 이용하여 상부 저수지에 양수하였다가 한낮의 최대 전력이 필요한 시간에 발전하는 첨두(Peak) 부하용 발전소이다.

26

점검 시에는 차단기로 부하 회로를 끊고 난 다음에 단로기를 열어야 하며, 점검 후에는 단로기를 넣은 후 차단기를 넣어야 한다.

27

연가 효과
· 선로 정수의 평형(가장 주된 목적)
· 통신선에 대한 정전 유도 장해 감소
· 직렬 공진 방지

28

· 단상 2선식: $C = C_s + 2C_m = C_2 + 2C_1$
· 3상 3선식: $C = C_s + 3C_m = C_2 + 3C_1$

29 [1] [2] [3]

154[kV] 2회선 송전선이 있다. 1회선만이 운전 중일 때 휴전 회선에 대한 정전 유도 전압[V]은 약 얼마인가?(단, 송전 중의 회선과 휴전 중 회선의 정전용량 $C_a = 0.0001[\mu F]$, $C_b = 0.0006[\mu F]$, $C_c = 0.0004[\mu F]$이고, 휴전선의 1선 대지 정전용량 $C_s = 0.0052[\mu F]$이다.)

① 615.72[V]
② 10,655[V]
③ 1,065[V]
④ 6,151.72[V]

30 [1] [2] [3]

공기 차단기에 비해 SF_6 가스 차단기의 특징으로 볼 수 없는 것은?

① 밀폐된 구조이므로 소음이 없다.
② 소전류 차단 시 이상 전압이 높다.
③ 아크에 SF_6가스는 분해되지 않고 무독성이다.
④ 같은 압력에서 공기의 2~3배 정도의 절연 내력이 있다.

31 [1] [2] [3]

제5고조파 전류의 억제를 위해 전력용 커패시터에 직렬로 삽입하는 유도 리액턴스의 값으로 적당한 것은?

① 전력용 콘덴서 용량의 약 6[%] 정도
② 전력용 콘덴서 용량의 약 12[%] 정도
③ 전력용 콘덴서 용량의 약 18[%] 정도
④ 전력용 콘덴서 용량의 약 24[%] 정도

32 [1] [2] [3]

같은 선로와 같은 부하에서 교류 단상 3선식은 단상 2선식에 비하여 전압 강하와 배전 효율이 어떻게 되는가?

① 전압 강하는 적고, 배전 효율은 높다.
② 전압 강하는 크고, 배전 효율은 낮다.
③ 전압 강하는 적고, 배전 효율은 낮다.
④ 전압 강하는 크고, 배전 효율은 높다.

29

정전 유도 전압

$$E_s = \frac{\sqrt{C_a(C_a - C_b) + C_b(C_b - C_c) + C_c(C_c - C_a)}}{C_a + C_b + C_c + C_s} \times \frac{V}{\sqrt{3}}[V]$$

$$= \frac{\sqrt{0.0001(0.0001 - 0.0006) + 0.0006(0.0006 - 0.0004) + 0.0004(0.0004 - 0.0001)}}{0.0001 + 0.0006 + 0.0004 + 0.0052} \times \frac{154 \times 10^3}{\sqrt{3}}$$

$$= 6,151.72[V]$$

30

가스 차단기는 다른 차단기에 비해 차단 성능이 우수하여 비교적 값이 작은 소전류를 차단할 때에도 이상 전압이 거의 없는 편이다.

31

직렬 리액터
• 제5고조파 제거 목적으로 설치
• 이론: 콘덴서 용량의 4[%] 리액터 설치
• 실제: 콘덴서 용량의 5~6[%] 리액터 설치

32

단상 3선식은 단상 2선식에 비해 배전 선로에 흐르는 전류가 적으므로 선로의 전압 강하가 적어지고 이에 따라서 배전 선로의 효율이 좋아진다.

33 $\boxed{1}$ $\boxed{2}$ $\boxed{3}$

화력 발전소의 기본 랭킨 사이클을 바르게 나타낸 것은?

① 보일러 → 급수펌프 → 터빈 → 복수기 → 과열기 → 다시 보일러로
② 보일러 → 터빈 → 급수펌프 → 과열기 → 복수기 → 다시 보일러로
③ 급수펌프 → 보일러 → 과열기 → 터빈 → 복수기 → 다시 급수펌프로
④ 급수펌프 → 보일러 → 터빈 → 과열기 → 복수기 → 다시 급수펌프로

34 $\boxed{1}$ $\boxed{2}$ $\boxed{3}$

1년 365일 중 185일은 이 양 이하로 내려가지 않는 유량은?

① 평수량　　　　② 풍수량
③ 고수량　　　　④ 저수량

35 $\boxed{1}$ $\boxed{2}$ $\boxed{3}$

초고압 장거리 송전선로에 접속되는 1차 변전소에 분로 리액터를 설치하는 주된 목적은?

① 페란티 현상의 방지
② 과도 안정도의 증대
③ 송전용량의 증가
④ 전력손실의 경감

36 $\boxed{1}$ $\boxed{2}$ $\boxed{3}$

원자로의 제어재가 구비하여야 할 조건으로 옳지 않은 것은?

① 중성자의 흡수 단면적이 적어야 한다.
② 높은 중성자 속에서 장시간 그 효과를 간직하여야 한다.
③ 내식성이 크고, 기계적 가공이 쉬워야 한다.
④ 열과 방사선에 안정적이어야 한다.

정답 및 해설

33

기력 발전소의 열 사이클 블록선도
(1) 보일러에서 물 → 습증기로 변환
(2) 과열기에서 습증기 → 과열증기로 변환
(3) 터빈에서 과열 증기 → 습증기로 변환
(4) 복수기에서 습증기 → 급수로 변환
(5) 복수기에서 나온 물을 급수펌프를 거쳐 보일러로 다시 보내어짐
∴ 랭킨 사이클: 급수펌프 → 보일러 → 과열기 → 터빈 → 복수기 → 다시 급수펌프로

34

• 갈수량: 1년(365일) 중 355일은 이 유량 이하로 내려가지 않는 유량
• 저수량: 1년(365일) 중 275일은 이 유량 이하로 내려가지 않는 유량
• 평수량: 1년(365일) 중 185일은 이 유량 이하로 내려가지 않는 유량
• 풍수량: 1년(365일) 중 95일은 이 유량 이하로 내려가지 않는 유량

35

장거리 송전 선로에서 심야의 경부하나 무부하 시 대지 정전 용량에 흐르는 충전 전류(진상 전류)의 영향으로 수전단 전압이 송전단 전압보다 높아지는 페란티 현상이 발생한다. 이를 방지하기 위해 변전소에서 분로 리액터를 설치하여 지상 무효 전력을 공급한다.

36

원자로의 제어재는 중성자 흡수 단면적이 커야 한다. 제어재는 원자로 내에서 핵연료와의 위치를 변화시켜 원자로 내의 중성자를 흡수하여 열중성자가 연료에 흡수되는 비율을 제어한다.

37 1 2 3

각 수용가의 수용설비 용량이 $50[\text{kW}]$, $100[\text{kW}]$, $80[\text{kW}]$, $60[\text{kW}]$, $150[\text{kW}]$이며, 각각의 수용률이 0.6, 0.6, 0.5, 0.5, 0.4일 때 부하의 부등률이 1.3이라면 변압기 용량은 약 몇 $[\text{kVA}]$가 필요한가?(단, 평균 부하 역률은 $80[\%]$라 한다.)

① 142
② 165
③ 183
④ 212

38 1 2 3

동기 조상기에 대한 설명으로 틀린 것은?

① 시충전이 불가능하다.
② 전압 조정이 연속적이다.
③ 중부하 시에는 과여자로 운전하여 앞선 전류를 취한다.
④ 경부하 시에는 부족여자로 운전하여 뒤진 전류를 취한다.

39 1 2 3

그림과 같이 정수가 서로 같은 평행 2회선 송전선로의 4단자 정수 중 B에 해당되는 것은?

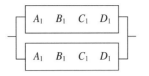

① $2B_1$
② $4B_1$
③ $\dfrac{1}{2}B_1$
④ $\dfrac{1}{4}B_1$

40 1 2 3

$250[\text{mm}]$ 현수애자 10개를 직렬로 접속한 애자련의 건조섬락전압이 $590[\text{kV}]$이고 연효율(string efficiency)이 0.74이다. 현수애자 한 개의 건조섬락전압은 약 몇 $[\text{kV}]$인가?

① 80
② 90
③ 100
④ 120

37

변압기 용량$[\text{kVA}]$

$= \dfrac{\text{개별 수용 최대 전력의 합}[\text{kW}]}{\text{부등률} \times \cos\theta \times \text{효율}}$

$= \dfrac{50\times0.6 + 100\times0.6 + 80\times0.5 + 60\times0.5 + 150\times0.4}{1.3\times0.8\times1}$

$\fallingdotseq 212[\text{kVA}]$

38

동기 조상기
- 동기 전동기를 무부하로 과여자 및 부족 여자로 운전하는 것
- 과여자 운전: 진상 무효 전력을 계통에 공급
- 부족 여자 운전: 지상 무효 전력을 계통에 공급
- 계통의 시충전(신설 송전 선로를 무부하 상태에서 예비로 운전해 보는 것) 운전이 가능
- 전압 조정이 연속적

39

송전선로의 4단자 정수 중 B(임피던스) 정수는 선로가 병렬 2회선이 되면 그 값이 $\dfrac{1}{2}$로 줄어든다.

[별해] 4단자 정수가 동일한 병렬 회로이므로 전압은 서로 같고, 전류는 $\dfrac{1}{2}$이다.

$\begin{pmatrix} E_s \\ \frac{1}{2}I_s \end{pmatrix} = \begin{bmatrix} A_1 & B_1 \\ C_1 & D_1 \end{bmatrix}\begin{pmatrix} E_r \\ \frac{1}{2}I_r \end{pmatrix}$

$\therefore \begin{pmatrix} E_s \\ I_s \end{pmatrix} = \begin{bmatrix} A_1 & \frac{1}{2}B_1 \\ 2C_1 & D_1 \end{bmatrix}\begin{pmatrix} E_r \\ I_r \end{pmatrix}$

40

연효율 $\eta = \dfrac{V_n}{nV_1}\times100$에서

$V_1 = \dfrac{V_n}{n\eta} = \dfrac{590}{10\times0.74} = 79.73 \fallingdotseq 80[\text{kV}]$

41 1 2 3

다음 중 2방향성 3단자 사이리스터는 어느 것인가?

① SCR   ② SSS
③ SCS   ④ TRIAC

42 1 2 3

$15[kVA]$, $3,000/200[V]$ 변압기의 1차 측 환산 등가 임피던스가 $5.4+j6[\Omega]$ 일 때, % 저항 강하 p와 %리액턴스 강하 q는 각각 약 몇 $[\%]$인가?

① $p=0.9, q=1$ ② $p=0.7, q=1.2$
③ $p=1.2, q=1$ ④ $p=1.3, q=0.9$

43 1 2 3

비돌극형 동기 발전기 한 상의 단자전압을 V, 유기 기전력을 E, 동기 리액턴스를 X_s, 부하각이 δ이고, 전기자 저항을 무시할 때 1상의 최대 출력$[W]$은?

① $\dfrac{EV}{X_s}$ ② $\dfrac{3EV}{X_s}$

③ $\dfrac{E^2 V}{X_s}\sin\delta$ ④ $\dfrac{EV^2}{X_s}\sin\delta$

44 1 2 3

보극이 없는 직류 발전기에서 부하의 증가에 따라 브러시의 위치를 어떻게 하여야 하는가?

① 그대로 둔다.
② 계자극의 중간에 놓는다.
③ 발전기의 회전방향으로 이동시킨다.
④ 발전기의 회전방향과 반대로 이동시킨다.

정답 및 해설

41
사이리스터의 종류

구분	2단자	3단자	4단자
단방향	–	SCR, LASCR, GTO	SCS
쌍방향	DIAC, SSS	TRIAC	–

42
• 1차 측 정격 전류

$$I_{1n}=\frac{15\times 10^3}{3,000}=5[A]$$

• %저항 강하

$$\%R=p=\frac{I_{1n}\times r_1{}'}{V_{1n}}\times 100=\frac{5\times 5.4}{3,000}\times 100=0.9[\%]$$

• %리액턴스 강하

$$\%X=q=\frac{I_{1n}\times x_1{}'}{V_{1n}}\times 100=\frac{5\times 6}{3,000}\times 100=1[\%]$$

43

$P=\dfrac{EV}{X}\sin\delta[W]$에서 최대 출력은 부하각이 $\sin 90°=1$일 때이다.

$$\therefore P_m=\frac{EV}{X_s}\sin 90°=\frac{EV}{X_s}[W]$$

44

보극이 없는 발전기의 부하 증가에 따라 정류 작용을 원활히 하기 위한 브러시 위치 조정 방법
• 발전기의 경우: 발전기의 회전 방향으로 브러시 이동
• 전동기의 경우: 전동기 회전 반대 방향으로 브러시 이동

45 ☐1 ☐2 ☐3

그림은 단상 직권 정류자 전동기의 개념도이다. C를 무엇이라고 하는가?

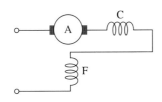

① 제어 권선   ② 보상 권선
③ 보극 권선   ④ 단층 권선

46 ☐1 ☐2 ☐3

동기 발전기의 단락비를 계산하는 데 필요한 시험은?

① 부하 시험과 돌발 단락 시험
② 단상 단락 시험과 3상 단락 시험
③ 무부하 포화 시험과 3상 단락 시험
④ 정상, 역상, 영상 리액턴스의 측정 시험

47 ☐1 ☐2 ☐3

다음 중 반작용 전동기(반동 전동기)의 설명으로 옳은 것은?

① 전기자에 뒤진 전류가 흐르면 전기자 반작용은 증자작용을 한다.
② 전기자에 앞선 전류가 흐르면 전기자 반작용은 증자작용을 한다.
③ 전기자에 뒤진 전류가 흐르면 전기자 반작용은 감자작용을 한다.
④ 전기자에 뒤진 전류가 흐르면 전기자 반작용은 교차자화작용을 한다.

48 ☐1 ☐2 ☐3

3상 유도 전동기의 회전자 입력이 P_2이고 슬립이 s일 때 2차 동손을 나타내는 식은?

① $(1-s)P_2$ ② $\dfrac{P_2}{s}$
③ $\dfrac{(1-s)P_2}{s}$ ④ sP_2

45
단상 직권 정류자 전동기의 구성
- A: 전기자(Armature)
- F: 계자(Field)
- C: 보상 권선(Compensating winding)

46
단락비 계산 시 필요한 시험
- 무부하 포화 시험
- 3상 단락 시험

47
반작용 전동기(Reaction Motor)
- 직류 여자 코일이 없다.(돌극형 구조의 반작용 토크에 의해 회전)
- 전기자에 뒤진 전류가 흐르면 전기자 반작용은 증자작용을 한다.
- 전기자에 앞선 전류가 흐르면 전기자 반작용은 감자작용을 한다.

48
- 2차 동손 $P_{c2} = sP_2[\text{W}]$
- 출력 $P = (1-s)P_2 = \dfrac{1-s}{s}P_{c2}$

49 `1` `2` `3`

3상 동기 발전기의 매극 매상의 슬롯수를 3이라 하면 분포권 계수는?

① $\sin\dfrac{2}{3}\pi$

② $\sin\dfrac{3}{2}\pi$

③ $\dfrac{1}{6\sin\dfrac{\pi}{18}}$

④ $6\sin\dfrac{\pi}{18}$

빈출
50 `1` `2` `3`

다음 중 3상 권선형 유도 전동기의 기동법은?

① 2차 저항법

② 전전압 기동법

③ 기동 보상기법

④ Y-△ 기동법

고난도
51 `1` `2` `3`

반파 정류회로에서 순저항 부하에 걸리는 직류 전압의 크기가 $200[\mathrm{V}]$이다. 다이오드에 걸리는 최대 역전압의 크기는 약 몇 $[\mathrm{V}]$인가?

① 400

② 479

③ 512

④ 628

52 `1` `2` `3`

어떤 직류 전동기가 역기전력 $200[\mathrm{V}]$, 매분 $1,200$회전으로 토크 $158.76[\mathrm{N\cdot m}]$를 발생하고 있을 때의 전기자 전류는 약 몇 $[\mathrm{A}]$인가?(단, 기계손 및 철손은 무시한다.)

① 90

② 95

③ 100

④ 105

정답 및 해설

49

$$K_d = \dfrac{\sin\dfrac{n\pi}{2m}}{q\sin\dfrac{n\pi}{2mq}} = \dfrac{\sin\dfrac{1\times\pi}{2\times 3}}{3\times\sin\dfrac{1\times\pi}{2\times 3\times 3}}$$

$$= \dfrac{\sin\dfrac{\pi}{6}}{3\sin\dfrac{\pi}{18}} = \dfrac{\dfrac{1}{2}}{3\sin\dfrac{\pi}{18}} = \dfrac{1}{6\sin\dfrac{\pi}{18}}$$

(단, m: 상수, q: 매극 매상의 슬롯수)

50

• 3상 권선형 유도 전동기 기동법: 2차 저항법, 게르게스법
• 2차 저항법: 비례추이 특성을 이용하여 기동 시 큰 기동토크를 얻고, 기동전류는 억제하는 기동법

51

최대 역전압 $PIV = \sqrt{2}\,E$

반파 정류에서 직류분 $E_d = \dfrac{\sqrt{2}}{\pi}E$이므로

$\therefore \pi E_d = \sqrt{2}\,E$

즉, $PIV = \sqrt{2}\,E = \pi E_d = 200\pi = 628[\mathrm{V}]$

52

출력 $P = \omega T = EI_a[\mathrm{W}] \rightarrow I_a = \dfrac{\omega T}{E} = \dfrac{\dfrac{2\pi}{60}NT}{E}[\mathrm{A}]$

$\therefore I_a = \dfrac{\dfrac{2\pi}{60}\times 1,200\times 158.76}{200} = 99.75[\mathrm{A}]$

53 ① ② ③

단자전압 200[V], 계자저항 50[Ω], 부하전류 50[A], 전기자 저항 0.15[Ω], 전기자 반작용에 의한 전압강하 3[V]인 직류 분권 발전기가 정격속도로 회전하고 있다. 이때 발전기의 유도 기전력은 약 몇 [V]인가?

① 211.1
② 215.1
③ 225.1
④ 230.1

54 ① ② ③

다음은 IGBT에 관한 설명이다. 잘못된 것은?

① Insulated Gate Bipolar Thyristor의 약자이다.
② 트랜지스터와 MOSFET를 조합한 것이다.
③ 고속 스위칭이 가능하다.
④ 전력용 반도체 소자이다.

55 ① ② ③

동기 발전기의 돌발 단락 전류를 주로 제한하는 것은?

① 동기 리액턴스
② 권선저항
③ 누설 리액턴스
④ 동기 임피던스

56 ① ② ③

다음 (   )안에 알맞은 내용은?

> 직류기의 회전속도가 위험한 상태가 되지 않으려면 직권 전동기는 (㉠) 상태로, 분권 전동기는 (㉡) 상태가 되지 않도록 하여야 한다.

① ㉠ 무부하, ㉡ 무여자
② ㉠ 무여자, ㉡ 무부하
③ ㉠ 무여자, ㉡ 경부하
④ ㉠ 무부하, ㉡ 경부하

53

여기서 $I_f = \dfrac{V}{r_f} = \dfrac{200}{50} = 4[A]$

즉, $I_a = I + I_f = 50 + 4 = 54[A]$

유도 기전력 $E = V + I_a R_a + e_a$
$= 200 + 54 \times 0.15 + 3 = 211.1[V]$

54

IGBT(Insulated Gate Bipolar Transistor)는 MOSFET의 장점과 BJT(트랜지스터)의 장점을 모두 가지고 있다.

55

동기 발전기의 3상 단락 전류
- 돌발 단락 전류(순간 단락 전류)

$I_s = \dfrac{E}{X_l}[A]$(단, E: 상전압[V], X_l: 누설 리액턴스[Ω])

- 지속 단락 전류(영구 단락 전류)

$I_s = \dfrac{E}{X_s}[A]$

(단, E: 상전압[V], X_s: 동기 리액턴스[Ω])

56

- 직권 전동기: 정격 전압 상태에서 무부하 운전 시 위험 속도에 도달해 원심력에 의한 기계 파손의 우려가 있다. (벨트 운전 금지)
- 분권 전동기: 정격 전압 상태에서 무여자 운전 시 위험 속도에 도달해 원심력에 의한 기계 파손의 우려가 있다.(계자 권선에 퓨즈 설치 불가)

57

직류 발전기에서 회전속도가 빨라지면 정류가 힘든 이유는?

① 정류주기가 길어진다.
② 리액턴스 전압이 커진다.
③ 브러시 접촉저항이 커진다.
④ 정류자속이 감소한다.

58

3상 유도 전동기의 2차 측 저항을 2배로 하면 최대 토크는 몇 배로 되는가?

① 3배
② 2배
③ 변하지 않는다.
④ $\frac{1}{2}$ 배

59

변압기 결선방식 중 3상에서 6상으로 변환할 수 없는 것은?

① 환상 결선
② 2중 3각 결선
③ 포크 결선
④ 우드 브리지 결선

60

변압기 단락시험에서 변압기의 임피던스 전압이란?

① 여자전류가 흐를 때의 2차 측 단자전압
② 정격전류가 흐를 때의 2차 측 단자전압
③ 2차 단락전류가 흐를 때의 변압기 내의 전압강하
④ 정격전류가 흐를 때의 변압기 내의 전압강하

정답 및 해설

57

리액턴스 전압 $e_L = L \times \dfrac{2I_c}{T_c}$[V] (즉, $e_L \propto \dfrac{1}{T_c}$)

정류 주기 $T_c = \dfrac{b-\delta}{v}$ 에서 회전속도 v가 빨라지면 T_c가 작아진다. T_c가 작아지면 리액턴스 전압 e_L이 커지게 된다. 리액턴스 전압이 커지기 때문에 정류가 힘들다.

58

3상 유도 전동기의 최대 토크

$$T_m = k \frac{E_2^2}{2X_2}[\text{N·m}]$$

최대 토크(T_m)는 2차 저항(r_2)과 관계가 없으므로 변하지 않는다.

59

• 3상 입력에서 6상 출력을 내는 결선법
  – 포크 결선: 주로 수은 정류기에 사용
  – 환상 결선
  – 대각 결선
  – 2중 Δ 결선
  – 2중 성형 결선
• 3상 입력에서 2상 출력을 내는 결선법
  – 우드 브리지 결선
  – 메이어 결선
  – 스코트 결선(T 결선): 2상 서보 모터 구동용으로 사용

60

변압기의 임피던스 전압

변압기 2차 측을 단락하고 1차 측에 저전압을 인가하여 1차 전류가 정격전류와 같도록 조정했을 때의 1차 전압, 즉 정격전류가 흐를 때의 변압기 내 전압강하이다.

회로이론 및 제어공학

1회독	월	일	
2회독	월	일	
3회독	월	일	자동채점

빈출

61 1 2 3

아래와 같은 시스템에서 이 시스템이 안정하기 위한 K의 범위를 구하면?

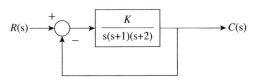

① $0 < K < 6$
② $1 < K < 5$
③ $-1 < K < 6$
④ $-1 < K < 5$

62 1 2 3

다음의 신호선도에서 $\dfrac{Y(s)}{D(s)}$ 를 구하면?

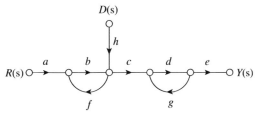

① $\dfrac{cdeh}{1 - bf - dg + bdfg}$

② $\dfrac{abcde + hcde}{1 - bf - dg + bfdg}$

③ $\dfrac{cdeh}{1 - dg}$

④ $\dfrac{abcde + hcde}{1 - dg}$

63 1 2 3

ω가 0에서 ∞까지 변화하였을때 $G(j\omega)$의 크기와 위상각을 극좌표에 그린 것으로 이 궤적을 표시하는 선도는?

① 근궤적도
② 나이퀴스트 선도
③ 니콜스 선도
④ 보드 선도

61

• 전달 함수

$$\frac{C(s)}{R(s)} = \frac{\dfrac{K}{s(s+1)(s+2)}}{1 - \left(-\dfrac{K}{s(s+1)(s+2)}\right)} = \frac{K}{s(s+1)(s+2) + K}$$

$$= \frac{K}{s^3 + 3s^2 + 2s + K}$$

• 특성 방정식

$s^3 + 3s^2 + 2s + K = 0$

특성 방정식을 루드표로 작성하면 다음과 같다.

차수	제1열	제2열
s^3	1	2
s^2	3	K
s^1	$\dfrac{3 \times 2 - 1 \times K}{3} = \dfrac{6-K}{3}$	0
s^0	K	0

제어계가 안정하려면 위 루드표의 제1열의 부호 변화가 없어야 한다.

$\dfrac{6-K}{3} > 0 \rightarrow K < 6$

$K > 0$

따라서 안정하기 위한 위의 2가지 조건을 모두 충족하는 조건은 $0 < K < 6$이다.

62

$$\frac{Y(s)}{D(s)} = \frac{hcde}{1 - (bf + dg) + bfdg} = \frac{cdeh}{1 - bf - dg + bdfg}$$

63

나이퀴스트 선도

ω가 0에서 ∞까지 변화하였을 때 $G(j\omega)$의 크기와 위상각을 극좌표에 나타낸 것

64 `1` `2` `3`

단위 부궤환 제어시스템의 개루프 전달함수 $G(s)$가 다음과 같이 주어져 있다. 이때 다음 설명 중 틀린 것은?

$$G(s) = \frac{\omega_n^2}{s(s+2\zeta\omega_n)}$$

① 이 시스템은 $\zeta = 1.2$ 일 때 과제동 된 상태에 있게 된다.
② 이 페루프 시스템의 특성방정식은 $s^2 + 2\zeta\omega_n s + \omega_n^2 = 0$ 이다.
③ ζ값이 작게 될수록 제동이 많이 걸리게 된다.
④ ζ값이 음의 값이면 불안정하게 된다.

65 `1` `2` `3`

논리식 $\overline{x}y + \overline{x}\,\overline{y}$를 간단히 하면?

① xy
② $\overline{x}$
③ $\overline{y}$
④ $x+y$

66 `1` `2` `3`

보상기에서 원래 시스템에 극점을 첨가하면 일어나는 현상은?

① 시스템의 안정도가 감소된다.
② 시스템의 과도응답시간이 짧아진다.
③ 근궤적을 s평면의 왼쪽으로 옮겨준다.
④ 안정도와는 무관하다.

67 `1` `2` `3`

특성 방정식이 $s^5 + s^4 + 4s^3 + 3s^2 + Ks + 1 = 0$인 제어계가 안정하기 위한 K의 범위는?

① $0 < K < 4$
② $\dfrac{5-\sqrt{5}}{2} < K < \dfrac{5+\sqrt{5}}{2}$
③ $0 < K < \dfrac{5+\sqrt{5}}{2}$
④ $\dfrac{5-\sqrt{5}}{2} < K < 4$

정답 및 해설

64

제동비 ζ가 작아질수록 제동이 적게 걸리게 되므로 안정도는 저하되는 특성이 있다.

[암기 포인트] 제동비 $\zeta = 1.2 > 1$로 과제동(비진동) 상태에 있게 된다.

65

주어진 논리식을 간소화하면 다음과 같다.
$\overline{x}y + \overline{x}\,\overline{y} = \overline{x}(y+\overline{y}) = \overline{x}$

[암기 포인트]
$y + \overline{y} = 1$

66

시스템에 극점을 첨가하면 과도 응답 시간이 길어지고, 시스템의 안정도가 감소한다.(분모의 s 차수 증가)

67

주어진 특성 방정식을 루드표로 작성하면 다음과 같다.

차수	제1열	제2열	제3열
s^5	1	4	K
s^4	1	3	1
s^3	$\dfrac{4-3}{1}=1$	$\dfrac{K-1}{1}=K-1$	0
s^2	$\dfrac{3-(K-1)}{1}=4-K$	1	0
s^1	$\dfrac{(4-K)(K-1)-1}{4-K}$		
s^0	1		

제어계가 안정하기 위해서 제1열의 부호 변화가 없어야 하므로 K의 범위는 다음과 같이 구할 수 있다.

$4-K > 0 \rightarrow K < 4$
$(4-K)(K-1)-1 > 0$
$-K^2 + 5K - 5 > 0$
$K^2 - 5K + 5 < 0$
$\dfrac{5-\sqrt{5}}{2} < K < \dfrac{5+\sqrt{5}}{2}$
$\therefore \dfrac{5-\sqrt{5}}{2} < K < \dfrac{5+\sqrt{5}}{2}$

68 `1` `2` `3`

$R(z) = \dfrac{(1-e^{-aT})z}{(z-1)(z-e^{-aT})}$ 의 역 z변환은?

① $1-e^{-at}$　　　　② $1+e^{-at}$

③ te^{-at}　　　　④ te^{at}

빈출
69 `1` `2` `3`

그림과 같은 논리회로의 출력 Y는?

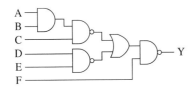

① $ABCDE+\overline{F}$

② $\overline{A}\,\overline{B}\,\overline{C}\,\overline{D}\,\overline{E}+F$

③ $\overline{A}+\overline{B}+\overline{C}+\overline{D}+\overline{E}+F$

④ $A+B+C+D+E+\overline{F}$

70 `1` `2` `3`

자동 제어계의 과도 응답의 설명으로 틀린 것은?

① 지연시간은 최종값의 50[%]에 도달하는 시간이다.

② 정정시간은 응답의 최종값의 허용범위가 ±5[%] 내에 안정되기 까지 요하는 시간이다.

③ 백분율 오버슈트=(최대오버슈트/최종목표값)×100

④ 상승시간은 최종값의 10[%]에서 100[%]까지 도달하는데 요하는 시간이다.

71 `1` `2` `3`

$R=2[\Omega]$, $L=10[\text{mH}]$, $C=4[\mu\text{F}]$의 직렬 공진회로의 선택도 Q값은 얼마인가?

① 25　　　　② 45

③ 65　　　　④ 85

68

주어진 식을 부분분수로 전개한다.

$$\frac{R(z)}{z} = \frac{(1-e^{-aT})}{(z-1)(z-e^{-aT})} = \frac{A}{z-1} + \frac{B}{z-e^{-aT}}$$

$$= \frac{1}{z-1} - \frac{1}{z-e^{-aT}}$$

단, $A = \left.\dfrac{1-e^{-aT}}{z-e^{-aT}}\right|_{z=1} = 1$

$\quad\ B = \left.\dfrac{1-e^{-aT}}{z-1}\right|_{z=e^{-aT}} = -1$

위의 식에서 좌변 분모의 z를 원래의 우변 분자에 이항하여 식을 정리한다.

$$R(z) = \frac{z}{z-1} - \frac{z}{z-e^{-aT}}$$

따라서 위의 식을 z 역변환하여 시간 함수로 바꾸면 다음과 같다.

$$R(z) = \frac{z}{z-1} - \frac{z}{z-e^{-aT}} \;\rightarrow\; r(t) = 1-e^{-at}$$

69

$Y = \overline{(\overline{ABC}+\overline{DE})\cdot F} = ABCDE+\overline{F}$

70

- 상승 시간: 제어계의 출력이 입력의 10~90[%]에 진행하는 데 걸리는 시간
- 지연 시간: 제어계의 출력이 입력의 50[%]에 진행하는 데 걸리는 시간
- 백분율 오버슈트 $= \dfrac{\text{최대 오버슈트}}{\text{최종 목표값}} \times 100$

71

직렬 공진회로의 선택도(전압 확대비)

$$Q = \frac{1}{R}\sqrt{\frac{L}{C}} = \frac{1}{2} \times \sqrt{\frac{10\times10^{-3}}{4\times10^{-6}}} = 25$$

72 ▮1▮ ▮2▮ ▮3▮

4단자망의 파라미터 정수에 관한 서술 중 잘못된 것은?

① ABCD 파라미터 중 A 및 D는 차원(dimension)이 없다.

② h 파라미터 중 h_{12} 및 h_{21}은 차원이 없다.

③ ABCD 파라미터 중 B는 어드미턴스, C는 임피던스의 차원을 갖는다.

④ h 파라미터 중 h_{11}은 임피던스, h_{22}는 어드미턴스의 차원을 갖는다.

73 ▮1▮ ▮2▮ ▮3▮

다음 회로에서 저항 R에 흐르는 전류 I는 몇 [A]인가?

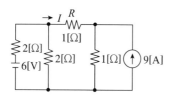

① 2

② 1

③ −2

④ −1

74 ▮1▮ ▮2▮ ▮3▮

$e = 100\sqrt{2}\sin\omega t + 75\sqrt{2}\sin 3\omega t + 20\sqrt{2}\sin 5\omega t [\text{V}]$인 전압을 RL 직렬회로에 가할 때 제 3고조파 전류의 실효치는?(단, $R = 4[\Omega]$, $\omega L = 1[\Omega]$이다.)

① 15

② $15\sqrt{2}$

③ 20

④ $20\sqrt{2}$

75 ▮1▮ ▮2▮ ▮3▮

다음과 같은 Z파라미터로 표시되는 4단자망의 1-1' 단자간에 4[A], 2-2' 단자 간에 1[A]의 정전류원을 연결하였을 때의 1-1' 단자간의 전압 V_1과 2-2'간의 전압 V_2가 바르게 구하여진 것은? (단, Z파라미터는 단위는 [Ω]이다.)

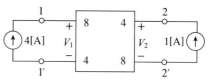

① $V_1 = 18[\text{V}]$, $V_2 = 12[\text{V}]$

② $V_1 = 18[\text{V}]$, $V_2 = 24[\text{V}]$

③ $V_1 = 36[\text{V}]$, $V_2 = 24[\text{V}]$

④ $V_1 = 24[\text{V}]$, $V_2 = 36[\text{V}]$

76 1 2 3

3상 불평형 전압을 V_a, V_b, V_c라고 할 때, 역상 전압 V_2는 얼마인가?

① $V_2 = \dfrac{1}{3}(V_a + V_b + V_c)$

② $V_2 = \dfrac{1}{3}(V_a + a^2 V_b + a V_c)$

③ $V_2 = \dfrac{1}{3}(V_a + a V_b + a^2 V_c)$

④ $V_2 = \dfrac{1}{3}(V_a + a^2 V_b + V_c)$

77 1 2 3

최대값 V_0, 내부 임피던스 $Z_0 = R_0 + jX_0\,(R_0 > 0)$인 전원에서 공급할 수 있는 최대 전력은?

① $\dfrac{V_0^2}{8R_0}$

② $\dfrac{V_0^2}{4R_0}$

③ $\dfrac{V_0^2}{2R_0}$

④ $\dfrac{V_0^2}{2\sqrt{2}\,R_0}$

78 1 2 3

세 변의 저항 $R_a = R_b = R_c = 15[\Omega]$인 Y 결선 회로가 있다. 이것과 등가인 Δ 결선 회로의 각 변의 저항$[\Omega]$은?

① 135

② 45

③ 15

④ 5

79 1 2 3

2전력계법으로 평형 3상 전력을 측정하였더니 한쪽의 지시가 $500[\mathrm{W}]$, 다른 한쪽의 지시가 $1,500[\mathrm{W}]$이었다. 피상 전력은 약 몇 $[\mathrm{VA}]$인가?

① 2,000

② 2,310

③ 2,646

④ 2,771

80 1 2 3

회로에서 $V = 10[\mathrm{V}]$, $R = 10[\Omega]$, $L = 1[\mathrm{H}]$, $C = 10[\mu\mathrm{F}]$ 그리고 $V_c(0) = 0$일 때 스위치 K를 닫은 직후 전류의 변화율 $\dfrac{di(0^+)}{dt}$의 값$[\mathrm{A/sec}]$은?

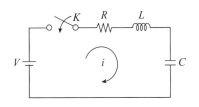

① 0

② 1

③ 5

④ 10

76

• 영상 전압 $V_0 = \dfrac{1}{3}(V_a + V_b + V_c)[\mathrm{V}]$

• 정상 전압 $V_1 = \dfrac{1}{3}(V_a + a V_b + a^2 V_c)[\mathrm{V}]$

• 역상 전압 $V_2 = \dfrac{1}{3}(V_a + a^2 V_b + a V_c)[\mathrm{V}]$

77

최대 공급 전력

$$P_{\max} = \frac{V^2}{4R_0} = \frac{\left(\dfrac{V_0}{\sqrt{2}}\right)^2}{4R_0} = \frac{\dfrac{V_0^2}{2}}{4R_0} = \frac{V_0^2}{8R_0}[\mathrm{W}]$$

78

$R_\Delta = 3R_Y = 3 \times 15 = 45[\Omega]$

($\because \Delta$결선은 Y결선의 3배)

79

2전력계법에서의 피상 전력

$$P_a = 2\sqrt{P_1^2 + P_2^2 - P_1 P_2}$$
$$= 2\sqrt{500^2 + 1,500^2 - 500 \times 1,500} = 2,646[\mathrm{VA}]$$

80

$R^2 = 10^2 = 100$, $4\dfrac{L}{C} = 4 \times \dfrac{1}{10 \times 10^{-6}} = 400,000$으로

$R^2 < 4\dfrac{L}{C}$이므로 진동 조건이다.

RLC 직렬회로의 진동 조건에서의 전류 변화율 식에 대입한다.

$i(t) = \dfrac{E}{\beta L} e^{-\alpha t} \sin \beta t$

$\dfrac{di(t)}{dt} = \dfrac{E}{\beta L}[-\alpha e^{-\alpha t} \sin \beta t + \beta e^{-\alpha t} \cos \beta t]_{t=0} = \dfrac{E}{\beta L} \times \beta = \dfrac{E}{L}$

$\qquad = \dfrac{10}{1} = 10[\mathrm{A/sec}]$

81 1 2 3

다음은 특별저압 SELV와 PELV에 대한 설명이다. 빈칸에 들어갈 알맞은 것을 고르시오.

> 특별저압 계통의 전압한계는 KS C IEC 60449(건축전기설비의 전압밴드)에 의한 전압밴드 I의 상한 값인 교류 (㉠)[V] 이하, 직류 (㉡)[V] 이하이어야 한다.

① ㉠ 50 ㉡ 120
② ㉠ 50 ㉡ 100
③ ㉠ 100 ㉡ 120
④ ㉠ 100 ㉡ 200

82 1 2 3

시가지 또는 그 밖에 인가가 밀집한 지역에 154[kV] 가공전선로의 전선을 케이블로 시설하고자 한다. 이때 가공전선을 지지하는 애자장치의 충격섬락전압 값이 그 전선의 근접한 다른 부분을 지지하는 애자장치 값의 몇 [%] 이상이어야 하는가?

① 75
② 100
③ 105
④ 110

83 1 2 3

분산형전원설비 사업자의 한 사업장의 설비 용량 합계가 몇 [kVA] 이상일 경우에는 송·배전계통과 연계지점의 연결 상태를 감시 또는 유효전력, 무효전력 및 전압을 측정할 수 있는 장치를 시설하여야 하는가?

① 100
② 150
③ 200
④ 250

84 1 2 3

시스템 종류는 단상교류이고, 전차선과 급전선이 동적일 경우 최소 높이는 몇 [mm] 이상이어야 하는가?

① 4,100
② 4,300
③ 4,500
④ 4,800

정답 및 해설

81

저압전로의 절연성능(기술기준 제52조)
특별저압(Extra Low Voltage : 2차 전압이 AC 50[V], DC 120[V] 이하)으로 SELV(비접지회로 구성) 및 PELV(접지회로 구성)는 1차와 2차가 전기적으로 절연된 회로, FELV는 1차와 2차가 전기적으로 절연되지 않은 회로

82

시가지 등에서 특고압 가공전선로의 시설(한국전기설비규정 333.1)
사용전압이 170[kV] 이하인 전로의 특고압 가공전선을 지지하는 애자장치는 50[%] 충격섬락전압 값이 그 전선의 근접한 다른 부분을 지지하는 애자장치 값의 110[%](사용전압이 130[kV]를 초과하는 경우는 105[%]) 이상인 것

83

분산형 전원계통 연계설비의 시설기준(한국전기설비규정 503.2)
분산형 전원설비 사업자의 한 사업장의 설비 용량 합계가 250[kVA] 이상일 경우에는 송·배전계통과 연계지점의 연결 상태를 감시 또는 유효전력, 무효전력 및 전압을 측정할 수 있는 장치를 시설할 것

84

전차선 및 급전선의 높이(한국전기설비규정 431.6)
전차선과 급전선의 최소 높이는 다음 표의 값 이상을 확보하여야 한다.

시스템 종류	공칭전압[V]	동적[mm]	정적[mm]
직류	750	4,800	4,400
	1,500	4,800	4,400
단상교류	25,000	4,800	4,570

85 ⬛1 2 3

전로에 대한 설명 중 옳은 것은?

① 통상의 사용상태에서 전기를 절연한 곳
② 통상의 사용상태에서 전기를 접지한 곳
③ 통상의 사용상태에서 전기가 통하고 있는 곳
④ 통상의 사용상태에서 전기가 통하고 있지 않는 곳

86 ⬛1 2 3

저압으로 수전하는 경우 수용가 설비의 인입구로부터 조명까지의 전압강하는 몇 [%] 이하이어야 하는가?

① 3 　　　　　② 5
③ 8 　　　　　④ 6

87 ⬛1 2 3

고압 보안공사에서 지지물이 A종 철주인 경우 경간은 몇 [m] 이하 인가?

① 100 　　　　　② 150
③ 250 　　　　　④ 400

88 ⬛1 2 3

폭발성 또는 연소성의 가스가 침입할 우려가 있는 곳에 시설하는 지중함으로서 그 크기가 몇 [m³] 이상인 것에는 통풍장치 기타 가스를 방산시키기 위한 적당한 장치를 시설하여야 하는가?

① 0.5 　　　　　② 0.75
③ 1 　　　　　④ 2

85
정의(기술기준 제3조)
전로란 통상의 사용상태에서 전기가 통하고 있는 곳을 말한다.

86
수용가 설비에서의 전압강하(한국전기설비규정 232.3.9)
수용가 설비의 인입구로부터 기기까지의 전압강하는 다음 표의 값 이하이어야 한다.

설비의 유형	조명(%)	기타(%)
A - 저압으로 수전하는 경우	3	5
B - 고압 이상으로 수전하는 경우*	6	8

* 가능한 한 최종회로 내의 전압강하가 A 유형의 값을 넘지 않도록 하는 것이 바람직하다. 사용자의 배선설비가 100[m]를 넘는 부분의 전압강하는 미터당 0.005[%] 증가할 수 있으나 이러한 증가분은 0.5[%]를 넘지 않아야 한다.

87
고압 보안공사(한국전기설비규정 332.10)

지지물의 종류	경간[m]
목주, A종 철주 또는 A종 철근 콘크리트주	100
B종 철주 또는 B종 철근 콘크리트주	150
철탑	400

88
지중함의 시설(한국전기설비규정 334.2)
• 지중함은 견고하고 차량 기타 중량물의 압력에 견디는 구조일 것
• 지중함은 그 안의 고인 물을 제거할 수 있는 구조로 되어 있을 것
• 폭발성 또는 연소성의 가스가 침입할 우려가 있는 것에 시설하는 지중함으로서 그 크기가 1[m³] 이상인 것에는 통풍장치 기타 가스를 방산시키기 위한 적당한 장치를 시설할 것
• 지중함의 뚜껑은 시설자 이외의 자가 쉽게 열 수 없도록 시설할 것

[암기 포인트] 지중함 - 1[m³]

89 ☐1 ☐2 ☐3

전식방지대책에서 매설금속체 측의 누설전류에 의한 전식의 피해가 예상되는 곳에 고려하여야 하는 방법으로 틀린 것은?

① 절연코팅
② 배류장치 설치
③ 변전소 간 간격 축소
④ 저준위 금속체를 접속

90 ☐1 ☐2 ☐3

사용전압이 $400[\text{V}]$ 이하인 저압 옥측전선로를 애자공사에 의해 시설하는 경우 전선 상호 간의 간격은 몇 $[\text{m}]$ 이상이어야 하는가?(단, 비나 이슬에 젖지 않는 장소에 사람이 쉽게 접촉될 우려가 없도록 시설한 경우이다.)

① 0.025
② 0.045
③ 0.06
④ 0.12

91 ☐1 ☐2 ☐3

저압 옥내배선을 금속덕트공사로 할 경우 금속덕트에 넣는 전선의 단면적(절연 피복의 단면적 포함)의 합계는 덕트 내부 단면적의 몇 $[\%]$까지 할 수 있는가?

① 20
② 30
③ 40
④ 50

92 ☐1 ☐2 ☐3

고압 가공전선로의 지지물에 시설하는 통신선의 높이는 도로를 횡단하는 경우 교통에 지장을 줄 우려가 없다면 지표상 몇 $[\text{m}]$까지 감할 수 있는가?

① 4
② 4.5
③ 5
④ 6

정답 및 해설

89

전식방지대책(한국전기설비규정 461.4)
매설금속체 측의 누설전류에 의한 전식의 피해가 예상되는 곳은 다음 방법을 고려하여야 한다.

• 배류장치 설치
• 절연코팅
• 매설금속체 접속부 절연
• 저준위 금속체를 접속
• 궤도와의 이격거리 증대
• 금속판 등의 도체로 차폐

90

옥측전선로(한국전기설비규정 221.2)
애자공사에 의한 저압 옥측전선로는 다음에 의하고 또한 사람이 쉽게 접촉될 우려가 없도록 시설할 것

• 전선은 공칭단면적 $4[\text{mm}^2]$ 이상의 연동 절연전선(옥외용 비닐절연전선 및 인입용 절연전선은 제외한다)일 것
• 전선 상호 간의 간격은 다음 표에서 정한 값 이상일 것

시설 장소	전선 상호 간의 간격	
	사용 전압이 $400[\text{V}]$ 이하인 경우	사용 전압이 $400[\text{V}]$ 초과인 경우
비나 이슬에 젖지 않는 장소	0.06[m]	0.06[m]
비나 이슬에 젖는 장소	0.06[m]	0.12[m]

91

금속덕트공사(한국전기설비규정 232.31)
전선은 절연전선(OW 제외)으로 금속덕트에 넣는 전선의 단면적(절연 피복 포함) 합계는 덕트 내부 단면적의 20[%](전광 표시 장치 기타 이와 유사한 장치 또는 제어회로용 배선만을 넣는 경우는 50[%]) 이하일 것

92

전력보안 통신선의 시설높이와 이격거리(한국전기설비규정 362.2)

시설장소		가공 통신선	첨가 통신선	
			고·저압	특고압
도로 횡단	일반적인 경우	5[m]	6[m]	6[m]
	교통에 지장이 없는 경우	4.5[m]	5[m]	–
철도 횡단(레일면상)		6.5[m]	6.5[m]	6.5[m]
횡단 보도교 위 (노면상)	일반적인 경우	3[m]	3.5[m]	5[m]
	절연전선과 동등 이상의 절연효력이 있는 것(고·저압)이나 광섬유 케이블을 사용하는 것 (특고압)	–	3[m]	4[m]
기타의 장소		3.5[m]	4[m]	5[m]

여기서, 첨가 통신선은 가공전선로의 지지물에 시설하는 통신선을 말한다.

93 ①②③

가공공동지선에 의한 접지공사에 있어 가공공동지선과 대지간의 합성 전기저항 값은 몇 [km]를 지름으로 하는 지역 안마다 규정하는 접지 저항값을 가지는 것으로 하여야 하는가?

① 0.4 ② 0.6
③ 0.8 ④ 1.0

94 ①②③

태양전지 모듈의 시설에 대한 설명으로 옳은 것은?

① 충전 부분은 노출하여 시설할 것
② 출력 배선은 극성별로 확인 가능토록 표시할 것
③ 전선은 공칭단면적 1.5[mm²] 이상의 연동선을 사용할 것
④ 전선을 옥내에 시설할 경우에는 애자공사에 준하여 시설할 것

95 ①②③

무대, 무대마루 밑, 오케스트라 박스, 영사실 기타 사람이나 무대 도구가 접촉할 우려가 있는 곳에 시설하는 저압 옥내배선, 전구선 또는 이동 전선은 사용전압이 몇 [V] 이하이어야 하는가?

① 60 ② 110
③ 220 ④ 400

96 ①②③

애자공사에 의한 저압 옥내배선 시설 중 틀린 것은?

① 전선은 인입용 비닐절연전선일 것
② 전선 상호 간의 간격은 0.06[m] 이상일 것
③ 전선의 지지점 간의 거리는 전선을 조영재의 윗면에 따라 붙일 경우에는 2[m] 이하일 것
④ 전선과 조영재 사이의 이격거리는 사용전압이 400[V] 이하인 경우에는 25[mm] 이상일 것

93

고압 또는 특고압과 저압의 혼촉에 의한 위험방지 시설(한국전기설비규정 322.1)
가공공동지선과 대지 사이의 합성 전기저항 값은 1[km]를 지름으로 하는 지역 안마다 중성점 접지저항 값을 가지는 것으로 하고 또한 각 접지도체를 가공공동지선으로부터 분리하였을 경우의 각 접지도체와 대지 사이의 전기저항 값은 300[Ω] 이하로 할 것

94

태양광설비의 시설(한국전기설비규정 522)
• 전선은 공칭단면적 2.5[mm²] 이상의 연동선 또는 이와 동등 이상의 세기 및 굵기의 것일 것
• 옥내에 시설할 경우에는 합성수지관공사, 금속관공사, 금속제 가요전선관공사 또는 케이블공사로 시설할 것
• 모듈의 출력 배선은 극성별로 확인 가능하도록 표시할 것
• 충전 부분은 노출되지 아니하도록 시설할 것

95

전시회, 쇼 및 공연장의 전기설비(사용전압)(한국전기설비규정 242.6.2)
무대, 무대마루 밑, 오케스트라 박스, 영사실 기타 사람이나 무대 도구가 접촉할 우려가 있는 곳에 시설하는 저압 옥내배선, 전구선 또는 이동전선은 사용전압이 400[V] 이하이어야 한다.

96

애자공사(한국전기설비규정 232.56)
• 전선의 종류: 절연전선. 단, 옥외용 비닐절연전선(OW) 및 인입용 비닐절연전선(DV)은 제외한다.
• 이격거리

전압		전선과 조영재와의 이격거리		전선 상호 간격	전선 지지점 간의 거리	
					조영재의 윗면 또는 옆면	조영재에 따라 시설하지 않는 경우
저압	400[V] 이하	25[mm] 이상		0.06[m] 이상	2[m] 이하	–
	400[V] 초과	건조한 장소	25[mm] 이상			6[m] 이하
		기타의 장소	45[mm] 이상			

97 ⬜1 ⬜2 ⬜3

특고압용 타냉식 변압기의 냉각장치에 고장이 생긴 경우를 대비하여 어떤 보호장치를 하여야 하는가?

① 경보장치
② 속도조정장치
③ 온도시험장치
④ 냉매흐름장치

98 ⬜1 ⬜2 ⬜3

조상기의 보호장치로서 내부 고장 시에 자동적으로 전로로부터 차단되는 장치를 설치하여야 하는 조상기 용량은 몇 [kVA] 이상인가?

① 5,000
② 7,500
③ 10,000
④ 15,000

99 ⬜1 ⬜2 ⬜3

가공전선로의 지지물에 시설하는 지선에 관한 사항으로 옳은 것은?

① 소선은 지름 2.0[mm] 이상인 금속선을 사용한다.
② 도로를 횡단하여 시설하는 지선의 높이는 지표상 6.0[m] 이상이다.
③ 지선의 안전율은 1.2 이상이고 허용 인장하중의 최저는 4.31[kN]으로 한다.
④ 지선에 연선을 사용할 경우에는 소선은 3가닥 이상의 연선을 사용한다.

정답 및 해설

97

특고압용 변압기의 보호장치(한국전기설비규정 351.4)
특고압용의 변압기에는 그 내부에 고장이 생겼을 경우에 보호하는 장치를 다음 표와 같이 시설하여야 한다.

뱅크용량의 구분	동작조건	장치의 종류
5,000[kVA] 이상 10,000[kVA] 미만	변압기 내부 고장	자동차단장치 또는 경보장치
10,000[kVA] 이상	변압기 내부 고장	자동차단장치
타냉식 변압기 (변압기의 권선 및 철심을 직접 냉각시키기 위하여 봉입한 냉매를 강제 순환시키는 냉각방식을 말한다.)	냉각장치에 고장이 생긴 경우 또는 변압기의 온도가 현저히 상승한 경우	경보장치

98

조상설비의 보호장치(한국전기설비규정 351.5)
조상설비에는 그 내부에 고장이 생긴 경우에 보호하는 장치를 다음 표와 같이 시설하여야 한다.

설비종별	뱅크용량의 구분	자동적으로 전로로부터 차단하는 장치
전력용 커패시터 및 분로리액터	500[kVA] 초과 15,000[kVA] 미만	내부에 고장이 생긴 경우에 동작하는 장치 또는 과전류가 생긴 경우에 동작하는 장치
	15,000[kVA] 이상	내부에 고장이 생긴 경우에 동작하는 장치 및 과전류가 생긴 경우에 동작하는 장치 또는 과전압이 생긴 경우에 동작하는 장치
조상기	15,000[kVA] 이상	내부에 고장이 생긴 경우에 동작하는 장치

[암기 포인트] 조상기 – 15,000[kVA]

99

지선의 시설(한국전기설비규정 331.11)
• 안전율: 2.5 이상
• 최저 인장하중: 4.31[kN]
• 연선일 경우 소선의 지름이 2.6[mm] 이상인 금속선 3가닥 이상을 꼬아서 사용
• 지중 및 지표상 0.3[m]까지의 부분은 아연도금 철봉 등을 사용
• 도로를 횡단하여 시설하는 지선의 높이는 지표상 5[m] 이상으로 할 것

100 ①②③

무선용 안테나 등을 지지하는 철탑의 기초 안전율은 얼마 이상
이어야 하는가?

① 1.0　　　　　　② 1.5
③ 2.0　　　　　　④ 2.5

100

무선용 안테나 등을 지지하는 철탑 등의 시설(한국전기설비규정 364.1)
철주·철근 콘크리트주 또는 철탑의 기초 안전율은 1.5 이상이어야
한다.

정답　100 ②

2021년 전기기사 필기

시험정보

과목명	문항수	시간(분)	필기합격률
전기자기학	20	20	
전력공학	20	20	
전기기기	20	20	
회로이론 및 제어공학	20	20	**22%**
전기설비 기술기준	20	20	
합 계	100	100	

※ 한국전기설비규정(KEC) 적용으로 성립되지 않는 문제는 해설과 정답을 생략하였습니다. 온라인 OMR 이용 시 해당 문제의 정답은 ①로 체크하여 주시면 정답 처리됩니다.

시행일자

1회 3. 7
2회 5. 15
3회 8. 14

합격기준

과목당 40점 이상 (100점 만점 기준)
전과목 평균 60점 이상 (100점 만점 기준)

시험분석

전기자기학	1회	난이도 中		고난도 18 빈출 08, 11
	2회	난이도 中		고난도 11 빈출 01, 04, 10
	3회	난이도 中		고난도 13, 17 빈출 01, 06, 10

전력공학	1회	난이도 中		고난도 33 빈출 28, 30
	2회	난이도 下		고난도 35, 40 빈출 22, 24, 26, 33
	3회	난이도 下		고난도 23, 29 빈출 35, 36, 38, 40

전기기기	1회	난이도 中		고난도 42, 49 빈출 48, 52, 53, 59
	2회	난이도 中		고난도 51, 58 빈출 41, 42, 46, 60
	3회	난이도 上		고난도 44, 49 빈출 45

회로이론 및 제어공학	1회	난이도 上		고난도 64, 73, 76 빈출 63, 65, 75
	2회	난이도 中		고난도 71, 79 빈출 62, 70, 75
	3회	난이도 中		고난도 70 빈출 65, 72, 76

전기설비 기술기준	1회	난이도 中		고난도 91 빈출 84, 99
	2회	난이도 中		고난도 83, 90, 92 빈출 87, 93, 96
	3회	난이도 上		고난도 87, 96 빈출 89, 97

전기자기학

1회독	월	일
2회독	월	일
3회독	월	일

자동채점

01 ☐1 ☐2 ☐3

비투자율이 $\mu_r = 800$, 원형 단면적이 $S = 10[\text{cm}^2]$, 평균 자로 길이가 $l = 16\pi \times 10^{-2}[\text{m}]$의 환상 철심에 600회의 코일을 감고 이 코일에 1[A]의 전류를 흘리면 환상 철심 내부의 자속은 몇 [Wb]인가?

① 1.2×10^{-3}
② 1.2×10^{-5}
③ 2.4×10^{-3}
④ 2.4×10^{-5}

02 ☐1 ☐2 ☐3

정상전류계에서 $\nabla \cdot i = 0$에 대한 설명으로 틀린 것은?

① 도체 내에 흐르는 전류는 연속이다.
② 도체 내에 흐르는 전류는 일정하다.
③ 단위 시간당 전하의 변화가 없다.
④ 도체 내에 전류가 흐르지 않는다.

03 ☐1 ☐2 ☐3

동일한 금속 도선의 두 점 사이에 온도차를 주고 전류를 흘렸을 때 열의 발생 또는 흡수가 일어나는 현상은?

① 펠티에(Peltier) 효과
② 볼타(Volta) 효과
③ 제벡(Seebeck) 효과
④ 톰슨(Thomson) 효과

04 ☐1 ☐2 ☐3

비유전율이 2이고, 비투자율이 2인 매질 내에서의 전자파의 전파 속도 $v[\text{m/s}]$와 진공 중의 빛의 속도 $v_0[\text{m/s}]$ 사이 관계는?

① $v = \dfrac{1}{2} v_0$
② $v = \dfrac{1}{4} v_0$
③ $v = \dfrac{1}{6} v_0$
④ $v = \dfrac{1}{8} v_0$

정답 및 해설

01

$$H = \frac{NI}{l} \, [\text{AT/m}]$$

$$B = \mu H = \frac{\mu NI}{l} = \frac{\mu_0 \mu_r NI}{l}$$

$$\phi = BS = \frac{\mu_0 \mu_r NIS}{l}$$

$$= \frac{4\pi \times 10^{-7} \times 800 \times 600 \times 1 \times 10 \times 10^{-4}}{16\pi \times 10^{-2}}$$

$$= 1.2 \times 10^{-3} \, [\text{Wb}]$$

02

정상전류에 관한 전류의 연속방정식은 $\nabla \cdot i = 0$으로 정상전류계일 경우 도체 내에 흐르는 전류 및 시간당 전하의 변화가 없으며, 도체 내를 흐르는 전류는 연속임을 나타낸다.

03

동일한 금속에서 발생하는 열전현상은 톰슨효과이다.
• 펠티에(Peltier) 효과: 열전대에 전류를 흐르게 했을 때, 열전대의 각 접점에서 발열 혹은 흡열 작용이 일어나는 현상
• 볼타(Volta) 효과: 서로 다른 두 종류의 금속을 접촉시키고 얼마 후에 떼어서 각각 검사하면 양과 음으로 대전되는 현상
• 제벡(Seebeck) 효과: 금속선 한 접점에 열을 가하게 되면 두 접점의 온도차로 인해 생기는 전위차에 의해 전류가 흐르게 되는 현상
• 톰슨(Thomson) 효과: 동일한 금속에 부분적인 온도차가 있을 때 전류를 흘리면 발열 또는 흡열이 일어나는 현상

04

전자파의 전파 속도

$$v = \frac{1}{\sqrt{\mu \varepsilon}} = \frac{1}{\sqrt{\mu_0 \mu_r \varepsilon_0 \varepsilon_r}} = \frac{v_0}{\sqrt{\mu_r \varepsilon_r}} = \frac{v_0}{\sqrt{2 \times 2}} = \frac{v_0}{2} [\text{m/s}]$$

정답 01 ① 02 ④ 03 ④ 04 ①

05 `1` `2` `3`

진공 내의 점 $(2,2,2)$에 10^{-9}[C]의 전하가 놓여 있다. 점 $(2,5,6)$에서의 전계 E는 약 몇 [V/m]인가?(단, a_y, a_z는 단위벡터이다.)

① $0.278a_y + 2.999a_z$ ② $0.216a_y + 0.288a_z$

③ $0.288a_y + 0.216a_z$ ④ $0.291a_y + 0.288a_z$

06 `1` `2` `3`

한 변의 길이가 l[m]인 정사각형 도체에 전류 I[A]가 흐르고 있을 때 중심점 P에서의 자계의 세기는 몇 [A/m]인가?

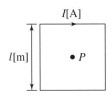

① $16\pi lI$ ② $4\pi lI$

③ $\dfrac{\sqrt{3}\,\pi}{2l}I$ ④ $\dfrac{2\sqrt{2}}{\pi l}I$

07 `1` `2` `3`

간격이 3[cm]이고 면적이 30[cm²]인 평판의 공기 콘덴서에 220[V]의 전압을 가하면 두 판 사이에 작용하는 힘은 약 몇 [N]인가?

① 6.3×10^{-5} ② 7.14×10^{-7}

③ 8×10^{-5} ④ 5.75×10^{-4}

05

$Q = 10^{-9}$[C] $(2,2,2)$ ····$\dot{r}$····· $P(2,5,6)$

$\dot{r} = (2-2)a_x + (5-2)a_y + (6-2)a_z = 3a_y + 4a_z$

$|\dot{r}| = \sqrt{3^2 + 4^2} = 5$

$\therefore \dot{E} = \dfrac{Q}{4\pi\varepsilon_0 r^2} \times \dfrac{\dot{r}}{|\dot{r}|}$

$= 9 \times 10^9 \times \dfrac{10^{-9}}{5^2} \times \dfrac{1}{5}(3a_y + 4a_z)$

$= 0.216a_y + 0.288a_z$ [V/m]

06

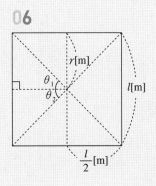

05

정사각형의 한 변의 길이를 l[m]이라 하면 각 변이 만드는 자계는 유한장 직선전류에 의한 자계 공식을 이용하여 구한다.

$r = \dfrac{1}{2}l$[m], $\theta_1 = \theta_2 = \dfrac{\pi}{4}$ 이므로 변 하나가 만드는 자계의 크기는

$H = \dfrac{I}{4\pi r}(\sin\theta_1 + \sin\theta_2) = \dfrac{I}{4\pi \times \frac{1}{2}l}\left(\sin\dfrac{\pi}{4} + \sin\dfrac{\pi}{4}\right)$

$= \dfrac{\sqrt{2}I}{2\pi l}$ [A/m]

따라서 네 변이 만드는 정사각형의 중심 자계의 크기는

$H_4 = H \times 4 = \dfrac{2\sqrt{2}I}{\pi l}$ [A/m]

07

간극 d인 평판의 전계는

$E = \dfrac{V}{d} = \dfrac{220}{3 \times 10^{-2}}$ [V/m]

단위면적당 정전응력 $f = \dfrac{1}{2}\varepsilon_0 E^2$[N/m²]이므로 전체면적에 작용하는 힘은

$F = f \times S = \dfrac{1}{2}\varepsilon_0 E^2 \times S$

$= \dfrac{1}{2} \times 8.854 \times 10^{-12} \times \left(\dfrac{220}{3 \times 10^{-2}}\right)^2 \times 30 \times 10^{-4}$

$\fallingdotseq 7.14 \times 10^{-7}$ [N]

08

전계 $E[\mathrm{V/m}]$, 전속밀도 $D[\mathrm{C/m^2}]$, 유전율 $\varepsilon = \varepsilon_0\varepsilon_r[\mathrm{F/m}]$, 분극의 세기 $P[\mathrm{C/m^2}]$ 사이의 관계를 나타낸 것으로 옳은 것은?

① $P = D + \varepsilon_0 E$ ② $P = D - \varepsilon_0 E$

③ $P = \dfrac{D+E}{\varepsilon_0}$ ④ $P = \dfrac{D-E}{\varepsilon_0}$

09

커패시터를 제조하는데 4가지(A, B, C, D)의 유전재료가 있다. 커패시터 내의 전계를 일정하게 하였을 때, 단위체적당 가장 큰 에너지 밀도를 나타내는 재료부터 순서대로 나열한 것은?(단, 유전재료(A, B, C, D)의 비유전율은 각각 $\varepsilon_{rA} = 8$, $\varepsilon_{rB} = 10$, $\varepsilon_{rC} = 2$, $\varepsilon_{rD} = 4$ 이다.)

① $C > D > A > B$ ② $B > A > D > C$

③ $D > A > C > B$ ④ $A > B > D > C$

10

내구의 반지름이 $2[\mathrm{cm}]$, 외구의 반지름이 $3[\mathrm{cm}]$인 동심 구도체 간에 고유저항이 $1.884 \times 10^2 [\Omega \cdot \mathrm{m}]$인 저항 물질로 채워져 있다고 할 때, 내외구 간의 합성 저항은 약 몇 $[\Omega]$인가?

① 2.5   ② 5.0

③ 250   ④ 500

11

영구자석의 재료로 적합한 것은?

① 잔류 자속밀도(B_r)는 크고, 보자력(H_c)은 작아야 한다.

② 잔류 자속밀도(B_r)는 작고, 보자력(H_c)은 커야 한다.

③ 잔류 자속밀도(B_r)와 보자력(H_c)은 모두 작아야 한다.

④ 잔류 자속밀도(B_r)와 보자력(H_c)은 모두 커야 한다.

정답 및 해설

08

분극의 세기
$$P = D - \varepsilon_0 E$$
$$\quad = \varepsilon_0\varepsilon_r E - \varepsilon_0 E$$
$$\quad = \varepsilon_0(\varepsilon_r - 1)E\,[\mathrm{C/m^2}]$$

(단, $\chi = \varepsilon_0(\varepsilon_r - 1)$: 분극률, $\dfrac{\chi}{\varepsilon_0} = \chi_e = \varepsilon_r - 1$: 비분극률)

09

유전체 내에 저장되는 에너지 밀도
$$w = \frac{1}{2}\varepsilon E^2\,[\mathrm{J/m^3}]$$
에너지 밀도와 유전율은 비례한다. 따라서 문제에 주어진 유전율의 크기와 에너지 밀도의 크기 관계를 정리해 보면
$$\varepsilon_{rB} > \varepsilon_{rA} > \varepsilon_{rD} > \varepsilon_{rC},\ B > A > D > C$$

10

도체구 내경 a와 외경 b, 유전율 ε인 동심 도체구의 정전용량은
$$C = \frac{4\pi\varepsilon}{\dfrac{1}{a} - \dfrac{1}{b}}[\mathrm{F}]$$이므로 $RC = \rho\varepsilon$ 관계로부터 저항은 다음과 같다.

$$R = \frac{\rho\varepsilon}{C} = \frac{\rho}{4\pi}\left(\frac{1}{a} - \frac{1}{b}\right)$$

$$\quad = \frac{1.884 \times 10^2}{4\pi}\left(\frac{1}{2 \times 10^{-2}} - \frac{1}{3 \times 10^{-2}}\right)$$

$$\quad = 250[\Omega]$$

11

- 영구자석의 재료
  잔류 자기 및 보자력이 모두 커서 히스테리시스 면적이 큰 물질(강자성체)
- 전자석의 재료
  잔류 자기는 크지만 보자력이 작아서 히스테리시스 면적이 작은 물질 (상자성체)

12 ⬛1️⃣2️⃣3️⃣

평등 전계 중에 유전체 구에 의한 전속 분포가 그림과 같이 되었을 때 ε_1과 ε_2의 크기 관계는?

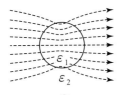

① $\varepsilon_1 > \varepsilon_2$
② $\varepsilon_1 < \varepsilon_2$
③ $\varepsilon_1 = \varepsilon_2$
④ $\varepsilon_1 \leq \varepsilon_2$

13 ⬛1️⃣2️⃣3️⃣

환상 솔레노이드의 단면적이 S, 평균 반지름이 r, 권선수가 N이고 누설자속이 없는 경우 자기 인덕턴스의 크기는?

① 권선수 및 단면적에 비례한다.
② 권선수의 제곱 및 단면적에 비례한다.
③ 권선수의 제곱 및 평균 반지름에 비례한다.
④ 권선수의 제곱에 비례하고 단면적에 반비례한다.

14 ⬛1️⃣2️⃣3️⃣

전하 $e[C]$, 질량 $m[kg]$인 전자가 전계 $E[V/m]$ 내에 놓여 있을 때 최초에 정지하고 있었다면 t초 후에 전자의 속도$[m/s]$는?

① $\dfrac{meE}{t}$
② $\dfrac{me}{E}t$
③ $\dfrac{mE}{e}t$
④ $\dfrac{Ee}{m}t$

15 ⬛1️⃣2️⃣3️⃣

다음 중 비투자율(μ_r)이 가장 큰 것은?

① 금
② 은
③ 구리
④ 니켈

12

유전속(전속선)은 유전율이 큰 쪽으로 모이려는 성질이 있다. 문제에 주어진 유전속 분포 그림에서 보면 구의 내부 쪽이 유전속 밀도가 높으므로 $\varepsilon_1 > \varepsilon_2$의 상태임을 알 수 있다.

13

환상 솔레노이드의 인덕턴스

$$L = \frac{N\phi}{I} = \frac{\mu N^2 S}{l} = \frac{\mu_0 \mu_r N^2 S}{2\pi r}[H]$$

따라서 투자율, 권선수(N)의 제곱 및 단면적(S)에 비례하며, 자로길이(l)(또는 평균반경)에 반비례한다.

14

전계 내의 전자는 전하량 크기와 전계 크기에 비례하는 힘을 받아 등가속 운동을 한다. $v = v_0 + at \, [m/s]$

최초에 정지한 상태이므로 $v_0 = 0$이다.

$$\therefore F = QE = eE = ma = m\frac{v}{t}[N]$$

$$v = \frac{Ee}{m}t[m/s]$$

15

자성체의 종류
- 상자성체
  - 상자성체의 예: 백금(Pt), 알루미늄(Al), 산소(O_2) 등
  - 상자성체의 비투자율: $\mu_s > 1$(1보다 약간 크다.)
- 역자성체
  - 역자성체의 예: 은(Ag), 구리(Cu), 비스무트(Bi) 등
  - 역자성체의 비투자율: $\mu_s < 1$(1보다 작다.)
- 강자성체
  - 강자성체의 예: 철(Fe), 니켈(Ni), 코발트(Co) 등
  - 강자성체의 비투자율: $\mu_s \gg 1$(1보다 매우 크다.)

16 ▪1 ▪2 ▪3

그림과 같은 환상 솔레노이드 내의 철심 중심에서의 자계의 세기 $H[\text{AT/m}]$는?(단, 환상 철심의 평균 반지름은 $r[\text{m}]$, 코일의 권수는 N회, 코일에 흐르는 전류는 $I[\text{A}]$이다.)

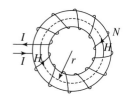

① $\dfrac{NI}{\pi r}$ ② $\dfrac{NI}{2\pi r}$

③ $\dfrac{NI}{4\pi r}$ ④ $\dfrac{NI}{2r}$

17 ▪1 ▪2 ▪3

강자성체가 아닌 것은?

① 코발트   ② 니켈

③ 철   ④ 구리

고난도 18 ▪1 ▪2 ▪3

반지름이 $a[\text{m}]$인 원형 도선 2개의 루프가 z축 상에 그림과 같이 놓인 경우 $I[\text{A}]$의 전류가 흐를 때 원형 전류 중심축 상의 자계 $H[\text{AT/m}]$는?(단, a_z, a_ϕ는 단위벡터이다.)

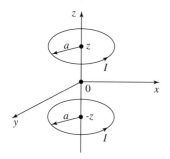

① $\dot{H} = \dfrac{a^2 I}{\left(a^2 + z^2\right)^{\frac{3}{2}}} a_\phi$ ② $\dot{H} = \dfrac{a^2 I}{\left(a^2 + z^2\right)^{\frac{3}{2}}} a_z$

③ $\dot{H} = \dfrac{a^2 I}{2\left(a^2 + z^2\right)^{\frac{3}{2}}} a_\phi$ ④ $\dot{H} = \dfrac{a^2 I}{2\left(a^2 + z^2\right)^{\frac{3}{2}}} a_z$

19 ▪1 ▪2 ▪3

방송국 안테나 출력이 $W[\text{W}]$이고 이로부터 진공 중에 $r[\text{m}]$ 떨어진 점에서 자계의 세기의 실효치는 약 몇 $[\text{AT/m}]$인가?

① $\dfrac{1}{r}\sqrt{\dfrac{W}{377\pi}}$ ② $\dfrac{1}{2r}\sqrt{\dfrac{W}{377\pi}}$

③ $\dfrac{1}{2r}\sqrt{\dfrac{W}{188\pi}}$ ④ $\dfrac{1}{r}\sqrt{\dfrac{2W}{377\pi}}$

정답 및 해설

16
환상 솔레노이드 내 자계

$H = \dfrac{\text{내부전류}}{\text{가상폐곡로 길이}} = \dfrac{NI}{2\pi r} [\text{AT/m}]$

17
자성체의 종류
- 강자성체: 철, 니켈, 코발트 등
- 역자성체: 은, 구리, 비스무트 등
- 상자성체: 백금, 알루미늄, 산소 등

18
반지름 $a[\text{m}]$인 원주형 도선으로부터의 자계

$\dot{H} = \dfrac{I a^2}{2\left(a^2 + z^2\right)^{\frac{3}{2}}} a_z$ $(z > 0)$

$\dot{H} = \dfrac{I}{2a} a_z$ $(z = 0)$

암페어 오른손 법칙에 의해 두 원주형 전류로부터의 자계는 모두 $+a_z$ 방향이므로 전류 중심축 상에서는 서로 더해진다. 따라서 자계는

$\dot{H} = \dfrac{I a^2}{2\left(a^2 + z^2\right)^{\frac{3}{2}}} a_z \times 2 = \dfrac{I a^2}{\left(a^2 + z^2\right)^{\frac{3}{2}}} a_z [\text{AT/m}]$

19
포인팅 전력벡터 $\dot{P} = \dot{E} \times \dot{H} [\text{W/m}^2]$로부터

$P = EH = \dfrac{E^2}{\eta_0} = \eta_0 H^2 [\text{W/m}^2]$이다.

전자파는 모든 방향으로 방사되므로 거리 $r[\text{m}]$인 지점에서 전력밀도

$P = \dfrac{W}{4\pi r^2} [\text{W/m}^2]$이다.

$\therefore H = \sqrt{\dfrac{P}{\eta_0}} = \sqrt{\dfrac{W}{4\pi r^2 \eta_0}} = \dfrac{1}{2r}\sqrt{\dfrac{W}{377\pi}} [\text{AT/m}]$

20 [1] [2] [3]

직교하는 무한 평판도체와 점전하에 의한 영상전하는 몇 개 존재하는가?

① 2   ② 3
③ 4   ④ 5

21 [1] [2] [3]

그림과 같은 유황 곡선을 가진 수력 지점에서 최대 사용 수량 0C로 1년간 계속 발전하는 데 필요한 저수지의 용량은?

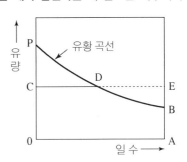

① 면적 0CPBA   ② 면적 0CDBA
③ 면적 DEB   ④ 면적 PCD

22 [1] [2] [3]

고장 전류의 크기가 커질수록 동작 시간이 짧게 되는 특성을 가진 계전기는?

① 순한시 계전기   ② 정한시 계전기
③ 반한시 계전기   ④ 반한시 정한시 계전기

20

점전하에 의해 무한 평판도체에 발생하는 영상전하 수는

$n = \dfrac{360°}{평판각도} - 1$ 이다.

무한 평판도체가 직교하므로 각도는 90°이다.

$n = \dfrac{360°}{평판각도} - 1 = \dfrac{360°}{90°} - 1 = 3$

∴ 영상전하는 3개다.

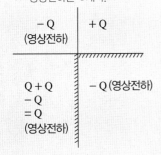

21

최대 사용 수량 0C로 1년간 계속해서 발전하기 위해서는 유량이 면적 DEB만큼 부족하므로 필요한 저수지의 용량은 면적 DEB가 된다.

22

반한시 계전기는 고장 전류의 크기에 반비례하여 동작 시한이 결정되는 것으로, 고장 전류의 크기가 크면 동작 시간이 짧아진다.

[참고]
- 순한시 계전기: 최소 동작 전류 이상이 흐르면 전류의 크기에 관계없이 즉시 동작하는 계전기
- 정한시 계전기: 최소 동작 전류 이상이 흐르면 전류의 크기에 관계없이 정해진 일정 시간이 지난 후 동작하는 계전기
- 반한시 정한시 계전기: 동작 전류가 작은 동안은 동작 전류가 클수록 동작 시간이 짧게 되고(반한시성), 그 이상의 전류에 대해서는 동작 전류 크기와 관계없이 일정한 시간이 지난 후 동작(정한시성)하는 계전기

23

접지봉으로 탑각의 접지 저항값을 희망하는 접지 저항값까지 줄일 수 없을 때 사용하는 것은?

① 가공 지선
② 매설 지선
③ 크로스본드선
④ 차폐선

24

3상 3선식 송전선에서 한 선의 저항이 $10[\Omega]$, 리액턴스가 $20[\Omega]$이며, 수전단의 선간 전압이 $60[kV]$, 부하 역률이 0.8인 경우에 전압 강하율이 $10[\%]$라 하면 이 송전선로로는 약 몇 $[kW]$까지 수전할 수 있는가?

① 10,000
② 12,000
③ 14,400
④ 18,000

25

배전선로의 주상 변압기에서 고압 측–저압 측에 주로 사용되는 보호 장치의 조합으로 적합한 것은?

① 고압 측: 컷아웃 스위치, 저압 측: 캐치 홀더
② 고압 측: 캐치 홀더, 저압 측: 컷아웃 스위치
③ 고압 측: 리클로저, 저압 측: 라인 퓨즈
④ 고압 측: 라인 퓨즈, 저압 측: 리클로저

26

%임피던스에 대한 설명으로 틀린 것은?

① 단위를 갖지 않는다.
② 절대량이 아닌 기준량에 대한 비를 나타낸 것이다.
③ 기기 용량의 크기와 관계없이 일정한 범위의 값을 갖는다.
④ 변압기나 동기기의 내부 임피던스에만 사용할 수 있다.

27

연료의 발열량이 $430[kcal/kg]$일 때, 화력 발전소의 열효율 $[\%]$은?(단, 발전기 출력은 $P_G[kW]$, 시간당 연료의 소비량은 $B[kg/h]$이다.)

① $\dfrac{P_G}{B} \times 100$

② $\sqrt{2} \times \dfrac{P_G}{B} \times 100$

③ $\sqrt{3} \times \dfrac{P_G}{B} \times 100$

④ $2 \times \dfrac{P_G}{B} \times 100$

정답 및 해설

23

매설 지선은 탑각의 접지 저항을 낮추어 역섬락을 방지하기 위하여 설치한다.

[암기 포인트] 매설 지선 – 역섬락 방지(세트 암기)

24

• 전압 강하 $e = V_s - V_r = \dfrac{P}{V_r}(R + X\tan\theta)[V]$

• 전압 강하율 $\varepsilon = \dfrac{e}{V_r} \times 100 = \dfrac{P}{V_r^2}(R + X\tan\theta) \times 100 [\%]$

$\therefore P = \dfrac{V_r^2}{R + X\tan\theta} \times \dfrac{\varepsilon}{100} = \dfrac{(60 \times 10^3)^2}{10 + 20 \times \frac{0.6}{0.8}} \times \dfrac{10}{100} \times 10^{-3}$

$\quad = 14,400[kW]$

25

주상 변압기 보호 장치
• 고압 측(1차 측): 컷아웃 스위치(COS), 피뢰기
• 저압 측(2차 측): 캐치 홀더(Catch holder)

26

%임피던스는 변압기나 동기기 등 전기기기 내부 뿐만 아니라 송전선로, 배전선로, 조상설비 등 모든 전력 기기에 적용이 가능하다.

27

열효율 $\eta = \dfrac{860 \times P_G[kW] \times t[h]}{430[kcal/kg] \times B[kg/h] \times t[h]} \times 100[\%]$

$\therefore \eta = 2 \times \dfrac{P_G}{B} \times 100 [\%]$

28 ☐1 ☐2 ☐3

수용가의 수용률을 나타낸 식은?

① $\dfrac{\text{합성 최대 수용 전력[kW]}}{\text{평균 전력[kW]}} \times 100\,[\%]$

② $\dfrac{\text{평균 전력[kW]}}{\text{합성 최대 수용 전력[kW]}} \times 100\,[\%]$

③ $\dfrac{\text{부하 설비 합계[kW]}}{\text{최대 수용 전력[kW]}} \times 100\,[\%]$

④ $\dfrac{\text{최대 수용 전력[kW]}}{\text{부하 설비 합계[kW]}} \times 100\,[\%]$

29 ☐1 ☐2 ☐3

화력 발전소에서 증기 및 급수가 흐르는 순서는?

① 절탄기 → 보일러 → 과열기 → 터빈 → 복수기
② 보일러 → 절탄기 → 과열기 → 터빈 → 복수기
③ 보일러 → 과열기 → 절탄기 → 터빈 → 복수기
④ 절탄기 → 과열기 → 보일러 → 터빈 → 복수기

30 ☐1 ☐2 ☐3

역률 0.8, 출력 320[kW]인 부하에 전력을 공급하는 변전소에 역률 개선을 위해 전력용 콘덴서 140[kVA]를 설치했을 때 합성 역률은?

① 0.93
② 0.95
③ 0.97
④ 0.99

31 ☐1 ☐2 ☐3

용량 20[kVA]인 단상 주상 변압기에 걸리는 하루 동안의 부하가 처음 14시간 동안은 20[kW], 다음 10시간 동안은 10[kW]일 때, 이 변압기에 의한 하루 동안의 손실량[Wh]은?(단, 부하의 역률은 1로 가정하고, 변압기의 전 부하 동손은 300[W], 철손은 100[W]이다.)

① 6,850
② 7,200
③ 7,350
④ 7,800

32 ☐1 ☐2 ☐3

통신선과 평행인 주파수 60[Hz]의 3상 1회선 송전선이 있다. 1선 지락 때문에 영상 전류가 100[A] 흐르고 있다면 통신선에 유도되는 전자 유도 전압[V]은 약 얼마인가?(단, 영상 전류는 전 전선에 걸쳐서 같으며, 송전선과 통신선과의 상호 인덕턴스는 0.06[mH/km], 그 평행 길이는 40[km]이다.)

① 156.6
② 162.8
③ 230.2
④ 271.4

28

$$\text{수용률} = \frac{\text{최대 수용 전력[kW]}}{\text{부하 설비 합계[kW]}} \times 100\,[\%]$$

29

화력 발전의 기본 장치

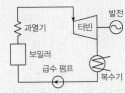

- 증기 및 급수 이동 순서: 급수 펌프 → 절탄기 → 보일러 → 과열기 → 터빈 → 복수기
- 복수기에서 나온 물을 보일러로 보내기 전에 절탄기를 통해 급수를 미리 예열한다.
- 절탄기(Economizer)란 보일러에서 나오는 연소 배기가스의 여열을 이용하여 급수를 미리 예열하는 장치이다.

30

- 부하의 무효 전력

$$P_r = P\tan\theta = P \times \frac{\sin\theta}{\cos\theta} = 320 \times \frac{0.6}{0.8} = 240\,[\text{kVar}]$$

- 콘덴서 설치 후 무효 전력

$$P_r - Q_c = 240 - 140 = 100\,[\text{kVar}]$$

- 합성 역률

$$\cos\theta = \frac{P}{\sqrt{P^2 + (P_r - Q_c)^2}} = \frac{320}{\sqrt{320^2 + 100^2}} = 0.95$$

31

- 동손(부하손)

$$W_c = \sum m^2 P_c \times t = \left(\frac{20}{20}\right)^2 \times 300 \times 14 + \left(\frac{10}{20}\right)^2 \times 300 \times 10$$
$$= 4,950\,[\text{Wh}]$$

- 철손(무부하손) $W_i = P_i \times t = 100 \times 24 = 2,400\,[\text{Wh}]$

변압기 하루 손실량은 동손 + 철손이므로

$$\therefore W_l = W_c + W_i = 4,950 + 2,400 = 7,350\,[\text{Wh}]$$

32

전자 유도 전압

$$E_m = -j\omega Ml(3I_0) = -j(2\pi f)Ml(3I_0)$$
$$= -j \times 2\pi \times 60 \times (0.06 \times 10^{-3} \times 40) \times 3 \times 100 = -j271.4\,[\text{V}]$$
$$\therefore |E_m| = 271.4\,[\text{V}]$$

33 1 2 3

케이블 단선 사고에 의한 고장점까지의 거리를 정전 용량 측정법으로 구하는 경우, 건전상의 정전 용량이 C, 고장점까지의 정전 용량이 C_x, 케이블의 길이가 l일 때 고장점까지의 거리를 나타내는 식으로 알맞은 것은?

① $\dfrac{C}{C_x}l$

② $\dfrac{2C_x}{C}l$

③ $\dfrac{C_x}{C}l$

④ $\dfrac{C_x}{2C}l$

34 1 2 3

전력 퓨즈(Power Fuse)는 고압, 특고압기기의 주로 어떤 전류의 차단을 목적으로 설치하는가?

① 충전 전류

② 부하 전류

③ 단락 전류

④ 영상 전류

35 1 2 3

송전선로에서 1선 지락 시에 건전상의 전압 상승이 가장 적은 접지방식은?

① 비접지방식

② 직접 접지방식

③ 저항 접지방식

④ 소호 리액터 접지방식

36 1 2 3

기준 선간 전압 $23[\text{kV}]$, 기준 3상 용량 $5,000[\text{kVA}]$, 1선의 유도 리액턴스가 $15[\Omega]$일 때 % 리액턴스는?

① $28.36[\%]$

② $14.18[\%]$

③ $7.09[\%]$

④ $3.55[\%]$

정답 및 해설

33

정전 용량 측정법

정전 용량 측정법은 케이블 단선 발생 전과 단선 발생 후의 정전 용량 차이를 이용하여 고장점의 위치를 측정하는 방법이다.

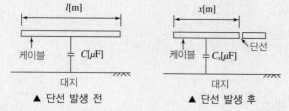

▲ 단선 발생 전   ▲ 단선 발생 후

케이블에서 발생하는 대지 간 정전 용량은 케이블 길이에 비례하므로

$$\frac{C_x}{C} = \frac{x}{l} \rightarrow x = \frac{C_x}{C}\,l\,[\text{m}]$$

34

전력 퓨즈

전력 퓨즈(PF)는 계통의 단락 사고 시 퓨즈가 녹아 끊어지면서(용단) 단락 전류를 차단하는 보호 장치로, 주로 고압 및 특고압 기기의 단락 사고 보호용으로 사용된다.

35

직접 접지방식

- 1선 지락 시 건전상의 전압 상승이 가장 낮다.
- 선로 및 기기의 절연 레벨을 경감시킨다.
- 변압기 단절연이 가능하다.
- 보호 계전기의 동작이 신속, 확실하다.
- 1선 지락 시 지락 전류가 최대이므로, 영상분 전류로 인한 통신선의 유도장해가 가장 크다.
- 과도 안정도가 저하된다.

[암기 포인트] 중성점 접지방식별 특징

중성점 접지방식	전위 상승	지락 전류	유도 장해	과도 안정도
직접 접지	1.3배	최대	최대	최소
비접지	$\sqrt{3}$ 배	작다	작다	크다
소호 리액터 접지	$\sqrt{3}$ 배 이상	최소	최소	최대

36

% 리액턴스

$$\%X = \frac{I_n X}{E} \times 100 = \frac{P_n X}{10\,V^2} = \frac{5,000 \times 15}{10 \times 23^2} = 14.18\,[\%]$$

(단, 3상 기준 용량 $P_n\,[\text{kVA}]$, 선간 전압 $V\,[\text{kV}]$)

37 ⬛1 2 3

전력 원선도의 가로축과 세로축을 나타내는 것은?

① 전압과 전류
② 전압과 전력
③ 전류와 전력
④ 유효 전력과 무효 전력

38 ⬛1 2 3

송전 선로에서의 고장 또는 발전기 탈락과 같은 큰 외란에 대하여 계통에 연결된 각 동기기가 동기를 유지하면서 계속 안정적으로 운전할 수 있는지를 판별하는 안정도는?

① 동태 안정도(Dynamic stability)
② 정태 안정도(Steady-state stability)
③ 전압 안정도(Voltage stability)
④ 과도 안정도(Transient stability)

39 ⬛1 2 3

정전 용량이 C_1이고, V_1의 전압에서 Q_r의 무효 전력을 발생하는 콘덴서가 있다. 정전 용량을 변화시켜 2배로 승압된 전압 $(2V_1)$에서도 동일한 무효 전력 Q_r을 발생시키고자 할 때, 필요한 콘덴서의 정전 용량 C_2는?

① $C_2 = 4C_1$ ② $C_2 = 2C_1$
③ $C_2 = \dfrac{1}{2}C_1$ ④ $C_2 = \dfrac{1}{4}C_1$

40 ⬛1 2 3

송전 선로의 고장 전류 계산에 영상 임피던스가 필요한 경우는?

① 1선 지락 ② 3상 단락
③ 3선 단선 ④ 선간 단락

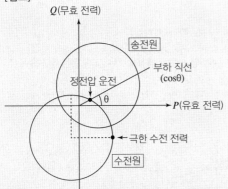

37

전력 원선도
전력 원선도의 가로축은 유효 전력(P), 세로축은 무효 전력(Q)을 나타낸다.

[참고]

- 정전압 송수전 방식에서 운전점은 반드시 원선도 원주상에 있어야 함
- 원의 반지름 $\rho = \dfrac{V_s V_r}{B}$
- 전력 원선도를 이용하여 구할 수 있는 것
  유효 전력, 무효 전력, 피상 전력, 상차각, 수전단 역률, 극한 수전 전력(정태 안정 극한 전력), 전력 손실, 조상설비 용량
- 전력 원선도로 알 수 없는 것
  과도 안정 극한 전력, 코로나 손실

38

안정도의 종류
- 정태 안정도: 부하 불변 혹은 완만한 부하 변화 시
- 과도 안정도: 부하 급변 혹은 사고(큰 외란) 발생 시
- 동태 안정도: AVR, 조속기 고려 시

39

무효 전력 $Q_r = \dfrac{V^2}{X_C} = \dfrac{V^2}{\dfrac{1}{\omega C}} = \omega C V^2$ [F]

$\therefore Q_r = \omega C_1 V_1^2 = \omega C_2 (2V_1)^2 \rightarrow C_2 = \dfrac{1}{4}C_1$ [F]

40

고장별 대칭분 및 전류의 크기

고장의 종류	대칭분	전류의 크기
1선 지락	정상분, 역상분, 영상분	$I_0 = I_1 = I_2 \neq 0,$ $I_g = 3I_0$
선간 단락	정상분, 역상분	$I_0 = 0, \ I_1 = -I_2$
3상 단락	정상분	$I_0 = I_2 = 0, \ I_1 \neq 0$

전기기기

1회독	월	일
2회독	월	일
3회독	월	일

 자동채점

41 1 2 3

$3,300/220[\mathrm{V}]$의 단상 변압기 3대를 $\Delta-Y$ 결선하고 2차 측 선간에 $15[\mathrm{kW}]$의 단상 전열기를 접속하여 사용하고 있다. 결선을 $\Delta-\Delta$로 변경하는 경우 이 전열기의 소비전력은 몇 $[\mathrm{kW}]$로 되는가?

① 5   ② 12
③ 15   ④ 21

42 1 2 3

히스테리시스 전동기에 대한 설명으로 틀린 것은?

① 유도 전동기와 거의 같은 고정자이다.
② 회전자 극은 고정자 극에 비하여 항상 각도 δ_h만큼 앞선다.
③ 회전자가 부드러운 외면을 가지므로 소음이 적으며, 순조롭게 회전시킬 수 있다.
④ 구속 시부터 동기 속도만을 제외한 모든 속도 범위에서 일정한 히스테리시스 토크를 발생한다.

43 1 2 3

직류기에서 계자 자속을 만들기 위하여 전자석의 권선에 전류를 흘리는 것을 무엇이라고 하는가?

① 보극   ② 여자
③ 보상 권선   ④ 자화 작용

44 1 2 3

사이클로 컨버터(Cyclo Converter)에 대한 설명으로 틀린 것은?

① DC – DC buck 컨버터와 동일한 구조이다.
② 출력 주파수가 낮은 영역에서 많은 장점이 있다.
③ 시멘트 공장의 분쇄기 등과 같이 대용량 저속 교류 전동기 구동에 주로 사용된다.
④ 교류를 교류로 직접 변환하면서 전압과 주파수를 동시에 가변하는 전력 변환기이다.

정답 및 해설

41

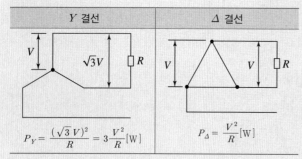

$$P_Y = \frac{(\sqrt{3}\,V)^2}{R} = 3\frac{V^2}{R}[\mathrm{W}] \qquad P_\Delta = \frac{V^2}{R}[\mathrm{W}]$$

$$\therefore \; P_\Delta = \frac{1}{3}P_Y = \frac{1}{3}\times 15 = 5[\mathrm{kW}]$$

[암기 포인트] Δ 결선 $I_l = \sqrt{3}\,I_p$
              Y 결선 $V_l = \sqrt{3}\,V_p$

42

히스테리시스 전동기
• 회전자는 강자성의 영구자석 합금과 비자성체 지지물로 이루어진 매끄러운 원통형으로 구성된다.
• 히스테리시스 때문에 회전자 극은 고정자 극에 비해 항상 각도 δ_h만큼 뒤진다.
• 고정자는 유도 전동기의 고정자와 같은 구조이다.

43

자속을 만들기 위해 전자석의 권선에 전류를 흘리는 것을 '여자'라고 한다.

44

사이클로 컨버터(Cyclo Converter)
• 출력 주파수가 낮은 영역에서 많은 장점이 있다.
• 시멘트 공장의 분쇄기 등과 같이 대용량 저속 교류 전동기 구동에 주로 사용된다.
• 교류를 교류로 직접 변환하면서 전압과 주파수를 동시에 가변하는 전력 변환기이다.

[암기 포인트]
변환기의 종류

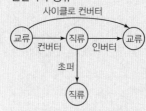

• 컨버터: 교류(AC)를 직류(DC)로 변환하는 장치
• 인버터: 직류(DC)를 교류(AC)로 변환하는 장치
• 초퍼: 직류(DC)를 직류(DC)로 직접 제어하는 장치
• 사이클로 컨버터: 교류(AC)를 교류(AC)로 주파수 변환하는 장치

정답   41 ①   42 ②   43 ②   44 ①

45 1 2 3

1차 전압이 $3,300[\text{V}]$이고 1차 측 무부하 전류는 $0.15[\text{A}]$, 철손은 $330[\text{W}]$인 단상 변압기의 자화 전류는 약 몇 $[\text{A}]$인가?

① 0.112
② 0.145
③ 0.181
④ 0.231

46 1 2 3

유도 전동기의 안정 운전의 조건은?(단, T_m: 전동기 토크, T_L: 부하 토크, n: 회전수)

① $\dfrac{dT_m}{dn} < \dfrac{dT_L}{dn}$
② $\dfrac{dT_m}{dn} = \dfrac{dT_L^2}{dn}$

③ $\dfrac{dT_m}{dn} > \dfrac{dT_L}{dn}$
④ $\dfrac{dT_m}{dn} \neq \dfrac{dT_L^2}{dn}$

47 1 2 3

3상 권선형 유도 전동기 기동 시 2차 측에 외부 가변저항을 넣는 이유는?

① 회전수 감소
② 기동 전류 증가
③ 기동 토크 감소
④ 기동 전류 감소와 기동 토크 증가

빈출 48 1 2 3

극수 4이며 전기자 권선은 파권, 전기자 도체수가 250인 직류 발전기가 있다. 이 발전기가 $1,200[\text{rpm}]$으로 회전할 때 $600[\text{V}]$의 기전력을 유기하려면 1극당 자속은 몇 $[\text{Wb}]$인가?

① 0.04
② 0.05
③ 0.06
④ 0.07

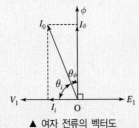

45

철손 전류 $I_i = \dfrac{P_i}{V_1} = \dfrac{330}{3,300} = 0.1[\text{A}]$

여자 전류(무부하 전류) $I_0 = \sqrt{I_i^2 + I_\phi^2}[\text{A}]$

자화 전류 $I_\phi = \sqrt{I_0^2 - I_i^2}[\text{A}]$

$\therefore I_\phi = \sqrt{0.15^2 - 0.1^2} = 0.112[\text{A}]$

▲ 여자 전류의 벡터도

46

유도 전동기는 회전수(n)에 대한 부하 토크(T_L) 변화량이 전동기 토크(T_m) 변화량보다 커야 일정한 토크로 수렴하며 안정 운전을 하게 된다.

$\therefore \dfrac{dT_m}{dn} < \dfrac{dT_L}{dn}$

47

비례 추이(권선형 유도 전동기)
• 3상 권선형 유도 전동기의 회전자에 외부 저항을 접속시켜 저항을 증가시키면 최대 토크가 발생하는 속도가 낮아지는 현상을 비례 추이라고 한다.
• 2차 저항을 변화시켜도 최대 토크는 항상 일정하다.
• 2차 저항이 커지면 기동 토크는 증가하고, 기동 전류는 감소한다.
• 비례 추이할 수 있는 것: 1차 전류, 1차 입력, 2차 전류, 역률, 토크
• 비례 추이할 수 없는 것: 출력, 2차 동손, 2차 효율, 동기 속도

48

직류 발전기 유기 기전력

$E = \dfrac{pZ}{60a}\phi N[\text{V}] \rightarrow \phi = E \times \dfrac{60a}{pZN}[\text{Wb}]$

전기자 권선이 파권이므로 $a = 2$

$\therefore \phi = 600 \times \dfrac{60 \times 2}{4 \times 250 \times 1,200} = 0.06[\text{Wb}]$

[암기 포인트] 유기 기전력 $E = \dfrac{pZ}{60a}\phi N[\text{V}]$

49 1 2 3

발전기 회전자에 유도자를 주로 사용하는 발전기는?

① 수차 발전기
② 엔진 발전기
③ 터빈 발전기
④ 고주파 발전기

50 1 2 3

BJT에 대한 설명으로 틀린 것은?

① Bipolar Junction Thyristor의 약자이다.
② 베이스 전류로 컬렉터 전류를 제어하는 전류 제어 스위치이다.
③ MOSFET, IGBT 등의 전압 제어 스위치보다 훨씬 큰 구동전력이 필요하다.
④ 회로 기호 B, E, C는 각각 베이스(Base), 에미터(Emitter), 컬렉터(Collector)이다.

51 1 2 3

3상 유도 전동기에서 회전자가 슬립 s로 회전하고 있을 때 2차 유기 전압 E_{2s} 및 2차 주파수 f_{2s}와 s와의 관계는?(단, E_2는 회전자가 정지하고 있을 때 2차 유기 기전력이며, f_1은 1차 주파수이다.)

① $E_{2s} = sE_2$, $f_{2s} = sf_1$
② $E_{2s} = sE_2$, $f_{2s} = \dfrac{f_1}{s}$
③ $E_{2s} = \dfrac{E_2}{s}$, $f_{2s} = \dfrac{f_1}{s}$
④ $E_{2s} = (1-s)E_2$, $f_{2s} = (1-s)f_1$

52 1 2 3

전류계를 교체하기 위해 우선 변류기 2차 측을 단락시켜야 하는 이유는?

① 측정오차 방지
② 2차 측 절연 보호
③ 2차 측 과전류 보호
④ 1차 측 과전류 방지

49

고주파 발전기

- 고주파 발전기는 고주파(수백~수만[Hz]) 전력을 발생시키는 동기 발전기로서 구조가 튼튼하고 극수를 많이 하기 쉬운 유도자형 동기기를 주로 사용한다.
- 전기자 권선과 계자 권선이 모두 고정되고, 그 중앙에 유도자라고 하는 권선이 없는 회전자를 갖춘 동기 발전기이다.

50

BJT(Bipolar Junction Transistor)

- BJT는 바이폴라 접합 트랜지스터로 NPN형과 PNP형이 있으며, 베이스 전류로 컬렉터 전류를 제어하는 전류제어 스위치이다.
- 에미터, 베이스, 컬렉터의 도핑 형태에 따라 NPN형과 PNP형으로 구분된다.
- 2개 PN 접합에 대한 바이어스 인가 형태에 따라 3개 동작 모드(활성 모드, 포화 모드, 차단 모드)로 구분된다.

51

3상 유도 전동기

- 운전 시 유기 기전력 $E_{2s} = sE_2[\text{V}]$ (s는 슬립)
- 운전 시 주파수 $f_{2s} = sf_1[\text{Hz}]$
- 2차 저항손 $P_{c2} = sP_2[\text{W}]$ (P_2는 2차 입력)
- 기계적 출력
$$P_0 = P_2 - P_{c2} = P_2 - sP_2 = (1-s)P_2[\text{W}]$$
- 2차 효율 $\eta_2 = \dfrac{P_0}{P_2} = \dfrac{(1-s)P_2}{P_2} = 1-s$

52

변류기 사용 시 주의 사항

변류기의 2차 측 개방 시 1차 측 부하 전류의 대부분이 여자 전류가 되어 변류기 2차 측에 유기되므로, 변류기 2차 권선 절연 파괴에 의한 소손이 발생할 수 있다.

[암기 포인트] 변류기: 2차 측 단락
　　　　　　계기용 변압기: 2차 측 개방

53 ①②③

단자 전압 220[V], 부하 전류 50[A]인 분권 발전기의 유도 기전력은 몇 [V]인가?(단, 전기자 저항은 0.2[Ω]이며, 계자 전류 및 전기자 반작용은 무시한다.)

① 200
② 210
③ 220
④ 230

54 ①②③

기전력(1상)이 E_0이고 동기 임피던스(1상)가 Z_s인 2대의 3상 동기 발전기를 무부하로 병렬 운전시킬 때 각 발전기의 기전력 사이에 δ_s의 위상차가 있으면 한쪽 발전기에서 다른 쪽 발전기로 공급되는 1상당의 전력[W]은?

① $\dfrac{E_0}{Z_s}\sin\delta_s$
② $\dfrac{E_0}{Z_s}\cos\delta_s$
③ $\dfrac{E_0^2}{2Z_s}\sin\delta_s$
④ $\dfrac{E_0^2}{2Z_s}\cos\delta_s$

55 ①②③

전압이 일정한 모선에 접속되어 역률 1로 운전하고 있는 동기 전동기를 동기 조상기로 사용하는 경우 여자 전류를 증가시키면 이 전동기는 어떻게 되는가?

① 역률은 앞서고, 전기자 전류는 증가한다.
② 역률은 앞서고, 전기자 전류는 감소한다.
③ 역률은 뒤지고, 전기자 전류는 증가한다.
④ 역률은 뒤지고, 전기자 전류는 감소한다.

56 ①②③

직류 발전기의 전기자 반작용에 대한 설명으로 틀린 것은?

① 전기자 반작용으로 인하여 전기적 중성축을 이동시킨다.
② 정류자 편간 전압이 불균일하게 되어 섬락의 원인이 된다.
③ 전기자 반작용이 생기면 주자속이 왜곡되고 유기 기전력이 증가하게 된다.
④ 전기자 반작용이란, 전기자 전류에 의하여 생긴 자속이 계자에 의해 발생되는 주자속에 영향을 주는 현상을 말한다.

53

분권 발전기

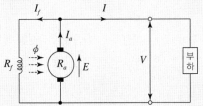

$I_a = I_f + I$[A]에서 계자 전류를 무시하면 $I_a = I$[A]
$\therefore E = V + I_a R_a = 220 + 50 \times 0.2 = 230$[V]

54

동기 발전기 병렬 운전 시 위상차가 발생하면 두 발전기의 위상이 같게 하려는 동기화 전류(유효 순환 전류)가 흐르며, 이때 서로 주고받는 전력인 수수 전력(P)이 발생한다.

$$P = \frac{E_0^2}{2Z_s}\sin\delta_s[\text{W}]$$

55

동기 조상기에서 여자 전류(I_f)를 증가(과여자)시키면 진상 전류가 흐르므로 역률은 앞서고, 전기자 전류(I_a)는 증가한다.

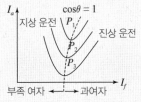

▲ 동기 조상기의 위상 특성 곡선(V 곡선)

[암기 포인트] 여자 전류 증가: 진상
　　　　　　　 여자 전류 감소: 지상

56

직류 발전기 전기자 반작용
• 주자속이 감소하고 왜곡되어 유기 기전력이 감소한다.
• 전기적 중성축이 회전방향으로 이동한다.(전동기의 경우 회전 반대 방향으로 이동)
• 정류자 편간 전압이 국부적으로 상승하여 불꽃 섬락이 발생한다.

57

단상 변압기 2대를 병렬 운전할 경우, 각 변압기의 부하 전류를 I_a, I_b, 1차 측으로 환산한 임피던스를 Z_a, Z_b, 백분율 임피던스 강하를 z_a, z_b, 정격 용량을 P_{an}, P_{bn} 이라 한다. 이때 부하 분담에 대한 관계로 옳은 것은?

① $\dfrac{I_a}{I_b} = \dfrac{Z_a}{Z_b}$

② $\dfrac{I_a}{I_b} = \dfrac{P_{bn}}{P_{an}}$

③ $\dfrac{I_a}{I_b} = \dfrac{z_b}{z_a} \times \dfrac{P_{an}}{P_{bn}}$

④ $\dfrac{I_a}{I_b} = \dfrac{Z_a}{Z_b} \times \dfrac{P_{an}}{P_{bn}}$

58

단상 유도 전압 조정기에서 단락 권선의 역할은?

① 철손 경감

② 절연 보호

③ 전압 강하 경감

④ 전압 조정 용이

59

동기리액턴스 $X_s = 10[\Omega]$, 전기자 권선 저항 $r_a = 0.1[\Omega]$, 3상 중 1상의 유도 기전력 $E = 6{,}400[\mathrm{V}]$, 단자 전압 $V = 4{,}000[\mathrm{V}]$, 부하각 $\delta = 30°$ 이다. 비철극기인 3상 동기 발전기의 출력은 약 몇 $[\mathrm{kW}]$인가?

① 1,280

② 3,840

③ 5,560

④ 6,650

60

$60[\mathrm{Hz}]$, 6극의 3상 권선형 유도 전동기가 있다. 이 전동기의 정격 부하 시 회전수는 $1{,}140[\mathrm{rpm}]$이다. 이 전동기를 같은 공급전압에서 전부하 토크로 기동하기 위한 외부 저항은 몇 $[\Omega]$인가?(단, 회전자 권선은 Y 결선이며, 슬립링 간의 저항은 $0.1[\Omega]$이다.)

① 0.5

② 0.85

③ 0.95

④ 1

57

변압기 병렬 운전 시 분담 전류는 변압기 정격 용량에 비례하고 %임피던스에 반비례한다.

$$\therefore \ \frac{I_a}{I_b} = \frac{z_b}{z_a} \times \frac{P_{an}}{P_{bn}}$$

58

단상 유도 전압 조정기
단상 유도 전압 조정기의 경우 1차 권선인 분로 권선과 2차 권선인 직렬 권선이 분리되어 회전자의 위상각으로 전압의 크기를 조절하는 조정기이다. 이때 단락 권선은 분로 권선과 직각으로 설치하며, 직렬 권선의 누설 리액턴스를 감소시켜 전압 강하를 감소시킨다.

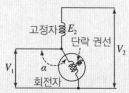

▲ 단상 유도 전압 조정기

59

3상 동기 발전기 출력(비철극형)

$$P = 3\frac{EV}{X_s}\sin\delta = 3 \times \frac{6{,}400 \times 4{,}000}{10} \times \sin 30° \times 10^{-3}$$
$$= 3{,}840[\mathrm{kW}]$$

[암기 포인트] 3상 동기 발전기 출력 $P = 3\dfrac{EV}{X_s}\sin\delta[\mathrm{kW}]$

60

- 동기 속도 $N_s = \dfrac{120f}{p} = \dfrac{120 \times 60}{6} = 1{,}200[\mathrm{rpm}]$

- 슬립 $s = \dfrac{N_s - N}{N_s} = \dfrac{1{,}200 - 1{,}140}{1{,}200} = 0.05$

- 2차 저항 $r_2 = \dfrac{0.1}{2} = 0.05[\Omega]$

  (∵ 슬립링 간의 저항은 두 상을 직렬로 연결한 저항의 크기이므로 한 상의 저항은 슬립링 간 저항의 $\dfrac{1}{2}$ 이다.)

- 외부 저항 $R = \dfrac{1-s}{s}r_2 = \dfrac{1-0.05}{0.05} \times 0.05 = 0.95[\Omega]$

61

개루프 전달 함수 $G(s)H(s)$로부터 근궤적을 작성할 때 실수축에서의 점근선의 교차점은?

$$G(s)H(s) = \frac{K(s-2)(s-3)}{s(s+1)(s+2)(s+4)}$$

① 2
② 5
③ −4
④ −6

62

특성 방정식이 $2s^4 + 10s^3 + 11s^2 + 5s + K = 0$으로 주어진 제어 시스템이 안정하기 위한 조건은?

① $0 < K < 2$
② $0 < K < 5$
③ $0 < K < 6$
④ $0 < K < 10$

63

신호 흐름 선도에서 전달 함수 $\dfrac{C(s)}{R(s)}$는?

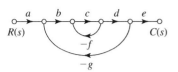

① $\dfrac{abcde}{1 - cg - bcdg}$
② $\dfrac{abcde}{1 - cf + bcdg}$
③ $\dfrac{abcde}{1 + cf - bcdg}$
④ $\dfrac{abcde}{1 + cf + bcdg}$

64

적분 시간 $3[\sec]$, 비례 감도가 3인 비례 적분 동작을 하는 제어 요소가 있다. 이 제어 요소에 동작신호 $x(t) = 2t$를 주었을 때 조작량은 얼마인가?(단, 초기 조작량 $y(t)$는 0으로 한다.)

① $t^2 + 2t$
② $t^2 + 4t$
③ $t^2 + 6t$
④ $t^2 + 8t$

61

주어진 전달 함수에서 극점과 영점을 구한다.
Z(영점) = 2, 3
P(극점) = 0, −1, −2, −4
이를 점근선의 교차점 공식에 대입한다.

$$\text{점근선의 교차점} = \frac{\text{극점의 합}(\sum P) - \text{영점의 합}(\sum Z)}{\text{극점수}(P) - \text{영점수}(Z)}$$
$$= \frac{(0-1-2-4)-(2+3)}{4-2} = \frac{-12}{2} = -6$$

62

주어진 특성 방정식을 루드표로 작성하면 다음과 같다.

차수	제1열	제2열	제3열
s^4	2	11	K
s^3	10	5	0
s^2	$\frac{10 \times 11 - 2 \times 5}{10} = 10$	$\frac{10 \times K - 2 \times 0}{10} = K$	0
s^1	$\frac{10 \times 5 - 10 \times K}{10} = 5 - K$	0	0
s^0	K	0	0

제어계가 안정하려면 루드표의 제1열의 부호 변화가 없어야 한다.
$K > 0$, $5 - K > 0 \rightarrow K < 5$
따라서 안정하기 위한 위의 2가지 조건을 모두 충족하는 조건은 $0 < K < 5$이다.

[암기 포인트] 루드표의 제1열의 부호 변화는 우반면의 근의 존재를 의미한다.

63

주어진 신호 흐름 선도의 전달 함수를 메이슨 공식에 적용하여 구하면 다음과 같다.

$$\frac{C(s)}{R(s)} = \frac{\sum \text{경로}}{1 - \sum \text{폐루프}} = \frac{a \times b \times c \times d \times e}{1 - \{c \times (-f) + b \times c \times d \times (-g)\}}$$
$$= \frac{abcde}{1 + cf + bcdg}$$

64

비례 적분 제어 함수식 $y(t) = K_p \left(x(t) + \frac{1}{T_i} \int x(t) dt \right)$

$$\therefore Y(s) = K_p \left(X(s) + \frac{1}{T_i s} X(s) \right) = K_p \left(1 + \frac{1}{T_i s} \right) X(s)$$

$K_p = 3$, $T_i = 3$, $X(s) = \mathcal{L}[x(t)] = \mathcal{L}[2t] = \dfrac{2}{s^2}$

값을 대입한다.

$$Y(s) = 3 \left(1 + \frac{1}{3s} \right) \times \frac{2}{s^2} = \left(3 + \frac{1}{s} \right) \times \frac{2}{s^2} = \frac{2}{s^3} + \frac{6}{s^2}$$

이 값을 시간 함수로 역변환하면

$$\mathcal{L}^{-1} \left[\frac{2}{s^3} \right] = t^2, \quad \mathcal{L}^{-1} \left[\frac{6}{s^2} \right] = 6t$$

$$\therefore y(t) = t^2 + 6t$$

65 ⬛1 2 3⬜

$\overline{\overline{A}+\overline{B}\cdot\overline{C}}$ 와 등가인 논리식은?

① $\overline{\overline{A}\cdot(B+C)}$ ② $\overline{A+B\cdot\overline{C}}$

③ $\overline{\overline{A}\cdot B+C}$ ④ $\overline{A\cdot B+C}$

66 ⬛1 2 3⬜

블록 선도와 같은 단위 피드백 제어 시스템의 상태 방정식은?(단, 상태 변수는 $x_1(t)=c(t)$, $x_2(t)=\dfrac{d}{dt}c(t)$ 로 한다.)

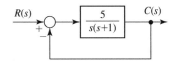

① $\dot{x}_1(t)=x_2(t)$
$\quad \dot{x}_2(t)=-5x_1(t)-x_2(t)+5r(t)$

② $\dot{x}_1(t)=x_2(t)$
$\quad \dot{x}_2(t)=-5x_1(t)-x_2(t)-5r(t)$

③ $\dot{x}_1(t)=-x_2(t)$
$\quad \dot{x}_2(t)=5x_1(t)+x_2(t)-5r(t)$

④ $\dot{x}_1(t)=-x_2(t)$
$\quad \dot{x}_2(t)=-5x_1(t)-x_2(t)+5r(t)$

67 ⬛1 2 3⬜

2차 제어 시스템의 감쇠율(Damping Ratio, δ)이 $\delta<0$ 인 경우 제어 시스템의 과도 응답 특성은?

① 발산
② 무제동
③ 임계 제동
④ 과제동

68 ⬛1 2 3⬜

$e(t)$ 의 z변환을 $E(z)$ 라고 했을 때 $e(t)$의 최종값 $e(\infty)$은?

① $\displaystyle\lim_{z\to1}E(z)$

② $\displaystyle\lim_{z\to\infty}E(z)$

③ $\displaystyle\lim_{z\to1}(1-z^{-1})E(z)$

④ $\displaystyle\lim_{z\to\infty}(1-z^{-1})E(z)$

정답 및 해설

65

문제에 주어진 논리식에 드 모르간 정리를 적용한다.
$$\overline{\overline{A}+\overline{B}\cdot\overline{C}}=\overline{\overline{A}+\overline{B+C}}=\overline{A}\cdot(B+C)$$

[암기 포인트] 드 모르간 정리
- $\overline{A\cdot B}=\overline{A}+\overline{B}$
- $\overline{A+B}=\overline{A}\cdot\overline{B}$

66

주어진 블록 선도의 전달 함수를 메이슨 공식에 적용하여 구하면 다음과 같다.

$$\frac{C(s)}{R(s)}=\frac{\sum경로}{1-\sum폐루프}=\frac{\dfrac{5}{s(s+1)}}{1-\left(-\dfrac{5}{s(s+1)}\right)}=\frac{5}{s^2+s+5}$$

$$\to s^2C(s)+sC(s)+5C(s)=5R(s)$$

위 식을 시간 함수로 표현하면 다음과 같다.

$$\frac{d^2}{dt^2}c(t)+\frac{d}{dt}c(t)+5c(t)=5r(t)$$

$$\to \frac{d^2}{dt^2}c(t)=-\frac{d}{dt}c(t)-5c(t)+5r(t)$$

문제에 주어진 조건으로 상태 방정식을 구한다.

$$\dot{x}_1(t)=\frac{d}{dt}c(t)=x_2(t)$$

$$\dot{x}_2(t)=\frac{d^2}{dt^2}c(t)=-\frac{d}{dt}c(t)-5c(t)+5r(t)$$

$$=-5x_1(t)-x_2(t)+5r(t)$$

67

과도 응답 특성
- $1<\delta$: 과제동
- $\delta=1$: 임계 제동
- $0<\delta<1$: 부족 제동
- $\delta=0$: 무제동
- $\delta<0$: 발산

68

z변환의 최종값 정리
$$\lim_{t\to\infty}e(t)=\lim_{z\to1}(1-z^{-1})E(z)$$

276 전기기사 필기 7개년 기출문제집

정답   65 ①   66 ①   67 ①   68 ③

69 ❶ ❷ ❸

블록 선도의 제어 시스템은 단위 램프 입력에 대한 정상 상태 오차(정상 편차)가 0.01 이다. 이 제어 시스템의 제어 요소인 $G_{C1}(s)$의 k는?

$$G_{C1}(s) = k, \quad G_{C2}(s) = \frac{1+0.1s}{1+0.2s}$$

$$G_P(s) = \frac{200}{s(s+1)(s+2)}$$

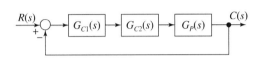

① 0.1   ② 1

③ 10   ④ 100

70 ❶ ❷ ❸

블록 선도의 전달 함수 $\dfrac{C(s)}{R(s)}$는?

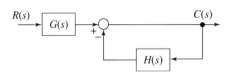

① $\dfrac{G(s)}{1+H(s)}$ ② $\dfrac{G(s)}{1+G(s)H(s)}$

③ $\dfrac{1}{1+H(s)}$ ④ $\dfrac{1}{1+G(s)H(s)}$

71 ❶ ❷ ❸

$F(s) = \dfrac{2s^2+s-3}{s(s^2+4s+3)}$ 의 라플라스 역변환은?

① $1 - e^{-t} + 2e^{-3t}$ ② $1 - e^{-t} - 2e^{-3t}$

③ $-1 - e^{-t} - 2e^{-3t}$ ④ $-1 + e^{-t} + 2e^{-3t}$

69

- 단위 램프 입력에 대한 속도 편차 상수

$$K_v = \lim_{s \to 0} s \times (G_{C1}(s) \times G_{C2}(s) \times G_P(s))$$

$$= \lim_{s \to 0} s \times \frac{k \times (1+0.1s) \times 200}{s(s+1)(s+2)(1+0.2s)} = 100k$$

- 정상 편차

$$e_v = \frac{1}{K_v} = \frac{1}{100k} = 0.01$$

$$\therefore k = \frac{1}{100} \times \frac{1}{0.01} = 1$$

70

주어진 블록 선도의 전달 함수를 메이슨 공식에 적용하여 구하면 다음과 같다.

$$\frac{C(s)}{R(s)} = \frac{\sum 경로}{1 - \sum 폐루프} = \frac{G(s)}{1-(-H(s))} = \frac{G(s)}{1+H(s)}$$

71

$$F(s) = \frac{2s^2+s-3}{s(s^2+4s+3)} = \frac{2s^2+s-3}{s(s+1)(s+3)}$$

$$= \frac{A}{s} + \frac{B}{s+1} + \frac{C}{s+3}$$

$$A = \frac{2s^2+s-3}{s(s+1)(s+3)} \times s \bigg|_{s=0} = -1$$

$$B = \frac{2s^2+s-3}{s(s+1)(s+3)} \times (s+1) \bigg|_{s=-1} = 1$$

$$C = \frac{2s^2+s-3}{s(s+1)(s+3)} \times (s+3) \bigg|_{s=-3} = 2$$

$$F(s) = -\frac{1}{s} + \frac{1}{s+1} + \frac{2}{s+3}$$

$$\therefore f(t) = -1 + e^{-t} + 2e^{-3t}$$

[암기 포인트] 역라플라스 변환 $\dfrac{1}{s+a} \Rightarrow e^{-at}$

72 ⬛1⬛2⬛3

전압 및 전류가 다음과 같을 때 유효전력[W] 및 역률[%]은 각각 약 얼마인가?

$$v(t) = 100\sin\omega t - 50\sin(3\omega t + 30°)$$
$$+ 20\sin(5\omega t + 45°)[\text{V}]$$
$$i(t) = 20\sin(\omega t + 30°) + 10\sin(3\omega t - 30°)$$
$$+ 5\cos 5\omega t [\text{A}]$$

① 825[W], 48.6[%]   ② 776.4[W], 59.7[%]

③ 1,120[W], 77.4[%]   ④ 1,850[W], 89.6[%]

과난도
73 ⬛1⬛2⬛3

회로에서 $t = 0$초일 때 닫혀 있는 스위치 S를 열었다. 이때 $\dfrac{dv(0^+)}{dt}$의 값은?(단, C의 초기 전압은 $0[\text{V}]$이다.)

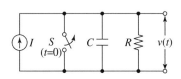

① $\dfrac{1}{RI}$ ② $\dfrac{C}{I}$

③ RI ④ $\dfrac{I}{C}$

72

$$P = VI\cos\theta = \frac{100}{\sqrt{2}} \times \frac{20}{\sqrt{2}} \times \cos(0° - 30°)$$
$$- \frac{50}{\sqrt{2}} \times \frac{10}{\sqrt{2}} \times \cos\{30° - (-30°)\}$$
$$+ \frac{20}{\sqrt{2}} \times \frac{5}{\sqrt{2}} \times \cos(45° - 90°) ≒ 776.4[\text{W}]$$

$$P_a = VI = \sqrt{\left(\frac{100}{\sqrt{2}}\right)^2 + \left(\frac{-50}{\sqrt{2}}\right)^2 + \left(\frac{20}{\sqrt{2}}\right)^2}$$
$$\times \sqrt{\left(\frac{20}{\sqrt{2}}\right)^2 + \left(\frac{10}{\sqrt{2}}\right)^2 + \left(\frac{5}{\sqrt{2}}\right)^2}$$
$$≒ 1,301.2[\text{VA}]$$

$$\therefore \cos\theta = \frac{P}{P_a} = \frac{776.4}{1,301.2} ≒ 0.597\ (\therefore 59.7[\%])$$

73

커패시터 C에 흐르는 전류를 $i_C(t)$라 하면

$$i_C(t) = \frac{E}{R}e^{-\frac{1}{RC}t} = \frac{IR}{R}e^{-\frac{1}{RC}t} = Ie^{-\frac{1}{RC}t}[\text{A}]$$

따라서 저항 R에 흐르는 전류 $i_R(t)$은

$$i_R(t) = I - i_C(t) = I - Ie^{-\frac{1}{Rc}t} = I\left(1 - e^{-\frac{1}{RC}t}\right)[\text{A}]$$

$$\therefore v(t) = i_R(t)R = IR\left(1 - e^{-\frac{1}{RC}t}\right)[\text{V}]$$

$$\frac{dv(t)}{dt} = IR\left\{-\left(-\frac{1}{RC}\right)e^{-\frac{1}{RC}t}\right\} = \frac{I}{C}e^{-\frac{1}{RC}t}$$

$$\therefore \frac{dv(0^+)}{dt} = \frac{I}{C}$$

74 [1] [2] [3]

$\triangle$ 결선된 대칭 3상 부하가 $0.5[\Omega]$인 저항만의 선로를 통해 평형 3상 전압원에 연결되어 있다. 이 부하의 소비전력이 $1,800[\mathrm{W}]$이고 역률이 0.8(지상)일 때, 선로에서 발생하는 손실이 $50[\mathrm{W}]$이면 부하의 단자전압$[\mathrm{V}]$의 크기는?

① 627 ② 525

③ 326 ④ 225

75 [1] [2] [3]

그림과 같이 $\triangle$ 회로를 Y 회로로 등가 변환하였을 때 임피던스 $Z_a[\Omega]$는?

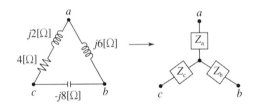

① 12 ② $-3+j6$

③ $4-j8$ ④ $6+j8$

76 [1] [2] [3]

그림과 같은 H형의 4단자 회로망에서 4단자 정수(전송 파라미터) A는?(단, V_1은 입력전압이고, V_2는 출력전압이고, A는 출력 개방 시 회로망의 전압이득$\left(\dfrac{V_1}{V_2}\right)$이다.)

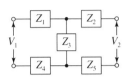

① $\dfrac{Z_1+Z_2+Z_3}{Z_3}$ ② $\dfrac{Z_1+Z_3+Z_4}{Z_3}$

③ $\dfrac{Z_2+Z_3+Z_5}{Z_3}$ ④ $\dfrac{Z_3+Z_4+Z_5}{Z_3}$

77 [1] [2] [3]

특성 임피던스가 $400[\Omega]$인 회로 말단에 $1,200[\Omega]$의 부하가 연결되어 있다. 전원 측에 $20[\mathrm{kV}]$의 전압을 인가할 때 반사파의 크기$[\mathrm{kV}]$는?(단, 선로에서의 전압 감쇠는 없는 것으로 간주한다.)

① 3.3 ② 5

③ 10 ④ 33

74

선로 저항에 의한 손실을 P_l, 선전류를 I_l이라 하면

$$P_l = 3I_l^2 R \rightarrow I_l = \sqrt{\frac{P_l}{3R}} = \sqrt{\frac{50}{3 \times 0.5}} \fallingdotseq 5.77[\mathrm{A}]$$

$P = \sqrt{3} \, V_l I_l \cos\theta$ 이므로

$$V_l = \frac{P}{\sqrt{3} \, I_l \cos\theta} = \frac{1,800}{\sqrt{3} \times 5.77 \times 0.8} \fallingdotseq 225 \, [\mathrm{V}]$$

75

$$Z_a = \frac{Z_{ab}Z_{ca}}{Z_{ab}+Z_{bc}+Z_{ca}} = \frac{j6 \times (4+j2)}{j6-j8+4+j2} = -3+j6 \, [\Omega]$$

76

입력부와 출력부의 임피던스를 각각 합하여 회로를 재구성하면 다음과 같다.

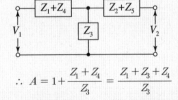

$$\therefore A = 1 + \frac{Z_1+Z_4}{Z_3} = \frac{Z_1+Z_3+Z_4}{Z_3}$$

77

$Z_1 = 400 \, [\Omega]$, $Z_2 = 1,200 \, [\Omega]$이고 전원 전압을 V_1, 반사파 전압을 V_2라 하면

반사 계수 $\rho = \dfrac{V_2}{V_1} = \dfrac{Z_2 - Z_1}{Z_1 + Z_2} = \dfrac{1,200 - 400}{400 + 1,200} = 0.5$

$\therefore V_2 = \rho V_1 = 0.5 \times 20 = 10[\mathrm{kV}]$

78 ![1][2][3]

회로에서 전압 $V_{ab}[\text{V}]$는?

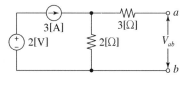

① 2   ② 3

③ 6   ④ 9

79 ![1][2][3]

△ 결선된 평형 3상 부하로 흐르는 선전류가 I_a, I_b, I_c일 때, 이 부하로 흐르는 영상분 전류 $I_0[\text{A}]$는?

① $3I_a$ ② I_a

③ $\dfrac{1}{3}I_a$ ④ 0

80 ![1][2][3]

저항 $R = 15[\Omega]$과 인덕턴스 $L = 3[\text{mH}]$를 병렬로 접속한 회로의 서셉턴스의 크기는 약 몇 $[\mho]$인가?(단, $\omega = 2\pi \times 10^5$)

① 3.2×10^{-2} ② 8.6×10^{-3}

③ 5.3×10^{-4} ④ 4.9×10^{-5}

정답 및 해설

78
중첩의 원리
- 전압원 2[V]만 인가 시(전류원 개방)
  전류원이 개방된 상태이므로 $V_{ab}' = 0[\text{V}]$
- 전류원 3[A]만 인가 시(전압원 단락)
  $V_{ab}'' = 3 \times 2 = 6[\text{V}]$
  $\therefore V_{ab} = V_{ab}' + V_{ab}'' = 6[\text{V}]$

[암기 포인트] 중첩의 원리 사용 시
전압원: 단락, 전류원: 개방

79

평형 상태이므로 영상분 $I_0 = \dfrac{1}{3}(I_a + I_b + I_c)$에서

$I_a + I_b + I_c = 0$

$\therefore I_0 = 0[\text{A}]$

80
RL 병렬회로의 컨덕턴스 $G[\mho]$, 서셉턴스 $B[\mho]$, 어드미턴스 $Y[\mho]$의 관계식은

$$Y = \frac{1}{R} + \frac{1}{j\omega L} = \frac{1}{R} - j\frac{1}{\omega L} = G - jB[\mho]$$

$$\therefore B = \frac{1}{\omega L} = \frac{1}{2\pi \times 10^5 \times 3 \times 10^{-3}} \fallingdotseq 5.3 \times 10^{-4}[\mho]$$

81 1 2 3

사용전압이 $22.9[\mathrm{kV}]$인 가공전선로의 다중접지한 중성선과 첨가 통신선의 이격거리는 몇 $[\mathrm{cm}]$ 이상이어야 하는가?(단, 특고압 가공전선로는 중성선 다중접지식의 것으로 전로에 지락이 생긴 경우 2초 이내에 자동적으로 이를 전로로부터 차단하는 장치가 되어 있는 것으로 한다.)

① 60
② 75
③ 100
④ 120

82 1 2 3

다음 ( )에 들어갈 내용으로 옳은 것은?

> 지중전선로는 기설 지중약전류전선로에 대하여 (ⓐ) 또는 (ⓑ)에 의하여 통신상의 장해를 주지 않도록 기설 약전류전선로로부터 충분히 이격시키거나 기타 적당한 방법으로 시설하여야 한다.

① ⓐ 누설전류   ⓑ 유도작용
② ⓐ 단락전류   ⓑ 유도작용
③ ⓐ 단락전류   ⓑ 정전작용
④ ⓐ 누설전류   ⓑ 정전작용

81

전력보안통신선의 시설 높이와 이격거리(한국전기설비규정 362.2)
가공전선로의 지지물에 시설하는 통신선은 다음에 따른다.
- 통신선은 가공전선의 아래에 시설할 것
- 통신선과 저압 가공전선 또는 특고압 가공전선로의 다중접지를 한 중성선 사이의 이격거리는 0.6[m] 이상일 것
- 통신선과 고압 가공전선 사이의 이격거리는 0.6[m] 이상일 것
- 통신선은 고압 가공전선로 또는 특고압 가공전선로의 지지물에 시설하는 기계기구에 부속되는 전선과 접촉할 우려가 없도록 지지물 또는 완금류에 견고하게 시설할 것

첨가 통신선은 가공전선로의 지지물에 시설하는 통신선을 말한다.

82

지중약전류전선의 유도장해 방지(한국전기설비규정 334.5)
지중전선로는 기설 지중약전류전선로에 대하여 누설전류 또는 유도작용에 의하여 통신상의 장해를 주지 아니하도록 기설 약전류전선로로부터 충분히 이격시키거나 기타 적당한 방법으로 시설하여야 한다.

[암기 포인트] 통신선 − 유도장해(세트 암기)

83 [1] [2] [3]

전격살충기의 전격격자는 지표 또는 바닥에서 몇 [m] 이상의 높은 곳에 시설하여야 하는가?

① 1.5 ② 2
③ 2.8 ④ 3.5

84 [1] [2] [3]

사용전압이 154[kV]인 모선에 접속되는 전력용 커패시터에 울타리를 시설하는 경우 울타리의 높이와 울타리로부터 충전 부분까지 거리의 합계는 몇 [m] 이상 되어야 하는가?

① 2 ② 3
③ 5 ④ 6

85 [1] [2] [3]

사용전압이 22.9[kV]인 가공전선이 삭도와 제1차 접근상태로 시설되는 경우, 가공전선과 삭도 또는 삭도용 지주 사이의 이격거리는 몇 [m] 이상으로 하여야 하는가?(단, 전선으로는 특고압 절연전선을 사용한다.)

① 0.5 ② 1
③ 2 ④ 2.12

86 [1] [2] [3]

사용전압이 22.9[kV]인 가공전선로를 시가지에 시설하는 경우 전선의 지표상 높이는 몇 [m] 이상인가?(단, 전선은 특고압 절연전선을 사용한다.)

① 6 ② 7
③ 8 ④ 10

정답 및 해설

83

전격살충기의 시설(한국전기설비규정 241.7.1)
전격살충기는 다음에 따라 시설하여야 한다.
• 전격살충기는 지표상 또는 바닥에서 3.5[m] 이상의 높이가 되도록 시설한다. 다만, 자동적으로 차단하는 보호장치를 설치한 것은 지표상 또는 바닥에서 1.8[m] 높이까지로 감할 수 있다.
• 전격살충기의 전격격자와 다른 시설물 또는 식물 사이의 이격거리는 0.3[m] 이상일 것

84

발전소 등의 울타리·담 등의 시설(한국전기설비규정 351.1)

사용전압의 구분	울타리·담 등의 높이와 울타리·담 등으로부터 충전 부분까지의 거리의 합계
35[kV] 이하	5[m] 이상
35[kV] 초과 160[kV] 이하	6[m] 이상
160[kV] 초과	6[m]에 160[kV]를 초과하는 10[kV] 또는 그 단수마다 0.12[m]를 더한 값 이상

85

특고압 가공전선과 삭도의 접근 또는 교차(한국전기설비규정 333.25)
특고압 가공전선이 삭도와 제1차 접근상태로 시설되는 경우, 특고압 가공전선과 삭도 또는 삭도용 지주 사이의 이격거리는 다음 표에서 정한 값 이상일 것

사용전압의 구분	이격거리
35[kV] 이하	2[m](전선이 특고압 절연전선인 경우는 1[m], 케이블인 경우는 0.5[m])
35[kV] 초과 60[kV] 이하	2[m]
60[kV] 초과	2[m]에 사용전압이 60[kV]를 초과하는 10[kV] 또는 그 단수마다 0.12[m]을 더한 값

86

시가지 등에서 특고압 가공전선로의 시설(한국전기설비규정 333.1)

사용전압의 구분	지표상의 높이
35[kV] 이하	10[m] (전선이 특고압 절연전선인 경우에는 8[m]) 이상
35[kV] 초과	10[m]에 35[kV]를 초과하는 10[kV] 또는 그 단수마다 0.12[m]를 더한 값 이상

87 ☐1 ☐2 ☐3

저압 옥내배선에 사용하는 연동선의 최소 굵기는 몇 $[\text{mm}^2]$ 인가?

① 1.5
② 2.5
③ 4.0
④ 6.0

88 ☐1 ☐2 ☐3

"리플프리(Ripple-free)직류"란 교류를 직류로 변환할 때 리플성분의 실횻값이 몇 $[\%]$ 이하로 포함된 직류를 말하는가?

① 3
② 5
③ 10
④ 15

89 ☐1 ☐2 ☐3

저압 전로에서 정전이 어려운 경우 등 절연저항 측정이 곤란한 경우 저항성분의 누설전류가 몇 $[\text{mA}]$ 이하이면 그 전로의 절연성능은 적합한 것으로 보는가?

① 1
② 2
③ 3
④ 4

90 ☐1 ☐2 ☐3

수소냉각식 발전기 및 이에 부속하는 수소냉각장치에 대한 시설기준으로 틀린 것은?

① 발전기 내부의 수소의 온도를 계측하는 장치를 시설할 것
② 발전기 내부의 수소의 순도가 70[%] 이하로 저하한 경우에 경보를 하는 장치를 시설할 것
③ 발전기는 기밀구조의 것이고 또한 수소가 대기압에서 폭발하는 경우에 생기는 압력에 견디는 강도를 가지는 것일 것
④ 발전기 내부의 수소의 압력을 계측하는 장치 및 그 압력이 현저히 변동한 경우에 이를 경보하는 장치를 시설할 것

87

저압 옥내배선의 사용전선(한국전기설비규정 231.3.1)
저압 옥내배선의 전선은 단면적 2.5[mm²] 이상의 연동선 또는 이와 동등 이상의 강도 및 굵기의 것이어야 한다.

88

용어 정의(한국전기설비규정 112)
리플프리(Ripple-free)직류란 교류를 직류로 변환할 때 리플성분의 실횻값이 10[%] 이하로 포함된 직류를 말한다.

89

전로의 절연저항 및 절연내력(한국전기설비규정 132)
저압인 전로에서 정전이 어려운 경우 등 절연저항 측정이 곤란한 경우, 저항 성분의 누설전류가 1[mA] 이하이면 그 전로의 절연성능은 적합한 것으로 본다.

90

수소냉각식 발전기 등의 시설(한국전기설비규정 351.10)
• 발전기 또는 조상기는 기밀구조(氣密構造)의 것이고 또한 수소가 대기압에서 폭발하는 경우에 생기는 압력에 견디는 강도를 가지는 것일 것
• 발전기축의 밀봉부에는 질소 가스를 봉입할 수 있는 장치 또는 발전기축의 밀봉부로부터 누설된 수소 가스를 안전하게 외부에 방출할 수 있는 장치를 설치할 것
• 발전기 안 또는 조상기 안의 수소의 순도가 85[%] 이하로 저하한 경우에 이를 경보하는 장치를 시설할 것
• 발전기 안 또는 조상기 안의 수소의 압력을 계측하는 장치 및 그 압력이 현저히 변동한 경우에 이를 경보하는 장치를 시설할 것
• 발전기 안 또는 조상기 안의 수소의 온도를 계측하는 장치를 시설할 것
• 발전기 안 또는 조상기 안으로 수소를 안전하게 도입할 수 있는 장치 및 발전기 안 또는 조상기 안의 수소를 안전하게 외부로 방출할 수 있는 장치를 시설할 것
• 수소를 통하는 관은 동관 또는 이음매 없는 강판이어야 하며 또한 수소가 대기압에서 폭발하는 경우에 생기는 압력에 견디는 강도의 것일 것
• 수소를 통하는 관·밸브 등은 수소가 새지 아니하는 구조로 되어 있을 것
• 발전기 또는 조상기에 붙인 유리제의 점검 창 등은 쉽게 파손되지 아니하는 구조로 되어 있을 것

91

저압 절연전선으로 「전기용품 및 생활용품 안전관리법」의 적용을 받는 것 이외에 KS에 적합한 것으로서 사용할 수 없는 것은?

① 450/750[V] 고무절연전선
② 450/750[V] 비닐절연전선
③ 450/750[V] 알루미늄절연전선
④ 450/750[V] 저독성 난연 폴리올레핀절연전선

92

전기철도차량에 전력을 공급하는 전차선의 가선방식에 포함되지 않는 것은?

① 가공방식　　　　② 강체방식
③ 제3레일방식　　　④ 지중조가선방식

93

금속제 가요전선관공사에 의한 저압 옥내배선의 시설기준으로 틀린 것은?

① 가요전선관 안에는 전선에 접속점이 없도록 한다.
② 옥외용 비닐절연전선을 제외한 절연전선을 사용한다.
③ 점검할 수 없는 은폐된 장소에는 1종 가요전선관을 사용할 수 있다.
④ 2종 금속제 가요전선관을 사용하는 경우에 습기 많은 장소에 시설하는 때에는 비닐피복 2종 가요전선관으로 한다.

94

터널 안의 전선로의 저압전선이 그 터널 안의 다른 저압전선(관등회로의 배선은 제외한다.)·약전류전선 등 또는 수관·가스관이나 이와 유사한 것과 접근하거나 교차하는 경우, 저압전선을 애자공사에 의하여 시설하는 때에는 이격거리가 몇 [cm] 이상이어야 하는가?(단, 전선이 나전선이 아닌 경우이다.)

① 10　　　　　　② 15
③ 20　　　　　　④ 25

91

절연전선(한국전기설비규정 122.1)
• 저압 절연전선은 「전기용품 및 생활용품 안전관리법」의 적용을 받는 것 이외에는 KS에 적합한 것으로서 다음을 사용하여야 한다.
　- 450/750[V] 비닐절연전선
　- 450/750[V] 저독성 난연 폴리올레핀절연전선
　- 450/750[V] 저독성 난연 가교폴리올레핀절연전선
　- 450/750[V] 고무절연전선
• 고압·특고압 절연전선은 KS에 적합한 또는 동등 이상의 전선을 사용하여야 한다.

92

전기철도의 용어 정의(한국전기설비규정 402)
가선방식: 전기철도차량에 전력을 공급하는 전차선의 가선방식으로 가공방식, 강체방식, 제3레일방식으로 분류한다.

93

금속제 가요전선관공사 시설조건(한국전기설비규정 232.13)
가요전선관공사에 의한 저압 옥내배선의 시설
• 전선은 절연전선(옥외용 비닐절연전선을 제외)일 것

• 전선은 연선일 것. 다만, 단면적 10[mm²](알루미늄선은 단면적 16[mm²]) 이하인 것은 그러하지 아니하다.
• 가요전선관 안에는 전선에 접속점이 없도록 할 것
• 가요전선관은 2종 금속제 가요전선관일 것. 다만, 전개된 장소 또는 점검할 수 있는 은폐된 장소(옥내배선의 사용전압이 400[V] 초과인 경우에는 전동기에 접속하는 부분으로서 가요성을 필요로 하는 부분에 사용하는 것에 한한다)에는 1종 가요전선관(습기가 많은 장소 또는 물기가 있는 장소에는 비닐피복 1종 가요전선관에 한한다.)을 사용할 수 있다.

94

터널 안 전선로의 전선과 약전류전선 등 또는 관 사이의 이격거리(한국전기설비규정 335.2)
터널 안의 전선로의 저압전선이 그 터널 안의 다른 저압전선(관등회로의 배선은 제외한다)·약전류전선 등 또는 수관·가스관이나 이와 유사한 것과 접근하거나 교차하는 경우, 저압전선을 애자공사에 의하여 시설하는 때에는 이격거리가 0.1[m](전선이 나전선인 경우에 0.3[m]) 이상이어야 한다.

284 전기기사 필기 7개년 기출문제집

정답　91 ③　92 ④　93 ③　94 ①

95

전기철도의 설비를 보호하기 위해 시설하는 피뢰기의 시설기준으로 틀린 것은?

① 피뢰기는 변전소 인입 측 및 급전선 인출 측에 설치하여야 한다.
② 피뢰기는 가능한 한 보호하는 기기와 가깝게 시설하되, 누설전류 측정이 용이하도록 지지대와 절연하여 설치한다.
③ 피뢰기는 개방형을 사용하고 유효 보호거리를 증가시키기 위하여 방전개시전압 및 제한전압이 낮은 것을 사용한다.
④ 피뢰기는 가공전선과 직접 접속하는 지중케이블에서 낙뢰에 의해 절연파괴의 우려가 있는 케이블 단말에 설치하여야 한다.

96

전선의 단면적이 $38[\text{mm}^2]$인 경동연선을 사용하고 지지물로는 B종 철주 또는 B종 철근 콘크리트주를 사용하는 특고압 가공전선로를 제3종 특고압 보안공사에 의하여 시설하는 경우 경간은 몇 $[\text{m}]$ 이하이어야 하는가?

① 100
② 150
③ 200
④ 250

97

태양광설비에 시설하여야 하는 계측기의 계측대상에 해당하는 것은?

① 전압과 전류
② 전력과 역률
③ 전류와 역률
④ 역률과 주파수

95

피뢰기 설치장소(한국전기설비규정 451.3)
• 다음의 장소에 피뢰기를 설치하여야 한다.
  – 변전소 인입 측 및 급전선 인출 측
  – 가공전선과 직접 접속하는 지중케이블에서 낙뢰에 의해 절연파괴의 우려가 있는 케이블 단말
• 피뢰기는 가능한 한 보호하는 기기와 가깝게 시설하되 누설전류 측정이 용이하도록 지지대와 절연하여 설치한다.

피뢰기의 선정(한국전기설비규정 451.4)
피뢰기는 다음의 조건을 고려하여 선정한다.
• 피뢰기는 밀봉형을 사용하고 유효 보호거리를 증가시키기 위하여 방전개시전압 및 제한전압이 낮은 것을 사용한다.
• 유도뢰서지에 대하여 2선 또는 3선의 피뢰기 동시동작이 우려되는 변전소 근처의 단락 전류가 큰 장소에는 속류차단 능력이 크고 또한 차단성능이 회로조건의 영향을 받을 우려가 적은 것을 사용한다.

96

특고압 보안공사(한국전기설비규정 333.22)
제3종 특고압 보안공사는 다음에 따라야 한다.
• 특고압 가공전선은 연선일 것
• 경간은 다음 표에서 정한 값 이하일 것

지지물 종류	경간
목주·A종 철주 또는 A종 철근 콘크리트주	100[m]
B종 철주 또는 B종 철근 콘크리트주	200[m]
철탑	400[m]

97

태양광설비의 계측장치(한국전기설비규정 522.3.6)
태양광설비에는 전압과 전류 또는 전압과 전력을 계측하는 장치를 시설하여야 한다.

[암기 포인트] 계측 장치: 전압 + 전류, 전압 + 전력

98

교통신호등 회로의 사용전압이 몇 [V]를 넘는 경우는 전로에 지락이 생겼을 경우 자동적으로 전로를 차단하는 누전차단기를 시설하는가?

① 60
② 150
③ 300
④ 450

99

가공전선로의 지지물에 시설하는 지선으로 연선을 사용할 경우, 소선(素線)은 몇 가닥 이상이어야 하는가?

① 2
② 3
③ 5
④ 9

100

저압전로의 보호도체 및 중성선의 접속방식에 따른 접지계통의 분류가 아닌 것은?

① IT 계통
② TN 계통
③ TT 계통
④ TC 계통

정답 및 해설

98

누전차단기(한국전기설비규정 234.15.6)
교통신호등 회로의 사용전압이 150[V]를 넘는 경우는 전로에 지락이 생겼을 경우 자동적으로 전로를 차단하는 누전차단기를 시설할 것

99

지선의 시설(한국전기설비규정 331.11)
• 안전율: 2.5 이상
• 최저 인장하중: 4.31[kN]
• 연선일 경우 소선의 지름이 2.6[mm] 이상인 금속선 3가닥 이상을 꼬아서 사용
• 지중 및 지표상 0.3[m]까지의 부분은 아연도금 철봉 등을 사용
• 도로를 횡단하여 시설하는 지선의 높이는 지표상 5[m] 이상, 교통에 지장을 초래할 우려가 없는 경우에는 지표상 4.5[m] 이상, 보도의 경우에는 2.5[m] 이상으로 할 수 있다.
• 가공전선로의 지지물로 사용하는 철탑은 지선을 사용하여 그 강도를 분담시켜서는 아니된다.
• 지선근가는 지선의 인장하중에 충분히 견디도록 시설할 것

100

계통접지 구성(한국전기설비규정 203.1)
저압전로의 보호도체 및 중성선의 접속방식에 따라 접지계통은 다음과 같이 분류한다.
• TN 계통
• TT 계통
• IT 계통

전기자기학

1회독	월	일
2회독	월	일
3회독	월	일

자동채점

01 1 2 3

두 종류의 유전율$(\varepsilon_1, \varepsilon_2)$을 가진 유전체가 서로 접하고 있는 경계면에 진전하가 존재하지 않을 때 성립하는 경계조건으로 옳은 것은?(단, E_1, E_2는 각 유전체에서의 전계이고 D_1, D_2는 각 유전체의 전속 밀도, θ_1, θ_2는 각각 경계면의 법선 벡터와 E_1, E_2가 이루는 각이다.)

① $E_1\cos\theta_1 = E_2\cos\theta_2$, $D_1\sin\theta_1 = D_2\sin\theta_2$, $\dfrac{\tan\theta_1}{\tan\theta_2} = \dfrac{\varepsilon_2}{\varepsilon_1}$

② $E_1\cos\theta_1 = E_2\cos\theta_2$, $D_1\sin\theta_1 = D_2\sin\theta_2$, $\dfrac{\tan\theta_1}{\tan\theta_2} = \dfrac{\varepsilon_1}{\varepsilon_2}$

③ $E_1\sin\theta_1 = E_2\sin\theta_2$, $D_1\cos\theta_1 = D_2\cos\theta_2$, $\dfrac{\tan\theta_1}{\tan\theta_2} = \dfrac{\varepsilon_2}{\varepsilon_1}$

④ $E_1\sin\theta_1 = E_2\sin\theta_2$, $D_1\cos\theta_1 = D_2\cos\theta_2$, $\dfrac{\tan\theta_1}{\tan\theta_2} = \dfrac{\varepsilon_1}{\varepsilon_2}$

02 1 2 3

공기 중에서 반지름 $0.03[\text{m}]$의 구도체에 줄 수 있는 최대 전하는 약 몇 [C]인가?(단, 이 구도체의 주위 공기에 대한 절연내력은 $5 \times 10^6 [\text{V/m}]$이다.)

① 5×10^{-7}

② 2×10^{-6}

③ 5×10^{-5}

④ 2×10^{-4}

03 1 2 3

진공 중의 평등자계 H_0 중에 반지름이 $a[\text{m}]$이고, 투자율이 μ인 구 자성체가 있다. 이 구 자성체의 감자율은?(단, 구 자성체 내부의 자계는 $H = \dfrac{3\mu_0}{2\mu_0 + \mu} H_0$이다.)

① 1

② $\dfrac{1}{2}$

③ $\dfrac{1}{3}$

④ $\dfrac{1}{4}$

01

두 매질 사이의 경계조건

• 접선(수평) 성분: 전계 및 자계의 크기가 연속된다.

$E_{1t} = E_{2t}$, $H_{1t} = H_{2t}$

$\Rightarrow E_1\sin\theta_1 = E_2\sin\theta_2$, $H_1\sin\theta_1 = H_2\sin\theta_2$

• 법선(수직) 성분: 전속 밀도 및 자속 밀도가 연속된다.

$D_{1t} = D_{2t}$, $B_{1t} = B_{2t}$

$\Rightarrow D_1\cos\theta_1 = D_2\cos\theta_2$, $B_1\cos\theta_1 = B_2\cos\theta_2$

• 매질 사이의 굴절각 관계

$\dfrac{E_1\sin\theta_1}{\varepsilon_1 E_1\cos\theta_1} = \dfrac{E_2\sin\theta_2}{\varepsilon_2 E_2\cos\theta_2}$

$\dfrac{H_1\sin\theta_1}{\mu_1 H_1\cos\theta_1} = \dfrac{H_2\sin\theta_2}{\mu_2 H_2\cos\theta_2}$

$\Rightarrow \dfrac{\varepsilon_1}{\varepsilon_2} = \dfrac{\tan\theta_1}{\tan\theta_2}$, $\dfrac{\mu_1}{\mu_2} = \dfrac{\tan\theta_1}{\tan\theta_2}$

02

도체구의 전계는 $E = \dfrac{Q}{4\pi\varepsilon_0 r^2}$ [V/m]이므로 절연내력을 견딜 수 있는 최대 전하

$Q = 4\pi\varepsilon_0 r^2 \times E$

$\quad = 4\pi \times \dfrac{1}{36\pi} \times 10^{-9} \times (0.03)^2 \times 5 \times 10^6$

$\quad = 5 \times 10^{-7}$ [C]

[암기 포인트]

절연내력 또는 절연강도는 유전체가 절연파괴 없이 견딜 수 있는 최대 전기장(전계)의 세기를 나타내며, 최대 인가전압을 유전체 두께로 나눈 값이다. 단위는 전계의 단위인 [V/m], [kV/m] 등을 사용한다.

03

감자율

감자율의 범위는 $0 \leq N \leq 1$

• 환상 솔레노이드의 감자율 $N = 0$

• 구 자성체의 감자율 $N = \dfrac{1}{3}$

---

04 1 2 3

유전율 ε, 전계의 세기 E인 유전체의 단위 체적당 축적되는 정전에너지는?

① $\dfrac{E}{2\varepsilon}$ ② $\dfrac{\varepsilon E}{2}$

③ $\dfrac{\varepsilon E^2}{2}$ ④ $\dfrac{\varepsilon^2 E^2}{2}$

05 1 2 3

단면적이 균일한 환상철심에 권수 N_A인 A코일과 권수 N_B인 B코일이 있을 때, B코일의 자기 인덕턴스가 L_A[H]라면 두 코일의 상호 인덕턴스[H]는?

① $\dfrac{L_A N_A}{N_B}$ ② $\dfrac{L_A N_B}{N_A}$

③ $\dfrac{N_A}{L_A N_B}$ ④ $\dfrac{N_B}{L_A N_A}$

06 1 2 3

비투자율이 350인 환상철심 내부의 평균 자계의 세기가 342[AT/m]일 때 자화의 세기는 약 몇 [Wb/m²]인가?

① 0.12 ② 0.15

③ 0.18 ④ 0.21

07 1 2 3

진공 중에 놓인 Q[C]의 전하에서 발생되는 전기력선의 수는?

① Q ② ε_0

③ $\dfrac{Q}{\varepsilon_0}$ ④ $\dfrac{\varepsilon_0}{Q}$

08 1 2 3

비투자율이 50인 환상 철심을 이용하여 100[cm] 길이의 자기회로를 구성할 때 자기저항을 2.0×10^7[AT/Wb] 이하로 하기 위해서는 철심의 단면적을 약 몇 [m²] 이상으로 하여야 하는가?

① 3.6×10^{-4} ② 6.4×10^{-4}

③ 8.0×10^{-4} ④ 9.2×10^{-4}

정답 및 해설

04

단위 체적당 정전에너지

$\omega = \dfrac{1}{2}\varepsilon E^2 = \dfrac{1}{2}\varepsilon_0 \varepsilon_s E^2$

05

자로길이가 l[m]인 환상솔레노이드의 인덕턴스 $L = \dfrac{\mu N^2 S}{l}$[H]

B코일의 인덕턴스는 $L_A = \dfrac{\mu N_B^2 S}{l}$ 이므로

A코일의 인덕턴스 L은

$L = \dfrac{\mu N_A^2 S}{l} = \dfrac{\mu S}{l}N_A^2 = \dfrac{L_A}{N_B^2}N_A^2$[H]

만약 누설자속이 없다고 가정하면 상호 인덕턴스는 다음과 같다.

$M = \sqrt{L \times L_A} = \sqrt{\dfrac{N_A^2}{N_B^2}\dfrac{L_A}{1} \times L_A} = \dfrac{N_A}{N_B}L_A$[H]

06

자화의 세기

$J = \mu_0 (\mu_r - 1) H = 4\pi \times 10^{-7} \times (350-1) \times 342$
$\quad = 0.15$[Wb/m²]

07

점 전하로부터 반지름 r[m]인 구의 표면을 통과하는 전기력선 수 N은

$N = \oint_s \dot{E} \cdot \dot{ds} = E \times S = \dfrac{Q}{4\pi\varepsilon_0 r^2} \times 4\pi r^2 = \dfrac{Q}{\varepsilon_0}$

08

자기저항은 $R_m = \dfrac{l}{\mu S}$ [AT/Wb]이므로

$S = \dfrac{l}{\mu_0 \mu_s R_m} = \dfrac{100 \times 10^{-2}}{4\pi \times 10^{-7} \times 50 \times 2.0 \times 10^7}$

$\quad \fallingdotseq 7.96 \times 10^{-4} \fallingdotseq 8.0 \times 10^{-4}$[m²]

288 전기기사 필기 7개년 기출문제집

정답 04 ③ 05 ① 06 ② 07 ③ 08 ③

09 1 2 3

자속밀도가 $10[\mathrm{Wb/m^2}]$ 인 자계 중에 $10[\mathrm{cm}]$ 도체를 자계와 $60°$의 각도로 $30[\mathrm{m/s}]$로 움직일 때, 이 도체에 유도되는 기전력은 몇 $[\mathrm{V}]$인가?

① 15

② $15\sqrt{3}$

③ 1,500

④ $1,500\sqrt{3}$

10 빈출 1 2 3

전기력선의 성질에 대한 설명으로 옳은 것은?

① 전기력선은 등전위면과 평행하다.

② 전기력선은 도체 표면과 직교한다.

③ 전기력선은 도체 내부에 존재할 수 있다.

④ 전기력선은 전위가 낮은 점에서 높은 점으로 향한다.

 과난도

11 1 2 3

평등자계와 직각방향으로 일정한 속도로 발사된 전자의 원운동에 관한 설명으로 옳은 것은?

① 플레밍의 오른손법칙에 의한 로렌츠의 힘과 원심력의 평행 원운동이다.

② 원의 반지름은 전자의 발사속도와 전계의 세기의 곱에 반비례한다.

③ 전자의 원운동 주기는 전자의 발사 속도와 무관하다.

④ 전자의 원운동 주파수는 전자의 질량에 비례한다.

09

플레밍의 오른손 법칙에 의해 유도되는 기전력은
$e = vBl\sin\theta = 30 \times 10 \times 10 \times 10^{-2} \times \sin 60° = 15\sqrt{3}\,[\mathrm{V}]$

10

전기력선의 성질

• 전기력선은 반드시 정(+)전하에서 나와서 부(−)전하로 들어간다.
• 전기력선은 반드시 도체 표면에 수직으로 출입한다.
• 전기력선끼리는 서로 반발력이 작용하여 교차할 수 없다.
• 전기력선의 도체에 주어진 전하는 도체 표면에만 분포한다.(도체 내부에는 전하가 존재할 수 없다.)
• 전기력선은 그 자신만으로는 폐곡선을 이룰 수 없다.
• 전기력선의 방향은 그 점의 전계의 방향과 일치한다.
• 전기력선의 밀도는 전계의 세기와 같다.
• 전기력선은 등전위면과 수직이다.
• 전기력선은 전위가 높은 곳에서 낮은 곳으로 향한다.
• $Q[\mathrm{C}]$의 전하에서 나오는 전기력선의 개수는 $\dfrac{Q}{\varepsilon_0}$개다.

11

로렌츠의 힘

전하 $Q[\mathrm{C}]$, 질량 $m[\mathrm{kg}]$인 물체를 자속 밀도 방향과 수직으로 입사하면 물체는 원운동에 의한 원심력과 로렌츠의 힘에 의한 구심력이 평형을 이루며 원운동을 한다.

즉, $F_{원심력} = \dfrac{mv^2}{r}[\mathrm{N}]$, $F_{구심력} = Q|\dot{v} \times \dot{B}| = QvB[\mathrm{N}]$이다.

이때 구심력과 원심력의 크기는 같으므로 $QvB = \dfrac{mv^2}{r}$ 을 만족한다.

따라서 원운동 속도 $v = \dfrac{QBr}{m}[\mathrm{m/s}]$, 반경 $r = \dfrac{mv}{QB}[\mathrm{m}]$이므로 선속도 $v[\mathrm{m/s}]$와 각속도 $\omega[\mathrm{rad/s}]$의 관계로부터

$v = r\omega = r 2\pi f = \dfrac{QBr}{m}[\mathrm{m/s}]$이다.

$\therefore T = \dfrac{1}{f} = \dfrac{2\pi m}{QB}[\mathrm{sec}]$이므로 속도 $v[\mathrm{m/s}]$와는 무관하다.

정답 09 ② 10 ② 11 ③

2021년 전기기사 필기 2회 **289**

2021년 2회

12

전계 $E[\mathrm{V/m}]$가 두 유전체의 경계면에 평행으로 작용하는 경우 경계면에 단위면적당 작용하는 힘의 크기는 몇 $[\mathrm{N/m^2}]$인가?(단, $\varepsilon_1, \varepsilon_2$는 각 유전체의 유전율이다.)

① $f = E^2(\varepsilon_1 - \varepsilon_2)$
② $f = \dfrac{1}{E^2}(\varepsilon_1 - \varepsilon_2)$

③ $f = \dfrac{1}{2}E^2(\varepsilon_1 - \varepsilon_2)$
④ $f = \dfrac{1}{2E^2}(\varepsilon_1 - \varepsilon_2)$

13

공기 중에 있는 반지름 $a[\mathrm{m}]$의 독립 금속구의 정전용량은 몇 $[\mathrm{F}]$인가?

① $2\pi\varepsilon_0 a$
② $4\pi\varepsilon_0 a$

③ $\dfrac{1}{2\pi\varepsilon_0 a}$
④ $\dfrac{1}{4\pi\varepsilon_0 a}$

14

와전류가 이용되고 있는 것은?

① 수중 음파 탐지기
② 레이더
③ 자기 브레이크(magnetic brake)
④ 사이클로트론(cyclotron)

12

유전체 경계면에 작용하는 힘(맥스웰 응력)
• 경계면에 작용하는 힘
 − 힘의 크기

$$f = \frac{D^2}{2\varepsilon_0} = \frac{1}{2}\varepsilon_0 E^2 = \frac{1}{2}ED \ [\mathrm{N/m^2}]$$

 − 경계면에 작용하는 힘은 유전율이 큰 쪽에서 작은 쪽으로 작용한다.
• 전계가 경계면에 수평으로 입사되는 경우($\varepsilon_1 > \varepsilon_2$)
 − 경계면에 생기는 각각의 힘 f_1과 f_2가 압축력으로 작용한다.
 − 압축력의 크기는 다음과 같이 구한다.

$$f = f_1 - f_2 = \frac{1}{2}(\varepsilon_1 - \varepsilon_2)E^2 \ [\mathrm{N/m^2}]$$

• 전계가 경계면에 수직으로 입사되는 경우($\varepsilon_1 > \varepsilon_2$)
 − 경계면에 생기는 각각의 힘 f_1과 f_2가 인장력으로 작용한다.
 − 인장력의 크기는 다음과 같이 구한다.

$$f = f_2 - f_1 = \frac{1}{2}\left(\frac{1}{\varepsilon_2} - \frac{1}{\varepsilon_1}\right)D^2 \ [\mathrm{N/m^2}]$$

13

전하량 Q인 독립 도체구로부터 발생되는 전위 $V = \dfrac{Q}{4\pi\varepsilon_0 a}[\mathrm{V}]$

$$\therefore C = \frac{Q}{V} = 4\pi\varepsilon_0 a \ [\mathrm{F}]$$

14

와전류 또는 맴돌이 전류는 도체에 걸린 자기장이 시간적으로 변화할 때 전자기 유도에 의해 도체에 생기는 소용돌이 형태의 전류이다. 적산전력계, 자기 브레이크, 고주파 유도가열, 전류비파괴검사 등 다양하게 활용된다.

15 ▮1 ▮2 ▮3

전계 $\dot{E} = \dfrac{2}{x}\hat{x} + \dfrac{2}{y}\hat{y}[\text{V/m}]$에서 점 $(3,5)[\text{m}]$를 통과하는 전기

력선의 방정식은?(단, $\hat{x}, \hat{y}$는 단위벡터이다.)

① $x^2 + y^2 = 12$ ② $y^2 - x^2 = 12$

③ $x^2 + y^2 = 16$ ④ $y^2 - x^2 = 16$

16 ▮1 ▮2 ▮3

전계 $E = \sqrt{2}\,E_c \sin\omega(t - \dfrac{x}{c})\,[\text{V/m}]$의 평면 전자파가 있다.

진공 중에서 자계의 실횻값은 몇 $[\text{A/m}]$인가?

① $\dfrac{1}{4\pi}E_c$ ② $\dfrac{1}{36\pi}E_c$

③ $\dfrac{1}{120\pi}E_c$ ④ $\dfrac{1}{360\pi}E_c$

17 ▮1 ▮2 ▮3

진공 중에 서로 떨어져 있는 두 도체 A, B가 있다. 도체 A에만 $1[\text{C}]$의 전하를 줄 때, 도체 A, B의 전위가 각각 $3[\text{V}]$, $2[\text{V}]$이었다. 지금 도체 A, B에 각각 $1[\text{C}]$과 $2[\text{C}]$의 전하를 주면 도체 A의 전위는 몇 $[\text{V}]$인가?

① 6   ② 7

③ 8   ④ 9

15

전기력선 방정식은 다음과 같다.

$$\frac{E_y}{E_x} = \frac{dy}{dx} = \frac{\dfrac{2}{y}}{\dfrac{2}{x}} = \frac{x}{y}$$

$y\,dy = x\,dx$

$\therefore \dfrac{y^2}{2} = \dfrac{x^2}{2} + C$

$(3,5)[\text{m}]$를 통과하므로 위의 식에 대입하여 C를 구하면

$C = \dfrac{16}{2} = 8$이다.

따라서 전기력선 방정식은

$y^2 - x^2 = 16$

16

전자파의 고유(파동) 임피던스

$$\eta = \frac{E}{H} = \sqrt{\frac{\mu}{\varepsilon}} = \sqrt{\frac{\mu_0\mu_s}{\varepsilon_0\varepsilon_s}} = 377\sqrt{\frac{\mu_s}{\varepsilon_s}}\,[\Omega]$$

$\therefore$ 공기에서의 고유 임피던스는 $\eta = \sqrt{\dfrac{\mu_0}{\varepsilon_0}} = 377[\Omega]$

자계의 실횻값

$$H = \frac{|E|}{\sqrt{2}\cdot 377} = \frac{E_c}{377} = \frac{1}{120\pi}E_c[\text{A/m}] \, (\because 377 = 120\pi)$$

17

도체 A, B 도체계에 대한 전위계수 방정식은 다음과 같다.

$V_1 = P_{11}Q_1 + P_{12}Q_2$

$V_2 = P_{21}Q_1 + P_{22}Q_2$

만약 도체 A에만 $1[\text{C}]$ 전하를 주면 $Q_1 = 1[\text{C}]$, $Q_2 = 0$이므로

$V_1 = P_{11} \times 1 + P_{12} \times 0 = 3\,[\text{V}]$

$V_2 = P_{21} \times 1 + P_{22} \times 0 = 2\,[\text{V}]$

$\therefore P_{11} = 3 , P_{21} = P_{12} = 2$

따라서 도체 A, B에 $Q_1 = 1[\text{C}]$, $Q_2 = 2[\text{C}]$ 전하를 주면 도체 A의 전위는 다음과 같다.

$V_1 = P_{11}Q_1 + P_{12}Q_2 = 3 \times 1 + 2 \times 2 = 7\,[\text{V}]$

18
1 2 3

한 변의 길이가 $4[\text{m}]$인 정사각형 루프에 $1[\text{A}]$의 전류가 흐를 때, 중심점에서의 자속 밀도 B는 약 몇 $[\text{Wb/m}^2]$인가?

① 2.83×10^{-7}
② 5.65×10^{-7}
③ 11.31×10^{-7}
④ 14.14×10^{-7}

19
1 2 3

원점에 $1[\mu\text{C}]$의 점전하가 있을 때 점 $P(2, -2, 4)[\text{m}]$에서의 전계의 세기에 대한 단위벡터는 약 얼마인가?

① $0.41a_x - 0.41a_y + 0.82a_z$
② $-0.33a_x + 0.33a_y - 0.66a_z$
③ $-0.341a_x + 0.41a_y - 0.82a_z$
④ $0.33a_x - 0.33a_y + 0.66a_z$

20
1 2 3

공기 중에서 전자기파의 파장이 $3[\text{m}]$라면 그 주파수는 몇 $[\text{MHz}]$인가?

① 100
② 300
③ $1,000$
④ $3,000$

18

길이 l인 정사각형 루프의 자계는

$$H = \frac{2\sqrt{2}\,I}{\pi l}\ [\text{A/m}]$$

$$\therefore B = \mu_0 H = \frac{2\sqrt{2}\,\mu_0 I}{\pi l} = \frac{2\sqrt{2} \times 4\pi \times 10^{-7} \times 1}{\pi \times 4}$$

$$= 2.83 \times 10^{-7}\ [\text{Wb/m}^2]$$

19

$\dot{r} = 2a_x - 2a_y + 4a_z,\ |\dot{r}| = \sqrt{24}$

$$\therefore a_r = \frac{\dot{r}}{|\dot{r}|} = \frac{1}{\sqrt{24}}(2a_x - 2a_y + 4a_z)$$

$$= 0.41a_x - 0.41a_y + 0.82a_z$$

20

전자기파의 파장과 주파수

자유공간에서 $f\lambda = c = 3 \times 10^8\ [\text{m/s}]$이므로

$$f = \frac{c}{\lambda} = \frac{3 \times 10^8}{3} = 100 \times 10^6\ [\text{Hz}] = 100[\text{MHz}]$$

21

가공 송전 선로에서 총 단면적이 같은 경우 단도체와 비교하여 복도체의 장점이 아닌 것은?

① 안정도를 증대시킬 수 있다.

② 공사비가 저렴하고 시공이 간편하다.

③ 전선표면의 전위 경도를 감소시켜 코로나 임계 전압이 높아진다.

④ 선로의 인덕턴스가 감소되고 정전 용량이 증가해서 송전 용량이 증대된다.

빈출
22 1 2 3

역률 0.8(지상)의 $2,800[\mathrm{kW}]$ 부하에 전력용 콘덴서를 병렬로 접속하여 합성 역률을 0.9로 개선하고자 할 경우, 필요한 전력용 콘덴서의 용량$[\mathrm{kVA}]$은 약 얼마인가?

① 372   ② 558

③ 744   ④ 1,116

23

컴퓨터에 의한 전력 조류 계산에서 슬랙(Slack) 모선의 초기 치로 지정하는 값은?(단, 슬랙 모선을 기준 모선으로 한다.)

① 유효 전력과 무효 전력

② 전압 크기와 유효 전력

③ 전압 크기와 위상각

④ 전압 크기와 무효 전력

빈출
24 1 2 3

3상용 차단기의 정격 차단 용량은?

① $\sqrt{3}$ ×정격 전압 × 정격 차단 전류

② $3\sqrt{3}$ ×정격 전압 × 정격 전류

③ 3×정격 전압 × 정격 차단 전류

④ $\sqrt{3}$ ×정격 전압 × 정격 전류

25 1 2 3

증기 터빈 내에서 팽창 도중에 있는 증기를 일부 추기하여 그것이 갖는 열을 급수가열에 이용하는 열사이클은?

① 랭킨 사이클   ② 카르노 사이클

③ 재생 사이클   ④ 재열 사이클

21

복도체의 특징

• 전선 표면 전위 경도를 감소시켜 임계 전압이 상승하여 코로나 현상을 방지한다.(복도체 사용의 주목적)

• 인덕턴스는 감소하고 정전 용량은 증가하여 송전 용량이 증대한다.

• 정전 용량이 커지기 때문에 페란티 현상이 발생할 수 있다.(페란티 현상 방지를 위해 분로 리액터 설치)

• 소도체 간의 흡인력이 작용하여 도체 충돌의 우려가 있다.(도체 충돌을 방지하기 위해 스페이서 설치)

복도체는 소도체 2개로 만든 전선으로 공사비가 증가하고, 부속 장치인 스페이서를 부착하므로 시공이 어려워진다.

[암기 포인트] 복도체 사용

증가 – 송전 용량, 정전 용량

감소 – 코로나 손실, 인덕턴스

22

전력용 콘덴서 용량

$$Q_c = P(\tan\theta_1 - \tan\theta_2) = 2,800 \times \left(\frac{0.6}{0.8} - \frac{\sqrt{1-0.9^2}}{0.9} \right)$$

$$\fallingdotseq 744[\mathrm{kVA}]$$

23

슬랙 모선의 기지값과 미지값

• 기지값: 모선 전압 크기, 위상각

• 미지값: 유효 전력, 무효 전력, 계통 전손실

24

3상 차단기의 정격 차단 용량

$P_s = \sqrt{3}\,VI_s\,[\mathrm{MVA}]$(단, V: 정격 전압$[\mathrm{kV}]$, I_s: 정격 차단 전류$[\mathrm{kA}]$)

25

화력 발전소의 열 사이클 종류

• 랭킨 사이클: 가장 기본적인 사이클

• 카르노 사이클: 가장 이상적인 사이클

• 재생 사이클: 터빈에서 증기의 일부를 추기하여 급수가열기에 공급함으로써 복수기의 열 손실을 회수하는 사이클

• 재열 사이클: 터빈에서 팽창된 증기를 과열기로 공급하여 과열 증기로 만든 후 다시 터빈에 공급하는 사이클

• 재열재생 사이클: 재열 사이클과 재생 사이클을 모두 채용하여 사이클의 효율을 크게 한 것으로 화력 발전소에서 실현할 수 있는 가장 효율이 좋은 사이클이며, 대용량 화력 발전소에서 가장 많이 사용하는 사이클

26 ☐1 ☐2 ☐3

부하 전류 차단이 불가능한 전력 개폐 장치는?

① 진공 차단기　　　② 유입 차단기
③ 단로기　　　　　④ 가스 차단기

27 ☐1 ☐2 ☐3

전력 계통에서 내부 이상 전압의 크기가 가장 큰 경우는?

① 유도성 소전류 차단 시
② 수차 발전기의 부하 차단 시
③ 무부하 선로 충전 전류 차단 시
④ 송전 선로의 부하 차단기 투입 시

28 ☐1 ☐2 ☐3

그림과 같은 송전 계통에서 S점에 3상 단락 사고가 발생했을 때 단락 전류[A]는 약 얼마인가?(단, 선로의 길이와 리액턴스는 각각 50[km], 0.6[Ω/km]이다.)

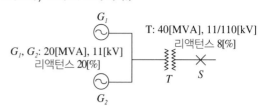

① 224　　　　　② 324
③ 454　　　　　④ 554

29 ☐1 ☐2 ☐3

저압 배전 선로에 대한 설명으로 틀린 것은?

① 저압 뱅킹 방식은 전압 변동을 경감할 수 있다.
② 밸런서(Balancer)는 단상 2선식에 필요하다.
③ 부하율(F)과 손실 계수(H) 사이에는 $1 \geq F \geq H \geq F^2 \geq 0$의 관계가 있다.
④ 수용률이란 최대 수용 전력을 설비 용량으로 나눈 값을 퍼센트로 나타낸 것이다.

정답 및 해설

26

단로기(DS)

- 단로기는 선로로부터 기기를 분리, 구분, 변경할 때 사용하는 개폐 장치이다.
- 단로기(DS)는 아크 소호 능력이 없어 부하 전류 및 고장 전류의 차단은 불가능하다.
- 차단기와 단로기 조작 순서(인터록 장치)
  - 투입 시: 단로기(DS) 투입 → 차단기(CB) 투입
  - 차단 시: 차단기(CB) 개방 → 단로기(DS) 개방

[암기 포인트] 무부하 개폐는 단로기(무단개폐)

27

내부 이상 전압

- 내부 이상 전압은 계통을 조작하거나 고장이 발생하였을 때 발생하며, 계통 조작 시 과도 현상으로 발생하는 이상 전압은 투입 서지와 개방 서지로 구분된다.
- 일반적으로 투입 서지보다 개방 서지가 더 크며, 부하가 있는 회로를 차단(개방)하는 것보다 무부하 회로를 차단하는 경우가 더 큰 이상 전압을 발생시킨다.
- 이상 전압이 가장 큰 경우는 무부하 송전 선로의 충전 전류를 차단하는 경우이며, 이상 전압의 크기는 보통 상규 대지 전압의 3.5배 이하이다.

28

- 기준 용량을 40[MVA](변압기 용량)로 하고 $\%Z_g$, $\%Z_t$, $\%Z_l$를 각각 발전기, 변압기, 선로의 %임피던스라 하면

$$\%Z_{g1} = \%Z_{g2} = \frac{40}{20} \times 20 = 40[\%]$$

$$\therefore \%Z_g = \frac{\%Z_{g1} \times \%Z_{g2}}{\%Z_{g1} + \%Z_{g2}} = \frac{40 \times 40}{40 + 40} = 20[\%] (\because 병렬 연결)$$

$$\%Z_t = 8[\%], \ \%Z_l = \frac{P_n Z}{10 V^2} = \frac{40 \times 10^3 \times 0.6 \times 50}{10 \times 110^2} = 9.92[\%]$$

- 전체 %임피던스
$$\%Z = \%Z_g + \%Z_t + \%Z_l = 20 + 8 + 9.92 = 37.92[\%]$$

- 단락 전류
$$I_s = \frac{100}{\%Z} I_n = \frac{100}{\%Z} \times \frac{P_n}{\sqrt{3}V} = \frac{100}{37.92} \times \frac{40 \times 10^3}{\sqrt{3} \times 110}$$
$$= 553.65[A]$$

29

밸런서(Balancer)

밸런서는 단상 3선식 배전 선로에서 부하의 불평형에 의한 배전 말단의 전압 불균형을 감소시키기 위해 설치하는 단권 변압기(권수비 1 : 1)이다.

30 [1] [2] [3]

망상(Network) 배전 방식의 장점이 아닌 것은?

① 전압 변동이 적다.
② 인축의 접지 사고가 적어진다.
③ 부하의 증가에 대한 융통성이 크다.
④ 무정전 공급이 가능하다.

31 [1] [2] [3]

$500[\mathrm{kVA}]$의 단상 변압기 상용 3대(결선 $\Delta - \Delta$), 예비 1대를 갖는 변전소가 있다. 부하의 증가로 인하여 예비 변압기까지 동원해서 사용한다면 응할 수 있는 최대 부하$[\mathrm{kVA}]$는 약 얼마 인가?

① 2,000   ② 1,730
③ 1,500   ④ 830

32 [1] [2] [3]

직격뢰에 대한 방호 설비로 가장 적당한 것은?

① 복도체   ② 가공 지선
③ 서지 흡수기   ④ 정전 방전기

33 [1] [2] [3]

최대 수용 전력이 $3[\mathrm{kW}]$인 수용가가 3세대, $5[\mathrm{kW}]$인 수용가가 6세대라고 할 때, 이 수용가군에 전력을 공급할 수 있는 주상 변압기의 최소 용량$[\mathrm{kVA}]$은?(단, 역률은 1, 수용가 간의 부등률은 1.3이다.)

① 25   ② 30
③ 35   ④ 40

34 [1] [2] [3]

배전용 변전소의 주변압기로 주로 사용되는 것은?

① 강압 변압기   ② 체승 변압기
③ 단권 변압기   ④ 3권선 변압기

30
망상(Network) 배전 방식의 특징
• 전력의 무정전 공급이 가능하고 공급 신뢰도가 가장 우수
• 전압 변동 및 전력 손실 감소
• 부하의 증설 용이
• 선로가 많아 인축의 접촉 사고 증대

31
단상 변압기가 총 4대이므로 V결선으로 2뱅크 설치 시 3상 전력을 최대로 공급할 수 있다.

$$\therefore P_{\max} = 2P_V = 2 \times (\sqrt{3}P_1) = 2 \times \sqrt{3} \times 500$$
$$= 1,732.05[\mathrm{kVA}]$$

32
가공 지선의 역할
가공 지선은 직격뢰에 대한 차폐, 유도뢰에 대한 차폐, 통신선에 대한 전자 유도 장해 경감 등을 목적으로 시설한다.

33

$$변압기 \ 용량[\mathrm{kVA}] = \frac{개별 \ 수용 \ 최대 \ 전력의 \ 합[\mathrm{kW}]}{부등률 \times \cos\theta}$$

$$\therefore 변압기 \ 용량 = \frac{3 \times 3 + 5 \times 6}{1.3 \times 1} = 30[\mathrm{kVA}]$$

34
배전용 변전소는 송전 전압을 배전 전압으로 강압하여 수용가에 전력을 공급하는 곳이므로 강압 변압기를 사용한다.

35 1 2 3

비등수형 원자로의 특징에 대한 설명으로 틀린 것은?

① 증기 발생기가 필요하다.
② 저농축 우라늄을 연료로 사용한다.
③ 노심에서 비등을 일으킨 증기가 직접 터빈에 공급되는 방식이다.
④ 가압수형 원자로에 비해 출력밀도가 낮다.

36 1 2 3

송전단 전압을 V_s, 수전단 전압을 V_r, 선로의 리액턴스를 X라 할 때, 정상 시의 최대 송전 전력의 개략적인 값은?

① $\dfrac{V_s - V_r}{X}$

② $\dfrac{V_s^2 - V_r^2}{X}$

③ $\dfrac{V_s (V_s - V_r)}{X}$

④ $\dfrac{V_s V_r}{X}$

37 1 2 3

3상 3선식 송전 선로에서 각 선의 대지 정전 용량이 $0.5096[\mu F]$이고, 선간 정전 용량이 $0.1295[\mu F]$일 때, 1선의 작용 정전 용량은 약 몇 $[\mu F]$인가?

① 0.6　　　　　　② 0.9
③ 1.2　　　　　　④ 1.8

38 1 2 3

전력 계통의 전압을 조정하는 가장 보편적인 방법은?

① 발전기의 유효 전력 조정
② 부하의 유효 전력 조정
③ 계통의 주파수 조정
④ 계통의 무효 전력 조정

정답 및 해설

35

비등수형 원자로(BWR) 특징
• 원자로에서 발생된 증기가 직접 터빈에 공급되어 발전하는 방식이다.
• 직접 열전달 방식이므로 증기 발생기가 불필요하다.
• 가압수형 원자로에 비해 출력밀도가 낮아 같은 출력을 발생시킬 경우 노심 및 압력 용기가 커진다.
• 원자로에서 직접 증기가 발생하기 때문에 방사능 누출에 대한 문제가 있는 원자로이다.

36

송전 전력 $P = \dfrac{V_s V_r}{X} \sin\delta$ 에서 최대값은 $\sin\delta = 1$인 경우이다.

$$\therefore P_{\max} = \dfrac{V_s V_r}{X}$$

37

대지 정전 용량을 C_s, 선간 정전 용량을 C_m이라 할 때
3상 3선식 작용 정전 용량 $C = C_s + 3C_m [\mu F]$

$\therefore C = 0.5096 + 3 \times 0.1295 = 0.8981[\mu F]$

[암기 포인트]
• 단상 2선식 작용 정전 용량 $C = C_s + 2C_m$
• 3상 3선식 작용 정전 용량 $C = C_s + 3C_m$

38

전력 계통의 전압 강하를 보상하여 규정 전압을 공급하는 방법으로 수전단 근처에서 무효 전력을 보상하는 방법이 일반적으로 사용된다.
• 전력 계통 전압 조정: 무효 전력 조정($Q-V$ 컨트롤)
• 전력 계통 주파수 조정: 유효 전력 조정($P-F$ 컨트롤)

39

선로, 기기 등의 절연 수준 저감 및 전력용 변압기의 단절연을 모두 행할 수 있는 중성점 접지방식은?

① 직접 접지방식
② 소호 리액터 접지방식
③ 고저항 접지방식
④ 비접지방식

40

단상 2선식 배전 선로의 말단에 지상 역률 $\cos\theta$인 부하 $P\,[\mathrm{kW}]$가 접속되어 있고 선로 말단의 전압은 $V\,[\mathrm{V}]$이다. 선로 한 가닥의 저항을 $R\,[\Omega]$이라 할 때 송전단의 공급 전력$[\mathrm{kW}]$은?

① $P + \dfrac{P^2 R}{V\cos\theta} \times 10^3$
② $P + \dfrac{2P^2 R}{V\cos\theta} \times 10^3$
③ $P + \dfrac{P^2 R}{V^2\cos^2\theta} \times 10^3$
④ $P + \dfrac{2P^2 R}{V^2\cos^2\theta} \times 10^3$

41

부하 전류가 크지 않을 때 직류 직권 전동기 발생 토크는?(단, 자기 회로가 불포화인 경우이다.)

① 전류에 비례한다.
② 전류에 반비례한다.
③ 전류의 제곱에 비례한다.
④ 전류의 제곱에 반비례한다.

42

동기 발전기의 병렬 운전 조건에서 같지 않아도 되는 것은?

① 기전력의 용량
② 기전력의 위상
③ 기전력의 크기
④ 기전력의 주파수

39

직접 접지방식
- 1선 지락 시 건전상의 전압 상승이 가장 낮다.
- 선로 및 기기의 절연 레벨을 경감시킨다.
- 변압기 단절연이 가능하다.
- 보호 계전기의 동작이 신속, 확실하다.
- 1선 지락 시 지락 전류가 최대이므로, 영상분 전류로 인한 통신선의 유도 장해가 가장 크다.
- 과도 안정도가 저하된다.

40

송전단 전력(P_s)과 수전단 전력(P)의 차이가 전력 손실이므로

$$P_l = P_s - P\,[\mathrm{W}] \rightarrow P_s = P + P_l\,[\mathrm{W}]$$

단상 2선식 전력 손실

$$P_l = 2I^2 R = 2 \times \left(\frac{P}{V\cos\theta}\right)^2 R = \frac{2P^2 R}{V^2\cos^2\theta}\,[\mathrm{W}]$$

$$\therefore\ P_s = P\,[\mathrm{kW}] + \frac{2(P\,[\mathrm{kW}] \times 10^3)^2 R}{V^2\cos^2\theta} \times 10^{-3}$$

$$= P + \frac{2P^2 R}{V^2\cos^2\theta} \times 10^3\,[\mathrm{kW}]$$

41

직류 직권 전동기
직류 직권 전동기는 전기자 권선과 계자 권선이 직렬로 접속되어 있어 부하 전류(I), 전기자 전류(I_a), 계자 전류(I_f)가 모두 동일하므로 계자 자속 ϕ는 부하 전류(I)에 비례한다. 따라서 토크는 전류의 제곱에 비례한다.

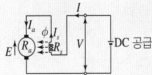

▲ 자여자 직권 전동기

$$I = I_a = I_f\,[\mathrm{A}], \quad \phi \propto I_f = I \quad \therefore\ T = K\phi I_a\,[\mathrm{N \cdot m}] \propto I^2$$

42

동기 발전기 병렬 운전 조건

병렬 운전 조건	다를 경우 발생하는 전류
유기 기전력의 크기가 같을 것	무효 순환 전류
유기 기전력의 위상이 같을 것	동기화 전류
유기 기전력의 주파수가 같을 것	동기화 전류
유기 기전력의 파형이 같을 것	고조파 무효 순환 전류

동기 발전기의 병렬 운전 조건에서 용량, 출력과는 무관하다.

[암기 포인트] 크위주파

43 [1] [2] [3]

다이오드를 사용하는 정류 회로에서 과대한 부하 전류로 인하여 다이오드가 소손될 우려가 있을 때 가장 적절한 조치는 어느 것인가?

① 다이오드를 병렬로 추가한다.
② 다이오드를 직렬로 추가한다.
③ 다이오드 양단에 적당한 값의 저항을 추가한다.
④ 다이오드 양단에 적당한 값의 커패시터를 추가한다.

44 [1] [2] [3]

변압기의 권수를 N이라고 할 때 누설 리액턴스는?

① N에 비례한다.
② N^2에 비례한다.
③ N에 반비례한다.
④ N^2에 반비례한다.

45 [1] [2] [3]

$50[\text{Hz}]$, 12극의 3상 유도 전동기가 $10[\text{HP}]$의 정격출력을 내고 있을 때, 회전수는 약 몇 $[\text{rpm}]$인가?(단, 회전자 동손은 $350[\text{W}]$이고, 회전자 입력은 회전자 동손과 정격 출력의 합이다.)

① 468   ② 478
③ 488   ④ 500

🎈빈출
46 [1] [2] [3]

8극, $900[\text{rpm}]$ 동기 발전기와 병렬 운전하는 6극 동기 발전기의 회전수는 몇 $[\text{rpm}]$인가?

① 900   ② 1,000
③ 1,200   ④ 1,400

정답 및 해설

43

다이오드 병렬 연결 시 전류가 분배되어 부하 전류가 감소한다.
• 과전류에 대한 조치: 다이오드 병렬 연결(전류 분배)
• 과전압에 대한 조치: 다이오드 직렬 연결(전압 분배)

44

변압기 누설 리액턴스
• 실제 변압기에서는 1차 측에서 발생한 자속 전체가 2차 측 코일에 쇄교하지 못하고 일부가 누설되는 현상이 발생하며, 이러한 자속의 감소를 누설 리액턴스(x_l)로 고려할 수 있다.

• 누설 리액턴스 $x_l = \omega L = 2\pi f \times \dfrac{\mu S N^2}{l}[\Omega] \propto N^2$

[참고]

$e = -L\dfrac{di}{dt} = -N\dfrac{d\phi}{dt}[\text{V}] \rightarrow LI = N\phi[\text{Wb}]$

기자력 $F = \phi R_m = NI[\text{AT}]$

자기 저항 $R_m = \dfrac{l}{\mu S}[\text{AT/Wb}]$

$\therefore \phi = \dfrac{NI}{R_m} = \dfrac{NI}{\dfrac{l}{\mu S}} = \dfrac{\mu S N I}{l}[\text{Wb}]$

$\therefore L = \dfrac{N\phi}{I} = \dfrac{N}{I} \times \dfrac{\mu S N I}{l} = \dfrac{\mu S N^2}{l}[\text{H}]$

45

• 동기 속도 $N_s = \dfrac{120f}{p} = \dfrac{120 \times 50}{12} = 500[\text{rpm}]$
• 출력 $P_0 = 10[\text{HP}] = 10 \times 746 = 7,460[\text{W}]$
• 회전자 동손 $P_{c2} = sP_2 = s(P_{c2} + P_0)[\text{W}]$
• 슬립 $s = \dfrac{P_{c2}}{P_{c2} + P_0} = \dfrac{350}{350 + 7,460} ≒ 0.0448$
• 회전수
  $N = (1-s)N_s = (1-0.0448) \times 500 ≒ 478[\text{rpm}]$

[암기 포인트] $1[\text{HP}] = 746[\text{W}]$

46

두 동기 발전기를 병렬 운전 하려면 주파수가 서로 같아야 한다.
• 8극 동기 발전기
  $N_s = \dfrac{120f}{p}[\text{rpm}] \rightarrow f = \dfrac{N_s p}{120} = \dfrac{900 \times 8}{120} = 60[\text{Hz}]$
• 6극 동기 발전기
  $N_s = \dfrac{120f}{p} = \dfrac{120 \times 60}{6} = 1,200[\text{rpm}]$

[암기 포인트] 교류 발전기 병렬 운전 조건 = 주파수가 같을 것

47

극수가 4극이고 전기자 권선이 단중 중권인 직류 발전기의 전기자 전류가 $40[A]$이면 전기자 권선의 각 병렬 회로에 흐르는 전류$[A]$는?

① 4
② 6
③ 8
④ 10

48

변압기에서 생기는 철손 중 와류손(Eddy Current Loss)은 철심의 규소강판 두께와 어떤 관계에 있는가?

① 두께에 비례
② 두께의 2승에 비례
③ 두께의 3승에 비례
④ 두께의 $\frac{1}{2}$승에 비례

49

2전동기설에 의하여 단상 유도 전동기의 가상적 2개의 회전자 중 정방향에 회전하는 회전자 슬립이 s이면 역방향에 회전하는 가상적 회전자의 슬립은 어떻게 표시되는가?

① $1+s$
② $1-s$
③ $2-s$
④ $3-s$

50

어떤 직류 전동기가 역기전력 $200[V]$, 매분 $1,200$회전으로 토크 $158.76[N \cdot m]$를 발생하고 있을 때의 전기자 전류는 약 몇 $[A]$인가?(단, 기계손 및 철손은 무시한다.)

① 90
② 95
③ 100
④ 105

51

와전류 손실을 패러데이법칙으로 설명한 과정 중 틀린 것은?

① 와전류가 철심 내에 흘러 발열 발생
② 유도 기전력 발생으로 철심에 와전류가 흐름
③ 와전류 에너지 손실량은 전류 밀도에 반비례
④ 시변 자속으로 강자성체 철심에 유도 기전력 발생

47

전기자 권선이 중권이므로 병렬 회로수 $a = p = 4$

$$\therefore I = \frac{I_a}{a} = \frac{40}{4} = 10[A]$$

[암기 포인트] 중권 $a = p$
　　　　　　　파권 $a = 2$

48

와류손 $P_e = k_e (tfB_m)^2 [W/m^3] \propto t^2$
(단, t: 두께)

49

• 정방향 슬립 s

$$s = \frac{N_s - N}{N_s} = 1 - \frac{N}{N_s} \rightarrow \frac{N}{N_s} = 1 - s$$

• 역방향 슬립 s'

$$s' = \frac{N_s - (-N)}{N_s} = 1 + \frac{N}{N_s} = 1 + (1-s) = 2 - s$$

50

출력 $P = \omega T = EI_a [W] \rightarrow I_a = \frac{\omega T}{E} = \frac{2\pi \times \frac{N}{60} T}{E} [A]$

$$\therefore I_a = \frac{2\pi \times \frac{1,200}{60} \times 158.76}{200} = 99.75 ≒ 100[A]$$

51

와류손

• 자속 밀도의 시간적 변화는 도체 내에서 회전하는 전계를 만들며, 이에 따라 유도 기전력이 발생하고 와전류(맴돌이 전류)가 흐르게 된다.

$$\nabla \times \dot{E} = -\frac{\partial \dot{B}}{\partial t} \text{ (패러데이 전자유도법칙)}$$

• 철심 내에 흐르는 와전류는 철심 저항에 의하여 열이 발생하는데, 이를 와류손(P_e)이라고 한다.

$$P_e = k_e (tfB_m)^2 [W/m^3] \propto B_m^2$$

52 `1 2 3`

동기 발전기에서 동기 속도와 극수의 관계를 옳게 표시한 것은?(단, N: 동기 속도, P: 극수이다.)

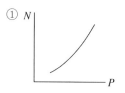 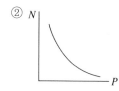
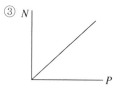 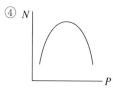

53 `1 2 3`

일반적인 DC 서보 모터의 제어에 속하지 않는 것은?

① 역률 제어　　　　② 토크 제어
③ 속도 제어　　　　④ 위치 제어

54 `1 2 3`

변압기 단락 시험에서 변압기의 임피던스 전압이란?

① 1차 전류가 여자 전류에 도달했을 때의 2차 측 단자 전압
② 1차 전류가 정격 전류에 도달했을 때의 2차 측 단자 전압
③ 1차 전류가 정격 전류에 도달했을 때의 변압기 내의 전압 강하
④ 1차 전류가 2차 단락 전류에 도달했을 때의 변압기 내의 전압 강하

55 `1 2 3`

변압기의 주요 시험 항목 중 전압 변동률 계산에 필요한 수치를 얻기 위한 필수적인 시험은?

① 단락 시험　　　　② 내전압 시험
③ 변압비 시험　　　④ 온도상승 시험

56 `1 2 3`

단상 정류자 전동기의 일종인 단상 반발 전동기에 해당되는 것은?

① 시라게 전동기　　② 반발유도 전동기
③ 아트킨손형 전동기　④ 단상 직권 정류자 전동기

정답 및 해설

52

동기 속도 $N_s = \dfrac{120f}{P}\,[\text{rpm}] \propto \dfrac{1}{P}$

∴ 동기 속도와 극수는 반비례한다.

53

서보 모터
- 계속해서 변화하는 위치나 속도의 명령치에 신속하고 정확하게 추종할 수 있도록 설계되어 위치, 방향, 자세를 제어하기 위한 모터이다.
- 토크 제어, 속도 제어, 위치 제어 등에 사용된다.
- 기동, 정지, 역전의 동작이 신속하고 정확해야 한다.
- 신속히 평형 상태에 도달할 수 있도록 전동기의 응답속도가 빨라야 한다.
- 기동 토크가 커야 한다.
- 관성 모멘트가 작아야 한다.

[암기 포인트] 서보 모터와 관련된 요소: 토크, 속도, 위치

54

변압기 2차 측을 단락하고 1차 측에 정격 전류가 흐를 때의 전압을 임피던스 전압이라고 한다. 이때의 전압은 매우 낮은 전압이므로 여자 전류가 거의 흐르지 않는다. 따라서 임피던스 전압은 1차 전류가 정격 전류에 도달했을 때의 변압기 내의 전압 강하이다.

55

변압기 시험

무부하 시험	단락 시험
• 여자 어드미턴스	• 임피던스 와트(동손)
• 철손	• 임피던스 전압
• 여자 전류	• 내부 임피던스
• 철손 전류	• 전압 변동률
• 자화 전류	

56

단상 반발 전동기
- 종류: 아트킨손형, 톰슨형, 데리형
- 특성: 브러시의 위치를 변경하여 회전 방향, 회전 속도를 제어할 수 있다.

정답　52 ②　53 ①　54 ③　55 ①　56 ③

57 ▢1 ▢2 ▢3

3상 농형 유도 전동기의 전전압 기동 토크는 전부하 토크의 1.8배이다. 이 전동기에 기동 보상기를 사용하여 기동 전압을 전전압의 $\dfrac{2}{3}$로 낮추어 기동하면, 기동 토크는 전부하 토크 T 와 어떤 관계인가?

① $3.0\,T$
② $0.8\,T$
③ $0.6\,T$
④ $0.3\,T$

58 ▢1 ▢2 ▢3

부스트(Boost) 컨버터의 입력 전압이 $45[\mathrm{V}]$로 일정하고, 스위칭 주기가 $20[\mathrm{kHz}]$, 듀티비(Duty Ratio)가 0.6, 부하 저항이 $10[\Omega]$일 때 출력 전압은 몇 $[\mathrm{V}]$인가?(단, 인덕터에는 일정한 전류가 흐르고 커패시터 출력 전압의 리플 성분은 무시한다.)

① 27
② 67.5
③ 75
④ 112.5

59 ▢1 ▢2 ▢3

동기 전동기에 대한 설명으로 틀린 것은?

① 동기 전동기는 주로 회전계자형이다.
② 동기 전동기는 무효 전력을 공급할 수 있다.
③ 동기 전동기는 제동 권선을 이용한 기동법이 일반적으로 많이 사용된다.
④ 3상 동기 전동기의 회전 방향을 바꾸려면 계자 권선 전류의 방향을 반대로 한다.

60 ▢1 ▢2 ▢3

$10[\mathrm{kW}]$, 3상, $380[\mathrm{V}]$ 유도 전동기의 전부하 전류는 약 몇 $[\mathrm{A}]$인가?(단, 전동기의 효율은 $85[\%]$, 역률은 $85[\%]$이다.)

① 15
② 21
③ 26
④ 36

57

유도 전동기의 토크는 전압의 제곱에 비례한다.($T \propto V^2$)

$$\therefore \ \frac{T'}{1.8T} = \frac{\left(\frac{2}{3}V\right)^2}{V^2} \ \rightarrow \ T' = \left(\frac{2}{3}\right)^2 \times 1.8T = 0.8T$$

58

부스트 컨버터는 대표적인 DC-DC 승압 장치로서 출력 전압을 입력 전압보다 높이는 기능을 한다.
입력 전압을 V_i, 출력 전압을 V_o, 듀티비를 D라고 할 때

전압 전달비 $G_V = \dfrac{V_o}{V_i} = \dfrac{1}{1-D}$

$$\therefore \ V_o = \frac{V_i}{1-D} = \frac{45}{1-0.6} = 112.5[\mathrm{V}]$$

59

3상 동기 전동기의 회전 방향을 바꾸기 위해서는 3선 중 임의의 2선을 바꾸어 접속한다.

60

출력 $P = \sqrt{3}\,VI\cos\theta\,\eta[\mathrm{W}] \ \rightarrow \ I = \dfrac{P}{\sqrt{3}\,V\cos\theta\,\eta}[\mathrm{A}]$

$$\therefore \ I = \frac{10 \times 10^3}{\sqrt{3} \times 380 \times 0.85 \times 0.85} \fallingdotseq 21[\mathrm{A}]$$

61 1 2 3

그림의 블록 선도와 같이 표현되는 제어 시스템에서 $A=1$, $B=1$일 때, 블록 선도의 출력 C는 약 얼마인가?

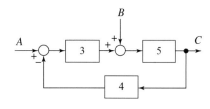

① 0.22
② 0.33
③ 1.22
④ 3.1

62 1 2 3

제어 요소가 제어 대상에 주는 양은?

① 동작 신호
② 조작량
③ 제어량
④ 궤환량

63 1 2 3

다음과 같은 상태 방정식으로 표현되는 제어 시스템의 특성 방정식의 근(s_1, s_2)은?

$$\begin{bmatrix} \dot{x_1} \\ \dot{x_2} \end{bmatrix} = \begin{bmatrix} 0 & 1 \\ -2 & -3 \end{bmatrix} \begin{bmatrix} x_1 \\ x_2 \end{bmatrix} + \begin{bmatrix} 1 \\ 0 \end{bmatrix} u$$

① 1, -3
② -1, -2
③ -2, -3
④ -1, -3

64 1 2 3

전달 함수가 $G_C(s) = \dfrac{s^2+3s+5}{2s}$인 제어기가 있다. 이 제어기는 어떤 제어기인가?

① 비례 미분 제어기
② 적분 제어기
③ 비례 적분 제어기
④ 비례 미분 적분 제어기

61

주어진 블록 선도를 메이슨 공식에 적용하여 전달 함수를 구한다.

$$\frac{C}{A} = \frac{3 \times 5}{1-(3 \times 5 \times (-4))} = \frac{15}{61}$$

$$\frac{C}{B} = \frac{5}{1-(5 \times (-4) \times 3)} = \frac{5}{61}$$

$$\therefore C = \frac{15}{61} \times A + \frac{5}{61} \times B = \frac{15}{61} \times 1 + \frac{5}{61} \times 1 = \frac{20}{61} ≒ 0.33$$

62

조작량은 제어 요소가 제어 대상에 주는 양으로, 제어 장치의 출력인 동시에 제어 대상의 입력인 신호이다.

63

특성 방정식은 $|sI-A| = 0$이다.

$$sI-A = \begin{bmatrix} s & 0 \\ 0 & s \end{bmatrix} - \begin{bmatrix} 0 & 1 \\ -2 & -3 \end{bmatrix} = \begin{bmatrix} s & -1 \\ 2 & s+3 \end{bmatrix}$$

$$|sI-A| = s(s+3)+2 = s^2+3s+2$$
$$= (s+1)(s+2) = 0$$

따라서 특성 방정식의 근은 -1과 -2이다.

64

$$• \ G_C(s) = \frac{s^2+3s+5}{2s} = \frac{s^2}{2s} + \frac{3s}{2s} + \frac{5}{2s}$$
$$= \frac{3}{2} + \frac{s}{2} + \frac{5}{2s} = \frac{3}{2}\left(1 + \frac{s}{3} + \frac{5}{3s}\right)$$

• 비례 미분 적분 전달 함수

$$G(s) = K_p\left(1 + T_d s + \frac{1}{T_i s}\right)$$

$\therefore$ 비례 감도(K_p) = $\dfrac{3}{2}$, 미분 시간(T_d) = $\dfrac{1}{3}$, 적분 시간(T_i) = $\dfrac{3}{5}$인 비례 미분 적분 제어기이다.

65 [1] [2] [3]

제어 시스템의 주파수 전달 함수가 $G(j\omega) = j5\omega$이고, 주파수가 $\omega = 0.02[\text{rad/sec}]$일 때 이 제어 시스템의 이득[dB]은?

① 20

② 10

③ -10

④ -20

66 [1] [2] [3]

전달 함수가 $\dfrac{C(s)}{R(s)} = \dfrac{1}{3s^2 + 4s + 1}$인 제어 시스템의 과도 응답 특성은?

① 무제동

② 부족 제동

③ 임계 제동

④ 과제동

67 [1] [2] [3]

그림과 같은 제어 시스템이 안정하기 위한 k의 범위는?

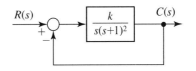

① $k > 0$

② $k > 1$

③ $0 < k < 1$

④ $0 < k < 2$

65

- 전달 함수

$$G(j\omega)|_{\omega = 0.02} = j5(0.02) = j0.1$$

- 전달 함수의 크기

$$|G(j\omega)| = |j0.1| = 0.1 = 10^{-1}$$

- 이득

$$g = 20\log 10^{-1} = -20[\text{dB}]$$

66

전달함수

$$\frac{C(s)}{R(s)} = \frac{1}{3s^2 + 4s + 1} = \frac{\dfrac{1}{3}}{s^2 + \dfrac{4}{3}s + \dfrac{1}{3}}$$

$$= \frac{\omega_n^2}{s^2 + 2\delta\omega_n s + \omega_n^2}$$

$$\omega_n^2 = \frac{1}{3} \;\rightarrow\; \omega_n = \frac{1}{\sqrt{3}}[\text{rad/sec}]$$

$$2\delta\omega_n = \frac{4}{3} \;\rightarrow\; \delta = \frac{4}{3} \times \frac{1}{2\omega_n} = \frac{2}{\sqrt{3}} \fallingdotseq 1.15$$

$\therefore \delta > 1$이므로 과제동

67

- 전달 함수

$$\frac{C(s)}{R(s)} = \frac{\dfrac{k}{s(s+1)^2}}{1 - \left(-\dfrac{k}{s(s+1)^2}\right)} = \frac{k}{s(s+1)^2 + k}$$

$$= \frac{k}{s(s^2 + 2s + 1) + k} = \frac{k}{s^3 + 2s^2 + s + k}$$

- 특성 방정식

$$s^3 + 2s^2 + s + k = 0$$

특성 방정식을 루드표로 작성하면 다음과 같다.

차수	제1열	제2열
s^3	1	1
s^2	2	k
s^1	$\dfrac{2 \times 1 - 1 \times k}{2} = \dfrac{2-k}{2}$	0
s^0	$\dfrac{\dfrac{2-k}{2} \times k - 2 \times 0}{\dfrac{2-k}{2}} = k$	0

제어계가 안정하려면 루드표의 제1열의 부호 변화가 없어야 한다.

$$k > 0, \; \frac{2-k}{2} > 0 \;\rightarrow\; k < 2$$

따라서 안정하기 위한 위의 2가지 조건을 모두 충족하는 조건은 $0 < k < 2$이다.

[암기 포인트] 제어계가 안정하기 위해서 루드표의 제1열 부호 변화가 없을 것

---

68 ⬛ 1 2 3

그림과 같은 제어 시스템의 폐루프 전달 함수 $T(s) = \dfrac{C(s)}{R(s)}$ 에

대한 감도 S_K^T 는?

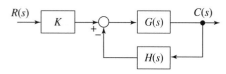

① 0.5

② 1

③ $\dfrac{G}{1+GH}$

④ $\dfrac{-GH}{1+GH}$

69 ⬛ 1 2 3

함수 $f(t) = e^{-at}$ 의 z 변환 함수 $F(z)$ 는?

① $\dfrac{2z}{z - e^{aT}}$

② $\dfrac{1}{z + e^{aT}}$

③ $\dfrac{z}{z + e^{-aT}}$

④ $\dfrac{z}{z - e^{-aT}}$

70 ⬛ 1 2 3

다음 논리 회로의 출력 Y 는?

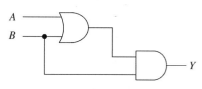

① A

② B

③ $A + B$

④ $A \cdot B$

정답 및 해설

68

• 전달 함수

$$T(s) = \frac{C(s)}{R(s)} = \frac{KG(s)}{1 + G(s)H(s)}$$

• 감도

$$\begin{aligned} S_K^T &= \frac{K}{T} \times \frac{dT}{dK} \\ &= \frac{K}{\dfrac{KG(s)}{1 + G(s)H(s)}} \times \frac{d}{dK}\left(\frac{KG(s)}{1 + G(s)H(s)}\right) \\ &= \frac{1 + G(s)H(s)}{G(s)} \times \frac{G(s)}{1 + G(s)H(s)} = 1 \end{aligned}$$

69

시간 함수의 변환

시간 함수 $f(t)$	라플라스 변환 $F(s)$	z 변환 $F(z)$
임펄스 함수 $\delta(t)$	1	1
단위 계단 함수 $u(t) = 1$	$\dfrac{1}{s}$	$\dfrac{z}{z-1}$
속도 함수 t	$\dfrac{1}{s^2}$	$\dfrac{Tz}{(z-1)^2}$
지수 함수 e^{-at}	$\dfrac{1}{s+a}$	$\dfrac{z}{z - e^{-aT}}$

[암기 포인트]

$f(t) = e^{-at}$ 의 z변환 함수 $F(z) = \dfrac{z}{z - e^{-aT}}$ 는 반드시 암기!

70

$$\begin{aligned} Y &= (A + B) \cdot B = A \cdot B + B \cdot B \\ &= A \cdot B + B = (A + 1) \cdot B = B \end{aligned}$$

71 1 2 3

그림 (a)와 같은 회로에 대한 구동점 임피던스의 극점과 영점이 각각 그림 (b)에 나타낸 것과 같고 $Z(0) = 1$일 때, 이 회로에서 $R[\Omega]$, $L[\mathrm{H}]$, $C[\mathrm{F}]$의 값은?

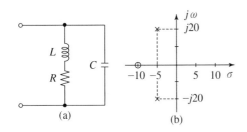

(a)   (b)

① $R = 1.0[\Omega]$, $L = 0.1[\mathrm{H}]$, $C = 0.0235[\mathrm{F}]$
② $R = 1.0[\Omega]$, $L = 0.2[\mathrm{H}]$, $C = 1.0[\mathrm{F}]$
③ $R = 2.0[\Omega]$, $L = 0.1[\mathrm{H}]$, $C = 0.0235[\mathrm{F}]$
④ $R = 2.0[\Omega]$, $L = 0.2[\mathrm{H}]$, $C = 1.0[\mathrm{F}]$

72 1 2 3

회로에서 저항 $1[\Omega]$에 흐르는 전류 $I[\mathrm{A}]$는?

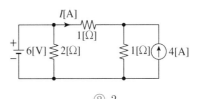

① 3   ② 2
③ 1   ④ -1

73 1 2 3

파형이 톱니파인 경우 파형률은 약 얼마인가?

① 1.155   ② 1.732
③ 1.414   ④ 0.577

71

$$Z(s) = \frac{(R+sL) \times \dfrac{1}{sC}}{(R+sL) + \dfrac{1}{sC}} = \frac{R+sL}{sCR+s^2LC+1}$$

$$= \frac{s + \dfrac{R}{L}}{C\left(s^2 + \dfrac{R}{L}s + \dfrac{1}{LC}\right)}$$

또한 극점은 $-5+j20$, $-5-j20$이고, 영점은 -10이므로

$$\therefore Z(s) = \frac{s+10}{A(s^2+10s+425)}$$

$$Z(0) = 1 \rightarrow \frac{10}{A \times 425} = 1, \quad \therefore A = 0.0235$$

$$Z(s) = \frac{s + \dfrac{R}{L}}{C\left(s^2 + \dfrac{R}{L}s + \dfrac{1}{LC}\right)} = \frac{s+10}{0.0235(s^2+10s+425)}$$ 이므로

$$C = 0.0235[\mathrm{F}], \quad \frac{1}{LC} = 425$$

$$L = \frac{1}{425 \times C} = \frac{1}{425 \times 0.0235} \fallingdotseq 0.1[\mathrm{H}]$$

$$R = 10 \times L = 10 \times 0.1 = 1[\Omega]$$

72

중첩의 원리
• 전압원 $6[\mathrm{V}]$만 인가 시(전류원 개방)

$$I' = \frac{6}{1+1} = 3[\mathrm{A}]$$

• 전류원 $4[\mathrm{A}]$만 인가 시(전압원 단락)
전압원이 단락되어 있어 저항 $2[\Omega]$으로 전류가 흐르지 않으므로 양단에 걸리는 전압은 0이다.

$$I'' = -\frac{1}{1+1} \times 4 = -2[\mathrm{A}]$$

$$\therefore I = I' + I'' = 3 - 2 = 1[\mathrm{A}]$$

[암기 포인트] 중첩의 원리 사용 시
전압원: 단락, 전류원: 개방

73

• 톱니파(삼각파)의 실횻값, 평균값

$$V = \frac{1}{\sqrt{3}}V_m, \quad V_a = \frac{1}{2}V_m$$

• 파형률 $= \dfrac{\text{실횻값}}{\text{평균값}} = \dfrac{\dfrac{1}{\sqrt{3}}V_m}{\dfrac{1}{2}V_m} = \dfrac{2}{\sqrt{3}} \fallingdotseq 1.155$

74 [1] [2] [3]

무한장 무손실 전송선로의 임의의 위치에서 전압이 $100[\mathrm{V}]$이었다. 이 선로의 인덕턴스가 $7.5[\mu\mathrm{H/m}]$이고, 커패시턴스가 $0.012[\mu\mathrm{F/m}]$일 때 이 위치에서 전류[A]는?

① 2
② 4
③ 6
④ 8

🔖빈출
75 [1] [2] [3]

전압 $v(t) = 14.14\sin\omega t + 7.07\sin\left(3\omega t + \dfrac{\pi}{6}\right)[\mathrm{V}]$의 실횻값은 약 몇 [V]인가?

① 3.87
② 11.2
③ 15.8
④ 21.2

76 [1] [2] [3]

그림과 같은 평형 3상 회로에서 전원 전압이 $V_{ab} = 200[\mathrm{V}]$이고 부하 한상의 임피던스가 $Z = 4 + j3[\Omega]$인 경우 전원과 부하 사이 선전류 I_a는 약 몇 [A]인가?

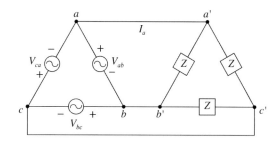

① $40\sqrt{3}\angle 36.87°[\mathrm{A}]$
② $40\sqrt{3}\angle -36.87°[\mathrm{A}]$
③ $40\sqrt{3}\angle 66.87°[\mathrm{A}]$
④ $40\sqrt{3}\angle -66.87°[\mathrm{A}]$

77 [1] [2] [3]

정상상태에서 $t = 0$초인 순간에 스위치 S를 열었다. 이때 흐르는 전류 $i(t)$는?

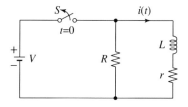

① $\dfrac{V}{R}e^{-\frac{R+r}{L}t}$
② $\dfrac{V}{r}e^{-\frac{R+r}{L}t}$
③ $\dfrac{V}{R}e^{-\frac{L}{R+r}t}$
④ $\dfrac{V}{r}e^{-\frac{L}{R+r}t}$

정답 및 해설

74

무손실 선로이므로 $R = G = 0$

$$Z_0 = \sqrt{\frac{R+j\omega L}{G+j\omega C}} = \sqrt{\frac{L}{C}} = 25[\Omega]$$

$$\therefore I = \frac{V}{Z_0} = \frac{100}{25} = 4[\mathrm{A}]$$

75

$$V = \sqrt{\left(\frac{14.14}{\sqrt{2}}\right)^2 + \left(\frac{7.07}{\sqrt{2}}\right)^2} = 11.18 ≒ 11.2[\mathrm{V}]$$

[암기 포인트]

정현파의 실횻값 $V = \dfrac{V_m}{\sqrt{2}}$

76

$$I_p = \frac{V_p}{Z} = \frac{200}{4+j3} = \frac{200}{5\angle 36.87°} = 40\angle -36.87°[\mathrm{A}]$$

$\triangle$ 결선에서 $V_l = V_p$, $I_l = \sqrt{3}\,I_p\angle -30°$이므로

$$\therefore I_a = I_l = \sqrt{3}\times(40\angle -36.87°)\times(1\angle -30°)$$
$$= 40\sqrt{3}\angle -66.87°[\mathrm{A}]$$

77

정상상태의 전류는 $I_0 = \dfrac{V}{r}$, 과도상태의 저항은 $R+r$이므로

$$i(t) = I_0\, e^{-\frac{R+r}{L}t} = \frac{V}{r}\, e^{-\frac{R+r}{L}t}[\mathrm{A}]$$

[암기 포인트]
- 초기 전류 $I_0 = 0$, 정상상태 전류 $I_{ss} = I$인 경우

$$i(t) = I\left(1 - e^{-\frac{R}{L}t}\right)[\mathrm{A}]$$

- 초기 전류 $I_0 = I$, 정상상태 전류 $I_{ss} = 0$인 경우

$$i(t) = I e^{-\frac{R}{L}t}[\mathrm{A}]$$

78 ☐1 ☐2 ☐3

선간전압이 $150[V]$, 선전류가 $10\sqrt{3}[A]$, 역률이 $80[\%]$인 평형 3상 유도성 부하로 공급되는 무효전력[Var]은?

① 3,600　　　　② 3,000

③ 2,700　　　　④ 1,800

80 ☐1 ☐2 ☐3

상의 순서가 $a-b-c$인 불평형 3상 전류가 $I_a = 15+j2[A]$, $I_b = -20-j14[A]$, $I_c = -3+j10[A]$일 때 영상분 전류 I_0는 약 몇 [A]인가?

① $2.67+j0.38$　　② $2.02+j6.98$

③ $15.5-j3.56$　　④ $-2.67-j0.67$

과난도
79 ☐1 ☐2 ☐3

그림과 같은 함수의 라플라스 변환은?

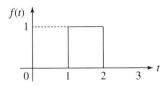

① $\dfrac{1}{s}(e^s - e^{2s})$　　② $\dfrac{1}{s}(e^{-s} - e^{-2s})$

③ $\dfrac{1}{s}(e^{-2s} - e^{-s})$　　④ $\dfrac{1}{s}(e^{-s} + e^{-2s})$

78

$V_l = 150[V]$, $I_l = 10\sqrt{3}[A]$

$\sin\theta = \sqrt{1-\cos^2\theta} = \sqrt{1-0.8^2} = 0.6$

$P_r = \sqrt{3}\,V_l I_l \sin\theta = \sqrt{3}\times 150\times 10\sqrt{3}\times 0.6$

　　$= 2,700[Var]$

79

$f(t) = u(t-1) - u(t-2)$

시간 추이 정리를 이용하여 라플라스 변환을 하면

$F(s) = \dfrac{1}{s}e^{-s} - \dfrac{1}{s}e^{-2s} = \dfrac{1}{s}(e^{-s} - e^{-2s})$

[암기 포인트] 시간 추이 정리

$f(t-T)u(t-T) \rightarrow F(s)e^{-Ts}$ (단, $F(s) = \pounds[f(t)]$)

80

$I_0 = \dfrac{1}{3}(I_a + I_b + I_c) = \dfrac{1}{3}\times(15+j2-20-j14-3+j10)$

　　$\fallingdotseq -2.67 - j0.67[A]$

81 1 2 3

플로어덕트공사에 의한 저압 옥내배선에서 연선을 사용하지 않아도 되는 전선(동선)의 단면적은 최대 몇 $[\text{mm}^2]$인가?

① 2

② 4

③ 6

④ 10

82 1 2 3

전기설비기술기준에서 정하는 안전원칙에 대한 내용으로 틀린 것은?

① 전기설비는 감전, 화재 그 밖에 사람에게 위해를 주거나 물건에 손상을 줄 우려가 없도록 시설하여야 한다.

② 전기설비는 다른 전기설비, 그 밖의 물건의 기능에 전기적 또는 자기적인 장해를 주지 않도록 시설하여야 한다.

③ 전기설비는 경쟁과 새로운 기술 및 사업의 도입을 촉진함으로써 전기사업의 건전한 발전을 도모하도록 시설하여야 한다.

④ 전기설비는 사용목적에 적절하고 안전하게 작동하여야 하며, 그 손상으로 인하여 전기 공급에 지장을 주지 않도록 시설하여야 한다.

83 1 2 3

아파트 세대 욕실에 "비데용 콘센트"를 시설하고자 한다. 다음의 시설방법 중 적합하지 않은 것은?

① 콘센트는 접지극이 없는 것을 사용한다.

② 습기가 많은 장소에 시설하는 콘센트는 방습장치를 하여야 한다.

③ 콘센트를 시설하는 경우에는 절연변압기(정격용량 3[kVA] 이하인 것에 한한다)로 보호된 전로에 접속하여야 한다.

④ 콘센트를 시설하는 경우에는 인체감전보호용 누전차단기(정격감도전류 15[mA] 이하, 동작시간 0.03초 이하의 전류동작형의 것에 한한다)로 보호된 전로에 접속하여야 한다.

정답 및 해설

81

플로어덕트공사 시설조건(한국전기설비규정 232.32.1)
- 전선은 절연전선(옥외용 비닐절연전선을 제외한다)일 것
- 전선은 연선일 것. 다만, 단면적 10$[\text{mm}^2]$(알루미늄선은 단면적 16$[\text{mm}^2]$)이하인 것은 그러하지 아니하다.
- 플로어덕트 안에는 전선에 접속점이 없도록 할 것. 다만, 전선을 분기하는 경우에 접속점을 쉽게 점검할 수 있을 때에는 그러하지 아니하다.

82

안전원칙(기술기준 제2조)
- 전기설비는 감전, 화재 그 밖에 사람에게 위해(危害)를 주거나 물건에 손상을 줄 우려가 없도록 시설하여야 한다.
- 전기설비는 사용목적에 적절하고 안전하게 작동하여야 하며, 그 손상으로 인하여 전기 공급에 지장을 주지 않도록 시설하여야 한다.
- 전기설비는 다른 전기설비, 그 밖의 물건의 기능에 전기적 또는 자기적인 장해를 주지 않도록 시설하여야 한다.

83

콘센트의 시설(한국전기설비규정 234.5)
욕조나 샤워시설이 있는 욕실 또는 화장실 등 인체가 물에 젖어있는 상태에서 전기를 사용하는 장소에 콘센트를 시설하는 경우에는 다음에 따라 시설하여야 한다.
- 「전기용품 및 생활용품 안전관리법」의 적용을 받는 인체감전보호용 누전차단기(정격감도전류 15[mA] 이하, 동작시간 0.03초 이하의 전류동작형의 것에 한한다) 또는 절연변압기(정격용량 3[kVA] 이하인 것에 한한다)로 보호된 전로에 접속하거나, 인체감전보호용 누전차단기가 부착된 콘센트를 시설하여야 한다.
- 콘센트는 접지극이 있는 방적형 콘센트를 사용하여 접지하여야 한다.
- 습기가 많은 장소 또는 수분이 있는 장소에 시설하는 콘센트 및 기계기구용 콘센트는 접지용 단자가 있는 것을 사용하여 접지하고 방습장치를 하여야 한다.

[암기 포인트] 콘센트 - 접지극이 있는 것으로 접지를 한다.

84 ① ② ③

특고압용 타냉식 변압기의 냉각장치에 고장이 생긴 경우를 대비하여 어떤 보호장치를 하여야 하는가?

① 경보장치   ② 속도조정장치
③ 온도시험장치   ④ 냉매흐름장치

85 ① ② ③

하나 또는 복합하여 시설하여야 하는 접지극의 방법으로 틀린 것은?

① 지중 금속구조물
② 토양에 매설된 기초 접지극
③ 케이블의 금속외장 및 그 밖의 금속피복
④ 대지에 매설된 강화콘크리트의 용접된 금속 보강재

86 ① ② ③

옥내 배선공사 중 반드시 절연전선을 사용하지 않아도 되는 공사방법은?(단, 옥외용 비닐절연전선은 제외한다.)

① 금속관공사   ② 버스덕트공사
③ 합성수지관공사   ④ 플로어덕트공사

87 ① ② ③

지중전선로를 직접 매설식에 의하여 차량 기타 중량물의 압력을 받을 우려가 있는 장소에 시설하는 경우 매설 깊이는 몇 [m] 이상으로 하여야 하는가?

① 0.6   ② 1
③ 1.5   ④ 2

84

특고압용 변압기의 보호장치(한국전기설비규정 351.4)
특고압의 변압기에는 그 내부에 고장이 생겼을 경우에 보호하는 장치를 다음 표와 같이 시설하여야 한다.

뱅크용량의 구분	동작조건	장치의 종류
5,000[kVA] 이상 10,000[kVA] 미만	변압기 내부 고장	자동차단장치 또는 경보장치
10,000[kVA] 이상	변압기 내부 고장	자동차단장치
타냉식변압기(변압기의 권선 및 철심을 직접 냉각시키기 위하여 봉입한 냉매를 강제 순환시키는 냉각 방식을 말한다)	냉각장치에 고장이 생긴 경우 또는 변압기의 온도가 현저히 상승하는 경우	경보장치

85

접지극의 시설 및 접지저항(한국전기설비규정 142.2)
접지극은 다음의 방법 중 하나 또는 복합하여 시설해야 한다.
• 콘크리트에 매입된 기초 접지극
• 토양에 매설된 기초 접지극
• 토양에 수직 또는 수평으로 직접 매설된 금속전극(봉, 전선, 테이프, 배관, 판 등)

• 케이블의 금속외장 및 그 밖의 금속피복
• 지중 금속구조물(배관 등)
• 대지에 매설된 철근콘크리트의 용접된 금속 보강재(강화콘크리트 제외)

86

나전선의 사용 제한(한국전기설비규정 231.4)
옥내에 시설하는 저압 전선은 다음의 경우를 제외하고 나전선을 사용하여서는 아니 된다.
• 애자사용공사
• 버스덕트공사에 의하여 시설하는 경우
• 라이팅덕트공사에 의하여 시설하는 경우
• 접촉전선을 시설하는 경우

[암기 포인트] 나전선과 사용 가능
주요 키워드: 애자, 버스덕트, 라이팅덕트, 접촉전선

87

지중전선로의 시설(한국전기설비규정 334.1)
지중전선로를 직접 매설식에 의하여 시설하는 경우에는 매설 깊이를 차량 기타 중량물의 압력을 받을 우려가 있는 장소에는 1.0[m] 이상, 기타 장소에는 0.6[m] 이상으로 하고 또한 지중 전선을 견고한 트라프 기타 방호물에 넣어 시설하여야 한다.

88 ☐1 ☐2 ☐3

돌침, 수평도체, 메시도체의 요소 중에 한 가지 또는 이를 조합한 형식으로 시설하는 것은?

① 접지극시스템
② 수뢰부시스템
③ 내부피뢰시스템
④ 인하도선시스템

89 ☐1 ☐2 ☐3

변전소의 주요 변압기에 계측장치를 시설하여 측정하여야 하는 것이 아닌 것은?

① 역률
② 전압
③ 전력
④ 전류

고난도 90 ☐1 ☐2 ☐3

풍력터빈에 설비의 손상을 방지하기 위하여 시설하는 운전상태를 계측하는 계측장치로 틀린 것은?

① 조도계
② 압력계
③ 온도계
④ 풍속계

91 ☐1 ☐2 ☐3

일반 주택의 저압 옥내배선을 점검하였더니 다음과 같이 시설되어 있었을 경우 시설기준에 적합하지 않은 것은?

① 합성수지관의 지지점 간의 거리를 2[m]로 하였다.
② 합성수지관 안에서 전선의 접속점이 없도록 하였다.
③ 금속관공사에 옥외용 비닐절연전선을 제외한 절연전선을 사용하였다.
④ 인입구에 가까운 곳으로서 쉽게 개폐할 수 있는 곳에 개폐기를 각 극에 시설하였다.

88
용어 정의(한국전기설비규정 112)
수뢰부시스템(Air-termination System)이란 낙뢰를 포착할 목적으로 돌침, 수평도체, 메시도체 등과 같은 금속 물체를 이용한 외부피뢰시스템의 일부를 말한다.

89
계측장치(한국전기설비규정 351.6)
변전소 또는 이에 준하는 곳에는 다음의 사항을 계측하는 장치를 시설하여야 한다. 다만, 전기철도용 변전소는 주요 변압기의 전압을 계측하는 장치를 시설하지 아니할 수 있다.
• 주요 변압기의 전압 및 전류 또는 전력
• 특고압용 변압기의 온도

90
풍력터빈 계측장치의 시설(한국전기설비규정 532.3.7)
풍력터빈에는 설비의 손상을 방지하기 위하여 운전 상태를 계측하는 다음의 계측장치를 시설하여야 한다.
• 회전속도계
• 나셀(nacelle) 내의 진동을 감시하기 위한 진동계
• 풍속계
• 압력계
• 온도계

91
합성수지관 및 부속품의 시설(한국전기설비규정 232. 11.3)
합성수지관의 지지점 간의 거리는 1.5[m] 이하로 하고, 또한 그 지지점은 관의 끝, 관과 박스의 접속점 및 관 상호 간의 접속점 등에 가까운 곳에 시설할 것

92 1 2 3

사용전압이 $170[kV]$ 이하의 변압기를 시설하는 변전소로서 기술원이 상주하여 감시하지는 않으나 수시로 순회하는 경우, 기술원이 상주하는 장소에 경보장치를 시설하지 않아도 되는 경우는?

① 옥내변전소에 화재가 발생한 경우
② 제어회로의 전압이 현저히 저하한 경우
③ 운전조작에 필요한 차단기가 자동적으로 차단한 후 재폐로한 경우
④ 수소냉각식 조상기는 그 조상기 안의 수소의 순도가 90[%] 이하로 저하한 경우

93 1 2 3

특고압 가공전선로의 지지물로 사용하는 B종 철주, B종 철근 콘크리트주 또는 철탑의 종류에서 전선로의 지지물 양쪽의 경간의 차가 큰 곳에 사용하는 것은?

① 각도형   ② 인류형
③ 내장형   ④ 보강형

94 1 2 3

전식방지대책에서 매설금속체 측의 누설전류에 의한 전식의 피해가 예상되는 곳에 고려하여야 하는 방법으로 틀린 것은?

① 절연코팅
② 배류장치 설치
③ 변전소 간 간격 축소
④ 저준위 금속체를 접속

2021년 2회

92

상주 감시를 하지 아니하는 변전소의 시설(한국전기설비규정 351.9)
변전소의 기술원이 그 변전소에 상주하여 감시를 하지 아니하는 변전소 중 사용전압이 170 [kV] 이하의 변압기를 시설하는 변전소로서 기술원이 수시로 순회하거나 변전제어소에서 상시 감시하는 경우는 다음에 따라 시설하여야 한다.

• 다음의 경우에는 변전제어소 또는 기술원이 상주하는 장소에 경보장치를 시설할 것
  - 운전조작에 필요한 차단기가 자동적으로 차단한 경우(차단기가 재폐로한 경우를 제외한다)
  - 주요 변압기의 전원 측 전로가 무전압으로 된 경우
  - 제어 회로의 전압이 현저히 저하한 경우
  - 옥내변전소에 화재가 발생한 경우
  - 출력 3,000[kVA]를 초과하는 특고압용 변압기는 그 온도가 현저히 상승한 경우
  - 특고압용 타냉식변압기는 그 냉각장치가 고장난 경우
  - 조상기는 내부에 고장이 생긴 경우
  - 수소냉각식조상기는 그 조상기 안의 수소의 순도가 90[%] 이하로 저하한 경우, 수소의 압력이 현저히 변동한 경우 또는 수소의 온도가 현저히 상승한 경우
  - 가스절연기기(압력의 저하에 의하여 절연파괴 등이 생길 우려가 없는 경우를 제외한다)의 절연가스의 압력이 현저히 저하한 경우

• 전기철도용 변전소는 주요 변성기기에 고장이 생긴 경우 또는 전원 측 전로의 전압이 현저히 저하한 경우에 그 변성기기를 자동적으로 전로로부터 차단하는 장치를 할 것. 다만, 경미한 고장이 생긴 경우에 기술원주재소에 경보하는 장치를 하는 때에는 그 고장이 생긴 경우에 자동적으로 전로로부터 차단하는 장치의 시설을 하지 아니하여도 된다.

93

특고압 가공전선로의 철주·철근 콘크리트주 또는 철탑의 종류(한국전기설비규정 333.11)
• 각도형 : 전선로 중 3°를 넘는 수평각도를 이루는 곳에 사용
• 인류형 : 전가섭선을 인류하는 곳에 사용
• 내장형 : 전선로의 지지물 양쪽의 경간의 차가 큰 곳에 사용
• 보강형 : 전선로의 직선 부분에 그 보강을 위하여 사용

[암기 포인트] 내장형 철탑
주요 키워드 : 양측의 경간 차이가 큰 곳, 10기

94

전식방지대책(한국전기설비규정 461.4)
매설금속체 측의 누설전류에 의한 전식의 피해가 예상되는 곳은 다음 방법을 고려하여야 한다.
• 배류장치 설치
• 절연코팅
• 매설금속체 접속부 절연
• 저준위 금속체를 접속
• 궤도와의 이격거리 증대
• 금속판 등의 도체로 차폐

95 [1] [2] [3]

시가지에 시설하는 사용전압 170[kV] 이하인 특고압 가공전선로의 지지물이 철탑이고 전선이 수평으로 2 이상 있는 경우에 전선 상호 간의 간격이 4[m] 미만인 때에는 특고압 가공전선로의 경간은 몇 [m] 이하이어야 하는가?

① 100 　　　　　② 150
③ 200 　　　　　④ 250

빈출
96 [1] [2] [3]

전압의 종별에서 교류 600[V]는 무엇으로 분류하는가?

① 저압 　　　　　② 고압
③ 특고압 　　　　④ 초고압

97 [1] [2] [3]

다음 ( )에 들어갈 내용으로 옳은 것은?

> 동일 지지물에 저압 가공전선(다중접지된 중성선은 제외한다.)과 고압 가공전선을 시설하는 경우 고압 가공전선을 저압 가공전선의 (㉠)로 하고, 별개의 완금류에 시설해야하며, 고압 가공전선과 저압 가공전선 사이의 이격거리는 (㉡)[m] 이상으로 한다.

① ㉠ 아래　㉡ 0.5　　② ㉠ 아래　㉡ 1
③ ㉠ 위　㉡ 0.5　　④ ㉠ 위　㉡ 1

정답 및 해설

95

시가지 등에서 특고압 가공전선로의 시설(한국전기설비규정 333.1)
사용전압이 170[kV] 이하인 전선로를 시설하는 경우
• 특고압 가공전선로의 경간은 다음 표에서 정한 값 이하일 것

지지물의 종류	경간
A종 철주 또는 A종 철근 콘크리트주	75[m]
B종 철주 또는 B종 철근 콘크리트주	150[m]
철탑	400[m](단주인 경우에는 300[m]) 다만, 전선이 수평으로 2 이상 있는 경우에 전선 상호 간의 간격이 4[m] 미만인 때에는 250[m]

96

적용범위(한국전기설비규정 111.1)
이 규정에서 적용하는 전압의 구분은 다음과 같다.
• 저압: 교류는 1[kV] 이하, 직류는 1.5[kV] 이하인 것
• 고압: 교류는 1[kV]를, 직류는 1.5[kV]를 초과하고, 7[kV] 이하인 것
• 특고압: 7[kV]를 초과하는 것

97

고압 가공전선 등의 병행설치(한국전기설비규정 332.8)
저압 가공전선(다중접지된 중성선은 제외한다)과 고압 가공전선을 동일 지지물에 시설하는 경우에는 다음에 따라야 한다.
• 저압 가공전선을 고압 가공전선의 아래로 하고 별개의 완금류에 시설할 것
• 저압 가공전선과 고압 가공전선 사이의 이격거리는 0.5[m] 이상일 것. 다만, 각도주(角度柱)·분기주(分岐柱) 등에서 혼촉(混觸)의 우려가 없도록 시설하는 경우에는 그러하지 아니하다.

98 [1] [2] [3]

사용전압이 154[kV]인 전선로를 제1종 특고압 보안공사로 시설할 때 경동연선의 굵기는 몇 [mm²] 이상이어야 하는가?

① 55 ② 100
③ 150 ④ 200

99 [1] [2] [3]

지중전선로에 사용하는 지중함의 시설기준으로 틀린 것은?

① 조명 및 세척이 가능한 장치를 하도록 할 것
② 견고하고 차량 기타 중량물의 압력에 견디는 구조일 것
③ 그 안의 고인물을 제거할 수 있는 구조로 되어 있을 것
④ 뚜껑은 시설자 이외의 자가 쉽게 열 수 없도록 시설할 것

100 [1] [2] [3]

고압 가공전선로의 가공지선에 나경동선을 사용하려면 지름 몇 [mm] 이상의 것을 사용하여야 하는가?

① 2.0 ② 3.0
③ 4.0 ④ 5.0

98

특고압 보안공사(한국전기설비규정 333.22)
제1종 특고압 보안공사 시 전선의 단면적은 다음 표에서 정한 값 이상이어야 한다.(단, 케이블인 경우는 제외한다.)

사용전압	전선
100[kV] 미만	인장강도 21.67[kN] 이상의 연선 또는 단면적 55[mm²] 이상의 경동연선 또는 동등 이상의 인장강도를 갖는 알루미늄 전선이나 절연전선
100[kV] 이상 300[kV] 미만	인장강도 58.84[kN] 이상의 연선 또는 단면적 150[mm²] 이상의 경동연선 또는 동등 이상의 인장강도를 갖는 알루미늄 전선이나 절연전선
300[kV] 이상	인장강도 77.47[kN] 이상의 연선 또는 단면적 200[mm²] 이상의 경동연선 또는 동등 이상의 인장강도를 갖는 알루미늄 전선이나 절연전선

[암기 포인트] 제1종 특고압 보안공사
주요 키워드: 55[mm²], 150[mm²], 200[mm²], 목주, A종

99

지중함의 시설(한국전기설비규정 334.2)
지중전선로에 사용하는 지중함은 다음에 따라 시설하여야 한다.
• 지중함은 견고하고 차량 기타 중량물의 압력에 견디는 구조일 것
• 지중함은 그 안의 고인 물을 제거할 수 있는 구조로 되어있을 것
• 폭발성 또는 연소성의 가스가 침입할 우려가 있는 것에 시설하는 지중함으로서 그 크기가 1[m³] 이상인 것에는 통풍장치 기타 가스를 방산시키기 위한 적당한 장치를 시설할 것
• 지중함의 뚜껑은 시설자 이외의 자가 쉽게 열 수 없도록 시설할 것

100

고압 가공전선로의 가공지선(한국전기설비규정 332.6)
고압 가공전선로에 사용하는 가공지선은 인장강도 5.26[kN] 이상의 것 또는 지름 4[mm] 이상의 나경동선을 사용하여야 한다.

전기자기학

1회독	월	일
2회독	월	일
3회독	월	일

자동채점

빈출

01 ① ② ③

자기 인덕턴스가 각각 L_1, L_2인 두 코일의 상호 인덕턴스가 M일 때 결합 계수는?

① $\dfrac{M}{L_1 L_2}$

② $\dfrac{L_1 L_2}{M}$

③ $\dfrac{M}{\sqrt{L_1 L_2}}$

④ $\dfrac{\sqrt{L_1 L_2}}{M}$

02 ① ② ③

정상 전류계에서 J는 전류밀도, σ는 도전율, ρ는 고유저항, E는 전계의 세기일 때, 옴의 법칙의 미분형은?

① $J = \sigma E$

② $J = \dfrac{E}{\sigma}$

③ $J = \rho E$

④ $J = \rho \sigma E$

03 ① ② ③

길이가 $10[\text{cm}]$이고 단면의 반지름이 $1[\text{cm}]$인 원통형 자성체가 길이 방향으로 균일하게 자화되어 있을 때 자화의 세기가 $0.5[\text{Wb/m}^2]$이라면 이 자성체의 자기모멘트$[\text{Wb}\cdot\text{m}]$는?

① 1.57×10^{-5}

② 1.57×10^{-4}

③ 1.57×10^{-3}

④ 1.57×10^{-2}

04 ① ② ③

그림과 같이 공기 중 2개의 동심 구도체에서 내구 A에만 전하 Q를 주고 외구 B를 접지하였을 때 내구A의 전위는?

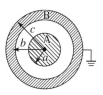

① $\dfrac{Q}{4\pi\varepsilon_0}\left(\dfrac{1}{a} - \dfrac{1}{b} + \dfrac{1}{c}\right)$

② $\dfrac{Q}{4\pi\varepsilon_0}\left(\dfrac{1}{a} - \dfrac{1}{b}\right)$

③ $\dfrac{Q}{4\pi\varepsilon_0} \cdot \dfrac{1}{c}$

④ 0

01

결합 계수
$M = k\sqrt{L_1 L_2}\,(0 \le k \le 1)$
$\therefore k = \dfrac{M}{\sqrt{L_1 L_2}}$
(무결합 상태 $k = 0$, 완전결합 상태 $k = 1$)

02

옴의 법칙은 $I = \dfrac{V}{R}[\text{A}]$이며, 이를 미분형으로 나타내면
$J = \sigma E = \dfrac{1}{\rho}E\ [\text{A/m}^2]$이다.

03

자화의 세기
$J = \dfrac{\text{자기모멘트}(M)}{\text{자성체의 체적}(V)}\ [\text{Wb/m}^2]$
자기모멘트
$M = J \times V = J \times (\pi r^2 \times l)$
$\quad = 0.5 \times \pi (10^{-2})^2 \times 10 \times 10^{-2}$
$\quad = 1.57 \times 10^{-5}\ [\text{Wb}\cdot\text{m}]$

04

외구 B를 접지하면 외구 B의 내부 및 외부에는 전계가 존재할 수 없으므로 내구 A에 형성되는 전위는 다음과 같다.
$V = -\displaystyle\int_b^a \dfrac{Q}{4\pi\varepsilon_0 r^2}\,dr = \dfrac{Q}{4\pi\varepsilon_0}\left(\dfrac{1}{a} - \dfrac{1}{b}\right)[\text{V}]$

314 전기기사 필기 7개년 기출문제집

01 ③ 02 ① 03 ① 04 ②

05 `1` `2` `3`

평행판 커패시터에 어떤 유전체를 넣었을 때 전속밀도가 $4.8 \times 10^{-7}[\mathrm{C/m^2}]$이고 단위 체적당 정전에너지가 $5.3 \times 10^{-3}[\mathrm{J/m^3}]$이었다. 이 유전체의 유전율은 약 몇 $[\mathrm{F/m}]$인가?

① 1.15×10^{-11} ② 2.17×10^{-11}

③ 3.19×10^{-11} ④ 4.21×10^{-11}

빈출
06 `1` `2` `3`

히스테리시스 곡선에서 히스테리시스 손실에 해당하는 것은?

① 보자력의 크기
② 잔류자기의 크기
③ 보자력과 잔류자기의 곱
④ 히스테리시스 곡선의 면적

07 `1` `2` `3`

그림과 같이 극판의 면적이 $S[\mathrm{m^2}]$인 평행판 커패시터에 유전율이 각각 $\varepsilon_1 = 4$, $\varepsilon_2 = 2$인 유전체를 채우고 a, b 양단에 $V[\mathrm{V}]$의 전압을 인가했을 때 ε_1, ε_2인 유전체 내부의 전계의 세기 E_1과 E_2의 관계식은?(단, $\sigma[\mathrm{C/m^2}]$는 면전하밀도이다.)

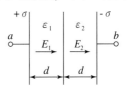

① $E_1 = 2E_2$ ② $E_1 = 4E_2$

③ $2E_1 = E_2$ ④ $E_1 = E_2$

08 `1` `2` `3`

간격이 $d[\mathrm{m}]$이고 면적이 $S[\mathrm{m^2}]$인 평행판 커패시터의 전극 사이에 유전율이 ε인 유전체를 넣고 전극 간에 $V[\mathrm{V}]$의 전압을 가했을 때, 이 커패시터의 전극판을 떼어내는 데 필요한 힘의 크기$[\mathrm{N}]$는?

① $\dfrac{1}{2\varepsilon}\dfrac{V^2}{d^2 S}$ ② $\dfrac{1}{2\varepsilon}\dfrac{d\,V^2}{S}$

③ $\dfrac{1}{2}\varepsilon\dfrac{V}{d}S$ ④ $\dfrac{1}{2}\varepsilon\dfrac{V^2}{d^2}S$

05
단위 체적당 정전에너지

$$w = \frac{1}{2}\varepsilon E^2 = \frac{D^2}{2\varepsilon}[\mathrm{J/m^3}]$$

$$\therefore \ \varepsilon = \frac{D^2}{2w} = \frac{(4.8 \times 10^{-7})^2}{2 \times 5.3 \times 10^{-3}}$$

$$= 2.17 \times 10^{-11}[\mathrm{F/m}]$$

06
강자성체에서 발생하는 히스테리시스 현상을 그린 곡선을 히스테리시스 곡선이라고 하며, 이 곡선의 면적이 히스테리시스 손실의 크기를 나타낸다.

07
문제에 주어진 그림은 경계면에 수직이므로 양쪽의 전속 밀도는 서로 같다.

$$D_1 = D_2 \Rightarrow \varepsilon_1 E_1 = \varepsilon_2 E_2$$
$$4E_1 = 2E_2$$
$$\therefore \ 2E_1 = E_2$$

08
정전응력

$$f = \frac{1}{2}\varepsilon E^2 \, [\mathrm{N/m^2}]$$

$$F = \frac{1}{2}\varepsilon E^2 \times S$$

$$= \frac{1}{2}\varepsilon\left(\frac{V}{d}\right)^2 S[\mathrm{N}] \ \left(\because E = \frac{V}{d}[\mathrm{V/m}]\right)$$

09 ☐1 ☐2 ☐3

다음 중 기자력(magnetomotive force)에 대한 설명으로 틀린 것은?

① SI 단위는 암페어[A]이다.
② 전기회로의 기전력에 대응한다.
③ 자기회로의 자기저항과 자속의 곱과 동일하다.
④ 코일에 전류를 흘렸을 때 전류밀도와 코일의 권수의 곱의 크기와 같다.

빈출
10 ☐1 ☐2 ☐3

유전율 ε, 투자율 μ인 매질 내에서 전자파의 전파 속도는?

① $\sqrt{\dfrac{\mu}{\varepsilon}}$

② $\sqrt{\mu\varepsilon}$

③ $\sqrt{\dfrac{\varepsilon}{\mu}}$

④ $\dfrac{1}{\sqrt{\mu\varepsilon}}$

11 ☐1 ☐2 ☐3

평균 반지름 r이 $20[\text{cm}]$, 단면적 S가 $6[\text{cm}^2]$인 환상 철심에서 권선수 N이 500회인 코일에 흐르는 전류 I가 $4[\text{A}]$일 때 철심 내부에서의 자계의 세기 H는 약 몇 $[\text{AT/m}]$인가?

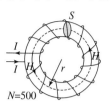

① 1,590
② 1,700
③ 1,870
④ 2,120

12 ☐1 ☐2 ☐3

패러데이관(Faraday tube)의 성질에 대한 설명으로 틀린 것은?

① 패러데이관 중에 있는 전속수는 그 관속에 진전하가 없으면 일정하며 연속적이다.
② 패러데이관의 양단에는 양 또는 음의 단위 진전하가 존재하고 있다.
③ 패러데이관 한 개의 단위 전위차당 보유에너지는 $\dfrac{1}{2}[\text{J}]$이다.
④ 패러데이관의 밀도는 전속밀도와 같지 않다.

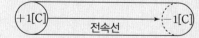

13 1 2 3

공기 중 무한 평면도체의 표면으로부터 2[m] 떨어진 곳에 4[C] 의 점전하가 있다. 이 점 전하가 받는 힘은 몇 [N]인가?

① $\dfrac{1}{\pi\varepsilon_0}$

② $\dfrac{1}{4\pi\varepsilon_0}$

③ $\dfrac{1}{8\pi\varepsilon_0}$

④ $\dfrac{1}{16\pi\varepsilon_0}$

14 1 2 3

반지름이 r[m]인 반원형 전류 I[A]에 의한 반원의 중심(O)에 서 자계의 세기[AT/m]는?

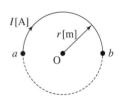

① $\dfrac{2I}{r}$

② $\dfrac{I}{r}$

③ $\dfrac{I}{2r}$

④ $\dfrac{I}{4r}$

15 1 2 3

진공 중에서 점 $(0, 1)$[m]의 위치에 -2×10^{-9}[C]의 점전하 가 있을 때 점 $(2, 0)$[m]에 있는 1[C]의 점전하에 작용하는 힘 은 몇 [N]인가?(단 $\hat{x}$, $\hat{y}$는 단위벡터이다.)

① $-\dfrac{18}{3\sqrt{5}}\hat{x}+\dfrac{36}{3\sqrt{5}}\hat{y}$

② $-\dfrac{36}{5\sqrt{5}}\hat{x}+\dfrac{18}{5\sqrt{5}}\hat{y}$

③ $-\dfrac{36}{3\sqrt{5}}\hat{x}+\dfrac{18}{3\sqrt{5}}\hat{y}$

④ $\dfrac{36}{5\sqrt{5}}\hat{x}+\dfrac{18}{5\sqrt{5}}\hat{y}$

16 1 2 3

내압이 2.0[kV]이고 정전용량이 각각 $0.01[\mu F]$, $0.02[\mu F]$, $0.04[\mu F]$인 3개의 커패시터를 직렬로 연결했을 때 전체 내압 은 몇 [V]인가?

① 1,750

② 2,000

③ 3,500

④ 4,000

13

점전하와 평면 도체

실제의 진전하와 평면 도체 간의 거리 a[m]와 똑같은 반대편에 영상 전하를 둔다. 이때 영상 전하의 크기는 진전하와 같고, 부호는 반대로 둔다. 따라서 전기 영상법을 적용한 점전하와 평면 도체 간의 쿨롱의 힘은 아래와 같다.

$$F = \frac{Q_1 Q_2}{4\pi\varepsilon_0 r^2} = \frac{Q\times(-Q)}{4\pi\varepsilon_0 (2a)^2} = -\frac{Q^2}{16\pi\varepsilon_0 a^2}[N]$$

$a = 2$[m], $Q = 4$[C]이므로

$$F = -\frac{4^2}{16\pi\varepsilon_0(2)^2} = -\frac{1}{4\pi\varepsilon_0}[N] \ ((-):\text{흡인력})$$

14

반원형 코일에 의해 생성되는 중심점 자계

원형 코일에 의해 생성되는 중심점 자계의 $\dfrac{1}{2}$배이다.

$$\therefore H = \frac{I}{2r}\times\frac{1}{2} = \frac{I}{4r}\ [AT/m]$$

15

두 점전하 사이의 거리 벡터는

$\dot{r} = (2-0)\hat{x}+(0-1)\hat{y} = 2\hat{x}-1\hat{y}$[m]

따라서 1[C]의 점전하가 받는 힘은 다음과 같다.

$$\dot{F} = 9\times10^9 \times \frac{Q_1 Q_2}{r^2} \times \frac{\dot{r}}{|\dot{r}|}$$

$$= 9\times10^9 \times \frac{Q_1 Q_2}{r^3}\dot{r}$$

$$= 9\times10^9 \times \frac{-2\times10^9}{(\sqrt{5})^3}\times(2\hat{x}-\hat{y}) = \frac{-36\hat{x}+18\hat{y}}{5\sqrt{5}}[N]$$

16

콘덴서를 직렬로 연결할 경우 각 콘덴서에는 동일한 전하량이 인가되며 콘덴서 전압은 $V = \dfrac{Q}{C}$[V]이므로 정전용량이 작을수록 내압이 커진다.

C_1의 내압 $V_1 = 2,000$[V]

C_2의 내압 $V_2 = \dfrac{2}{4}\times2,000 = 1,000$[V]

C_3의 내압 $V_3 = \dfrac{1}{4}\times2,000 = 500$[V]

이므로 전체 내압은 $V = V_1 + V_2 + V_3 = 3,500$[V]

17 [1][2][3]

그림과 같이 단면적 $S[\text{m}^2]$가 균일한 환상철심에 권수 N_1인 A 코일과 권수 N_2인 B코일이 있을 때, A 코일의 자기 인덕턴스가 $L_1[\text{H}]$이라면 두 코일의 상호 인덕턴스 $M[\text{H}]$는?(단, 누설자속은 0이다.)

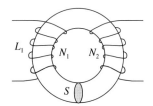

① $\dfrac{L_1 N_2}{N_1}$ 　　　② $\dfrac{N_2}{L_1 N_1}$

③ $\dfrac{L_1 N_1}{N_2}$ 　　　④ $\dfrac{N_1}{L_1 N_2}$

18 [1][2][3]

간격 $d[\text{m}]$, 면적 $S[\text{mm}^2]$의 평행판 전극 사이에 유전율이 ε인 유전체가 있다. 전극 간에 $v(t) = V_m \sin\omega t [\text{V}]$의 전압을 가했을 때, 유전체 속의 변위 전류밀도$[\text{A/m}^2]$는?

① $\dfrac{\varepsilon \omega V_m}{d}\cos\omega t$ 　　　② $\dfrac{\varepsilon \omega V_m}{d}\sin\omega t$

③ $\dfrac{\varepsilon V_m}{\omega d}\cos\omega t$ 　　　④ $\dfrac{\varepsilon V_m}{\omega d}\sin\omega t$

19 [1][2][3]

속도 v의 전자가 평등자계 내에 수직으로 들어갈 때, 이 전자에 대한 설명으로 옳은 것은?

① 구면위에서 회전하고 구의 반지름은 자계의 세기에 비례한다.
② 원운동을 하고 원의 반지름은 자계의 세기에 비례한다.
③ 원운동을 하고 원의 반지름은 자계의 세기에 반비례한다.
④ 원운동을 하고 원의 반지름은 전자의 처음 속도의 제곱에 비례한다.

정답 및 해설

17

- 환상 솔레노이드의 인덕턴스

$$L = \frac{N\phi}{I} = \frac{\mu N^2 S}{l} = \frac{\mu_0 \mu_r N^2 S}{2\pi r} \; [\text{H}]$$

- L_1, L_2의 인덕턴스

$$L_1 = \frac{N\phi}{I} = \frac{\mu N_1^2 S}{2\pi r}, \; L_2 = \frac{\mu N_2^2 S}{2\pi r} = N_2^2 \times \frac{L_1}{N_1^2}$$

따라서 누설자속이 0일 경우 $k = 1$이므로 상호 인덕턴스는 다음과 같다.

$$M = k\sqrt{L_1 L_2} = \sqrt{L_1 L_2}$$
$$= \sqrt{L_1 \times \frac{N_2^2}{N_1^2} \times L_1} = \frac{L_1 N_2}{N_1} \; [\text{H}]$$

18

변위 전류밀도

$$i_d = \frac{\partial D}{\partial t} = \varepsilon \frac{\partial E}{\partial t} = \frac{\varepsilon}{d} \times \frac{\partial V}{\partial t} = \frac{\varepsilon}{d} \times \frac{\partial (V_m \sin\omega t)}{\partial t}$$
$$= \frac{\varepsilon}{d} \omega V_m \cos\omega t = \frac{\varepsilon \omega V_m \cos\omega t}{d} \; [\text{A/m}^2]$$

19

움직이는 전하에 작용하는 자기력

$$F_H = Q|\dot{v} \times \dot{B}| = evB[\text{N}] \, (원운동)$$

원운동에 따른 원심력 $F_{원심력} = \dfrac{mv^2}{r}[\text{N}]$

두 힘은 같은 크기이므로 $evB = \dfrac{mv^2}{r}$

$\therefore$ 회전 반경 $r = \dfrac{mv}{eB}[\text{m}]$

(e: 전자 전하량, v: 전자 속도, B: 자속 밀도, m: 전자의 질량)

20

쌍극자 모멘트가 $M[\text{C}\cdot\text{m}]$인 전기 쌍극자에 의한 임의의 점 P에서의 전계의 크기는 전기 쌍극자의 중심에서 축방향과 점 P를 잇는 선분 사이의 각이 얼마일 때 최대가 되는가?

① 0

② $\dfrac{\pi}{2}$

③ $\dfrac{\pi}{3}$

④ $\dfrac{\pi}{4}$

21

동작 시간에 따른 보호 계전기의 분류와 이에 대한 설명으로 틀린 것은?

① 순한시 계전기는 설정된 최소 동작 전류 이상의 전류가 흐르면 즉시 동작한다.

② 반한시 계전기는 동작 시간이 전류값의 크기에 따라 변하는 것으로 전류값이 클수록 느리게 동작하고 반대로 전류값이 작아질수록 빠르게 동작하는 계전기이다.

③ 정한시 계전기는 설정된 값 이상의 전류가 흘렀을 때 동작 전류의 크기와는 관계없이 항상 일정한 시간 후에 동작하는 계전기이다.

④ 반한시·정한시 계전기는 어느 전류값까지는 반한시성이지만 그 이상이 되면 정한시로 동작하는 계전기이다.

22

환상 선로의 단락 보호에 주로 사용하는 계전 방식은?

① 비율 차동 계전 방식

② 방향 거리 계전 방식

③ 과전류 계전 방식

④ 선택 접지 계전 방식

20

전기 쌍극자의 전계 세기 및 전위

$$E = \frac{M}{4\pi\varepsilon_0 r^3}\sqrt{1+3\cos^2\theta}\ [\text{V/m}]$$

$$V = \frac{M}{4\pi\varepsilon_0 r^2}\cos\theta\,[\text{V}]$$

- $\theta = 0°$일 때, E와 V는 최댓값을 가진다.
- $\theta = 90°$일 때, E와 V는 최솟값을 가진다.

21

반한시 계전기는 고장 전류의 크기에 반비례하여 동작 시한이 결정되는 것으로, 고장 전류의 크기가 크면 동작 시간이 짧아진다.

22

환상 선로 단락 보호
- 전원이 1단에만 있는 경우: 방향 단락 계전기
- 전원이 2군데 이상 있는 경우: 방향 거리 계전기

---

23 `1` `2` `3`

옥내 배선을 단상 2선식에서 단상 3선식으로 변경하였을 때, 전선 1선당 공급 전력은 약 몇 배 증가하는가?(단, 선간 전압 (단상 3선식의 경우는 중성선과 타선 간의 전압), 선로 전류 (중성선의 전류 제외) 및 역률은 같다.)

① 0.71 ② 1.33
③ 1.41 ④ 1.73

24 `1` `2` `3`

3상용 차단기의 정격 차단 용량은 그 차단기의 정격전압과 정격 차단 전류와의 곱을 몇 배 한 것인가?

① $\frac{1}{\sqrt{2}}$ ② $\frac{1}{\sqrt{3}}$
③ $\sqrt{2}$ ④ $\sqrt{3}$

25 `1` `2` `3`

유효 낙차 100[m], 최대 유량 20[m³/s]의 수차가 있다. 낙차가 81[m]로 감소하면 유량[m³/s]은?(단, 수차에서 발생되는 손실 등은 무시하며 수차 효율은 일정하다.)

① 15 ② 18
③ 24 ④ 30

26 `1` `2` `3`

단락 용량 3,000[MVA]인 모선의 전압이 154[kV]라면 등가 모선 임피던스[Ω]는 약 얼마인가?

① 5.81 ② 6.21
③ 7.91 ④ 8.71

정답 및 해설

23

• 단상 2선식
  총 공급 전력 $P_{2w} = EI$[W]

  1선당 공급 전력 $(P_{2w})_1 = \frac{1}{2}EI$[W]

• 단상 3선식
  총 공급 전력 $P_{3w} = 2EI$[W]

  1선당 공급 전력 $(P_{3w})_1 = \frac{2}{3}EI$[W]

$$\therefore \frac{(P_{3w})_1}{(P_{2w})_1} = \frac{\frac{2}{3}EI}{\frac{1}{2}EI} = \frac{4}{3} = 1.33$$

24

3상용 차단기 정격 용량
$P_s = \sqrt{3}\,VI_s$[MVA]
(단, V: 정격 전압[kV], I_s: 정격 차단 전류[kA])

25

낙차(H)와 유량(Q)의 관계 $\frac{Q_1}{Q_2} = \left(\frac{H_1}{H_2}\right)^{\frac{1}{2}}$ 에서

$$\therefore Q = 20 \times \left(\frac{81}{100}\right)^{\frac{1}{2}} = 18\,[\text{m}^3/\text{s}]$$

[암기 포인트]
낙차에 따른 특성 변화

• 회전수: $\frac{N_1}{N_2} = \left(\frac{H_1}{H_2}\right)^{\frac{1}{2}}$

• 출력: $\frac{P_1}{P_2} = \left(\frac{H_1}{H_2}\right)^{\frac{3}{2}}$

26

단락 용량 $P_s = \sqrt{3}\,VI_s$[MVA]

모선 임피던스 $Z = \frac{E}{I_s} = \frac{\frac{V}{\sqrt{3}}}{\frac{P_s}{\sqrt{3}\,V}} = \frac{V^2}{P_s}$[Ω]

$$\therefore Z = \frac{(154 \times 10^3)^2}{3,000 \times 10^6} = 7.91\,[\Omega]$$

27 ☐1 ☐2 ☐3

중성점 접지 방식 중 직접 접지 송전 방식에 대한 설명으로 틀린 것은?

① 1선 지락 사고 시 지락 전류는 타 접지방식에 비하여 최대로 된다.
② 1선 지락 사고 시 지락 계전기의 동작이 확실하고 선택 차단이 가능하다.
③ 통신선에서의 유도 장해는 비접지방식에 비하여 크다.
④ 기기의 절연 레벨을 상승시킬 수 있다.

28 ☐1 ☐2 ☐3

송전선에 직렬 콘덴서를 설치하였을 때의 특징으로 틀린 것은?

① 선로 중에서 일어나는 전압 강하를 감소시킨다.
② 송전 전력의 증가를 꾀할 수 있다.
③ 부하 역률이 좋을수록 설치 효과가 크다.
④ 단락 사고가 발생하는 경우 사고 전류에 의하여 과전압이 발생한다.

29 ☐1 ☐2 ☐3

수압철관의 안지름이 $4[\text{m}]$인 곳에서의 유속이 $4[\text{m/s}]$이다. 안지름이 $3.5[\text{m}]$인 곳에서의 유속$[\text{m/s}]$은 약 얼마인가?

① 4.2   ② 5.2
③ 6.2   ④ 7.2

30 ☐1 ☐2 ☐3

경간이 $200[\text{m}]$인 가공 전선로가 있다. 사용 전선의 길이는 경간보다 약 몇 $[\text{m}]$ 더 길어야 하는가?(단, 전선의 $1[\text{m}]$당 하중은 $2[\text{kg}]$, 인장 하중은 $4{,}000[\text{kg}]$이고, 풍압 하중은 무시하며, 전선의 안전율은 2이다.)

① 0.33   ② 0.61
③ 1.41   ④ 1.73

27

직접 접지방식
- 1선 지락 시 건전상의 전압 상승이 가장 낮다.
- 1선 지락 시 지락 전류가 최대이므로, 지락 고장 시 계전기 동작이 가장 확실하다.
- 지락 시 영상분 전류로 인한 통신선의 유도 장해가 크다.
- 선로 및 기기의 절연 레벨을 경감시킨다.

28

직렬 콘덴서
- 전압 강하를 보상한다.
- 송전 용량이 증대한다.
- 부하 역률이 나쁠수록 효과가 좋다.
- 단락 고장 시 과전압, 동기기 난조 및 자기 여자 등을 발생시킬 수 있다.

29

연속의 원리
두 지점을 통과하는 물의 양은 항상 보존되어야 하므로
유량 $Q = v_1 A_1 = v_2 A_2 [\text{m}^3/\text{s}]$

$$v_2 = \frac{A_1}{A_2} v_1 = \frac{\frac{\pi}{4}D_1^2}{\frac{\pi}{4}D_2^2} v_1 = \frac{D_1^2}{D_2^2} v_1 [\text{m/s}]$$

$$\therefore v_2 = \frac{4^2}{3.5^2} \times 4 = 5.22 [\text{m/s}]$$

30

이도 $D = \dfrac{WS^2}{8T} = \dfrac{2 \times 200^2}{8 \times \dfrac{4{,}000}{2}} = 5[\text{m}]$

전선의 길이 $L = S + \dfrac{8D^2}{3S} [\text{m}]$이므로

$$\therefore L - S = \frac{8D^2}{3S} = \frac{8 \times 5^2}{3 \times 200} = 0.33[\text{m}]$$

31 ▢1 ▢2 ▢3

송전 선로에서 현수 애자련의 연면 섬락과 가장 관계가 먼 것은?

① 댐퍼
② 철탑 접지 저항
③ 현수 애자련의 개수
④ 현수 애자련의 소손

32 ▢1 ▢2 ▢3

전력 계통의 중성점 다중 접지방식의 특징으로 옳은 것은?

① 통신선의 유도 장해가 적다.
② 합성 접지 저항이 매우 높다.
③ 건전상의 전위 상승이 매우 높다.
④ 지락 보호 계전기의 동작이 확실하다.

33 ▢1 ▢2 ▢3

전력 계통의 전압 조정설비에 대한 특징으로 틀린 것은?

① 병렬 콘덴서는 진상 능력만을 가지며 병렬 리액터는 진상 능력이 없다.
② 동기 조상기는 조정의 단계가 불연속적이나 직렬 콘덴서 및 병렬 리액터는 연속적이다.
③ 동기 조상기는 무효 전력의 공급과 흡수가 모두 가능하여 진상 및 지상 용량을 갖는다.
④ 병렬 리액터는 경부하 시에 계통 전압이 상승하는 것을 억제하기 위하여 초고압 송전선 등에 설치된다.

34 ▢1 ▢2 ▢3

변압기 보호용 비율 차동 계전기를 사용하여 $\triangle - Y$ 결선의 변압기를 보호하려고 한다. 이때 변압기 1, 2차 측에 설치하는 변류기의 결선 방식은?(단, 위상 보정 기능이 없는 경우이다.)

① $\triangle - \triangle$
② $\triangle - Y$
③ $Y - \triangle$
④ $Y - Y$

31

애자련 연면 섬락
• 철탑의 탑각 접지 저항값이 크면 역섬락이 발생하므로 이를 감소시키기 위해 매설 지선을 설치한다.
• 애자련의 개수를 증가시켜 충분한 저항값을 확보하여 섬락을 방지한다.
• 애자가 오손되어 비나 안개에 의해 습윤을 받으면 애자 연면의 절연 내력이 감소하여 섬락이 발생할 수 있으므로 주기적 청소를 통해 애자 오손을 방지한다.
댐퍼는 전선의 진동을 방지한다.

32

중성점 다중 접지방식
• 1선 지락 시 건전상의 전압 상승이 가장 낮다.
• 1선 지락 시 지락 전류가 최대이므로, 지락 고장 시 계전기 동작이 가장 확실하다.
• 선로 및 기기의 절연레벨을 경감시킨다.
• 영상분 전류로 인한 통신선 유도 장해가 가장 크다.

33

동기 조상기는 조정의 단계가 연속적이나, 직렬 콘덴서 및 병렬 리액터는 조정이 불연속적이다.

[암기 포인트] 조상설비의 비교

구분	동기 조상기	전력용 콘덴서	분로 리액터
무효 전력	지상, 진상	진상	지상
조정 형태	연속적	불연속적 (계단적)	불연속적 (계단적)
전압 유지 능력	크다	작다	작다
전력 손실	크다	작다	작다
시충전	가능	불가능	불가능

34

변류기 결선
$\triangle - Y$ 결선 변압기 1차 측과 2차 측의 위상차를 보정하기 위해 변류기는 변압기와 반대로 결선한다. 즉, 변압기 결선이 $\triangle - Y$ 결선인 경우 변류기 결선은 $Y - \triangle$ 결선을 적용한다.

35 １２３

송전선로에 단도체 대신 복도체를 사용하는 경우에 나타나는 현상으로 틀린 것은?

① 전선의 작용 인덕턴스를 감소시킨다.
② 선로의 작용 정전용량을 증가시킨다.
③ 전선 표면의 전위 경도를 저감시킨다.
④ 전선의 코로나 임계 전압을 저감시킨다.

36 １２３

어느 화력 발전소에서 $40,000[\mathrm{kWh}]$를 발전하는 데 발열량 $860[\mathrm{kcal/kg}]$의 석탄이 60톤 사용된다. 이 발전소의 열효율 [%]은 약 얼마인가?

① 56.7
② 66.7
③ 76.7
④ 86.7

37 １２３

가공 송전선의 코로나 임계 전압에 영향을 미치는 여러 가지 인자에 대한 설명 중 틀린 것은?

① 전선 표면이 매끈할수록 임계 전압이 낮아진다.
② 날씨가 흐릴수록 임계 전압은 낮아진다.
③ 기압이 낮을수록, 온도가 높을수록 임계 전압은 낮아진다.
④ 전선의 반지름이 클수록 임계 전압은 높아진다.

38 １２３

송전선의 특성 임피던스의 특징으로 옳은 것은?

① 선로의 길이가 길어질수록 값이 커진다.
② 선로의 길이가 길어질수록 값이 작아진다.
③ 선로의 길이에 따라 값이 변하지 않는다.
④ 부하 용량에 따라 값이 변한다.

35
복도체의 특징
• 전선 표면 전위 경도를 감소시켜 임계 전압이 상승, 코로나 현상을 방지한다.(복도체 사용의 주목적)
• 인덕턴스는 감소하고 정전 용량은 증가하여 송전 용량이 증대한다.
• 송전 계통의 안정도가 증가한다.

36
열효율 $\eta = \dfrac{860\,W}{BH} \times 100\,[\%]$

$\therefore \eta = \dfrac{860 \times 40,000}{60 \times 10^3 \times 860} \times 100 = 66.7\,[\%]$

37
코로나 임계 전압
• 코로나 임계 전압이란 코로나가 방전을 시작하는 개시 전압을 말한다.
• 코로나 임계 전압 $E_0 = 24.3\,m_0 m_1 \delta d \log_{10} \dfrac{D}{r}\,[\mathrm{kV}]$
  – m_0: 전선의 표면 계수(매끈한 전선=1, 거친 전선=0.8)

– m_1: 날씨 계수(맑은 날=1, 비, 눈, 안개 등 악천후 시=0.8)
– δ: 상대 공기 밀도
  $(\delta = \dfrac{0.386b}{273+t},\ \ b$: 기압[mmHg], t: 기온[℃])
– d: 전선의 직경, r: 전선의 반지름, D: 선간 거리
• 전선 표면이 거칠수록, 날씨가 흐릴수록, 기압이 낮고 온도가 높을수록 임계 전압은 낮아진다.

38
특성 임피던스
$$Z_0 = \sqrt{\dfrac{R+j\omega L}{G+j\omega C}} = \sqrt{\dfrac{L}{C}}\,[\Omega]$$
송전 선로의 특성 임피던스는 구성 물질 및 기하학적 크기에 따라 달라지며, L과 C는 단위 길이에 대한 값이므로 특성 임피던스는 송전 선로 길이와 무관한 값이 된다.

39 □1 □2 □3

송전 선로의 보호 계전 방식이 아닌 것은?

① 전류 위상 비교 방식
② 전류 차동 보호 계전 방식
③ 방향 비교 방식
④ 전압 균형 방식

40 □1 □2 □3

선로 고장 발생 시 고장 전류를 차단할 수 없어 리클로저와 같이 차단 기능이 있는 후비 보호 장치와 함께 설치되어야 하는 장치는?

① 배선용 차단기
② 유입 개폐기
③ 컷아웃 스위치
④ 섹셔널라이저

41 □1 □2 □3

3상 변압기를 병렬 운전하는 조건으로 틀린 것은?

① 각 변압기의 극성이 같을 것
② 각 변압기의 %임피던스 강하가 같을 것
③ 각 변압기의 1차와 2차 정격 전압과 변압비가 같을 것
④ 각 변압기의 1차와 2차 선간 전압의 위상 변위가 다를 것

42 □1 □2 □3

직류 직권 전동기에서 분류 저항기를 직권 권선에 병렬로 접속해 여자 전류를 가감시켜 속도를 제어하는 방법은?

① 저항 제어
② 전압 제어
③ 계자 제어
④ 직·병렬 제어

정답 및 해설

39
송전 선로의 보호 계전 방식
• 전류 차동 방식
• 전류 위상 비교 방식
• 방향 비교 방식
• 거리 계전 방식

40
배전 선로 보호 협조
• 리클로저는 선로에 고장이 발생하였을 때 고장 전류를 검출하여 지정된 시간 내에 고속으로 차단하고 자동 재폐로 동작을 수행하여 고장 구간을 분리하거나 재송전하는 장치이다.
• 섹셔널라이저는 리클로저 차단 횟수를 기억하였다가 미리 정해진 횟수에 이르면 선로 무전압 상태에서 고장 구간을 분리하는 장치이다.
• 섹셔널라이저는 고장 전류 차단 능력이 없으므로 리클로저와 직렬로 조합하여 사용한다.
• 보호 협조 배열: 리클로저(R) – 섹셔널라이저(S) – 구분 퓨즈(F)

41
변압기 병렬 운전 조건
• 각 변압기의 극성이 같을 것
• 각 변압기의 권수비 및 1차, 2차 정격 전압이 같을 것
• 각 변압기의 %임피던스 강하가 같을 것
• 각 변압기의 저항과 누설 리액턴스 비가 같을 것
• 상회전 방향과 위상 변위가 같을 것(3상 변압기)

42
직류 직권 전동기의 속도 제어
• 계자 제어법: 계자 권선에 병렬로 저항기를 접속하여 여자 전류를 변화시켜 속도를 제어하는 방법
• 직렬 저항 제어법: 계자 권선과 직렬로 저항기를 접속하여 속도를 제어하는 방법
• 직·병렬 제어법: 정격이 동일한 전동기를 직·병렬로 접속하여 전동기에 인가되는 전압을 조정하여 속도를 제어하는 방법

43 [1] [2] [3]

직류 발전기의 특성 곡선에서 각 축에 해당하는 항목으로 틀린 것은?

① 외부 특성 곡선: 부하 전류와 단자 전압
② 부하 특성 곡선: 계자 전류와 단자 전압
③ 내부 특성 곡선: 무부하 전류와 단자 전압
④ 무부하 특성 곡선: 계자 전류와 유도 기전력

44 [1] [2] [3]

$60[\text{Hz}]$, $600[\text{rpm}]$의 동기 전동기에 직결된 기동용 유도 전동기의 극수는?

① 6 ② 8
③ 10 ④ 12

45 [1] [2] [3]

다이오드를 사용한 정류 회로에서 다이오드를 여러 개 직렬로 연결하면 어떻게 되는가?

① 전력 공급의 증대
② 출력 전압의 맥동률을 감소
③ 다이오드를 과전류로부터 보호
④ 다이오드를 과전압으로부터 보호

46 [1] [2] [3]

4극, $60[\text{Hz}]$인 3상 유도 전동기가 있다. $1,725[\text{rpm}]$으로 회전하고 있을 때, 2차 기전력의 주파수$[\text{Hz}]$는?

① 2.5 ② 5
③ 7.5 ④ 10

43

직류 발전기 특성 곡선

구분	가로축	세로축
무부하 특성 곡선	계자 전류 I_f	유기 기전력 E (무부하 단자 전압 V)
부하 특성 곡선	계자 전류 I_f	단자 전압 V
외부 특성 곡선	부하 전류 I	단자 전압 V
내부 특성 곡선	부하 전류 I	유기 기전력 E

44

$$p = \frac{120f}{N_s} = \frac{120 \times 60}{600} = 12 극$$

유도 전동기는 동기 전동기보다 느리므로 기동용 유도 전동기의 극수는 동기 전동기 극수보다 보통 2극 적게 적용한다.

∴ $12 - 2 = 10극$

45

다이오드를 직렬로 연결 시 전압이 분배되므로 다이오드를 과전압으로부터 보호할 수 있다.
• 과전압에 대한 조치: 다이오드 직렬 연결(전압 분배)
• 과전류에 대한 조치: 다이오드 병렬 연결(전류 분배)

46

$$N_s = \frac{120f_1}{p} = \frac{120 \times 60}{4} = 1,800[\text{rpm}]$$

$$s = \frac{N_s - N}{N_s} = \frac{1,800 - 1,725}{1,800} = 0.0417$$

$$f_{2s} = sf_1 = 0.0417 \times 60 = 2.50[\text{Hz}]$$

47 1 2 3

직류 분권 전동기의 전압이 일정할 때 부하 토크가 2배로 증가하면 부하 전류는 약 몇 배가 되는가?

① 1   ② 2
③ 3   ④ 4

48 1 2 3

유도 전동기의 슬립을 측정하려고 한다. 다음 중 슬립의 측정법이 아닌 것은?

① 수화기법   ② 직류밀리볼트계법
③ 스트로보스코프법   ④ 프로니브레이크법

(고난도) 49 1 2 3

정격 출력 $10,000[\mathrm{kVA}]$, 정격 전압 $6,600[\mathrm{V}]$, 정격역률 0.8인 3상 비돌극 동기 발전기가 있다. 여자를 정격 상태로 유지할 때 이 발전기의 최대 출력은 약 몇 $[\mathrm{kW}]$인가?(단, 1상의 동기 리액턴스를 $0.9[\mathrm{p\cdot u}]$라 하고, 저항은 무시한다.)

① $17,089$ ② $18,889$
③ $21,259$ ④ $23,619$

50 1 2 3

단상 반파 정류 회로에서 직류 전압의 평균값 $210[\mathrm{V}]$를 얻는 데 필요한 변압기 2차 전압의 실효값은 약 몇 $[\mathrm{V}]$인가?(단, 부하는 순 저항이고, 정류기의 전압강하 평균값은 $15[\mathrm{V}]$로 한다.)

① 400 ② 433
③ 500 ④ 566

정답 및 해설

47

직류 분권 전동기
일반적으로 계자 전류(I_f)는 매우 작으므로
$I = I_a + I_f \fallingdotseq I_a[\mathrm{A}]$
$T = K\phi I_a[\mathrm{N\cdot m}] \propto I$
따라서 부하 토크가 2배로 증가하면 부하 전류도 2배가 된다.

48

유도 전동기 슬립 측정 방법
• 직류밀리볼트계법
• 수화기법
• 스트로보스코프법

49

비돌극형 발전기의 출력은 $P = \dfrac{EV}{X_s}\sin\delta[\mathrm{kW}]$이고, 여자가 일정하므로 최대 출력에 관계없이 정격 출력은 일정하다. p.u법으로 유기 기전력은 다음과 같다.
$E = \sqrt{0.8^2 + (0.6+0.9)^2} = 1.70[\mathrm{p\cdot u}]$
$P_m = P_n \times \dfrac{EV}{X_s} = 10,000 \times \dfrac{1.70 \times 1.0}{0.9}$ ($\because \sin\delta = 1$)
    $= 18,889[\mathrm{kW}]$

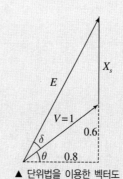

▲ 단위법을 이용한 벡터도

50

단상 반파 정류 회로
$E_d = \dfrac{\sqrt{2}}{\pi}E - e[\mathrm{V}] \rightarrow E = \dfrac{E_d + e}{\frac{\sqrt{2}}{\pi}}[\mathrm{V}]$

$\therefore E = \dfrac{210 + 15}{\frac{\sqrt{2}}{\pi}} = 500[\mathrm{V}]$

51 1 2 3

변압기유에 요구되는 특성으로 틀린 것은?

① 점도가 클 것
② 응고점이 낮을 것
③ 인화점이 높을 것
④ 절연 내력이 클 것

52 1 2 3

$100[kVA]$, $2,300/115[V]$, **철손** $1[kW]$, **전부하 동손** $1.25[kW]$의 변압기가 있다. 이 변압기는 매일 무부하로 10시간, $\frac{1}{2}$ 정격 부하 역률 1에서 8시간, 전부하 역률 0.8(지상)에서 6시간 운전하고 있다면 전일효율은 약 몇 $[\%]$인가?

① 93.3
② 94.3
③ 95.3
④ 96.3

53 1 2 3

3상 유도 전동기에서 고조파 회전 자계가 기본파 회전 방향과 역방향인 고조파는?

① 제3고조파
② 제5고조파
③ 제7고조파
④ 제13고조파

54 1 2 3

직류 분권 전동기의 기동 시에 정격 전압을 공급하면 전기자 전류가 많이 흐르다가 회전 속도가 점점 증가함에 따라 전기자 전류가 감소하는 원인은?

① 전기자 반작용의 증가
② 전기자 권선의 저항 증가
③ 브러시의 접촉 저항 증가
④ 전동기의 역기전력 상승

51

변압기유 구비 조건
• 절연 내력이 클 것
• 인화점은 높고, 응고점은 낮을 것
• 점도가 작아 변압기 내 순환이 원활하고, 비열이 커 냉각효과가 클 것
• 고온에서 산화하지 않고 침전물이 생기지 않을 것

52

• 출력 전력량 $W_0 = \sum aP_a\cos\theta \times t$

$\therefore W_0 = \frac{1}{2} \times 100 \times 1 \times 8 + 100 \times 0.8 \times 6 = 880[kWh]$

• 철손량 $W_i = 24P_i$

$\therefore W_i = 24 \times 1 = 24[kWh]$

• 동손량 $W_c = \sum a^2 P_c \times t$(단, a: 부하율)

$\therefore W_c = \left(\frac{1}{2}\right)^2 \times 1.25 \times 8 + 1^2 \times 1.25 \times 6 = 10[kWh]$

• 전일효율 $\eta_d = \dfrac{W_0}{W_0 + W_i + W_c} \times 100[\%]$

$= \dfrac{880}{880 + 24 + 10} \times 100 = 96.3[\%]$

53

고조파의 회전 자계 방향

구분	기본파와 같은 방향	기본파와 반대 방향
고조파 h	$h = 2mn + 1$ $(7, 13, \cdots)$	$h = 2mn - 1$ $(5, 11, \cdots)$
속도	$\frac{1}{h}$ 배 속도로 회전	$\frac{1}{h}$ 배 속도로 회전

(단, $m = 3$(상수), $n = 1, 2, 3, \cdots$)

54

직류 분권 전동기 역기전력 $E = \dfrac{pZ}{60a}\phi N = V - I_a R_a[V]$에서 회전 속도가 증가할수록 역기전력($E$)이 증가하고, 이에 따라 전기자 전류($I_a$)는 감소하게 된다.

55

변압기의 전압 변동률에 대한 설명으로 틀린 것은?

① 일반적으로 부하 변동에 대하여 2차 단자 전압의 변동이 작을수록 좋다.

② 전부하 시와 무부하 시의 2차 단자 전압이 서로 다른 정도를 표시하는 것이다.

③ 인가 전압이 일정한 상태에서 무부하 2차 단자 전압에 반비례한다.

④ 전압 변동률은 전등의 광도, 수명, 전동기의 출력 등에 영향을 미친다.

56

1상의 유도 기전력이 $6,000[V]$인 동기 발전기에서 1분간 회전수를 $900[rpm]$에서 $1,800[rpm]$으로 하면 유도 기전력은 약 몇 $[V]$인가?

① 6,000
② 12,000
③ 24,000
④ 36,000

57

변압기 내부 고장 검출을 위해 사용하는 계전기가 아닌 것은?

① 과전압 계전기
② 비율 차동 계전기
③ 부흐홀츠 계전기
④ 충격 압력 계전기

58

권선형 유도 전동기의 2차 여자법 중 2차 단자에서 나오는 전력을 동력으로 바꿔서 직류 전동기에 가하는 방식은?

① 회생 방식
② 크레머 방식
③ 플러깅 방식
④ 세르비우스 방식

59 ① ② ③

동기 조상기의 구조상 특징으로 틀린 것은?

① 고정자는 수차 발전기와 같다.
② 안전 운전용 제동 권선이 설치된다.
③ 계자 코일이나 자극이 대단히 크다.
④ 전동기 축은 동력을 전달하는 관계로 비교적 굵다.

60 ① ② ③

75[W] 이하의 소출력 단상 직권 정류자 전동기의 용도로 적합하지 않은 것은?

① 믹서
② 소형 공구
③ 공작기계
④ 치과 의료용

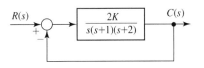
61 ① ② ③

그림의 제어 시스템이 안정하기 위한 K의 범위는?

$$R(s) \rightarrow \frac{2K}{s(s+1)(s+2)} \rightarrow C(s)$$

① $0 < K < 3$
② $0 < K < 4$
③ $0 < K < 5$
④ $0 < K < 6$

59

동기 조상기는 무부하로 운전되는 동기 전동기이다. 계자전류(I_f)를 조정하여 무효 전력(지상 또는 진상)을 제어하는 기기로, 동력을 전달하는 기기가 아니다.

60

단상 직권 정류자 전동기
• 계자 권선과 전기자 권선이 직렬로 연결되어 있어 직류와 교류 모두에서 사용할 수 있다.
• 기동 토크와 고속 회전수가 필요한 전기 청소기, 믹서, 재봉틀, 영사기, 소형 공구, 치과 의료용 기기 등에 사용된다.
• 자기 회로의 자속이 교번 자속이므로, 이로 인한 철손을 줄이기 위하여 전기자뿐만 아니라 계자의 철심에도 성층 철심을 사용한다.

61

• 전달 함수

$$\frac{C(s)}{R(s)} = \frac{\frac{2K}{s(s+1)(s+2)}}{1 - \left(-\frac{2K}{s(s+1)(s+2)}\right)} = \frac{2K}{s(s+1)(s+2) + 2K}$$

$$= \frac{2K}{s^3 + 3s^2 + 2s + 2K}$$

• 특성 방정식
$$s^3 + 3s^2 + 2s + 2K = 0$$
특성 방정식을 루드표로 작성하면 다음과 같다.

차수	제1열	제2열
s^3	1	2
s^2	3	2K
s^1	$\frac{3 \times 2 - 1 \times 2K}{3} = \frac{6 - 2K}{3}$	0
s^0	2K	0

제어계가 안정하려면 위 루드표의 제1열의 부호 변화가 없어야 한다.
$$2K > 0 \rightarrow K > 0$$
$$\frac{6 - 2K}{3} > 0 \rightarrow K < 3$$

따라서 안정하기 위한 위의 2가지 조건을 모두 충족하는 조건은
$0 < K < 3$이다.

62 ▮1▮ ▮2▮ ▮3▮

블록 선도의 전달 함수가 $\dfrac{C(s)}{R(s)} = 10$과 같이 되기 위한 조건은?

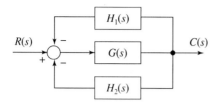

① $G(s) = \dfrac{1}{1 - H_1(s) - H_2(s)}$

② $G(s) = \dfrac{10}{1 - H_1(s) - H_2(s)}$

③ $G(s) = \dfrac{1}{1 - 10H_1(s) - 10H_2(s)}$

④ $G(s) = \dfrac{10}{1 - 10H_1(s) - 10H_2(s)}$

63 ▮1▮ ▮2▮ ▮3▮

주파수 전달 함수가 $G(j\omega) = \dfrac{1}{j100\omega}$인 제어 시스템에서 $\omega = 1.0[\text{rad/s}]$일 때의 이득[dB]과 위상각은 각각 얼마인가?

① $20[\text{dB}]$, $90°$

② $40[\text{dB}]$, $90°$

③ $-20[\text{dB}]$, $-90°$

④ $-40[\text{dB}]$, $-90°$

64 ▮1▮ ▮2▮ ▮3▮

개루프 전달 함수가 다음과 같은 제어 시스템의 근궤적이 $j\omega$ (허수)축과 교차할 때 K는 얼마인가?

$$G(s)H(s) = \dfrac{K}{s(s+3)(s+4)}$$

① 30

② 48

③ 84

④ 180

62

주어진 블록 선도의 전달 함수를 메이슨 공식에 적용하여 구하면 다음과 같다.

$\dfrac{C(s)}{R(s)} = \dfrac{\sum 경로}{1 - \sum 폐루프}$

$= \dfrac{G(s)}{1 - \{-(G(s)H_1(s)) - (G(s)H_2(s))\}}$

$= \dfrac{G(s)}{1 + G(s)H_1(s) + G(s)H_2(s)} = 10$

위 식을 $G(s)$에 관하여 정리한다.

$G(s) = 10 + 10G(s)H_1(s) + 10G(s)H_2(s)$

$G(s) - 10G(s)H_1(s) - 10G(s)H_2(s) = 10$

$G(s)(1 - 10H_1(s) - 10H_2(s)) = 10$

$\therefore G(s) = \dfrac{10}{1 - 10H_1(s) - 10H_2(s)}$

63

• 전달 함수의 크기

$|G(j\omega)| = \left| \dfrac{1}{j100 \times 1.0} \right| = 10^{-2}$

• 이득

$g = 20\log_{10}|G(j\omega)| = 20\log_{10}10^{-2} = -40[\text{dB}]$

• 위상각

$\theta = \dfrac{\angle 0°}{\angle 90°} = -90°$

64

근궤적이 허수축과 교차하는 것은 임계 상태를 의미한다.
개루프 전달 함수의 특성 방정식은 아래와 같다.

$s(s+3)(s+4) + K = s^3 + 7s^2 + 12s + K = 0$

위의 특성 방정식을 루드표로 작성하면 다음과 같다.

차수	제1열	제2열
s^3	1	12
s^2	7	K
s^1	$\dfrac{7 \times 12 - 1 \times K}{7} = \dfrac{84 - K}{7}$	0
s^0	0	0

제어계가 임계 상태이기 위해서는 s^1의 모든 열이 0이어야 한다.

$\therefore \dfrac{84 - K}{7} = 0 \rightarrow K = 84$

65 ❶ ❷ ❸

그림과 같은 신호 흐름 선도에서 $\dfrac{C(s)}{R(s)}$ 는?

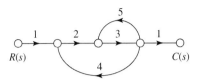

① $-\dfrac{6}{38}$　　　　　② $\dfrac{6}{38}$

③ $-\dfrac{6}{41}$　　　　　④ $\dfrac{6}{41}$

66 ❶ ❷ ❸

단위 계단 함수 $u(t)$ 를 z 변환하면?

① $\dfrac{1}{z-1}$　　　　　② $\dfrac{z}{z-1}$

③ $\dfrac{1}{Tz-1}$　　　　　④ $\dfrac{Tz}{Tz-1}$

67 ❶ ❷ ❸

제어 요소의 표준 형식인 적분 요소에 대한 전달 함수는?(단, K 는 상수이다.)

① Ks　　　　　② $\dfrac{K}{s}$

③ K　　　　　④ $\dfrac{K}{1+Ts}$

68 ❶ ❷ ❸

그림의 논리 회로와 등가인 논리식은?

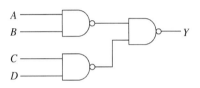

① $Y = A \cdot B \cdot C \cdot D$
② $Y = A \cdot B + C \cdot D$
③ $Y = \overline{A \cdot B} + \overline{C \cdot D}$
④ $Y = (\overline{A} + \overline{B}) \cdot (\overline{C} + \overline{D})$

65

주어진 신호 흐름 선도의 전달 함수를 메이슨 공식으로 구하면 다음과 같다.

$$\frac{C(s)}{R(s)} = \frac{\sum 경로}{1-\sum 폐루프} = \frac{1\times2\times3\times1}{1-(2\times3\times4)-(3\times5)}$$

$$= -\frac{6}{38}$$

66

시간 함수: $f(t)$	라플라스 변환: $F(s)$	z 변환: $F(z)$
임펄스 함수: $\delta(t)$	1	1
단위 계단 함수: $u(t)=1$	$\dfrac{1}{s}$	$\dfrac{z}{z-1}$
속도 함수: t	$\dfrac{1}{s^2}$	$\dfrac{Tz}{(z-1)^2}$
지수 함수: e^{-at}	$\dfrac{1}{s+a}$	$\dfrac{z}{z-e^{-aT}}$

67

• 비례 요소: $G(s) = K$

• 미분 요소: $G(s) = Ks$

• 적분 요소: $G(s) = \dfrac{K}{s}$

• 1차 지연 요소: $G(s) = \dfrac{K}{1+Ts}$

68

$$Y = \overline{\overline{A \cdot B} \cdot \overline{C \cdot D}} = \overline{\overline{A \cdot B}} + \overline{\overline{C \cdot D}} = A \cdot B + C \cdot D$$

[암기 포인트] 드모르간의 법칙

$$\overline{A+B} = \overline{A} \cdot \overline{B}, \quad \overline{A \cdot B} = \overline{A} + \overline{B}$$

정답　65 ①　66 ②　67 ②　68 ②

69

다음과 같은 상태 방정식으로 표현되는 제어 시스템에 대한 특성 방정식의 근(s_1, s_2)은?

$$\begin{bmatrix} \dot{x}_1 \\ \dot{x}_2 \end{bmatrix} = \begin{bmatrix} 0 & -3 \\ 2 & -5 \end{bmatrix} \begin{bmatrix} x_1 \\ x_2 \end{bmatrix} + \begin{bmatrix} 1 \\ 0 \end{bmatrix} u$$

① 1, −3　　　　② −1, −2
③ −2, −3　　　　④ −1, −3

70

블록 선도의 제어 시스템은 단위 램프 입력에 대한 정상 상태 오차(정상 편차)가 0.01이다. 이 제어 시스템의 제어 요소인 $G_{C1}(s)$의 k는?

$$G_{C1}(s) = k, \quad G_{C2}(s) = \frac{1+0.1s}{1+0.2s}$$
$$G_P(s) = \frac{20}{s(s+1)(s+2)}$$

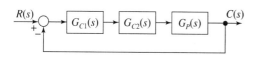

① 0.1　　　　② 1
③ 10　　　　④ 100

71

평형 3상 부하에 선간전압의 크기가 200[V]인 평형 3상 전압을 인가했을 때 흐르는 선전류의 크기가 8.6[A]이고 무효전력이 1,298[Var]이었다. 이때 이 부하의 역률은 약 얼마인가?

① 0.6　　　　② 0.7
③ 0.8　　　　④ 0.9

72

단위 길이당 인덕턴스 및 커패시턴스가 각각 L 및 C일 때 전송선로의 특성 임피던스는?(단, 전송선로는 무손실 선로이다.)

① $\sqrt{\dfrac{L}{C}}$　　　　② $\sqrt{\dfrac{C}{L}}$
③ $\dfrac{L}{C}$　　　　④ $\dfrac{C}{L}$

69

특성 방정식은 $|sI - A| = 0$이다.
$sI - A = \begin{bmatrix} s & 0 \\ 0 & s \end{bmatrix} - \begin{bmatrix} 0 & -3 \\ 2 & -5 \end{bmatrix} = \begin{bmatrix} s & 3 \\ -2 & s+5 \end{bmatrix}$
$|sI - A| = s(s+5) - 3(-2) = s^2 + 5s + 6$
$\qquad\qquad = (s+2)(s+3) = 0$
따라서 특성 방정식의 근은 −2와 −3이다.

70

• 단위 램프 입력에 대한 속도 편차 상수
$K_v = \lim_{s \to 0} s \times (G_{C1}(s) \times G_{C2}(s) \times G_P(s))$
$\quad = \lim_{s \to 0} s \times \dfrac{k \times (1+0.1s) \times 20}{s(s+1)(s+2)(1+0.2s)} = 10k$
• 정상 편차
$e_v = \dfrac{1}{K_v} = \dfrac{1}{10k} = 0.01$
$\therefore k = \dfrac{1}{10} \times \dfrac{1}{0.01} = 10$

71

$P_r = \sqrt{3} \, V_l I_l \sin\theta \, [\text{Var}]$에서
$\sin\theta = \dfrac{P_r}{\sqrt{3} \, V_l I_l} = \dfrac{1,298}{\sqrt{3} \times 200 \times 8.6} = 0.4357$
역률 $\cos\theta = \sqrt{1 - \sin^2\theta} = \sqrt{1 - 0.4357^2} = 0.9$
[암기 포인트] $\sin^2\theta + \cos^2\theta = 1$

72

무손실 선로이므로 $R = G = 0$
$\therefore$ 특성 임피던스 $Z_0 = \sqrt{\dfrac{R + j\omega L}{G + j\omega C}} = \sqrt{\dfrac{L}{C}} \, [\Omega]$

73 ①②③

각 상의 전류가 $i_a(t) = 90\sin\omega t [A]$, $i_b(t) = 90\sin(\omega t - 90°)[A]$, $i_c(t) = 90\sin(\omega t + 90°)[A]$일 때 영상분 전류[A]의 순시치는?

① $30\cos\omega t$ ② $30\sin\omega t$

③ $90\sin\omega t$ ④ $90\cos\omega t$

74 ①②③

내부 임피던스가 $0.3 + j2[\Omega]$인 발전기에 임피던스가 $1.1 + j3[\Omega]$인 선로를 연결하여 어떤 부하에 전력을 공급하고 있다. 이 부하의 임피던스가 몇 $[\Omega]$일 때 발전기로부터 부하로 전달되는 전력이 최대가 되는가?

① $1.4 - j5$ ② $1.4 + j5$

③ 1.4 ④ $j5$

75 ①②③

그림과 같은 파형의 라플라스 변환은?

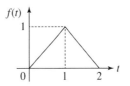

① $\dfrac{1}{s^2}(1 - 2e^s)$ ② $\dfrac{1}{s^2}(1 - 2e^{-s})$

③ $\dfrac{1}{s^2}(1 - 2e^s + e^{2s})$ ④ $\dfrac{1}{s^2}(1 - 2e^{-s} + e^{-2s})$

빈출 76 ①②③

어떤 회로에서 $t = 0$초에 스위치를 닫은 후 $i(t) = 2t + 3t^2[A]$의 전류가 흘렀다. 30초까지 스위치를 통과한 총 전기량[Ah]은?

① 4.25 ② 6.75

③ 7.75 ④ 8.25

73

$$i_0(t) = \frac{1}{3}(i_a(t) + i_b(t) + i_c(t))$$
$$= \frac{1}{3} \times 90(\sin\omega t + \sin(\omega t - 90°) + \sin(\omega t + 90°))$$
$$= 30(\sin\omega t + \sin(\omega t - 90°) - \sin(\omega t - 90°))$$
$$= 30\sin\omega t [A]$$

74

최대 전력 공급

전원으로부터 최대의 전력이 공급되기 위한 조건은 부하 임피던스(Z_L)가 전원의 내부 임피던스(Z_g), 선로 임피던스(Z_l)의 합과 서로 공액관계에 있을 때이다.

$$Z_g + Z_l = 0.3 + j2 + 1.1 + j3 = 1.4 + j5[\Omega]$$
$$\therefore Z_L = \overline{Z_g + Z_l} = 1.4 - j5[\Omega]$$

75

라플라스 변환

$$f(t) = t[u(t) - u(t-1)] + (2-t)[u(t-1) - u(t-2)]$$
$$= tu(t) + (2-2t)u(t-1) + (t-2)u(t-2)$$
$$= tu(t) - 2(t-1)u(t-1) + (t-2)u(t-2)$$

시간추이 정리 $\mathcal{L}[f(t-T)u(t-T)] = F(s)e^{-Ts}$ 를 이용하여 라플라스 변환을 하면

$$F(s) = \frac{1}{s^2} - 2 \times \frac{1}{s^2}e^{-s} + \frac{1}{s^2}e^{-2s}$$
$$= \frac{1}{s^2}(1 - 2e^{-s} + e^{-2s})$$

76

$$Q = \int_0^{30} i(t)dt = \int_0^{30}(2t + 3t^2)dt = [t^2 + t^3]_0^{30}$$
$$= (30^2 - 0^2) + (30^3 - 0^3)$$
$$= 27,900[A \cdot sec] = 7.75[Ah]$$

[암기 포인트] $1[h] = 3,600[sec]$

---

77 1 2 3

전압 $v(t)$를 RL 직렬회로에 인가했을 때 제3고조파 전류의 실횻값[A]의 크기는?(단, $R=8[\Omega]$, $\omega L=2[\Omega]$, $v(t) = 100\sqrt{2}\sin\omega t + 200\sqrt{2}\sin 3\omega t + 50\sqrt{2}\sin 5\omega t[V]$이다.)

① 10   ② 14
③ 20   ④ 28

78 1 2 3

회로에서 $t=0$초에 전압 $v_1(t) = e^{-4t}[V]$를 인가하였을 때 $v_2(t)$는 몇 [V]인가?(단, $R=2[\Omega]$, $L=1[H]$이다.)

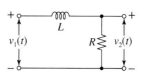

① $e^{-2t} - e^{-4t}$ ② $2e^{-2t} - 2e^{-4t}$
③ $-2e^{-2t} + 2e^{-4t}$ ④ $-2e^{-2t} - 2e^{-4t}$

정답 및 해설

77

제n고조파 임피던스 $Z_n = R + jn\omega L[\Omega]$

$|Z_3| = |R + j3\omega L| = |8 + j3\times 2| = \sqrt{8^2 + 6^2} = 10[\Omega]$

$\therefore I_3 = \dfrac{V_3}{|Z_3|} = \dfrac{200}{10} = 20[A]$

78

회로에 흐르는 전류를 $i(t)$라 하면

$v_1(t) = Ri(t) + L\dfrac{di(t)}{dt}[V]$

$\therefore e^{-4t} = 2i(t) + \dfrac{di(t)}{dt}[V]$

위의 미분방정식을 풀기 위하여 양변을 라플라스 변환하면

$\dfrac{1}{s+4} = 2I(s) + sI(s) = (s+2)I(s)$

$I(s) = \dfrac{1}{(s+2)(s+4)} = \dfrac{A}{s+2} + \dfrac{B}{s+4}$

$A = \dfrac{1}{(s+2)(s+4)}\times(s+2)\Big|_{s=-2} = \dfrac{1}{2}$

$B = \dfrac{1}{(s+2)(s+4)}\times(s+4)\Big|_{s=-4} = -\dfrac{1}{2}$

각 값을 대입하여 정리하면 아래와 같다.

$\therefore I(s) = \dfrac{1}{2}\left(\dfrac{1}{s+2} - \dfrac{1}{s+4}\right)$

$i(t) = \mathcal{L}^{-1}[I(s)] = \dfrac{1}{2}(e^{-2t} - e^{-4t})[A]$

$\therefore v_2(t) = Ri(t) = 2\times\dfrac{1}{2}(e^{-2t} - e^{-4t})$

$\qquad = e^{-2t} - e^{-4t}[V]$

[별해] 전달함수

$G(s) = \dfrac{V_2(s)}{V_1(s)} = \dfrac{R}{Ls+R} = \dfrac{2}{s+2}$

$V_1(s) = \mathcal{L}[e^{-4t}] = \dfrac{1}{s+4}$

$\therefore V_2(s) = \dfrac{2}{s+2}\times\dfrac{1}{s+4} = \dfrac{1}{s+2} - \dfrac{1}{s+4}$

$\therefore v_2(t) = e^{-2t} - e^{-4t}[V]$

[암기 포인트] $\dfrac{1}{AB} = \dfrac{1}{B-A}\left(\dfrac{1}{A} - \dfrac{1}{B}\right)$

79 1 2 3

동일한 저항 $R[\Omega]$ 6개를 그림과 같이 결선하고 대칭 3상 전압 $V[\mathrm{V}]$를 가하였을 때 전류 $I[\mathrm{A}]$의 크기는?

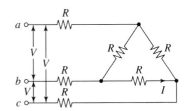

① $\dfrac{V}{R}$

② $\dfrac{V}{2R}$

③ $\dfrac{V}{4R}$

④ $\dfrac{V}{5R}$

80 1 2 3

어떤 선형 회로망의 4단자 정수가 $A=8$, $B=j2$, $D=1.625+j$일 때, 이 회로망의 4단자 정수 C는?

① $24-j14$

② $8-j11.5$

③ $4-j6$

④ $3-j4$

79

$\triangle-Y$ 등가 변환 시 $R_Y=\dfrac{1}{3}R_\triangle$ 이므로

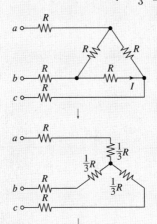

80

$AD-BC=1$에서 $C=\dfrac{AD-1}{B}$ 이므로

$\therefore C=\dfrac{8\times(1.625+j)-1}{j2}=4-j6$

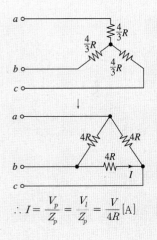

$\therefore I=\dfrac{V_p}{Z_p}=\dfrac{V_l}{Z_p}=\dfrac{V}{4R}\,[\mathrm{A}]$

81 ① ② ③

저압 옥상전선로의 시설기준으로 틀린 것은?

① 전개된 장소에 위험의 우려가 없도록 시설할 것
② 전선은 지름 2.6[mm] 이상의 경동선을 사용할 것
③ 전선은 절연전선(옥외용 비닐절연전선은 제외)을 사용할 것
④ 전선은 상시 부는 바람 등에 의하여 식물에 접촉하지 아니하도록 시설하여야 한다.

82 ① ② ③

이동형의 용접 전극을 사용하는 아크 용접장치의 시설기준으로 틀린 것은?

① 용접변압기는 절연변압기일 것
② 용접변압기의 1차 측 전로의 대지전압은 300[V] 이하일 것
③ 용접변압기의 2차 측 전로에는 용접변압기에 가까운 곳에 쉽게 개폐할 수 있는 개폐기를 시설할 것
④ 용접변압기의 2차 측 전로 중 용접변압기로부터 용접전극에 이르는 부분의 전로는 용접 시 흐르는 전류를 안전하게 통할 수 있는 것일 것

83 ① ② ③

사용전압이 $15[kV]$ 초과 $25[kV]$ 이하인 특고압 가공전선로가 상호 간 접근 또는 교차하는 경우 사용전선이 양쪽 모두 나전선이라면 이격거리는 몇 [m] 이상이어야 하는가?(단, 중성선 다중접지 방식의 것으로서 전로에 지락이 생겼을 때에 2초 이내에 자동적으로 이를 전로로부터 차단하는 장치가 되어 있다.)

① 1.0
② 1.2
③ 1.5
④ 1.75

정답 및 해설

81

옥상전선로(한국전기설비규정 221.3)
• 저압 옥상전선로의 전선은 상시 부는 바람 등에 의하여 식물에 접촉하지 아니하도록 시설하여야 한다.
• 저압 옥상전선로는 전개된 장소에 다음에 따르고 또한 위험의 우려가 없도록 시설하여야 한다.
 - 전선은 인장강도 2.30[kN] 이상의 것 또는 지름 2.6[mm] 이상의 경동선을 사용할 것
 - 전선은 절연전선(OW전선을 포함한다) 또는 이와 동등 이상의 절연성능이 있는 것을 사용할 것
 - 전선은 조영재에 견고하게 붙인 지지주 또는 지지대에 절연성·난연성 및 내수성이 있는 애자를 사용하여 지지하고 또한 그 지지점 간의 거리는 15[m] 이하일 것
 - 전선과 그 저압 옥상전선로를 시설하는 조영재와의 이격거리는 2[m](전선이 고압절연전선, 특고압 절연전선 또는 케이블인 경우에는 1[m]) 이상일 것

[암기 포인트] 옥외용 비닐절연전선의 영문 표기는 Outdoor Weather Proof PVC Insulated Wire(OW)이다.

82

아크 용접기(한국전기설비규정 241.10)
이동형의 용접 전극을 사용하는 아크 용접장치는 다음에 따라 시설하여야 한다.

• 용접변압기는 절연변압기일 것
• 용접변압기의 1차 측 전로의 대지전압은 300[V] 이하일 것
• 용접변압기의 1차 측 전로에는 용접변압기에 가까운 곳에 쉽게 개폐할 수 있는 개폐기를 시설할 것
• 용접변압기의 2차 측 전로 중 용접변압기로부터 용접전극에 이르는 부분 및 용접변압기로부터 피용접재에 이르는 부분(전기기계기구 안의 전로를 제외한다)의 전로는 용접 시 흐르는 전류를 안전하게 통할 수 있는 것일 것

83

25[kV] 이하인 특고압 가공전선로의 시설(한국전기설비규정 333.32)
특고압 가공전선이 다른 특고압 가공전선과 접근 또는 교차하는 경우의 이격거리

전선의 종류	이격거리
어느 한쪽 또는 양쪽이 나전선인 경우	1.5[m] 이상
양쪽이 특고압 절연전선인 경우	1.0[m] 이상
한쪽이 케이블이고 다른 한쪽이 케이블이거나 특고압 절연전선인 경우	0.5[m] 이상

84

최대 사용전압이 1차 $22,000[V]$, 2차 $6,600[V]$의 권선으로서 중성점 비접지식 전로에 접속하는 변압기의 특고압 측 절연내력 시험전압은?

① 24,000[V]
② 27,500[V]
③ 33,000[V]
④ 44,000[V]

85

가공전선로의 지지물로 볼 수 없는 것은?

① 철주
② 지선
③ 철탑
④ 철근 콘크리트주

86

점멸기의 시설에서 센서등(타임스위치 포함)을 시설하여야 하는 곳은?

① 공장
② 상점
③ 사무실
④ 아파트 현관

87

순시조건($t \leq 0.5$초)에서 교류 전기철도 급전시스템에서의 레일 전위의 최대 허용 접촉전압(실횻값)으로 옳은 것은?

① 60[V]
② 65[V]
③ 440[V]
④ 670[V]

84

변압기 전로의 절연내력(한국전기설비규정 135)

권선의 종류	시험전압	시험방법
최대 사용전압 7[kV] 초과 60[kV] 이하의 권선	최대 사용전압의 1.25배의 전압(최저 시험전압 10.5[kV])	전로와 대지 사이에 시험전압을 연속하여 10분간 가한다.
최대 사용전압이 60[kV]를 초과하는 권선으로서 중성점 비접지식 전로에 접속하는 것	최대 사용전압의 1.25배의 전압	

∴ 전로의 절연내력 시험전압
$22,000 \times 1.25 = 27,500[V]$

85

지선은 지지물의 강도를 보강하고자 할 때 사용하는 것으로서 전선로의 지지물이 아니다. 가공전선로의 지지물에는 목주, 철주, 철탑, 철근 콘크리트주가 있다.

86

점멸기의 시설(한국전기설비규정 234.6)
다음의 경우에는 센서등(타임스위치 포함)을 시설하여야 한다.
• 「관광진흥법」과 「공중위생관리법」에 의한 관광숙박업 또는 숙박업(여인숙업을 제외한다)에 이용되는 객실의 입구등은 1분 이내에 소등되는 것
• 일반주택 및 아파트 각 호실의 현관등은 3분 이내에 소등되는 것

87

레일 전위의 위험에 대한 보호(한국전기설비규정 461.2)
교류 전기철도 급전시스템에서의 레일 전위의 최대 허용 접촉전압은 다음 표의 값 이하여야 한다. 단, 작업장 및 이와 유사한 장소에서는 최대 허용 접촉전압이 25[V](실횻값)를 초과하지 않아야 한다.

시간 조건	최대 허용 접촉전압(실횻값)
순시조건($t \leq 0.5$초)	670[V]
일시적 조건 (0.5초$< t \leq 300$초)	65[V]
영구적 조건($t > 300$초)	60[V]

88

전기저장장치의 이차전지에 자동으로 전로로부터 차단하는 장치를 시설하여야 하는 경우로 틀린 것은?

① 과저항이 발생한 경우
② 과전압이 발생한 경우
③ 제어장치에 이상이 발생한 경우
④ 이차전지 모듈의 내부 온도가 급격히 상승할 경우

^{빈출}
89

뱅크용량이 몇 $[kVA]$ 이상인 조상기에는 그 내부에 고장이 생긴 경우에 자동적으로 이를 전로로부터 차단하는 보호장치를 하여야 하는가?

① 10,000
② 15,000
③ 20,000
④ 25,000

90

전주외등의 시설 시 사용하는 공사방법으로 틀린 것은?

① 애자공사
② 케이블공사
③ 금속관공사
④ 합성수지관공사

91

농사용 저압 가공전선로의 지지점 간 거리는 몇 $[m]$ 이하이어야 하는가?

① 30
② 50
③ 60
④ 100

정답 및 해설

88

제어 및 보호장치(한국전기설비규정 512.2.2)
전기저장장치의 이차전지는 다음에 따라 자동으로 전로로부터 차단하는 장치를 시설하여야 한다.
• 과전압 또는 과전류가 발생한 경우
• 제어장치에 이상이 발생한 경우
• 이차전지 모듈의 내부 온도가 급격히 상승할 경우

89

조상설비의 보호장치(한국전기설비규정 351.5)
조상설비에는 그 내부에 고장이 생긴 경우에 보호하는 장치를 다음 표와 같이 시설하여야 한다.

설비종별	뱅크용량의 구분	자동적으로 전로로부터 차단하는 장치
전력용 커패시터 및 분로리액터	500[kVA] 초과 15,000[kVA] 미만	• 내부에 고장이 생긴 경우 • 과전류가 생긴 경우
	15,000[kVA] 이상	• 내부에 고장이 생긴 경우 • 과전류가 생긴 경우 • 과전압이 생긴 경우
조상기	15,000[kVA] 이상	내부에 고장이 생긴 경우

[암기 포인트] 조상기 – 15,000[kVA]

90

전주외등 배선(한국전기설비규정 234.10.3)
배선은 단면적 2.5$[mm^2]$ 이상의 절연전선 또는 이와 동등 이상의 절연성능이 있는 것을 사용하고 다음 공사방법 중에서 시설하여야 한다.
• 케이블공사
• 합성수지관공사
• 금속관공사

91

농사용 저압 가공전선로의 시설(한국전기설비규정 222.22)
• 저압 가공전선은 인장강도 1.38[kN] 이상의 것 또는 지름 2[mm] 이상의 경동선일 것
• 저압 가공전선의 지표상의 높이는 3.5[m] 이상일 것
  다만, 저압 가공전선을 사람이 쉽게 출입하지 아니하는 곳에 시설하는 경우에는 3[m]까지로 감할 수 있다.
• 전선로의 지지점 간 거리는 30[m] 이하일 것
• 목주의 굵기는 말구 지름이 0.09[m] 이상일 것

92 [1] [2] [3]

특고압 가공전선로에서 발생하는 극저주파 전계는 지표상 1[m]에서 몇 [kV/m] 이하이어야 하는가?

① 2.0
② 2.5
③ 3.0
④ 3.5

93 [1] [2] [3]

단면적 $55[\text{mm}^2]$인 경동연선을 사용하는 특고압 가공전선로의 지지물로 장력에 견디는 형태의 B종 철근 콘크리트주를 사용하는 경우, 허용 최대 경간은 몇 [m]인가?

① 150
② 250
③ 300
④ 500

94 [1] [2] [3]

저압 옥측전선로에서 목조의 조영물에 시설할 수 있는 공사방법은?

① 금속관공사
② 버스덕트공사
③ 합성수지관공사
④ 케이블공사(무기물절연(MI) 케이블을 사용하는 경우)

92

유도장해 방지(기술기준 제17조)
교류 특고압 가공전선로에서 발생하는 극저주파 전자계는 지표상에서 전계가 3.5[kV/m] 이하, 자계가 83.3[μT] 이하가 되도록 시설한다.

93

특고압 가공전선로의 경간 제한(한국전기설비규정 333.21)
특고압 가공전선로의 전선에 인장강도 21.67[kN] 이상의 것 또는 단면적이 50[mm²] 이상인 경동연선을 사용하는 경우 그 전선로의 경간은 그 지지물에 목주·A종 철주 또는 A종 철근 콘크리트주를 사용하는 경우에는 300[m] 이하, B종 철주 또는 B종 철근 콘크리트주를 사용하는 경우에는 500[m] 이하이어야 한다.

94

옥측전선로(한국전기설비규정 221.2)
저압 옥측전선로는 다음의 공사방법에 의할 것
• 애자공사(전개된 장소에 한한다.)
• 합성수지관공사
• 금속관공사(목조 이외의 조영물에 시설하는 경우에 한한다.)
• 버스덕트공사[목조 이외의 조영물(점검할 수 없는 은폐된 장소는 제외)에 시설하는 경우에 한한다.]
• 케이블공사(연피 케이블, 알루미늄피 케이블 또는 무기물절연(MI) 케이블을 사용하는 경우에는 목조 이외의 조영물에 시설하는 경우에 한한다.)
보기 중 ①, ②, ④는 목조 이외의 조영물에 시설하는 경우이므로 답이 될 수 없다.

95 ☐1 ☐2 ☐3

시가지에 시설하는 154[kV] 가공전선로를 도로와 제1차 접근 상태로 시설하는 경우, 전선과 도로와의 이격거리는 몇 [m] 이상이어야 하는가?

① 4.4   ② 4.8
③ 5.2   ④ 5.6

96 ☐1 ☐2 ☐3

귀선로에 대한 설명으로 틀린 것은?

① 나전선을 적용하여 가공식 가설을 원칙으로 한다.
② 사고 및 지락 시에도 충분한 허용전류용량을 갖도록 하여야 한다.
③ 비절연보호도체, 매설접지도체, 레일 등으로 구성하여 단권변압기 중성점과 공통접지에 접속한다.
④ 비절연보호도체의 위치는 통신유도장해 및 레일전위의 상승의 경감을 고려하여 결정하여야 한다.

97 ☐1 ☐2 ☐3

변전소에 울타리·담 등을 시설할 때, 사용전압이 345[kV]이면 울타리·담 등의 높이와 울타리·담 등으로부터 충전부분까지의 거리의 합계는 몇 [m] 이상으로 하여야 하는가?

① 8.16   ② 8.28
③ 8.40   ④ 9.72

정답 및 해설

95

특고압 가공전선과 도로 등의 접근 또는 교차(한국전기설비규정 333.24)
특고압 가공전선이 도로·횡단보도교·철도 또는 궤도(이하 "도로 등"이라 한다)와 제1차 접근 상태로 시설되는 경우에는 다음에 따라야 한다.
• 특고압 가공전선로는 제3종 특고압 보안공사에 의할 것
• 특고압 가공전선과 도로 등 사이의 이격거리(노면상 또는 레일면상의 이격거리를 제외한다)는 아래 표에서 정한 값 이상일 것. 다만, 특고압 절연전선을 사용하는 사용전압이 35[kV] 이하의 특고압 가공전선과 도로 등 사이의 수평 이격거리가 1.2[m] 이상인 경우에는 그러하지 아니하다.

사용전압의 구분	이격거리
35[kV] 이하	3[m]
35[kV] 초과	3[m]에 사용전압이 35[kV]를 초과하는 10[kV] 또는 그 단수마다 0.15[m]를 더한 값

단수: $\dfrac{154-35}{10}=11.9 \rightarrow 12$단

∴ $3+12\times0.15=4.8$[m]

96

귀선로(한국전기설비규정 431.5)
• 귀선로는 비절연보호도체, 매설접지도체, 레일 등으로 구성하여 단권변압기 중성점과 공통접지에 접속한다.

• 비절연보호도체의 위치는 통신유도장해 및 레일전위의 상승의 경감을 고려하여 결정하여야 한다.
• 귀선로는 사고 및 지락 시에도 충분한 허용전류용량을 갖도록 하여야 한다.

97

발전소 등의 울타리·담 등의 시설(한국전기설비규정 351.1)
고압 또는 특고압의 기계기구·모선 등을 옥외에 시설하는 발전소·변전소·개폐소 또는 이에 준하는 곳에는 구내에 취급자 이외의 사람이 들어가지 아니하도록 시설하여야 한다.

사용전압의 구분	울타리·담 등의 높이와 울타리·담 등으로부터 충전부분까지의 거리의 합계
35[kV] 이하	5[m] 이상
35[kV] 초과 160[kV] 이하	6[m] 이상
160[kV] 초과	6[m]에 160[kV]를 초과하는 10[kV] 또는 그 단수마다 0.12[m]를 더한 값 이상

단수: $\dfrac{345-160}{10}=18.5 \rightarrow 19$단

∴ $6+19\times0.12=8.28$[m]

98 １２３

큰 고장전류가 구리 소재의 접지도체를 통하여 흐르지 않을 경우 접지도체의 최소 단면적은 몇 $[\text{mm}^2]$ 이상이어야 하는가? (단, 접지도체에 피뢰시스템이 접속되지 않는 경우이다.)

① 0.75
② 2.5
③ 6
④ 16

99 １２３

전력보안 가공통신선을 횡단보도교 위에 시설하는 경우 그 노면상 높이는 몇 $[\text{m}]$ 이상인가?(단, 가공전선로의 지지물에 시설하는 통신선 또는 이에 직접 접속하는 가공통신선은 제외한다.)

① 3
② 4
③ 5
④ 6

100 １２３

케이블트레이공사에 사용할 수 없는 케이블은?

① 연피 케이블
② 난연성 케이블
③ 캡타이어 케이블
④ 알루미늄피 케이블

98

접지도체 · 보호도체(한국전기설비규정 142.3)
접지도체의 선정
• 큰 고장전류가 접지도체를 통하여 흐르지 않을 경우 접지도체의 최소 단면적
  – 6[mm²] 이상의 구리
  – 50[mm²] 이상의 철제
• 접지도체에 피뢰시스템이 접속되는 경우 접지도체의 단면적
  – 16[mm²] 이상의 구리
  – 50[mm²] 이상의 철

99

전력보안통신선의 시설 높이와 이격거리(한국전기설비규정 362.2)
전력보안 가공통신선의 높이는 횡단보도교 위에 시설하는 경우에는 그 노면상 3[m] 이상이어야 한다.

100

케이블트레이공사(한국전기설비규정 232.41)
전선은 연피 케이블, 알루미늄피 케이블 등 난연성 케이블 또는 기타 케이블(적당한 간격으로 연소(延燒)방지 조치를 하여야 한다) 또는 금속관 혹은 합성수지관 등에 넣은 절연전선을 사용하여야 한다.

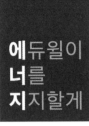

하고 싶은 일에는
방법이 보이고

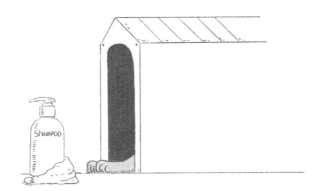

하기 싫은 일에는
핑계가 보인다.

– 필리핀 격언

2020년 전기기사 필기

시험정보

과목명	문항수	시간(분)	필기합격률
전기자기학	20	20	
전력공학	20	20	
전기기기	20	20	
회로이론 및 제어공학	20	20	**28%**
전기설비 기술기준	20	20	
합 계	100	100	

※ 한국전기설비규정(KEC) 적용으로 성립되지 않는 문제는 해설과 정답을 생략하였습니다. 온라인 OMR 이용 시 해당 문제의 정답은 ①로 체크하여 주시면 정답 처리됩니다.

시행일자

1 · 2회 6. 6
3회 8. 22
4회 9. 26

합격기준

과목당 40점 이상 (100점 만점 기준)
전과목 평균 60점 이상 (100점 만점 기준)

시험분석

				과난도	빈출
전기자기학	1·2회	난이도 中		13	05, 17, 20
	3회	난이도 下		12, 15	07, 14, 18
	4회	난이도 下		11, 14	02, 07, 20

				과난도	빈출
전력공학	1·2회	난이도 下		36	24, 34, 40
	3회	난이도 中		35	24, 30, 37
	4회	난이도 上		23, 30	22, 24, 26

				과난도	빈출
전기기기	1·2회	난이도 中		44	47, 51, 53
	3회	난이도 中		57	45, 47, 51
	4회	난이도 中		51, 55	48, 52, 59

				과난도	빈출
회로이론 및 제어공학	1·2회	난이도 中		68, 79	61, 64, 74, 78
	3회	난이도 中		62, 63, 73	64, 77, 78
	4회	난이도 中		67	65, 75

				과난도	빈출
전기설비 기술기준	1·2회	난이도 中		83, 88	81, 91, 99
	3회	난이도 上		81	83, 96, 99
	4회	난이도 下		84, 85	87, 93, 96

전기자기학

1회독	월	일
2회독	월	일
3회독	월	일	자동채점

01 ☐ 1 2 3 ☐

면적이 매우 넓은 두 개의 도체 판을 $d[\text{m}]$ 간격으로 수평하게 평행 배치하고, 이 평행도체 판 사이에 놓은 전자가 정지하고 있기 위해서 그 도체 판 사이에 가하여야 할 전위차[V]는?(단, g는 중력 가속도이고, m은 전자의 질량이고, e는 전자의 전하량이다.)

① $mged$
② $\dfrac{ed}{mg}$
③ $\dfrac{mgd}{e}$
④ $\dfrac{mge}{d}$

02 ☐ 1 2 3 ☐

반자성체의 비투자율(μ_r) 값의 범위는?

① $\mu_r = 1$
② $\mu_r < 1$
③ $\mu_r > 1$
④ $\mu_r = 0$

03 ☐ 1 2 3 ☐

전위함수 $V = x^2 + y^2[\text{V}]$일 때 점 $(3, 4)[\text{m}]$에서의 등전위선의 반지름은 몇 $[\text{m}]$이며, 전기력선 방정식은 어떻게 되는가?

① 등전위선의 반지름: 3, 전기력선 방정식: $y = \dfrac{4}{3}x$
② 등전위선의 반지름: 4, 전기력선 방정식: $y = \dfrac{4}{3}x$
③ 등전위선의 반지름: 5, 전기력선 방정식: $x = \dfrac{4}{3}y$
④ 등전위선의 반지름: 5, 전기력선 방정식: $x = \dfrac{3}{4}y$

04 ☐ 1 2 3 ☐

$10[\text{mm}]$의 지름을 가진 동선에 $50[\text{A}]$의 전류가 흐르고 있을 때 단위 시간 동안 동선의 단면을 통과하는 전자의 수는 약 몇 개인가?

① 7.85×10^{16}
② 20.45×10^{15}
③ 31.21×10^{19}
④ 50×10^{19}

정답 및 해설

01

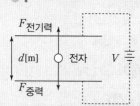

그림과 같이 전자에 작용하는 중력과 크기는 같고 반대 방향인 전기력(전계)이 인가될 경우 전자는 정지 상태를 유지한다.

즉, $F_{중력} = F_{전기력}$이고 $F_{중력} = mg[\text{N}]$이다.

간격이 d인 무한평판 사이의 전계 $E = \dfrac{V}{d}[\text{V/m}]$이므로

$$F_{전기력} = QE = eE = \frac{eV}{d}[\text{N}]$$

힘의 균형 조건으로부터 $mg = \dfrac{eV}{d}$이므로

$$\therefore V = \frac{mgd}{e}[\text{V}]$$

02

자성체의 종류
- 상자성체: $\mu_r > 1$
- 역(반)자성체: $\mu_r < 1$
- 강자성체: $\mu_r \gg 1$

03

- **등전위선 반지름**
전위가 원의 방정식이므로 등전위선 방정식은 다음과 같다.
$$x^2 + y^2 = r^2 \ (r : \text{등전위선 반지름})$$
점 $(3, 4)$를 지나므로 $3^2 + 4^2 = 25 = r^2 \ \therefore \ r = 5$

- **전기력선 방정식**
$$\dot{E} = -\nabla V = -(2xi + 2yj)$$
전기력선 방정식은
$\dfrac{dx}{E_x} = \dfrac{dy}{E_y}$이므로 $\dfrac{dx}{2x} = \dfrac{dy}{2y}$
양변을 적분하면
$\ln y = \ln x + C' = \ln Cx \ (C' = \ln C: \text{적분상수})$
$\therefore \ y = Cx$
점 $(3, 4)$를 지나므로 $C = \dfrac{4}{3} \ \therefore \ y = \dfrac{4}{3}x \left(\Leftrightarrow x = \dfrac{3}{4}y\right)$

04

전류는 단위 시간당 임의의 면적을 지나는 전하량의 비율로 정의한다.

즉, $I = \dfrac{dQ}{dt} = 50[\text{C/sec}]$이므로 단위 시간 동안에 통과하는 전하량은 $50[\text{C}]$이다.

$q = ne[\text{C}]$이고 전자의 전하량 $e = 1.602 \times 10^{-19}[\text{C}]$이므로 동선의 단면을 통과하는 총 전자수 n은 다음과 같다.

$$n = \frac{q}{e} = \frac{50}{1.602 \times 10^{-19}} \fallingdotseq 31.21 \times 10^{19} \text{개}$$

05 123

자기 인덕턴스와 상호 인덕턴스와의 관계에서 결합 계수 k의 범위는?

① $0 \leq k \leq \dfrac{1}{2}$ ② $0 \leq k \leq 1$

③ $1 \leq k \leq 2$ ④ $1 \leq k \leq 10$

06 123

면적이 $S[\mathrm{m}^2]$이고 극 간의 거리가 $d[\mathrm{m}]$인 평행판 콘덴서에 비유전율이 ε_r인 유전체를 채울 때 정전 용량$[\mathrm{F}]$은?(단, ε_0는 진공의 유전율이다.)

① $\dfrac{2\varepsilon_0\varepsilon_r S}{d}$ ② $\dfrac{\varepsilon_0\varepsilon_r S}{\pi d}$

③ $\dfrac{\varepsilon_0\varepsilon_r S}{d}$ ④ $\dfrac{2\pi\varepsilon_0\varepsilon_r S}{d}$

07 123

자기 회로에서 자기 저항의 크기에 대한 설명으로 옳은 것은?

① 자기 회로의 길이에 비례
② 자기 회로의 단면적에 비례
③ 자성체의 비투자율에 비례
④ 자성체의 비투자율의 제곱에 비례

08 123

반지름 $a[\mathrm{m}]$인 무한장 원통형 도체에 전류가 균일하게 흐를 때 도체 내부에서 자계의 세기$[\mathrm{AT/m}]$는?

① 원통 중심축으로부터 거리에 비례한다.
② 원통 중심축으로부터 거리에 반비례한다.
③ 원통 중심축으로부터 거리의 제곱에 비례한다.
④ 원통 중심축으로부터 거리의 제곱에 반비례한다.

05

결합 계수는 두 개의 인덕턴스 사이의 쇄교 자속에 의한 유도 결합 정도를 나타내는 것으로 다음과 같다.

$$k = \frac{M}{\sqrt{L_1 L_2}} \quad (0 \leq k \leq 1)$$

$k = 0$: 무결합(두 인덕터간 쇄교 자속이 없는 경우)
$k = 1$: 완전 결합(누설 자속 발생 없이 전부 쇄교 자속으로 되는 경우)

06

유전체로 채워진 평행판 콘덴서의 정전 용량은

$$C = \frac{\varepsilon S}{d} = \frac{\varepsilon_0 \varepsilon_r S}{d}[\mathrm{F}]$$

(S: 전극 면적, d: 극판 간격, ε: 유전율, ε_0: 진공 중 유전율, ε_r: 비유전율)

07

자기 저항 $R_m = \dfrac{l}{\mu S} = \dfrac{l}{\mu_0 \mu_s S}[\mathrm{AT/Wb}]$

$\therefore R_m \propto l, \dfrac{1}{\mu}, \dfrac{1}{S}$

즉, 자기 회로에서 자기 저항의 크기는 자기 회로의 길이에 비례한다.

08

앙페르 주회법칙으로부터 $\oint \dot{H} \cdot \dot{dl} = I_{en}$

• $r < a$일 때, $I_{en} = \dfrac{r^2}{a^2} I$

$$H = \frac{I_{en}}{\text{폐회로길이}} = \frac{1}{2\pi r} \times \frac{r^2}{a^2} I = \frac{I}{2\pi a^2} r [\mathrm{AT/m}]$$

(거리에 비례)

• $r > a$일 때, $I_{en} = I$

$$H = \frac{I_{en}}{\text{폐회로길이}} = \frac{I}{2\pi r}[\mathrm{AT/m}] \text{(거리에 반비례)}$$

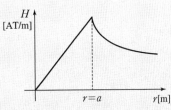

즉, 도체 내부에서 자계의 세기는 원통 중심축으로부터 거리에 비례한다.

09 1 2 3

정전계 해석에 관한 설명으로 틀린 것은?

① 포아송 방정식은 가우스 정리의 미분형으로 구할 수 있다.

② 도체 표면에서의 전계의 세기는 표면에 대해 법선 방향을 갖는다.

③ 라플라스 방정식은 전극이나 도체의 형태에 관계없이 체적 전하 밀도가 0인 모든 점에서 $\nabla^2 V = 0$을 만족한다.

④ 라플라스 방정식은 비선형 방정식이다.

10 1 2 3

비유전율 ε_r이 4인 유전체의 분극률은 진공의 유전율 ε_0의 몇 배인가?

① 1
② 3
③ 9
④ 12

11 1 2 3

공기 중에 있는 무한히 긴 직선 도선에 $10[\text{A}]$의 전류가 흐르고 있을 때 도선으로부터 $2[\text{m}]$ 떨어진 점에서의 자속밀도는 몇 $[\text{Wb/m}^2]$인가?

① 10^{-5}
② 0.5×10^{-6}
③ 10^{-6}
④ 2×10^{-6}

12 1 2 3

그림에서 $N = 1,000$회, $l = 100[\text{cm}]$, $S = 10[\text{cm}^2]$인 환상 철심의 자기 회로에 전류 $I = 10[\text{A}]$를 흘렸을 때 축적되는 자계 에너지는 몇 $[\text{J}]$인가?(단, 비투자율 $\mu_r = 100$이다.)

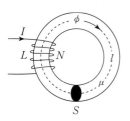

① $2\pi \times 10^{-3}$
② $2\pi \times 10^{-2}$
③ $2\pi \times 10^{-1}$
④ 2π

09

• 가우스 법칙으로부터

$\nabla \cdot E = \dfrac{\rho_v}{\varepsilon} = \nabla \cdot (-\nabla V) = -\nabla^2 V$

- 전하 밀도 ρ_v인 선형 유전체의 전위 V

$\nabla^2 V = -\dfrac{\rho_v}{\varepsilon}$ (포아송 방정식)

- $\rho_v = 0$인 모든 공간에서의 전위 V

$\nabla^2 V = 0$(라플라스 방정식)

라플라시안 ∇^2은 선형 스칼라 연산자이다.

• 도체 표면에서의 전계(도체-공기 경계 조건)

- 수직(법선) 성분 $E_n = \dfrac{\rho_s}{\varepsilon_0}[\text{V/m}]$

- 접선(평행) 성분 $E_t = 0$

10

• 진공(자유 공간)에서의 전속 밀도와 분극
$D = \varepsilon_0 E, \ P = 0$

• 유전체에서의 전속 밀도와 분극
$D = \varepsilon_0 E + P = \varepsilon_0 \varepsilon_r E$
$P = D - \varepsilon_0 E = \varepsilon_0 (\varepsilon_r - 1)E = \chi E$($\chi$: 분극률)
∴ 분극률 $\chi = \varepsilon_0 (\varepsilon_r - 1) = \varepsilon_0 (4-1) = 3\varepsilon_0$

11

앙페르 주회법칙 $\oint \dot{H} \cdot d\dot{l} = I_{en}$으로부터

$H = \dfrac{I}{2\pi r}[\text{AT/m}]$이고 $B = \mu_0 H[\text{Wb/m}^2]$이므로

$B = \dfrac{\mu_0 I}{2\pi r} = \dfrac{4\pi \times 10^{-7} \times 10}{2\pi \times 2} = 10^{-6}[\text{Wb/m}^2]$

12

환상 솔레노이드의 인덕턴스 및 저장 에너지

$L = \dfrac{N\phi}{I} = \dfrac{\mu_0 \mu_r N^2 S}{l}[\text{H}]$

$W = \dfrac{1}{2}LI^2$

$= \dfrac{1}{2} \times \dfrac{4\pi \times 10^{-7} \times 100 \times 1,000^2 \times 10 \times 10^{-4}}{100 \times 10^{-2}} \times 10^2$

$= 2\pi[\text{J}]$

13 1 2 3

자기유도계수 L의 계산 방법이 아닌 것은?(단, N: 권수, ϕ: 자속[Wb], I: 전류[A], $\dot{A}$: 벡터 퍼텐셜[Wb/m], i: 전류 밀도[A/m²], B: 자속 밀도[Wb/m²], H: 자계의 세기[AT/m]이다.)

① $L = \dfrac{N\phi}{I}$

② $L = \dfrac{\int_v \dot{A} \cdot i\,dv}{I^2}$

③ $L = \dfrac{\int_v \dot{B} \cdot \dot{H}\,dv}{I^2}$

④ $L = \dfrac{\int_v \dot{A} \cdot i\,dv}{I}$

14 1 2 3

20[℃]에서 저항의 온도 계수가 0.002인 니크롬선의 저항이 100[Ω]이다. 온도가 60[℃]로 상승되면 저항은 몇 [Ω]이 되겠는가?

① 108

② 112

③ 115

④ 120

15 1 2 3

전계 및 자계의 세기가 각각 $\dot{E}$[V/m], $\dot{H}$[AT/m]일 때, 포인팅 벡터 $\dot{P}$[W/m²]의 표현으로 옳은 것은?

① $\dot{P} = \dfrac{1}{2}\dot{E} \times \dot{H}$

② $\dot{P} = \dot{E}\,\mathrm{rot}\,\dot{H}$

③ $\dot{P} = \dot{E} \times \dot{H}$

④ $\dot{P} = \dot{H}\,\mathrm{rot}\,\dot{E}$

16 1 2 3

평등 자계 내에 전자가 수직으로 입사하였을 때 전자의 운동에 대한 설명으로 옳은 것은?

① 원심력은 전자 속도에 반비례한다.
② 구심력은 자계의 세기에 반비례한다.
③ 원 운동을 하고, 반지름은 자계의 세기에 비례한다.
④ 원 운동을 하고, 반지름은 전자의 회전 속도에 비례한다.

13

자기유도계수(인덕턴스)의 계산 방법
• 자속과 전류의 관계를 이용

$$L = \frac{N\phi}{I}\,[\mathrm{H}]$$

• 자기 에너지를 이용

$$W_m = \frac{1}{2}LI^2 = \frac{1}{2}\int_v \dot{B} \cdot \dot{H}\,dv = \frac{1}{2}\int \mu\dot{H}^2\,dv$$
$$= \frac{1}{2}\int \dot{A} \cdot i\,dv\,[\mathrm{J}]$$

$$L = \frac{2W_m}{I^2} = \frac{\int_v \dot{B} \cdot \dot{H}\,dv}{I^2} = \frac{\int_v \dot{A} \cdot i\,dv}{I^2}\,[\mathrm{H}]$$

14

온도에 따른 저항의 크기

$$R_t = R_0[1 + \alpha(t_2 - t_1)]$$
$$R_{t=60} = R_{t=20}[1 + 0.002 \times (60 - 20)]$$
$$= 100 \times (1 + 0.08) = 108\,[\Omega]$$

15

• 전기 회로의 전력
$$P = VI\,[\mathrm{W}]$$
• 전자파의 전력 밀도(포인팅 벡터)
$$\dot{P} = \dot{E} \times \dot{H}\,[\mathrm{W/m^2}]$$
$$P = |\dot{E} \cdot \dot{H}| = EH\sin\theta$$

16

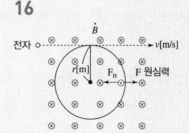

움직이는 전하에 작용하는 자기력
$$F_H = Q|\dot{v} \times \dot{B}| = evB\,[\mathrm{N}]\,(\text{원 운동})$$

원 운동에 따른 원심력 $F_{원심력} = \dfrac{mv^2}{r}\,[\mathrm{N}]$

두 힘은 같은 크기이므로 $evB = \dfrac{mv^2}{r}$

∴ 회전 반경 $r = \dfrac{mv}{eB}\,[\mathrm{m}]\,(r \propto v)$

(e: 전자 전하량, v: 전자 속도, B: 자속 밀도, m: 전자의 질량)

17 빈출 1 2 3

진공 중 $3[\text{m}]$ 간격으로 두 개의 평행한 무한평판 도체에 각각 $+4[\text{C/m}^2]$, $-4[\text{C/m}^2]$의 전하를 주었을 때, 두 도체 간의 전위차는 약 몇 $[\text{V}]$인가?

① 1.5×10^{11} ② 1.5×10^{12}

③ 1.36×10^{11} ④ 1.36×10^{12}

18 1 2 3

자속밀도 $B[\text{Wb/m}^2]$의 평등 자계 내에서 길이 $l[\text{m}]$인 도체 ab가 속도 $v[\text{m/s}]$로 그림과 같이 도선을 따라서 자계와 수직으로 이동할 때, 도체 ab에 의해 유도된 기전력의 크기 $e[\text{V}]$와 폐회로 $abcd$ 내 저항 R에 흐르는 전류의 방향은?(단, 폐회로 $abcd$ 내 도선 및 도체의 저항은 무시한다.)

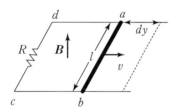

① $e = Blv$, 전류 방향: $c \to d$

② $e = Blv$, 전류 방향: $d \to c$

③ $e = Blv^2$, 전류 방향: $c \to d$

④ $e = Blv^2$, 전류 방향: $d \to c$

19 1 2 3

그림과 같이 내부 도체구 A에 $+Q[\text{C}]$, 외부 도체구 B에 $-Q[\text{C}]$를 부여한 동심 도체구 사이의 정전 용량 $C[\text{F}]$는?

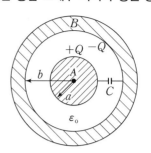

① $4\pi\varepsilon_o(b-a)$ ② $\dfrac{4\pi\varepsilon_o ab}{b-a}$

③ $\dfrac{ab}{4\pi\varepsilon_o(b-a)}$ ④ $4\pi\varepsilon_o\left(\dfrac{1}{a} - \dfrac{1}{b}\right)$

정답 및 해설

17

두 평판 도체 사이의 전계

$$E = \frac{4}{2\varepsilon_0} + \frac{4}{2\varepsilon_0} = \frac{4}{\varepsilon_0}[\text{V/m}]$$

전위차 V

$$V = E \cdot d = \frac{4}{\varepsilon_0} \times 3 = \frac{12}{8.854 \times 10^{-12}}$$

$$= 1.36 \times 10^{12}[\text{V}]$$

18

• 유도 기전력의 크기

$$e = V_{ab} = \int_b^a (\dot{v} \times \dot{B}) \cdot \dot{dl} = Blv[\text{V}]$$

• 유도 기전력의 방향

플레밍의 오른손 법칙에 의해 이동 도체의 $a \to b$ 방향으로 기전력이 유도된다. 즉, 기전력은 $a \to b \to c \to d \to a$ 방향(시계 방향)으로 유기된다.

19

• 도체구 사이$(a < r < b)$의 전계

$$E = \frac{Q}{4\pi\varepsilon_0 r^2}[\text{V/m}]$$

• 도체구 사이의 전위

$$V_{ab} = -\int_b^a E \cdot dl = \frac{Q}{4\pi\varepsilon_0}\left(\frac{1}{a} - \frac{1}{b}\right) = \frac{Q}{4\pi\varepsilon_0}\frac{b-a}{ab}[\text{V}]$$

• 도체구 사이의 정전 용량

$$C = \frac{Q}{V_{ab}} = \frac{4\pi\varepsilon_0 ab}{b-a}[\text{F}]$$

20 1 2 3

유전율이 ε_1, $\varepsilon_2[\mathrm{F/m}]$인 유전체 경계면에 단위 면적당 작용하는 힘의 크기는 몇 $[\mathrm{N/m^2}]$인가?(단, 전계가 경계면에 수직인 경우이며, 두 유전체에서의 전속밀도는 $D_1 = D_2 = D[\mathrm{C/m^2}]$이다.)

① $2\left(\dfrac{1}{\varepsilon_1} - \dfrac{1}{\varepsilon_2}\right)D^2$ ② $2\left(\dfrac{1}{\varepsilon_1} + \dfrac{1}{\varepsilon_2}\right)D^2$

③ $\dfrac{1}{2}\left(\dfrac{1}{\varepsilon_1} + \dfrac{1}{\varepsilon_2}\right)D^2$ ④ $\dfrac{1}{2}\left(\dfrac{1}{\varepsilon_2} - \dfrac{1}{\varepsilon_1}\right)D^2$

	1회독	월	일
전력공학	2회독	월	일
	3회독	월	일	자동채점

21 1 2 3

중성점 직접 접지방식의 발전기가 있다. 1선 지락 사고 시 지락 전류는?(단, Z_1, Z_2, Z_0는 각각 정상, 역상, 영상 임피던스이며, E_a는 지락된 상의 무부하 기전력이다.)

① $\dfrac{E_a}{Z_0 + Z_1 + Z_2}$ ② $\dfrac{Z_1 E_a}{Z_0 + Z_1 + Z_2}$

③ $\dfrac{3E_a}{Z_0 + Z_1 + Z_2}$ ④ $\dfrac{Z_0 E_a}{Z_0 + Z_1 + Z_2}$

22 1 2 3

다음 중 송전 계통의 절연 협조에 있어서 절연 레벨이 가장 낮은 기기는?

① 피뢰기 ② 단로기
③ 변압기 ④ 차단기

23 1 2 3

화력 발전소에서 절탄기의 용도는?

① 보일러에 공급되는 급수를 예열한다.
② 포화 증기를 과열한다.
③ 연소용 공기를 예열한다.
④ 석탄을 건조한다.

20

$$\begin{array}{c|c} \varepsilon_1 & \varepsilon_2 \\ E_1 \rightarrow & E_2 \rightarrow \\ D_1 \rightarrow & D_2 \rightarrow \\ \leftarrow f_1 & \leftarrow f_2 \end{array}$$

• 유전체의 경계면에 작용하는 힘(맥스웰 응력)

$f = \dfrac{D^2}{2\varepsilon} = \dfrac{1}{2}\varepsilon E^2[\mathrm{N/m^2}]$(유전율이 큰쪽에서 작은 쪽으로 작용)

• 전계가 경계면에 수평 입사할 경우($\varepsilon_1 > \varepsilon_2$): 압축력 발생

$f = f_1 - f_2 = \dfrac{1}{2}(\varepsilon_1 - \varepsilon_2)E^2\,[\mathrm{N/m^2}]$(전계 E는 같다.)

• 전계가 경계면에 수직 입사할 경우($\varepsilon_1 > \varepsilon_2$): 인장력 발생

$f = f_2 - f_1 = \dfrac{1}{2}\left(\dfrac{1}{\varepsilon_2} - \dfrac{1}{\varepsilon_1}\right)D^2\,[\mathrm{N/m^2}]$(전속밀도 D는 같다.)

21

1선 지락 사고 시 대칭분 전류 $I_0 = I_1 = I_2 = \dfrac{E_a}{Z_0 + Z_1 + Z_2}[\mathrm{A}]$

따라서 1선 지락 사고 시 지락 전류

$I_g = I_a = 3I_0 = \dfrac{3E_a}{Z_0 + Z_1 + Z_2}[\mathrm{A}]$

22

절연 협조
계통의 절연 레벨이 큰 순서대로 열거하면 '선로 애자 > 차단기, 단로기 > 변압기 > 피뢰기(제한 전압)'이다.

23

절탄기
배기가스의 여열을 이용하여 보일러의 급수를 예열한다.

---

24 `1` `2` `3`

3상 배전선로의 말단에 역률 $60[\%]$(늦음), $60[\mathrm{kW}]$의 평형 3 상 부하가 있다. 부하점에 부하와 병렬로 전력용 콘덴서를 접속하여 선로 손실을 최소로 하고자 할 때 콘덴서 용량$[\mathrm{kVA}]$은?(단, 부하단의 전압은 일정하다.)

① 40　　　　　　② 60
③ 80　　　　　　④ 100

25 `1` `2` `3`

송배전 선로에서 선택 지락 계전기(SGR)의 용도는?

① 다회선에서 접지 고장 회선의 선택
② 단일 회선에서 접지 전류의 대소 선택
③ 단일 회선에서 접지 전류의 방향 선택
④ 단일 회선에서 접지 사고의 지속 시간 선택

26 `1` `2` `3`

정격 전압 $7.2[\mathrm{kV}]$, 정격 차단 용량 $100[\mathrm{MVA}]$인 3상 차단기의 정격 차단 전류는 약 몇 $[\mathrm{kA}]$인가?

① 4　　　　　　② 6
③ 7　　　　　　④ 8

27 `1` `2` `3`

고장 즉시 동작하는 특성을 갖는 계전기는?

① 순시 계전기　　　② 정한시 계전기
③ 반한시 계전기　　④ 반한시성 정한시 계전기

28 `1` `2` `3`

$30,000[\mathrm{kW}]$의 전력을 $51[\mathrm{km}]$ 떨어진 지점에 송전하는 데 필요한 전압은 약 몇 $[\mathrm{kV}]$인가?(단, A-Still의 식에 의하여 산정한다.)

① 22　　　　　　② 33
③ 66　　　　　　④ 100

정답 및 해설

24

역률 개선용 콘덴서 용량
$$Q_c = P(\tan\theta_1 - \tan\theta_2) = P\left(\frac{\sin\theta_1}{\cos\theta_1} - \frac{\sin\theta_2}{\cos\theta_2}\right)[\mathrm{kVA}]$$에서
선로 손실을 최소로 하고자 하면 개선 후 역률이 $100[\%]$가 되어야 한다. 따라서 $Q_c = 60 \times \left(\frac{0.8}{0.6} - \frac{0}{1}\right) = 80[\mathrm{kVA}]$

25

선택 지락 계전기(SGR)
다회선의 지락(접지) 사고를 선택하는 계전기
[암기 포인트] 회선이 2개 이상 있어야 "선택"할 수 있음

26

3상 차단기의 정격 차단 용량 $P_s = \sqrt{3}\, V_n I_s [\mathrm{MVA}]$
(여기서, V_n: 정격 전압[kV], I_s: 정격 차단 전류[kA])
따라서 정격 차단 전류는
$$I_s = \frac{P_s}{\sqrt{3}\, V_n} = \frac{100 \times 10^6}{\sqrt{3} \times 7.2 \times 10^3} \times 10^{-3} = 8.02[\mathrm{kA}]$$

27

순시(순한시) 계전기: 최소 동작 전류 이상이 흐르면 즉시 동작하는 계전기
[암기 포인트] 순시 계전기("순식"간에 즉시 동작)

28

A-Still식 $E_0 = 5.5\sqrt{0.6L + \dfrac{P}{100}}\,[\mathrm{kV}]$
(여기서, L: 송전 거리[km], P: 송전 전력[kW])
$$\therefore E_0 = 5.5 \times \sqrt{0.6 \times 51 + \frac{30,000}{100}} = 100[\mathrm{kV}]$$

정답　24 ③　25 ①　26 ④　27 ①　28 ④

29 [1] [2] [3]

댐의 부속 설비가 아닌 것은?

① 수로   ② 수조
③ 취수구   ④ 흡출관

30 [1] [2] [3]

3상 3선식에서 전선 한 가닥에 흐르는 전류는 단상 2선식의 경우의 몇 배가 되는가?(단, 송전 전력, 부하 역률, 송전 거리, 전력 손실 및 선간 전압이 같다.)

① $\dfrac{1}{\sqrt{3}}$ ② $\dfrac{2}{3}$

③ $\dfrac{3}{4}$ ④ $\dfrac{4}{9}$

31 [1] [2] [3]

사고, 정전 등의 중대한 영향을 받는 지역에서 정전과 동시에 자동적으로 예비 전원용 배전 선로로 전환하는 장치는?

① 차단기(Circuit Breaker)
② 리클로저(Recloser)
③ 섹셔널라이저(Sectionalizer)
④ 자동 부하 전환개폐기(Auto Load Transfer Switch)

32 [1] [2] [3]

전선의 표피 효과에 대한 설명으로 알맞은 것은?

① 전선이 굵을수록, 주파수가 높을수록 커진다.
② 전선이 굵을수록, 주파수가 낮을수록 커진다.
③ 전선이 가늘수록, 주파수가 높을수록 커진다.
④ 전선이 가늘수록, 주파수가 낮을수록 커진다.

33 [1] [2] [3]

일반 회로 정수가 같은 평행 2회선에서 A, B, C, D는 각각 1회선의 경우의 몇 배로 되는가?

① A: 2배, B: 2배, C: $\dfrac{1}{2}$배, D: 1배

② A: 1배, B: 2배, C: $\dfrac{1}{2}$배, D: 1배

③ A: 1배, B: $\dfrac{1}{2}$배, C: 2배, D: 1배

④ A: 1배, B: $\dfrac{1}{2}$배, C: 2배, D: 2배

29

댐의 부속 설비
- 취수구
- 수조
- 수로

흡출관은 수차 밑에 설치한 수압관으로 유효 낙차를 늘리는 역할을 한다.

30

단상 2선식 $P = VI_1\cos\theta[\text{W}]$
(여기서, P: 송전 전력, V: 선간 전압, I: 전류, $\cos\theta$: 역률)
3상 3선식 $P = \sqrt{3}\,VI_2\cos\theta[\text{W}]$
조건에서 송전 전력과 선간 전압 및 역률이 같으므로
$I_1 = \sqrt{3}\,I_2[\text{A}]$
$\therefore \dfrac{I_2}{I_1} = \dfrac{1}{\sqrt{3}}$

31

자동 부하 전환개폐기(ALTS)
사고나 정전 시에 즉시 자동적으로 예비 전원으로 전환하는 개폐기

32

표피 효과: 주파수, 도전율, 투자율이 높을수록, 전선이 굵을수록 커진다.

[암기 포인트] 표피 효과 = 루트 파뮤에케($\sqrt{\pi\mu fk}$)

33

회로 정수가 같은 평행 2회선의 4단자 정수
$A \rightarrow A,\ B \rightarrow \dfrac{B}{2},\ C \rightarrow 2C,\ D \rightarrow D$

즉, 직렬 임피던스는 $\dfrac{1}{2}$배가 되고, 병렬 어드미턴스는 2배가 된다.

변전소에서 비접지 선로의 접지 보호용으로 사용되는 계전기에 영상 전류를 공급하는 것은?

① CT
② GPT
③ ZCT
④ PT

35 ☐1 ☐2 ☐3

단로기에 대한 설명으로 틀린 것은?

① 소호 장치가 있어 아크를 소멸시킨다.
② 무부하 및 여자 전류의 개폐에 사용된다.
③ 사용 회로수에 의해 분류하면 단투형과 쌍투형이 있다.
④ 회로의 분리 또는 계통의 접속 변경 시 사용한다.

4단자 정수 $A = 0.9918 + j0.0042$, $B = 34.17 + j50.38$, $C = (-0.006 + j3,247) \times 10^{-4}$인 송전 선로의 송전단에 66[kV]를 인가하고 수전단을 개방하였을 때 수전단 선간 전압은 약 몇 [kV]인가?

① $\dfrac{66.55}{\sqrt{3}}$
② 62.5
③ $\dfrac{62.5}{\sqrt{3}}$
④ 66.55

37 ☐1 ☐2 ☐3

증기 터빈 출력을 $P[\mathrm{kW}]$, 증기량을 $W[\mathrm{t/h}]$, 초압 및 배기의 증기 엔탈피를 각각 i_0, $i_1[\mathrm{kcal/kg}]$이라 하면 터빈의 효율 $\eta_T[\%]$는?

① $\dfrac{860P \times 10^3}{W(i_0 - i_1)} \times 100$

② $\dfrac{860P \times 10^3}{W(i_1 - i_0)} \times 100$

③ $\dfrac{860P}{W(i_0 - i_1) \times 10^3} \times 100$

④ $\dfrac{860P}{W(i_1 - i_0) \times 10^3} \times 100$

38 ☐1 ☐2 ☐3

송전 선로에서 가공 지선을 설치하는 목적이 아닌 것은?

① 뇌(雷)의 직격을 받을 경우 송전선 보호
② 유도뢰에 의한 송전선의 고전위 방지
③ 통신선에 대한 전자 유도 장해 경감
④ 철탑의 접지 저항 경감

정답 및 해설

34
ZCT(영상 변류기)
지락 사고 시 지락(영상) 전류를 검출하며 지락 계전기와 조합하여 차단기를 동작시킨다.

35
DS(단로기)
단로기(DS)는 소호 장치가 없어서 아크 소호 능력이 없다. 회로 분리용 또는 접속 변경에 사용하며 무부하 전로를 개폐한다.

[암기 포인트] 무단개폐(무부하 개폐는 단로기)

36
4단자 정수
$V_s = A V_r + B I_r$
$I_s = C V_r + D I_r$

수전단 개방 시($I_r = 0$) $V_s = A V_r$이다.

$\therefore V_r = \dfrac{V_s}{A} = \dfrac{66}{0.9918 + j0.0042} = \dfrac{66}{\sqrt{0.9918^2 + 0.0042^2}} = 66.55[\mathrm{kV}]$

37
증기 터빈 효율
$\eta_T = \dfrac{\text{출력}}{\text{입력}} \times 100[\%] = \dfrac{860P}{W(i_0 - i_1) \times 10^3} \times 100[\%]$

38
가공 지선 설치 목적
· 직격뢰 차폐
· 유도뢰 차폐
· 통신선의 전자 유도 장해 경감
탑각 접지 저항값을 줄이는 것은 매설 지선의 역할이다.

39 [1] [2] [3]

수전단의 전력원 방정식이 $P_r^2 + (Q_r + 400)^2 = 250,000$으로 표현되는 전력 계통에서 조상설비 없이 전압을 일정하게 유지하면서 공급할 수 있는 부하 전력은?(단, 부하는 무유도성이다.)

① 200 ② 250

③ 300 ④ 350

40 [1] [2] [3]

전력 설비의 수용률을 나타낸 것은?

① 수용률 $= \dfrac{\text{평균 전력[kW]}}{\text{부하 설비 용량[kW]}} \times 100[\%]$

② 수용률 $= \dfrac{\text{부하 설비 용량[kW]}}{\text{평균 전력[kW]}} \times 100[\%]$

③ 수용률 $= \dfrac{\text{최대 수용 전력[kW]}}{\text{부하 설비 용량[kW]}} \times 100[\%]$

④ 수용률 $= \dfrac{\text{부하 설비 용량[kW]}}{\text{최대 수용 전력[kW]}} \times 100[\%]$

41 [1] [2] [3]

전원 전압이 $100[\text{V}]$인 단상 전파 정류제어에서 점호각이 $30°$일 때 직류 평균 전압은 약 몇 $[\text{V}]$인가?

① 54 ② 64

③ 84 ④ 94

42 [1] [2] [3]

단상 유도 전동기의 기동 시 브러시를 필요로 하는 것은?

① 분상 기동형 ② 반발 기동형

③ 콘덴서 분상 기동형 ④ 셰이딩 코일 기동형

39

전력원 방정식 $P_r^2 + (Q_r + 400)^2 = 250,000$에서 조상설비 없이 전압을 일정하게 유지하면서 공급하려면 $Q_r = 0$이다. 한편 부하는 무유도성이므로 부하에서 소비하는 전력은 유효전력이다.

따라서 $P_r^2 + (0 + 400)^2 = 250,000$이므로

부하 전력 $P_r = \sqrt{250,000 - 400^2} = 300[\text{kW}]$

40

• 수용률 $= \dfrac{\text{최대 수용 전력[kW]}}{\text{부하 설비 용량[kW]}} \times 100[\%]$

• 수용률은 전력 소비 기기(부하)가 동시에 사용되는 정도를 나타내는 지표이다.

[암기 포인트]

'수'용률 $= \dfrac{\text{'최'대 수용 전력}}{\text{'설'비 용량}} \times 100[\%]$ (수최설(술 취했설~))

'부'하률 $= \dfrac{\text{'평'균 전력}}{\text{'최'대 수용 전력}} \times 100[\%]$ (부평최씨~)

41

단상 전파 제어 정류회로에서 직류 평균 전압은

$$E_d = \frac{1}{\pi} \int_\alpha^\pi \sqrt{2} \, V \sin t \, dt = \frac{\sqrt{2} \, V}{\pi}(1 + \cos\alpha)[\text{V}]$$ 이다.

$$\therefore E_d = \frac{100\sqrt{2}}{\pi}(1 + \cos 30°) \fallingdotseq 84[\text{V}]$$

42

반발 기동형 전동기

• 기동 시 회전자 권선을 브러시로 단락시켜 생기는 반발력으로 기동하는 방식이다.

• 기동 토크가 가장 크다.

• 브러시 이동만으로 기동, 역진 및 속도 제어를 할 수 있다.

43

3선 중 2선의 전원 단자를 서로 바꾸어서 결선하면 회전 방향이 바뀌는 기기가 아닌 것은?

① 회전 변류기
② 유도 전동기
③ 동기 전동기
④ 정류자형 주파수 변환기

44

단상 유도 전동기의 분상 기동형에 대한 설명으로 틀린 것은?

① 보조 권선은 높은 저항과 낮은 리액턴스를 갖는다.
② 주권선은 비교적 낮은 저항과 높은 리액턴스를 갖는다.
③ 높은 토크를 발생시키려면 보조 권선에 병렬로 저항을 삽입한다.
④ 전동기가 기동하여 속도가 어느 정도 상승하면 보조 권선을 전원에서 분리해야 한다.

45

변압기의 $\%Z$가 커지면 단락 전류는 어떻게 변화하는가?

① 커진다.
② 변동 없다.
③ 작아진다.
④ 무한대로 커진다.

46

정격 전압 $6,600[\text{V}]$인 3상 동기 발전기가 정격 출력(역률$=1$)으로 운전할 때 전압 변동률이 $12[\%]$이었다. 여자 전류와 회전수를 조정하지 않은 상태로 무부하 운전하는 경우 단자 전압 $[\text{V}]$은?

① 6,433
② 6,943
③ 7,392
④ 7,842

43

정류자형 주파수 변환기

• 정류자 위에는 1개의 자극마다 전기각으로 $\dfrac{2}{3}\pi$ 간격을 갖는 3조의 브러시를 설치한 구조이다.
• 용량이 큰 변환기는 보상 권선과 보극 권선을 고정자에 설치한다.(정류 작용을 양호하게 하기 위함)
• 3개의 슬립 링은 회전자 권선을 3등분 한 점에 각각 접속시킨다. 전원 단자를 바꾸어 결선해도 회전 방향이 바뀌지 않는다.

44

분상 기동형 단상 유도 전동기

• 기동 전류가 크고, 기동 회전력이 작다.
• 기동(보조) 권선을 개방하는 원심 개폐기가 기계적 약점이 되기도 한다.
• 더 큰 기동 토크를 발생시키려면 기동 권선 내에 직렬 저항을 접속하거나, 주권선 내에 직렬 리액턴스를 삽입한다.

45

변압기 $\%Z$와 단락 전류는 반비례한다.

$$I_s = I_n \times \dfrac{100}{\%Z}\,[\text{A}]$$

(I_s: 단락 전류[A], I_n: 정격 전류[A])

46

전압 변동률 $\delta = \dfrac{V_0 - V_n}{V_n} \times 100\,[\%]$ 이므로

무부하 단자 전압 $V_0\,[\text{V}]$은

$$V_0 = \left(1 + \dfrac{\delta}{100}\right)V_n = \left(1 + \dfrac{12}{100}\right) \times 6,600 = 7,392\,[\text{V}]$$

47 `1` `2` `3`

계자 권선이 전기자에 병렬로만 연결된 직류기는?

① 분권기   ② 직권기
③ 복권기   ④ 타여자기

48 `1` `2` `3`

3상 20,000[kVA]인 동기 발전기가 있다. 이 발전기는 60[Hz]일 때는 200[rpm], 50[Hz]일 때는 약 167[rpm]으로 회전한다. 이 동기 발전기의 극수는?

① 18극   ② 36극
③ 54극   ④ 72극

49 `1` `2` `3`

1차 전압 6,600[V], 권수비 30인 단상 변압기로 전등 부하에 30[A]를 공급할 때의 입력[kW]은?(단, 변압기의 손실은 무시한다.)

① 4.4   ② 5.5
③ 6.6   ④ 7.7

50 `1` `2` `3`

스텝 모터에 대한 설명으로 틀린 것은?

① 가속과 감속이 용이하다.
② 정·역 및 변속이 용이하다.
③ 위치 제어 시 각도 오차가 작다.
④ 브러시 등 부품수가 많아 유지 보수 필요성이 크다.

47

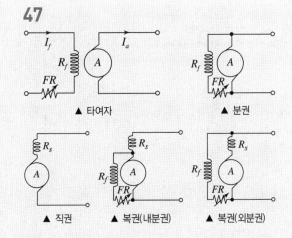

▲ 타여자   ▲ 분권
▲ 직권   ▲ 복권(내분권)   ▲ 복권(외분권)

48

동기 발전기의 극수

$$p = \frac{120f}{N_s} = \frac{120 \times 60}{200} = 36극$$

49

권수비 $a = \dfrac{N_1}{N_2} = \dfrac{V_1}{V_2} = \dfrac{I_2}{I_1}$ 에서

$I_1 = \dfrac{I_2}{a} = \dfrac{30}{30} = 1[\text{A}]$

$P_1 = V_1 I_1 = 6,600 \times 1 = 6,600[\text{W}] = 6.6[\text{kW}]$

50

스텝 모터(Step Motor)
• 디지털 신호로 제어되는 전동기이다.
• 컴퓨터 등과 직접 연계하여 운전 제어가 쉽다.
• 속도 및 위치 제어가 쉽다.
• 회전각과 속도는 펄스 수에 비례하여 동작한다.
• 브러시가 필요 없어 기계적으로 견고하다.

[암기 포인트] 스텝 모터는 다방면에서 좋음

51 ▪ 1 2 3

출력이 $20[kW]$인 직류 발전기의 효율이 $80[\%]$이면 전 손실은 약 몇 $[kW]$인가?

① 0.8
② 1.25
③ 5
④ 45

52 ▪ 1 2 3

동기 전동기의 공급 전압과 부하를 일정하게 유지하면서 역률을 1로 운전하고 있는 상태에서 여자 전류를 증가시키면 전기자 전류는?

① 앞선 무효 전류가 증가
② 앞선 무효 전류가 감소
③ 뒤진 무효 전류가 증가
④ 뒤진 무효 전류가 감소

53 ▪ 1 2 3

전압 변동률이 작은 동기 발전기의 특성으로 옳은 것은?

① 단락비가 크다.
② 속도 변동률이 크다.
③ 동기 리액턴스가 크다.
④ 전기자 반작용이 크다.

54 ▪ 1 2 3

직류 발전기에 $P[N \cdot m/s]$의 기계적 동력을 주면 전력은 몇 $[W]$로 변환되는가?(단, 손실은 없으며, i_a는 전기자 도체의 전류, e는 전기자 도체의 유도기전력, Z는 총 도체수이다.)

① $P = i_a e Z$
② $P = \dfrac{i_a e}{Z}$
③ $P = \dfrac{i_a Z}{e}$
④ $P = \dfrac{eZ}{i_a}$

정답 및 해설

51

$\eta = \dfrac{출력}{입력} \times 100[\%] = \dfrac{출력}{출력 + 손실} \times 100[\%]$이므로

$손실 = \dfrac{출력}{\eta} \times 100 - 출력$

$= \dfrac{20}{80} \times 100 - 20 = 5[kW]$

[암기 포인트] 효율 $= \dfrac{출력}{입력} \times 100[\%]$, 입력 $=$ 출력 + 손실

발전기는 출력 기준(출.발)

효율 $= \dfrac{출력}{출력 + 손실} \times 100[\%]$

전동기는 입력 기준(입.동)

효율 $= \dfrac{입력 - 손실}{입력} \times 100[\%]$

52

동기 전동기의 V 곡선(위상 특성 곡선)에서 여자 전류를 증가시키면 전기자의 앞선 무효 전류가 증가한다.

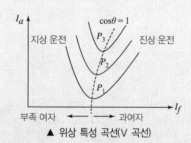

▲ 위상 특성 곡선(V 곡선)

53

단락비가 큰 발전기 특성
• 철기계로서, 발전기의 크기가 크고 중량이 무겁다.
• 전기자 반작용의 영향이 작다.
• 전압 변동률이 작다.
• 선로의 충전 용량이 크다.
• 안정도가 양호하다.
• 동기 임피던스가 작다.

54

단자전압 $E = e \times \dfrac{Z}{a}[V]$

전류 $I = a \times i_a[A]$

전력 $P = EI = e \times \dfrac{Z}{a} \times a \times i_a = i_a e Z[W]$

55 1 2 3

도통(on) 상태에 있는 SCR을 차단(off) 상태로 만들기 위해서는 어떻게 하여야 하는가?

① 게이트 펄스 전압을 가한다.
② 게이트 전류를 증가시킨다.
③ 게이트 전압이 부(−)가 되도록 한다.
④ 전원 전압의 극성이 반대가 되도록 한다.

56 1 2 3

직류 전동기의 워드 - 레오너드 속도 제어 방식으로 옳은 것은?

① 전압 제어
② 저항 제어
③ 계자 제어
④ 직병렬 제어

57 1 2 3

단권 변압기의 설명으로 틀린 것은?

① 분로 권선과 직렬 권선으로 구분된다.
② 1차 권선과 2차 권선의 일부가 공통으로 사용된다.
③ 3상에는 사용할 수 없고 단상으로만 사용한다.
④ 분로 권선에서 누설 자속이 없기 때문에 전압 변동률이 작다.

58 1 2 3

유도 전동기를 정격 상태로 사용 중, 전압이 10[%] 상승할 때 특성 변화로 틀린 것은?(단, 부하는 일정 토크라고 가정한다.)

① 슬립이 작아진다.
② 역률이 떨어진다.
③ 속도가 감소한다.
④ 히스테리시스손과 와류손이 증가한다.

55

SCR 턴 오프(Turn-off) 조건
• SCR에 역전압을 인가하거나 유지 전류 이하가 되도록 한다.
• 애노드 전압을 (0) 또는 (−)로 한다.

56

전압 제어법
전압 제어법은 전기자에 가해지는 단자 전압을 변화시켜 속도 제어하는 방법으로 주로 타여자 전동기에 이용하며, 워드 레오너드 방식과 일그너 방식이 있다.

57

단권 변압기의 장점
• 전압 강하, 전압 변동률이 작다.
• 철손, 동손이 작아 효율이 좋다.
• 분로 권선은 입·출력 권선을 공유하므로 누설 자속이 없고, 기계 기구의 소형화가 가능하다.
• 단상 및 3상에 모두 사용이 가능하다.

58

유도 전동기의 전압이 상승할 때의 특성
• 철손은 $P_h \propto \dfrac{E^2}{f}$ 에 의해 증가한다.
• 유효 전류 감소로 동손이 감소한다.
• 슬립은 $s \propto \dfrac{1}{V^2}$ 에 의해 감소한다.
• 효율 $\eta = \dfrac{P_0}{P_2} = \dfrac{(1-s)P_2}{P_2} = 1 - s$ 에서 슬립이 감소하므로 효율이 증가한다.
• 속도 $N = (1-s)N_s$ 에서 슬립이 감소하면 속도는 증가한다.

59 1 2 3

단자 전압 110[V], 전기자 전류 15[A], 전기자 회로의 저항 2[Ω], 정격 속도 1,800[rpm]으로 전부하에서 운전하고 있는 직류 분권 전동기의 토크는 약 몇 [N·m]인가?

① 6.0
② 6.4
③ 10.08
④ 11.14

60 1 2 3

용량 1[kVA], 3,000/200[V]의 단상 변압기를 단권변압기로 결선해서 3,000/3,200[V]의 승압기로 사용할 때 그 부하 용량 [kVA]은?

① $\dfrac{1}{16}$
② 1
③ 15
④ 16

빈출
61 1 2 3

특성 방정식이 $s^3 + 2s^2 + Ks + 10 = 0$로 주어지는 제어 시스템이 안정하기 위한 K의 범위는?

① $K > 0$
② $K > 5$
③ $K < 0$
④ $0 < K < 5$

62 1 2 3

제어 시스템의 개루프 전달 함수가 $G(s)H(s) = \dfrac{K(s+30)}{s^4 + s^3 + 2s^2 + s + 7}$ 로 주어질 때, 다음 중 $K>0$인 경우 근궤적의 점근선이 실수축과 이루는 각은?

① 20°
② 60°
③ 90°
④ 120°

정답 및 해설

59

직류 분권 전동기의 토크

$T = \dfrac{P_0}{\omega} = \dfrac{EI_a}{2\pi \dfrac{N}{60}}$

$= 30\left(\dfrac{VI_a - I_a^2 R_a}{\pi N}\right) = 30 \times \left(\dfrac{110 \times 15 - 15^2 \times 2}{1,800\pi}\right) \fallingdotseq 6.4[\text{N} \cdot \text{m}]$

60

$\dfrac{\text{자기 용량}}{\text{부하 용량}} = \dfrac{V_h - V_l}{V_h}$

$\therefore$ 부하 용량 $= \dfrac{V_h}{V_h - V_l} \times$ 자기 용량

$= \dfrac{3,200}{3,200 - 3,000} \times 1 = 16[\text{kVA}]$

61

주어진 특성 방정식을 루드표에 적용하면 다음과 같다.

	제1열	제2열
s^3	1	K
s^2	2	10
s^1	$\dfrac{2 \times K - 1 \times 10}{2} = K-5$	0
s^0	$\dfrac{(K-5) \times 10 - 2 \times 0}{K-5} = 10$	

제어계가 안정하려면 루드표의 제1열의 부호 변화가 없어야 한다.
$K - 5 > 0 \rightarrow K > 5$
따라서 안정하기 위한 조건은 $K > 5$이다.

62

점근선의 각도 $\alpha = \dfrac{2k+1}{\text{극점 수}(P) - \text{영점 수}(Z)} \times 180°$

$(k = 0, 1, 2, 3, \cdots)$

주어진 함수에서 $P = 4$, $Z = 1$이므로 다음과 같다.

$k = 0$일 때, $\alpha = \dfrac{2 \times 0 + 1}{4 - 1} \times 180° = \dfrac{180°}{3} = 60°$

$k = 1$일 때, $\alpha = \dfrac{2 \times 1 + 1}{4 - 1} \times 180° = 180°$

$k = 2$일 때, $\alpha = \dfrac{2 \times 2 + 1}{4 - 1} \times 180° = 300° = -60°$

정답 59 ② 60 ④ 61 ② 62 ②

63 [1] [2] [3]

z변환된 함수 $F(z) = \dfrac{3z}{z - e^{-3T}}$ 에 대응되는 라플라스 변환 함수는?

① $\dfrac{1}{s+3}$

② $\dfrac{3}{s-3}$

③ $\dfrac{1}{s-3}$

④ $\dfrac{3}{s+3}$

빈출
64 [1] [2] [3]

그림과 같은 제어 시스템의 전달 함수 $\dfrac{C(s)}{R(s)}$ 는?

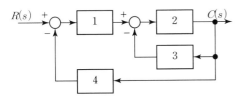

① $\dfrac{1}{15}$

② $\dfrac{2}{15}$

③ $\dfrac{3}{15}$

④ $\dfrac{4}{15}$

65 [1] [2] [3]

전달 함수가 $G(s) = \dfrac{2s+5}{7s}$ 인 제어기가 있다. 이 제어기는 어떤 제어기인가?

① 비례 미분 제어기
② 적분 제어기
③ 비례 적분 제어기
④ 비례 적분 미분 제어기

66 [1] [2] [3]

단위 피드백 제어계에서 개루프 전달 함수 $G(s)$ 가 다음과 같이 주어졌을 때 단위 계단 입력에 대한 정상 상태 편차는?

$$G(s) = \frac{5}{s(s+1)(s+2)}$$

① 0

② 1

③ 2

④ 3

63

$F(z) = \dfrac{3z}{z - e^{-3T}} = 3 \times \dfrac{z}{z - e^{-3T}}$ 이므로 이에 대응하는 시간 함수 $f(t) = 3e^{-3t}$ 가 된다.

$\therefore F(s) = 3 \times \dfrac{1}{s+3} = \dfrac{3}{s+3}$

64

주어진 블록 선도를 메이슨 공식에 적용하여 전달 함수를 구한다.

$\dfrac{C(s)}{R(s)} = \dfrac{\sum 경로}{1 - \sum 폐루프} = \dfrac{1 \times 2}{1 - \{(2 \times (-3)) + (1 \times 2 \times (-4))\}}$

$= \dfrac{2}{1+14} = \dfrac{2}{15}$

65

전달 함수 $G(s) = \dfrac{2s+5}{7s} = \dfrac{2s}{7s} + \dfrac{5}{7s} = \dfrac{2}{7} + \dfrac{5}{7s}$ 이다.

$\dfrac{2}{7}$ 는 상수이므로 비례, $\dfrac{5}{7s} \left(= \dfrac{5}{7} \times \dfrac{1}{s} \right)$ 는 적분 요소이므로 비례 적분 제어이다.

66

$K_p = \lim_{s \to 0} G(s) = \lim_{s \to 0} \dfrac{5}{s(s+1)(s+2)} = \infty$

따라서 단위 계단 입력의 정상 편차는 다음과 같다.

$e_p = \dfrac{1}{1 + K_p} = \dfrac{1}{1 + \infty} = 0$

67 1 2 3

그림과 같은 논리 회로의 출력 Y는?

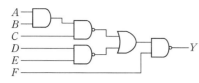

① $ABCDE + \overline{F}$
② $\overline{A}\,\overline{B}\,\overline{C}\,\overline{D}\overline{E} + F$
③ $\overline{A} + \overline{B} + \overline{C} + \overline{D} + \overline{E} + F$
④ $A + B + C + D + E + \overline{F}$

과난도
68 1 2 3

그림의 신호 흐름 선도에서 전달함수 $\dfrac{C(s)}{R(s)}$는?

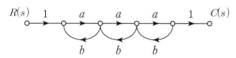

① $\dfrac{a^3}{(1-ab)^3}$
② $\dfrac{a^3}{1-3ab+a^2b^2}$
③ $\dfrac{a^3}{1-3ab}$
④ $\dfrac{a^3}{1-3ab+2a^2b^2}$

69 1 2 3

다음과 같은 미분 방정식으로 표현되는 제어 시스템의 시스템 행렬 A는?

$$\frac{d^2c(t)}{dt^2} + 5\frac{dc(t)}{dt} + 3c(t) = r(t)$$

① $\begin{bmatrix} -5 & -3 \\ 0 & 1 \end{bmatrix}$
② $\begin{bmatrix} -3 & -5 \\ 0 & 1 \end{bmatrix}$
③ $\begin{bmatrix} 0 & 1 \\ -3 & -5 \end{bmatrix}$
④ $\begin{bmatrix} 0 & 1 \\ -5 & -3 \end{bmatrix}$

70 1 2 3

안정한 제어 시스템의 보드 선도에서 이득 여유는?

① $-20 \sim 20[\text{dB}]$ 사이에 있는 크기[dB] 값이다.
② $0 \sim 20[\text{dB}]$ 사이에 있는 크기 선도의 길이이다.
③ 위상이 $0°$가 되는 주파수에서 이득의 크기[dB]이다.
④ 위상이 $-180°$가 되는 주파수에서 이득의 크기[dB]이다.

정답 및 해설

67

출력 $Y = \overline{(\overline{ABC} + \overline{DE}) \cdot \overline{F}}$ 이다.
이 식을 드모르간 정리를 이용하면
$Y = \overline{(\overline{ABC} + \overline{DE}) \cdot \overline{F}} = \overline{\overline{ABC} + \overline{DE}} + F$
$\quad = \overline{\overline{ABC}} \cdot \overline{\overline{DE}} + \overline{F}$
$\quad = ABCDE + \overline{F}$

[암기 포인트] 드모르간 정리
$\overline{A+B} = \overline{A} \cdot \overline{B}$
$\overline{A \cdot B} = \overline{A} + \overline{B}$

68

폐루프가 하나 더 연결된 값이므로 메이슨 공식에 의해 $G = \dfrac{경로}{\Delta}$ 이다.
(단, $\Delta = 1-$(서로 다른 루프 이득의 합)$+$(서로 접촉하지 않은 두 개의 루프 이득의 곱)$-$(서로 접촉하지 않은 세 개의 루프 이득의 곱)$+ \cdots$)
• 전향 경로 $= a \times a \times a = a^3$
• 서로 다른 루프 이득의 합 $= ab + ab + ab = 3ab$
• 서로 접촉하지 않은 두 개의 루프 이득의 곱은 좌우 폐루프의 곱을 의미하므로 $ab \times ab = a^2b^2$ 이다.
$\therefore \dfrac{C(s)}{R(s)} = \dfrac{a^3}{1-3ab+a^2b^2}$

69

상태 방정식 $\dfrac{d^2c(t)}{dt^2} + a\dfrac{dc(t)}{dt} + bc(t) = cr(t)$ 일 때
벡터 행렬 $A = \begin{bmatrix} 0 & 1 \\ -b & -a \end{bmatrix}$, $B = \begin{bmatrix} 0 \\ c \end{bmatrix}$ 이다.
그러므로 문제에 주어진 상태 방정식에서
A 행렬은 $\begin{bmatrix} 0 & 1 \\ -3 & -5 \end{bmatrix}$, B 행렬은 $\begin{bmatrix} 0 \\ 1 \end{bmatrix}$ 이다.

70

보드 선도의 정의

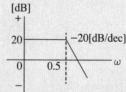

▲ 보드 선도의 예

• 주파수 전달 함수를 이용하여 주파수 변화에 따른 제어 장치의 크기와 위상각을 가로축에는 주파수 ω를, 세로축에는 이득 $|G(j\omega)|$로 하여 표시한 것이다.
• 보드 선도의 이득 여유 $g_m > 0$, 위상 여유 $\phi_m > 0$의 조건에서 제어 장치의 동작이 안정하다.
• 보드 선도에서 이득 여유에 대한 정보는 위상 곡선 $-180°$에서의 이득과 $0[\text{dB}]$과의 차이에서 알 수 있다.

71 ☐☐☐

3상 전류가 $I_a = 10 + j3$[A], $I_b = -5 - j2$[A], $I_c = -3 + j4$[A] 일 때 정상분 전류의 크기는 약 몇 [A]인가?

① 5

② 6.4

③ 10.5

④ 13.34

72 ☐☐☐

그림의 회로에서 영상 임피던스 Z_{01}이 6[Ω]일 때, 저항 R의 값은 몇 [Ω]인가?

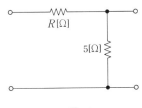

① 2

② 4

③ 6

④ 9

73 ☐☐☐

Y 결선의 평형 3상 회로에서 선간 전압 V_{ab}와 상전압 V_{an}의 관계로 옳은 것은?(단, $V_{bn} = V_{an}e^{-j(2\pi/3)}$, $V_{cn} = V_{bn}e^{-j(2\pi/3)}$)

① $V_{ab} = \dfrac{1}{\sqrt{3}}e^{j(\pi/6)}V_{an}$

② $V_{ab} = \sqrt{3}e^{j(\pi/6)}V_{an}$

③ $V_{ab} = \dfrac{1}{\sqrt{3}}e^{-j(\pi/6)}V_{an}$

④ $V_{ab} = \sqrt{3}e^{-j(\pi/6)}V_{an}$

빈출

74 ☐☐☐

$f(t) = t^2 e^{-\alpha t}$를 라플라스 변환하면?

① $\dfrac{2}{(s+\alpha)^2}$

② $\dfrac{3}{(s+\alpha)^2}$

③ $\dfrac{2}{(s+\alpha)^3}$

④ $\dfrac{3}{(s+\alpha)^3}$

71

$$I_1 = \frac{1}{3}(I_a + aI_b + a^2 I_c)$$
$$= \frac{1}{3}\left\{(10 + j3) + \left(-\frac{1}{2} + j\frac{\sqrt{3}}{2}\right)(-5 - j2) + \right.$$
$$\left.\left(-\frac{1}{2} - j\frac{\sqrt{3}}{2}\right)(-3 + j4)\right\}$$
$$\fallingdotseq 6.4 + j0.09\,[\text{A}]$$
$$\therefore |I_1| = \sqrt{6.4^2 + 0.09^2} = 6.4\,[\text{A}]$$

72

$$A = 1 + \frac{Z_1}{Z_2}$$
$$B = Z_1$$
$$C = \frac{1}{Z_2}$$
$$D = 1$$

영상 임피던스 $Z_{01} = \sqrt{\dfrac{AB}{CD}} = 6\,[\Omega]$,

$Z_2 = 5\,[\Omega]$, $Z_1 = R = B$에서

$$B = \frac{36CD}{A} = \frac{36 \cdot \frac{1}{Z_2} \times 1}{1 + \frac{Z_1}{Z_2}} = \frac{\frac{36}{5}}{1 + \frac{B}{5}} = \frac{36}{5 + B}$$이다.

$$\therefore R^2 + 5R = 36$$

R은 4[Ω] 또는 −9[Ω]이다. 저항은 음수가 될 수 없으므로 양수를 취한다.

$$\therefore R = 4\,[\Omega]$$

73

$$V_{ab} = \sqrt{3}\,V_{an}\angle 30° = \sqrt{3}\,e^{j\left(\frac{\pi}{6}\right)}V_{an}\,[\text{V}]$$

74

$$\mathcal{L}[t^n] = \frac{n!}{s^{n+1}}$$

복소 추이 정리 $\mathcal{L}[e^{\pm \alpha t}f(t)] = F(s \mp \alpha)$

$$\mathcal{L}[t^2] = \frac{2!}{s^{2+1}} = \frac{2}{s^3}$$

$$\mathcal{L}[t^2 e^{-\alpha t}] = \frac{2}{(s+\alpha)^3}$$

75 [1] [2] [3]

선로의 단위 길이당 인덕턴스, 저항, 정전 용량, 누설 컨덕턴스를 각각 L, R, C, G라 하면 전파 정수는?

① $\dfrac{\sqrt{R+j\omega L}}{G+j\omega C}$

② $\sqrt{(R+j\omega L)(G+j\omega C)}$

③ $\sqrt{\dfrac{R+j\omega C}{G+j\omega L}}$

④ $\sqrt{\dfrac{G+j\omega C}{R+j\omega L}}$

76 [1] [2] [3]

회로에서 $0.5[\Omega]$ 양단 전압[V]은 약 몇 [V]인가?

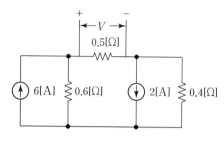

① 0.6

② 0.93

③ 1.47

④ 1.5

77 [1] [2] [3]

RLC 직렬 회로의 파라미터가 $R^2 = \dfrac{4L}{C}$ 의 관계를 가진다면, 이 회로에 직류 전압을 인가하는 경우 과도 응답 특성은?

① 무제동

② 과제동

③ 부족제동

④ 임계제동

빈출
78 [1] [2] [3]

$v(t) = 3 + 5\sqrt{2}\sin\omega t + 10\sqrt{2}\sin\left(3\omega t - \dfrac{\pi}{3}\right)[\text{V}]$의 실횻값

크기는 약 몇 [V]인가?

① 9.6

② 10.6

③ 11.6

④ 12.6

정답 및 해설

75

선로의 특성 임피던스$\left(Z \neq \dfrac{1}{Y}\right)$

$$Z_0 = \sqrt{\dfrac{Z}{Y}} = \sqrt{\dfrac{R+j\omega L}{G+j\omega C}}[\Omega]$$

전파 정수 $\gamma = \sqrt{YZ} = \alpha + j\beta = \sqrt{(G+j\omega C)(R+j\omega L)}$

76

중첩의 원리

• 6[A] 기준(2[A] 전류원 개방)

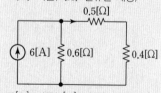

$I_{0.5'} = \dfrac{R_{0.6}}{R_{0.6} + (R_{0.5} + R_{0.4})} I_6$

$= \dfrac{0.6}{0.6 + (0.5 + 0.4)} \times 6$

$= 2.4[\text{A}]$

• 2[A] 기준(6[A] 전류원 개방)

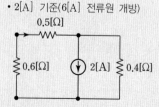

$I_{0.5''} = \dfrac{R_{0.4}}{(R_{0.5} + R_{0.6}) + R_{0.4}} I_2$

$= \dfrac{0.4}{(0.5 + 0.6) + 0.4} \times 2$

$\fallingdotseq 0.53[\text{A}]$

전류의 방향이 같으므로

$V = IR = (I_{0.5'} + I_{0.5''}) \times 0.5$

$= (2.4 + 0.53) \times 0.5 = 1.465 \fallingdotseq 1.47[\text{V}]$

77

RLC 직렬 회로의 과도 해 $V = 0$에서 아래와 같다.

$$s_1, s_2 = -\dfrac{R}{2L} \pm \dfrac{1}{2L}\sqrt{R^2 - \dfrac{4L}{C}}$$

• 과제동(비진동) $R^2 > \dfrac{4L}{C}$

• 임계제동 $R^2 = \dfrac{4L}{C}$

• 부족제동(진동) $R^2 < \dfrac{4L}{C}$

78

비정현파 교류의 실횻값

$V = \sqrt{3^2 + 5^2 + 10^2} = \sqrt{9 + 25 + 100} = \sqrt{134} \fallingdotseq 11.57 \fallingdotseq 11.6[\text{V}]$

79 ① ② ③

그림과 같이 결선된 회로의 단자(a, b, c)에 선간 전압이 $V[\text{V}]$인 평형 3상 전압을 인가할 때 상전류 $I[\text{A}]$의 크기는?

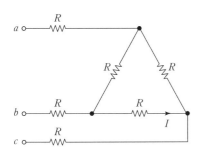

① $\dfrac{V}{4R}$

② $\dfrac{3V}{4R}$

③ $\dfrac{\sqrt{3}\,V}{4R}$

④ $\dfrac{V}{4\sqrt{3}\,R}$

80 ① ② ③

$8+j6[\Omega]$인 임피던스에 $13+j20[\text{V}]$의 전압을 인가할 때 복소전력은 약 몇 $[\text{VA}]$인가?

① $12.7+j34.1$

② $12.7+j55.5$

③ $45.5+j34.1$

④ $45.5+j55.5$

전기설비기술기준

81 ① ② ③

백열전등 또는 방전등에 전기를 공급하는 옥내 전로의 대지전압은 몇 $[\text{V}]$ 이하이어야 하는가?(단, 백열전등 또는 방전등 및 이에 부속하는 전선은 사람이 접촉할 우려가 없도록 시설한 경우이다.)

① 60

② 110

③ 220

④ 300

82 ① ② ③

연료전지 및 태양전지 모듈의 절연내력시험을 하는 경우 충전부분과 대지 사이에 인가하는 시험전압은 얼마인가?(단, 연속하여 10분간 가하여 견디는 것이어야 한다.)

① 최대 사용전압의 1.25배의 직류전압 또는 1배의 교류전압(500[V] 미만으로 되는 경우에는 500[V])

② 최대 사용전압의 1.25배의 직류전압 또는 1.25배의 교류전압(500[V] 미만으로 되는 경우에는 500[V])

③ 최대 사용전압의 1.5배의 직류전압 또는 1배의 교류전압(500[V] 미만으로 되는 경우에는 500[V])

④ 최대 사용전압의 1.5배의 직류전압 또는 1.25배의 교류전압(500[V] 미만으로 되는 경우에는 500[V])

79

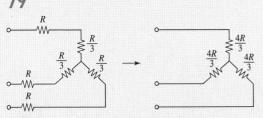

Δ 결선을 Y 결선으로 변환한 후 합성저항을 구하면 $R_Y = \dfrac{4R}{3}$이고, 다시 Δ 결선으로 변환하면 한 상의 저항은 $R_\Delta = 4R$이다.

$$I = \frac{V}{R_\Delta} = \frac{V}{4R}[\text{A}]$$

80

$$I = \frac{V}{Z} = \frac{13+j20}{8+j6} = 2.24 + j0.82[\text{A}]$$
$$P_a = V\overline{I} = (13+j20)(2.24 - j0.82) \doteqdot 45.5 + j34.1[\text{VA}]$$

81

옥내전로의 대지 전압의 제한(한국전기설비규정 231.6)
백열전등 또는 방전등에 전기를 공급하는 옥내 전로의 대지전압은 300[V] 이하여야 한다.

[암기 포인트] 대지전압 대부분은 300[V] 이하

82

연료전지 및 태양전지 모듈의 절연내력(한국전기설비규정 134)
연료전지 및 태양전지 모듈은 최대 사용전압의 1.5배의 직류전압 또는 1배의 교류전압(500[V] 미만으로 되는 경우에는 500[V])을 충전 부분과 대지 사이에 연속하여 10분간 가하여 절연내력을 시험하였을 때에 이에 견디는 것이어야 한다.

83 ☐1 ☐2 ☐3

저압 수상전선로에 사용되는 전선은?

① 옥외 비닐 케이블
② 600[V] 비닐절연전선
③ 600[V] 고무절연전선
④ 클로로프렌 캡타이어 케이블

84 KEC 적용에 따라 삭제되었습니다.

85 KEC 적용에 따라 삭제되었습니다.

86 ☐1 ☐2 ☐3

수소냉각식 발전기 등의 시설기준으로 틀린 것은?

① 발전기 안 또는 조상기 안의 수소의 온도를 계측하는 장치를 시설할 것
② 발전기 축의 밀봉부로부터 수소가 누설될 때 누설된 수소를 외부로 방출하지 않을 것
③ 발전기 안 또는 조상기 안의 수소의 순도가 85[%] 이하로 저하한 경우에 이를 경보하는 장치를 시설할 것
④ 발전기 또는 조상기는 수소가 대기압에서 폭발하는 경우에 생기는 압력에 견디는 강도를 가지는 것일 것

87 ☐1 ☐2 ☐3

전개된 장소에서 저압 옥상전선로의 시설기준으로 적합하지 않은 것은?

① 전선은 절연전선을 사용하였다.
② 전선 지지점 간의 거리를 20[m]로 하였다.
③ 전선은 지름 2.6[mm]의 경동선을 사용하였다.
④ 저압 절연전선과 그 저압 옥상전선로를 시설하는 조영재와의 이격거리를 2[m]로 하였다.

정답 및 해설

83

수상전선로의 시설(한국전기설비규정 335.3)
수상전선로를 시설하는 경우 전선로의 사용전압이 저압인 경우에는 클로로프렌 캡타이어 케이블이어야 하며, 고압인 경우에는 캡타이어 케이블일 것

86

수소냉각식 발전기 등의 시설(한국전기설비규정 351.10)
수소냉각식의 발전기·조상기 또는 이에 부속하는 수소 냉각 장치는 다음에 따라 시설하여야 한다.
• 발전기 내부 또는 조상기 내부의 수소의 압력 및 온도를 계측하는 장치 및 그 압력 및 온도가 현저히 변동한 경우에 이를 경보하는 장치를 시설할 것
• 발전기 축의 밀봉부에는 질소 가스를 봉입할 수 있는 장치 또는 발전기 축의 밀봉부로부터 누설된 수소 가스를 안전하게 외부에 방출할 수 있는 장치를 시설할 것
• 발전기 내부 또는 조상기 내부의 수소의 순도가 85[%] 이하로 저하한 경우에 이를 경보하는 장치를 시설할 것

• 발전기 또는 조상기는 기밀구조의 것이고 또한 수소가 대기압에서 폭발하는 경우에 생기는 압력에 견디는 강도를 가지는 것일 것

87

옥상전선로(한국전기설비규정 221.3)
저압 옥상전선로는 전개된 장소에서 다음에 따르고 또한 위험의 우려가 없도록 시설하여야 한다.
• 전선은 인장강도 2.30[kN] 이상의 것 또는 지름 2.6[mm] 이상의 경동선을 사용할 것
• 전선은 절연전선(OW전선을 포함한다) 또는 이와 동등 이상의 절연성능이 있는 것을 사용할 것
• 전선은 조영재에 견고하게 붙인 지지주 또는 지지대에 절연성·난연성 및 내수성이있는 애자를 사용하여 지지하고 또한 그 지지점 간의 거리는 15[m] 이하일 것
• 전선과 그 저압 옥상전선로를 시설하는 조영재와의 이격거리는 2[m](전선이 고압절연전선, 특고압 절연전선 또는 케이블인 경우에는 1[m]) 이상일 것

88 ❚1❚ 2 ❚3❚

케이블트레이공사에 사용하는 케이블트레이에 적합하지 않은 것은?

① 비금속제 케이블트레이는 난연성 재료가 아니어도 된다.
② 금속제의 것은 적절한 방식처리를 한 것이거나 내식성 재료의 것이어야 한다.
③ 금속제 케이블트레이 계통은 기계적 및 전기적으로 완전하게 접속하여야 한다.
④ 케이블트레이가 방화구획의 벽 등을 관통하는 경우에 관통부는 불연성의 물질로 충전하여야 한다.

89 ❚1❚ 2 ❚3❚

가공전선로의 지지물의 강도계산에 적용하는 풍압하중은 빙설이 많은 지방 이외의 지방에서 저온계절에는 어떤 풍압하중을 적용하는가?(단, 인가가 연접되어 있지 않다고 한다.)

① 갑종 풍압하중
② 을종 풍압하중
③ 병종 풍압하중
④ 을종과 병종 풍압하중을 혼용

90 KEC 적용에 따라 삭제되었습니다.

91 ❚1❚ 2 ❚3❚

가공전선로의 지지물에 시설하는 지선으로 연선을 사용할 경우 소선은 최소 몇 가닥 이상이어야 하는가?

① 3   ② 5
③ 7   ④ 9

92 ❚1❚ 2 ❚3❚

440[V] 옥내 배선에 연결된 전동기 회로의 절연저항 최솟값은 몇 [MΩ]인가?

① 0.3   ② 0.5
③ 1.0   ④ 1.5

88

케이블트레이의 선정(한국전기설비규정 232.41.2)
• 금속재의 것은 적절한 방식처리를 한 것이거나 내식성 재료의 것이어야 한다.
• 비금속제 케이블트레이는 난연성 재료의 것이어야 한다.
• 금속제 케이블트레이 시스템은 기계적 및 전기적으로 완전하게 접속하여야 한다.
• 케이블트레이가 방화구획의 벽, 마루, 천장 등을 관통하는 경우에 관통부는 불연성의 물질로 충전하여야 한다.

89

풍압하중의 종별과 적용(한국전기설비규정 331.6)
빙설이 많은 지방 이외의 지방에서는 고온계절에는 갑종 풍압하중, 저온계절에는 병종 풍압하중을 적용한다.

91

지선의 시설(한국전기설비규정 331.11)
지선에 연선을 사용할 경우에는 다음에 의할 것
• 소선 3가닥 이상의 연선일 것
• 소선의 지름이 2.6[mm] 이상의 금속선을 사용한 것일 것

92

저압전로의 절연성능(기술기준 제52조)

전로의 사용전압[V]	DC시험전압[V]	절연저항[MΩ]
SELV 및 PELV	250	0.5 이상
FELV, 500[V] 이하	500	1.0 이상
500[V] 초과	1,000	1.0 이상

※ 특별저압(Extra Low Voltage : 2차 전압이 AC 50[V], DC 120[V] 이하)으로 SELV(비접지회로 구성) 및 PELV(접지회로 구성)은 1차와 2차가 전기적으로 절연된 회로, FELV는 1차와 2차가 전기적으로 절연되지 않은 회로

93

태양전지 발전소에 시설하는 태양전지 모듈, 전선 및 개폐기 기타 기구의 시설기준에 대한 내용으로 틀린 것은?

① 충전부분은 노출되지 않도록 시설할 것
② 옥내에 시설하는 경우에는 전선을 케이블공사로 시설할 수 있다.
③ 태양전지 모듈의 프레임은 지지물과 전기적으로 완전하게 접속하여야 한다.
④ 태양전지 모듈을 병렬로 접속하는 전로에는 과전류차단기를 시설하지 않아도 된다.

94

지중전선로를 직접 매설식에 의하여 시설할 때, 중량물의 압력을 받을 우려가 있는 장소에 저압 또는 고압의 지중전선을 견고한 트라프 기타 방호물에 넣지 않고도 부설할 수 있는 케이블은?

① PVC 외장케이블
② 콤바인덕트 케이블
③ 염화비닐 절연케이블
④ 폴리에틸렌 외장케이블

95

중성점 직접접지식 전로에 접속되는 최대 사용전압 161[kV] 인 3상 변압기 권선(성형결선)의 절연내력시험을 할 때 접지시켜서는 안 되는 것은?

① 철심 및 외함
② 시험되는 변압기의 부싱
③ 시험되는 권선의 중성점 단자
④ 시험되지 않는 각 권선(다른 권선이 2개 이상 있는 경우에는 각 권선의 임의의 1단자)

96

저압 가공전선로 또는 고압 가공전선로와 기설 가공약전류전선로가 병행하는 경우에는 유도작용에 의한 통신상의 장해가 생기지 않도록 전선과 기설 약전류전선 간의 이격거리는 몇 [m] 이상이어야 하는가?(단, 전기철도용 급전선로는 제외한다.)

① 2
② 4
③ 6
④ 8

정답 및 해설

93

태양광발전설비(한국전기설비규정 520)
• 태양전지 모듈, 전선, 개폐기 및 기타 기구는 충전부분이 노출되지 않도록 시설하여야 한다.
• 배선설비공사는 옥내에 시설할 경우에는 합성수지관공사, 금속관공사, 금속제 가요전선관공사, 케이블공사에 준하여 시설하여야 한다.
• 태양전지 모듈의 프레임은 지지물과 전기적으로 완전하게 접속하여야 한다.
• 모듈을 병렬로 접속하는 전로에는 그 전로에 단락전류가 발생할 경우에 전로를 보호하는 과전류차단기 또는 기타 기구를 시설하여야 한다. 단, 그 전로가 단락전류에 견딜 수 있는 경우에는 그러하지 아니하다.

94

지중전선로의 시설(한국전기설비규정 334.1)
저압 또는 고압의 지중전선에 콤바인덕트 케이블을 사용하여 시설하는 경우 지중전선을 견고한 트라프 기타 방호물에 넣지 아니하여도 된다.

95

변압기 전로의 절연내력(한국전기설비규정 135)
변압기 전로의 시험전압 시험방법: 시험되는 권선의 중성점 단자, 다른 권선(다른 권선이 2개 이상 있는 경우에는 각 권선)의 임의의 1단자, 철심 및 외함을 접지하고 시험되는 권선의 중성점 단자 이외의 임의의 1단자와 대지 사이에 시험전압을 연속하여 10분간 가한다.

96

가공약전류전선로의 유도장해 방지(한국전기설비규정 332.1)
저압 가공전선로(전기철도용 급전선로는 제외) 또는 고압 가공전선로(전기철도용 급전선로는 제외)와 기설 가공약전류전선로가 병행하는 경우에는 유도작용에 의하여 통신상의 장해가 생기지 않도록 전선과 기설 약전류전선 간의 이격거리는 2[m] 이상이어야 한다. 다만, 저압 또는 고압의 가공전선이 케이블인 경우 또는 가공약전류전선로 관리자의 승낙을 받은 경우에는 적용하지 않는다.

정답 93 ④ 94 ② 95 ② 96 ①

97 KEC 적용에 따라 삭제되었습니다.

99 1 2 3

어느 유원지의 어린이 놀이기구인 유희용 전차에 전기를 공급하는 전로의 사용전압은 교류인 경우 몇 [V] 이하이어야 하는가?

① 20   ② 40
③ 60   ④ 100

100 KEC 적용에 따라 삭제되었습니다.

98 1 2 3

특고압 가공전선로의 지지물에 첨가하는 통신선 보안장치에 사용되는 피뢰기의 동작전압은 교류 몇 [V] 이하인가?

① 300   ② 600
③ 1,000   ④ 1,500

98

특고압 가공전선로 첨가설치 통신선의 시가지 인입 제한(한국전기설비규정 362.5)

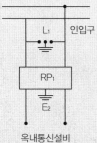

▲ 급전전용통신선용
보안장치

- RP₁: 교류 300[V] 이하에서 동작하고, 최소 감도전류가 3[A] 이하로서 최소 감도전류 때의 응동시간이 1사이클 이하이고 또한 전류 용량이 50[A], 20[초] 이상인 자복성이 있는 릴레이 보안기
- L₁: 교류 1[kV] 이하에서 동작하는 피뢰기

99

유희용 전차(전원장치)(한국전기설비규정 241.8.2)
유희용 전차에 전기를 공급하는 전원장치는 다음에 의하여 시설하여야 한다.
- 전원장치의 2차 측 단자의 최대 사용전압은 직류의 경우 60[V] 이하, 교류의 경우 40[V] 이하일 것
- 전원장치의 변압기는 절연변압기일 것

전기자기학

1회독	월	일
2회독	월	일
3회독	월	일	자동채점

01 `1` `2` `3`

분극의 세기 P, 전계 E, 전속밀도 D의 관계를 나타낸 것으로 옳은 것은?(단, ε_0는 진공의 유전율이고, ε_r은 유전체의 비유전율이고, ε은 유전체의 유전율이다.)

① $P = \varepsilon_0(\varepsilon + 1)E$

② $E = \dfrac{D + P}{\varepsilon_0}$

③ $P = D - \varepsilon_0 E$

④ $\varepsilon_0 = D - E$

02 `1` `2` `3`

구리의 고유 저항은 $20[℃]$에서 $1.69 \times 10^{-8}[\Omega \cdot m]$이고 온도계수는 0.00393이다. 단면적이 $2[mm^2]$이고 $100[m]$인 구리선의 저항값은 $40[℃]$에서 약 몇 $[\Omega]$인가?

① 0.91×10^{-3}

② 1.89×10^{-3}

③ 0.91

④ 1.89

03 `1` `2` `3`

내부 장치 또는 공간을 물질로 포위시켜 외부 자계의 영향을 차폐시키는 방식을 자기차폐라 한다. 다음 중 자기차폐에 가장 적합한 것은?

① 비투자율이 1보다 작은 역자성체

② 강자성체 중에서 비투자율이 큰 물질

③ 강자성체 중에서 비투자율이 작은 물질

④ 비투자율에 관계없이 물질의 두께에만 관계되므로 되도록 두꺼운 물질

04 `1` `2` `3`

주파수가 $100[MHz]$일 때 구리의 표피 두께(Skin Depth)는 약 몇 $[mm]$인가?(단, 구리의 도전율은 $5.9 \times 10^7[\mho/m]$이고, 비투자율은 0.99이다.)

① 3.3×10^{-2}

② 6.6×10^{-2}

③ 3.3×10^{-3}

④ 6.6×10^{-3}

정답 및 해설

01

유전체 내에서 발생되는 분극 현상은 다음식으로 표현된다.

$D = \varepsilon_0 E + P = \varepsilon_0 \varepsilon_r E = \varepsilon E$

$P = D - \varepsilon_0 E = \varepsilon_0(\varepsilon_r - 1)E$

(D: 전속밀도, χ: 분극률)

02

• $20[℃]$에서의 저항

$R_0 = \rho \dfrac{l}{S} = 1.69 \times 10^{-8} \times \dfrac{100}{2 \times 10^{-6}} = 0.845[\Omega]$

• $40[℃]$에서의 저항

$R_t = R_0\{1 + \alpha(t_2 - t_1)\}$
$= 0.845 \times [1 + 0.00393 \times (40 - 20)]$
$= 0.91[\Omega]$

03

• 자기차폐(Magnetic Shielding): 완전차폐 불가능
  외부 자계의 영향을 받지 않도록 높은 투자율을 갖는 물질로 차폐

• 정전차폐(Electric Shielding): 완전차폐 가능
  외부 전계의 영향을 받지 않도록 높은 도전율을 갖는 물질로 차폐

04

교류 전류에 의해 도체 표면에 발생되는 표피 두께는

$\delta = \dfrac{1}{\sqrt{\pi f \mu k}}$

$= \dfrac{1}{\sqrt{\pi \times 100 \times 10^6 \times 4\pi \times 10^{-7} \times 0.99 \times 5.9 \times 10^7}}$

$= 6.6 \times 10^{-6}[m]$

$= 6.6 \times 10^{-3}[mm]$

05 1 2 3

압전기 현상에서 전기 분극이 기계적 응력에 수직한 방향으로 발생하는 현상은?

① 종효과 ② 횡효과
③ 역효과 ④ 직접 효과

06 1 2 3

그림과 같은 직사각형의 평면 코일이 $\dot{B} = \dfrac{0.05}{\sqrt{2}}(a_x + a_y)$ $[\text{Wb/m}^2]$인 자계에 위치하고 있다. 이 코일에 흐르는 전류가 $5[\text{A}]$일 때 z축에 있는 코일에서의 토크는 약 몇 $[\text{N} \cdot \text{m}]$인가?

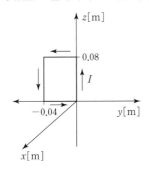

① $2.66 \times 10^{-4} a_x$ ② $5.66 \times 10^{-4} a_x$
③ $2.66 \times 10^{-4} a_z$ ④ $5.66 \times 10^{-4} a_z$

빈출 07 1 2 3

전위경도 V와 전계 $\dot{E}$ 의 관계식은?

① $\dot{E} = grad\ V$ ② $\dot{E} = div\ V$
③ $\dot{E} = -grad\ V$ ④ $\dot{E} = -div\ V$

08 1 2 3

정전계에서 도체에 정(+)의 전하를 주었을 때의 설명으로 틀린 것은?

① 도체 표면의 곡률 반지름이 작은 곳에 전하가 많이 분포한다.
② 도체 외측의 표면에만 전하가 분포한다.
③ 도체 표면에서 수직으로 전기력선이 출입한다.
④ 도체 내에 있는 공동면에도 전하가 골고루 분포한다.

05

압전 효과

특정 물질에 기계적인 압력을 가할 때 전위차가 발생되거나, 전위차로 인해 기계적 변형이 일어나는 현상

• 종효과: 힘을 가하는 방향과 전위차 발생 방향이 같은 경우
• 횡효과: 힘을 가하는 방향과 전위차 발생 방향이 수직인 경우

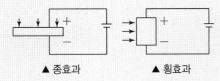

▲ 종효과   ▲ 횡효과

06

전류가 흐르는 루프 내에 발생하는 토크는 모든 전류선소에 동일하게 작용하므로

$\dot{T} = I(\dot{S} \times \dot{B})$ (I: 전류, S: 단면적, B: 자속밀도)

$\therefore \dot{T} = 5 \times \left((0.04 \times 0.08 a_x) \times \dfrac{0.05}{\sqrt{2}}(a_x + a_y) \right)$

$= 5 \times 32 \times 10^{-4} \times \dfrac{0.05}{\sqrt{2}} a_z = 5.66 \times 10^{-4} a_z$

07

전계는 전위로부터 구할 수 있다.

$\dot{E} = -\nabla V = -grad\ V\,[\text{V/m}]$

08

도체에서의 전하 분포는 다음 특징을 갖는다.

• 도체 외측에서만 전하가 존재한다.
• 도체 표면과 수직으로 전계 및 전기력선이 발생한다.
• 곡률 반지름이 작을수록(곡률이 클수록) 전하가 많이 분포한다.
• 도체 모서리나 꺾인 지점에 전하가 집중되어 많이 분포한다.

09

평행 도선에 같은 크기의 왕복 전류가 흐를 때 두 도선 사이에 작용하는 힘에 대한 설명으로 옳은 것은?

① 흡인력이다.
② 전류의 제곱에 비례한다.
③ 주위 매질의 투자율에 반비례한다.
④ 두 도선 사이 간격의 제곱에 반비례한다.

10

비유전율 3, 비투자율 3인 매질에서 전자기파의 진행 속도 $v[\text{m/s}]$와 진공에서의 속도 $v_0[\text{m/s}]$의 관계는?

① $v = \dfrac{1}{9} v_0$　　　　② $v = \dfrac{1}{3} v_0$

③ $v = 3 v_0$　　　　④ $v = 9 v_0$

11

대지의 고유 저항이 $\rho[\Omega \cdot \text{m}]$일 때 반지름이 $a[\text{m}]$인 그림과 같은 반구 접지극의 접지 저항$[\Omega]$은?

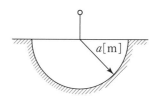

① $\dfrac{\rho}{4\pi a}$　　　　② $\dfrac{\rho}{2\pi a}$

③ $\dfrac{2\pi \rho}{a}$　　　　④ $2\pi \rho a$

고난도

12

공기 중에서 $2[\text{V/m}]$의 전계의 세기에 의한 변위 전류 밀도의 크기를 $2[\text{A/m}^2]$으로 흐르게 하려면 전계의 주파수는 약 몇 $[\text{MHz}]$가 되어야 하는가?

① 9,000　　　　② 18,000

③ 36,000　　　　④ 72,000

09

평행 도선 사이에 발생하는 힘

첫 번째 도선의 자속 밀도 $B = \dfrac{\mu_0 I_1}{2\pi r} [\text{Wb/m}^2]$

길이 $l[\text{m}]$인 두 번째 도선에 미치는 힘

$F = IBl = I_2 \dfrac{\mu_0 I_1}{2\pi r} l = \dfrac{\mu_0 I_1 I_2}{2\pi r} l [\text{N}]$

단위 길이당 작용하는 힘

$\dfrac{F}{l} = \dfrac{\mu_0 I_1 I_2}{2\pi r} = \dfrac{\mu_0 I^2}{2\pi r} [\text{N/m}] (\therefore F \propto I^2)$

- 전류 방향이 반대일 경우(왕복 도선): 반발력 발생
- 전류 방향이 같을 경우: 흡인력 발생

10

전자파의 속도

$v = \dfrac{1}{\sqrt{\mu \varepsilon}} = \dfrac{1}{\sqrt{\mu_0 \varepsilon_0}} \times \dfrac{1}{\sqrt{\mu_s \varepsilon_s}}$

$= v_0 \times \dfrac{1}{\sqrt{3 \times 3}} = \dfrac{1}{3} v_0 [\text{m/s}]$

11

반지름이 $a[\text{m}]$인 구도체의 정전 용량
$C = 4\pi \varepsilon a [\text{F}]$
반구의 정전 용량은 구도체 정전 용량의 절반이므로
$C = 2\pi \varepsilon a [\text{F}]$
$RC = \rho \varepsilon$이므로 반구상 접지극의 접지 저항은
$R = \dfrac{\rho \varepsilon}{C} = \dfrac{\rho \varepsilon}{2\pi \varepsilon a} = \dfrac{\rho}{2\pi a} [\Omega]$

12

자유 공간 시변 전자파의 변위 전류 밀도
$i_d = \dfrac{\partial D}{\partial t} = \varepsilon_0 \dfrac{\partial E(t)}{\partial t} [\text{A/m}^2]$
전계 $E(t) = E_0 \sin \omega t$라 하면 $|i_d| = |\varepsilon_0 E_0 \omega \cos \omega t|$
변위 전류 밀도의 최대값은 $i_m = \varepsilon_0 E_0 \omega = \varepsilon_0 E_0 2\pi f$

$\therefore f = \dfrac{i_m}{\varepsilon_0 E_0 2\pi} = \dfrac{2}{8.854 \times 10^{-12} \times 2 \times 2\pi}$
$= 18,000 [\text{MHz}]$

13

2장의 무한 평판 도체를 $4[\text{cm}]$의 간격으로 놓은 후 평판 도체 간에 일정한 전계를 인가하였더니 평판 도체 표면에 $2[\mu\text{C}/\text{m}^2]$의 전하밀도가 생겼다. 이때 평행 도체 표면에 작용하는 정전응력은 약 몇 $[\text{N}/\text{m}^2]$인가?

① 0.057
② 0.226
③ 0.57
④ 2.26

14

자성체 내의 자계의 세기가 $H[\text{AT}/\text{m}]$이고 자속 밀도가 $B[\text{Wb}/\text{m}^2]$일 때, 자계 에너지 밀도$[\text{J}/\text{m}^3]$는?

① HB
② $\dfrac{1}{2\mu}H^2$
③ $\dfrac{\mu}{2}B^2$
④ $\dfrac{1}{2\mu}B^2$

15

임의의 방향으로 배열되었던 강자성체의 자구가 외부 자기장의 힘이 일정치 이상이 되는 순간에 급격히 회전하여 자기장의 방향으로 배열되고 자속밀도가 증가하는 현상을 무엇이라 하는가?

① 자기여효(Magnetic Aftereffect)
② 바크하우젠 효과(Barkhausen Effect)
③ 자기왜현상(Magneto-striction Effect)
④ 핀치 효과(Pinch Effect)

16

반지름이 $5[\text{mm}]$, 길이가 $15[\text{mm}]$, 비투자율이 50인 자성체 막대에 코일을 감고 전류를 흘려서 자성체 내의 자속 밀도를 $50[\text{Wb}/\text{m}^2]$으로 하였을 때 자성체 내에서의 자계의 세기는 몇 $[\text{AT}/\text{m}]$인가?

① $\dfrac{10^7}{\pi}$
② $\dfrac{10^7}{2\pi}$
③ $\dfrac{10^7}{4\pi}$
④ $\dfrac{10^7}{8\pi}$

13

• 면 전하 밀도 $\rho_s[\text{C}/\text{m}^2]$인 두 평행판 도체의 전계

$$E = \frac{\rho_s}{\varepsilon_0}[\text{V}/\text{m}]$$

• 단위 면적당 정전응력

$$f = \frac{1}{2}ED = \frac{D^2}{2\varepsilon_0} = \frac{1}{2}\varepsilon_0 E^2 = \frac{\rho_s^2}{2\varepsilon_0}$$

$$= \frac{(2 \times 10^{-6})^2}{2 \times 8.854 \times 10^{-12}} = 0.226[\text{N}/\text{m}^2]$$

14

자계 에너지 밀도

$$w = \frac{1}{2}BH = \frac{1}{2}\mu H^2 = \frac{1}{2\mu}B^2[\text{J}/\text{m}^3]\ (\because B = \mu H)$$

15

• 바크하우젠 효과: 강자성체에 자계를 인가할 경우, 내부 자속이 불연속적으로 변화하는 현상
• 자기왜현상: 니켈 등의 강자성체를 자기장 안에 두면 왜곡 등의 일그러짐이 발생하는 현상
• 자기여효: 강자성체에 자계 인가 시 자화가 시간적으로 늦게 일어나는 현상
• 핀치 효과: 액체 상태의 도체에 전류를 인가하는 경우 액체 도체가 수축·이완하는 현상

16

자계의 세기

자속 밀도가 주어졌으므로 자계와 자속 밀도 관계를 이용한다.

$$B = \mu H = \mu_0 \mu_s H[\text{Wb}/\text{m}^2]$$

$$H = \frac{B}{\mu_0 \mu_s} = \frac{50}{4\pi \times 10^{-7} \times 50} = \frac{10^7}{4\pi}[\text{AT}/\text{m}]$$

17 1 2 3

반지름이 $30[\mathrm{cm}]$인 원판 전극의 평행판 콘덴서가 있다. 전극의 간격이 $0.1[\mathrm{cm}]$이며 전극 사이 유전체의 비유전율이 4.0이라 한다. 이 콘덴서의 정전 용량은 약 몇 $[\mu\mathrm{F}]$인가?

① 0.01　　　　　　② 0.02

③ 0.03　　　　　　④ 0.04

빈출

18 1 2 3

한 변의 길이가 $l[\mathrm{m}]$인 정사각형 도체 회로에 전류 $I[\mathrm{A}]$를 흘릴 때 회로의 중심점에서의 자계의 세기는 몇 $[\mathrm{AT/m}]$인가?

① $\dfrac{2I}{\pi l}$　　　　　② $\dfrac{I}{\sqrt{2}\,\pi l}$

③ $\dfrac{\sqrt{2}\,I}{\pi l}$　　　　　④ $\dfrac{2\sqrt{2}\,I}{\pi l}$

19 1 2 3

정전 용량이 각각 $C_1 = 1[\mu\mathrm{F}]$, $C_2 = 2[\mu\mathrm{F}]$인 도체에 전하 $Q_1 = -5[\mu\mathrm{C}]$, $Q_2 = 2[\mu\mathrm{C}]$을 각각 주고 각 도체를 가는 철사로 연결하였을 때 C_1에서 C_2로 이동하는 전하 $Q[\mu\mathrm{C}]$는?

① -4　　　　　　② -3.5

③ -3　　　　　　④ -1.5

20 1 2 3

정전 용량이 $0.03[\mu\mathrm{F}]$인 평행판 공기 콘덴서의 두 극판 사이에 절반 두께의 비유전율 10인 유리판을 극판과 평행하게 넣었다면 이 콘덴서의 정전 용량은 약 몇 $[\mu\mathrm{F}]$이 되는가?

① 1.83　　　　　　② 18.3

③ 0.055　　　　　　④ 0.55

정답 및 해설

17

평행판 콘덴서의 정전 용량

$$C = \frac{\varepsilon S}{d} = \frac{\varepsilon_0 \varepsilon_s S}{d}[\mathrm{F}]$$

$$= \frac{\frac{1}{36\pi} \times 10^{-9} \times 4 \times \pi \times (30 \times 10^{-2})^2}{0.1 \times 10^{-2}} = 10^{-8}[\mathrm{F}]$$

$$= 0.01[\mu\mathrm{F}]$$

18

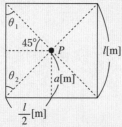

• 정사각형 한 변에 의해 생기는 자계

$$H_1 = \frac{I}{4\pi a}(\cos\theta_1 + \cos\theta_2) = \frac{\sqrt{2}\,I}{2\pi l}[\mathrm{AT/m}]$$

$$\left(a = \frac{l}{2}[\mathrm{m}], \theta_1 = \theta_2 = 45°\right)$$

• 정사각형 중심 자계

$$H_4 = 4 \times H_1 = \frac{2\sqrt{2}\,I}{\pi l}[\mathrm{AT/m}]$$

19

콘덴서를 병렬로 연결할 경우, 콘덴서 값에 따라 전하량이 분배된다.

• 병렬 연결 시 회로 내 총 전하량

$$Q = -5 + 2 = -3[\mu\mathrm{C}]$$

• 각 콘덴서에 분배되어 저장되는 전하량

$$Q_1 = \frac{C_1}{C_1 + C_2} Q = \frac{1}{1+2} \times (-3) = -1[\mu\mathrm{C}]$$

$$Q_2 = \frac{C_2}{C_1 + C_2} Q = \frac{2}{1+2} \times (-3) = -2[\mu\mathrm{C}]$$

∴ C_2 콘덴서의 처음 전하량이 $2[\mu\mathrm{C}]$이었으므로 $-2[\mu\mathrm{C}]$가 되기 위해서는 $-4[\mu\mathrm{C}]$ 크기의 전하량이 이동하여야 한다.

20

• 공기 중 콘덴서의 정전 용량

$$C_0 = \frac{\varepsilon_0 S}{d} = 0.03[\mu\mathrm{F}]$$

• 절반 두께에 유전체를 채울 경우

$$C_1 = \frac{\varepsilon_0 S}{\frac{d}{2}} = 2C_0 = 0.06[\mu\mathrm{F}]$$

$$C_2 = \frac{\varepsilon_0 \varepsilon_s S}{\frac{d}{2}} = 20C_0 = 0.6[\mu\mathrm{F}]$$

• 두 콘덴서는 직렬 연결되어 있으므로

$$C_{eq} = \frac{C_1 C_2}{C_1 + C_2} = \frac{0.06 \times 0.6}{0.06 + 0.6} = 0.0545[\mu\mathrm{F}]$$

전력공학

21 ❶ ❷ ❸

3상 전원에 접속된 Δ 결선의 커패시터를 Y 결선으로 바꾸면 진상 용량 Q_Y[kVA]는?(단, Q_Δ는 Δ 결선된 커패시터의 진상 용량이고, Q_Y는 Y 결선된 커패시터의 진상 용량이다.)

① $Q_Y = \sqrt{3}\, Q_\Delta$ ② $Q_Y = \dfrac{1}{3} Q_\Delta$

③ $Q_Y = 3Q_\Delta$ ④ $Q_Y = \dfrac{1}{\sqrt{3}} Q_\Delta$

22 ❶ ❷ ❸

교류 배전선로에서 전압 강하 계산식은 $V_d = k(R\cos\theta + X\sin\theta)I$로 표현된다. 3상 3선식 배전 선로인 경우에 k는?

① $\sqrt{3}$ ② $\sqrt{2}$
③ 3 ④ 2

23 ❶ ❷ ❸

송전선에서 뇌격에 대한 차폐 등을 위해 가선하는 가공지선에 대한 설명으로 옳은 것은?

① 차폐각은 보통 15~30° 정도로 하고 있다.
② 차폐각이 클수록 벼락에 대한 차폐효과가 크다.
③ 가공지선을 2선으로 하면 차폐각이 적어진다.
④ 가공지선으로는 연동선을 주로 사용한다.

24 ❶ ❷ ❸

배전선의 전력 손실 경감 대책이 아닌 것은?

① 다중 접지 방식을 채용한다.
② 역률을 개선한다.
③ 배전 전압을 높인다.
④ 부하의 불평형을 방지한다.

21
Δ 결선 시 충전 용량 $Q_\Delta = 3\omega CV^2 \times 10^{-3}$[kVA]

Y 결선 시 충전 용량 $Q_Y = 3 \times \omega C\left(\dfrac{V}{\sqrt{3}}\right)^2 = \omega CV^2 \times 10^{-3}$[kVA]

$Q_Y = \dfrac{1}{3} Q_\Delta$

22
3상 3선식 배전선로에서의 전압 강하
$e = \sqrt{3}\, I(R\cos\theta + X\sin\theta)$[V]
주어진 식으로 표현하면
$V_d = \sqrt{3}(R\cos\theta + X\sin\theta)I$로 $k = \sqrt{3}$

23
가공지선
• 차폐각: 30°~45°
• 차폐각을 작게 하면 차폐효과가 커짐
• 가공지선을 2선으로 함(차폐각을 작게 하기 위해)
• 가공지선은 ACSR을 사용

24
배전 선로의 손실 경감 대책
• 승압을 한다.
• 역률을 개선한다.
• 동량을 증가한다.
• 부하 설비의 불평형을 개선한다.
• 네트워크 배전 방식을 채택한다.

25

그림과 같은 이상 변압기에서 2차 측에 $5[\Omega]$의 저항 부하를 연결하였을 때 1차 측에 흐르는 전류 I는 약 몇 $[A]$인가?

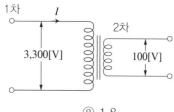

① 0.6
② 1.8
③ 20
④ 660

26

전압과 유효 전력이 일정할 경우 부하 역률이 $70[\%]$인 선로에서의 저항 손실($P_{70\%}$)은 역률이 $90[\%]$인 선로에서의 저항 손실($P_{90\%}$)과 비교하면 약 얼마인가?

① $P_{70\%} = 0.6 P_{90\%}$
② $P_{70\%} = 1.7 P_{90\%}$
③ $P_{70\%} = 0.3 P_{90\%}$
④ $P_{70\%} = 2.7 P_{90\%}$

27

3상 3선식 송전선에서 L을 작용 인덕턴스라 하고, L_e 및 L_m은 대지를 귀로로 하는 1선의 자기 인덕턴스 및 상호 인덕턴스라고 할 때 이들 사이의 관계식은?

① $L = L_m - L_e$
② $L = L_e - L_m$
③ $L = L_m + L_e$
④ $L = \dfrac{L_m}{L_e}$

28

표피 효과에 대한 설명으로 옳은 것은?

① 표피 효과는 주파수에 비례한다.
② 표피 효과는 전선의 단면적에 반비례한다.
③ 표피 효과는 전선의 비투자율에 반비례한다.
④ 표피 효과는 전선의 도전율에 반비례한다.

정답 및 해설

25

2차 측 전류 $I_2 = \dfrac{V_2}{R_2} = \dfrac{100}{5} = 20[A]$

권수비 $a = \dfrac{V_1}{V_2} = \dfrac{I_2}{I_1}$ 이므로

$I_1 = \dfrac{V_2}{V_1} \times I_2 = \dfrac{100}{3,300} \times 20 \fallingdotseq 0.6[A]$

26

전압과 유효 전력이 일정할 경우 전력 손실과 역률의 관계는

$P_l \propto \dfrac{1}{\cos^2\theta}$ 이므로

$\dfrac{P_{70\%}}{P_{90\%}} = \dfrac{\dfrac{1}{0.7^2}}{\dfrac{1}{0.9^2}} = 1.65$ ∴ $P_{70\%} \fallingdotseq 1.7 P_{90\%}$

27

작용 인덕턴스(L) = 자기 인덕턴스(L_e) − 상호 인덕턴스(L_m)

28

표피 효과
전선에 교류 전류를 흘렸을 때 도체 표면 쪽으로 전류가 많이 흘러 도체 중심 부분에는 전류 밀도가 작아지는 현상이다. 표피 효과는 주파수, 도전율, 투자율이 높을수록, 전선이 굵을수록 커진다.
[암기 포인트] 표피 효과 $= \sqrt{\pi\mu f k}$

29

배전 선로의 전압을 $3[\mathrm{kV}]$에서 $6[\mathrm{kV}]$로 승압하면 전압 강하율(δ)은 어떻게 되는가?(단, $\delta_{3\mathrm{kV}}$는 전압이 $3[\mathrm{kV}]$일 때 전압 강하율이고, $\delta_{6\mathrm{kV}}$는 전압이 $6[\mathrm{kV}]$일 때 전압 강하율이고, 부하는 일정하다고 한다.)

① $\delta_{6\mathrm{kV}} = \dfrac{1}{2}\delta_{3\mathrm{kV}}$ ② $\delta_{6\mathrm{kV}} = \dfrac{1}{4}\delta_{3\mathrm{kV}}$

③ $\delta_{6\mathrm{kV}} = 2\delta_{3\mathrm{kV}}$ ④ $\delta_{6\mathrm{kV}} = 4\delta_{3\mathrm{kV}}$

빈출
30

계통의 안정도 증진 대책이 아닌 것은?

① 발전기나 변압기의 리액턴스를 작게 한다.
② 선로의 회선 수를 감소시킨다.
③ 중간 조상 방식을 채용한다.
④ 고속도 재폐로 방식을 채용한다.

31

1상의 대지 정전 용량이 $0.5[\mu\mathrm{F}]$, 주파수가 $60[\mathrm{Hz}]$인 3상 송전선이 있다. 이 선로에 소호 리액터를 설치한다면, 소호 리액터의 공진 리액턴스는 약 몇 $[\Omega]$이면 되는가?

① 970 ② 1,370
③ 1,770 ④ 3,570

32

배전 선로의 고장 또는 보수 점검 시 정전 구간을 축소하기 위하여 사용되는 것은?

① 단로기 ② 컷아웃 스위치
③ 계자 저항기 ④ 구분 개폐기

29

전압 강하율 $\delta = \dfrac{V_s - V_r}{V_r} \times 100[\%] = \dfrac{e}{V_r} \times 100[\%]$

$\qquad = \dfrac{P}{V_r^2}(R + X\tan\theta) \times 100[\%]$에서

전압 강하율(δ)은 전압의 제곱(V^2)에 반비례한다.

$\dfrac{\delta_{6\mathrm{kV}}}{\delta_{3\mathrm{kV}}} = \dfrac{\left(\dfrac{1}{6}\right)^2}{\left(\dfrac{1}{3}\right)^2} = \left(\dfrac{3}{6}\right)^2 = \dfrac{1}{4}$ $\therefore \delta_{6\mathrm{kV}} = \dfrac{1}{4}\delta_{3\mathrm{kV}}$

30

안정도 향상 대책
• 리액턴스를 적게 한다.
 – 복도체 또는 다도체 채용
 – 직렬 콘덴서 설치
 – 발전기나 변압기의 리액턴스 감소
 – 선로의 병렬 회선 수 증가

• 전압 변동을 적게 한다.
 – 중간 조상 방식 채용
 – 고장 구간을 신속히 차단
 – 고속도 계전기, 고속도 차단기 설치
 – 속응 여자 방식 채용
• 계통에 충격을 주지 말아야 한다.
 – 제동 저항기 설치
 – 단락비를 크게 함

31

소호 리액터의 공진 리액턴스

$\omega L = \dfrac{1}{3\omega C} = \dfrac{1}{3 \times 2\pi f \times C}[\Omega]$이므로

$\omega L = \dfrac{1}{3 \times 2\pi \times 60 \times 0.5 \times 10^{-6}} \fallingdotseq 1,770[\Omega]$

32

구분 개폐기
배전 선로의 고장 또는 보수 점검 시 정전 구간을 축소하기 위해 사용하는 개폐기

33

1 2 3

수전단 전력 원선도의 전력 방정식이 $P_r^2 + (Q_r + 400)^2 = 250,000$으로 표현되는 전력 계통에서 가능한 최대로 공급할 수 있는 부하 전력(P_r)과 이때 전압을 일정하게 유지하는 데 필요한 무효 전력(Q_r)은 각각 얼마인가?

① $P_r = 500$, $Q_r = -400$ ② $P_r = 400$, $Q_r = 500$

③ $P_r = 300$, $Q_r = 100$ ④ $P_r = 200$, $Q_r = -300$

34

1 2 3

수전용 변전 설비의 1차 측 차단기의 차단 용량은 주로 어느 것에 의하여 정해지는가?

① 수전 계약 용량

② 부하 설비의 단락 용량

③ 공급 측 전원의 단락 용량

④ 수전 전력의 역률과 부하율

35

1 2 3

프란시스 수차의 특유 속도[m·kW]의 한계를 나타내는 식은?(단, H[m]는 유효 낙차이다.)

① $\dfrac{13,000}{H+50} + 10$ ② $\dfrac{13,000}{H+50} + 30$

③ $\dfrac{20,000}{H+20} + 10$ ④ $\dfrac{20,000}{H+20} + 30$

36

1 2 3

정격 전압 $6,600$[V], Y 결선, 3상 발전기의 중성점을 1선 지락 시 지락 전류를 100[A]로 제한하는 저항기로 접지하려고 한다. 저항기의 저항값은 약 몇 [Ω]인가?

① 44 ② 41

③ 38 ④ 35

37

1 2 3

송전 철탑에서 역섬락을 방지하기 위한 대책은?

① 가공 지선의 설치 ② 탑각 접지저항의 감소

③ 전력선의 연가 ④ 아크혼의 설치

33

$P_r^2 + (Q_r + 400)^2 = 250,000$에서 최대로 공급할 수 있는 부하 전력과 이때 전압을 일정하게 유지하려면 무효 전력이 없어야 한다. 따라서 $Q_r = -400$인 경우 최대 공급 부하 전력 $P_r = \sqrt{250,000} = 500$이다.

34

수전용 변전 설비의 1차 측 차단기의 차단 용량은 공급 측 전원의 단락 용량 이상의 값으로 정해진다.

35

프란시스 수차의 특유 속도의 한계

$N_s \leq \dfrac{20,000}{H+20} + 30$[m·kW]

36

지락 전류를 100[A]로 제한하려면

지락 전류 $I_g = \dfrac{E}{R} = 100$[A]에서

저항기의 저항값 $R = \dfrac{E}{I_g} = \dfrac{\frac{6,600}{\sqrt{3}}}{100} ≒ 38$[Ω]

37

매설 지선은 탑각 접지저항값을 작게 하여 역섬락 사고를 방지한다.

38 ☐1 ☐2 ☐3

조속기의 폐쇄 시간이 짧을수록 나타나는 현상으로 옳은 것은?

① 수격 작용은 작아진다.
② 발전기의 전압 상승률은 커진다.
③ 수차의 속도 변동률은 작아진다.
④ 수압관 내의 수압 상승률은 작아진다.

39 ☐1 ☐2 ☐3

주변압기 등에서 발생하는 제5고조파를 줄이는 방법으로 옳은 것은?

① 전력용 콘덴서에 직렬 리액터를 연결한다.
② 변압기 2차 측에 분로 리액터를 연결한다.
③ 모선에 방전 코일을 연결한다.
④ 모선에 공심 리액터를 연결한다.

40 ☐1 ☐2 ☐3

복도체에서 2본의 전선이 서로 충돌하는 것을 방지하기 위하여 2본의 전선 사이에 적당한 간격을 두어 설치하는 것은?

① 아머로드   ② 댐퍼
③ 아킹혼   ④ 스페이서

41 ☐1 ☐2 ☐3

정격 전압 120[V], 60[Hz]인 변압기의 무부하 입력 80[W], 무부하 전류 1.4[A]이다. 이 변압기의 여자 리액턴스는 약 몇 [Ω]인가?

① 97.6   ② 103.7
③ 124.7   ④ 180

38

조속기의 폐쇄 시간이 짧게 되면 그만큼 조속기의 동작이 예민하게 되므로, 수차의 속도 상승이 적게 되어 속도 변동률이 작아진다.

[암기 포인트] 조'속'기의 폐쇄 시간이 짧을수록 수차의 '속'도 변동률은 작아진다.

39

직렬 리액터: 제5고조파 제거 목적
• 이론: 콘덴서 용량의 4[%]
• 실제: 콘덴서 용량의 5~6[%]

40

스페이서
복도체에서 2본의 전선이 충돌하는 것을 방지하기 위해 전선 상호 간에 설치한다.

[암기 포인트] 전선의 진동방지 = 댐퍼, 전선의 충돌방지 = 스페이서

41

• 철손 전류
$$P_i = V_1 I_i \quad \therefore I_i = \frac{P_i}{V_1} = \frac{80}{120} = 0.67[\text{A}]$$

• 자화 전류
$$I_\phi = \sqrt{I_0^2 - I_i^2} = \sqrt{1.4^2 - 0.67^2} = 1.23[\text{A}]$$

• 여자 리액턴스
$$x_0 = \frac{V_1}{I_\phi} = \frac{120}{1.23} = 97.6[\Omega]$$

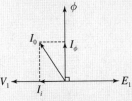

▲ 여자 전류의 벡터도

42 [1] [2] [3]

서보 모터의 특징에 대한 설명으로 틀린 것은?

① 발생 토크는 입력 신호에 비례하고, 그 비가 클 것
② 직류 서보 모터에 비하여 교류 서보 모터의 시동 토크가 매우 클 것
③ 시동 토크는 크나 회전부의 관성 모멘트가 작고, 전기적 시정수가 짧을 것
④ 빈번한 시동, 정지, 역전 등의 가혹한 상태에 견디도록 견고하고, 큰 돌입 전류에 견딜 것

43 [1] [2] [3]

3상 변압기 2차 측의 E_W상만을 반대로 하고 $Y-Y$ 결선을 한 경우, 2차 상전압이 $E_U = 70[V]$, $E_V = 70[V]$, $E_W = 70[V]$라면 2차 선간 전압은 약 몇 [V]인가?

① $V_{U-V} = 121.2[V]$, $V_{V-W} = 70[V]$, $V_{W-U} = 70[V]$
② $V_{U-V} = 121.2[V]$, $V_{V-W} = 210[V]$, $V_{W-U} = 70[V]$
③ $V_{U-V} = 121.2[V]$, $V_{V-W} = 121.2[V]$, $V_{W-U} = 70[V]$
④ $V_{U-V} = 121.2[V]$, $V_{V-W} = 121.2[V]$, $V_{W-U} = 121.2[V]$

44 [1] [2] [3]

극수 8, 중권 직류기의 전기자 총 도체 수 960, 매극 자속 0.04[Wb], 회전수 400[rpm]이라면 유기 기전력은 몇 [V]인가?

① 256 　　　　　② 327
③ 425 　　　　　④ 625

45 [1] [2] [3]

(빈출)

3상 유도 전동기에서 2차 측 저항을 2배로 하면 그 최대 토크는 어떻게 변하는가?

① 2배로 커진다. 　　　② 3배로 커진다.
③ 변하지 않는다. 　　　④ $\sqrt{2}$ 배로 커진다.

정답 및 해설

42
직류 서보 모터의 시동(기동) 토크는 교류 서보 모터보다 크다.

43

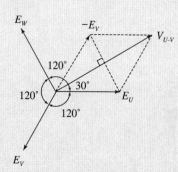

- $V_{U-V} = E_U - E_V = 2 \times (E_U \cos 30°) = \sqrt{3} E_U ≒ 121.2[V]$
- $V_{V-W} = E_V - (-E_W) = E_V + E_W = -E_U = 70[V]$
- $V_{W-U} = -E_W - E_U = E_V = 70[V]$

44
유기 기전력
$$E = \frac{pZ}{60a}\phi N = \frac{8 \times 960}{60 \times 8} \times 0.04 \times 400 = 256[V]$$
($\because$ 중권이므로 $a = p = 8$)

45
3상 유도 전동기의 최대 토크
$$T_m = k\frac{E_2^2}{2X_2}[N \cdot m]$$
최대 토크(T_m)는 2차 저항(r_2) 및 슬립(s)과 관계가 없으므로 일정하다.

[암기 포인트] 최대 토크는 '불변'

46 [1] [2] [3]

동기 전동기에 일정한 부하를 걸고 계자 전류를 $0[\text{A}]$에서부터 계속 증가시킬 때 관련 설명으로 옳은 것은?(단, I_a는 전기자 전류이다.)

① I_a는 증가하다가 감소한다.
② I_a가 최소일 때 역률이 1이다.
③ I_a가 감소 상태일 때 앞선 역률이다.
④ I_a가 증가 상태일 때 뒤진 역률이다.

47 [1] [2] [3]

$3[\text{kVA}]$, $3,000/200[\text{V}]$인 변압기의 단락 시험에서 임피던스 전압 $120[\text{V}]$, 동손 $150[\text{W}]$라 하면 %저항 강하는 몇 $[\%]$인가?

① 1   ② 3
③ 5   ④ 7

48 [1] [2] [3]

정격 출력 $50[\text{kW}]$, 4극 $220[\text{V}]$, $60[\text{Hz}]$인 3상 유도 전동기가 전부하 슬립 0.04, 효율 $90[\%]$로 운전되고 있을 때 다음 중 틀린 것은?

① 2차 효율 $= 92[\%]$
② 1차 입력 $= 55.56[\text{kW}]$
③ 회전자 동손 $= 2.08[\text{kW}]$
④ 회전자 입력 $= 52.08[\text{kW}]$

49 [1] [2] [3]

단상 유도 전동기를 2전동기설로 설명하는 경우 정방향 회전 자계의 슬립이 0.2이면, 역방향 회전 자계의 슬립은 얼마인가?

① 0.2 ② 0.8
③ 1.8 ④ 2.0

46

동기 전동기의 계자 전류를 증가시키면 전기자 전류는 뒤진 역률로 감소하다 역률이 1일 때 최소가 되며 다시 앞선 역률로 증가한다.

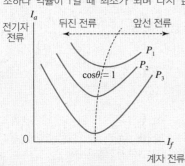

▲ 위상 특성 곡선

47

$$\%R = p = \frac{P_c}{P_n} \times 100 = \frac{150}{3 \times 10^3} \times 100 = 5[\%]$$

48

• 2차 입력(회전자 입력)
$$P_2 = \frac{P_0}{1-s} = \frac{50}{1-0.04} ≒ 52.08[\text{kW}]$$

• 2차 효율
$$\eta_2 = \frac{2\text{차 출력}}{2\text{차 입력}} = \frac{50}{52} ≒ 0.96(\therefore 96[\%])$$

• 1차 입력
$$P_1 = \frac{\text{전부하 출력}}{\text{전부하 효율}} = \frac{50}{0.9} ≒ 55.56[\text{kW}]$$

• 2차 동손(회전자 동손)
$$P_{c2} = sP_2 = 0.04 \times 52 = 2.08[\text{kW}]$$

49

2전동기설이란 같은 회전자에 대하여 정방향 회전 자계와 역방향 회전 자계가 동시에 작용하는 것이다. 따라서 같은 축에 회전 방향이 서로 반대되는 2개의 전동기가 작용하고 있는 것이라면 두 회전 자계의 슬립 합은 2가 된다.
$\therefore$ 역방향 회전 자계의 슬립 $=$ $2 -$ 정방향 회전 자계의 슬립
$= 2 - 0.2 = 1.8$

50

直類 가동 복권 발전기를 전동기로 사용하면 어느 전동기가 되는가?

① 직류 직권 전동기
② 직류 분권 전동기
③ 직류 가동 복권 전동기
④ 직류 차동 복권 전동기

51

동기 발전기를 병렬 운전하는 데 필요하지 않은 조건은?

① 기전력의 용량이 같을 것
② 기전력의 파형이 같을 것
③ 기전력의 크기가 같을 것
④ 기전력의 주파수가 같을 것

52

IGBT(Insulated Gate Bipolar Transistor)에 대한 설명으로 틀린 것은?

① MOSFET와 같이 전압 제어 소자이다.
② GTO 사이리스터와 같이 역방향 전압 저지 특성을 갖는다.
③ 게이트와 에미터 사이의 입력 임피던스가 매우 낮아 BJT 보다 구동하기 쉽다.
④ BJT처럼 on-drop이 전류에 관계없이 낮고 거의 일정하며, MOSFET보다 훨씬 큰 전류를 흘릴 수 있다.

53

유도 전동기에서 공급 전압의 크기가 일정하고 전원 주파수만 낮아질 때 일어나는 현상으로 옳은 것은?

① 철손이 감소한다.
② 온도 상승이 커진다.
③ 여자 전류가 감소한다.
④ 회전 속도가 증가한다.

정답 및 해설

50

직류 가동 복권 발전기를 전동기로 사용하면 분권 계자 전류의 방향은 변함이 없으나 직권 계자 전류의 방향이 반대가 되어 직류 차동 복권 전동기로 된다.

51

동기 발전기의 병렬 운전 조건
• 기전력의 크기가 같을 것
• 기전력의 위상이 같을 것
• 기전력의 주파수가 같을 것
• 기전력의 파형이 같을 것
동기 발전기를 병렬 운전하는 데 용량, 출력과는 무관하다.
[암기 포인트] '크위주파'

52

• IGBT(Insulated Gate Bipolar Transistor)는 BJT와 MOSFET의 특성을 결합한 것으로 게이트 핀이 에미터와 컬렉터 핀을 통과하는 전류를 제어한다.

• IGBT는 '선형' 디바이스가 아닌 스위치로만 사용되며, 동작이 느린 편이어서 사용은 최대 약 50[kHz]의 스위칭 주파수로 제한된다.
• 전력 처리 능력은 매우 우수(400[A] 이상 전류 및 5[kV] 이상 전압 지원)하여 트랙션, 그리드와 연결되는 인버터, 고전력 모터 제어와 같은 애플리케이션에 광범위하게 사용된다.
• MOSFET과 같이 입력 임피던스가 매우 높아 BJT보다 구동하기 쉽다.

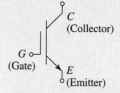

▲ IGBT(절연 게이트 양극성 트랜지스터)

53

• 와전류손은 주파수와 무관하므로 일정하나, 히스테리시스손은 주파수에 반비례하므로 증가한다. 따라서 철손은 증가한다.(전압이 일정할 때)
• 철손이 증가하므로 온도 상승이 커진다.
• 주파수가 감소하면 여자 임피던스가 감소하여 여자 전류는 증가한다.
• 회전 속도는 주파수에 비례하여 감소한다.

54

용접용으로 사용되는 직류 발전기의 특성 중에서 가장 중요한 것은?

① 과부하에 견딜 것
② 전압 변동률이 적을 것
③ 경부하일 때 효율이 좋을 것
④ 전류에 대한 전압 특성이 수하 특성일 것

55

동기 발전기에 설치된 제동 권선의 효과로 틀린 것은?

① 난조 방지
② 과부하 내량의 증대
③ 송전선의 불평형 단락 시 이상 전압 방지
④ 불평형 부하 시의 전류, 전압 파형의 개선

56

$3,300/220[\text{V}]$ 변압기 A, B의 정격 용량이 각각 $400[\text{kVA}]$, $300[\text{kVA}]$이고, %임피던스 강하가 각각 $2.4[\%]$와 $3.6[\%]$일 때 그 2대의 변압기에 걸 수 있는 합성 부하 용량은 몇 $[\text{kVA}]$인가?

① 550   ② 600
③ 650   ④ 700

57

동작 모드가 그림과 같이 나타나는 혼합 브리지는?

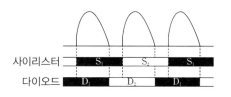

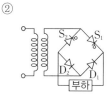

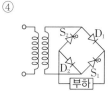

54

용접용으로 사용하는 발전기는 복권 발전기로 부하 전류 증가에 따라 직권 계자 권선의 자속이 분권 계자 자속을 억제하여 유기 기전력을 낮추어 일정한 전류를 공급하게 되는 수하 특성을 지닌다.

55

• 제동 권선
  – 난조 방지 권선이라고도 하며, 동기 발전기의 난조를 방지하여 일정 회전을 하기 위한 권선이다.
  – 동기기 회전자 자극표면에 설치한 저항이 작은 단락 권선이다.
  – 즉, 발전기 회전자에 있는 단락환이 제동 권선이다.
• 제동 권선의 역할
  – 난조의 방지: 제동 권선은 기계적인 플라이 휠과 비슷한 작용을 전기적 작용을 이용한 것이다.
  – 일정 속도로 회전하고 있는 발전기가 특정 이유로 속도가 변할 때 제동 권선에 전류가 발생하고 이 전류에 의해 동력이 발생하여 속도 변화를 막아 준다.
  – 불평형 부하 시 전류, 전압 파형 개선
  – 송전선의 불평형 단락 시 이상 전압 방지

56

분담 용량이 $\dfrac{P_a}{P_b} = \dfrac{P_A}{P_B} \times \dfrac{\%Z_b}{\%Z_a} = \dfrac{400}{300} \times \dfrac{3.6}{2.4} = 2$이므로

임피던스가 작은 변압기 즉, $400[\text{kVA}]$가 큰 부하를 분담한다.

$\dfrac{P_a}{P_b} = 2, \ P_b = \dfrac{1}{2}P_a = \dfrac{1}{2} \times 400 = 200[\text{kVA}]$이므로

합성 부하 용량 $P_a + P_b = 600[\text{kVA}]$가 된다.

57

혼합 브리지 동작 모드
$D_1 \to S_1 \to D_2 \to S_2 \to D_1 \to S_1$

58 ☐1 ☐2 ☐3

동기기의 전기자 저항을 r, 전기자 반작용 리액턴스를 X_a, 누설 리액턴스를 X_ℓ라고 하면 동기 임피던스를 표시하는 식은?

① $\sqrt{r^2 + \left(\dfrac{X_a}{X_\ell}\right)^2}$

② $\sqrt{r^2 + X_\ell^2}$

③ $\sqrt{r^2 + X_a^2}$

④ $\sqrt{r^2 + (X_a + X_\ell)^2}$

59 ☐1 ☐2 ☐3

단상 유도 전동기에 대한 설명으로 틀린 것은?

① 반발 기동형: 직류 전동기와 같이 정류자와 브러시를 이용하여 기동한다.
② 분상 기동형: 별도의 보조 권선을 사용하여 회전 자계를 발생시켜 기동한다.
③ 커패시터 기동형: 기동 전류에 비해 기동 토크가 크지만, 커패시터를 설치해야 한다.
④ 반발 유도형: 기동 시 농형 권선과 반발 전동기의 회전자 권선을 함께 이용하나 운전 중에는 농형 권선만을 이용한다.

60 ☐1 ☐2 ☐3

직류 전동기의 속도 제어법이 아닌 것은?

① 계자 제어법
② 전력 제어법
③ 전압 제어법
④ 저항 제어법

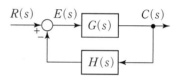

회로이론 및 제어공학	1회독 월 일	
	2회독 월 일	
	3회독 월 일	자동채점

61 ☐1 ☐2 ☐3

그림과 같은 피드백 제어 시스템에서 입력이 단위 계단 함수일 때 정상 상태 오차 상수인 위치 상수(K_p)는?

$$R(s) \quad E(s) \quad G(s) \quad C(s)$$
$$H(s)$$

① $K_p = \lim_{s \to 0} G(s)H(s)$

② $K_p = \lim_{s \to 0} \dfrac{G(s)}{H(s)}$

③ $K_p = \lim_{s \to \infty} G(s)H(s)$

④ $K_p = \lim_{s \to \infty} \dfrac{G(s)}{H(s)}$

정답 및 해설

58
• 동기 임피던스
$$Z_s = r + j(X_a + X_\ell)[\Omega]$$
• 동기 임피던스 크기
$$|Z_s| = \sqrt{r^2 + (X_a + X_\ell)^2}[\Omega]$$

59
반발 기동형 단상 유도 전동기의 특징
• 기동 토크가 매우 크다.
• 회전자는 직류 전동기의 전기자와 거의 같은 권선과 정류자로 구성되어 있다.
• 기동 후 원심력 개폐기로 정류자를 자동으로 단락시켜 농형 회전자로 운전된다.

[암기 포인트] 반발 유도 전동기
• 회전자에 농형 권선과 반발 전동기의 회전자 권선을 갖는다.
• 운전 중에 두 권선을 모두 사용한다.

60
직류 전동기의 속도 제어법
• 계자 제어법: 속도 제어 범위가 좁다.
• 전압 제어법: 제어 범위가 넓고 손실이 적어 효율이 좋다.
• 저항 제어법: 효율이 나쁘다.

61
단위 계단 함수의 위치 편차 상수
$$K_p = \lim_{s \to 0} G(s)H(s)$$

62 1 2 3

적분 시간 $4[\text{sec}]$, 비례 감도가 4인 비례 적분 동작을 하는 제어 요소에 동작 신호 $z(t) = 2t$를 주었을 때 이 제어 요소의 조작량은?(단, 조작량의 초기 값은 0이다.)

① $t^2 + 8t$ ② $t^2 + 2t$

③ $t^2 - 8t$ ④ $t^2 - 2t$

63 1 2 3

시간 함수 $f(t) = \sin\omega t$의 z변환은?(단, T는 샘플링 주기이다.)

① $\dfrac{z\sin\omega T}{z^2 + 2z\cos\omega T + 1}$ ② $\dfrac{z\sin\omega T}{z^2 - 2z\cos\omega T + 1}$

③ $\dfrac{z\cos\omega T}{z^2 - 2z\sin\omega T + 1}$ ④ $\dfrac{z\cos\omega T}{z^2 + 2z\sin\omega T + 1}$

64 1 2 3

다음과 같은 신호 흐름 선도에서 $\dfrac{C(s)}{R(s)}$의 값은?

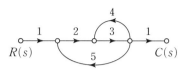

① $-\dfrac{1}{41}$ ② $-\dfrac{3}{41}$

③ $-\dfrac{6}{41}$ ④ $-\dfrac{8}{41}$

62

비례 적분 제어 함수식

$$y(t) = K_p\left[z(t) + \frac{1}{T_i}\int z(t)dt\right]$$

$$\therefore Y(s) = K_p\left[Z(s) + \frac{1}{T_i s}Z(s)\right] = K_p\left(1 + \frac{1}{T_i s}\right)Z(s)$$

$K_p = 4$, $T_i = 4$, $Z(s) = \mathcal{L}[z(t)] = \dfrac{2}{s^2}$ 값을 대입한다.

$$Y(s) = 4\left(1 + \frac{1}{4s}\right) \times \frac{2}{s^2}$$

$$= \left(4 + \frac{1}{s}\right) \times \frac{2}{s^2} = \frac{8}{s^2} + \frac{2}{s^3}$$

이 값을 시간 함수로 역변환하면

$\mathcal{L}^{-1}\left[\dfrac{8}{s^2}\right] = 8t$, $\mathcal{L}^{-1}\left[\dfrac{2}{s^3}\right] = t^2$이므로

$y(t) = t^2 + 8t$ 이다.

63

시간 함수 $f(t) = \sin\omega t$의 z변환

$$F(z) = \frac{z\sin\omega T}{z^2 - 2z\cos\omega T + 1}$$

64

주어진 신호 흐름 선도의 전달 함수를 메이슨 공식에 적용하여 구하면 다음과 같다.

$$\frac{C(s)}{R(s)} = \frac{\sum 경로}{1 - \sum 폐루프} = \frac{1 \times 2 \times 3 \times 1}{1 - (2 \times 3 \times 5 + 3 \times 4)} = -\frac{6}{41}$$

65 ▮1 2 3▮

Routh-Hurwitz 방법으로 특성 방정식이 $s^4 + 2s^3 + s^2 + 4s + 2 = 0$인 시스템의 안정도를 판별하면?

① 안정   ② 불안정

③ 임계안정   ④ 조건부 안정

66 ▮1 2 3▮

제어 시스템의 상태 방정식이 $\dfrac{dx(t)}{dt} = Ax(t) + Bu(t)$,

$A = \begin{bmatrix} 0 & 1 \\ -3 & 4 \end{bmatrix}$, $B = \begin{bmatrix} 1 \\ 1 \end{bmatrix}$일 때 특성 방정식을 구하면?

① $s^2 - 4s - 3 = 0$ ② $s^2 - 4s + 3 = 0$

③ $s^2 + 4s + 3 = 0$ ④ $s^2 + 4s - 3 = 0$

67 ▮1 2 3▮

어떤 제어 시스템의 개루프 이득이 $G(s)H(s) = \dfrac{K(s+2)}{s(s+1)(s+3)(s+4)}$

일 때 이 시스템이 가지는 근궤적의 가지(Branch) 수는?

① 1   ② 3

③ 4   ④ 5

68 ▮1 2 3▮

다음 회로에서 입력 전압 $v_1(t)$에 대한 출력 전압 $v_2(t)$의 전달함수 $G(s)$는?

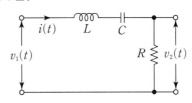

① $\dfrac{RCs}{LCs^2 + RCs + 1}$ ② $\dfrac{RCs}{LCs^2 - RCs - 1}$

③ $\dfrac{Cs}{LCs^2 + RCs + 1}$ ④ $\dfrac{Cs}{LCs^2 - RCs - 1}$

69 ▮1 2 3▮

특성 방정식의 모든 근이 s평면(복소 평면)의 $j\omega$축(허수축)에 있을 때 이 제어 시스템의 안정도는?

① 알 수 없다.   ② 안정하다.

③ 불안정하다.   ④ 임계 안정이다.

65

주어진 특성 방정식을 루드표로 작성하면 다음과 같다.

차수	제1열	제2열	제3열
s^4	1	1	2
s^3	2	4	0
s^2	$\dfrac{2 \times 1 - 1 \times 4}{2} = -1$	$\dfrac{2 \times 2 - 1 \times 0}{2} = 2$	0
s^1	$\dfrac{-1 \times 4 - 2 \times 2}{-1} = 8$	$\dfrac{-1 \times 0 - 2 \times 0}{-1} = 0$	0
s^0	$\dfrac{8 \times 2 - (-1) \times 0}{8} = 2$	0	0

루드표의 제1열의 부호 변화가 있으므로 불안정이다.

66

특성 방정식은 $|sI - A| = 0$이다.

$sI - A = \begin{bmatrix} s & 0 \\ 0 & s \end{bmatrix} - \begin{bmatrix} 0 & 1 \\ -3 & 4 \end{bmatrix} = \begin{bmatrix} s & -1 \\ 3 & s-4 \end{bmatrix}$

$|sI - A| = s(s-4) - \{(-1) \times 3\} = s^2 - 4s + 3 = 0$

67

영점수는 1개($Z = -2$)이고, 극점수는 4개($P = 0, -1, -3, -4$)이므로 근궤적의 가지 수는 영점수와 극점수 중 더 큰 수인 4개이다.

[암기 포인트] 근궤적의 가지 수는 분자, 분모 중 더 많은 근을 가진 곳의 개수이다.

68

전압 분배 법칙에 의해

$V_2(s) = \dfrac{R}{Ls + \dfrac{1}{Cs} + R} V_1(s)$이므로

$G(s) = \dfrac{V_2(s)}{V_1(s)} = \dfrac{R}{Ls + \dfrac{1}{Cs} + R} \times \dfrac{Cs}{Cs} = \dfrac{RCs}{LCs^2 + RCs + 1}$

69

복소 s평면의 좌반면에 특성 방정식 근이 존재하면 안정, 우반면에 근이 존재하면 불안정, 허수축($j\omega$축)에 있으면 임계 안정(임계 상태)이다.

70 ⓵ ⓶ ⓷

논리식 $[(AB+A\overline{B})+AB]+\overline{A}\,B$를 간단히 하면?

① $A+B$
② $\overline{A}+B$
③ $A+\overline{B}$
④ $A+A\cdot B$

71 ⓵ ⓶ ⓷

선간 전압이 $V_{ab}[\text{V}]$인 3상 평형 전원에 대칭 부하 $R[\Omega]$이 그림과 같이 접속되어 있을 때, a, b 두 상 간에 접속된 전력계의 지시 값이 $W[\text{W}]$라면 c상 전류의 크기[A]는?

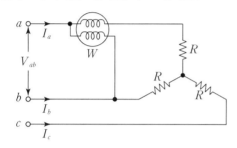

① $\dfrac{W}{3\,V_{ab}}$
② $\dfrac{2\,W}{3\,V_{ab}}$
③ $\dfrac{2\,W}{\sqrt{3}\,V_{ab}}$
④ $\dfrac{\sqrt{3}\,W}{V_{ab}}$

72 ⓵ ⓶ ⓷

불평형 3상 전류가 $I_a=15+j2[\text{A}]$, $I_b=-20-j14[\text{A}]$, $I_c=-3+j10[\text{A}]$일 때, 역상분 전류 $I_2[\text{A}]$는?

① $1.91+j6.24$
② $15.74-j3.57$
③ $-2.67-j0.67$
④ $-8-j2$

73 ⓵ ⓶ ⓷

회로에서 $20[\Omega]$의 저항이 소비하는 전력은 몇 $[\text{W}]$인가?

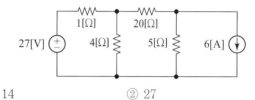

① 14
② 27
③ 40
④ 80

70

$[(AB+A\overline{B})+AB]+\overline{A}\,B$
$=AB+A\overline{B}+AB+\overline{A}\,B=A(B+\overline{B})+B(A+\overline{A})=A+B$

71

전원은 평형 3상, 부하는 대칭이다.
$V_{ab}=V_{bc}=V_{ca}$, $I_a=I_b=I_c$
2전력계법에 의해 전체 전력
$P=2W=\sqrt{3}\,V_{ab}\,I_c[\text{W}]$
$\therefore I_c=\dfrac{2\,W}{\sqrt{3}\,V_{ab}}[\text{A}]$

72

3상 불평형에서 역상분
$I_2=\dfrac{1}{3}(I_a+a^2I_b+aI_c)$

$=\dfrac{1}{3}\left\{(15+j2)+\left(-\dfrac{1}{2}-j\dfrac{\sqrt{3}}{2}\right)(-20-j14)\right.$

$\left.+\left(-\dfrac{1}{2}+j\dfrac{\sqrt{3}}{2}\right)(-3+j10)\right\}=1.91+j6.24[\text{A}]$

73

테브난 ↔ 노튼 등가 변환을 이용하여 $20[\Omega]$에 흐르는 전류를 구한다.

테브난→노튼 변환   노튼→테브난 변환

$1[\Omega]$ 저항과 $4[\Omega]$ 저항을 병렬 합성한 후 왼쪽 회로를 다시 테브난 회로로 변환한다.

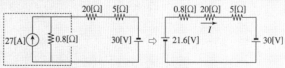

노튼→테브난 변환

$I=\dfrac{V}{R}=\dfrac{21.6+30}{0.8+20+5}=2[\text{A}]$

따라서 $20[\Omega]$ 저항에 소비되는 전력은 아래와 같다.
$P=I^2R=2^2\times20=80[\text{W}]$

74 [1 2 3]

RC 직렬 회로에 직류 전압 $V[\mathrm{V}]$가 인가되었을 때, 전류 $i(t)$에 대한 전압 방정식(KVL)이 $V=Ri(t)+\dfrac{1}{C}\int i(t)dt[\mathrm{V}]$이다. 전류 $i(t)$의 라플라스 변환인 $I(s)$는?(단, C에는 초기 전하가 없다.)

① $I(s)=\dfrac{V}{R}\dfrac{1}{s-\dfrac{1}{RC}}$

② $I(s)=\dfrac{C}{R}\dfrac{1}{s+\dfrac{1}{RC}}$

③ $I(s)=\dfrac{V}{R}\dfrac{1}{s+\dfrac{1}{RC}}$

④ $I(s)=\dfrac{R}{C}\dfrac{1}{s-\dfrac{1}{RC}}$

75 [1 2 3]

선간 전압이 $100[\mathrm{V}]$이고, 역률이 0.6인 평형 3상 부하에서 무효전력이 $Q=10[\mathrm{kVar}]$일 때, 선전류의 크기는 약 몇 $[\mathrm{A}]$인가?

① 57.7

② 72.2

③ 96.2

④ 125

76 [1 2 3]

그림과 같은 T형 4단자 회로망에서 4단자 정수 A와 C는? (단, $Z_1=\dfrac{1}{Y_1}$, $Z_2=\dfrac{1}{Y_2}$, $Z_3=\dfrac{1}{Y_3}$)

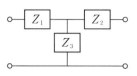

① $A=1+\dfrac{Y_3}{Y_1}$, $C=Y_2$

② $A=1+\dfrac{Y_3}{Y_1}$, $C=\dfrac{1}{Y_3}$

③ $A=1+\dfrac{Y_3}{Y_1}$, $C=Y_3$

④ $A=1+\dfrac{Y_1}{Y_3}$, $C=\left(1+\dfrac{Y_1}{Y_3}\right)\dfrac{1}{Y_3}+\dfrac{1}{Y_2}$

빈출
77 [1 2 3]

어떤 회로의 유효 전력이 $300[\mathrm{W}]$, 무효 전력이 $400[\mathrm{Var}]$이다. 이 회로의 복소 전력의 크기$[\mathrm{VA}]$는?

① 350

② 500

③ 600

④ 700

정답 및 해설

74
방정식을 라플라스 변환한다.
$$\frac{V}{s}=RI(s)+\frac{1}{Cs}I(s)$$
$$I(s)=\frac{\dfrac{V}{s}}{R+\dfrac{1}{Cs}}=\frac{V}{Rs+\dfrac{1}{C}}=\frac{V}{R}\frac{1}{s+\dfrac{1}{RC}}$$

[암기 포인트] 교류를 라플라스 변환하면 $V(s)$
직류를 라플라스 변환하면 $\dfrac{V(s)}{s}$

75
역률이 0.6이므로 무효율은 아래와 같다.
$$\sin\theta=\sqrt{1-0.6^2}=0.8$$
$$Q=\sqrt{3}\,VI\sin\theta[\mathrm{Var}]$$
$$I=\frac{Q}{\sqrt{3}\,V\sin\theta}=\frac{10\times10^3}{\sqrt{3}\times100\times0.8}\fallingdotseq72.2[\mathrm{A}]$$

76
$$\begin{bmatrix}1 & Z_1\\0 & 1\end{bmatrix}\begin{bmatrix}1 & 0\\\dfrac{1}{Z_3} & 1\end{bmatrix}\begin{bmatrix}1 & Z_2\\0 & 1\end{bmatrix}=\begin{bmatrix}1+\dfrac{Z_1}{Z_3} & Z_1+Z_2+\dfrac{Z_1Z_2}{Z_3}\\[2mm]\dfrac{1}{Z_3} & 1+\dfrac{Z_2}{Z_3}\end{bmatrix}$$

$$A=1+\frac{Z_1}{Z_3}=1+\frac{\dfrac{1}{Y_1}}{\dfrac{1}{Y_3}}=1+\frac{Y_3}{Y_1}$$

$$C=\frac{1}{Z_3}=\frac{1}{\dfrac{1}{Y_3}}=Y_3$$

77
$$P_a=P+jP_r$$
$$|P_a|=\sqrt{P^2+P_r^2}=\sqrt{300^2+400^2}=500[\mathrm{VA}]$$

78 1 2 3

$R=4[\Omega]$, $\omega L=3[\Omega]$의 직렬 회로에 $e=100\sqrt{2}\sin\omega t + 50\sqrt{2}\sin3\omega t$를 인가할 때 이 회로의 소비 전력은 약 몇 [W]인가?

① 1,000
② 1,414
③ 1,560
④ 1,703

79 1 2 3

단위 길이당 인덕턴스가 $L[\mathrm{H/m}]$이고, 단위 길이당 정전 용량이 $C[\mathrm{F/m}]$인 무손실 선로에서의 진행파 속도[m/s]는?

① $\sqrt{LC}$
② $\dfrac{1}{\sqrt{LC}}$
③ $\sqrt{\dfrac{C}{L}}$
④ $\sqrt{\dfrac{L}{C}}$

80 1 2 3

$t=0$에서 스위치(S)를 닫았을 때 $t=0^{+}$에서의 $i(t)$는 몇 [A]인가?(단, 커패시터에 초기 전하는 없다.)

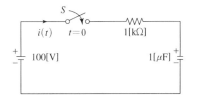

① 0.1
② 0.2
③ 0.4
④ 1.0

전기설비기술기준	1회독	월	일
	2회독	월	일
	3회독	월	일 자동채점

81 1 2 3

$345[\mathrm{kV}]$ 송전선을 사람이 쉽게 들어가지 않는 산지에 시설할 때 전선의 지표상 높이는 몇 [m] 이상으로 하여야 하는가?

① 7.28
② 7.56
③ 8.28
④ 8.56

78

· 1고조파 전류

$$I_1 = \frac{V_1}{Z_1} = \frac{V_1}{\sqrt{R^2+(\omega L)^2}} = \frac{100}{\sqrt{4^2+3^2}} = \frac{100}{5} = 20[\mathrm{A}]$$

· 3고조파 전류

$$I_3 = \frac{V_3}{Z_3} = \frac{V_3}{\sqrt{R^2+(3\omega L)^2}} = \frac{50}{\sqrt{4^2+(3\times3)^2}}$$
$$= \frac{50}{\sqrt{97}} \fallingdotseq 5.08[\mathrm{A}]$$

$$\therefore P = I_1^2 R + I_3^2 R = 20^2 \times 4 + 5.08^2 \times 4 \fallingdotseq 1,703[\mathrm{W}]$$

79

파장 $\lambda = \dfrac{1}{f\sqrt{LC}} = \dfrac{v}{f}$ 에서 전파속도 $v = \dfrac{1}{\sqrt{LC}}[\mathrm{m/s}]$ 이다.

[암기 포인트] 무손실 진행파 속도 $v = \dfrac{1}{\sqrt{LC}}[\mathrm{m/s}]$

80

과도 전류 $i(t) = \dfrac{E}{R}e^{-\frac{1}{RC}t}[\mathrm{A}]$ 에서 $t=0^{+}$일 때

$i(0) = \dfrac{E}{R}e^0 = \dfrac{100}{1,000} = 0.1[\mathrm{A}]$ 이다.

81

특고압 가공전선의 높이(한국전기설비규정 333.7)

사용전압의 구분	지표상의 높이
35[kV] 이하	5[m](철도 또는 궤도를 횡단하는 경우에는 6.5[m], 도로를 횡단하는 경우에는 6[m], 횡단보도교의 위에 시설하는 경우로서 전선이 특고압 절연전선 또는 케이블인 경우에는 4[m]) 이상
35[kV] 초과 160[kV] 이하	6[m](철도 또는 궤도를 횡단하는 경우에는 6.5[m], 산지(山地) 등에서 사람이 쉽게 들어갈 수 없는 장소에 시설하는 경우에는 5[m], 횡단보도교의 위에 시설하는 경우 전선이 케이블인 때에는 5[m]) 이상
160[kV] 초과	6[m](철도 또는 궤도를 횡단하는 경우에는 6.5[m], 산지 등에서 사람이 쉽게 들어갈 수 없는 장소를 시설하는 경우에는 5[m])에 160[kV]를 초과하는 10[kV] 또는 그 단수마다 0.12[m]를 더한 값 이상

$\dfrac{345-160}{10} = 18.5 \rightarrow$ 단수 19

∴ 산지 등에서 사람이 쉽게 들어갈 수 없는 장소이므로
지표상 높이 $= 5 + (19 \times 0.12) = 7.28[\mathrm{m}]$

82 `1` `2` `3`

변전소에서 오접속을 방지하기 위하여 특고압 전로의 보기 쉬운 곳에 반드시 표시해야 하는 것은?

① 상별 표시
② 위험 표시
③ 최대 전류
④ 정격 전압

빈출
83 `1` `2` `3`

전력보안 가공통신선의 시설 높이에 대한 기준으로 옳은 것은?

① 철도의 궤도를 횡단하는 경우에는 레일면상 5[m] 이상
② 횡단보도교 위에 시설하는 경우에는 그 노면상 3[m] 이상
③ 도로(차도와 도로의 구별이 있는 도로는 차도) 위에 시설하는 경우에는 지표상 2[m] 이상
④ 교통에 지장을 줄 우려가 없도록 도로(차도와 도로의 구별이 있는 도로는 차도) 위에 시설하는 경우에는 지표상 2[m]까지로 감할 수 있다.

84 `1` `2` `3`

이동형의 용접전극을 사용하는 아크 용접장치의 용접변압기의 1차 측 전로의 대지전압은 몇 [V] 이하이어야 하는가?

① 60
② 150
③ 300
④ 400

85 `1` `2` `3`

전기온상용 발열선은 그 온도가 몇 [℃]를 넘지 않도록 시설하여야 하는가?

① 50
② 60
③ 80
④ 100

86 `1` `2` `3`

사용전압이 154[kV]인 가공전선로를 제1종 특고압 보안공사로 시설할 때 사용되는 경동연선의 단면적은 몇 [mm²] 이상이어야 하는가?

① 52
② 100
③ 150
④ 200

정답 및 해설

82
특고압 전로의 상 및 접속 상태의 표시(한국전기설비규정 351.2)
발전소·변전소 또는 이에 준하는 곳의 특고압 전로에는 그의 보기 쉬운 곳에 상별 표시를 하여야 한다.

83
전력보안통신선의 시설 높이와 이격거리(한국전기설비규정 362.2)
전력보안 가공통신선의 높이는 다음을 따른다.
• 도로 위에 시설하는 경우에는 지표상 5[m] 이상. 다만, 교통에 지장을 줄 우려가 없는 경우에는 4.5[m]까지로 감할 수 있다.
• 철도 또는 궤도를 횡단하는 경우에는 레일면상 6.5[m] 이상
• 횡단보도교 위에 시설하는 경우에는 그 노면상 3[m] 이상
• 이외의 경우에는 지표상 3.5[m] 이상

84
아크 용접기(한국전기설비규정 241.10)
이동형의 용접 전극을 사용하는 아크 용접장치는 다음에 따라 시설하여야 한다.
• 용접변압기는 절연변압기일 것
• 용접변압기의 1차 측 전로의 대지전압은 300[V] 이하일 것
• 용접변압기의 1차 측 전로에는 용접 변압기에 가까운 곳에 쉽게 개폐할 수 있는 개폐기를 시설할 것

85
발열선의 시설(한국전기설비규정 241.5.2)
전기온상의 발열선의 시설은 다음에 의하여 시설하여야 한다.
• 발열선은 그 온도가 80[℃]를 넘지 않도록 시설할 것
• 발열선 및 발열선에 직접 접속하는 전선은 전기온상선일 것
• 발열선 및 발열선에 직접 접속하는 전선은 손상을 받을 우려가 있는 경우에는 적당한 방호장치를 할 것

86
특고압 보안공사(한국전기설비규정 333.22)
제1종 특고압 보안공사 시 전선의 단면적은 다음 표에서 정한 값 이상이어야 한다.(단, 케이블인 경우는 제외한다.)

사용전압	전선
100[kV] 미만	인장강도 21.67[kN] 이상의 연선 또는 단면적 55[mm²] 이상의 경동연선 또는 동등 이상의 인장강도를 갖는 알루미늄 전선이나 절연전선
100[kV] 이상 300[kV] 미만	인장강도 58.84[kN] 이상의 연선 또는 단면적 150[mm²] 이상의 경동연선 또는 동등 이상의 인장강도를 갖는 알루미늄 전선이나 절연전선
300[kV] 이상	인장강도 77.47[kN] 이상의 연선 또는 단면적 200[mm²] 이상의 경동연선 또는 동등 이상의 인장강도를 갖는 알루미늄 전선이나 절연전선

87 □ 1 2 3

고압용 기계기구를 시가지에 시설할 때 지표상 몇 [m] 이상의 높이에 시설하고, 또한 사람이 쉽게 접촉할 우려가 없도록 하여야 하는가?

① 4.0   ② 4.5
③ 5.0   ④ 5.5

88 □ 1 2 3

발전기, 전동기, 조상기, 기타 회전기(회전변류기 제외)의 절연내력 시험전압은 어느 곳에 가하는가?

① 권선과 대지 사이   ② 외함과 권선 사이
③ 외함과 대지 사이   ④ 회전자와 고정자 사이

89 □ 1 2 3

특고압 지중전선이 지중약전류전선 등과 접근하거나 교차하는 경우에 상호 간의 이격거리가 몇 [cm] 이하인 때에만 두 전선이 직접 접촉하지 아니하도록 하여야 하는가?

① 15   ② 20
③ 30   ④ 60

90 □ 1 2 3

고압 옥내배선의 공사방법으로 틀린 것은?

① 케이블배선
② 합성수지관배선
③ 케이블트레이배선
④ 애자사용배선(건조한 장소에 전개된 장소에 한한다.)

91 □ 1 2 3

조상설비 내부고장, 과전류 또는 과전압이 생긴 경우 자동적으로 차단되는 장치를 해야 하는 전력용 커패시터의 최소 뱅크용량은 몇 [kVA]인가?

① 10,000   ② 12,000
③ 13,000   ④ 15,000

87

고압용 기계기구의 시설(한국전기설비규정 341.8)
기계기구(이에 부속하는 전선에 케이블 또는 고압 인하용 절연전선을 사용하는 것에 한한다)를 지표상 4.5[m](시가지 외에는 4[m]) 이상의 높이에 시설하고 또한 사람이 쉽게 접촉할 우려가 없도록 시설해야 한다.

88

회전기 및 정류기의 절연내력(한국전기설비규정 133)
발전기, 전동기, 조상기, 기타 회전기(회전변류기 제외)의 절연내력 시험은 권선과 대지 사이에 시험전압을 연속하여 10분간 가한다.

89

지중전선과 지중약전류전선 등 또는 관과의 접근 또는 교차(한국전기설비규정 334.6)
지중전선이 지중약전류전선 등과 접근하거나 교차하는 경우에 상호 간의 이격거리가 저압 또는 고압의 지중전선은 0.3[m] 이하, 특고압 지중전선은 0.6[m] 이하인 때에는 지중전선과 지중약전류전선 등 사이에 견고한 내화성의 격벽을 설치하는 경우 이외에는 지중전선을 견고한 불연성 또는 난연성의 관에 넣어 그 관이 지중약전류전선 등과 직접 접촉하지 아니하도록 하여야 한다.

90

고압 옥내배선 등의 시설(한국전기설비규정 342.1)
고압 옥내배선은 다음에 따라 시설하여야 한다.
• 애자사용배선(건조한 장소로서 전개된 장소에 한한다.)
• 케이블배선
• 케이블트레이배선

91

조상설비의 보호장치(한국전기설비규정 351.5)

설비종별	뱅크용량의 구분	자동적으로 전로로부터 차단하는 장치
전력용 커패시터 및 분로리액터	500[kVA] 초과 15,000[kVA] 미만	내부에 고장이 생긴 경우에 동작하는 장치 또는 과전류가 생긴 경우에 동작하는 장치
	15,000[kVA] 이상	내부에 고장이 생긴 경우에 동작하는 장치 및 과전류가 생긴 경우에 동작하는 장치 또는 과전압이 생긴 경우에 동작하는 장치
조상기	15,000[kVA] 이상	내부에 고장이 생긴 경우에 동작하는 장치

92 ☐1 ☐2 ☐3

사용전압이 440[V]인 이동기중기용 접촉전선을 애자공사에 의하여 옥내의 전개된 장소에 시설하는 경우 사용하는 전선으로 옳은 것은?

① 인장강도가 3.44[kN] 이상인 것 또는 지름 2.6[mm]의 경동선으로 단면적이 8[mm²] 이상인 것
② 인장강도가 3.44[kN] 이상인 것 또는 지름 3.2[mm]의 경동선으로 단면적이 18[mm²] 이상인 것
③ 인장강도가 11.2[kN] 이상인 것 또는 지름 6[mm]의 경동선으로 단면적이 28[mm²] 이상인 것
④ 인장강도가 11.2[kN] 이상인 것 또는 지름 8[mm]의 경동선으로 단면적이 18[mm²] 이상인 것

93 ☐1 ☐2 ☐3

옥내에 시설하는 사용 전압이 400[V] 초과, 1,000[V] 이하인 전개된 장소로서 건조한 장소가 아닌 기타의 장소의 관등회로 배선공사로서 적합한 것은?

① 애자공사
② 금속몰드공사
③ 금속덕트공사
④ 합성수지몰드공사

94 KEC 적용에 따라 삭제되었습니다.

95 ☐1 ☐2 ☐3

저압 가공전선으로 사용할 수 없는 것은?

① 케이블
② 절연전선
③ 다심형 전선
④ 나동복 강선

96 ☐1 ☐2 ☐3

가공전선로의 지지물에 시설하는 지선의 시설기준으로 틀린 것은?

① 지선의 안전율을 2.5 이상으로 할 것
② 소선은 최소 5가닥 이상의 강심 알루미늄연선을 사용할 것
③ 도로를 횡단하여 시설하는 지선의 높이는 지표상 5[m] 이상으로 할 것
④ 지중 부분 및 지표상 30[cm]까지의 부분에는 내식성이 있는 것을 사용할 것

정답 및 해설

92

옥내에 시설하는 저압 접촉전선 배선(한국전기설비규정 232.81)
저압 접촉전선을 애자공사에 의하여 옥내의 전개된 장소에 시설하는 경우에는 다음에 따라야 한다.
• 전선은 인장강도 11.2[kN] 이상의 것 또는 지름 6[mm]의 경동선으로 단면적이 28[mm²] 이상인 것일 것. 다만, 사용전압이 400[V] 이하인 경우에는 인장강도 3.44[kN] 이상의 것 또는 지름 3.2[mm] 이상의 경동선으로 단면적이 8[mm²] 이상인 것을 사용할 수 있다.

93

관등회로의 배선(한국전기설비규정 234.11.4)
관등회로의 사용전압이 400[V] 초과이고, 1[kV] 이하인 전개된 장소로서 건조한 장소가 아닌 기타의 장소의 관등회로는 애자공사를 하여야 한다.

95

저압 가공전선의 굵기 및 종류(한국전기설비규정 222.5)
저압 가공전선은 나전선, 절연전선, 다심형 전선 또는 케이블을 사용하여야 한다.

96

지선의 시설(한국전기설비규정 331.11)
가공전선로의 지지물에 시설하는 지선은 다음에 따라야 한다.
• 지선의 안전율은 2.5 이상일 것
• 소선 3가닥 이상의 연선일 것
• 지중 부분 및 지표상 0.3[m]까지의 부분에는 내식성이 있는 것 또는 아연도금을 한 철봉을 사용하고 쉽게 부식되지 않는 근가에 견고하게 붙일 것
• 도로를 횡단하여 시설하는 지선의 높이는 지표상 5[m] 이상으로 할 것

97

특고압 가공전선로 중 지지물로서 직선형의 철탑을 연속하여 10기 이상 사용하는 부분에는 몇 기 이하마다 내장 애자장치가 되어 있는 철탑 또는 이와 동등 이상의 강도를 가지는 철탑 1기를 시설하여야 하는가?

① 3   ② 5

③ 7   ④ 10

98

접지공사에 사용하는 접지도체를 사람이 접촉할 우려가 있는 곳에 시설하는 경우, 「전기용품 및 생활용품 안전관리법」을 적용받는 합성수지관(두께 2[mm] 미만의 합성수지제 전선관 및 난연성이 없는 콤바인덕트관을 제외)으로 덮어야 하는 범위로 옳은 것은?

① 접지도체의 지하 0.3[m]로부터 지표상 1[m]까지의 부분
② 접지도체의 지하 0.5[m]로부터 지표상 1.2[m]까지의 부분
③ 접지도체의 지하 0.6[m]로부터 지표상 1.8[m]까지의 부분
④ 접지도체의 지하 0.75[m]로부터 지표상 2[m]까지의 부분

99 (빈출)

사용전압이 400[V] 이하인 저압 가공전선은 케이블인 경우를 제외하고는 지름이 몇 [mm] 이상이어야 하는가?(단, 절연전선은 제외한다.)

① 3.2   ② 3.6

③ 4.0   ④ 5.0

100

KEC 적용에 따라 삭제되었습니다.

97

특고압 가공전선로의 내장형 등의 지지물 시설(한국전기설비규정 333.16)
특고압 가공전선로 중 지지물로서 직선형의 철탑을 연속하여 10기 이상 사용하는 부분에는 10기 이하마다 장력에 견디는 애자장치가 되어 있는 철탑 또는 이와 동등 이상의 강도를 가지는 철탑 1기를 시설하여야 한다.

98

접지도체(한국전기설비규정 142.3.1)
접지도체는 지하 0.75[m]부터 지표상 2[m]까지 부분은 합성수지관(두께 2[mm] 미만의 합성수지제 전선관 및 가연성 콤바인덕트관은 제외한다) 또는 이와 동등 이상의 절연효과와 강도를 가지는 몰드로 덮어야 한다.

99

저압 가공전선의 굵기 및 종류(한국전기설비규정 222.5)
사용전압이 400[V] 이하인 저압 가공전선은 케이블인 경우를 제외하고는 인장강도 3.43[kN] 이상의 것 또는 지름 3.2[mm](절연전선인 경우는 인장강도 2.3[kN] 이상의 것 또는 지름 2.6[mm] 이상의 경동선) 이상의 것이어야 한다.

01 [1] [2] [3]

환상 솔레노이드 철심 내부에서 자계의 세기[AT/m]는?(단, N은 코일 권선수, r은 환상 철심의 평균 반지름, I는 코일에 흐르는 전류이다.)

① NI

② $\dfrac{NI}{2\pi r}$

③ $\dfrac{NI}{2r}$

④ $\dfrac{NI}{4\pi r}$

빈출
02 [1] [2] [3]

전류 I가 흐르는 무한 직선 도체가 있다. 이 도체로부터 수직으로 $0.1[\mathrm{m}]$ 떨어진 점에서 자계의 세기가 $180[\mathrm{AT/m}]$이다. 도체로부터 수직으로 $0.3[\mathrm{m}]$ 떨어진 점에서 자계의 세기 $[\mathrm{AT/m}]$는?

① 20

② 60

③ 180

④ 540

03 [1] [2] [3]

길이가 $l[\mathrm{m}]$, 단면적의 반지름이 $a[\mathrm{m}]$인 원통이 길이 방향으로 균일하게 자화되어 자화의 세기가 $J[\mathrm{Wb/m^2}]$인 경우, 원통 양단에서의 자극의 세기 $m[\mathrm{Wb}]$은?

① alJ

② $2\pi alJ$

③ $\pi a^2 J$

④ $\dfrac{J}{\pi a^2}$

04 [1] [2] [3]

임의의 형상의 도선에 전류 $I[\mathrm{A}]$가 흐를 때, 거리 $r[\mathrm{m}]$만큼 떨어진 점에서의 자계의 세기 $H[\mathrm{AT/m}]$를 구하는 비오–사바르의 법칙에서 자계의 세기 $H[\mathrm{AT/m}]$와 거리 $r[\mathrm{m}]$의 관계로 옳은 것은?

① r에 반비례

② r에 비례

③ r^2에 반비례

④ r^2에 비례

정답 및 해설

01

환상 솔레노이드 철심 내부에서의 자계

$H = \dfrac{NI}{2\pi r}[\mathrm{AT/m}]$

02

무한 직선 도체로부터의 자계

$H = \dfrac{I}{2\pi r}\,[\mathrm{AT/m}]$

$H|_{r=0.1} = \dfrac{I}{2\pi \times 0.1} = 180[\mathrm{AT/m}]$

$H|_{r=0.3} = \dfrac{I}{2\pi \times 0.3} = \dfrac{I}{2\pi \times 0.1} \times \dfrac{1}{3} = 60[\mathrm{AT/m}]$

03

자화 및 자기모멘트 관계식

$J = \dfrac{M}{V} = \dfrac{ml}{\pi a^2 l} = \dfrac{m}{\pi a^2}[\mathrm{Wb/m^2}]$

자성체의 체적 $V = \pi a^2 l[\mathrm{m^3}]$

자기 모멘트 $M = JV = J\pi a^2 l[\mathrm{Wb \cdot m}]$

자극 세기 $m = \pi a^2 J[\mathrm{Wb}]$

04

비오–사바르의 법칙

자계의 세기 $dH = \dfrac{Idl\sin\theta}{4\pi r^2}[\mathrm{AT/m}]$

05 [1] [2] [3]

진공 중에서 전자파의 전파 속도[m/s]는?

① $c_0 = \dfrac{1}{\sqrt{\varepsilon_0 \mu_0}}$ ② $c_0 = \sqrt{\varepsilon_0 \mu_0}$

③ $c_0 = \dfrac{1}{\sqrt{\varepsilon_0}}$ ④ $c_0 = \dfrac{1}{\sqrt{\mu_0}}$

06 [1] [2] [3]

영구자석 재료로 사용하기에 적합한 특성은?

① 잔류 자기와 보자력이 모두 큰 것이 적합하다.
② 잔류 자기는 크고 보자력은 작은 것이 적합하다.
③ 잔류 자기는 작고 보자력은 큰 것이 적합하다.
④ 잔류 자기와 보자력이 모두 작은 것이 적합하다.

07 [1] [2] [3]

변위 전류와 관계가 가장 깊은 것은?

① 도체 ② 반도체
③ 자성체 ④ 유전체

08 [1] [2] [3]

자속 밀도가 $10[\mathrm{Wb/m^2}]$인 자계 내에 길이 $4[\mathrm{cm}]$의 도체를 자계와 직각으로 놓고 이 도체를 $0.4[\sec]$ 동안 $1[\mathrm{m}]$씩 균일하게 이동하였을 때 발생하는 기전력은 몇 $[\mathrm{V}]$인가?

① 1 ② 2
③ 3 ④ 4

09 [1] [2] [3]

내부 원통의 반지름이 a, 외부 원통의 반지름이 b인 동축 원통 콘덴서의 내외 원통 사이에 공기를 넣었을 때 정전 용량이 C_1이었다. 내외 반지름을 모두 3배로 증가시키고 공기 대신 비유전율이 3인 유전체를 넣었을 경우의 정전용량 C_2는?

① $C_2 = \dfrac{C_1}{9}$ ② $C_2 = \dfrac{C_1}{3}$

③ $C_2 = 3C_1$ ④ $C_2 = 9C_1$

05

진공 중의 전자파의 속도

$$v_0 = c_0 = \frac{1}{\sqrt{\varepsilon_0 \mu_0}} = 3 \times 10^8 [\mathrm{m/s}]$$

매질 내 전자파의 속도

$$v = c = \frac{1}{\sqrt{\varepsilon \mu}} = \frac{1}{\sqrt{\varepsilon_0 \varepsilon_s \mu_0 \mu_s}} = \frac{3 \times 10^8}{\sqrt{\varepsilon_s \mu_s}} [\mathrm{m/s}]$$

06

• 영구자석용 자성체의 특성: 잔류 자기와 보자력이 모두 크다. (히스테리시스 곡선 면적이 큼)
• 전자석용 자성체의 특성: 잔류 자기는 크고 보자력이 작다. (히스테리시스 곡선 면적이 작음)

07

변위 전류

$$i_d = \frac{\partial D}{\partial t} = \varepsilon \frac{\partial E}{\partial t}$$

변위 전류는 절연체인 유전체 내에서의 에너지 흐름을 나타내는 전류 밀도이다.

08

운동하는 전하에 발생하는 운동 기전력

$$e = |\dot{v} \times \dot{B}| l = vBl \sin\theta [\mathrm{V}]$$

$v = \dfrac{1}{0.4}[\mathrm{m/s}]$, $\theta = 90°$이므로

$$e = \frac{1}{0.4} \times 10 \times 4 \times 10^{-2} \times \sin 90° = 1[\mathrm{V}]$$

09

길이 $l[\mathrm{m}]$인 공기 중 동축 원통의 정전 용량

$$C_1 = \frac{2\pi \varepsilon_0 l}{\ln \dfrac{b}{a}} [\mathrm{F}]$$

내외 반지름을 3배로 증가시키고 비유전율이 3인 유전체를 넣었을 경우 정전 용량

$$C_2 = \frac{2\pi \varepsilon_0 \times 3 \times l}{\ln \dfrac{3b}{3a}} = 3 \times \frac{2\pi \varepsilon_0 l}{\ln \dfrac{b}{a}} = 3C_1 [\mathrm{F}]$$

10

다음 정전계에 관한 식 중에서 틀린 것은?(단, D는 전속밀도, V는 전위, ρ는 공간(체적)전하밀도, ε은 유전율이다.)

① 가우스의 정리: $div\,D=\rho$

② 포아송의 방정식: $\nabla^2 V=\dfrac{\rho}{\varepsilon}$

③ 라플라스의 방정식: $\nabla^2 V=0$

④ 발산의 정리: $\displaystyle\oint_s A\cdot ds=\int_v div\,A\,dv$

11

질량 m이 $10^{-10}[\text{kg}]$이고, 전하량 Q가 $10^{-8}[\text{C}]$인 전하가 전기장에 의해 가속되어 운동하고 있다. 가속도가 $\dot a=10^2 i+10^2 j[\text{m/s}^2]$일 때 전기장의 세기 $\dot E[\text{V/m}]$는?

① $\dot E=10^4 i+10^5 j$ ② $\dot E=i+10j$

③ $\dot E=i+j$ ④ $\dot E=10^{-6}i+10^{-4}j$

12

유전율이 ε_1, ε_2인 유전체 경계면에 수직으로 전계가 작용할 때 단위 면적당 수직으로 작용하는 힘$[\text{N/m}^2]$은?(단, E는 전계$[\text{V/m}]$이고, D는 전속 밀도$[\text{C/m}^2]$이다.)

① $2\left(\dfrac{1}{\varepsilon_2}-\dfrac{1}{\varepsilon_1}\right)E^2$ ② $2\left(\dfrac{1}{\varepsilon_2}-\dfrac{1}{\varepsilon_1}\right)D^2$

③ $\dfrac{1}{2}\left(\dfrac{1}{\varepsilon_2}-\dfrac{1}{\varepsilon_1}\right)E^2$ ④ $\dfrac{1}{2}\left(\dfrac{1}{\varepsilon_2}-\dfrac{1}{\varepsilon_1}\right)D^2$

13

진공 중에서 $2[\text{m}]$ 떨어진 두 개의 무한 평행 도선에 단위 길이당 $10^{-7}[\text{N}]$의 반발력이 작용할 때 각 도선에 흐르는 전류의 크기와 방향은?(단, 각 도선에 흐르는 전류의 크기는 같다.)

① 각 도선에 $2[\text{A}]$가 반대 방향으로 흐른다.

② 각 도선에 $2[\text{A}]$가 같은 방향으로 흐른다.

③ 각 도선에 $1[\text{A}]$가 반대 방향으로 흐른다.

④ 각 도선에 $1[\text{A}]$가 같은 방향으로 흐른다.

정답 및 해설

10

포아송 방정식
매질 내 전하밀도 및 유전율 분포와 전위 V와의 관계식

$\nabla^2 V=-\dfrac{\rho}{\varepsilon}$

전하량이 없는 매질($\rho=0$)의 경우에는 라플라스 방정식이라고 한다.

$\nabla^2 V=0$

11

전기장에 의해 전하량 $Q[\text{C}]$에 작용하는 힘

$\dot F_E=Q\dot E=m\dot a$

$\therefore\ \dot E=\dfrac{m\dot a}{Q}=\dfrac{10^{-10}\times(10^2 i+10^2 j)}{10^{-8}}=i+j[\text{V/m}]$

12

매질 경계면에 전계가 입사할 경우($\varepsilon_1>\varepsilon_2$)

• 전계의 수평 성분(접선 성분)에 의해 발생되는 단위 면적당 압축력

$f=\dfrac{1}{2}(\varepsilon_1-\varepsilon_2)E^2[\text{N/m}^2]$

• 전계의 수직 성분(법선 성분)에 의해 발생되는 단위 면적당 인장력

$f=\dfrac{1}{2}\left(\dfrac{1}{\varepsilon_2}-\dfrac{1}{\varepsilon_1}\right)D^2[\text{N/m}^2]$

13

평행 도선 사이에 작용하는 힘

$F=\dfrac{\mu_0 I_1 I_2}{2\pi d}[\text{N/m}]$

• 같은 방향의 전류일 경우 흡인력이 작용
• 반대 방향의 전류일 경우 반발력이 작용
각 도선에 흐르는 전류의 크기는 같으므로

$F=\dfrac{\mu_0 I^2}{2\pi\times d}=\dfrac{4\pi\times10^{-7}\times I^2}{2\pi\times 2}=10^{-7}[\text{N/m}]$

$\therefore\ I^2=1$이므로 $I=1[\text{A}]$
반발력이 작용하므로 전류는 반대 방향으로 흐른다.

14 ☐1 ☐2 ☐3

자기 인덕턴스(self inductance) $L[\mathrm{H}]$을 나타낸 식은? (단, N은 권선 수, I는 전류[A], ϕ는 자속[Wb], $\dot{B}$는 자속 밀도[Wb/m²], $\dot{H}$는 자계의 세기[AT/m], $\dot{A}$는 벡터 퍼텐셜 [Wb/m], $\dot{J}$는 전류 밀도[A/m²]이다.)

① $L = \dfrac{N\phi}{I^2}$

② $L = \dfrac{1}{2I^2} \displaystyle\int \dot{B} \cdot \dot{H} \, dv$

③ $L = \dfrac{1}{I^2} \displaystyle\int \dot{A} \cdot \dot{J} \, dv$

④ $L = \dfrac{1}{I} \displaystyle\int \dot{B} \cdot \dot{H} \, dv$

15 ☐1 ☐2 ☐3

반지름이 $a[\mathrm{m}]$, $b[\mathrm{m}]$인 두 개의 구 형상 도체 전극이 도전율 k인 매질 속에 거리 $r[\mathrm{m}]$만큼 떨어져 있다. 양 전극 간의 저항[Ω]은?(단, $r \gg a$, $r \gg b$이다.)

① $4\pi k \left(\dfrac{1}{a} + \dfrac{1}{b} \right)$

② $4\pi k \left(\dfrac{1}{a} - \dfrac{1}{b} \right)$

③ $\dfrac{1}{4\pi k} \left(\dfrac{1}{a} + \dfrac{1}{b} \right)$

④ $\dfrac{1}{4\pi k} \left(\dfrac{1}{a} - \dfrac{1}{b} \right)$

16 ☐1 ☐2 ☐3

정전계 내 도체 표면에서 전계의 세기가 $\dot{E} = \dfrac{a_x - 2a_y + 2a_z}{\varepsilon_0}$ [V/m]일때 도체 표면상의 전하 밀도 $\rho_s[\mathrm{C/m^2}]$를 구하면?(단, 자유공간이다.)

① 1   ② 2

③ 3   ④ 5

17 ☐1 ☐2 ☐3

저항의 크기가 $1[\Omega]$인 전선이 있다. 전선의 체적을 동일하게 유지하면서 길이를 2배로 늘였을 때 전선의 저항[Ω]은?

① 0.5   ② 1

③ 2   ④ 4

14

인덕턴스

$$L = \frac{N\phi}{I} = \frac{1}{I^2} \int \dot{B} \cdot \dot{H} \, dv = \frac{1}{I^2} \int \dot{A} \cdot \dot{J} \, dv [\mathrm{H}]$$

인덕터에 저장되는 에너지

$$W = \frac{1}{2} L I^2 = \frac{1}{2} N\phi I [\mathrm{J}] \, (\because \, LI = N\phi)$$

15

반지름 $r[\mathrm{m}]$인 구 도체 정전 용량
$C = 4\pi\varepsilon_0 r [\mathrm{F}]$

저항과 정전 용량의 관계식 $RC = \varepsilon\rho = \dfrac{\varepsilon}{k}$를 이용하면

반지름 $a[\mathrm{m}]$와 $b[\mathrm{m}]$인 동심 구의 저항은

$$R_1 = \frac{\varepsilon}{kC} = \frac{\varepsilon}{k \times 4\pi\varepsilon a} = \frac{1}{4\pi ka} [\Omega]$$

$$R_2 = \frac{\varepsilon}{kC} = \frac{\varepsilon}{k \times 4\pi\varepsilon b} = \frac{1}{4\pi kb} [\Omega]$$

$$\therefore R = R_1 + R_2 = \frac{1}{4\pi ka} + \frac{1}{4\pi kb} = \frac{1}{4\pi k} \left(\frac{1}{a} + \frac{1}{b} \right) [\Omega]$$

16

도체 표면에서의 전계는 법선 성분만 존재한다.

접선 성분 $E_t = 0[\mathrm{V/m}]$

법선 성분 $E_n = \dfrac{\rho_s}{\varepsilon_0} [\mathrm{V/m}]$

$$\therefore \rho_s = \varepsilon_0 E_n = \varepsilon_0 \times \frac{\sqrt{1^2 + (-2)^2 + 2^2}}{\varepsilon_0} = 3 [\mathrm{C/m^2}]$$

17

저항 $R_0 = \dfrac{l}{\sigma S} = 1[\Omega]$

길이를 2배로 할 경우 동일한 체적이 되기 위해서는 면적이 $\dfrac{1}{2}$배로 되어야 한다.

$$\therefore R = \frac{l'}{\sigma S'} = \frac{2l}{\sigma \frac{S}{2}} = 4 \times \frac{l}{\sigma S} = 4[\Omega]$$

18 `1` `2` `3`

반지름이 $3[\mathrm{cm}]$인 원형 단면을 가지고 있는 환상 연철심에 코일을 감고 여기에 전류를 흘려서 철심 중의 자계 세기가 $400[\mathrm{AT/m}]$가 되도록 여자할 때, 철심 중의 자속 밀도는 약 몇 $[\mathrm{Wb/m^2}]$인가?(단, 철심의 비투자율은 400이라고 한다.)

① 0.2 ② 0.8
③ 1.6 ④ 2.0

19 `1` `2` `3`

자기 회로와 전기 회로에 대한 설명으로 틀린 것은?

① 자기 저항의 역수를 컨덕턴스라 한다.
② 자기 회로의 투자율은 전기회로의 도전율에 대응된다.
③ 전기 회로의 전류는 자기 회로의 자속에 대응된다.
④ 자기 저항의 단위는 $[\mathrm{AT/Wb}]$이다.

20 `1` `2` `3`

서로 같은 2개의 구 도체에 동일양의 전하로 대전시킨 후 $20[\mathrm{cm}]$ 떨어뜨린 결과 구 도체에 서로 $8.6 \times 10^{-4}[\mathrm{N}]$의 반발력이 작용하였다. 구 도체에 주어진 전하는 약 몇 $[\mathrm{C}]$인가?

① 5.2×10^{-8} ② 6.2×10^{-8}
③ 7.2×10^{-8} ④ 8.2×10^{-8}

정답 및 해설

18

철심 중 자속 밀도
$B = \mu H = \mu_0 \mu_s H = 4\pi \times 10^{-7} \times 400 \times 400 = 0.2[\mathrm{Wb/m^2}]$

19

- 기전력 $V = IR[\mathrm{V}]$
- 기자력 $F = R_m \phi[\mathrm{AT}]$
- 전기 저항 $R = \dfrac{l}{kS}[\Omega]$
- 컨덕턴스 $G = \dfrac{1}{R} = \dfrac{kS}{l}[\mho]$ (전기 저항의 역수)
- 자기 저항 $R_m = \dfrac{l}{\mu S}[\mathrm{AT/Wb}]$
- 퍼미언스 $P = \dfrac{1}{R_m} = \dfrac{\mu S}{l}[\mathrm{Wb/AT}]$ (자기 저항의 역수)

20

두 전하량 사이에 작용하는 힘
$F = \dfrac{Q_1 Q_2}{4\pi\varepsilon_0 r^2} = 9 \times 10^9 \times \dfrac{Q_1 Q_2}{r^2}[\mathrm{N}]$

$Q_1 = Q_2 = Q$이므로

$F = 9 \times 10^9 \times \dfrac{Q^2}{(20 \times 10^{-2})^2} = 8.6 \times 10^{-4}[\mathrm{N}]$

$\therefore Q = \sqrt{\dfrac{8.6 \times 10^{-4} \times (20 \times 10^{-2})^2}{9 \times 10^9}}$

$= 6.18 \times 10^{-8} \fallingdotseq 6.2 \times 10^{-8}[\mathrm{C}]$

21

전력 원선도에서 구할 수 없는 것은?

① 송·수전할 수 있는 최대 전력
② 필요한 전력을 보내기 위한 송·수전단 전압 간의 상차각
③ 선로 손실과 송전 효율
④ 과도 극한 전력

빈출 22

다음 중 그 값이 항상 1 이상인 것은?

① 부등률
② 부하율
③ 수용률
④ 전압 강하율

과난도 23

송전 전력, 송전 거리, 전선로의 전력 손실이 일정하고, 같은 재료의 전선을 사용한 경우 단상 2선식에 대한 3상 4선식의 1선당 전력비는 약 얼마인가?(단, 중성선은 외선과 같은 굵기이다.)

① 0.7
② 0.87
③ 0.94
④ 1.15

빈출 24

3상용 차단기의 정격 차단 용량은?

① $\sqrt{3}$ × 정격 전압 × 정격 차단 전류
② $\sqrt{3}$ × 정격 전압 × 정격 전류
③ 3 × 정격 전압 × 정격 차단 전류
④ 3 × 정격 전압 × 정격 전류

25

개폐 서지의 이상 전압을 감쇄할 목적으로 설치하는 것은?

① 단로기
② 차단기
③ 리액터
④ 개폐 저항기

빈출 26

부하의 역률을 개선할 경우 배전 선로에 대한 설명으로 틀린 것은?(단, 다른 조건은 동일하다.)

① 설비 용량의 여유 증가
② 전압 강하의 감소
③ 선로 전류의 증가
④ 전력 손실의 감소

21

전력 원선도에서 알 수 있는 사항
• 송전단과 수전단의 유효 전력 및 무효 전력
• 전력 손실
• 수전단 역률

전력 원선도에서 알 수 없는 사항
• 과도 안정 극한 전력
• 코로나 손실

22

$$부등률 = \frac{각\ 개별\ 수용가\ 최대\ 전력의\ 합[kW]}{합성\ 최대\ 수용\ 전력[kW]} \geq 1$$

23

$$전력비 = \frac{P_{34}}{P_{12}} = \frac{\frac{\sqrt{3}}{4}EI}{\frac{1}{2}EI} = \frac{\sqrt{3}}{2} = 0.87$$

24

3상용 차단기의 정격 차단 용량
$$P_s = \sqrt{3}\,VI_s\,[MVA]$$
(여기서, V: 정격 전압[kV], I_s: 정격 차단 전류[kA])

25

개폐 저항기는 차단기와 병렬로 설치되는 것으로서, 차단기의 차단 시 발생하는 개폐 서지(이상 전압)를 억제한다.

26

역률 개선에 따른 효과
• 설비 용량의 여유 증가
• 전압 강하 감소
• 전력 손실 감소
• 전기 요금 절감

27

수력 발전소의 형식을 취수 방법, 운용 방법에 따라 분류할 수 있다. 다음 중 취수 방법에 따른 분류가 아닌 것은?

① 댐식
② 수로식
③ 조정지식
④ 유역 변경식

28

한류 리액터를 사용하는 가장 큰 목적은?

① 충전 전류의 제한
② 접지 전류의 제한
③ 누설 전류의 제한
④ 단락 전류의 제한

29

$66/22[\mathrm{kV}]$, $2{,}000[\mathrm{kVA}]$ 단상 변압기 3대를 1뱅크로 운전하는 변전소로부터 전력을 공급받는 어떤 수전점에서의 3상 단락 전류는 약 몇 $[\mathrm{A}]$인가?(단, 변압기의 % 리액턴스는 $7[\%]$이고 선로의 임피던스는 0이다.)

① 750
② 1,570
③ 1,900
④ 2,250

30

반지름 $0.6[\mathrm{cm}]$인 경동선을 사용하는 3상 1회선 송전선에서 선간 거리를 $2[\mathrm{m}]$로 정삼각형 배치할 경우, 각 선의 인덕턴스 $[\mathrm{mH/km}]$는 약 얼마인가?

① 0.81
② 1.21
③ 1.51
④ 1.81

31

파동 임피던스 $Z_1 = 500[\Omega]$인 선로에 파동 임피던스 $Z_2 = 1{,}500[\Omega]$인 변압기가 접속되어 있다. 선로로부터 $600[\mathrm{kV}]$의 전압파가 들어왔을 때, 접속점에서의 투과파 전압$[\mathrm{kV}]$은?

① 300
② 600
③ 900
④ 1,200

정답 및 해설

27

취수 방법에 따른 분류
• 수로식 발전
• 댐식 발전
• 댐 수로식 발전
• 유역 변경식 발전

28

한류 리액터는 계통에 직렬로 설치되는 리액터로서
$I_s = \dfrac{100}{\%Z} I_n [\mathrm{A}]$에서 분모의 % 임피던스 값을 증가시켜 단락 전류를 제한하는 역할을 한다.

[암기 포인트] 한류 리액터 – 단락 전류 제한

29

3상 단락 전류
$I_s = \dfrac{100}{\%X} I_n = \dfrac{100}{\%X} \times \dfrac{P}{\sqrt{3}\,V} = \dfrac{100}{7} \times \dfrac{2{,}000 \times 3}{\sqrt{3} \times 22} \fallingdotseq 2{,}250[\mathrm{A}]$

30

정삼각형 배치에서 등가 선간 거리 $D = \sqrt[3]{2 \times 2 \times 2} = 2[\mathrm{m}]$이다. 따라서 구하고자 하는 각 선의 인덕턴스는

$L = 0.05 + 0.4605 \log \dfrac{D}{r}$

$\quad = 0.05 + 0.4605 \log \dfrac{2}{0.6 \times 10^{-2}} \fallingdotseq 1.21[\mathrm{mH/km}]$

[암기 포인트] $L = 0.05 + 0.4605 \log \dfrac{D}{r}$

31

투과 계수 $\alpha = \dfrac{2Z_2}{Z_1 + Z_2}$

투과파 전압 $V = \alpha V_1 = \dfrac{2 \times 1{,}500}{500 + 1{,}500} \times 600 = 900[\mathrm{kV}]$

32 ①②③

원자력 발전소에서 비등수형 원자로에 대한 설명으로 틀린 것은?

① 연료로 농축 우라늄을 사용한다.
② 냉각재로 경수를 사용한다.
③ 물을 원자로 내에서 직접 비등시킨다.
④ 가압수형 원자로에 비해 노심의 출력 밀도가 높다.

33 ①②③

송배전 선로의 고장 전류 계산에서 영상 임피던스가 필요한 경우는?

① 3상 단락 계산   ② 선간 단락 계산
③ 1선 지락 계산   ④ 3선 단선 계산

34 ①②③

증기 사이클에 대한 설명 중 틀린 것은?

① 랭킨 사이클의 열효율은 초기 온도 및 초기 압력이 높을수록 효율이 크다.
② 재열 사이클은 저압 터빈에서 증기가 포화 상태에 가까워졌을 때 증기를 다시 가열하여 고압 터빈으로 보낸다.
③ 재생 사이클은 증기 원동기 내에서 증기의 팽창 도중에서 증기를 추출하여 급수를 예열한다.
④ 재열 재생 사이클은 재생 사이클과 재열 사이클을 조합하여 병용하는 방식이다.

35 ①②③

다음 중 송전 선로의 역섬락을 방지하기 위한 대책으로 가장 알맞은 방법은?

① 가공 지선 설치   ② 피뢰기 설치
③ 매설 지선 설치   ④ 소호각 설치

36 ①②③

전원이 양단에 있는 환상 선로의 단락 보호에 사용되는 계전기는?

① 방향 거리 계전기   ② 부족 전압 계전기
③ 선택 접지 계전기   ④ 부족 전류 계전기

32
비등수형 원자로(BWR)의 특징
• 연료는 농축 우라늄을 사용한다.
• 냉각재는 경수(D_2O)를 사용한다.
• 물을 원자로 내에서 직접 비등시킨다.
• 소내용 동력은 적어도 된다.
• 가압수형(PWR)에 비해 노심의 출력밀도가 낮아 같은 출력의 경우 노심 및 압력용기가 커진다.

33
1선 지락 사고: 영상, 정상, 역상 임피던스가 모두 필요
선간 단락 사고: 정상, 역상 임피던스가 필요
3상 단락 사고: 정상 임피던스가 필요

34
재열 사이클은 고압 터빈에서 증기가 포화 상태에 가까워졌을 때 재열기로 증기를 다시 가열하여 저압 터빈으로 보낸다.

35
매설 지선은 탑각 접지 저항값을 작게하여 역섬락 사고를 방지한다.
[암기 포인트] 매설 지선 – 역섬락 방지

36
방향 거리 계전기는 주로 전원이 2개소 이상인 환상 선로의 단락 보호용으로 사용된다.

37 1 2 3

전력 계통을 연계시켜서 얻는 이득이 아닌 것은?

① 배후 전력이 커져서 단락 용량이 작아진다.
② 부하 증가 시 종합 첨두 부하가 저감된다.
③ 공급 예비력이 절감된다.
④ 공급 신뢰도가 향상된다.

38 1 2 3

배전 선로에 3상 3선식 비접지방식을 채용할 경우 나타나는 현상은?

① 1선 지락 고장 시 고장 전류가 크다.
② 1선 지락 고장 시 인접 통신선의 유도 장해가 크다.
③ 고저압 혼촉 고장 시 저압선의 전위 상승이 크다.
④ 1선 지락 고장 시 건전상의 대지 전위 상승이 크다.

39 1 2 3

선간 전압이 $V[\text{kV}]$이고 3상 정격 용량이 $P[\text{kVA}]$인 전력 계통에서 리액턴스가 $X[\Omega]$라고 할 때, 이 리액턴스를 % 리액턴스로 나타내면?

① $\dfrac{XP}{10\,V}$

② $\dfrac{XP}{10\,V^2}$

③ $\dfrac{XP}{V^2}$

② $\dfrac{10\,V^2}{XP}$

40 1 2 3

전력용 콘덴서를 변전소에 설치할 때 직렬 리액터를 설치하고자 한다. 직렬 리액터의 용량을 결정하는 계산식은?(단, f_0는 전원의 기본 주파수, C는 역률 개선용 콘덴서의 용량, L은 직렬 리액터의 용량이다.)

① $L = \dfrac{1}{(2\pi f_0)^2 C}$

② $L = \dfrac{1}{(5\pi f_0)^2 C}$

③ $L = \dfrac{1}{(6\pi f_0)^2 C}$

④ $L = \dfrac{1}{(10\pi f_0)^2 C}$

37
전력 계통을 연계하였을 경우의 특징
• 전체적인 전력 계통의 규모가 커져서 공급 신뢰도가 향상
• 공급 예비력이 절감되어 부하 증가 시 종합 첨두 부하가 감소
• 계통이 병렬식으로 연결되어 합성 임피던스가 작아지고, 이에 따라 단락 용량은 증가해 고장 시 파급 효과가 큼

38
비접지방식에서 1선 지락 사고 발생
• 고장상의 전압은 0[V]로 떨어진다.
• 건전상의 전위 상승이 크다.

39
%리액턴스

$$\%X = \frac{PX}{10\,V^2}[\%]$$

(여기서, P: 3상 정격 용량[kVA], X: 리액턴스[Ω], V: 선간 전압[kV])

40
직렬 리액터는 제5고조파를 제거하기 위해 설치한다.

직렬 리액터의 용량 $L = \dfrac{1}{\omega^2 C}$에서 제5고조파에 해당하는 주파수이므로

$$L = \frac{1}{(2\pi \times 5f_0)^2 \times C} = \frac{1}{(10\pi f_0)^2 C}$$

전기기기

41 1 2 3

동기 발전기 단절권의 특징이 아닌 것은?

① 코일 간격이 극 간격보다 작다.
② 전절권에 비해 합성 유기 기전력이 증가한다.
③ 전절권에 비해 코일 단이 짧게 되므로 재료가 절약된다.
④ 고조파를 제거해서 전절권에 비해 기전력의 파형이 좋아진다.

42 1 2 3

3상 변압기의 병렬 운전 조건으로 틀린 것은?

① 각 군의 임피던스가 용량에 비례할 것
② 각 변압기의 백분율 임피던스 강하가 같을 것
③ 각 변압기의 권수비가 같고 1차와 2차의 정격 전압이 같을 것
④ 각 변압기의 상회전 방향 및 1차와 2차 선간 전압의 위상 변위가 같을 것

43 1 2 3

$210/105[\text{V}]$의 변압기를 그림과 같이 결선하고 고압 측에 $200[\text{V}]$의 전압을 가하면 전압계의 지시는 몇 $[\text{V}]$인가?(단, 변압기는 가극성이다.)

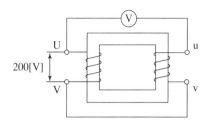

① 100   ② 200
③ 300   ④ 400

44 1 2 3

직류기의 권선을 단중 파권으로 감으면 어떻게 되는가?

① 저압 대전류용 권선이다.
② 균압환을 연결해야 한다.
③ 내부 병렬 회로수가 극수만큼 생긴다.
④ 전기자 병렬 회로수가 극수에 관계없이 언제나 2이다.

41
동기 발전기의 단절권 특징
- 코일 간격이 극 간격보다 작은 권선법이다.
- 고조파를 감소시켜 파형을 개선한다.
- 권선의 양이 절약된다.
- 전절권에 비하여 유기 기전력이 감소한다.
- 단절권 계수

$$K_p = \sin\frac{\beta\pi}{2}$$

(단, $\beta = \dfrac{\text{코일 간격}}{\text{극 간격}} = \dfrac{\beta\pi}{\pi}$, 제5고조파 제거 시: $\beta = 0.8$)

42
3상 변압기의 병렬 운전 조건
- 극성이 같을 것
- 1차, 2차 정격 전압이 같고 권수비가 같을 것
- 백분율(%) 임피던스 강하가 같을 것(저항과 리액턴스 비가 같을 것)
- 상회전 방향과 각변위가 같을 것(3상 변압기의 경우)

43
변압기의 극성은 2차 권선을 감는 방법에 따라 감극성과 가극성으로 구분한다. 주어진 그림의 경우 가극성이므로 전압계 지시는 고압 측과 저압 측의 합으로 나타난다.

권수비 $a = \dfrac{V_1}{V_2} = \dfrac{N_1}{N_2}$

$V = V_1 + V_2 = V_1 + \dfrac{1}{a}V_1 = 200 + \dfrac{105}{210} \times 200 = 300[\text{V}]$

[암기 포인트] 감극성인 경우: $V = V_1 - V_2 = V_1\left(1 - \dfrac{1}{a}\right)[\text{V}]$

44
파권과 중권의 비교

구분	파권	중권
전기자 병렬 회로수(a)	2개	극수(p)와 같다.
브러시 수(b)	2개 또는 극수(p)	극수(p)와 같다.
용도	고전압, 소전류용	저전압, 대전류용
균압환	필요 없다.	4극 이상

45

2상 교류 서보 모터를 구동하는 데 필요한 2상 전압을 얻는 방법으로 널리 쓰이는 방법은?

① 2상 전원을 직접 이용하는 방법
② 환상 결선 변압기를 이용하는 방법
③ 여자 권선에 리액터를 삽입하는 방법
④ 증폭기 내에서 위상을 조정하는 방법

46

4극, 중권, 총 도체수 500, 극당 자속이 0.01[Wb]인 직류 발전기가 100[V]의 기전력을 발생시키는 데 필요한 회전수는 몇 [rpm]인가?

① 800
② 1,000
③ 1,200
④ 1,600

47

3상 분권 정류자 전동기에 속하는 것은?

① 톰슨 전동기
② 데리 전동기
③ 시라게 전동기
④ 애트킨슨 전동기

48

동기기의 안정도를 증진시키는 방법이 아닌 것은?

① 단락비를 크게 할 것
② 속응 여자 방식을 채용할 것
③ 정상 리액턴스를 크게 할 것
④ 영상 및 역상 임피던스를 크게 할 것

49

3상 유도 전동기의 기계적 출력 P[kW], 회전수 N[rpm]인 전동기의 토크[N·m]는 약 얼마인가?

① $0.46\dfrac{P}{N}$
② $0.855\dfrac{P}{N}$
③ $975\dfrac{P}{N}$
④ $9,549.3\dfrac{P}{N}$

정답 및 해설

45
2상 교류 서보모터의 구동에 필요한 2상 전압을 얻는 방법
• 기준상에 대한 제어 신호의 시위상을 변화시키는 방법
• 기준 권선에 대한 제어 권선의 위치를 변화시켜 제어 신호의 공간 위상을 변화시키는 방법
• 제어 신호의 크기를 변화시키는 방법

46
기전력
$$E = \frac{pZ\phi N}{60a}[\text{V}]$$
$$\therefore N = \frac{60aE}{pZ\phi} = \frac{60 \times 4 \times 100}{4 \times 500 \times 0.01} = 1,200[\text{rpm}]$$
($\because$ 중권이므로 $a = p = 4$)

[암기 포인트] 중권 $a = p$
파권 $a = 2$

47
시라게(슈라게) 전동기(3상 분권 정류자 전동기)
• 정속도 전동기인 동시에 가변 속도 전동기로 널리 사용된다.
• 브러시의 이동으로 간단하게 속도를 제어할 수 있다.
[암기 포인트]
단상 반발 전동기: 톰슨 전동기, 데리 전동기, 애트킨슨 전동기

48
동기 발전기의 안정도 향상 대책
• 단락비를 크게 한다.
• 회전자에 플라이-휠을 설치하여 관성을 크게 한다.
• 속응 여자 방식을 채용한다.
• 조속기 동작을 신속히 한다.(전기식 조속기 채용)
• 동기 임피던스를 작게 한다.(정상 임피던스를 작게 한다.)
• 영상 및 역상 임피던스를 크게 한다.

49
토크
$$T = \frac{P}{2\pi n} = \frac{60 \times 1,000 \times P}{2\pi N} = 9,549.3\frac{P}{N}[\text{N·m}]$$
(단, n[rps], N[rpm])

50

취급이 간단하고 기동 시간이 짧아서 섬과 같이 전력 계통에서 고립된 지역, 선박 등에 사용되는 소용량 전원용 발전기는?

① 터빈 발전기
② 엔진 발전기
③ 수차 발전기
④ 초전도 발전기

51

평형 6상 반파 정류 회로에서 $297[\mathrm{V}]$의 직류 전압을 얻기 위한 입력 측 각 상전압은 약 몇 $[\mathrm{V}]$인가?(단, 부하는 순수 저항 부하이다.)

① 110
② 220
③ 380
④ 440

52

단면적 $10[\mathrm{cm}^2]$인 철심에 200회의 권선을 감고, 이 권선에 $60[\mathrm{Hz}]$, $60[\mathrm{V}]$인 교류 전압을 인가하였을 때 철심의 최대 자속 밀도는 약 몇 $[\mathrm{Wb/m}^2]$인가?

① 1.126×10^{-3}
② 1.126
③ 2.252×10^{-3}
④ 2.252

53

전력의 일부를 전원 측에 반환할 수 있는 유도 전동기의 속도 제어법은?

① 극수 변환법
② 크레머 방식
③ 2차 저항 가감법
④ 세르비우스 방식

54

직류 발전기를 병렬 운전할 때 균압 모선이 필요한 직류기는?

① 직권 발전기, 분권 발전기
② 복권 발전기, 직권 발전기
③ 복권 발전기, 분권 발전기
④ 분권 발전기, 단극 발전기

50

소용량 전원용 발전기로는 엔진 발전기를 사용한다.

51

다상 정류(상수 m)

$$E_d = \frac{\sqrt{2}\sin\frac{\pi}{m}}{\frac{\pi}{m}}E_a = \frac{\sqrt{2}\sin\frac{\pi}{6}}{\frac{\pi}{6}}E_a[\mathrm{V}]$$

$$\therefore E_d = 1.35 E_a \rightarrow E_a = \frac{E_d}{1.35} = \frac{297}{1.35} = 220[\mathrm{V}]$$

52

유기 기전력

$$E = 4.44 f\phi_m N = 4.44 f B_m S N[\mathrm{V}](\because \phi_m = B_m S[\mathrm{Wb}])$$

철심의 최대 자속 밀도

$$B_m = \frac{E}{4.44 fSN}$$

$$= \frac{60}{4.44 \times 60 \times 10 \times 10^{-4} \times 200} = 1.126[\mathrm{Wb/m}^2]$$

53

세르비우스 방식

세르비우스 방식은 권선형 유도 전동기의 속도 제어법으로 권선형 회전자 슬립 링에 외부에서 슬립 주파수 전압(E_c)을 인가시켜 속도를 제어하는 2차 여자법으로, 전력의 일부를 전원 측에 반환할 수 있다.

54

직권 발전기는 전류가 증가하면 전압이 상승하는 외부 특성으로 병렬 운전이 될 수 없다. 복권 발전기 또한 직권 계자 권선이 있으므로 균압 모선 없이는 안정된 병렬 운전이 될 수 없다.

55 1 2 3

전부하로 운전하고 있는 $50[\text{Hz}]$, 4극의 권선형 유도 전동기가 있다. 전부하에서 속도를 $1,440[\text{rpm}]$에서 $1,000[\text{rpm}]$으로 변화시키자면 2차에 약 몇 $[\Omega]$의 저항을 넣어야 하는가?(단, 2차 저항은 $0.02[\Omega]$이다.)

① 0.147   ② 0.18

③ 0.02   ④ 0.024

56 1 2 3

권선형 유도 전동기 2대를 직렬 종속으로 운전하는 경우 그 동기 속도는 어떤 전동기의 속도와 같은가?

① 두 전동기 중 적은 극수를 갖는 전동기
② 두 전동기 중 많은 극수를 갖는 전동기
③ 두 전동기의 극수의 합과 같은 극수를 갖는 전동기
④ 두 전동기의 극수의 합의 평균과 같은 극수를 갖는 전동기

57 1 2 3

GTO 사이리스터의 특징으로 틀린 것은?

① 각 단자의 명칭은 SCR 사이리스터와 같다.
② 온(On) 상태에서는 양방향 전류 특성을 보인다.
③ 온(On) 드롭(Drop)은 약 $2\sim4[\text{V}]$가 되어 SCR 사이리스터보다 약간 크다.
④ 오프(Off) 상태에서는 SCR 사이리스터처럼 양방향 전압 저지 능력을 갖고 있다.

58 1 2 3

포화되지 않은 직류 발전기의 회전수가 4배로 증가되었을 때 기전력을 전과 같은 값으로 하려면 자속을 속도 변화 전에 비해 얼마로 하여야 하는가?

① $\dfrac{1}{2}$ ② $\dfrac{1}{3}$

③ $\dfrac{1}{4}$ ④ $\dfrac{1}{8}$

정답 및 해설

55

회전 자계의 속도

$$N_s = \frac{120f}{p} = \frac{120 \times 50}{4} = 1,500[\text{rpm}]$$

우선 각각의 경우에 슬립을 구하면

$$s_1 = \frac{N_s - N_1}{N_s} = \frac{1,500 - 1,440}{1,500} = 0.04$$

$$s_2 = \frac{N_s - N_2}{N_s} = \frac{1,500 - 1,000}{1,500} ≒ 0.333$$

위 두 슬립을 권선형 전동기의 비례 추이 특성에 대입하면

$$\frac{r_2}{s_1} = \frac{r_2 + R}{s_2} \quad \therefore \frac{0.02}{0.04} = \frac{0.02 + R}{0.333}$$

$$\therefore R = 0.02 \times \left(\frac{0.333}{0.04} - 1 \right) ≒ 0.147[\Omega]$$

56

권선형 유도 전동기의 종속 속도 제어법

• 직렬 종속법: $N = \dfrac{120f}{p_1 + p_2}[\text{rpm}]$

• 차동 종속법: $N = \dfrac{120f}{p_1 - p_2}[\text{rpm}]$

• 병렬 종속법: $N = \dfrac{120f}{p_1 + p_2} \times 2[\text{rpm}]$

57

GTO(Gate Turn-off Thyristor)
• 역저지 3단자 소자이다.
• 게이트(Gate) 신호로 소자를 온/오프가 가능하다.
• 온(On) 상태에서는 SCR과 같이 단방향성이다.

[암기 포인트]
사이리스터의 종류
• 2단자 소자: DIAC, SSS, 다이오드
• 3단자 소자: SCR(단방향성), GTO(단방향성), TRIAC(쌍방향성)
• 4단자 소자: SCS

58

직류 발전기의 유기 기전력은 $E = K\phi N[\text{V}]$이다. 위의 식에 따라 회전수(N)가 4배로 증가되면 자속(ϕ)이 $\dfrac{1}{4}$배가 되어야 유기 기전력이 변하지 않고 일정해진다.

59 [1][2][3]

동기 발전기의 단자 부근에서 단락 시 단락 전류는?

① 서서히 증가하여 큰 전류가 흐른다.
② 처음부터 일정한 큰 전류가 흐른다.
③ 무시할 정도의 작은 전류가 흐른다.
④ 단락된 순간은 크나, 점차 감소한다.

60 [1][2][3]

단권 변압기에서 1차 전압 100[V], 2차 전압 110[V]인 단권 변압기의 자기 용량과 부하 용량의 비는?

① $\dfrac{1}{10}$
② $\dfrac{1}{11}$
③ 10
④ 11

61 [1][2][3]

대칭 3상 전압이 공급되는 3상 유도 전동기에서 각 계기의 지시는 다음과 같다. 유도 전동기의 역률은 약 얼마인가?

- 전력계(W_1): 2.84[kW], 전력계(W_2): 6.00[kW]
- 전압계(V): 200[V], 전류계(A): 30[A]

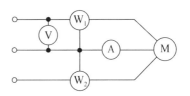

① 0.70
② 0.75
③ 0.80
④ 0.85

62 [1][2][3]

불평형 3상 전류 $I_a = 25 + j4$[A], $I_b = -18 - j16$[A], $I_c = 7 + j15$[A]일 때 영상전류 I_0[A]는?

① $2.67 + j$
② $2.67 + j2$
③ $4.67 + j$
④ $4.67 + j2$

59

동기 발전기의 3상 단락 전류

- 돌발 단락 전류(순간 단락 전류)

$$I_s = \frac{E}{X_l} [\text{A}] \ (\text{단, } E: \text{상전압[V]}, \ X_l: \text{누설 리액턴스[Ω]})$$

- 지속 단락 전류(영구 단락 전류)

$$I_s = \frac{E}{X_s} [\text{A}]$$

(단, E: 상전압[V], X_s: 동기 리액턴스[Ω])

즉, 동기 발전기는 3상 단락 사고 시 처음에는 매우 큰 전류가 흐르고 이후 점차 전기자 반작용이 작용하기 시작하므로 점점 단락 전류가 감소하여 동기 리액턴스에 의해 제한되는 특성이 있다.

[암기 포인트] $X_l + X_a = X_s$(단, X_a: 전기자 반작용 리액턴스)

60

$$\text{자기 용량} = \frac{V_2 - V_1}{V_2} \times \text{부하 용량}$$

$$= \frac{110 - 100}{110} \times \text{부하 용량} = \frac{1}{11} \times \text{부하 용량}$$

$$\therefore \frac{\text{자기 용량}}{\text{부하 용량}} = \frac{1}{11}$$

61

- 3상 유효 전력

$$P = W_1 + W_2 = 2,840 + 6,000 = 8,840[\text{W}]$$

- 3상 피상 전력

$$P_a = \sqrt{3} \, VI = \sqrt{3} \times 200 \times 30 ≒ 10,392[\text{VA}]$$

$$\therefore \cos\theta = \frac{P}{P_a} = \frac{8,840}{10,392} ≒ 0.85$$

62

$$I_0 = \frac{1}{3}(I_a + I_b + I_c)$$

$$= \frac{1}{3}(25 + j4 - 18 - j16 + 7 + j15)$$

$$≒ 4.67 + j[\text{A}]$$

[암기 포인트] 영상전류 $I_0 = \frac{1}{3}(I_a + I_b + I_c)$[A]

63 1 2 3

Δ 결선으로 운전 중인 3상 변압기에서 하나의 변압기 고장에 의해 V 결선으로 운전하는 경우, V 결선으로 공급할 수 있는 전력은 고장 전 Δ 결선으로 공급할 수 있는 전력에 비해 약 몇 [%]인가?

① 86.6
② 75.0
③ 66.7
④ 57.7

64 1 2 3

분포 정수 회로에서 직렬 임피던스를 Z, 병렬 어드미턴스를 Y 라 할 때, 선로의 특성 임피던스 Z_0는?

① ZY
② $\sqrt{ZY}$
③ $\sqrt{\dfrac{Y}{Z}}$
④ $\sqrt{\dfrac{Z}{Y}}$

빈출
65 1 2 3

4단자 정수 A, B, C, D 중에서 전압 이득의 차원을 가진 정수는?

① A
② B
③ C
④ D

66 1 2 3

그림과 같은 회로의 구동점 임피던스[Ω]는?

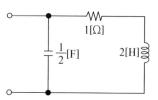

① $\dfrac{2(2s+1)}{2s^2+s+2}$
② $\dfrac{2s^2+s-2}{-2(2s+1)}$
③ $\dfrac{-2(2s+1)}{2s^2+s-2}$
④ $\dfrac{2s^2+s+2}{2(2s+1)}$

과난도
67 1 2 3

회로의 단자 a와 b 사이에 나타나는 전압 V_{ab}는 몇 [V]인가?

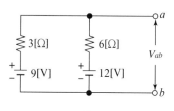

① 3
② 9
③ 10
④ 12

정답 및 해설

63

출력비 $= \dfrac{V \text{ 결선 출력}}{\Delta \text{ 결선 3상 출력}} = \dfrac{\sqrt{3} VI}{3VI} = \dfrac{1}{\sqrt{3}}$

$\fallingdotseq 0.577 = 57.7[\%]$

64

분포 정수 회로에서 $Z \neq \dfrac{1}{Y}$ 의 조건에서 특성 임피던스

$Z_0 = \sqrt{\dfrac{Z}{Y}}[\Omega]$

65

A, B, C, D 파라미터의 정의
• A: 입력과 출력의 전압 이득
• B: 입력과 출력의 임피던스
• C: 입력과 출력의 어드미턴스
• D: 입력과 출력의 전류 이득

66

L 회로는 sL, C 회로는 $\dfrac{1}{sC}$ 적용

$Z(s) = \dfrac{(1+2s) \cdot \dfrac{1}{\dfrac{1}{2}s}}{(1+2s)+\dfrac{1}{\dfrac{1}{2}s}} = \dfrac{(1+2s) \cdot \dfrac{2}{s}}{(1+2s)+\dfrac{2}{s}} = \dfrac{\dfrac{2}{s}+4}{1+2s+\dfrac{2}{s}}$

$= \dfrac{4s+2}{2s^2+s+2} = \dfrac{2(2s+1)}{2s^2+s+2}[\Omega]$

67

밀만의 정리를 적용한다.

$V_{ab} = \dfrac{\dfrac{E_1}{R_1}+\dfrac{E_2}{R_2}}{\dfrac{1}{R_1}+\dfrac{1}{R_2}} = \dfrac{\dfrac{9}{3}+\dfrac{12}{6}}{\dfrac{1}{3}+\dfrac{1}{6}} = \dfrac{3+2}{\dfrac{3}{6}} = 10[V]$

정답 63 ④ 64 ④ 65 ① 66 ① 67 ③

68

RL 직렬 회로에 순시치 전압 $v(t) = 20 + 100\sin\omega t$ $+ 40\sin(3\omega t + 60°) + 40\sin 5\omega t [V]$를 가할 때 제5고조파 전류의 실효값 크기는 약 몇 [A]인가?(단, $R = 4[\Omega]$, $\omega L = 1[\Omega]$이다.)

① 4.4
② 5.66
③ 6.25
④ 8.0

69

그림의 교류 브리지 회로가 평형이 되는 조건은?

① $L = \dfrac{R_1 R_2}{C}$

② $L = \dfrac{C}{R_1 R_2}$

③ $L = R_1 R_2 C$

④ $L = \dfrac{R_2}{R_1} C$

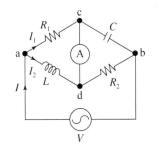

70

$f(t) = t^n$의 라플라스 변환 식은?

① $\dfrac{n}{s^n}$

② $\dfrac{n+1}{s^{n+1}}$

③ $\dfrac{n!}{s^{n+1}}$

④ $\dfrac{n+1}{s^{n!}}$

71

그림과 같은 블록 선도의 제어 시스템에서 속도 편차 상수 K_v는 얼마인가?

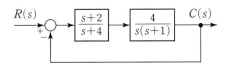

① 0
② 0.5
③ 2
④ ∞

72

근궤적의 성질 중 틀린 것은?

① 근궤적은 실수축을 기준으로 대칭이다.
② 점근선은 허수축상에서 교차한다.
③ 근궤적의 가지 수는 특성 방정식의 차수와 같다.
④ 근궤적은 개루프 전달 함수의 극점으로부터 출발한다.

68

$$|Z_5| = \sqrt{R^2 + (5\omega L)^2} = \sqrt{4^2 + 5^2} ≒ 6.4[\Omega]$$

$$I_5 = \frac{V_5}{|Z_5|} = \frac{\frac{40}{\sqrt{2}}}{6.4} ≒ 4.4[A]$$

[암기 포인트] n고조파의 리액턴스

L 부하: $jn\omega L[\Omega]$, C 부하: $\dfrac{1}{jn\omega C}[\Omega]$

69

브리지의 평형 조건으로부터 아래와 같다.

$$R_1 \times R_2 = j\omega L \times \frac{1}{j\omega C} = \frac{L}{C}$$

$$\therefore L = R_1 R_2 C$$

70

$$\pounds[f(t)] = \frac{n!}{s^{n+1}}$$

71

속도 편차 상수 $K_v = \lim_{s \to 0} s G(s)$이다.

개루프 전향 이득 $G(s) = \dfrac{s+2}{s+4} \times \dfrac{4}{s(s+1)}$ 이므로

$$K_v = \lim_{s \to 0} s \times \frac{s+2}{s+4} \times \frac{4}{s(s+1)} = \frac{2}{4} \times \frac{4}{1} = 2$$

72

근궤적의 성질

• 근궤적은 실수축에 대해 대칭이다.
• 근궤적은 개루프 전달 함수의 극점으로부터 출발하여 영점에서 끝난다.
• 근궤적의 개수는 극점수와 영점수 중 큰 수와 일치하며 개루프 전달 함수를 단위 폐루프 함수로 나타냈을 때 근궤적의 가지 수는 특성 방정식의 차수와 같다.
• 점근선은 실수축상에서 교차한다.

73 1 2 3

Routh-Hurwitz 안정도 판별법을 이용하여 특성 방정식이 $s^3 + 3s^2 + 3s + 1 + K = 0$으로 주어진 제어 시스템이 안정하기 위한 K의 범위를 구하면?

① $-1 \le K < 8$

② $-1 < K \le 8$

③ $-1 < K < 8$

④ $K < 1$ 또는 $k > 8$

74 1 2 3

$e(t)$의 z변환을 $E(z)$라고 했을 때 $e(t)$의 초기값 $e(0)$는?

① $\lim_{z \to 1} E(z)$

② $\lim_{z \to \infty} E(z)$

③ $\lim_{z \to 1} (1 - z^{-1}) E(z)$

④ $\lim_{z \to \infty} (1 - z^{-1}) E(z)$

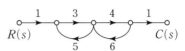

75 1 2 3

그림의 신호 흐름 선도에서 $\dfrac{C(s)}{R(s)}$는?

① $-\dfrac{2}{5}$

② $-\dfrac{6}{19}$

③ $-\dfrac{12}{29}$

④ $-\dfrac{12}{37}$

76 1 2 3

전달 함수가 $G(s) = \dfrac{10}{s^2 + 3s + 2}$으로 표현되는 제어 시스템에서 직류 이득은 얼마인가?

① 1

② 2

③ 3

④ 5

정답 및 해설

73

주어진 특성 방정식을 루드표로 작성하면 다음과 같다.

차수	제1열	제2열
s^3	1	3
s^2	3	$1+K$
s^1	$\dfrac{3 \times 3 - \{1 \times (1+K)\}}{3}$ $= \dfrac{8-K}{3}$	0
s^0	$\dfrac{\dfrac{8-K}{3} \times (1+K) - 3 \times 0}{\dfrac{8-K}{3}}$ $= 1+K$	0

제어계가 안정하려면 루드표의 제1열의 부호 변화가 없어야 한다.

$\dfrac{8-K}{3} > 0 \rightarrow K < 8$, $1+K > 0 \rightarrow K > -1$

따라서 안정하기 위한 위의 2가지 조건을 모두 충족하는 조건은 $-1 < K < 8$이다.

74

z변환의 초기값 정리 및 최종값 정리

• 초기값 정리: $\lim_{t \to 0} f(t) = \lim_{z \to \infty} F(z)$

• 최종값 정리: $\lim_{t \to \infty} f(t) = \lim_{z \to 1} (1 - z^{-1}) F(z)$

75

$$\frac{C(s)}{R(s)} = \frac{1 \times 3 \times 4 \times 1}{1 - (3 \times 5 + 4 \times 6)} = -\frac{12}{38} = -\frac{6}{19}$$

76

직류에서 주파수 $f = 0$이므로 $\omega = 2\pi f = 0$이다.

$\therefore G(j\omega) = \left. \dfrac{10}{(j\omega+1)(j\omega+2)} \right|_{\omega=0} = 5$

77 `1` `2` `3`

전달 함수가 $\dfrac{C(s)}{R(s)}=\dfrac{25}{s^2+6s+25}$ 인 2차 제어 시스템의 감쇠 진동 주파수 ω_d는 몇 $[\text{rad/sec}]$인가?

① 3   ② 4

③ 5   ④ 6

78 `1` `2` `3`

다음 논리식을 간단히 한 것은?

$$Y=\overline{A}\,B\,C\overline{D}+\overline{A}BCD+\overline{A}\,\overline{B}\,C\overline{D}+\overline{A}\,\overline{B}\,CD$$

① $Y=\overline{A}\,C$

② $Y=A\overline{C}$

③ $Y=AB$

④ $Y=BC$

79 `1` `2` `3`

폐루프 시스템에서 응답의 잔류 편차 또는 정상 상태 오차를 제거하기 위한 제어 기법은?

① 비례 제어

② 적분 제어

③ 미분 제어

④ On$-$off 제어

80 `1` `2` `3`

시스템 행렬 A가 다음과 같을 때 상태 천이 행렬을 구하면?

$$A=\begin{bmatrix} 0 & 1 \\ -2 & -3 \end{bmatrix}$$

① $\begin{bmatrix} 2e^{t}-e^{2t} & -e^{t}+e^{2t} \\ 2e^{t}-2e^{2t} & -e^{t}-2e^{2t} \end{bmatrix}$

② $\begin{bmatrix} 2e^{-t}-e^{-2t} & e^{-t}-e^{-2t} \\ -2e^{-t}+2e^{-2t} & -e^{-t}-2e^{-2t} \end{bmatrix}$

③ $\begin{bmatrix} 2e^{-t}-e^{-2t} & -e^{-t}+e^{-2t} \\ 2e^{-t}-2e^{-2t} & -e^{-t}-2e^{-2t} \end{bmatrix}$

④ $\begin{bmatrix} 2e^{-t}-e^{-2t} & e^{-t}-e^{-2t} \\ -2e^{-t}+2e^{-2t} & -e^{-t}+2e^{-2t} \end{bmatrix}$

77

$$\dfrac{C(s)}{R(s)}=\dfrac{25}{s^2+6s+25}=\dfrac{\omega_n^{\,2}}{s^2+2\delta\omega_n s+\omega_n^{\,2}}$$

$\omega_n^{\,2}=25 \to \omega_n=5$

$6=2\delta\omega_n \to \delta=6\times\dfrac{1}{2\omega_n}=0.6$

$\therefore \omega_d=\omega_n\sqrt{1-\delta^2}=5\times\sqrt{1-0.6^2}=4[\text{rad/sec}]$

78

$Y=\overline{A}\,BC\overline{D}+\overline{A}\,ABCD+\overline{A}\,\overline{B}\,C\overline{D}+\overline{A}\,\overline{B}\,CD$

$\quad =\overline{A}\,BC(\overline{D}+D)+\overline{A}\,\overline{B}\,C(\overline{D}+D)$

$\quad =\overline{A}\,BC+\overline{A}\,\overline{B}\,C=\overline{A}\,C(B+\overline{B})=\overline{A}\,C$

79

적분 제어는 잔류 편차 또는 정상 상태 오차를 제거하는 제어 기법으로, 오프셋을 소멸시킨다.

80

천이 행렬 $\phi(t)=\mathcal{L}^{-1}[(sI-A)^{-1}]$이므로 순서대로 풀이하면 다음과 같다.

- $sI-A=\begin{bmatrix} s & 0 \\ 0 & s \end{bmatrix}-\begin{bmatrix} 0 & 1 \\ -2 & -3 \end{bmatrix}=\begin{bmatrix} s & -1 \\ 2 & s+3 \end{bmatrix}$

$|sI-A|=s(s+3)-(-1)\times 2$
$\qquad\qquad =s^2+3s+2=(s+1)(s+2)$

- $(sI-A)^{-1}=\dfrac{1}{(s+1)(s+2)}\begin{bmatrix} s+3 & 1 \\ -2 & s \end{bmatrix}$

$\quad =\begin{bmatrix} \dfrac{s+3}{(s+1)(s+2)} & \dfrac{1}{(s+1)(s+2)} \\ \dfrac{-2}{(s+1)(s+2)} & \dfrac{s}{(s+1)(s+2)} \end{bmatrix}$

행렬 각각의 s함수를 시간 함수로 역변환하면 다음과 같다.

$\phi(t)=\mathcal{L}^{-1}[(sI-A)^{-1}]$

$\quad =\begin{bmatrix} 2e^{-t}-e^{-2t} & e^{-t}-e^{-2t} \\ -2e^{-t}+2e^{-2t} & -e^{-t}+2e^{-2t} \end{bmatrix}$

81 ☐1 ☐2 ☐3

다음 ( )에 들어갈 내용으로 옳은 것은?

> 전차선로는 무선설비의 기능에 계속적이고 또한 중대한 장해를 주는 ( )이(가) 생길 우려가 있는 경우에는 이를 방지하도록 시설하여야 한다.

① 전파
② 혼촉
③ 단락
④ 정전기

82 ☐1 ☐2 ☐3

옥내에 시설하는 저압전선에 나전선을 사용할 수 있는 경우는?

① 버스덕트배선에 의하여 시설하는 경우
② 금속덕트배선에 의하여 시설하는 경우
③ 합성수지관배선에 의하여 시설하는 경우
④ 후강전선관배선에 의하여 시설하는 경우

83 ☐1 ☐2 ☐3

사람이 상시 통행하는 터널 안의 배선(전기기계기구 안의 배선, 관등회로의 배선, 소세력 회로의 전선 및 출퇴표시등 회로의 전선은 제외)의 시설기준에 적합하지 않은 것은?(단, 사용전압이 저압의 것에 한한다.)

① 애자공사로 시설하였다.
② 공칭단면적 2.5[mm²]의 연동선을 사용하였다.
③ 애자공사 시 전선의 높이는 노면상 2[m]로 시설하였다.
④ 전로에는 터널의 입구 가까운 곳에 전용 개폐기를 시설하였다.

84 ☐1 ☐2 ☐3

과도

그림은 전력선 반송 통신용 결합장치의 보안장치이다. 여기에서 CC는 어떤 커패시터인가?

① 결합 커패시터
② 전력용 커패시터
③ 정류용 커패시터
④ 축전용 커패시터

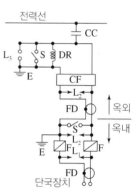

정답 및 해설

81

전파장해의 방지(한국전기설비규정 331.1)
가공전선로는 무선설비의 기능에 계속적이고 또한 중대한 장해를 주는 전파를 발생할 우려가 있는 경우에는 이를 방지하도록 시설하여야 한다.

82

나전선의 사용 제한(한국전기설비규정 231.4)
옥내에 시설하는 저압전선에는 나전선을 사용하여서는 아니 된다. 다만, 다음 중 어느 하나에 해당하는 경우에는 그러하지 아니하다.
• 애자사용배선에 의하여 전개된 곳에 시설하는 경우
• 버스덕트배선에 의하여 시설하는 경우
• 라이팅덕트배선에 의하여 시설하는 경우

83

사람이 상시 통행하는 터널 안의 배선의 시설(한국전기설비규정 242.7.1)
공칭단면적 2.5[mm²]의 연동선과 동등 이상의 세기 및 굵기의 절연전선(옥외용 비닐절연전선 및 인입용 비닐절연전선을 제외한다)을 사용하여 애자공사에 의하여 시설하고 또한 이를 노면상 2.5[m] 이상의 높이로 할 것. 또한 전로에는 터널의 입구 가까운 곳에 전용 개폐기를 시설할 것

84

전력선 반송 통신용 결합장치의 보안장치(한국전기설비규정 362.11)

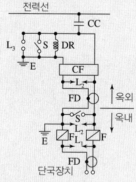

• FD : 동축케이블
• F : 정격전류 10[A] 이하의 포장 퓨즈
• DR : 전류 용량 2[A] 이상의 배류 선륜
• L₁ : 교류 300[V] 이하에서 동작하는 피뢰기
• L₂ : 동작 전압이 교류 1.3[kV]를 초과하고 1.6[kV] 이하로 조정된 방전갭
• L₃ : 동작 전압이 교류 2[kV]를 초과하고 3[kV] 이하로 조정된 구상 방전갭
• S : 접지용 개폐기
• CF : 결합 필터
• CC : 결합 커패시터(결합 안테나를 포함한다)
• E : 접지

85 <small>1 2 3</small>

케이블트레이공사에 사용하는 케이블트레이에 대한 기준으로 틀린 것은?

① 안전율은 1.5 이상으로 하여야 한다.
② 비금속제 케이블트레이는 수밀성 재료의 것이어야 한다.
③ 금속제 케이블트레이계통은 기계적 및 전기적으로 완전하게 접속하여야 한다.
④ 전선의 피복 등을 손상시킬 돌기 등이 없이 매끈하여야 한다.

86 <small>1 2 3</small>

지중전선로에 사용하는 지중함의 시설기준으로 틀린 것은?

① 지중함은 견고하고 차량 기타 중량물의 압력에 견디는 구조일 것
② 지중함은 그 안의 고인물을 제거할 수 있는 구조로 되어 있을 것
③ 지중함의 뚜껑은 시설자 이외의 자가 쉽게 열 수 없도록 시설할 것
④ 폭발성의 가스가 침입할 우려가 있는 곳에 시설하는 지중함으로서 그 크기가 0.5[m³] 이상인 것에는 통풍장치 기타 가스를 방산시키기 위한 적당한 장치를 시설할 것

87 <small>1 2 3</small>

교량의 윗면에 시설하는 고압 전선로는 전선의 높이를 교량의 노면상 몇 [m] 이상으로 하여야 하는가?

① 3
② 4
③ 5
④ 6

88 <small>1 2 3</small>

목장에서 가축의 탈출을 방지하기 위하여 전기울타리를 시설하는 경우 전선은 인장강도가 몇 [kN] 이상의 것이어야 하는가?

① 1.38
② 2.78
③ 4.43
④ 5.93

89 <small>1 2 3</small>

저압의 전선로 중 절연 부분의 전선과 대지 간의 절연저항은 사용전압에 대한 누설전류가 최대 공급전류의 얼마를 넘지 않도록 유지하여야 하는가?

① 1/1,000
② 1/2,000
③ 1/3,000
④ 1/4,000

85

케이블트레이의 선정(한국전기설비규정 232.41.2)
• 케이블트레이의 안전율은 1.5 이상으로 하여야 한다.
• 비금속제 케이블트레이는 난연성 재료의 것이어야 한다.
• 금속제 케이블트레이시스템은 기계적 및 전기적으로 완전하게 접속하여야 하며 금속제 트레이는 접지공사를 하여야 한다.
• 전선의 피복 등을 손상시킬 돌기 등이 없이 매끈하여야 한다.

[암기 포인트] 케이블트레이
주요 키워드: 안전율 1.5, 난연성, 완전하게 접속

86

지중함의 시설(한국전기설비규정 334.2)
폭발성 또는 연소성의 가스가 침입할 우려가 있는 곳에 시설하는 지중함으로서 그 크기가 1[m³] 이상인 것에는 통풍장치 기타 가스를 방산시키기 위한 적당한 장치를 시설할 것

[암기 포인트] 지중함 – 1[m³]

87

교량에 시설하는 전선로(한국전기설비규정 335.6)
교량의 윗면에 시설하는 것은 전선의 높이를 교량의 노면상 5[m] 이상으로 하여 시설할 것

88

전기울타리의 시설(한국전기설비규정 241.1.3)
• 전기울타리는 사람이 쉽게 출입하지 아니하는 곳에 시설할 것
• 전선은 인장강도 1.38[kN] 이상의 것 또는 지름 2[mm] 이상의 경동선일 것
• 전선과 이를 지지하는 기둥 사이의 이격거리는 25[mm] 이상일 것
• 전선과 다른 시설물(가공전선을 제외한다) 또는 수목과의 이격거리는 0.3[m] 이상일 것

89

전선로의 전선 및 절연성능(기술기준 제27조)
저압 전선로 중 절연 부분의 전선과 대지 사이 및 전선의 심선 상호 간의 절연저항은 사용전압에 대한 누설전류가 최대 공급전류의 1/2,000을 넘지 않도록 하여야 한다.

90

가공전선로의 지지물에 하중이 가하여지는 경우에 그 하중을 받는 지지물의 기초 안전율은 얼마 이상이어야 하는가?(단, 이상 시 상정하중은 무관하다.)

① 1.5 　　　　　　② 2.0
③ 2.5 　　　　　　④ 3.0

91

사용전압이 35,000[V] 이하인 특고압 가공전선과 가공약전류전선을 동일 지지물에 시설하는 경우, 특고압 가공전선로의 보안공사로 적합한 것은?

① 고압 보안공사　　② 제1종 특고압 보안공사
③ 제2종 특고압 보안공사　④ 제3종 특고압 보안공사

92

발전소에서 계측하는 장치를 시설하여야 하는 사항에 해당하지 않는 것은?

① 특고압용 변압기의 온도
② 발전기의 회전수 및 주파수
③ 발전기의 전압 및 전류 또는 전력
④ 발전기의 베어링(수중 메탈을 제외한다) 및 고정자의 온도

93

금속제 외함을 가진 저압의 기계기구로서 사람이 쉽게 접촉될 우려가 있는 곳에 시설하는 경우, 전기를 공급받는 전로에 지락이 생겼을 때 자동적으로 전로를 차단하는 장치를 설치하여야 하는 기계기구의 사용전압이 몇 [V]를 초과하는 경우인가?

① 30 　　　　　　② 50
③ 100 　　　　　④ 150

94

제2종 특고압 보안공사 시 지지물로 사용하는 철탑의 경간을 400[m] 초과로 하려면 몇 [mm²] 이상의 경동연선을 사용하여야 하는가?

① 38 　　　　　　② 55
③ 82 　　　　　　④ 95

95

과전류차단기로 시설하는 퓨즈 중 고압전로에 사용하는 비포장 퓨즈는 정격전류 2배 전류 시 몇 분 안에 용단되어야 하는가?

① 1분 　　　　　② 2분
③ 5분 　　　　　④ 10분

정답 및 해설

90

가공전선로 지지물의 기초의 안전율(한국전기설비규정 331.7)
가공전선로의 지지물에 하중이 가하여지는 경우에 그 하중을 받는 지지물의 기초의 안전율은 2 이상이어야 한다.

[암기 포인트] 가공전선로의 지지물의 기초 안전율: 2 이상

91

특고압 가공전선과 가공약전류전선 등의 공용설치(한국전기설비규정 333.19)
사용전압이 35[kV] 이하인 특고압 가공전선과 가공약전류전선 등을 동일 지지물에 시설하는 경우에는 다음에 따라야 한다.
• 특고압 가공전선로는 제2종 특고압 보안공사에 의할 것
• 특고압 가공전선은 가공약전류전선 등의 위로하고 별개의 완금류에 시설할 것

92

계측장치(한국전기설비규정 351.6)
발전소에서는 다음의 사항을 계측하는 장치를 시설하여야 한다.
• 발전기·연료전지 또는 태양전지 모듈의 전압 및 전류 또는 전력
• 발전기의 베어링(수중 메탈을 제외한다) 및 고정자의 온도
• 주요 변압기의 전압 및 전류 또는 전력
• 특고압용 변압기의 온도

93

누전차단기의 시설(한국전기설비규정 211.2.4)
금속제 외함을 가지는 사용전압이 50[V]를 초과하는 저압의 기계기구로서 사람이 쉽게 접촉할 우려가 있는 곳에 시설하는 데에 전기를 공급하는 전로에는 보호대책으로 누전차단기를 시설해야 한다.

94

특고압 보안공사(한국전기설비규정 333.22)
제2종 특고압 보안공사 시 경간 제한
• 전선에 인장강도 38.05[kN] 이상의 연선 또는 단면적이 95[mm²] 이상인 경동연선을 사용하고 지지물에 철탑을 사용하는 경우에는 경간을 400[m] 초과로 할 수 있다.

95

고압 및 특고압 전로 중의 과전류차단기의 시설(한국전기설비규정 341.10)
과전류차단기로 시설하는 퓨즈 중 고압전로에 사용하는 비포장 퓨즈는 정격전류의 1.25배의 전류에 견디고 또한 2배의 전류로 2분 안에 용단되는 것이어야 한다.

96 1 2 3

최대 사용전압이 7[kV]를 초과하는 회전기의 절연내력 시험은 최대 사용전압의 몇 배의 전압(10.5[kV] 미만으로 되는 경우에는 10.5[kV])에서 10분간 견디어야 하는가?

① 0.92
② 1
③ 1.1
④ 1.25

97 1 2 3

버스덕트공사에 의한 저압 옥내배선 시설공사에 대한 설명으로 틀린 것은?

① 덕트(환기형의 것을 제외)의 끝부분은 막지 말 것
② 덕트 상호 간 및 전선 상호 간은 견고하고 또한 전기적으로 완전하게 접속할 것
③ 덕트(환기형의 것을 제외)의 내부에 먼지가 침입하지 아니하도록 할 것
④ 덕트를 조영재에 붙이는 경우에는 덕트의 지지점 간의 거리를 3[m] 이하로 하고 또한 견고하게 붙일 것

98 1 2 3

수소냉각식 발전기 및 이에 부속하는 수소냉각장치의 시설에 대한 설명으로 틀린 것은?

① 발전기 안의 수소의 밀도를 계측하는 장치를 시설할 것
② 발전기 안의 수소의 순도가 85[%] 이하로 저하한 경우에 이를 경보하는 장치를 시설할 것
③ 발전기 안의 수소의 압력을 계측하는 장치 및 그 압력이 현저히 변동한 경우에 이를 경보하는 장치를 시설할 것
④ 발전기는 기밀구조의 것이고 또한 수소가 대기압에서 폭발하는 경우에 생기는 압력에 견디는 강도를 가지는 것일 것

99 1 2 3

고압 가공전선로에 사용하는 가공지선은 지름 몇 [mm] 이상의 나경동선을 사용하여야 하는가?

① 2.6
② 3.0
③ 4.0
④ 5.0

100

KEC 적용에 따라 삭제되었습니다.

96

회전기 및 정류기의 절연내력(한국전기설비규정 133)

종류		시험전압	시험방법
회전기	발전기·전동기·조상기·기타 회전기 (회전변류기를 제외한다)	최대 사용전압 7[kV] 이하	최대 사용전압의 1.5배 전압(500[V] 미만으로 되는 경우에는 500[V])	권선과 대지 사이에 연속하여 10분간 가한다.
		최대 사용전압 7[kV] 초과	최대 사용전압의 1.25배의 전압(10.5[kV] 미만으로 되는 경우에는 10.5[kV])	
	회전 변류기		직류 측의 최대 사용전압의 1배의 교류전압(500[V] 미만으로 되는 경우에는 500[V])	
정류기	최대 사용전압이 60[kV] 이하		직류 측의 최대 사용전압의 1배의 교류전압(500[V] 미만으로 되는 경우에는 500[V])	충전부분과 외함 간에 연속하여 10분간 가한다.
	최대 사용전압 60[kV] 초과		교류 측의 최대 사용전압의 1.1배의 교류전압 또는 직류 측의 최대 사용전압의 1.1배의 직류전압	교류 측 및 직류 고전압 측 단자와 대지 사이에 연속하여 10분간 가한다.

7[kV]를 초과하는 회전기의 절연내력은 최대 사용전압의 1.25배의 전압에서 10분간 견디어야 한다.

97

버스덕트공사(시설조건)(한국전기설비규정 232.61.1)
- 덕트 상호 간 및 전선 상호 간은 견고하고 또한 전기적으로 완전하게 접속할 것
- 덕트를 조영재에 붙이는 경우에는 덕트의 지지점 간의 거리를 3[m] 이하로 하고 또한 견고하게 붙일 것
- 덕트의 끝부분은 막을 것
- 덕트의 내부에 먼지가 침입하지 아니하도록 할 것
- 덕트는 접지공사를 할 것

98

수소냉각식 발전기 등의 시설(한국전기설비규정 351.10)
- 발전기 내부 또는 조상기 내부의 수소의 순도가 85[%] 이하로 저하한 경우에 이를 경보하는 장치를 시설할 것
- 발전기 내부 또는 조상기 내부의 수소의 압력을 계측하는 장치 및 그 압력이 현저히 변동한 경우에 이를 경보하는 장치를 시설할 것
- 발전기 또는 조상기는 기밀구조의 것이고 또한 수소가 대기압에서 폭발하는 경우에 생기는 압력에 견디는 강도를 가지는 것일 것
- 발전기 내부의 수소의 온도를 계측하는 장치를 시설할 것

99

고압 가공전선로의 가공지선(한국전기설비규정 332.6)
고압 가공전선로에 사용하는 가공지선은 인장강도 5.26[kN] 이상의 것 또는 지름 4[mm] 이상의 나경동선을 사용한다.

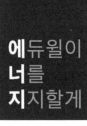

에듀윌이
너를
지지할게
ENERGY

어떠한 일도 갑자기 이루어지지 않는다.
한 알의 과일, 한 송이의 꽃도 그렇게 되지 않는다.

나무의 열매조차 금방 맺히지 않는데,
하물며 인생의 열매를 노력도 하지 않고
조급하게 기다리는 것은 잘못이다.

– 에픽테토스(Epictetus)

2019년 전기기사 필기

시험정보

과목명	문항수	시간(분)	필기합격률
전기자기학	20	20	
전력공학	20	20	
전기기기	20	20	**29%**
회로이론 및 제어공학	20	20	
전기설비 기술기준	20	20	
합 계	100	100	

※ 한국전기설비규정(KEC) 적용으로 성립되지 않는 문제는 해설과 정답을 생략하였습니다. 온라인 OMR 이용 시 해당 문제의 정답은 ①로 체크하여 주시면 정답 처리됩니다.

시행일자

1회 3. 3
2회 4. 27
3회 8. 4

합격기준

과목당 40점 이상 (100점 만점 기준)
전과목 평균 60점 이상 (100점 만점 기준)

시험분석

전기자기학	1회	난이도 上		과난도 05, 18 빈출 08, 16, 19
	2회	난이도 中		과난도 06, 12 빈출 01, 05, 17
	3회	난이도 中		과난도 09, 17 빈출 03, 07, 10

전력공학	1회	난이도 下		과난도 22, 28 빈출 24, 30
	2회	난이도 下		과난도 37 빈출 21, 24, 30, 35
	3회	난이도 下		과난도 25, 35 빈출 21, 23, 39

전기기기	1회	난이도 中		과난도 41, 56 빈출 47, 48, 60
	2회	난이도 中		과난도 49, 60 빈출 41, 55, 57
	3회	난이도 上		과난도 49, 56 빈출 42, 53, 59

회로이론 및 제어공학	1회	난이도 中		과난도 65, 74, 79 빈출 69, 80
	2회	난이도 中		과난도 75, 78 빈출 64, 76, 79
	3회	난이도 中		과난도 65 빈출 67, 68, 74

전기설비 기술기준	1회	난이도 中		과난도 91, 100 빈출 81, 82, 98, 99
	2회	난이도 中		과난도 95, 98 빈출 85, 97, 99
	3회	난이도 下		과난도 96, 99 빈출 83, 85, 92

전기자기학

1회독	월	일
2회독	월	일
3회독	월	일	자동채점

01 ` 1 2 3 `

평행판 콘덴서에 어떤 유전체를 넣었을 때 전속 밀도가 $2.4 \times 10^{-7}[\mathrm{C/m^2}]$이고, 단위 체적 중의 에너지가 $5.3 \times 10^{-3}[\mathrm{J/m^3}]$이었다. 이 유전체의 유전율은 약 몇 $[\mathrm{F/m}]$인가?

① 2.17×10^{-11}
② 5.43×10^{-11}
③ 5.17×10^{-12}
④ 5.43×10^{-12}

02 ` 1 2 3 `

균일한 자장 내에 놓여 있는 직선 도선에 전류 및 길이를 각각 2배로 하면 이 도선에 작용하는 힘은 몇 배가 되는가?

① 1
② 2
③ 4
④ 8

03 ` 1 2 3 `

와류손에 대한 설명으로 틀린 것은?(단, f: 주파수, B_m: 최대 자속 밀도, t: 두께, ρ: 저항률이다.)

① t^2에 비례한다.
② f^2에 비례한다.
③ ρ^2에 비례한다.
④ B_m^2에 비례한다.

04 ` 1 2 3 `

$x > 0$인 영역에 비유전율 $\varepsilon_{r1} = 3$인 유전체, $x < 0$인 영역에 비유전율 $\varepsilon_{r2} = 5$인 유전체가 있다. $x < 0$인 영역에서 전계 $E_2 = 20a_x + 30a_y - 40a_z[\mathrm{V/m}]$일 때 $x > 0$인 영역에서의 전속 밀도는 몇 $[\mathrm{C/m^2}]$인가?

① $10(10a_x + 9a_y - 12a_z)\varepsilon_0$
② $20(5a_x - 10a_y + 6a_z)\varepsilon_0$
③ $50(2a_x + 3a_y - 4a_z)\varepsilon_0$
④ $50(2a_x - 3a_y + 4a_z)\varepsilon_0$

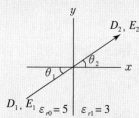

고난도

05 1 2 3

$q[C]$의 전하가 진공 중에서 $v[m/s]$의 속도로 운동하고 있을 때, 이 운동 방향과 θ의 각으로 $r[m]$ 떨어진 점의 자계의 세기 $[AT/m]$는?

① $\dfrac{q\sin\theta}{4\pi r^2 v}$ ② $\dfrac{v\sin\theta}{4\pi r^2 q}$

③ $\dfrac{qv\sin\theta}{4\pi r^2}$ ④ $\dfrac{v\sin\theta}{4\pi r^2 q^2}$

06 1 2 3

원형 선전류 $I[A]$의 중심축상 점 P의 자위$[A]$를 나타내는 식은?(단, θ는 점 P에서 원형 전류를 바라보는 평면각이다.)

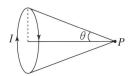

① $\dfrac{I}{2}(1-\cos\theta)$ ② $\dfrac{I}{4}(1-\cos\theta)$

③ $\dfrac{I}{2}(1-\sin\theta)$ ④ $\dfrac{I}{4}(1-\sin\theta)$

07 1 2 3

진공 중에서 무한장 직선 도체에 선전하 밀도 $\rho_l = 2\pi \times 10^{-3}[C/m]$가 균일하게 분포된 경우 직선 도체에서 $2[m]$와 $4[m]$ 떨어진 두 점 사이의 전위차는 몇 $[V]$인가?

① $\dfrac{10^{-3}}{\pi\varepsilon_0}\ln 2$ ② $\dfrac{10^{-3}}{\varepsilon_0}\ln 2$

③ $\dfrac{1}{\pi\varepsilon_0}\ln 2$ ④ $\dfrac{1}{\varepsilon_0}\ln 2$

빈출

08 1 2 3

서로 다른 두 유전체 사이의 경계면에 전하 분포가 없다면 경계면 양쪽에서의 전계 및 전속 밀도는?

① 전계 및 전속 밀도의 접선 성분은 서로 같다.
② 전계 및 전속 밀도의 법선 성분은 서로 같다.
③ 전계의 법선 성분이 서로 같고, 전속 밀도의 접선성분이 서로 같다.
④ 전계의 접선 성분이 서로 같고, 전속 밀도의 법선 성분이 서로 같다.

05

비오-사바르의 법칙
전하로부터 길이 $r[m]$인 곳의 자계

$$H = \int_0^l dH = \int_0^l \frac{Idl\sin\theta}{4\pi r^2} = \frac{Il\sin\theta}{4\pi r^2}[AT/m]$$

$I = \dfrac{q}{t}[A]$, $l = vt[m]$이므로 $Il = qv$

$$\therefore H = \frac{qv\sin\theta}{4\pi r^2}[AT/m]$$

06

P점에서 자위 U
$$U = \frac{I}{4\pi}\omega = \frac{I}{4\pi} \times 2\pi(1-\cos\theta) = \frac{I}{2}(1-\cos\theta)[A]$$
여기서, 입체각 $\omega = 2\pi(1-\cos\theta)[sr]$

07

무한장 직선 도체에서 $r[m]$인 점의 전계 $E = \dfrac{\rho_l}{2\pi\varepsilon_0 r}$

두 점 r_1, r_2 사이의 전위차

$$V = -\int_{r_2}^{r_1} E \cdot dr = -\int_4^2 \frac{\rho_l}{2\pi\varepsilon_0 r} \cdot dr$$

$$= -\frac{\rho_l}{2\pi\varepsilon_0} \int_4^2 \frac{1}{r} dr = -\frac{\rho_l}{2\pi\varepsilon_0}\left[\ln r\right]_4^2$$

$$= -\frac{\rho_l}{2\pi\varepsilon_0}(\ln 2 - \ln 4) = \frac{\rho_l}{2\pi\varepsilon_0}(\ln 4 - \ln 2)$$

$$= \frac{\rho_l}{2\pi\varepsilon_0}\ln\frac{4}{2} = \frac{2\pi \times 10^{-3}}{2\pi\varepsilon_0}\ln 2$$

$$= \frac{10^{-3}}{\varepsilon_0}\ln 2[V]$$

08

• 경계면에서 전계의 수평(접선) 성분은 같다.
  $E_1\sin\theta_1 = E_2\sin\theta_2$
• 경계면에서 전속 밀도의 수직(법선) 성분은 같다.
  $D_1\cos\theta_1 = D_2\cos\theta_2$

09 1 2 3

환상 철심에 권수 $3{,}000$회 A코일과 권수 200회 B코일이 감겨져 있다. A코일의 자기 인덕턴스가 $360[\text{mH}]$일 때 A, B 두 코일의 상호 인덕턴스는 몇 $[\text{mH}]$인가?(단, 결합 계수는 1이다.)

① 16   ② 24
③ 36   ④ 72

10 1 2 3

맥스웰 방정식 중 틀린 것은?

① $\oint_s B \cdot dS = \rho_s$

② $\oint_s D \cdot dS = \int_v \rho \cdot dv$

③ $\oint_c E \cdot dl = -\int_s \dfrac{\partial B}{\partial t} \cdot dS$

④ $\oint_c H \cdot dl = I + \int_s \dfrac{\partial D}{\partial t} \cdot dS$

11 1 2 3

자기 회로의 자기 저항에 대한 설명으로 옳은 것은?

① 투자율에 반비례한다.
② 자기 회로의 단면적에 비례한다.
③ 자기 회로의 길이에 반비례한다.
④ 단면적에 반비례하고, 길이의 제곱에 비례한다.

12 1 2 3

접지된 구도체와 점전하 간에 작용하는 힘은?

① 항상 흡인력이다.   ② 항상 반발력이다.
③ 조건적 흡인력이다.   ④ 조건적 반발력이다.

정답 및 해설

09

- 권수 $N_1 = 3{,}000$인 코일의 인덕턴스

$$L_1 = \frac{\mu N_1^2 S}{l} = 360[\text{mH}]$$

- 권수 $N_2 = 200$인 코일의 인덕턴스

$$L_2 = \frac{\mu N_2^2 S}{l} = \frac{\mu \left(\dfrac{N_1}{15}\right)^2 S}{l} = \frac{1}{15^2} L_1 [\text{mH}]$$

- 상호 인덕턴스
  결합 계수 $k = 1$이므로

$$\therefore M = k\sqrt{L_1 L_2} = \sqrt{\frac{L_1^2}{15^2}} = \frac{360}{15} = 24[\text{mH}]$$

10

맥스웰 방정식

- $rot\, E = -\dfrac{\partial B}{\partial t}$ (패러데이법칙 미분형)

$$\int_c E \cdot dl = -\int_s \frac{\partial B}{\partial t} \cdot dS \text{(패러데이법칙 적분형)}$$

- $rot\, H = J + \dfrac{\partial D}{\partial t}$ (암페어 주회법칙 미분형)

$$\int_c H \cdot dl = I + \int_s \frac{\partial D}{\partial t} \cdot dS \text{(암페어 주회법칙 적분형)}$$

- $div\, B = 0$ (자계 가우스법칙 미분형)

$$\int_s B \cdot dS = 0 \text{(자계 가우스법칙 적분형)}$$

- $div\, D = \rho$ (전계 가우스법칙 미분형)

$$\int_s D \cdot dS = Q = \int_v \rho \cdot dv \text{(전계 가우스법칙 적분형)}$$

11

자기 저항

$$R_m = \frac{l}{\mu S} = \frac{NI}{\phi} = \frac{F}{\phi}$$

$$\therefore R_m \propto \frac{1}{\mu} \propto \frac{1}{S} \propto l$$

12

접지된 구도체와 점전하 사이의 정전 흡인력

$$F = \frac{a}{d} \frac{-Q^2}{4\pi\varepsilon_0 \left(\dfrac{d^2 - a^2}{d}\right)^2} [\text{N}]$$

항상 흡인력이다.

13 [1] [2] [3]

그림과 같이 전류가 흐르는 반원형 도선이 평면 $z=0$ 상에 놓여 있다. 이 도선이 자속 밀도 $\dot{B}=0.6a_x-0.5a_y+a_z[\text{Wb/m}^2]$ 인 균일 자계 내에놓여 있을 때 직선 도선에 작용하는 힘[N] 은?

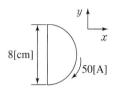

① $4a_x+2.4a_z$

② $4a_x-2.4a_z$

③ $5a_x-3.5a_z$

④ $-5a_x+3.5a_z$

14 [1] [2] [3]

평행한 두 도선 간의 전자력은?(단, 두 도선 간의 거리는 $r[\text{m}]$ 라 한다.)

① r에 비례

② r^2에 비례

③ r에 반비례

④ r^2에 반비례

15 [1] [2] [3]

다음의 관계식 중 성립할 수 없는 것은?(단, μ는 투자율, χ는 자화율, μ_0는 진공의 투자율, J는 자화의 세기이다.)

① $J=\chi B$

② $B=\mu H$

③ $\mu=\mu_0+\chi$

④ $\mu_s=1+\dfrac{\chi}{\mu_0}$

16 [1] [2] [3]

평행판 콘덴서의 극판 사이에 유전율 ε, 저항률 ρ인 유전체를 삽입하였을 때, 두 전극 간의 저항 R과 정전 용량 C의 관계는?

① $R=\rho\varepsilon C$

② $RC=\dfrac{\varepsilon}{\rho}$

③ $RC=\rho\varepsilon$

④ $RC\rho\varepsilon=1$

13

플레밍의 왼손법칙으로부터
$$\dot{F}=I(\dot{l}\times\dot{B})$$
$$=50[0.08a_y\times(0.6a_x-0.5a_y+a_z)]$$
$$=4a_x-2.4a_z\,[\text{N}]$$

14

평행한 두 도선 간의 전자력 $F=\dfrac{\mu I_1 I_2}{2\pi r}[\text{N/m}]$

따라서 전자력은 r에 반비례한다.

15

자화의 세기
$$J=\chi H=\mu_0(\mu_s-1)H=\left(1-\frac{1}{\mu_s}\right)B\,(\because B=\mu H)$$
$$\chi=\mu_0\mu_s-\mu_0=\mu-\mu_0,\ \mu=\chi+\mu_0$$
$$\mu_0\mu_s=\chi+\mu_0,\ \mu_s=1+\frac{\chi}{\mu_0}$$

16

저항과 정전 용량의 관계
$$R=\frac{\rho l}{S},\ C=\frac{\varepsilon S}{l}$$
$$RC=\frac{\rho l}{S}\times\frac{\varepsilon S}{l}=\rho\varepsilon$$

[암기 포인트] $RC=\rho\varepsilon$

17 ▸ 1 2 3

비투자율 $\mu_s = 1$, 비유전율 $\varepsilon_s = 90$인 매질 내의 고유 임피던스는 약 몇 [Ω]인가?

① 32.5

② 39.7

③ 42.3

④ 45.6

18 ▸ 1 2 3

사이클로트론에서 양자가 매초 3×10^{15}개의 비율로 가속되어 나오고 있다. 양자가 15[MeV]의 에너지를 가지고 있다고 할 때, 이 사이클로트론은 가속용 고주파 전계를 만들기 위해서 150[kW]의 전력을 필요로 한다면 에너지 효율[%]은?

① 2.8

② 3.8

③ 4.8

④ 5.8

19 ▸ 1 2 3

단면적 $4[\text{cm}^2]$의 철심에 $6 \times 10^{-4}[\text{Wb}]$의 자속을 통하게 하려면 $2,800[\text{AT/m}]$의 자계가 필요하다. 이 철심의 비투자율은 약 얼마인가?

① 346

② 375

③ 407

④ 426

20 ▸ 1 2 3

대전된 도체의 특징으로 틀린 것은?

① 가우스 정리에 의해 내부에는 전하가 존재한다.

② 전계는 도체 표면에 수직인 방향으로 진행된다.

③ 도체에 인가된 전하는 도체 표면에만 분포한다.

④ 도체 표면에서의 전하밀도는 곡률이 클수록 높다.

정답 및 해설

17

$$Z_0 = \frac{E}{H} = \sqrt{\frac{\mu}{\varepsilon}} = \sqrt{\frac{\mu_0 \mu_s}{\varepsilon_0 \varepsilon_s}} = \sqrt{\frac{\mu_0}{\varepsilon_0}} \times \sqrt{\frac{\mu_s}{\varepsilon_s}} = 377 \times \sqrt{\frac{\mu_s}{\varepsilon_s}}$$

$$= 377 \times \sqrt{\frac{1}{90}} = 39.7[\Omega]$$

18

$$W = VQ = Pt\eta$$

$$\eta = \frac{QV}{Pt} = \frac{neV}{Pt} = \frac{3 \times 10^{15} \times 1.602 \times 10^{-19} \times 15 \times 10^6}{150 \times 10^3 \times 1} \times 100$$

$$= 4.8[\%]$$

19

$$\phi = BS, \quad B = \frac{\phi}{S} = \frac{6 \times 10^{-4}}{4 \times 10^{-4}} = 1.5[\text{Wb/m}^2]$$

$$B = \mu H = \mu_0 \mu_s H$$

비투자율 $\mu_s = \dfrac{B}{\mu_0 H} = \dfrac{1.5}{4\pi \times 10^{-7} \times 2,800} \fallingdotseq 426$

20

- 대전된 도체의 전하는 도체 표면에만 존재한다.
- 도체 내부에 전하는 존재하지 않는다.
- 도체의 표면과 내부의 전위는 동일하다.
- 도체면에서 전계의 세기는 도체 표면에 항상 수직이다.
- 도체 표면에서의 전하 밀도는 곡률이 클수록, 즉 곡률반경이 작을수록 높다(피뢰침 원리).

21 1 2 3

송배전 선로에서 도체의 굵기는 같게 하고 도체 간의 간격을 크게 하면 도체의 인덕턴스는?

① 커진다.
② 작아진다.
③ 변함이 없다.
④ 도체의 굵기 및 도체 간의 간격과는 무관하다.

22 1 2 3

동일 전력을 동일 선간 전압, 동일 역률로 동일 거리에 보낼 때 사용하는 전선의 총 중량이 같으면 3상 3선식인 때와 단상 2선식일 때의 전력 손실비는?

① 1
② $\dfrac{3}{4}$
③ $\dfrac{2}{3}$
④ $\dfrac{1}{\sqrt{3}}$

21

인덕턴스 계산식 $L = 0.05 + 0.4605 \log_{10} \dfrac{D}{r}$ [mH/km]에서 도체의 반지름(r[m])이 일정한 상태(즉, 도체의 굵기가 같은 상태)에서 도체 간의 간격(D[m])을 크게 하면 인덕턴스 L은 증가한다.

22

3상 3선식일 때의 전력 손실 $P_{l3} = 3I_3{}^2 R_3$
단상 2선식일 때의 전력 손실 $P_{l1} = 2I_1{}^2 R_1$
따라서 구하고자 하는 전력 손실비는

$$\dfrac{P_{l3}}{P_{l1}} = \dfrac{3I_3{}^2 R_3}{2I_1{}^2 R_1} = \dfrac{3}{2} \times \left(\dfrac{I_3}{I_1}\right)^2 \times \dfrac{R_3}{R_1}$$

• 동일 전력, 선간 전압, 역률의 조건에서
 3상 3선식일 때의 전력 $P_3 = \sqrt{3}\,VI_3 \cos\theta$
 단상 2선식일 때의 전력 $P_1 = VI_1 \cos\theta$

$$\therefore \sqrt{3}\,VI_3\cos\theta = VI_1\cos\theta, \quad \dfrac{I_3}{I_1} = \dfrac{1}{\sqrt{3}}$$

• 동일 거리, 전선의 총 중량 조건에서
 3상 3선식일 때의 전선 중량 $W_3 = 3A_3 l$
 단상 2선식일 때의 전선 중량 $W_1 = 2A_1 l$

$$\therefore 3A_3 l = 2A_1 l$$

$\dfrac{A_1}{A_3} = \dfrac{3}{2}$ 이고, $R = \rho \dfrac{l}{A}$ 에서 $R \propto \dfrac{1}{A}$ 관계에 있으므로 $\dfrac{R_3}{R_1} = \dfrac{3}{2}$ 이다.

따라서 $\dfrac{P_{l3}}{P_{l1}} = \dfrac{3}{2} \times \left(\dfrac{I_3}{I_1}\right)^2 \times \dfrac{R_3}{R_1} = \dfrac{3}{2} \times \left(\dfrac{1}{\sqrt{3}}\right)^2 \times \dfrac{3}{2} = \dfrac{3}{4}$

23 1 2 3

배전반에 접속되어 운전 중인 계기용 변압기(PT) 및 변류기(CT)의 2차 측 회로를 점검할 때 조치 사항으로 옳은 것은?

① CT만 단락시킨다.
② PT만 단락시킨다.
③ CT와 PT 모두를 단락시킨다.
④ CT와 PT 모두를 개방시킨다.

24 1 2 3

배전 선로의 역률 개선에 따른 효과로 적합하지 않은 것은?

① 선로의 전력 손실 경감
② 선로의 전압 강하의 감소
③ 전원 측 설비의 이용률 향상
④ 선로 절연의 비용 절감

25 1 2 3

총 낙차 $300[\mathrm{m}]$, 사용 수량 $20[\mathrm{m}^3/\mathrm{s}]$인 수력 발전소의 발전기 출력은 약 몇 $[\mathrm{kW}]$인가?(단, 수차 및 발전기 효율은 각각 $90[\%]$, $98[\%]$라 하고, 손실 낙차는 총 낙차의 $6[\%]$라고 한다.)

① 48,750   ② 51,860
③ 54,170   ④ 54,970

26 1 2 3

수전단을 단락한 경우 송전단에서 본 임피던스가 $330[\Omega]$이고, 수전단을 개방한 경우 송전단에서 본 어드미턴스가 $1.875 \times 10^{-3}[\mho]$일 때 송전단의 특성 임피던스는 약 몇 $[\Omega]$인가?

① 120   ② 220
③ 320   ④ 420

정답 및 해설

23

PT 및 CT 점검 시 조치 사항
• PT: 2차 측을 반드시 개방시킨 후 PT를 점검할 것
• CT: 2차 측을 반드시 단락시킨 후 CT를 점검할 것

[암기 포인트] PT 및 CT 점검 시 조치 사항
'P방, C단'

24

역률 개선 효과
• 전력 손실 감소
• 전압 강하 감소
• 설비 여유 증대(이용률 향상)
• 전기 요금 절감

25

유효 낙차를 구하면
$$H = H_0 - H_l = 300 - (300 \times 0.06) = 282[\mathrm{m}]$$
따라서 수력 발전소에서 발전기의 출력을 구하면
$$P = 9.8 Q H \eta_t \eta_g = 9.8 \times 20 \times 282 \times 0.9 \times 0.98$$
$$\fallingdotseq 48,750[\mathrm{kW}]$$

26

특성 임피던스
$$Z_0 = \sqrt{\frac{Z_s}{Y_f}} = \sqrt{\frac{330}{1.875 \times 10^{-3}}} \fallingdotseq 420[\Omega]$$

27 ☐ 1 ☐ 2 ☐ 3

다중접지 계통에 사용되는 재폐로 기능을 갖는 일종의 차단기로서 과부하 또는 고장 전류가 흐르면 순시동작하고, 일정 시간 후에는 자동적으로 재폐로하는 보호 기기는?

① 라인퓨즈

② 리클로저

③ 섹셔널라이저

④ 고장 구간 자동 개폐기

28 ☐ 1 ☐ 2 ☐ 3

송전선 중간에 전원이 없을 경우에 송전단의 전압 $E_s = AE_R + BI_R$이 된다. 수전단의 전압 E_R의 식으로 옳은 것은? (단, I_s, I_R는 송전단 및 수전단의 전류이다.)

① $E_R = AE_s + CI_s$

② $E_R = BE_s + AI_s$

③ $E_R = DE_s - BI_s$

④ $E_R = CE_s - DI_s$

29 ☐ 1 ☐ 2 ☐ 3

비접지식 3상 송배전 계통에서 1선 지락 고장 시 고장 전류를 계산하는 데 사용되는 정전 용량은?

① 작용 정전 용량

② 대지 정전 용량

③ 합성 정전 용량

④ 선간 정전 용량

30 ☐ 1 ☐ 2 ☐ 3

비접지 계통의 지락 사고 시 계전기에 영상 전류를 공급하기 위하여 설치하는 기기는?

① PT

② CT

③ ZCT

④ GPT

27
리클로저(Recloser)
배전 선로에서 사고 발생 시 즉시 동작하여 고장 구간을 차단하고, 그 후에 다시 투입시키는 동작을 반복적으로 하는 자동 재폐로 차단기

28
4단자 정수로 표현한 송전단 전압 및 전류식은
$E_s = AE_R + BI_R$ ······㉠
$I_s = CE_R + DI_R$ ······㉡
㉠식에 D를, ㉡식에 B를 각각 곱하여 서로 빼면
$DE_s = ADE_R + BDI_R$ ······㉢
$BI_s = BCE_R + BDI_R$ ······㉣
㉢ $-$ ㉣: $DE_s - BI_s = (AD - BC)E_R = E_R$ $(\because AD - BC = 1)$
$\therefore E_R = DE_s - BI_s$

29
비접지 계통에서 지락 고장 시 지락 전류는 대지 정전 용량을 통해 흐르게 된다. 지락 고장 전류를 계산하는 데 사용되는 정전 용량은 대지 정전 용량이다.
비접지식에서의 지락 전류 $I_g = 3\omega C_s E$[A]
(여기서, C_s: 대지 정전 용량)

30
영상 변류기(ZCT)
비접지 계통에서 지락 사고 시 고장 전류(영상 전류)를 검출하여 지락 계전기 또는 선택 접지 계전기를 동작시킨다.

31

이상 전압의 파고값을 저감시켜 전력 사용 설비를 보호하기 위하여 설치하는 것은?

① 초호환   ② 피뢰기
③ 계전기   ④ 접지봉

32

임피던스 Z_1, Z_2 및 Z_3을 그림과 같이 접속한 선로의 A쪽에서 전압파 E가 진행해 왔을 때 접속점 B에서 무반사로 되기 위한 조건은?

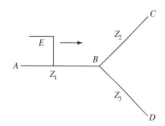

① $Z_1 = Z_2 + Z_3$

② $\dfrac{1}{Z_3} = \dfrac{1}{Z_1} + \dfrac{1}{Z_2}$

③ $\dfrac{1}{Z_1} = \dfrac{1}{Z_2} + \dfrac{1}{Z_3}$

④ $\dfrac{1}{Z_2} = \dfrac{1}{Z_1} + \dfrac{1}{Z_3}$

33

저압 뱅킹 방식에서 저전압의 고장에 의하여 건전한 변압기의 일부 또는 전부가 차단되는 현상은?

① 아킹(Arcing)   ② 플리커(Flicker)
③ 밸런스(Balance)   ④ 캐스케이딩(Cascading)

34

변전소의 가스 차단기에 대한 설명으로 틀린 것은?

① 근거리 차단에 유리하지 못하다.
② 불연성이므로 화재의 위험성이 적다.
③ 특고압 계통의 차단기로 많이 사용된다.
④ 이상 전압의 발생이 적고 절연 회복이 우수하다.

정답 및 해설

31

피뢰기(LA)
이상 전압 내습 시 뇌전류를 대지로 방전하고 속류를 차단하여 기기를 보호한다.

32

무반사 조건: 전선 접속점의 좌측과 우측 전선의 임피던스가 같아야 한다.

$$Z_1 = \frac{Z_2 Z_3}{Z_2 + Z_3}$$

위 식에서 역수를 취하면

$$\frac{1}{Z_1} = \frac{Z_2 + Z_3}{Z_2 Z_3} = \frac{1}{Z_2} + \frac{1}{Z_3}$$

33

캐스케이딩(Cascading)
저압 뱅킹 방식에서 어느 한 곳의 사고로 인해 다른 건전한 변압기나 선로에 사고가 확대되는 현상

34

가스 차단기(GCB)
• 근거리 차단에도 우수한 차단 성능을 가진다.
• 불연성의 기체(SF_6)를 사용하므로 화재의 위험성이 적다.
• 이상 전압의 발생이 적고 절연 회복이 우수하다.
• 특고압 계통(22.9[kV])의 차단기로 사용된다.

35 1 2 3

켈빈(Kelvin)의 법칙이 적용되는 경우는?

① 전압 강하를 감소시키고자 하는 경우
② 부하 배분의 균형을 얻고자 하는 경우
③ 전력 손실량을 축소시키고자 하는 경우
④ 경제적인 전선의 굵기를 선정하고자 하는 경우

36 1 2 3

보호 계전기의 반한시·정한시 특성은?

① 동작 전류가 커질수록 동작 시간이 짧게 되는 특성
② 최소 동작 전류 이상의 전류가 흐르면 즉시 동작하는 특성
③ 동작 전류의 크기에 관계없이 일정한 시간에 동작하는 특성
④ 동작 전류가 커질수록 동작 시간이 짧아지며 어떤 전류 이상이 되면 동작 전류의 크기에 관계없이 일정한 시간에서 동작하는 특성

37 1 2 3

단도체 방식과 비교할 때 복도체 방식의 특징이 아닌 것은?

① 안정도가 증가된다.
② 인덕턴스가 감소된다.
③ 송전 용량이 증가된다.
④ 코로나 임계 전압이 감소된다.

38 1 2 3

1선 지락 시에 지락 전류가 가장 작은 송전 계통은?

① 비접지식
② 직접 접지식
③ 저항 접지식
④ 소호 리액터 접지식

35

켈빈의 법칙
가장 경제적인 전선의 굵기 선정 시 적용

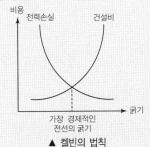

▲ 켈빈의 법칙

36

반한시성 정한시 계전기
동작 전류가 커질수록 동작 시간이 짧아지며(반한시성) 어떤 전류 이상이 되면 동작 전류의 크기에 관계없이 일정한 시간에서 동작하는 특성 (정한시)

37

복도체 방식의 특징
• 계통 안정도가 좋아진다.
• 인덕턴스가 감소하고 정전 용량이 증가한다.
• 송전 용량이 증가한다.
• 코로나 임계 전압이 높아져 코로나 발생을 억제한다.(복도체 사용의 주목적)

[암기 포인트] 인덕턴스가 감소하면 계통 안정도가 증가된다.

38

소호 리액터 접지 방식
대지 정전 용량과 병렬 공진하는 소호 리액터를 중성점에 삽입한 접지 방식이다. 1선 지락 시에 지락 전류가 가장 적어 유도 장해 감소 효과가 크다.

[암기 포인트] 지락 전류가 가장 큰 송전 계통 = 직접 접지식
지락 전류가 가장 작은 송전 계통 = 소호 리액터 접지식

39 [1] [2] [3]

수차의 캐비테이션 방지책으로 틀린 것은?

① 흡출 수두를 증대시킨다.
② 과부하 운전을 가능한 한 피한다.
③ 수차의 비속도를 너무 크게 잡지 않는다.
④ 침식에 강한 금속 재료로 러너를 제작한다.

40 [1] [2] [3]

선간 전압이 $154[\text{kV}]$이고, 1상당의 임피던스가 $j8[\Omega]$인 기기가 있을 때, 기준 용량을 $100[\text{MVA}]$로 하면 %임피던스는 약 몇 $[\%]$인가?

① 2.75
② 3.15
③ 3.37
④ 4.25

41 [1] [2] [3]

고난도

3상 비돌극형 동기 발전기가 있다. 정격 출력 $5,000[\text{kVA}]$, 정격 전압 $6,000[\text{V}]$, 정격 역률 0.8이다. 여자를 정격 상태로 유지할 때 이 발전기의 최대 출력은 약 몇 $[\text{kW}]$인가?(단, 1상의 동기 리액턴스는 $0.8[\text{p·u}]$이며 저항은 무시한다.)

① 7,500
② 10,000
③ 11,500
④ 12,500

42 [1] [2] [3]

직류기의 손실 중에서 기계손으로 옳은 것은?

① 풍손
② 와류손
③ 표류 부하손
④ 브러시의 전기손

정답 및 해설

39

캐비테이션 방지 대책
• 흡출관의 높이(흡출 수두)를 너무 높게 취하지 않을 것
• 수차의 과도한 부분 부하, 과부하 운전을 피한다.
• 수차의 특유 속도(N_s)를 너무 크게 하지 않을 것
• 러너의 표면을 매끄럽게 가공한다.
• 수차 러너를 침식에 강한 스테인리스강, 특수강으로 제작한다.

40

%임피던스

$$\%Z = \frac{PZ}{10V^2} = \frac{100 \times 10^3 \times 8}{10 \times 154^2} = 3.37[\%]$$

41

비돌극형 동기 발전기의 출력은 $P = \dfrac{EV}{X_s}\sin\delta[\text{kW}]$이고, 여자가 일정하므로 최대 출력에 관계없이 정격 출력은 일정하다. p.u법으로 유기 기전력은 다음과 같다.

$$E = \sqrt{(0.8)^2 + (0.6 + 0.8)^2} \fallingdotseq 1.6[\text{p.u}]$$

$$P_m = P_n \times \frac{1.6 \times 1}{0.8}\sin 90°[\text{kW}] \ (\because \delta = 90° \text{일 때의 값이 최대})$$

$$\therefore P_m = 2 \times 5,000 = 10,000[\text{kW}]$$

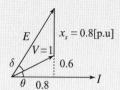

42

기계손(Mechanical Loss)
기계적 마찰에 의하여 발생하는 열로서 마찰손과 풍손으로 나누어진다.

[암기 포인트] 기계손 = 풍손, 마찰손, 베어링손

43

다음 ( )에 알맞은 것은?

> 직류 발전기에서 계자 권선이 전기자에 병렬로 연결된 직류
> 기는 (ⓐ) 발전기라 하며, 전기자 권선과 계자 권선이 직
> 렬로 접속된 직류기는 (ⓑ) 발전기라 한다.

① ⓐ 분권, ⓑ 직권
② ⓐ 직권, ⓑ 분권
③ ⓐ 복권, ⓑ 분권
④ ⓐ 자여자, ⓑ 타여자

44

1차 전압 6,600[V], 2차 전압 220[V], 주파수 60[Hz], 1차
권수 1,200회인 경우 변압기의 최대 자속[Wb]은?

① 0.36
② 0.63
③ 0.012
④ 0.021

45

직류 발전기의 정류 초기에 전류 변화가 크며 이때 발생되는
불꽃 정류로 옳은 것은?

① 과정류
② 직선 정류
③ 부족 정류
④ 정현파 정류

46

3상 유도 전동기의 속도 제어법으로 틀린 것은?

① 1차 저항법
② 극수 제어법
③ 전압 제어법
④ 주파수 제어법

43

분권 발전기: 계자 권선이 전기자에 병렬로 연결된 발전기

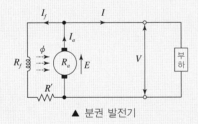

▲ 분권 발전기

직권 발전기: 전기자 권선과 계자 권선이 직렬로 접속된 발전기

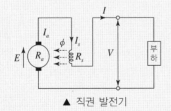

▲ 직권 발전기

44

유기 기전력 $E_1 = 4.44f\phi_m N_1 \, [\text{V}]$ 에서

최대 자속 $\phi_m = \dfrac{E_1}{4.44fN_1} = \dfrac{6,600}{4.44 \times 60 \times 1,200}$

$\fallingdotseq 0.021 [\text{Wb}]$

45

정류 곡선
① 직선 정류(가장 이상적인 정류 작용)
② 정현파 정류(양호한 정류 작용)
③ 부족 정류(브러시 말단 부분에서 불꽃 발생)
④ 과정류(브러시 앞단 부분에서 불꽃 발생)
과정류는 정류 초기에 전류 변화가 크다.

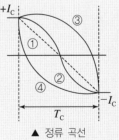

▲ 정류 곡선

46

• 3상 유도 전동기의 속도 제어법
  − 주파수 변환법
  − 극수 변환법
  − 전압 제어법
• 권선형 유도 전동기의 속도 제어법
  − 2차 저항법
  − 2차 여자법
  − 종속법

47 1 2 3

60[Hz]의 변압기에 50[Hz]의 동일 전압을 가했을 때의 자속 밀도는 60[Hz] 때와 비교하였을 경우 어떻게 되는가?

① $\frac{5}{6}$로 감소

② $\frac{6}{5}$으로 증가

③ $\left(\frac{5}{6}\right)^{1.6}$으로 감소

④ $\left(\frac{6}{5}\right)^{2}$으로 증가

49 1 2 3

3상 유도 전동기의 기동법 중 전전압 기동에 대한 설명으로 틀린 것은?

① 기동 시에 역률이 좋지 않다.

② 소용량으로 기동 시간이 길다.

③ 소용량 농형 전동기의 기동법이다.

④ 전동기 단자에 직접 정격 전압을 가한다.

48 1 2 3

2대의 변압기로 V 결선하여 3상 변압하는 경우 변압기 이용률은 약 몇 [%]인가?

① 57.8

② 66.6

③ 86.6

④ 100

50 1 2 3

동기 발전기의 전기자 권선법 중 집중권인 경우 매극 매상의 홈(Slot) 수는?

① 1개

② 2개

③ 3개

④ 4개

정답 및 해설

47

1차 유기 기전력

$E_1 = 4.44 f B_m S N_1$ [V]에서 동일 전압을 가했을 때 주파수와 자속 밀도는 반비례한다.

$\therefore B_m{'} = \frac{f}{f'} B_m = \frac{60}{50} B_m = \frac{6}{5} B_m$ [Wb/m²]

48

V 결선 이용률

이용률 = $\dfrac{V\ 결선\ 실제\ 출력}{V\ 결선\ 이론\ 출력}$

$= \dfrac{\sqrt{3} P}{2P} = \dfrac{\sqrt{3}}{2} ≒ 0.866 (\therefore 86.6 [\%])$

49

전전압 기동

소용량의 농형 유도 전동기에 정격 전압을 가하면 정격 전류의 4~6배에 이르는 기동 전류가 흐르나 용량이 적으므로 전류가 적어 이에 견디도록 설계되어 있어 배전 계통에 미치는 영향도 적다. 이와 같이 전동기 단자에 직접 정격 전압을 공급하여 기동하는 방법을 전전압 기동 또는 직입 기동이라 하며 기동 시간 또한 짧다.

50

동기 발전기의 전기자 권선법

매극 매상의 도체를 1개의 슬롯에 집중시켜서 권선하는 집중권 방식과 매극 매상의 도체를 2개 이상의 슬롯에 분포시켜서 권선하는 분포권 방식이 있다.

51

유도 전동기의 속도 제어를 인버터 방식으로 사용하는 경우 1차 주파수에 비례하여 1차 전압을 공급하는 이유는?

① 역률을 제어하기 위해
② 슬립을 증기시키기 위해
③ 자속을 일정하게 하기 위해
④ 발생 토크를 증가시키기 위해

52

3상 유도 전압 조정기의 원리를 응용한 것은?

① 3상 변압기
② 3상 유도 전동기
③ 3상 동기 발전기
④ 3상 교류자 전동기

53

정류 회로에서 상의 수를 크게 했을 경우 옳은 것은?

① 맥동 주파수와 맥동률이 증가한다.
② 맥동률과 맥동 주파수가 감소한다.
③ 맥동 주파수는 증가하고 맥동률은 감소한다.
④ 맥동률과 주파수는 감소하나 출력이 증가한다.

2019년 1회

51

인버터에 의한 V/F 제어 방식은 주파수가 가변되면서 전압도 비례적으로 가변되어 출력되도록 설계된 방식이다. 주파수를 변화시킬 때 V/F비가 일정하면 유도 전동기의 자속이 일정하게 되므로 토크도 일정하다는 성질을 이용하여 주파수를 변화시킬 때 그에 상응하는 전압을 변화시켜 제어한다.

52

유도 전압 조정기는 3상 회전 자계에 의한 전자 유도 작용이 발생한다. 이를 응용한 것이 3상 유도 전동기이다.

53

각 정류 회로의 맥동 주파수와 맥동률의 비교

종류	직류 출력[V]	PIV[V]	맥동 주파수	정류 효율	맥동률
단상 반파	$E_d = \dfrac{\sqrt{2}}{\pi}E = 0.45E$	$PIV = \sqrt{2}E$	60[Hz]	40.5[%]	121[%]
단상 전파 (중간탭)	$E_d = \dfrac{2\sqrt{2}}{\pi}E = 0.9E$	$PIV = 2\sqrt{2}E$	120[Hz]	57.5[%]	48[%]
단상 전파 (브릿지)	$E_d = \dfrac{2\sqrt{2}}{\pi}E = 0.9E$	$PIV = \sqrt{2}E$	120[Hz]	81.1[%]	48[%]
3상 반파	$E_d = \dfrac{3\sqrt{6}}{2\pi}E = 1.17E$	$PIV = \sqrt{6}E$	180[Hz]	96.7[%]	17[%]
3상 전파 (브릿지)	$E_d = \dfrac{3\sqrt{6}}{\pi}E = 2.34E$ 또는 $E_d = 1.35E_l$	$PIV = \sqrt{6}E$	360[Hz]	99.8[%]	4[%]

정류 회로에서 상의 수를 크게 했을 경우 맥동 주파수는 증가하고 맥동률은 감소한다.

54 1 2 3

동기 전동기의 위상 특성 곡선(V 곡선)에 대한 설명으로 옳은 것은?

① 출력을 일정하게 유지할 때 부하 전류와 전기자 전류의 관계를 나타낸 곡선
② 역률을 일정하게 유지할 때 계자 전류와 전기자 전류의 관계를 나타낸 곡선
③ 계자 전류를 일정하게 유지할 때 전기자 전류와 출력 사이의 관계를 나타낸 곡선
④ 공급 전압 V와 부하가 일정할 때 계자 전류의 변화에 대한 전기자 전류의 변화를 나타낸 곡선

55 1 2 3

유도 전동기의 기동 시 공급하는 전압을 단권 변압기에 의해서 일시 강하시켜서 기동 전류를 제한하는 기동 방법은?

① $Y-\triangle$ 기동
② 저항 기동
③ 직접 기동
④ 기동 보상기에 의한 기동

과난도
56 1 2 3

그림과 같은 회로에서 V(전원 전압의 실효치) $= 100[\mathrm{V}]$, 점호각 $\alpha = 30°$인 때의 부하 시의 직류전압 $E_{da}[\mathrm{V}]$는 약 얼마인가?(단, 전류가 연속하는 경우이다.)

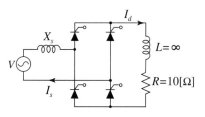

① 90
② 86
③ 77.9
④ 100

정답 및 해설

54

동기 전동기의 위상 특성 곡선
• 공급 전압 V와 부하가 일정할 때 계자 전류의 변화에 대한 전기자 전류의 변화를 나타낸 곡선
• 과여자 운전: 콘덴서로 작용하여 계통에 진상 무효 전력을 공급
• 부족 여자 운전: 인덕터로 작용하여 계통에 지상 무효 전력을 공급

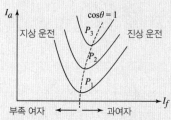

▲ 동기 조상기의 위상 특성 곡선(V 곡선)

55

기동 보상기법
• 기동 보상기로 3상 단권 변압기를 이용하여 기동 전압을 낮추는 방식 (약 15[kW] 이상 전동기에 적용)
• 기동 전류를 약 0.5~0.8로 저감

56

단상 전파정류 직류 출력(전류 연속 조건)
그림의 회로에서 L부하는 매우 크고, 전류는 연속하는 조건이므로
$$E_{da} = \frac{2\sqrt{2}}{\pi} V \cos\alpha = \frac{2\sqrt{2}}{\pi} \times 100 \times \frac{\sqrt{3}}{2} ≒ 77.9[\mathrm{V}]$$
(단, $V[\mathrm{V}]$: 전원 전압의 실효치)

57 1 2 3

직류 분권 전동기가 전기자 전류 $100[\mathrm{A}]$일 때 $50[\mathrm{kg \cdot m}]$의 토크를 발생하고 있다. 부하가 증가하여 전기자 전류가 $120[\mathrm{A}]$로 되었다면 발생 토크$[\mathrm{kg \cdot m}]$는 얼마인가?

① 60　　　　　　　　② 67
③ 88　　　　　　　　④ 160

58 1 2 3

비례 추이와 관계 있는 전동기로 옳은 것은?

① 동기 전동기　　　　② 농형 유도 전동기
③ 단상 정류자 전동기　④ 권선형 유도 전동기

59 1 2 3

동기 발전기의 단락비가 적을 때의 설명으로 옳은 것은?

① 동기 임피던스가 크고 전기자 반작용이 작다.
② 동기 임피던스가 크고 전기자 반작용이 크다.
③ 동기 임피던스가 작고 전기자 반작용이 작다.
④ 동기 임피던스가 작고 전기자 반작용이 크다.

60 1 2 3

3/4 부하에서 효율이 최대인 주상 변압기의 전부하 시 철손과 동손의 비는?

① 8 : 4　　　　　　　② 4 : 8
③ 9 : 16　　　　　　　④ 16 : 9

57

직류 전동기의 토크는 자속 및 전기자 전류와 비례 관계이다.
$T = k\phi I_a$이므로 새로운 토크는 자속이 일정한 상태에서 전기자 전류만 변화하였으므로 다음과 같다.

$$T' = T \times \left(\frac{\phi'}{\phi}\right) \times \left(\frac{I_a'}{I_a}\right) = 50 \times \left(\frac{\phi}{\phi}\right) \times \left(\frac{120}{100}\right) = 60[\mathrm{kg \cdot m}]$$

58

비례 추이는 2차 회로의 저항을 조정하여 전류와 토크의 크기를 제어할 수 있다는 의미로 권선형 유도 전동기에 해당한다. 3상 권선형 유도 전동기에서 2차 합성 저항에 비례하여 최대 토크가 발생하는 슬립이 변한다.(최대 토크는 변하지 않는다.)

59

동기 발전기의 단락비(K_s)가 작은 경우
• 동기계로서 중량이 가볍다.
• 전압 변동률이 크다.
• 동기 임피던스가 크다.
• 전기자 반작용이 크다.
• 안정도가 불량하다.

60

전부하 시 변압기의 최대 효율 조건은 철손과 동손이 같을 때이며, m 부하 시에서는 다음과 같다.

$$m^2 = \frac{P_i}{P_c}$$

$$\therefore m^2 = \frac{P_i}{P_c} = \left(\frac{3}{4}\right)^2 = \frac{9}{16}$$

즉, $P_i : P_c = 9 : 16$

61 1 2 3

다음의 신호 흐름 선도를 메이슨의 공식을 이용하여 전달 함수를 구하고자 한다. 이 신호 흐름 선도에서 루프(Loop)는 몇 개인가?

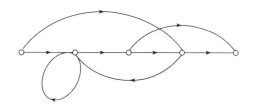

① 0   ② 1
③ 2   ④ 3

62 1 2 3

특성 방정식 중에서 안정된 시스템인 것은?

① $2s^3 + 3s^2 + 4s + 5 = 0$
② $s^4 + 3s^3 - s^2 + s + 10 = 0$
③ $s^5 + s^3 + 2s^2 + 4s + 3 = 0$
④ $s^4 - 2s^3 - 3s^2 + 4s + 5 = 0$

63 1 2 3

타이머에서 입력 신호가 주어지면 바로 동작하고, 입력 신호가 차단된 후에는 일정 시간이 지난 후에 출력이 소멸되는 동작 형태는?

① 한시 동작 순시 복귀   ② 순시 동작 순시 복귀
③ 한시 동작 한시 복귀   ④ 순시 동작 한시 복귀

64 1 2 3

단위 궤환 제어 시스템의 전향 경로 전달 함수가 $G(s) = \dfrac{K}{s(s^2 + 5s + 4)}$ 일 때, 이 시스템이 안정하기 위한 K의 범위는?

① $K < -20$ ② $-20 < K < 0$
③ $0 < K < 20$ ④ $20 < K$

61

다음 그림과 같이 폐루프는 2개이다.

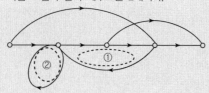

62

제어계의 안정 조건
- 특성 방정식의 모든 계수의 부호가 같아야 한다.
- 특성 방정식의 모든 차수가 존재해야 한다.
- 루드표를 작성하여 제1열의 부호 변화가 없어야 한다.(부호 변화 횟수는 s평면의 우반 평면에 존재하는 근의 개수를 의미한다.)

63

순시 동작 한시 복귀
타이머에서 입력 신호가 주어지면 바로 동작하고(순시 동작), 입력 신호가 차단된 후에는 일정 시간이 지난 후에 출력이 소멸(한시 복귀)되는 동작

64

문제에 주어진 전달 함수의 특성 방정식은 다음과 같다.
$s(s^2 + 5s + 4) + K = s^3 + 5s^2 + 4s + K = 0$
위 특성 방정식에 대한 루드표를 작성하면 다음과 같다.

차수	제1열	제2열
s^3	1	4
s^2	5	K
s^1	$\dfrac{5 \times 4 - 1 \times K}{5} = 4 - \dfrac{K}{5}$	0
s^0	$\dfrac{\left(4 - \dfrac{K}{5}\right) \times K - 5 \times 0}{4 - \dfrac{K}{5}} = K$	0

제어계가 안정하려면 루드표의 제1열의 부호 변화가 없어야 한다.
$K > 0$, $4 - \dfrac{K}{5} > 0 \rightarrow K < 20$
$\therefore 0 < K < 20$ 이다.

65 ☐1 ☐2 ☐3

$R(z) = \dfrac{(1-e^{-aT})z}{(z-1)(z-e^{-aT})}$ 의 역변환은?

① te^{aT} ② te^{-aT}

③ $1-e^{-aT}$ ④ $1+e^{-aT}$

66 ☐1 ☐2 ☐3

시간 영역에서 자동 제어계를 해석할 때 기본 시험 입력에 보통 사용되지 않는 입력은?

① 정속도 입력   ② 정현파 입력
③ 단위 계단 입력   ④ 정가속도 입력

67 ☐1 ☐2 ☐3

$G(s)H(s) = \dfrac{K(s-1)}{s(s+1)(s-4)}$ 에서 점근선의 교차점을 구하면?

① -1 ② 0
③ 1 ④ 2

68 ☐1 ☐2 ☐3

n차 선형 시불변 시스템의 상태 방정식을 $\dfrac{d}{dt}X(t) = AX(t) + Br(t)$ 로 표시할 때 상태 천이 행렬 $\phi(t)\,(n \times n$ 행렬)에 관하여 틀린 것은?

① $\phi(t) = e^{At}$

② $\dfrac{d\phi(t)}{dt} = A \cdot \phi(t)$

③ $\phi(t) = \mathcal{L}^{-1}\left[(sI-A)^{-1}\right]$

④ $\phi(t)$는 시스템의 정상 상태 응답을 나타낸다.

65

문제에 주어진 함수를 변형한다.

$R(z) = \dfrac{(1-e^{-aT})z}{(z-1)(z-e^{-aT})} \rightarrow \dfrac{R(z)}{z} = \dfrac{1-e^{-aT}}{(z-1)(z-e^{-aT})}$

위 식을 부분분수로 전개한다.

$\dfrac{R(z)}{z} = \dfrac{1-e^{-aT}}{(z-1)(z-e^{-aT})} = \dfrac{A}{z-1} + \dfrac{B}{z-e^{-aT}}$

$A = \left.\dfrac{1-e^{-aT}}{z-e^{-aT}}\right|_{z=1} = 1$ $B = \left.\dfrac{1-e^{-aT}}{z-1}\right|_{z=e^{-aT}} = -1$

$\dfrac{R(z)}{z} = \dfrac{1}{z-1} - \dfrac{1}{z-e^{-aT}}$

$\rightarrow R(z) = \dfrac{z}{z-1} - \dfrac{z}{z-e^{-aT}}$

따라서 위 식을 역변환하면

$r(t) = 1-e^{-aT}$

66

시간 영역 해석 시의 기본 시험 입력
• 단위 계단 입력
• 정가속도 입력
• 정속도 입력

67

주어진 전달 함수에서 영점과 극점을 구한다.
Z(영점) = 1, P(극점) = 0, −1, 4
이를 점근선의 교차점 공식에 대입한다.

점근선의 교차점 $= \dfrac{\text{극점의 합}(\sum P) - \text{영점의 합}(\sum Z)}{\text{극점 수}(P) - \text{영점 수}(Z)}$

$= \dfrac{(0-1+4)-(1)}{3-1} = \dfrac{2}{2} = 1$

68

n차 선형 시불변 시스템의 상태 방정식을
$\dfrac{d}{dt}X(t) = AX(t) + Br(t)$로 표시할 때
상태 천이 행렬 $\phi(t)\,(n \times n$ 행렬)에 관한 성질
• $\phi(t) = e^{At}$
• $\dfrac{d\phi(t)}{dt} = A\phi(t)$
• $\phi(t) = \mathcal{L}^{-1}\left[(sI-A)^{-1}\right]$
• $\phi(t)$ 함수: 시스템의 과도(천이) 상태 응답을 표현

69 123

다음의 신호 흐름 선도에서 $\dfrac{C}{R}$ 는?

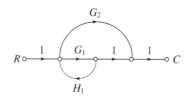

① $\dfrac{G_1 + G_2}{1 - G_1 H_1}$

② $\dfrac{G_1 G_2}{1 - G_1 H_1}$

③ $\dfrac{G_1 + G_2}{1 + G_1 H_1}$

④ $\dfrac{G_1 G_2}{1 + G_1 H_1}$

70 123

PD 조절기와 전달 함수 $G(s) = 1.2 + 0.02s$ 의 영점은?

① -60

② -50

③ 50

④ 60

71 123

$e = 100\sqrt{2}\sin\omega t + 75\sqrt{2}\sin 3\omega t + 20\sqrt{2}\sin 5\omega t\,[\text{V}]$ 인 전압을 RL 직렬 회로에 가할 때 제3고조파 전류의 실효값은 몇 $[\text{A}]$ 인가?(단, $R = 4[\Omega]$, $\omega L = 1[\Omega]$ 이다.)

① 15

② $15\sqrt{2}$

③ 20

④ $20\sqrt{2}$

72 123

전원과 부하가 $\triangle$ 결선된 3상 평형 회로가 있다. 전원 전압이 $200[\text{V}]$, 부하 1상의 임피던스가 $6 + j8[\Omega]$ 일 때 선전류$[\text{A}]$는?

① 20

② $20\sqrt{3}$

③ $\dfrac{20}{\sqrt{3}}$

④ $\dfrac{\sqrt{3}}{20}$

정답 및 해설

69

주어진 신호 흐름 선도의 전달 함수를 메이슨 공식에 적용하여 구하면 다음과 같다.

$$\frac{C}{R} = \frac{G_1 + G_2}{1 - (G_1 \times H_1)} = \frac{G_1 + G_2}{1 - G_1 H_1}$$

70

영점은 $G(s) = 1.2 + 0.02s = 0$인 경우로 s의 값은 다음과 같다.

$$s = -\frac{1.2}{0.02} = -60$$

[암기 포인트]

$$G(s) = \frac{\text{분자}}{\text{분모}}$$

분자가 0이 되는 s의 값: 영점
분모가 0이 되는 s의 값: 극점

71

제3고조파에 대한 임피던스의 크기를 구한다.
$Z_3 = R + j3\omega L = 4 + j3 \times 1 = 4 + j3[\Omega]$
$\rightarrow |Z_3| = \sqrt{4^2 + 3^2} = 5[\Omega]$
따라서 제3고조파 전류값은 아래와 같다.

$$I_3 = \frac{V_3}{|Z_3|} = \frac{75}{5} = 15[\text{A}]$$

72

$\triangle$결선에서의 선전류

$$I_l = \sqrt{3}\,I_p = \sqrt{3} \times \frac{V_p}{Z_p} = \sqrt{3} \times \frac{200}{\sqrt{6^2 + 8^2}}$$

$$= 20\sqrt{3}\,[\text{A}]$$

73 1 2 3

분포 정수 선로에서 무왜형 조건이 성립하면 어떻게 되는가?

① 감쇠량이 최소로 된다.
② 전파 속도가 최대로 된다.
③ 감쇠량은 주파수에 비례한다.
④ 위상 정수가 주파수에 관계없이 일정하다.

75 1 2 3

$F(s) = \dfrac{2s+15}{s^3+s^2+3s}$ 일 때 $f(t)$의 최종값은?

① 2   ② 3
③ 5   ④ 15

74 1 2 3

회로에서 $V=10[\mathrm{V}]$, $R=10[\Omega]$, $L=1[\mathrm{H}]$, $C=10[\mu\mathrm{F}]$ 그리고 $V_c(0)=0$일 때 스위치 K를 닫은 직후 전류의 변화율 $\dfrac{di}{dt}(0^+)$의 값[A/sec]은?

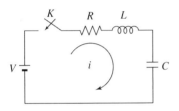

① 0   ② 1
③ 5   ④ 10

76 1 2 3

대칭 5상 교류 성형 결선에서 선간 전압과 상전압 간의 위상차는 몇 도인가?

① 27°   ② 36°
③ 54°   ④ 72°

73

무왜형 조건에서는 파형의 왜곡이 없으므로 파형의 감쇠가 전혀 없어 감쇠량이 최소가 된다.

[암기 포인트]
분포 정수 선로의 무왜형 조건 $RC=LG$, 무손실 조건 $R=G=0$

74

$R^2=10^2=100$, $4\dfrac{L}{C}=4\times\dfrac{1}{10\times10^{-6}}=400{,}000$ 에서

$R^2 < 4\dfrac{L}{C}$ 이므로 진동 조건이다.

진동 조건에서의 전류 변화율 식에 대입한다.

$$\dfrac{di(t)}{dt} = \dfrac{E}{\beta L}[-\alpha e^{-\alpha t}\sin\beta t + \beta\cos\beta t]_{t=0} = \dfrac{E}{L}$$

$$= \dfrac{10}{1} = 10[\mathrm{A/s}]$$

75

최종값 정리

$$\lim_{t\to\infty} f(t) = \lim_{s\to0} sF(s) = \lim_{s\to0} s\times\dfrac{2s+15}{s^3+s^2+3s}$$

$$= \lim_{s\to0}\dfrac{2s+15}{s^2+s+3} = 5$$

76

대칭 n상 교류 성형 결선의 위상차

$$\theta = \dfrac{\pi}{2}\left(1-\dfrac{2}{n}\right) = 90°\times\left(1-\dfrac{2}{5}\right) = 54°$$

77

정현파 교류 $V = V_m \sin \omega t$ 의 전압을 반파 정류하였을 때의 실효값은 몇 $[V]$ 인가?

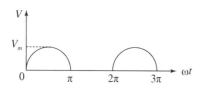

① $\dfrac{V_m}{\sqrt{2}}$

② $\dfrac{V_m}{2}$

③ $\dfrac{V_m}{2\sqrt{2}}$

④ $\sqrt{2}\, V_m$

78

대칭 3상 전압이 a 상 V_a, b 상 $V_b = a^2 V_a$, c 상 $V_c = a V_a$ 일 때 a상을 기준으로 한 대칭분 전압 중 정상분 $V_1[V]$ 은 어떻게 표시되는가?

① $\dfrac{1}{3} V_a$

② V_a

③ $a V_a$

④ $a^2 V_a$

79

회로망 출력 단자 a－b 에서 바라본 등가 임피던스$[\Omega]$는?
(단, $V_1 = 6[V]$, $V_2 = 3[V]$, $I_1 = 10[A]$, $R_1 = 15[\Omega]$, $R_2 = 10[\Omega]$, $L = 2[H]$, $j\omega = s$ 이다.)

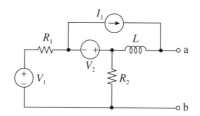

① $s + 15$

② $2s + 6$

③ $\dfrac{3}{s+2}$

④ $\dfrac{1}{s+3}$

80

다음과 같은 비정현파 기전력 및 전류에 의한 평균전력을 구하면 몇 $[W]$ 인가?

$$e = 100\sin \omega t - 50\sin(3\omega t + 30°) + 20\sin(5\omega t + 45°)[V]$$
$$i = 20\sin \omega t + 10\sin(3\omega t - 30°) + 5\sin(5\omega t - 45°)[A]$$

① 825

② 875

③ 925

④ 1,175

정답 및 해설

77

반파 정류파

· 평균값 : $V_a = \dfrac{V_m}{\pi}[V]$

· 실효값 : $V = \dfrac{V_m}{2}[V]$

78

$$V_1 = \frac{1}{3}(V_a + aV_b + a^2 V_c) = \frac{1}{3}(V_a + a \times a^2 V_a + a^2 \times a V_a)$$
$$= \frac{V_a}{3}(1 + a^3 + a^3) = V_a[V]$$

$$(\because a = -\frac{1}{2} + j\frac{\sqrt{3}}{2},\ a^3 = 1)$$

79

주어진 회로의 전류원을 개방시키고 전압원을 단락시키면 아래와 같다.

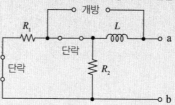

따라서 a－b 단자에서 본 합성 임피던스는 아래와 같다.

$$Z = Ls + \frac{R_1 \times R_2}{R_1 + R_2} = 2s + \frac{15 \times 10}{15 + 10} = 2s + 6[\Omega]$$

[암기 포인트] 전압원 = 단락, 전류원 = 개방

80

$$P = VI\cos\theta$$
$$= \frac{100}{\sqrt{2}} \times \frac{20}{\sqrt{2}} \times \cos 0° + \frac{-50}{\sqrt{2}} \times \frac{10}{\sqrt{2}} \times \cos\{30° - (-30°)\}$$
$$+ \frac{20}{\sqrt{2}} \times \frac{5}{\sqrt{2}} \times \cos\{45° - (-45°)\} = 875[W]$$

전기설비기술기준

	1회독	월 일	
	2회독	월 일	
	3회독	월 일	자동채점

81 1 2 3

지중전선로의 매설방법이 아닌 것은?

① 관로식　　　　　　② 인입식
③ 암거식　　　　　　④ 직접 매설식

82 1 2 3

특고압용 변압기로서 그 내부에 고장이 생긴 경우에 반드시 자동 차단되어야 하는 변압기의 뱅크용량은 몇 [kVA] 이상인가?

① 5,000　　　　　　② 10,000
③ 50,000　　　　　　④ 100,000

83 KEC 적용에 따라 삭제되었습니다.

84 1 2 3

전력보안 가공통신선(광섬유 케이블은 제외)을 조가할 경우 조 가용선은?

① 금속으로 된 단선　　② 강심 알루미늄 연선
③ 금속선으로 된 연선　④ 알루미늄으로 된 단선

85 KEC 적용에 따라 삭제되었습니다.

86 1 2 3

저고압 가공전선과 가공약전류 전선 등을 동일 지지물에 시설 하는 기준으로 틀린 것은?

① 가공전선을 가공약전류 전선 등의 위로하고 별개의 완금 류에 시설할 것
② 전선로의 지지물로서 사용하는 목주의 풍압하중에 대한 안전율은 1.5 이상일 것
③ 가공전선과 가공약전류 전선 등 사이의 이격거리는 저압 과 고압 모두 75[cm] 이상일 것
④ 가공전선이 가공약전류 전선에 대하여 유도작용에 의한 통신상의 장해를 줄 우려가 있는 경우에는 가공전선을 적 당한 거리에서 연가할 것

81
지중전선로의 시설(한국전기설비규정 334.1)
지중전선로는 전선에 케이블을 사용하고 또한 관로식·암거식(暗渠式) 또는 직접 매설식에 의하여 시설하여야 한다.

82
특고압용 변압기의 보호장치(한국전기설비규정 351.4)

뱅크용량의 구분	동작조건	장치의 종류
5,000[kVA] 이상 10,000[kVA] 미만	변압기 내부 고장	자동차단장치 또는 경보장치
10,000[kVA] 이상	변압기 내부 고장	자동차단장치
타냉식 변압기	냉각장치에 고장이 생긴 경우 또는 변압기의 온도가 현저히 상승한 경우	경보장치

변압기의 내부 고장 시 자동차단장치 시설기준
10,000[kVA] 이상

84
조가선 시설기준(한국전기설비규정 362.3)
조가선은 단면적 38[mm²] 이상의 아연도 강연선을 사용할 것

86
저고압 가공전선과 가공약전류 전선 등의 공용설치(한국전기설비규정 고압: 332.21, 저압: 222.21)
• 가공전선과 가공약전류 전선 등 사이의 이격거리는 가공전선에 저압 (다중접지된 중성선을 제외한다)은 0.75[m] 이상, 고압은 1.5[m] 이 상일 것
• 전선로의 지지물로서 사용하는 목주의 풍압하중에 대한 안전율은 1.5 이상일 것
• 가공전선을 가공약전류전선 등의 위로하고 별개의 완금류에 시설할 것
• 가공전선이 가공약전류전선에 대하여 유도작용에 의한 통신상의 장 해를 줄 우려가 있는 경우 가공전선을 적당한 거리에서 연가할 것

---

87 **1 2 3**

수중조명등에 사용되는 절연 변압기의 2차 측 전로의 사용전압이 몇 [V]를 초과하는 경우에는 그 전로에 지락이 생겼을 때 자동적으로 전로를 차단하는 장치를 하여야 하는가?

① 30
② 60
③ 150
④ 300

88 **1 2 3**

석유류를 저장하는 장소의 전등배선에 사용하지 않는 공사방법은?

① 케이블 공사
② 금속관공사
③ 애자공사
④ 합성수지관공사

89 **1 2 3**

사용전압이 154[kV]인 가공송전선의 시설에서 전선과 식물과의 이격거리는 일반적인 경우에 몇 [m] 이상으로 하여야 하는가?

① 2.8
② 3.2
③ 3.6
④ 4.2

90

KEC 적용에 따라 삭제되었습니다.

91 **1 2 3**

농사용 저압 가공전선로의 시설기준으로 틀린 것은?

① 사용전압이 저압일 것
② 전선로의 경간은 40[m] 이하일 것
③ 저압 가공전선의 인장강도는 1.38[kN] 이상일 것
④ 저압 가공전선의 지표상 높이는 3.5[m] 이상일 것

정답 및 해설

87

수중조명등(한국전기설비규정 234.14)
수중조명등의 절연변압기의 2차 측 전로의 사용전압이 30[V]를 초과하는 경우에는 그 전로에 지락이 생겼을 때 자동적으로 전로를 차단하는 정격감도전류 30[mA] 이하의 누전차단기를 시설할 것

88

위험물 등이 있는 장소(한국전기설비규정 242.4)
셀룰로이드·성냥·석유류 기타 타기 쉬운 위험한 물질(이하 '위험물'이라 한다)을 제조하거나 저장하는 곳에는 금속관공사, 케이블 공사 및 합성수지관공사를 시설하여야 한다.

89

특고압 가공전선과 식물의 이격거리(한국전기설비규정 333.30)

사용전압	이격거리
60[kV] 이하	2[m] 이상
60[kV] 초과	2[m]에 사용전압이 60[kV]를 초과하는 10[kV] 또는 그 단수마다 0.12[m]를 더한 값 이상

단수: $\dfrac{154-60}{10}=9.4 \rightarrow 10$단

$\therefore 2+10\times0.12=3.2$[m]

91

농사용 저압 가공전선로의 시설(한국전기설비규정 222.22)
저압 가공전선로는 농사용 및 구내도로에 시설될 때 지지물 간의 경간은 30[m] 이하일 것

92 [1 2 3]

고압 가공전선로에 시설하는 피뢰기의 접지 도체가 접지공사 전용의 것인 경우에 접지저항 값은 몇 [Ω]까지 허용되는가?

① 20   ② 30
③ 50   ④ 75

93 [1 2 3]

고압 옥측전선로에 사용할 수 있는 전선은?

① 케이블   ② 나경동선
③ 절연전선   ④ 다심형 전선

94 [1 2 3]

발전기를 전로로부터 자동적으로 차단하는 장치를 시설하여야 하는 경우에 해당되지 않는 것은?

① 발전기에 과전류가 생긴 경우
② 용량이 5,000[kVA] 이상인 발전기의 내부에 고장이 생긴 경우
③ 용량이 500[kVA] 이상의 발전기를 구동하는 수차의 압유장치의 유압이 현저히 저하한 경우
④ 용량이 100[kVA] 이상의 발전기를 구동하는 풍차의 압유장치의 유압, 압축공기장치의 공기압이 현저히 저하한 경우

95 [1 2 3]

고압 옥내배선이 수관과 접근하여 시설되는 경우에는 몇 [cm] 이상 이격시켜야 하는가?

① 15   ② 30
③ 45   ④ 60

92

피뢰기의 접지(한국전기설비규정 341.14)
고압 및 특고압의 전로에 시설하는 피뢰기 접지저항 값은 10[Ω] 이하로 하여야 한다. 다만, 고압 가공전선로에 시설하는 피뢰기를 접지 공사를 한 변압기에 근접하여 시설하는 경우로서, 고압 가공전선로에 시설하는 피뢰기의 접지도체가 그 접지공사 전용의 것인 경우에 그 접지 공사의 접지저항 값이 30[Ω] 이하까지 허용된다.

93

고압 옥측전선로의 시설(한국전기설비규정 331.13.1)
고압 옥측전선로의 전선은 케이블이어야 한다.

94

발전기 등의 보호장치(한국전기설비규정 351.3)
발전기에는 다음의 경우에 자동적으로 이를 전로로부터 차단하는 장치를 시설하여야 한다.
• 발전기에 과전류나 과전압이 생긴 경우
• 용량이 500[kVA] 이상의 발전기를 구동하는 수차의 압유장치의 유압 또는 전동식 가이드밴 제어장치, 전동식 니이들 제어장치 또는 전동식 디플렉터 제어장치의 전원전압이 현저히 저하한 경우

• 용량 100[kVA] 이상의 발전기를 구동하는 풍차(風車)의 압유장치의 유압, 압축공기장치의 공기압 또는 전동식 브레이드 제어장치의 전원 전압이 현저히 저하한 경우
• 용량이 2,000[kVA] 이상인 수차 발전기의 스러스트 베어링의 온도가 현저히 상승한 경우
• 용량이 10,000[kVA] 이상인 발전기의 내부에 고장이 생긴 경우
• 정격출력이 10,000[kW]를 초과하는 증기터빈은 그 스러스트 베어링이 현저하게 마모되거나 그의 온도가 현저히 상승한 경우

95

고압 옥내배선 등의 시설(한국전기설비규정 342.1)
고압 옥내배선이 다른 고압 옥내배선·저압 옥내전선·관등회로의 배선·약전류 전선 등 또는 수관·가스관이나 이와 유사한 것과 접근하거나 교차하는 경우에는 고압 옥내배선과 다른 고압 옥내배선·저압 옥내전선·관등회로의 배선·약전류 전선 등 또는 수관·가스관이나 이와 유사한 것 사이의 이격거리는 0.15[m](애자사용 배선에 의하여 시설하는 저압 옥내전선이 나전선인 경우에는 0.3[m], 가스계량기 및 가스관의 이음부와 전력량계 및 개폐기와는 0.6[m]) 이상이어야 한다.

96 [1] [2] [3]

최대사용전압이 22,900[V]인 3상 4선식 중성선 다중접지식 전로와 대지 사이의 절연내력 시험전압은 몇 [V]인가?

① 32,510
② 28,752
③ 25,229
④ 21,068

97 [1] [2] [3]

라이팅덕트공사에 의한 저압 옥내배선 공사 시설기준으로 틀린 것은?

① 덕트의 끝부분은 막을 것
② 덕트는 조영재에 견고하게 붙일 것
③ 덕트는 조영재를 관통하여 시설할 것
④ 덕트의 지지점 간의 거리는 2[m] 이하로 할 것

98 [1] [2] [3]

금속덕트공사에 의한 저압 옥내배선에서, 금속덕트에 넣은 전선의 단면적의 합계는 일반적으로 덕트 내부 단면적의 몇 [%] 이하이어야 하는가?(단, 전광표시장치 기타 이와 유사한 장치 또는 제어회로 등의 배선만을 넣는 경우에는 50[%])

① 20
② 30
③ 40
④ 50

99 [1] [2] [3]

지중전선로에 사용하는 지중함의 시설기준으로 틀린 것은?

① 조명 및 세척이 가능한 적당한 장치를 시설할 것
② 견고하고 차량 기타 중량물의 압력에 견디는 구조일 것
③ 그 안의 고인 물을 제거할 수 있는 구조로 되어 있을 것
④ 뚜껑은 시설자 이외의 자가 쉽게 열 수 없도록 시설할 것

96

전로의 절연저항 및 절연내력(한국전기설비규정 132)

전로의 종류	시험 전압
최대사용전압 7[kV] 초과 25[kV] 이하인 중성점 접지식 전로(중성선을 가지는 것으로서 그 중성선을 다중접지하는 것에 한한다)	최대사용전압의 0.92배의 전압

$22,900 \times 0.92 = 21,068[V]$

[암기 포인트] 절연내력 시험전압
'다'중접지 – 0.'92'

97

라이팅덕트공사(한국전기설비규정 232.71.1)
• 덕트 상호 간 및 전선 상호 간은 견고하게 또한 전기적으로 완전히 접속할 것
• 덕트는 조영재에 견고하게 붙일 것
• 덕트의 지지점 간의 거리는 2[m] 이하로 할 것
• 덕트의 끝부분은 막을 것
• 덕트는 조영재를 관통하여 시설하지 아니할 것

98

금속덕트공사(한국전기설비규정 232.31.1)
금속덕트에 넣은 전선의 단면적(절연피복의 단면적을 포함한다)의 합계는 덕트의 내부 단면적의 20[%](전광표시장치 기타 이와 유사한 장치 또는 제어회로 등의 배선만을 넣는 경우에는 50[%]) 이하일 것

99

지중함의 시설(한국전기설비규정 334.2)
• 지중함은 견고하고 차량 기타 중량물의 압력에 견디는 구조일 것
• 지중함은 그 안의 고인 물을 제거할 수 있는 구조로 되어 있을 것
• 폭발성 또는 연소성의 가스가 침입할 우려가 있는 것에 시설하는 지중함으로서 그 크기가 1[m³] 이상인 것에는 통풍장치 기타 가스를 방산시키기 위한 적당한 장치를 시설할 것
• 지중함의 뚜껑은 시설자 이외의 자가 쉽게 열 수 없도록 시설할 것

100 ① ② ③

철탑의 강도 계산에 사용하는 이상 시 상정하중을 계산하는 데 사용되는 것은?

① 미진에 의한 요동과 철구조물의 인장하중
② 뇌가 철탑에 가하여졌을 경우의 충격하중
③ 이상전압이 전선로에 내습하였을 때 생기는 충격하중
④ 풍압이 전선로에 직각 방향으로 가하여지는 경우의 하중

100

이상 시 상정하중(한국전기설비규정 333.14)
이상 시 상정하중은 풍압이 전선로에 직각 방향으로 가하여지는 경우 다음과 같다.
• 수직하중
• 수평 횡하중
• 수평 종하중

전기자기학	1회독	월 일
	2회독	월 일
	3회독	월 일 자동채점

01 `1` `2` `3`

진공 중에서 한 변이 a[m]인 정사각형 단일코일이 있다. 코일에 I[A]의 전류를 흘릴 때 정사각형 중심에서 자계의 세기는 몇 [AT/m]인가?

① $\dfrac{2\sqrt{2}\,I}{\pi a}$　　　② $\dfrac{I}{\sqrt{2}\,a}$

③ $\dfrac{I}{2a}$　　　④ $\dfrac{4I}{a}$

02 `1` `2` `3`

30[V/m]의 전계 내의 80[V]되는 점에서 1[C]의 전하를 전계 방향으로 80[cm] 이동한 경우, 그 점의 전위[V]는?

① 9　　　② 24

③ 30　　　④ 56

03 `1` `2` `3`

자속 밀도가 0.3[Wb/m²]인 평등자계 내에 5[A]의 전류가 흐르는 길이 2[m]인 직선도체가 있다. 이 도체를 자계 방향에 대하여 $60°$의 각도로 놓았을 때 이 도체가 받는 힘은 약 몇 [N]인가?

① 1.3　　　② 2.6

③ 4.7　　　④ 5.2

04 `1` `2` `3`

어떤 대전체가 진공 중에서 전속이 Q[C]이었다. 이 대전체를 비유전율 10인 유전체 속으로 가져갈 경우에 전속 [C]은?

① Q　　　② $10Q$

③ $\dfrac{Q}{10}$　　　④ $10\varepsilon_0 Q$

정답 및 해설

01

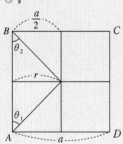

$$H_{AB} = \frac{I}{4\pi r}(\cos\theta_1 + \cos\theta_2)\,[\text{AT/m}]$$

$$\theta_1 = \theta_2 = 45°,\ r = \frac{a}{2}\,[\text{m}]$$

$$H_{AB} = \frac{I}{4\pi \times \dfrac{a}{2}}(\cos 45° + \cos 45°)$$

$$= \frac{I}{2\pi a} \times \sqrt{2} = \frac{I}{\sqrt{2}\,\pi a}$$

$$H = 4H_{AB} = \frac{4I}{\sqrt{2}\,\pi a} = \frac{2\sqrt{2}\,I}{\pi a}\,[\text{AT/m}]$$

02

$E = 30$[V/m]

80[V] ・0.8[m]・ A

80[V]점을 기준으로 80[cm] $= 0.8$[m] 이동한 점까지 전압 강하
$V = Ed = 30 \times 0.8 = 24$[V]
∴ A점 전위 $V_A = 80 - 24 = 56$[V]

03

도체가 받는 힘
$F = BIl\sin\theta$
$= 5 \times 0.3 \times 2 \times \sin 60° = 2.6$[N]

04

전속은 유전체에 관계없이 일정하다. 그러므로 Q이다.

05 ▌1 2 3 ▐

단면적 S, 길이 l, 투자율 μ인 자성체의 자기회로에 권선을 N회 감아서 I의 전류를 흐르게 할 때 자속은?

① $\dfrac{\mu SI}{Nl}$

② $\dfrac{\mu NI}{Sl}$

③ $\dfrac{NIl}{\mu S}$

④ $\dfrac{\mu SNI}{l}$

06 ▌1 2 3 ▐

다음 중 스토크스(Stokes)의 정리는?

① $\oint \dot{H} \cdot d\dot{s} = \iint_s (\nabla \cdot \dot{H}) \cdot d\dot{s}$

② $\int \dot{B} \cdot d\dot{s} = \int_s (\nabla \cdot \dot{H}) \cdot d\dot{s}$

③ $\oint \dot{H} \cdot d\dot{s} = \int_s (\nabla \cdot \dot{H}) \cdot d\dot{l}$

④ $\oint_c \dot{H} \cdot d\dot{l} = \int_s (\nabla \times \dot{H}) \cdot d\dot{s}$

07 ▌1 2 3 ▐

그림과 같이 평행한 무한장 직선도선에 I[A], $4I$[A]인 전류가 흐른다. 두 선 사이의 점 P에서 자계의 세기가 0이라고 하면 $\dfrac{a}{b}$는?

① 2

② 4

③ $\dfrac{1}{2}$

④ $\dfrac{1}{4}$

08 ▌1 2 3 ▐

정상 전류계에서 옴의 법칙에 대한 미분형은?(단, i는 전류 밀도, k는 도전율, ρ는 고유저항, E는 전계의 세기이다.)

① $i = kE$

② $i = \dfrac{E}{k}$

③ $i = \rho E$

④ $i = -kE$

05

자기 저항 $R_m = \dfrac{l}{\mu S}$ 이고 $NI = R_m \phi$ 이므로

자속 $\phi = \dfrac{NI}{R_m} = \dfrac{NI}{\dfrac{l}{\mu S}} = \dfrac{\mu SNI}{l}$ [Wb]

06

스토크스 정리는 선적분을 면적분으로 변환하는 정리이다.

$\oint_c \dot{H} \cdot d\dot{l} = \int_s (\nabla \times \dot{H}) \cdot d\dot{s}$

07

왼쪽 전류가 P점에서 만드는 자계의 세기

$H_a = \dfrac{I}{2\pi a}$ [AT/m]

오른쪽 전류가 P점에서 만드는 자계의 세기

$H_b = \dfrac{4I}{2\pi b}$ [AT/m]

$H_a = H_b$이므로 $\dfrac{I}{2\pi a} = \dfrac{4I}{2\pi b}$

$\dfrac{1}{a} = \dfrac{4}{b}$

$\therefore \dfrac{a}{b} = \dfrac{1}{4}$

08

정상 전류계에서

$dQ = nqS \cdot dl$

$I = nqS \cdot v = \rho Sv$ [A]

전류 밀도 $i = \dfrac{I}{S} = nqv = \rho v$ [A/m^2]이고

이동 속도 $v = \mu E$[m/s]이므로

$i = nq\mu E = \rho \mu E = kE$ [A/m^2]

(v: 속도, ρ: 체적전하 밀도, n: 단위 체적당 전하수, q: 전하량

dl: 미소 길이)

정답 05 ④　06 ④　07 ④　08 ①

09 ☐1 ☐2 ☐3

진공 내의 점 $(3, 0, 0)[\mathrm{m}]$에 $4 \times 10^{-9}[\mathrm{C}]$의 전하가 있다. 이때 점 $(6, 4, 0)[\mathrm{m}]$의 전계의 크기는 약 몇 $[\mathrm{V/m}]$이며, 전계의 방향을 표시하는 단위벡터는 어떻게 표시되는가?

① 전계의 크기: $\dfrac{36}{25}$, 단위벡터: $\dfrac{1}{5}(3a_x + 4a_y)$

② 전계의 크기: $\dfrac{36}{125}$, 단위벡터: $3a_x + 4a_y$

③ 전계의 크기: $\dfrac{36}{25}$, 단위벡터: $a_x + a_y$

④ 전계의 크기: $\dfrac{36}{125}$, 단위벡터: $\dfrac{1}{5}(a_x + a_y)$

10 ☐1 ☐2 ☐3

전속 밀도 $\dot{D} = X^2 i + Y^2 j + Z^2 k [\mathrm{C/m^2}]$를 발생시키는 점 $(1, 2, 3)$에서의 체적 전하 밀도는 몇 $[\mathrm{C/m^3}]$인가?

① 12   ② 13

③ 14   ④ 15

11 ☐1 ☐2 ☐3

다음 식 중에서 틀린 것은?

① $\dot{E} = -\,grad\ V$

② $\displaystyle\int_s \dot{E} \cdot nds = \dfrac{Q}{\varepsilon_0}$

③ $grad\ V = i\dfrac{\partial^2 V}{\partial x^2} + j\dfrac{\partial^2 V}{\partial y^2} + k\dfrac{\partial^2 V}{\partial z^2}$

④ $V = \displaystyle\int_p^\infty \dot{E} \cdot dl$

고난도
12 ☐1 ☐2 ☐3

도전율 σ인 도체에서 전장 E에 의해 전류 밀도 J가 흘렀을 때 이 도체에서 소비되는 전력을 표시한 식은?

① $\displaystyle\int_v \dot{E} \cdot \dot{J}dv$ ② $\displaystyle\int_v \dot{E} \times \dot{J}dv$

③ $\dfrac{1}{\sigma}\displaystyle\int \dot{E} \cdot \dot{J}dv$ ④ $\dfrac{1}{\sigma}\displaystyle\int_v \dot{E} \times \dot{J}dv$

정답 및 해설

09

$\dot{r} = (6-3)a_x + (4-0)a_y + (0-0)a_z = 3a_x + 4a_y$

$|\dot{r}| = \sqrt{3^2 + 4^2} = 5$

$\dot{a_r} = \dfrac{1}{5}(3a_x + 4a_y)$

$\therefore E = \dfrac{Q}{4\pi\varepsilon_0 r^2} = 9 \times 10^9 \times \dfrac{4 \times 10^{-9}}{5^2} = \dfrac{36}{25}[\mathrm{V/m}]$

단위벡터 $\dot{a_r} = \dfrac{1}{5}(3a_x + 4a_y)$

10

$div\ \dot{D} = \nabla \cdot \dot{D} = \rho$

$\left(\dfrac{\partial}{\partial x}i + \dfrac{\partial}{\partial y}j + \dfrac{\partial}{\partial z}k\right) \cdot (X^2 i + Y^2 j + Z^2 k)$

$= 2X + 2Y + 2Z$

$= 2 \times 1 + 2 \times 2 + 2 \times 3 = 12$

11

① 전위경도의 음의 값은 전계이다. $\dot{E} = -grad\,V$

② $\displaystyle\int \dot{D} \cdot nds = Q$, $\displaystyle\int \varepsilon_0\,\dot{E} \cdot nds = Q$

$\displaystyle\int \dot{E} \cdot nds = \dfrac{Q}{\varepsilon_0}$ (진공)

③ 전위경도 $grad\,V = \dfrac{\partial V}{\partial x}i + \dfrac{\partial V}{\partial y}j + \dfrac{\partial V}{\partial z}k$

④ $V = -\displaystyle\int_\infty^p \dot{E} \cdot dl = \displaystyle\int_p^\infty \dot{E} \cdot dl$이다.

12

전력 $P = VI\cos\theta\ (V = Ed,\ I = JS)$

$= Ed JS \cos\theta = EJ\cos\theta\,dS = EJ\cos\theta\,v$

$= \displaystyle\int EJ\cos\theta\,dv = \displaystyle\int_v (\dot{E} \cdot \dot{J})dv$

(d: 거리$[\mathrm{m}]$, S: 면적$[\mathrm{m^2}]$, $dS = v$(체적)$[\mathrm{m^3}]$)

13 □1 □2 □3

자극의 세기가 $8 \times 10^{-6}[\mathrm{Wb}]$, 길이가 3[cm]인 막대자석을 $120[\mathrm{AT/m}]$의 평등자계 내에 자력선과 $30°$의 각도로 놓으면 이 막대자석이 받는 회전력은 몇 $[\mathrm{N \cdot m}]$인가?

① 1.44×10^{-4}　　② 1.44×10^{-5}

③ 3.02×10^{-4}　　④ 3.02×10^{-5}

14 □1 □2 □3

자기 회로와 전기 회로의 대응으로 틀린 것은?

① 자속 ↔ 전류
② 기자력 ↔ 기전력
③ 투자율 ↔ 유전율
④ 자계의 세기 ↔ 전계의 세기

15 □1 □2 □3

자기 인덕턴스의 성질을 옳게 표현한 것은?

① 항상 0이다.
② 항상 정(正)이다.
③ 항상 부(負)이다.
④ 유도되는 기전력에 따라 정(正)도 되고 부(負)도 된다.

16 □1 □2 □3

진공 중에서 빛의 속도와 일치하는 전자파의 전파 속도를 얻기 위한 조건으로 옳은 것은?

① $\varepsilon_r = 0,\ \mu_r = 0$　　② $\varepsilon_r = 1,\ \mu_r = 1$

③ $\varepsilon_r = 0,\ \mu_r = 1$　　④ $\varepsilon_r = 1,\ \mu_r = 0$

🔔빈출
17 □1 □2 □3

4[A] 전류가 흐르는 코일과 쇄교하는 자속수가 4[Wb]이다. 이 전류 회로에 축적되어 있는 자기 에너지[J]는?

① 4　　② 2

③ 8　　④ 16

18 □1 □2 □3

유전율이 ε, 도전율이 σ, 반경이 r_1, $r_2(r_1 < r_2)$, 길이가 l인 동축 케이블에서 저항 R은 얼마인가?

① $\dfrac{2\pi rl}{\ln \dfrac{r_2}{r_1}}$　　② $\dfrac{2\pi \varepsilon l}{\dfrac{1}{r_1} - \dfrac{1}{r_2}}$

③ $\dfrac{1}{2\pi \sigma l} \ln \dfrac{r_2}{r_1}$　　④ $\dfrac{1}{2\pi rl} \ln \dfrac{r_2}{r_1}$

13
자기모멘트
$M = ml [\mathrm{Wb \cdot m}]$
회전력
$$T = |\dot{M} \times \dot{H}| = MH\sin\theta = mlH\sin\theta$$
$$= 8 \times 10^{-6} \times 3 \times 10^{-2} \times 120 \times \sin 30°$$
$$= 1.44 \times 10^{-5} [\mathrm{N \cdot m}]$$

14

자기 회로	전기 회로
자속 ϕ	전류 I
기자력 F	기전력 V
자속 밀도 B	전류 밀도 i
투자율 μ	도전율 σ
자계 H	전계 E
$F = R_m\phi$	$V = IR$

15
자기 인덕턴스 값은 코일의 권수, 철심의 형상, 재질에 따라 결정되며 항상 양의 값이다.

16
전자파의 전파 속도
$$v = \frac{1}{\sqrt{\varepsilon\mu}} = \frac{1}{\sqrt{\varepsilon_0\varepsilon_r}} \times \frac{1}{\sqrt{\mu_0\mu_r}} = \frac{3 \times 10^8}{\sqrt{\varepsilon_r\mu_r}} [\mathrm{m/s}]$$
진공 매질에서 $\mu_r = \varepsilon_r = 1$이며 진공 중의 전자파는 빛의 속도로 진행한다.

17
코일에 축적되는 에너지
$LI = N\phi$이고 $N = 1$이므로 $LI = \phi$
$$W = \frac{1}{2}LI^2 = \frac{1}{2}\phi I = \frac{1}{2} \times 4 \times 4 = 8 [\mathrm{J}]$$

18
원통 도체 정전용량은 $C = \dfrac{2\pi \varepsilon \cdot l}{\ln \dfrac{r_2}{r_1}} [\mathrm{F}]$이고

저항과 정전용량의 관계식 $RC = \rho\varepsilon$이므로
$$\therefore R = \frac{\rho\varepsilon}{C} = \rho\varepsilon \frac{\ln \dfrac{r_2}{r_1}}{2\pi\varepsilon l} = \frac{1}{2\pi\sigma l} \ln \frac{r_2}{r_1} \left(\because \rho = \frac{1}{\sigma}\right) [\Omega]$$

19
123

어떤 환상 솔레노이드의 단면적이 S이고, 자로의 길이가 l, 투자율이 μ라고 한다. 이 철심에 균등하게 코일을 N회 감고 전류를 흘렸을 때 자기 인덕턴스에 대한 설명으로 옳은 것은?

① 투자율 μ에 반비례한다.
② 권선수 N^2에 비례한다.
③ 자로의 길이 l에 비례한다.
④ 단면적 S에 반비례한다.

20
123

상이한 매질의 경계면에서 전자파가 만족해야 할 조건이 아닌 것은?(단, 경계면은 두 개의 무손실 매질 사이이다.)

① 경계면의 양측에서 전계의 접선 성분은 서로 같다.
② 경계면의 양측에서 자계의 접선 성분은 서로 같다.
③ 경계면의 양측에서 자속 밀도의 접선 성분은 서로 같다.
④ 경계면의 양측에서 전속 밀도의 법선 성분은 서로 같다.

21
123

단도체 방식과 비교하여 복도체 방식의 송전 선로를 설명한 것으로 틀린 것은?

① 선로의 송전 용량이 증가된다.
② 계통의 안정도를 증진시킨다.
③ 전선의 인덕턴스가 감소하고 정전 용량이 증가된다.
④ 전선 표면의 전위 경도가 저감되어 코로나 임계전압을 낮출 수 있다.

22
123

유효 낙차 $100[\mathrm{m}]$, 최대 사용 수량 $20[\mathrm{m}^3/\mathrm{s}]$, 수차 효율 $70[\%]$인 수력 발전소의 연간 발전 전력량은 약 몇 $[\mathrm{kWh}]$인가?(단, 발전기의 효율은 $85[\%]$라고 한다.)

① 2.5×10^7 ② 5×10^7
③ 10×10^7 ④ 20×10^7

정답 및 해설

19
환상 솔레노이드의 인덕턴스
$$L = \frac{N\phi}{I} = \frac{\mu S N^2}{l}[\mathrm{H}]$$

20
경계면 조건
• 유전체에서와 마찬가지로 전계의 접선 성분은 같다.
• 자계의 접선 성분도 같다.
• 전속 밀도의 법선 성분은 경계면 양측에서 서로 같다.

21
복도체 방식 특징
• 선로의 인덕턴스 감소
• 선로의 작용 정전 용량 증가
• 리액턴스 감소로 송전 용량 증대 및 계통 안정도 향상
• 코로나 임계 전압을 높여 코로나 발생 방지
• 전선 표면의 전위 경도 저감
• 코로나 임계 전압이 증가하여 코로나 발생이 억제된다.

22
수력 발전소의 연간 발전 전력량
$$W = Pt = 9.8 Q H \eta_k \eta_g t$$
$$= 9.8 \times 20 \times 100 \times 0.7 \times 0.85 \times (365 \times 24) \fallingdotseq 10 \times 10^7 [\mathrm{kWh}]$$

정답 | 19 ② | 20 ③ | 21 ④ | 22 ③

23 `1` `2` `3`

부하 역률이 $\cos\theta$인 경우 배전선로의 전력 손실은 같은 크기의 부하 전력으로 역률이 1인 경우의 전력 손실에 비하여 어떻게 되는가?

① $\dfrac{1}{\cos\theta}$

② $\dfrac{1}{\cos^2\theta}$

③ $\cos\theta$

④ $\cos^2\theta$

24 `1` `2` `3`

선택 지락 계전기의 용도를 옳게 설명한 것은?

① 단일 회선에서 지락 고장 회선의 선택 차단
② 단일 회선에서 지락 전류의 방향 선택 차단
③ 병행 2회선에서 지락 고장 회선의 선택 차단
④ 병행 2회선에서 지락 고장의 지속 시간 선택 차단

25 `1` `2` `3`

직류 송전 방식에 관한 설명으로 틀린 것은?

① 교류 송전 방식보다 안정도가 낮다.
② 직류 계통과 연계 운전 시 교류 계통의 차단 용량은 작아진다.
③ 교류 송전 방식에 비해 절연 계급을 낮출 수 있다.
④ 비동기 연계가 가능하다.

26 `1` `2` `3`

터빈(Turbine)의 임계 속도란?

① 비상 조속기를 동작시키는 회전수
② 회전자의 고유 진동수와 일치하는 위험 회전수
③ 부하를 급히 차단하였을 때의 순간 최대 회전수
④ 부하 차단 후 자동적으로 정정된 회전수

27 `1` `2` `3`

변전소, 발전소 등에 설치하는 피뢰기에 대한 설명 중 틀린 것은?

① 방전 전류는 뇌충격 전류의 파고값으로 표시한다.
② 피뢰기의 직렬갭은 속류를 차단 및 소호하는 역할을 한다.
③ 정격 전압은 상용 주파수 정현파 전압의 최고 한도를 규정한 순시값이다.
④ 속류란 방전 현상이 실질적으로 끝난 후에도 전력 계통에서 피뢰기에 공급되어 흐르는 전류를 말한다.

23

$$P_l = I^2 R = \left(\dfrac{P}{V\cos\theta}\right)^2 R = \dfrac{P^2 R}{V^2\cos^2\theta}\ [\text{W}]$$

전력 손실은 역률과 $P_l \propto \dfrac{1}{\cos^2\theta}$ 의 관계가 있다.

24

• 지락 계전기(GR): 1회선 선로에서 지락 사고 시 보호
• 선택 지락 계전기(SGR): 병행 2회선 선로 이상에서 지락 사고 회선의 선택 차단

25

직류 송전 방식의 장점
• 기기의 절연을 낮게 할 수 있다.
• 표피 효과와 유전체 손실이 없어 전력 손실이 적어 송전 효율이 좋다.
• 주파수가 0이므로 리액턴스 영향이 없어 안정도가 우수하다.
• 직류로 계통 연계 시 교류 계통의 차단 용량이 적어진다.
• 주파수가 다른 교류 계통 간을 연계할 수 있다.(비동기 연계가 가능하다.)

26

터빈의 임계 속도
회전자의 고유 진동수와 일치하여 터빈이 위험한 상태에 이르는 속도

27

피뢰기의 정격 전압
속류를 차단할 수 있는 최대 교류 전압의 실효치

28

아킹혼(Arcing Horn)의 설치 목적은?

① 이상 전압 소멸
② 전선의 진동 방지
③ 코로나 손실 방지
④ 섬락 사고에 대한 애자 보호

29

일반 회로 정수가 A, B, C, D이고 송전단 전압이 E_s인 경우 무부하 시 수전단 전압은?

① $\dfrac{E_s}{A}$ ② $\dfrac{E_s}{B}$

③ $\dfrac{A}{C}E_s$ ④ $\dfrac{C}{A}E_s$

30

$10,000[\text{kVA}]$ 기준으로 등가 임피던스가 $0.4[\%]$인 발전소에 설치될 차단기의 차단 용량은 몇 $[\text{MVA}]$인가?

① 1,000   ② 1,500
③ 2,000   ④ 2,500

31

변전소에서 접지를 하는 목적으로 적절하지 않은 것은?

① 기기의 보호   ② 근무자의 안전
③ 차단 시 아크의 소호   ④ 송전 시스템의 중성점 접지

32

중거리 송전 선로의 T형 회로에서 송전단 전류 I_s는?(단, Z, Y는 선로의 직렬 임피던스와 병렬 어드미턴스이고 E_r은 수전단 전압, I_r은 수전단 전류이다.)

① $E_r\left(1+\dfrac{ZY}{2}\right)+ZI_r$

② $I_r\left(1+\dfrac{ZY}{2}\right)+E_r Y$

③ $E_r\left(1+\dfrac{ZY}{2}\right)+ZI_r\left(1+\dfrac{ZY}{4}\right)$

④ $I_r\left(1+\dfrac{ZY}{2}\right)+E_r Y\left(1+\dfrac{ZY}{4}\right)$

정답 및 해설

28
소호각(아킹혼)의 역할
• 섬락으로부터 애자련의 보호
• 애자련의 연능률 개선

29
송전단 전압 및 전류 기본 식은
$E_s = AE_r + BI_r$
$I_s = CE_r + DI_r$
무부하 시($I_r = 0$) 수전단 전압은

$E_s = AE_r + BI_r = AE_r \Rightarrow E_r = \dfrac{E_s}{A}$

30
차단기의 차단 용량(3상 단락 용량)

$P_s = \dfrac{100}{\%Z}P_n = \dfrac{100}{0.4}\times 10,000 \times 10^{-3} = 2,500[\text{MVA}]$

31
변전소 접지 목적
• 전체 전력 계통의 변압기 중성점을 대지와 접지
• 이상 전압으로부터 전력 기기의 보호
• 변전소 근무자들의 안전 확보
아크의 소호는 차단기가 수행한다.

32
중거리 T형 회로의 송전단 전압 및 전류식
• $E_s = \left(1+\dfrac{ZY}{2}\right)E_r + Z\left(1+\dfrac{ZY}{4}\right)I_r$

• $I_s = YE_r + \left(1+\dfrac{ZY}{2}\right)I_r$

[암기 포인트] T형, π형 전압 및 전류 식은 직접 구할 수 있지만, 시간이 오래 걸리므로 암기 하는 것이 효율적이다.

33

한 대의 주상 변압기에 역률(뒤짐) $\cos\theta_1$, 유효전력 $P_1[\mathrm{kW}]$의 부하와 역률(뒤짐) $\cos\theta_2$, 유효전력 $P_2[\mathrm{kW}]$의 부하가 병렬로 접속되어 있을 때 주상 변압기 2차 측에서 본 부하의 종합 역률은 어떻게 되는가?

① $\dfrac{P_1+P_2}{\dfrac{P_1}{\cos\theta_1}+\dfrac{P_2}{\cos\theta_2}}$

② $\dfrac{P_1+P_2}{\dfrac{P_1}{\sin\theta_1}+\dfrac{P_2}{\sin\theta_2}}$

③ $\dfrac{P_1+P_2}{\sqrt{(P_1+P_2)^2+(P_1\tan\theta_1+P_2\tan\theta_2)^2}}$

④ $\dfrac{P_1+P_2}{\sqrt{(P_1+P_2)^2+(P_1\sin\theta_1+P_2\sin\theta_2)^2}}$

34

$33[\mathrm{kV}]$ 이하의 단거리 송배전 선로에 적용되는 비접지방식에서 지락 전류는 다음 중 어느 것을 말하는가?

① 누설 전류   ② 충전 전류
③ 뒤진 전류   ④ 단락 전류

35

옥내 배선의 전선 굵기를 결정할 때 고려해야 할 사항으로 틀린 것은?

① 허용 전류   ② 전압 강하
③ 배선 방식   ④ 기계적 강도

36

고압 배전 선로 구성 방식 중 고장 시 자동적으로 고장 개소의 분리 및 건전 선로에 폐로하여 전력을 공급하는 개폐기를 가지며 수요 분포에 따라 임의의 분기선으로부터 전력을 공급하는 방식은?

① 환상식   ② 망상식
③ 뱅킹식   ④ 가지식(수지식)

33

종합 역률 $\cos\theta = \dfrac{P}{P_a} = \dfrac{\text{유효전력}}{\text{피상전력(벡터 합)}}$

$\qquad = \dfrac{P}{\sqrt{P^2+Q^2}}$

$\qquad = \dfrac{P_1+P_2}{\sqrt{(P_1+P_2)^2+(Q_1+Q_2)^2}}$

$\qquad = \dfrac{P_1+P_2}{\sqrt{(P_1+P_2)^2+(P_1\tan\theta_1+P_2\tan\theta_2)^2}}$

34

비접지방식에서의 1선 지락 전류: 대지 정전 용량을 통해 흐르는 진상 전류(즉, 충전 전류를 뜻한다.)

35

전선 굵기 선정 시 고려 사항
• 허용 전류
• 전압 강하
• 기계적 강도

36

환상식 배전 방식
• 배전 선로를 루프식으로 구성한 배전 방식
• 고장 시 자동적으로 고장 개소의 분리 및 건전 선로에 폐로하여 전력을 공급하는 개폐기가 설치된다.
• 수요 분포에 따라 임의의 분기선으로부터 전력을 공급하는 방식

37 1 2 3

그림과 같은 2기 계통에 있어서 발전기에서 전동기로 전달되는 전력 P는?(단, $X = X_G + X_L + X_M$이고 E_G, E_M은 각각 발전기 및 전동기의 유기기전력, δ는 E_G와 E_M 간의 상차각이다.)

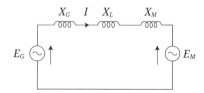

① $P = \dfrac{E_G}{X E_M} \sin\delta$ ② $P = \dfrac{E_G E_M}{X} \sin\delta$

③ $P = \dfrac{E_G E_M}{X} \cos\delta$ ④ $P = X E_G E_M \cos\delta$

38 1 2 3

전력 계통 연계 시의 특징으로 틀린 것은?

① 단락 전류가 감소한다.
② 경제 급전이 용이하다.
③ 공급 신뢰도가 향상된다.
④ 사고 시 다른 계통으로의 영향이 파급될 수 있다.

39 1 2 3

공통 중성선 다중 접지 방식의 배전 선로에서 Recloser(R), Sectionalizer(S), Line fuse(F)의 보호 협조가 가장 적합한 배열은?(단, 보호 협조는 변전소를 기준으로 한다.)

① S-F-R   ② S-R-F
③ F-S-R   ④ R-S-F

40 1 2 3

송전선의 특성 임피던스와 전파 정수는 어떤 시험으로 구할 수 있는가?

① 뇌파 시험
② 정격 부하 시험
③ 절연 강도 측정 시험
④ 무부하 시험과 단락 시험

정답 및 해설

37

송전 용량 계산식

$$P = \frac{E_G E_M}{X} \sin\delta \, [\text{MW}] (단, E_G[\text{kV}], E_M[\text{kV}])$$

38

전력 계통 연계 시의 특징
• 계통의 전체 리액턴스 감소로 단락 전류가 증가
• 전력을 계통 간에 연락할 수 있어 경제 급전이 용이
• 전력 계통이 튼튼해져 공급 신뢰도 향상
• 사고 시 다른 계통으로의 영향이 파급 우려

39

배전 선로 보호장치의 배열 순서
배전 변전소 내 차단기(CB)－리클로저(R)－섹셔널라이저(S)－라인 퓨즈(F)

40

특성 임피던스 $Z_0 = \sqrt{\dfrac{Z}{Y}}$ 및 전파 정수 $\gamma = \sqrt{ZY}$ 에서

• 직렬 임피던스 Z는 단락 시험에 의해 산출
• 병렬 어드미턴스 Y는 무부하(개방) 시험에 의해 산출

41 ①②③

단상 변압기의 병렬 운전 시 요구사항으로 틀린 것은?

① 극성이 같을 것
② 정격 출력이 같을 것
③ 정격 전압과 권수비가 같을 것
④ 저항과 리액턴스의 비가 같을 것

42 ①②③

유도 전동기로 동기 전동기를 기동하는 경우, 유도 전동기의 극수는 동기 전동기의 극수보다 2극 적은 것을 사용하는 이유로 옳은 것은?(단, s는 슬립이며 N_s는 동기 속도이다.)

① 같은 극수의 유도 전동기는 동기 속도보다 sN_s만큼 늦으므로
② 같은 극수의 유도 전동기는 동기 속도보다 sN_s만큼 빠르므로
③ 같은 극수의 유도 전동기는 동기 속도보다 $(1-s)N_s$만큼 늦으므로
④ 같은 극수의 유도 전동기는 동기 속도보다 $(1-s)N_s$만큼 빠르므로

43 ①②③

동기 발전기를 회전 계자형으로 사용하는 경우에 대한 이유로 틀린 것은?

① 기전력의 파형을 개선한다.
② 전기자가 고정자이므로 고압 대전류용에 좋고, 절연하기 쉽다.
③ 계자가 회전자이지만 저압 소용량의 직류이므로 구조가 간단하다.
④ 전기자보다 계자극을 회전자로 하는 것이 기계적으로 튼튼하다.

44 ①②③

3상 동기 발전기의 매극 매상의 슬롯수를 3이라 할 때 분포권 계수는?

① $6\sin\dfrac{\pi}{18}$
② $3\sin\dfrac{\pi}{36}$
③ $\dfrac{1}{6\sin\dfrac{\pi}{18}}$
④ $\dfrac{1}{12\sin\dfrac{\pi}{36}}$

41

변압기의 병렬 운전 조건
• 극성이 같을 것
• 1차, 2차 정격 전압이 같고 권수비가 같을 것
• % 임피던스 강하가 같을 것(저항과 리액턴스 비가 같을 것)
• 상회전 방향과 각변위가 같을 것(3상 변압기의 경우)

42

유도기와 동기기는 회전 속도가 다르다.
• 동기기: N_s[rpm]
• 유도기: $N = (1-s)N_s = N_s - sN_s$[rpm]
같은 극수일 경우 유도기는 동기 속도보다 sN_s만큼 늦으므로 동기 전동기의 극수보다 2극 적은 것을 사용한다.

43

동기 발전기를 회전 계자형으로 만드는 이유
• 계자 권선은 직류의 2선만 인출하면 된다.
• 전기자 권선은 최소한 4개의 선을 인출해야 하므로 회전 전기자형은 결선이 복잡하다.
• 계자 회로는 약전류 전선이므로 소요 전력이 적은 편이다.
• 회전자를 튼튼하게 만들 수 있다.
• 발전기의 안정도가 좋아진다.
• 종합적으로 발전기 제작이 경제적이다.
• 전기자가 고정자이므로 고압 대전류용에 좋고, 절연하기 쉽다.

44

분포권 계수

$$K_d = \frac{\sin\dfrac{\pi}{2m}}{q\sin\dfrac{\pi}{2mq}} = \frac{\sin\dfrac{\pi}{2\times3}}{3\times\sin\dfrac{\pi}{2\times3\times3}} = \frac{1}{6\sin\dfrac{\pi}{18}}$$

(단, m: 상수, q: 매극 매상당 슬롯수)

45

변압기의 누설 리액턴스를 나타낸 것은?(단, N은 권수이다.)

① N에 비례
② N^2에 반비례
③ N^2에 비례
④ N에 반비례

46

가정용 재봉틀, 소형 공구, 영사기, 치과 의료용, 엔진 등에 사용하고 있으며, 교류, 직류 양쪽 모두에 사용되는 만능 전동기는?

① 전기 동력계
② 3상 유도 전동기
③ 차동 복권 전동기
④ 단상 직권 정류자 전동기

47

정격 전압 $220[V]$, 무부하 단자 전압 $230[V]$, 정격 출력이 $40[kW]$인 직류 분권 발전기의 계자 저항이 $22[\Omega]$, 전기자 반작용에 의한 전압 강하가 $5[V]$라면 전기자 회로의 저항$[\Omega]$은 약 얼마인가?

① 0.026
② 0.028
③ 0.035
④ 0.042

48

전력용 변압기에서 1차에 정현파 전압을 인가하였을 때, 2차에 정현파 전압이 유기되기 위해서는 1차에 흘러들어가는 여자 전류는 기본파 전류 외에 주로 몇 고조파 전류가 포함되는가?

① 제2고조파
② 제3고조파
③ 제4고조파
④ 제5고조파

49 (과년도)

스텝각이 $2°$, 스테핑 주파수(Pulse rate)가 $1,800[pps]$인 스테핑 모터의 축속도$[rps]$는?

① 8
② 10
③ 12
④ 14

정답 및 해설

45

변압기 코일의 자기 인덕턴스

$$L = \frac{\mu S N^2}{l}\,[\text{H}]$$

따라서 누설 리액턴스는

$$X_l = 2\pi f L = \frac{2\pi f \times \mu S N^2}{l}\,[\Omega]$$으로 권수의 제곱(N^2)에 비례한다.

46

단상 직권 정류자 전동기는 계자 권선과 전기자 권선이 직렬로 연결되어 있어 직류, 교류 모두에서 사용할 수 있어 만능 전동기라 한다.

[암기 포인트] 단상 직권 정류자 전동기 = 만능 전동기

47

• 전기자 전류

$$I_a = I + I_f = \frac{P}{V} + \frac{V}{R_f} = \frac{40 \times 10^3}{220} + \frac{220}{22} = 191.8[\text{A}]$$

• 무부하 단자 전압

$$E = V + I_a R_a + e_a[\text{V}]$$

• 전기자 저항은 다음과 같다.

$$R_a = \frac{E - V - e_a}{I_a} = \frac{230 - 220 - 5}{191.8} = 0.026[\Omega]$$

48

변압기 여자 전류는 기본파 + 제3고조파 성분을 포함한다.

49

• 1초당 회전 각도

$$2° \times 1,800 = 3,600°$$

• 스테핑 전동기의 회전 속도

$$n = \frac{3,600°}{360°} = 10[\text{rps}]$$

(∵ 1회전 시 $360°$의 각도를 이동하므로)

[암기 포인트] 스텝 모터(스테핑 전동기)의 회전각, 속도는 펄스 수에 비례한다.

50 ⓵ ⓶ ⓷

변압기에서 사용되는 변압기유의 구비 조건으로 틀린 것은?

① 점도가 높을 것   ② 응고점이 낮을 것
③ 인화점이 높을 것   ④ 절연 내력이 클 것

51 ⓵ ⓶ ⓷

동기 발전기의 병렬 운전 중 위상차가 생기면 어떤 현상이 발생하는가?

① 무효 횡류가 흐른다.
② 무효 전력이 생긴다.
③ 유효 횡류가 흐른다.
④ 출력이 요동하고 권선이 가열된다.

52 ⓵ ⓶ ⓷

단상 유도 전동기의 토크에 대한 2차 저항을 어느 정도 이상으로 증가시킬 때 나타나는 현상으로 옳은 것은?(단, 2차 리액턴스는 일정하다고 한다.)

① 회전력 감소   ② 최대 토크 일정
③ 기동 토크 증가   ④ 토크는 항상 (+)

53 ⓵ ⓶ ⓷

직류기에 관련된 사항으로 잘못 짝지어진 것은?

① 보극 – 리액턴스 전압 감소
② 보상 권선 – 전기자 반작용 감소
③ 전기자 반작용 – 직류 전동기 속도 감소
④ 정류 기간 – 전기자 코일이 단락되는 기간

50

변압기 절연유
- 변압기 기름은 절연 및 냉각 매체의 역할을 하는 것으로 보통 광유(절연유)를 사용한다.
- 구비 조건
  - 절연 내력이 클 것
  - 비열이 커 냉각 효과 크고, 점도가 작을 것
  - 인화점은 높고, 응고점은 낮을 것
  - 고온에서 산화되지 않고 석출물이 생기지 않을 것

51

동기 발전기의 병렬 운전 시
- 기전력 크기가 다를 경우: 무효 횡류(무효 순환 전류)가 흐른다.
- 기전력의 위상이 다를 경우: 동기화 전류가 흐른다.
  - 위상이 다르면 발전기 내부에서는 유효 횡류(동기화 전류)가 흘러 위상을 같게 만들지만 발전기의 온도 상승을 초래한다.
  - 대책: 원동기의 출력을 조절한다.(위상이 앞선 발전기에서 위상이 뒤진 발전기 측으로 동기 화력을 발생시켜 위상을 맞춘다.)

52

단상 유도 전동기에서 2차 리액턴스(x_2)를 일정하다고 하면 2차 저항(r_2)을 크게 할수록 최대 회전력의 값은 작아지고 이 회전력이 발생하는 슬립은 증가한다. 따라서 r_2를 어느 정도 이상으로 크게 하면 그림의 D 곡선과 같이 회전력이 부(−)가 되어 전동기의 회전 방향과 반대로 작용하는 회전력이 발생한다. 3상 유도 전동기의 단상 제동은 이 역회전력을 제동에 이용한 것이다.

▲ 회전력과 $\dfrac{x_2}{r_2}$ 의 관계

※ 출제오류로 인해 전항정답 처리된 문제로 보기와 조건의 일부를 변경하였습니다.

53

직류기에서 보극의 역할
- 전기자 전류에 의해 정류 전압을 얻는다.
- 리액턴스 전압을 상쇄시킬 수 있으므로 정류 작용이 잘 되게 해 준다.
- 중성축의 이동을 막는 역할도 한다.

보상 권선의 역할
- 전기자 전류의 기자력을 상쇄시켜 전기자 반작용의 영향을 감소시키는 권선이다.
- 전기자 권선과 직렬로 설치하며 전기자 전류 방향과 반대로 전류를 흘려 기자력을 상쇄시킨다.

전기자 반작용에 의한 악영향
- 자속(ϕ) 감소 → 기전력($E \propto \phi$) 감소 → 전동기 속도 증가(N) → 발전기 출력(P) 감소
- 전기적 중성축 이동
  - 발전기: 회전 방향으로 이동
  - 전동기: 회전 반대 방향으로 이동
- 정류자 편간 국부적인 섬락(불꽃) 발생으로 정류 불량 및 브러시 손상
- 발전기의 전체적인 효율 저하를 일으킴

54 ⓵ ⓶ ⓷

그림은 전원 전압 및 주파수가 일정할 때의 다상 유도 전동기의 특성을 표시하는 곡선이다. 1차 전류를 나타내는 곡선은 몇 번 곡선인가?

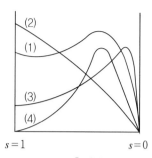

① (1)　　　　　② (2)
③ (3)　　　　　④ (4)

55 ⓵ ⓶ ⓷

직류 발전기의 외부 특성 곡선에서 나타내는 관계로 옳은 것은?

① 계자 전류와 단자 전압
② 계자 전류와 부하 전류
③ 부하 전류와 단자 전압
④ 부하 전류와 유기 기전력

56 ⓵ ⓶ ⓷

동기 전동기가 무부하 운전 중에 부하가 걸리면 동기 전동기의 속도는?

① 정지한다.
② 동기 속도와 같다.
③ 동기 속도보다 빨라진다.
④ 동기 속도 이하로 떨어진다.

정답 및 해설

54

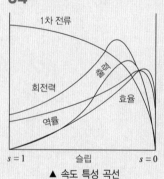

▲ 속도 특성 곡선

55

외부 특성 곡선이란 직류 발전기가 정격 속도에서 부하를 걸었을 때 발전기의 종류에 따라 변화하는 부하 전류 I[A]와 단자 전압 V[V]의 관계를 나타낸 곡선이다.
(V_0: 무부하 전압[V], V_n: 전부하 전압[V])

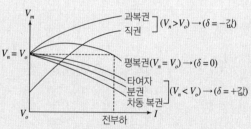

▲ 발전기 종류별 외부 특성 곡선

[암기 포인트] 외부 특성 곡선 = 부하 전류와 단자 전압 관계
　　　　　　　 내부 특성 곡선 = 부하 전류와 유기 기전력 관계

56

동기 전동기의 특징
• 효율과 역률 특성이 매우 좋다.
• 속도가 항상 일정하고, 불변이다.
• 필요 시 앞선 역률을 취할 수 있다.
• 난조 발생의 우려가 크다.
• 여자 장치 공급용 직류 전원이 별도로 필요하다.
• 기동 토크가 작다.
동기 전동기가 무부하 운전 중에 부하가 걸리면 동기 전동기의 속도는 동기 속도와 같다.

57 １２３

$100[\mathrm{V}]$, $10[\mathrm{A}]$, $1{,}500[\mathrm{rpm}]$인 직류 분권 발전기의 정격 시의 계자 전류는 $2[\mathrm{A}]$이다. 이때 계자 회로에는 $10[\Omega]$의 외부 저항이 삽입되어 있다. 계자 권선의 저항$[\Omega]$은?

① 20

② 40

③ 80

④ 100

58 １２３

$50[\mathrm{Hz}]$로 설계된 3상 유도 전동기를 $60[\mathrm{Hz}]$에 사용하는 경우 단자 전압을 $110[\%]$로 높일 때 일어나는 현상으로 틀린 것은?

① 철손 불변

② 여자 전류 감소

③ 온도 상승 증가

④ 출력이 일정하면 유효 전류 감소

59 １２３

직류 발전기에서 양호한 정류를 얻는 조건으로 틀린 것은?

① 정류 주기를 크게 할 것

② 리액턴스 전압을 크게 할 것

③ 브러시의 접촉 저항을 크게 할 것

④ 전기자 코일의 인덕턴스를 작게 할 것

60 １２３

상전압 $200[\mathrm{V}]$의 3상 반파 정류 회로의 각 상에 SCR을 사용하여 정류 제어를 할 때 위상각을 $\pi/6$로 하면 순 저항 부하에서 얻을 수 있는 직류 전압$[\mathrm{V}]$은 약 얼마인가?

① 90

② 180

③ 203

④ 234

57

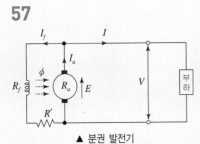

▲ 분권 발전기

$$I_f = \frac{V}{R_f + R'}[\mathrm{A}]$$

$$\therefore R_f = \frac{V}{I_f} - R' = \frac{100}{2} - 10 = 40[\Omega]$$

58

① 철손 $P_h = kfB_m{}^2$에서 자속 밀도 $B_m = \dfrac{E}{4.44fNS} \propto \dfrac{E}{f}$이므로

$$P_h{}' \propto f'\left(\frac{E'}{f'}\right)^2 = \frac{E'^2}{f'} = \frac{(1.1E)^2}{\frac{6}{5}f} \fallingdotseq \frac{E^2}{f}$$

즉, 해당 조건에서 철손은 불변

② 여자 전류 $I_0 = \dfrac{V}{x_l} = \dfrac{V}{2\pi fL}[\mathrm{A}]$에서

$$\frac{V'}{2\pi f'L} = \frac{1.1V}{2\pi \times \frac{6}{5}fL} = \frac{11}{12} \times \frac{V}{2\pi fL} = \frac{11}{12}I_0$$

즉, 여자 전류가 감소

③ 철손이 불변이므로 온도도 불변

④ 출력이 일정하면 전압 상승분에 반비례하여 유효 전류 감소

59

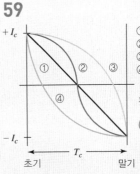

① 직선 정류 ┐ 양호한 정류
② 정현파 정류 ┘
③ 부족 정류 – 정류 말기 불량
④ 과정류 – 정류 초기 불량

평균 리액턴스 전압 $e_L = L\dfrac{2I_c}{T_c}[\mathrm{V}]$

(단, L: 인덕턴스, I_c: 정류 전류, T_c: 정류 주기)

직류 발전기에서 양호한 정류 대책

• 리액턴스 전압을 작게 한다.
  (브러시 접촉 전압 강하 > 리액턴스 전압)
• 적당한 위치에 보극을 설치한다.(전압 정류 효과)
• 탄소 브러시를 사용한다.(저항 정류 효과)
• 전기자 권선을 전절권 대신 단절권을 적용한다.
• 정류 주기를 길게 한다.(회전자 속도를 낮춤)

60

SCR 3상 반파 정류 회로의 직류 전압

$$E_d = \frac{3\sqrt{6}}{2\pi}E\cos\alpha = 1.17 \times 200 \times \frac{\sqrt{3}}{2} \fallingdotseq 203[\mathrm{V}]$$

(단, E: 상전압$[\mathrm{V}]$)

61 1 2 3

페루프 전달 함수 $\dfrac{G(s)}{1+G(s)H(s)}$ 의 극의 위치를 개루프 전달 함수 $G(s)H(s)$ 의 이득 상수 K의 함수로 나타내는 기법은?

① 근궤적법
② 보드 선도법
③ 이득 선도법
④ Nyquist 판정법

62 1 2 3

블록선도 변환이 틀린 것은?

①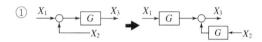

②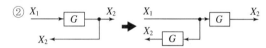

③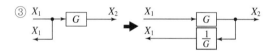

④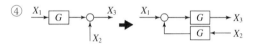

63 1 2 3

다음 회로망에서 입력 전압을 $V_1(t)$, 출력 전압을 $V_2(t)$ 이라 할 때, $\dfrac{V_2(s)}{V_1(s)}$ 에 대한 고유 주파수 ω_n과 제동비 δ의 값은?
(단, $R=100[\Omega]$, $L=2[H]$, $C=200[\mu\mathrm{F}]$ 이고, 모든 초기 전하는 0이다.)

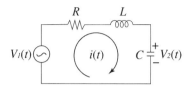

① $\omega_n=50$, $\delta=0.5$
② $\omega_n=50$, $\delta=0.7$
③ $\omega_n=250$, $\delta=0.5$
④ $\omega_n=250$, $\delta=0.7$

정답 및 해설

61

근궤적
개루프 전달 함수의 이득 정수 K를 $0\sim\infty$까지 변화시킬 때의 극점의 이동 궤적을 그린 선도이다.

62

보기 ④의 블록선도 출력을 나타내면 다음과 같다.
왼쪽 그림: $X_3 = GX_1 + X_2$
오른쪽 그림: $X_3 = GX_1 + G\times G\times X_2 = GX_1 + G^2 X_2$
따라서 등가 회로 성립이 안된다.

63

문제에 주어진 회로망의 전달 함수를 구한다.

$$\frac{V_2(s)}{V_1(s)} = \frac{\frac{1}{Cs}}{R+Ls+\frac{1}{Cs}} = \frac{1}{LCs^2+RCs+1} = \frac{\frac{1}{LC}}{s^2+\frac{R}{L}s+\frac{1}{LC}}$$

$$= \frac{\frac{1}{2\times200\times10^{-6}}}{s^2+\frac{100}{2}s+\frac{1}{2\times200\times10^{-6}}} = \frac{2,500}{s^2+50s+2,500}$$

위 식을 2차 지연 요소의 전달 함수 식과 비교하여 고유 주파수와 제동비를 구하면 다음과 같다.

$$\frac{V_2(s)}{V_1(s)} = \frac{2,500}{s^2+50s+2,500} = \frac{\omega_n^2}{s^2+2\delta\omega_n s+\omega_n^2}$$

$$\therefore \omega_n = \sqrt{2,500} = 50[\mathrm{rad/sec}]$$

$$2\delta\omega_n = 50 \rightarrow \delta = 50\times\frac{1}{2\omega_n} = 50\times\frac{1}{2\times50} = 0.5$$

$$\therefore \delta = 0.5$$

[암기 포인트] 2차 지연요소 전달 함수 $= \dfrac{\omega_n^2}{s^2+2\delta\omega_n s+\omega_n^2}$

64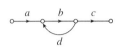

다음 신호 흐름 선도의 일반식은?

a　　b　　c

d

① $G = \dfrac{1-bd}{abc}$　　　② $G = \dfrac{1+bd}{abc}$

③ $G = \dfrac{abc}{1+bd}$　　　④ $G = \dfrac{abc}{1-bd}$

65 1 2 3

다음 중 이진값 신호가 아닌 것은?

① 디지털 신호
② 아날로그 신호
③ 스위치의 On-Off 신호
④ 반도체 소자의 동작, 부동작 상태

66 1 2 3

보드 선도에서 이득 여유에 대한 정보를 얻을 수 있는 것은?

① 위상 곡선 0°에서의 이득과 0[dB]과의 차이
② 위상 곡선 180°에서의 이득과 0[dB]과의 차이
③ 위상 곡선 −90°에서의 이득과 0[dB]과의 차이
④ 위상 곡선 −180°에서의 이득과 0[dB]과의 차이

67 1 2 3

단위 궤환 제어계의 개루프 전달 함수가 $G(s) = \dfrac{K}{s(s+2)}$ 일 때, K가 $-\infty$로부터 $+\infty$까지 변하는 경우 특성 방정식의 근에 대한 설명으로 틀린 것은?

① $-\infty < K < 0$에 대하여 근은 모두 실근이다.
② $0 < K < 1$에 대하여 2개의 근은 모두 음의 실근이다.
③ $K=0$에 대하여 $s_1 = 0$, $s_2 = -2$의 근은 $G(s)$의 극점과 일치한다.
④ $1 < K < \infty$에 대하여 2개의 근은 음의 실수부 중근이다.

64

$G = \dfrac{a \times b \times c}{1 - b \times d} = \dfrac{abc}{1 - bd}$

65

이진값이란 동작 상태가 On일 때에는 1, Off일 때에는 0으로만 표현되는 것으로 아날로그 신호는 0과 1뿐만 아니라 다른 여러 가지 크기가 존재하므로 이진값이 아니다.

66

보드 선도의 정의

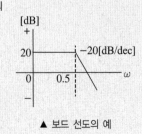

▲ 보드 선도의 예

- 주파수 전달 함수를 이용하여 주파수 변화에 따른 제어 장치의 크기와 위상각을 가로축에는 주파수 ω를, 세로축에는 이득 $|G(j\omega)|$로 하여 표시한 것이다.
- 보드 선도의 이득 여유 $g_m > 0$, 위상 여유 $\phi_m > 0$의 조건에서 제어 장치의 동작이 안정하다.
- 보드 선도에서 이득 여유에 대한 정보 위상 곡선 −180°에서의 이득과 0[dB]과의 차이에서 알 수 있다.

67

문제에 주어진 개루프 전달 함수의 특성 방정식을 구하여 근을 구한다.
$s^2 + 2s + K = 0$
$\therefore s = \dfrac{-2 \pm \sqrt{2^2 - 4 \times 1 \times K}}{2 \times 1} = -1 \pm \sqrt{1-K}$

따라서 $1 < K < \infty$에 대하여 2개의 근은 음의 실수부 중근이 나올 수 없다.

68 1 2 3

2차계 과도 응답에 대한 특성 방정식의 근은 s_1, $s_2 = -\delta\omega_n \pm j\omega_n\sqrt{1-\delta^2}$ 이다. 감쇠비 δ가 $0 < \delta < 1$ 사이에 존재할 때 나타나는 현상은?

① 과제동　　　　　② 무제동
③ 부족 제동　　　④ 임계 제동

69 1 2 3

그림의 시퀀스 회로에서 전자접촉기 X에 의한 A접점 (Normal Open Contact)의 사용 목적은?

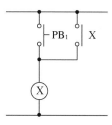

① 자기 유지 회로　　　② 지연 회로
③ 우선 선택 회로　　　④ 인터록(Interlock) 회로

70 1 2 3

다음의 블록선도에서 특성 방정식의 근은?

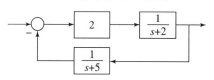

① -2, -5　　　　② 2, 5
③ -3, -4　　　　④ 3, 4

71 1 2 3

평형 3상 3선식 회로에서 부하는 Y 결선이고, 선간 전압이 $173.2\angle 0°[\mathrm{V}]$일 때 선전류는 $20\angle -120°[\mathrm{A}]$이었다면, Y 결선된 부하 한 상의 임피던스는 약 몇 $[\Omega]$인가?

① $5\angle 60°$　　　　② $5\angle 90°$
③ $5\sqrt{3}\angle 60°$　　④ $5\sqrt{3}\angle 90°$

68

제동비 값에 따른 제어계의 과도 응답 특성
• $0 < \delta < 1$: 부족 제동(감쇠 진동)　• $\delta > 1$: 과제동(비진동)

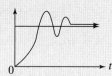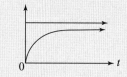

• $\delta = 1$: 임계 제동　　　• $\delta = 0$: 무제동(무한 진동)

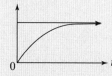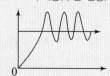

69

푸시버튼 스위치(PB_1)는 스위치를 누르고 있을 때에만 X 여자 코일을 여자시킬 수 있다. 따라서 PB_1과 병렬로 조합되는 X의 a 접점을 동작시켜 PB_1에서 손을 떼더라도 X 여자 코일에 계속해서 전류를 흘릴 수 있도록 X - a 접점의 자기 유지 회로를 넣어 주어야 한다.

70

문제에 주어진 블록선도에서 전달 함수를 구한다.

$$G(s) = \frac{\sum \text{경로}}{\sum \text{폐루프}} = \frac{2 \times \frac{1}{s+2}}{1 - \left(-2 \times \frac{1}{s+2} \times \frac{1}{s+5}\right)}$$

$$= \frac{2(s+5)}{(s+2)(s+5)+2} = \frac{2s+10}{s^2+7s+12}$$

특성 방정식은 전달 함수의 분모가 0이 되는 방정식이다.
$s^2 + 7s + 12 = (s+3)(s+4) = 0$
따라서 특성 방정식의 근은 -3과 -4이다.

71

Y 결선에서의 전압과 전류의 관계는 아래와 같다.
$V_l = \sqrt{3}\,V_p\angle 30°,\ I_l = I_p$
따라서 위 관계식을 이용하여 부하 한 상의 임피던스를 구할 수 있다.

$$Z_p = \frac{V_p}{I_p} = \frac{\frac{173.2\angle 0°}{\sqrt{3}}\angle 30°}{20\angle -120°} = 5\angle 90°[\Omega]$$

72 ① ② ③

그림과 같은 RC 저역통과 필터 회로에 단위 임펄스를 입력으로 가했을 때 응답 $h(t)$는?

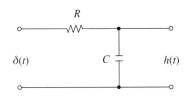

① $h(t) = RCe^{-\frac{t}{RC}}$

② $h(t) = \frac{1}{RC}e^{-\frac{t}{RC}}$

③ $h(t) = \frac{R}{1+j\omega RC}$

④ $h(t) = \frac{1}{RC}e^{-\frac{C}{R}t}$

73 ① ② ③

2전력계법으로 평형 3상 전력을 측정하였더니 한 쪽의 지시가 $500[\mathrm{W}]$, 다른 한 쪽의 지시가 $1,500[\mathrm{W}]$이었다. 피상 전력은 약 몇 $[\mathrm{VA}]$인가?

① 2,000

② 2,310

③ 2,646

④ 2,771

74 ① ② ③

회로에서 4단자 정수 A, B, C, D의 값은?

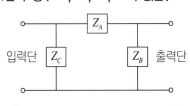

① $A = 1 + \frac{Z_A}{Z_B}$, $B = Z_A$, $C = \frac{1}{Z_A}$, $D = 1 + \frac{Z_B}{Z_A}$

② $A = 1 + \frac{Z_A}{Z_B}$, $B = Z_A$, $C = \frac{1}{Z_B}$, $D = 1 + \frac{Z_A}{Z_B}$

③ $A = 1 + \frac{Z_A}{Z_B}$, $B = Z_A$, $C = \frac{Z_A + Z_B + Z_C}{Z_B Z_C}$, $D = \frac{1}{Z_B Z_C}$

④ $A = 1 + \frac{Z_A}{Z_B}$, $B = Z_A$, $C = \frac{Z_A + Z_B + Z_C}{Z_B Z_C}$, $D = 1 + \frac{Z_A}{Z_C}$

72

전압비 전달 함수를 전압 분배의 법칙으로 구한다.

$$H(s) = \frac{\frac{1}{sC}}{R + \frac{1}{sC}}\delta(s) = \frac{1}{sRC+1}\delta(s) = \frac{\frac{1}{RC}}{s + \frac{1}{RC}}\delta(s)$$

단위 임펄스 입력 $\delta(s) = 1$을 가했을 때의 응답 $H(s)$는 아래와 같다.

$$H(s) = \frac{\frac{1}{RC}}{s + \frac{1}{RC}}\delta(s) = \frac{\frac{1}{RC}}{s + \frac{1}{RC}}$$

따라서 위 식을 라플라스 역변환하면 아래와 같다.

$$H(s) = \frac{\frac{1}{RC}}{s + \frac{1}{RC}} \rightarrow h(t) = \frac{1}{RC}e^{-\frac{t}{RC}}$$

73

$$P_a = 2\sqrt{P_1^2 + P_2^2 - P_1 P_2}$$
$$= 2\sqrt{500^2 + 1,500^2 - 500 \times 1,500} ≒ 2,646[\mathrm{VA}]$$

[암기 포인트]
2전력계법 유효 전력 $= P_1 + P_2 [\mathrm{W}]$
무효 전력 $= \sqrt{3}(P_1 - P_2)[\mathrm{Var}]$
피상 전력 $= 2\sqrt{P_1^2 + P_2^2 - P_1 P_2}[\mathrm{VA}]$

74

$$\begin{bmatrix} A & B \\ C & D \end{bmatrix} = \begin{bmatrix} 1 & 0 \\ \frac{1}{Z_C} & 1 \end{bmatrix}\begin{bmatrix} 1 & Z_A \\ 0 & 1 \end{bmatrix}\begin{bmatrix} 1 & 0 \\ \frac{1}{Z_B} & 1 \end{bmatrix} = \begin{bmatrix} 1 & Z_A \\ \frac{1}{Z_C} & 1 + \frac{Z_A}{Z_C} \end{bmatrix}\begin{bmatrix} 1 & 0 \\ \frac{1}{Z_B} & 1 \end{bmatrix}$$

$$= \begin{bmatrix} 1 + \frac{Z_A}{Z_B} & Z_A \\ \frac{Z_A + Z_B + Z_C}{Z_B Z_C} & 1 + \frac{Z_A}{Z_C} \end{bmatrix}$$

75 1 2 3

길이에 따라 비례하는 저항값을 가진 어떤 전열선에 E_0[V]의 전압을 인가하면 P_0[W]의 전력이 소비된다. 이 전열선을 잘라 원래 길이의 $\frac{2}{3}$로 만들고 E[V]의 전압을 가한다면 소비 전력 P[W]는?

① $P = \frac{P_0}{2}\left(\frac{E}{E_0}\right)^2$ 　　② $P = \frac{3P_0}{2}\left(\frac{E}{E_0}\right)^2$

③ $P = \frac{2P_0}{3}\left(\frac{E}{E_0}\right)^2$ 　　④ $P = \frac{\sqrt{3}P_0}{2}\left(\frac{E}{E_0}\right)^2$

76 1 2 3

$f(t) = e^{j\omega t}$의 라플라스 변환은?

① $\frac{1}{s - j\omega}$ 　　② $\frac{1}{s + j\omega}$

③ $\frac{1}{s^2 + \omega^2}$ 　　④ $\frac{\omega}{s^2 + \omega^2}$

77 1 2 3

1[km]당 인덕턴스 25[mH], 정전 용량 0.005[μF]의 선로가 있다. 무손실 선로라고 가정한 경우 진행파의 위상(전파) 속도는 약 몇 [km/s]인가?

① 8.94×10^4 　　② 9.94×10^4

③ 89.4×10^4 　　④ 99.4×10^4

78 1 2 3

그림과 같은 순 저항 회로에서 대칭 3상 전압을 가할 때 각 선에 흐르는 전류가 같으려면 R의 값은 몇 [Ω]인가?

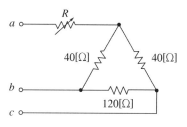

① 8 　　② 12

③ 16 　　④ 20

75

원래 전열선에서의 소비 전력은 다음과 같다.

$P_0 = \frac{E_0^2}{R}$[W]

전열선을 잘라 원래 길이의 $\frac{2}{3}$ 길이로 만들면 저항값은 $R = \rho\frac{l}{S} \propto l$

의 관계에 의해 $\frac{2}{3}$로 줄어들게 되므로 이때 소비 전력은 다음과 같다.

$P = \frac{E^2}{\frac{2}{3}R} = \frac{3}{2} \times \frac{E^2}{R}$[W]

따라서 위 두 전력을 비교해 보면 다음과 같다.

$\frac{P}{P_0} = \frac{\frac{3}{2} \times \frac{E^2}{R}}{\frac{E_0^2}{R}} = \frac{3}{2} \times \frac{E^2}{E_0^2} \rightarrow P = \frac{3P_0}{2}\left(\frac{E}{E_0}\right)^2$[W]

76

$f(t) = e^{j\omega t} \rightarrow F(s) = \frac{1}{s - j\omega}$

77

$v = \frac{1}{\sqrt{LC}} = \frac{1}{\sqrt{25 \times 10^{-3} \times 0.005 \times 10^{-6}}} ≒ 8.94 \times 10^4$[km/s]

[암기 포인트] $v = f\lambda = \frac{1}{\sqrt{LC}} = \frac{w}{\beta}$[m/s]

78

주어진 Δ 결선을 Y 결선으로 등가 변환한다.

• $R_A = \frac{40 \times 40}{40 + 40 + 120} = 8$[Ω]

• $R_B = \frac{40 \times 120}{40 + 40 + 120} = 24$[Ω]

• $R_C = \frac{120 \times 40}{40 + 40 + 120} = 24$[Ω]

따라서 각 선전류가 같기 위한 저항 R의 값은 다음과 같다.
$R = 24 - 8 = 16$[Ω]

79 [1] [2] [3]

전류 $I = 30\sin\omega t + 40\sin(3\omega t + 45°)\,[\text{A}]$ 의 실횻값[A]은?

① 25   ② $25\sqrt{2}$

③ 50   ④ $50\sqrt{2}$

80 [1] [2] [3]

어떤 콘덴서를 $300[\text{V}]$로 충전하는 데 $9[\text{J}]$의 에너지가 필요하였다. 이 콘덴서의 정전 용량은 몇 $[\mu\text{F}]$인가?

① 100   ② 200

③ 300   ④ 400

전기설비기술기준	1회독	월	일
	2회독	월	일
	3회독	월	일 · 자동채점

81
KEC 적용에 따라 삭제되었습니다.

82 [1] [2] [3]

고압용 기계기구를 시설하여서는 안 되는 경우는?

① 시가지 외로서 지표상 3[m]인 경우
② 발전소, 변전소, 개폐소 또는 이에 준하는 곳에 시설하는 경우
③ 옥내에 설치한 기계기구를 취급자 이외의 사람이 출입할 수 없도록 설치한 곳에 시설하는 경우
④ 공장 등의 구내에서 기계기구의 주위에 사람이 쉽게 접촉할 우려가 없도록 적당한 울타리를 설치하는 경우

83
KEC 적용에 따라 삭제되었습니다.

84 [1] [2] [3]

어떤 공장에서 케이블을 사용하는 사용전압이 $22[\text{kV}]$인 가공전선을 건물 옆쪽에서 1차 접근상태로 시설하는 경우, 케이블과 건물의 조영재 이격거리는 몇 $[\text{cm}]$ 이상이어야 하는가?

① 50   ② 80

③ 100   ④ 120

79

실횻값 전류 $I = \sqrt{\left(\dfrac{30}{\sqrt{2}}\right)^2 + \left(\dfrac{40}{\sqrt{2}}\right)^2} = 25\sqrt{2}\,[\text{A}]$

80

$W = \dfrac{1}{2}CV^2\,[\text{J}]$

$\therefore C = \dfrac{2W}{V^2} = \dfrac{2 \times 9}{300^2} = 2 \times 10^{-4}\,[\text{F}] = 200[\mu\text{F}]$

82

고압용 기계기구의 시설(한국전기설비규정 341.8)

기계기구(이에 부속하는 전선에 케이블 또는 고압 인하용 절연전선을 사용하는 것에 한한다)를 지표상 4.5[m](시가지 외에는 4[m]) 이상의 높이에 시설한다.

84

25[kV] 이하인 특고압 가공전선로의 시설(한국전기설비규정 333.32) 이격거리는 다음 표에서 정한 값 이상이어야 한다.

건조물의 조영재	접근형태	전선의 종류	이격거리
상부 조영재	위쪽	나전선	3.0[m]
		특고압 절연전선	2.5[m]
		케이블	1.2[m]
	옆쪽 또는 아래쪽	나전선	1.5[m]
		특고압 절연전선	1.0[m]
		케이블	0.5[m]
기타의 조영재	–	나전선	1.5[m]
		특고압 절연전선	1.0[m]
		케이블	0.5[m]

정답   79 ②   80 ②   82 ①   84 ①

2019년 전기기사 필기 2회 **465**

85 1 2 3

옥내에 시설하는 전동기가 소손되는 것을 방지하기 위한 과부하 보호장치를 하지 않아도 되는 것은?

① 정격출력이 7.5[kW] 이상인 경우
② 정격출력이 0.2[kW] 이하인 경우
③ 정격출력이 2.5[kW]이며, 과전류 차단기가 없는 경우
④ 전동기 출력이 4[kW]이며, 취급자가 감시할 수 없는 경우

86 1 2 3

사용전압 66[kV]의 가공전선로를 시가지에 시설할 경우 전선의 지표상 최소 높이는 몇 [m]인가?

① 6.48
② 8.36
③ 10.48
④ 12.36

87 1 2 3

차량 기타 중량물의 압력을 받을 우려가 있는 장소에 지중전선로를 직접 매설식으로 시설하는 경우 매설깊이는 몇 [m] 이상이어야 하는가?

① 0.8
② 1.0
③ 1.2
④ 1.5

88   KEC 적용에 따라 삭제되었습니다.

89   KEC 적용에 따라 삭제되었습니다.

90 1 2 3

저압 옥상전선로의 시설에 대한 설명으로 틀린 것은?

① 전선은 절연전선을 사용한다.
② 전선은 지름 2.6[mm] 이상의 경동선을 사용한다.
③ 전선은 상시 부는 바람 등에 의하여 식물에 접촉하지 않도록 시설한다.
④ 전선과 옥상전선로를 시설하는 조영재와의 이격거리를 0.5[m]로 한다.

85

저압 전로 중의 전동기 보호용 과전류보호장치의 시설(한국전기설비규정 212.6.3)
옥내에 시설하는 전동기의 과부하 보호장치의 생략 조건
• 정격출력이 0.2[kW] 이하
• 전동기를 운전 중 상시 취급자가 감시할 수 있는 위치에 시설하는 경우
• 전동기의 구조나 부하의 성질로 보아 전동기가 손상될 수 있는 과전류가 생길 우려가 없는 경우
• 단상 전동기로서 그 전원 측 전로에 시설하는 과전류 차단기의 정격전류가 16[A](배선 차단기는 20[A]) 이하인 경우

86

시가지 등에서 특고압 가공전선로의 시설(한국전기설비규정 333.1)

사용전압의 구분	지표상의 높이
35[kV] 이하	10[m](전선이 특고압 절연전선인 경우에는 8[m]) 이상
35[kV] 초과	10[m]에 35[kV]를 초과하는 10[kV] 또는 그 단수마다 0.12[m]를 더한 값 이상

단수: $\dfrac{66-35}{10} = 3.1 \rightarrow 4$단

∴ $10 + 4 \times 0.12 = 10.48$[m]

87

지중전선로의 시설(한국전기설비규정 334.1)
지중전선로를 직접 매설식에 의하여 시설하는 경우에는 매설깊이를 차량 기타 중량물의 압력을 받을 우려가 있는 장소에는 1.0[m] 이상, 기타 장소에는 0.6[m] 이상으로 해야 한다.

90

옥상전선로(한국전기설비규정 221.3)
전선과 그 저압 옥상 전선로를 시설하는 조영재와의 이격거리는 2[m](전선이 고압 절연전선, 특고압 절연전선 또는 케이블인 경우에는 1[m]) 이상이어야 한다.

91 [1] [2] [3]

가공전선로의 지지물에 취급자가 오르고 내리는 데 사용하는 발판 볼트 등은 지표상 몇 [m] 미만에 시설하여서는 아니 되는가?

① 1.2   ② 1.8
③ 2.2   ④ 2.5

92
KEC 적용에 따라 삭제되었습니다.

93
KEC 적용에 따라 삭제되었습니다.

94 [1] [2] [3]

고압 가공전선로에 사용하는 가공지선으로 나경동선을 사용할 때의 최소 굵기[mm]는?

① 3.2   ② 3.5
③ 4.0   ④ 5.0

95 [1] [2] [3]

특고압용 변압기의 보호장치인 냉각장치에 고장이 생긴 경우 변압기의 온도가 현저하게 상승한 경우에 이를 경보하는 장치를 반드시 하지 않아도 되는 경우는?

① 유입 풍냉식   ② 유입 자냉식
③ 송유 풍냉식   ④ 송유 수냉식

91

가공전선로 지지물의 철탑오름 및 전주오름 방지(한국전기설비규정 331.4)
가공전선로의 지지물에 취급자가 오르고 내리는 데 사용하는 발판 볼트 등을 지표상 1.8[m] 미만에 시설하여서는 아니 된다.

94

고압 가공전선로의 가공지선(한국전기설비규정 332.6)
고압 가공전선로에 사용하는 가공지선은 인장강도 5.26[kN] 이상의 것 또는 지름 4[mm] 이상의 나경동선을 사용한다.

95

특고압용 변압기의 보호장치(한국전기설비규정 351.4)

뱅크용량의 구분	동작조건	장치의 종류
5,000[kVA] 이상 10,000[kVA] 미만	변압기 내부고장	자동차단장치 또는 경보장치
10,000[kVA] 이상	변압기 내부고장	자동차단장치
타냉식변압기(변압기의 권선 및 철심을 직접 냉각시키기 위하여 봉입한 냉매를 강제 순환시키는 냉각 방식을 말한다)	냉각장치에 고장이 생긴 경우 또는 변압기의 온도가 현저히 상승한 경우	경보장치

냉각방식에 따른 변압기의 분류

냉각방식	표시기호	주변의 냉각매체	
		종류	순환방식
유입 풍냉식	ONAF	공기	강제
유입 자냉식	ONAN	공기	자연
송유 풍냉식	OFAF	공기	강제
송유 수냉식	OFWF	물	강제

96 　1 2 3

빙설의 정도에 따라 풍압하중을 적용하도록 규정하고 있는 내용 중 옳은 것은?(단, 빙설이 많은 지방 중 해안지방 기타 저온계절에 최대 풍압이 생기는 지방은 제외한다.)

① 빙설이 많은 지방에서는 고온계절에는 갑종 풍압하중, 저온계절에는 을종 풍압하중을 적용한다.
② 빙설이 많은 지방에서는 고온계절에는 을종 풍압하중, 저온계절에는 갑종 풍압 하중을 적용한다.
③ 빙설이 적은 지방에서는 고온계절에는 갑종 풍압하중, 저온계절에는 을종 풍압하중을 적용한다.
④ 빙설이 적은 지방에서는 고온계절에는 을종 풍압하중, 저온계절에는 갑종 풍압하중을 적용한다.

97 　1 2 3

가공전선로의 지지물에 시설하는 지선의 시설 기준으로 옳은 것은?

① 지선의 안전율은 2.2 이상이어야 한다.
② 연선을 사용할 경우에는 소선(素線) 3가닥 이상이어야 한다.
③ 도로를 횡단하여 시설하는 지선의 높이는 지표상 4[m] 이상으로 하여야 한다.
④ 지중 부분 및 지표상 20[cm]까지의 부분에는 내식성이 있는 것 또는 아연도금을 한다.

98 　1 2 3

무선용 안테나 등을 지지하는 철탑의 기초 안전율은 얼마 이상이어야 하는가?

① 1.0　　　　② 1.5
③ 2.0　　　　④ 2.5

99 　1 2 3

조상설비의 조상기(調相機) 내부에 고장이 생긴 경우에 자동적으로 전로로부터 차단하는 장치를 시설해야 하는 뱅크용량[kVA]으로 옳은 것은?

① 1,000　　　② 1,500
③ 10,000　　④ 15,000

정답 및 해설

96
풍압하중의 종별과 적용(한국전기설비규정 331.6)
• 빙설이 많은 지방 이외의 지방에서는 고온계절에는 갑종 풍압하중, 저온계절에는 병종 풍압하중
• 빙설이 많은 지방에서는 고온계절에는 갑종 풍압하중, 저온계절에는 을종 풍압하중
• 빙설이 많은 지방 중 해안지방 기타 저온계절에 최대풍압이 생기는 지방에서는 고온계절에는 갑종 풍압하중, 저온계절에는 갑종 풍압하중과 을종 풍압하중 중 큰 것

97
지선의 시설(한국전기설비규정 331.11)
• 지선의 안전율은 2.5 이상일 것. 이 경우에 허용 인장하중의 최저는 4.31[kN]으로 한다.
• 지선에 연선을 사용할 경우에는 다음에 의할 것
　– 소선(素線) 3가닥 이상의 연선일 것
　– 소선의 지름이 2.6[mm] 이상의 금속선을 사용한 것일 것
• 도로를 횡단하여 시설하는 지선의 높이는 지표상 5[m] 이상으로 하여야 한다.
• 지중 부분 및 지표상 0.3[m]까지의 부분에는 내식성이 있는 것 또는 아연도금을 한 철봉을 사용한다.

98
무선용 안테나 등을 지지하는 철탑 등의 시설(한국전기설비규정 364.1)
철주·철근 콘크리트주 또는 철탑의 기초 안전율은 1.5 이상이어야 한다.

99
조상설비의 보호장치(한국전기설비규정 351.5)

설비 종별	뱅크용량의 구분	자동적으로 전로로부터 차단하는 장치
전력용 커패시터 및 분로 리액터	500[kVA] 초과 15,000[kVA] 미만	내부에 고장이 생긴 경우에 동작하는 장치 또는 과전류가 생긴 경우에 동작하는 장치
	15,000[kVA] 이상	내부에 고장이 생긴 경우에 동작하는 장치 및 과전류가 생긴 경우에 동작하는 장치 또는 과전압이 생긴 경우에 동작하는 장치
조상기	15,000[kVA] 이상	내부에 고장이 생긴 경우에 동작하는 장치

[암기 포인트] 조상기 – 15,000[kVA]

100 ⒈ ⒉ ⒊

특고압 가공전선로의 지지물로 사용하는 B종 철주에서 각도형
은 전선로 중 몇 도를 넘는 수평 각도를 이루는 곳에 사용되는
가?

① 1
② 2
③ 3
④ 5

100

특고압 가공전선로의 철주·철근 콘크리트주 또는 철탑의 종류(한국전
기설비규정 333.11)

• 직선형: 전선로의 직선 부분(3° 이하인 수평각도를 이루는 곳을 포함
 한다)에 사용하는 것
• 각도형: 전선로 중 3°를 초과하는 수평각도를 이루는 곳에 사용하는 것

1회독　월　일
2회독　월　일
3회독　월　일　자동채점

전기자기학

01 1 2 3

도전도 $k = 6 \times 10^{17} [\mho/m]$, 투자율 $\mu = \frac{6}{\pi} \times 10^{-7} [H/m]$인 평면도체 표면에 $10 [kHz]$의 전류가 흐를 때, 침투 깊이 $\delta[m]$는?

① $\frac{1}{6} \times 10^{-7}$

② $\frac{1}{8.5} \times 10^{-7}$

③ $\frac{36}{\pi} \times 10^{-6}$

④ $\frac{36}{\pi} \times 10^{-10}$

02 1 2 3

강자성체의 세 가지 특성에 포함되지 않는 것은?

① 자기포화 특성
② 와전류 특성
③ 고투자율 특성
④ 히스테리시스 특성

03 1 2 3

송전선의 전류가 0.01초 사이에 $10 [kA]$ 변화될 때 이 송전선에 나란한 통신선에 유도되는 유도 전압은 몇 $[V]$인가? (단, 송전선과 통신선 간의 상호 유도계수는 $0.3 [mH]$이다.)

① 30
② 300
③ 3,000
④ 30,000

04 1 2 3

단면적 $15 [cm^2]$의 자석 근처에 같은 단면적을 가진 철편을 놓을 때 그 곳을 통하는 자속이 $3 \times 10^{-4} [Wb]$이면 철편에 작용하는 흡인력은 약 몇 $[N]$인가?

① 12.2
② 23.9
③ 36.6
④ 48.8

정답 및 해설

01

침투 깊이

$$\delta = \frac{1}{\sqrt{\pi f k \mu}}$$

$$= \frac{1}{\sqrt{\pi \times 10 \times 10^3 \times 6 \times 10^{17} \times \frac{6}{\pi} \times 10^{-7}}} = \frac{1}{6} \times 10^{-7} [m]$$

02

• 비투자율 $\mu_s \gg 1$이므로 고투자율의 특성이 있다.
• 강자성체는 어떤 한계점에 도달하면 자성이 일정하게 되는 자기포화 특성이 있다.
• 히스테리시스 특성은 도체에 자계 H를 인가할 때 각 도체에 나타나는 현상으로 자성체마다(즉 도체마다) 다른 특징이 있다.

03

유도전압

$$e = \left| M \frac{di}{dt} \right| = 0.3 \times 10^{-3} \times \frac{10 \times 10^3}{0.01} = 300 [V]$$

04

$$\phi = BS, \ B = \frac{\phi}{S} = \frac{3 \times 10^{-4}}{15 \times 10^{-4}} = 0.2 [Wb/m^2]$$

단위 면적당 흡인력 $f = \frac{B^2}{2\mu_0} = \frac{1}{2} \mu_0 H^2 = \frac{1}{2} BH [N/m^2]$

따라서 철편에 작용하는 흡인력

$$F = fS = \frac{B^2}{2\mu_0} S = \frac{(0.2)^2}{2 \times 4\pi \times 10^{-7}} \times 15 \times 10^{-4} \fallingdotseq 23.9 [N]$$

05

단면적이 $S[\text{m}^2]$, 단위 길이에 대한 권수가 $n[\text{회}/\text{m}]$인 무한히 긴 솔레노이드의 단위 길이당 자기인덕턴스 $[\text{H}/\text{m}]$는?

① $\mu \cdot S \cdot n$
② $\mu \cdot S \cdot n^2$
③ $\mu \cdot S^2 \cdot n$
④ $\mu \cdot S^2 \cdot n^2$

06

다음 금속 중 저항률이 가장 작은 것은?

① 은
② 철
③ 백금
④ 알루미늄

07

무한장 직선형 도선에 $I[\text{A}]$의 전류가 흐를 경우 도선으로부터 $R[\text{m}]$ 떨어진 점의 자속 밀도 $B[\text{Wb}/\text{m}^2]$는?

① $B = \dfrac{\mu I}{2\pi R}$
② $B = \dfrac{I}{2\pi \mu R}$
③ $B = \dfrac{\mu I}{4\pi R}$
④ $B = \dfrac{I}{4\pi \mu R}$

08

전하 $q[\text{C}]$가 진공 중의 자계 $H[\text{AT}/\text{m}]$에 수직 방향으로 $v[\text{m}/\text{s}]$의 속도로 움직일 때 받는 힘은 몇 $[\text{N}]$인가?(단, 진공 중의 투자율은 μ_0이다.)

① qvH
② $\mu_0 qH$
③ πqvH
④ $\mu_0 qvH$

05

무한장 솔레노이드 내부 자계

$H = \dfrac{NI}{l}[\text{AT}/\text{m}], \ B = \mu H[\text{Wb}/\text{m}^2]$

$\phi = BS = \dfrac{\mu NIS}{l}[\text{Wb}]$

$\therefore \ L = \dfrac{N\phi}{I} = \dfrac{\mu N^2 S}{l}[\text{H}]$

단위 길이당 인덕턴스

$\dfrac{L}{l} = \dfrac{\mu N^2 S}{l^2} = \mu \left(\dfrac{N}{l}\right)^2 S = \mu n^2 S[\text{H}/\text{m}]$

06

주요 금속 저항률

금속	저항률(ρ)
은	1.62
구리	1.69
금	2.40
알루미늄	2.62
철	10
백금	10.5

07

무한장 직선도체 자계

$H = \dfrac{I}{2\pi R}[\text{AT}/\text{m}]$

$B = \mu H = \dfrac{\mu I}{2\pi R}[\text{Wb}/\text{m}^2]$

08

플레밍의 왼손 법칙

$F = I|\dot{i} \times \dot{B}| = IBl \sin\theta$

$= IBl \ (\because \theta = 90°)$

$= qvB = qv\mu_0 H[\text{N}]$

09 ⬛1️⃣ 2️⃣ 3️⃣

원통 좌표계에서 일반적으로 벡터가 $\dot{A} = 5r\sin\phi a_z$로 표현될 때 점 $\left(2, \dfrac{\pi}{2}, 0\right)$에서 $curl\,\dot{A}$를 구하면?

① $5a_r$

② $5\pi a_\phi$

③ $-5a_\phi$

④ $-5\pi a_\phi$

10 ⬛1️⃣ 2️⃣ 3️⃣

전기 저항에 대한 설명으로 틀린 것은?

① 저항의 단위는 옴[Ω]을 사용한다.

② 저항률(ρ)의 역수를 도전율이라고 한다.

③ 금속선의 저항 R은 길이 l에 반비례한다.

④ 전류가 흐르고 있는 금속선에 있어서 임의 두 점간의 전위차는 전류에 비례한다.

11 1️⃣ 2️⃣ 3️⃣

자계의 벡터 포텐셜을 $\dot{A}$ 라 할 때 자계의 시간적 변화에 의하여 생기는 전계의 세기 $\dot{E}$ 는?

① $\dot{E} = rot\dot{A}$

② $rot\dot{E} = \dot{A}$

③ $\dot{E} = -\dfrac{\partial \dot{A}}{\partial t}$

④ $rot\dot{E} = -\dfrac{\partial \dot{A}}{\partial t}$

12 1️⃣ 2️⃣ 3️⃣

환상철심의 평균 자계의 세기가 $3,000[\mathrm{AT/m}]$이고, 비투자율이 600인 철심 중의 자화의 세기는 약 몇 $[\mathrm{Wb/m^2}]$인가?

① 0.75

② 2.26

③ 4.52

④ 9.04

정답 및 해설

09

원통 좌표계의 회전

$curl\,\dot{A} = \nabla \times \dot{A}$

$$= \frac{1}{r}\begin{vmatrix} a_r & ra_\phi & a_z \\ \dfrac{\partial}{\partial r} & \dfrac{\partial}{\partial \phi} & \dfrac{\partial}{\partial z} \\ A_r & rA_\phi & A_z \end{vmatrix}$$

$$= \left(\frac{1}{r}\frac{\partial A_z}{\partial \phi} - \frac{\partial A_\phi}{\partial z}\right)a_r + \left(\frac{\partial A_r}{\partial z} - \frac{\partial A_z}{\partial r}\right)a_\phi$$
$$+ \frac{1}{r}\left(\frac{\partial(rA_\phi)}{\partial r} - \frac{\partial A_r}{\partial \phi}\right)a_z$$

$$= \frac{1}{r}\frac{\partial}{\partial \phi}5r\sin\phi a_r - \frac{\partial}{\partial r}5r\sin\phi a_\phi$$

$$= 5\cos\phi a_r - 5\sin\phi a_\phi$$

$$= 5\cos 90° a_r - 5\sin 90° a_\phi$$

$$= -5a_\phi$$

10

전기 저항

$R = \dfrac{l}{\sigma S} = \rho\dfrac{l}{S}$ (σ: 도전율, ρ: 고유저항률)

$R \propto l$

11

전계와 벡터 포텐셜의 관계

$\dot{B} = \nabla \times \dot{A}$

$\nabla \times \dot{E} = rot\,\dot{E} = -\dfrac{\partial \dot{B}}{\partial t} = -\dfrac{\partial}{\partial t}(\nabla \times \dot{A}) = -\left(\nabla \times \dfrac{\partial \dot{A}}{\partial t}\right)$

$\dot{E} = -\dfrac{\partial \dot{A}}{\partial t}$

12

자화의 세기

$B = \mu_0 H + J$

$J = B - \mu_0 H = \mu_0\mu_s H - \mu_0 H = \mu_0(\mu_s - 1)H$

$\quad = 4\pi \times 10^{-7} \times (600-1) \times 3,000 = 2.26[\mathrm{Wb/m^2}]$

13

평행판 콘덴서의 극간 전압이 일정한 상태에서 극간에 공기가 있을 때의 흡인력을 F_1, 극판 사이에 극판 간격의 $\frac{2}{3}$ 두께의 유리판($\varepsilon_r = 10$)을 삽입할 때의 흡인력을 F_2라 하면 $\frac{F_2}{F_1}$는?

① 0.6
② 0.8
③ 1.5
④ 2.5

14

전자파의 특성에 대한 설명으로 틀린 것은?

① 전자파의 속도는 주파수와 무관하다.
② 전파 E_x를 고유 임피던스로 나누면 자파 H_y가 된다.
③ 전파 E_x와 자파 H_y의 진동 방향은 진행 방향에 수평인 종파이다.
④ 매질이 도전성을 갖지 않으면 전파 E_x와 자파 H_y는 동위상이 된다.

15

진공 중에서 점 $P(1, 2, 3)$ 및 점 $Q(2, 0, 5)$에 각각 $300[\mu C]$, $-100[\mu C]$인 점전하가 놓여 있을 때 점전하 $-100[\mu C]$에 작용하는 힘은 몇 [N]인가?

① $10i - 20j + 20k$
② $10i + 20j - 20k$
③ $-10i + 20j + 20k$
④ $-10i + 20j - 20k$

16

반지름 $a[m]$의 구 도체에 전하 $Q[C]$가 주어질 때 구 도체 표면에 작용하는 정전응력은 몇 $[N/m^2]$인가?

① $\dfrac{9Q^2}{16\pi^2\varepsilon_0 a^6}$
② $\dfrac{9Q^2}{32\pi^2\varepsilon_0 a^6}$
③ $\dfrac{Q^2}{16\pi^2\varepsilon_0 a^4}$
④ $\dfrac{Q^2}{32\pi^2\varepsilon_0 a^4}$

13

공기 중 콘덴서 정전 용량 $C_1 = \dfrac{\varepsilon_0 S}{d} = C_0$

유전체 삽입 후 정전 용량 C_2

$\varepsilon_1 = 10\varepsilon_0$, $d_1 = \dfrac{2}{3}d$

$C'_1 = \dfrac{10\varepsilon_0 S}{\dfrac{2d}{3}} = 15\dfrac{\varepsilon_0 S}{d} = 15C_0$ (유전체 부분)

$\varepsilon_2 = \varepsilon_0$, $d_2 = \dfrac{1}{3}d$

$C'_2 = \dfrac{\varepsilon_0 S}{\dfrac{d}{3}} = 3\dfrac{\varepsilon_0 S}{d} = 3C_0$ (공기 부분)

$\therefore C_2 = \dfrac{C'_1 C'_2}{C'_1 + C'_2} = \dfrac{15C_0 \times 3C_0}{15C_0 + 3C_0} = 2.5C_0$

전압이 일정할 때 에너지 $W = \dfrac{1}{2}CV^2$에서

$\dfrac{W_2}{W_1} = \dfrac{F_2}{F_1} = \dfrac{C_2}{C_1} = \dfrac{2.5C_0}{C_0} = 2.5$

14

자유공간 전자파의 특성

• 전파 속도 $v = \dfrac{1}{\sqrt{\varepsilon\mu}}$ 이므로 주파수와 무관하며 ε, μ에 의해 결정된다.

• 고유 임피던스 $Z = \dfrac{E}{H} = \sqrt{\dfrac{\mu}{\varepsilon}}$ 이므로 $H = \dfrac{E}{Z}$

• 자유공간에서 전계 E와 자계 H는 동위상으로 진행하며 전파와 자파는 항상 공존하기 때문에 전자파이다.

• 전파와 자파의 진동 방향은 진행 방향에 수직인 방향만 가진다.

• 전파와 자파는 서로 수직인 관계이다.

15

두 점 사이의 거리 $\dot{r} = i - 2j + 2k$

$|\dot{r}| = \sqrt{1^2 + (-2)^2 + 2^2} = 3$

$\dot{F} = 9 \times 10^9 \times \dfrac{Q_1 Q_2}{r^2} \times \dfrac{\dot{r}}{|\dot{r}|}$

$= 9 \times 10^9 \times \dfrac{300 \times 10^{-6} \times (-100) \times 10^{-6}}{3^2} \times \dfrac{i - 2j + 2k}{3}$

$= -10i + 20j - 20k[N]$

16

단위 면적당 정전응력

$f = \dfrac{1}{2}\varepsilon_0 E^2 = \dfrac{1}{2}\varepsilon_0\left(\dfrac{Q}{4\pi\varepsilon_0 a^2}\right)^2 = \dfrac{Q^2}{32\pi^2\varepsilon_0 a^4}[N/m^2]$

13 ④   14 ③   15 ④   16 ④

2019년 전기기사 필기 3회 **473**

17 ① ② ③

정전 용량이 각각 C_1, C_2, 그 사이의 상호 유도계수가 M인 절연된 두 도체가 있다. 두 도체를 가는 선으로 연결할 경우, 정전 용량은 어떻게 표현되는가?

① $C_1 + C_2 - M$ ② $C_1 + C_2 + M$

③ $C_1 + C_2 + 2M$ ④ $2C_1 + 2C_2 + M$

18 ① ② ③

길이 $l[\mathrm{m}]$인 동축 원통 도체의 내외 원통에 각각 $+\lambda$, $-\lambda[\mathrm{C/m}]$의 전하가 분포되어 있다. 내외 원통 사이에 유전율 ε인 유전체가 채워져 있을 때, 전계의 세기$[\mathrm{V/m}]$는?(단, V는 내외 원통 간의 전위차, D는 전속 밀도이고, a, b는 내외 원통의 반지름이며, 원통 중심에서의 거리 r은 $a < r < b$인 경우이다.)

① $\dfrac{V}{r \cdot \ln \dfrac{b}{a}}$ ② $\dfrac{V}{\varepsilon \cdot \ln \dfrac{b}{a}}$

③ $\dfrac{D}{r \cdot \ln \dfrac{b}{a}}$ ④ $\dfrac{D}{\varepsilon \cdot \ln \dfrac{b}{a}}$

19 ① ② ③

정전 용량이 $1[\mu\mathrm{F}]$이고 판의 간격이 d인 공기 콘덴서가 있다. 두께 $\dfrac{1}{2}d$, 비유전율 $\varepsilon_r = 2$인 유전체를 그 콘덴서의 한 전극면에 접촉하여 넣었을 때 전체의 정전 용량$[\mu\mathrm{F}]$은?

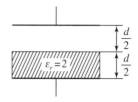

① 2 ② $\dfrac{1}{2}$

③ $\dfrac{4}{3}$ ④ $\dfrac{5}{3}$

20 ① ② ③

변위 전류와 가장 관계가 깊은 것은?

① 도체 ② 반도체

③ 유전체 ④ 자성체

정답 및 해설

17

$Q_1 = C_{11} V_1 + C_{12} V_2$

$Q_2 = C_{21} V_1 + C_{22} V_2$

자체 용량계수: $C_{11} = C_1$, $C_{22} = C_2$

유도계수: $C_{12} = C_{21} = M$

$V_1 = V_2 = V (\because$ 가는 선 연결(병렬))

$Q_1 = C_1 V + MV = (C_1 + M) V$

$Q_2 = MV + C_2 V = (C_2 + M) V$

$C = \dfrac{Q_1 + Q_2}{V} = \dfrac{(C_1 + M) V + (C_2 + M) V}{V} = C_1 + C_2 + 2M$

18

동축 원통 도체의 전계 $E = \dfrac{\lambda}{2\pi\varepsilon r} [\mathrm{V/m}]$에서 $\dfrac{\lambda}{2\pi\varepsilon} = rE$

전위 $V = \dfrac{\lambda}{2\pi\varepsilon} \ln \dfrac{b}{a} (a < r < b)$

$V = rE \ln \dfrac{b}{a}$ $\therefore E = \dfrac{V}{r \ln \dfrac{b}{a}} [\mathrm{V/m}]$

19

$C_0 = \dfrac{\varepsilon_0 S}{d} = 1[\mu\mathrm{F}]$ (전체 공기일 때)

$C_1 = \dfrac{\varepsilon_0 S}{\dfrac{d}{2}} = 2 \times \dfrac{\varepsilon_0 S}{d} = 2C_0 (\dfrac{d}{2}$ 만큼 공기)

$C_2 = \dfrac{2\varepsilon_0 S}{\dfrac{d}{2}} = 4 \times \dfrac{\varepsilon_0 S}{d} = 4C_0 (\dfrac{d}{2}$ 만큼 유전체)

$\therefore C = \dfrac{C_1 C_2}{C_1 + C_2} = \dfrac{2C_0 \times 4C_0}{2C_0 + 4C_0} = \dfrac{8}{6} C_0 = \dfrac{4}{3} C_0 [\mu\mathrm{F}]$

20

변위 전류

변위 전류는 유전체에 흐르는 전류이다.

전력공학

1회독	월	일	
2회독	월	일	
3회독	월	일	자동채점

21 1 2 3

역률 $80[\%]$, $500[kVA]$의 부하 설비에 $100[kVA]$의 진상용 콘덴서를 설치하여 역률을 개선하면 수전점에서의 부하는 약 몇 $[kVA]$가 되는가?

① 400 ② 425
③ 450 ④ 475

22 1 2 3

가공 지선에 대한 설명 중 틀린 것은?

① 유도뢰 서지에 대하여도 그 가설 구간 전체에 사고 방지의 효과가 있다.
② 직격뢰에 대하여 특히 유효하며 탑 상부에 시설하므로 뇌는 주로 가공 지선에 내습한다.
③ 송전선의 1선 지락 시 지락 전류의 일부가 가공 지선에 흘러 차폐 작용을 하므로 전자 유도 장해를 적게 할 수 있다.
④ 가공 지선 때문에 송전 선로의 대지 정전 용량이 감소하므로 대지 사이에 방전할 때 유도 전압이 특히 커서 차폐 효과가 좋다.

23 1 2 3

부하 전류의 차단에 사용되지 않는 것은?

① DS ② ACB
③ OCB ④ VCB

24 1 2 3

플리커 경감을 위한 전력 공급 측의 방안이 아닌 것은?

① 공급 전압을 낮춘다.
② 전용 변압기로 공급한다.
③ 단독 공급 계통을 구성한다.
④ 단락 용량이 큰 계통에서 공급한다.

21

$500[kVA]$, 역률 $80[\%]$ 부하 설비에 대한 유효 전력 및 무효 전력을 구하면
$P = P_a \cos\theta = 500 \times 0.8 = 400[kW]$
$Q = P_a \sin\theta = 500 \times 0.6 = 300[kVar]$
따라서 진상용 콘덴서 설치 후의 부하(피상 전력)
$P_a = \sqrt{400^2 + (300-100)^2} = 447.2[kVA]$

22

가공 지선
• 직격뢰 차폐
• 유도뢰 차폐
• 통신선의 전자 유도 장해 경감

23

단로기(DS)
내부에 소호 장치가 없으므로 무부하 시에 계통을 분리하는 역할을 한다.(부하 전류 및 고장 전류는 차단 불가)
ACB(기중 차단기), OCB(유입 차단기), VCB(진공 차단기)는 모두 부하 전류 개폐 및 고장 전류 차단이 가능하다.

24

플리커 경감을 위한 공급자 측의 대책
• 계통의 전압을 승압한다.
• 플리커 발생 부하에 대해 전용 변압기로 공급한다.
• 계통을 각각 개별적으로 단독 공급한다.
• 단락 용량이 큰 계통에서 전력을 공급한다.

플리커 경감을 위한 수용가 측의 대책
• 전원 계통의 리액터분을 보상
• 전압 강하 보상
• 부하의 무효 전력 변동분을 흡수
• 플리커 부하 전류의 변동분 억제

정답 21 ③ 22 ④ 23 ① 24 ①

25 ① ② ③

3상 무부하 발전기의 1선 지락 고장 시에 흐르는 지락 전류는?(단, E는 접지된 상의 무부하 기전력이고 Z_0, Z_1, Z_2는 발전기의 영상, 정상, 역상 임피던스이다.)

① $\dfrac{E}{Z_0 + Z_1 + Z_2}$

② $\dfrac{\sqrt{3}\,E}{Z_0 + Z_1 + Z_2}$

③ $\dfrac{3E}{Z_0 + Z_1 + Z_2}$

④ $\dfrac{E^2}{Z_0 + Z_1 + Z_2}$

26 ① ② ③

수력 발전소의 분류 중 낙차를 얻는 방법에 의한 분류 방법이 아닌 것은?

① 댐식 발전소
② 수로식 발전소
③ 양수식 발전소
④ 유역 변경식 발전소

27 ① ② ③

변성기의 정격 부담을 표시하는 단위는?

① [W]
② [S]
③ [dyne]
④ [VA]

28 ① ② ③

원자로에서 중성자가 원자로 외부로 유출되어 인체에 위험을 주는 것을 방지하고 방열의 효과를 주기 위한 것은?

① 제어재
② 차폐재
③ 반사체
④ 구조재

정답 및 해설

25

1선 지락 시 영상 전류는

$$I_0 = \frac{E}{Z_0 + Z_1 + Z_2}\,[\text{A}]$$

따라서 지락 전류는

$$I_g = 3I_0 = \frac{3E}{Z_0 + Z_1 + Z_2}\,[\text{A}]$$

26

낙차를 얻는 방법에 의한 수력 발전소의 종류
• 댐식 발전소
• 수로식 발전소
• 댐수로식 발전소
• 유역 변경식 발전소

[암기 포인트]
유량의 확보 방법에 의한 수력 발전소의 종류
• 저수지식
• 조정지식
• 양수식
• 조력식

27

변성기의 정격 부담이란 변류기(CT)나 계기용 변압기(PT)의 2차 회로에 걸 수 있는 부하 용량의 한도로, [VA]의 단위를 사용한다.

28

차폐재
원자로에서 중성자가 원자로 외부로 유출되어 인체에 위험을 주는 것을 방지하고 방열의 효과를 주기 위한 원자력 발전소의 최외곽 보호벽으로, 두꺼운 철근 콘크리트로 되어 있다.

29

연가에 의한 효과가 아닌 것은?

① 직렬 공진의 방지
② 대지 정전 용량의 감소
③ 통신선의 유도 장해 감소
④ 선로 정수의 평형

30

각 전력 계통을 연계선으로 상호 연결하였을 때 장점으로 틀린 것은?

① 건설비 및 운전 경비를 절감하므로 경제급전이 용이하다.
② 주파수의 변화가 작아진다.
③ 각 전력 계통의 신뢰도가 증가된다.
④ 선로 임피던스가 증가되어 단락 전류가 감소된다.

31

전압 요소가 필요한 계전기가 아닌 것은?

① 주파수 계전기
② 동기탈조 계전기
③ 지락 과전류 계전기
④ 방향성 지락 과전류 계전기

32

수력 발전 설비에서 흡출관을 사용하는 목적으로 옳은 것은?

① 압력을 줄이기 위하여
② 유효 낙차를 늘리기 위하여
③ 속도 변동률을 적게 하기 위하여
④ 물의 유선을 일정하게 하기 위하여

29
연가 효과
• 선로 정수의 평형
• 직렬 공진에 의한 이상 전압 억제
• 통신선의 유도 장해 감소

30
전력 계통을 연계할 경우의 장·단점
• 건설비 및 운전 경비를 절감하므로 경제급전이 용이하다.
• 계통 간에 전력의 융통이 가능하여 주파수의 변화가 작아진다.
• 각 전력 계통의 공급 신뢰도가 증가된다.
• 전체적인 계통의 임피던스가 감소되어 단락 전류가 증대된다.

31
지락 과전류 계전기(OCGR)
지락 사고 시 지락 전류에 의해서만 동작하므로 전류 요소인 영상 전류 (지락 전류)가 필요하다.

32
흡출관
비교적 유효 낙차가 낮은 수력 발전소(반동수차)에서 수차 하단에 설치한 관으로서 가능한 한 유효 낙차를 높이기 위한 목적으로 설치한다.

33

인터록(Interlock)의 기능에 대한 설명으로 옳은 것은?

① 조작자의 의중에 따라 개폐되어야 한다.
② 차단기가 열려 있어야 단로기를 닫을 수 있다.
③ 차단기가 닫혀 있어야 단로기를 닫을 수 있다.
④ 차단기와 단로기를 별도로 닫고, 열 수 있어야 한다.

34

같은 선로와 같은 부하에서 교류 단상 3선식은 단상 2선식에 비하여 전압 강하와 배전 효율이 어떻게 되는가?

① 전압 강하는 적고, 배전 효율은 높다.
② 전압 강하는 크고, 배전 효율은 낮다.
③ 전압 강하는 적고, 배전 효율은 낮다.
④ 전압 강하는 크고, 배전 효율은 높다.

35

전력 원선도에서는 알 수 없는 것은?

① 송수전할 수 있는 최대 전력
② 선로 손실
③ 수전단 역률
④ 코로나손

36

가공선 계통은 지중선 계통보다 인덕턴스 및 정전 용량이 어떠한가?

① 인덕턴스, 정전 용량이 모두 작다.
② 인덕턴스, 정전 용량이 모두 크다.
③ 인덕턴스는 크고, 정전 용량은 작다.
④ 인덕턴스는 작고, 정전 용량은 크다.

정답 및 해설

33
차단기-단로기의 상호 연동 인터록 기능
차단기를 먼저 조작하여 차단기가 열려 있는 상태에서만 단로기를 열거나 닫을 수 있도록 한 안전 기능

34
단상 3선식은 단상 2선식에 비해 배전 선로에 흐르는 전류가 적으므로 선로의 전압 강하가 적어지고 이에 따라 배전 선로의 효율이 좋아진다.

35
전력 원선도에서 알 수 있는 사항
• 송전과 수전할 수 있는 최대 전력
• 전력 손실

• 수전단 역률
• 필요한 조상설비 용량

전력 원선도에서 알 수 없는 사항
• 코로나 손실
• 과도 안정 극한 전력
• 송전단 역률

36
가공선 계통은 지중선 계통보다 전선 간의 이격 거리(D)가 크다. 따라서

인덕턴스 $L = 0.05 + 0.4605 \log_{10} \dfrac{D}{r}$ [mH/km]는 크고

정전 용량 $C = \dfrac{0.02413}{\log_{10} \dfrac{D}{r}}$ [μF/km]는 작다.

37

송전선의 특성 임피던스는 저항과 누설 컨덕턴스를 무시하면 어떻게 표현되는가?(단, L은 선로의 인덕턴스, C는 선로의 정전 용량이다.)

① $\sqrt{\dfrac{L}{C}}$

② $\sqrt{\dfrac{C}{L}}$

③ $\dfrac{L}{C}$

④ $\dfrac{C}{L}$

38

다음 중 송전 선로의 코로나 임계 전압이 높아지는 경우가 아닌 것은?

① 날씨가 맑다.
② 기압이 높다.
③ 상대 공기 밀도가 낮다.
④ 전선의 반지름과 선간 거리가 크다.

39

어느 수용가의 부하 설비는 전등 설비가 $500[\text{W}]$, 전열 설비가 $600[\text{W}]$, 전동기 설비가 $400[\text{W}]$, 기타설비가 $100[\text{W}]$이다. 이 수용가의 최대 수용 전력이 $1,200[\text{W}]$이면 수용률은 몇 $[\%]$인가?

① 55

② 65

③ 75

④ 85

40

케이블의 전력 손실과 관계가 없는 것은?

① 철손

② 유전체손

③ 시스손

④ 도체의 저항손

37

특성 임피던스

$$Z_0 = \sqrt{\dfrac{Z}{Y}} = \sqrt{\dfrac{R+j\omega L}{G+j\omega C}} \fallingdotseq \sqrt{\dfrac{L}{C}}\ [\Omega]$$

38

코로나 임계 전압

$$E_0 = 24.3 m_0 m_1 \delta d \log_{10} \dfrac{D}{r}[\text{kV}]$$

(여기서, m_0: 전선 표면 계수, m_1: 날씨 계수,

δ: 상대 공기 밀도 $\propto \dfrac{\text{기압}}{\text{기온}}$, d: 전선의 직경, D: 선간 거리)

상대 공기 밀도와 임계 전압은 비례하므로 공기 밀도가 높아야 임계 전압이 높아진다. 공기 밀도가 낮으면 그만큼 공기의 절연성이 떨어지므로 공기의 코로나 방전은 쉽게 발생한다.

39

$$\text{수용률} = \dfrac{\text{최대 수용 전력}}{\text{설비 용량}} \times 100[\%]$$

$$= \dfrac{1,200}{500+600+400+100} \times 100 = 75[\%]$$

40

케이블은 그 주요 구성 요소가 도체 및 절연체(유전체), 시스층으로 이루어져 있어 다음과 같은 전력 손실이 발생한다.

• 도체의 저항손
• 유전체손
• 시스손

41 1 2 3

동기 발전기의 돌발 단락 시 발생되는 현상으로 틀린 것은?

① 큰 과도 전류가 흘러 권선 소손
② 단락 전류는 전기자 저항으로 제한
③ 코일 상호 간 큰 전자력에 의한 코일 파손
④ 큰 단락 전류 후 점차 감소하여 지속 단락 전류 유지

빈출
42 1 2 3

SCR의 특징으로 틀린 것은?

① 과전압에 약하다.
② 열용량이 적어 고온에 약하다.
③ 전류가 흐르고 있을 때의 양극 전압 강하가 크다.
④ 게이트에 신호를 인가할 때부터 도통할 때까지의 시간이 짧다.

43 1 2 3

터빈 발전기의 냉각을 수소 냉각 방식으로 하는 이유로 틀린 것은?

① 풍손이 공기 냉각 시의 약 1/10로 줄어든다.
② 열전도율이 좋고 가스 냉각기의 크기가 작아진다.
③ 절연물의 산화 작용이 없으므로 절연 열화가 작아서 수명이 길다.
④ 반폐형으로 하기 때문에 이물질의 침입이 없고 소음이 감소한다.

44 1 2 3

단상 유도 전동기의 특징을 설명한 것으로 옳은 것은?

① 기동 토크가 없으므로 기동 장치가 필요하다.
② 기계손이 있어도 무부하 속도는 동기 속도보다 크다.
③ 권선형은 비례 추이가 불가능하며, 최대 토크는 불변이다.
④ 슬립은 $0 > s > -1$ 이고, 2보다 작고 0이 되기 전에 토크가 0이 된다.

정답 및 해설

41

동기 발전기의 돌발 단락 전류(순간 단락 전류)는

$I_s = \dfrac{E}{X_l}$[A](단, E: 상전압[V], X_l: 누설 리액턴스[Ω])

이며, 단락 사고 시 처음에는 전기자 반작용이 나타나지 않으므로 누설 리액턴스만 작용하여 매우 큰 전류가 흐르고 이후 동기 리액턴스에 의해 점차 단락 전류가 감소하는 특성이 있다.

42

SCR의 특징
• 아크가 생기지 않으므로 열 발생이 적다.
• 대전류용이고 동작 시간이 짧다.
• 작은 게이트 신호로 대전력을 제어한다.
• 교류, 직류 모두 제어할 수 있다.
• 역방향 내전압이 가장 크다.
• 과전압에 약하다.
• 전류가 흐를 때의 양극 전압 강하가 작다.

43

수소 냉각 방식은 수소 가스가 외부로 누설되는 것을 방지하기 위해 완전 밀폐 구조(전폐형)이어야 한다.

44

단상 유도 전동기의 특징
• 인가 전원이 단상이므로 회전 자계가 없다.(교번 자계에 의해 회전)
• 회전 자계가 없으므로 자기 기동하지 못한다.(별도 기동 장치 필요)
• 슬립이 0이 되기 전에 토크가 0이 된다.
• 최대 토크는 2차 저항, 슬립과 무관하므로 비례 추이할 수 없다.
• 2차 저항이 어느 정도의 값 이상이면 토크는 부(−)가 된다.

45 [1] [2] [3]

몰드변압기의 특징으로 틀린 것은?

① 자기 소화성이 우수하다.
② 소형 경량화가 가능하다.
③ 건식변압기에 비해 소음이 적다.
④ 유입변압기에 비해 절연레벨이 낮다.

46 [1] [2] [3]

유도 전동기의 회전 속도를 $N[\text{rpm}]$, 동기 속도를 $N_s[\text{rpm}]$이라 하고 순방향 회전 자계의 슬립을 s라 하면, 역방향 회전 자계에 대한 회전자 슬립은?

① $s-1$　　　② $1-s$
③ $s-2$　　　④ $2-s$

47 [1] [2] [3]

직류 발전기에 직결한 3상 유도 전동기가 있다. 발전기의 부하 $100[\text{kW}]$, 효율 $90[\%]$이며 전동기 단자전압 $3,300[\text{V}]$, 효율 $90[\%]$, 역률 $90[\%]$이다. 전동기에 흘러들어가는 전류는 약 몇 $[\text{A}]$인가?

① 2.4　　　② 4.8
③ 19　　　④ 24

48 [1] [2] [3]

유도 발전기의 동작 특성에 관한 설명 중 틀린 것은?

① 병렬로 접속된 동기 발전기에서 여자를 취해야 한다.
② 효율과 역률이 낮으며 소출력의 자동 수력 발전기와 같은 용도에 사용된다.
③ 유도 발전기의 주파수를 증가하려면 회전 속도를 동기 속도 이상으로 회전시켜야 한다.
④ 선로에 단락이 생긴 경우에는 여자가 상실되므로 단락 전류는 동기 발전기에 비해 적고 지속 시간도 짧다.

45

몰드변압기는 절연물이 절연유가 아닌 에폭시 수지를 사용한 건식변압기이며, 소형, 경량, 점검 및 보수가 간편하다.
- 장점
  - 난연성, 절연 신뢰성
  - 내진, 내습성에 좋음
  - 소형, 경량
  - 저전력 손실
  - 단시간 과부하에 좋음
  - 반입, 반출이 용이
- 단점
  - 가격이 고가
  - 자기발열에 의한 절연물 크랙의 요인이 있음
  - 내전압 성능이 낮으므로 VCB와 같은 고속도 차단기와 조합할 경우 서지흡수기(Surge Absorber)를 채용해야 함(유입식 변압기는 내전압 성능이 우수하여 서지흡수기가 필요하지 않음)

46

순방향 회전 자계 슬립 s

$$s = \frac{N_s - N}{N_s} = 1 - \frac{N}{N_s} \rightarrow \frac{N}{N_s} = 1 - s$$

역방향 회전 자계 슬립

$$s' = \frac{N_s - (-N)}{N_s} = 1 + \frac{N}{N_s} = 1 + (1-s) = 2 - s$$

[암기 포인트]
- 유도 전동기: $0 < s < 1$
- 유도 제동기: $1 < s < 2$
- 유도 발전기: $s < 0$
- 역방향 회전 자계에 대한 회전자 슬립: $2-s$

47

- 발전기 입력
$$P_i = \frac{P_0}{\eta} = \frac{100 \times 10^3}{0.9}[\text{W}]$$

- 전동기 출력
$$P = P_i = \sqrt{3}\, VI\cos\theta \times \eta\,[\text{W}]$$

- 전동기 전류
$$I = \frac{P}{\sqrt{3}\, V\cos\theta\, \eta} = \frac{\dfrac{100 \times 10^3}{0.9}}{\sqrt{3} \times 3,300 \times 0.9 \times 0.9} = 24[\text{A}]$$

48

유도 발전기
- 구조가 간단해 가격이 싸다.
- 고장이 적다.
- 난조 현상이 없고 동기화가 필요 없다.
- 공극 치수가 적어 운전 시 주의해야 한다.
- 효율과 역률은 나쁘다.
주파수와 회전 속도는 관계가 없다.

49 1 2 3

단상 변압기를 병렬 운전하는 경우 각 변압기의 부하 분담이 변압기의 용량에 비례하려면 각각의 변압기의 %임피던스는 어느 것에 해당되는가?

① 어떠한 값이라도 좋다.
② 변압기 용량에 비례하여야 한다.
③ 변압기 용량에 반비례하여야 한다.
④ 변압기 용량에 관계없이 같아야 한다.

50 1 2 3

그림은 여러 직류 전동기의 속도 특성 곡선을 나타낸 것이다. 1부터 4까지 차례로 옳은 것은?

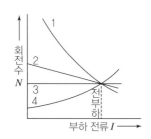

① 차동 복권, 분권, 가동 복권, 직권
② 직권, 가동 복권, 분권, 차동 복권
③ 가동 복권, 차동 복권, 직권, 분권
④ 분권, 직권, 가동 복권, 차동 복권

51 1 2 3

전력 변환 기기로 틀린 것은?

① 컨버터
② 정류기
③ 인버터
④ 유도 전동기

52 1 2 3

농형 유도 전동기에 주로 사용되는 속도 제어법은?

① 극수 변환법
② 종속 접속법
③ 2차 저항 제어법
④ 1차 여자 제어법

정답 및 해설

49
변압기의 병렬 운전 시 부하 분담
• 분담 용량

$$\frac{P_a}{P_b} = \frac{P_A}{P_B} \times \frac{\%Z_b}{\%Z_a}$$

(분담 용량은 용량에 비례, %임피던스에 반비례)

50

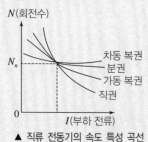

▲ 직류 전동기의 속도 특성 곡선

51
전력 변환기의 종류

사이클로 컨버터
교류 — 컨버터 — 직류 — 인버터 — 교류
직류 — 초퍼 — 직류

• 컨버터(정류기): 교류(AC)를 직류(DC)로 변환하는 장치
• 인버터: 직류(DC)를 교류(AC)로 변환하는 장치
• 초퍼: 직류(DC)를 직류(DC)로 직접 제어하는 장치
• 사이클로 컨버터: 교류(AC)를 교류(AC)로 주파수 변환하는 장치

52
농형 유도 전동기의 속도 제어법

• $N = \dfrac{120f}{p}$ [rpm]
• 주파수 변환법: 인버터로서 교류 입력 주파수를 변환시켜 회전수를 제어하는 방법
• 극수 변환법: 연속적인 속도 제어가 아닌, 승강기와 같은 단계적인 속도 제어에 사용
• 전압 제어법: 유도 전동기의 토크가 전압의 제곱에 비례하는 특성을 이용한 것

정답 49 ③ 50 ② 51 ④ 52 ①

53 ① ② ③

정격 전압 $100[V]$, 정격 전류 $50[A]$인 분권 발전기의 유기 기전력은 몇 $[V]$인가?(단, 전기자 저항 $0.2[\Omega]$, 계자 전류 및 전기자 반작용은 무시한다.)

① 110
② 120
③ 125
④ 127.5

54 ① ② ③

그림과 같은 변압기 회로에서 부하 R_2에 공급되는 전력이 최대가 되는 변압기의 권수비 a는?

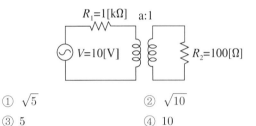

① $\sqrt{5}$
② $\sqrt{10}$
③ 5
④ 10

55 ① ② ③

변압기의 백분율 저항 강하가 $3[\%]$, 백분율 리액턴스 강하가 $4[\%]$일 때 뒤진 역률 $80[\%]$인 경우의 전압 변동률$[\%]$은?

① 2.5
② 3.4
③ 4.8
④ −3.6

56 ① ② ③

정류자형 주파수 변환기의 회전자에 주파수 f_1의 교류를 가할 때 시계 방향으로 회전 자계가 발생하였다. 정류자 위의 브러시 사이에 나타나는 주파수 f_c를 설명한 것 중 틀린 것은?(단, n: 회전자의 속도, n_s: 회전 자계의 속도, s: 슬립이다.)

① 회전자를 정지시키면 $f_c = f_1$인 주파수가 된다.
② 회전자를 반시계 방향으로 $n = n_s$의 속도로 회전시키면 $f_c = 0[Hz]$가 된다.
③ 회전자를 반시계 방향으로 $n < n_s$의 속도로 회전시키면 $f_c = sf_1[Hz]$가 된다.
④ 회전자를 시계 방향으로 $n < n_s$의 속도로 회전시키면 $f_c < f_1$인 주파수가 된다.

53

유기 기전력

$E = V + I_a R_a = 100 + 50 \times 0.2 = 110[V]$

54

공급 전력이 최대가 되는 조건

$R_1 = R_2{'} = a^2 R_2$ $\therefore a = \sqrt{\dfrac{R_1}{R_2}} = \sqrt{\dfrac{1,000}{100}} = \sqrt{10}$

55

전압 변동률
• $\delta = p\cos\theta + q\sin\theta[\%]$(지상 역률일 경우)
• $\delta = p\cos\theta - q\sin\theta[\%]$(진상 역률일 경우)
주어진 조건이 지상(뒤진) 역률이므로 전압 변동률은 아래와 같다.
$\delta = p\cos\theta + q\sin\theta = 3 \times 0.8 + 4 \times 0.6$
$\quad = 4.8[\%]$

56

정류자형 주파수 변환기의 전기자 권선에 슬립 링(SR)을 통해 주파수 f_1의 교류 전압을 인가하고 회전자를 시계 방향으로 $n < n_s$의 속도로 회전시키면, 정류자 위의 브러시 사이에 발생하는 주파수 $f_c = sf_1$이 된다.

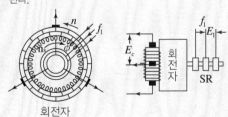

회전자

57 ▯ 1 ▮ 2 ▮ 3

동기 발전기의 3상 단락 곡선에서 단락 전류가 계자 전류에 비례하여 거의 직선이 되는 이유로 가장 옳은 것은?

① 무부하 상태이므로
② 전기자 반작용으로
③ 자기 포화가 있으므로
④ 누설 리액턴스가 크므로

58 ▯ 1 ▮ 2 ▮ 3

1차 전압 V_1, 2차 전압 V_2인 단권 변압기를 Y 결선했을 때, 등가 용량과 부하 용량의 비는?(단, $V_1 > V_2$이다.)

① $\dfrac{V_1 - V_2}{\sqrt{3}\, V_1}$

② $\dfrac{V_1 - V_2}{V_1}$

③ $\dfrac{V_1^2 - V_2^2}{\sqrt{3}\, V_1 V_2}$

④ $\dfrac{\sqrt{3}\,(V_1 - V_2)}{2 V_1}$

변압기의 보호에 사용되지 않는 것은?

① 온도 계전기
② 과전류 계전기
③ 임피던스 계전기
④ 비율 차동 계전기

정답 및 해설

57

무부하 포화 곡선과 3상 단락 곡선

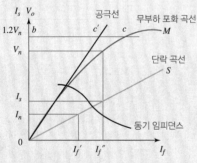

동기 임피던스 $Z_s[\Omega]$

$Z_s = R_a + jX_s[\Omega]$

R_a: 전기자 저항$[\Omega]$

X_s: 동기 리액턴스$(X_s = X_l + X_a)[\Omega]$

X_l: 누설 리액턴스$[\Omega]$

X_a: 전기자 반작용 리액턴스$[\Omega]$

단락 전류 $I_s = \dfrac{E}{Z_s} \fallingdotseq \dfrac{E}{X_s} = \dfrac{E}{X_l + X_a}[A]$

3상 동기 발전기가 단락 상태가 되면 전기자 저항보다 전기자 리액턴스가 크다. 이에 위상이 90° 뒤진 전류가 발생해 전기자 반작용으로 감자 작용이 발생한다. 감자 작용으로 공극에 자속이 포화되지 못하고 계속 소모되면서 누설되므로 포화되지 않아 직선 특성을 갖게 된다.

58

3상 단권 변압기의 자기 용량과 부하 용량의 비

• Y 결선

$$\dfrac{\text{자기 용량}}{\text{부하 용량}} = \dfrac{V_1 - V_2}{V_1}$$

• Δ 결선

$$\dfrac{\text{자기 용량}}{\text{부하 용량}} = \dfrac{V_1^2 - V_2^2}{\sqrt{3}\, V_1 V_2}$$

• V 결선

$$\dfrac{\text{자기 용량}}{\text{부하 용량}} = \dfrac{2(V_1 - V_2)}{\sqrt{3}\, V_1}$$

59

변압기 보호 장치

• 비율 차동 계전기(PDR)
• 과전류 계전기(OCR)
• 부흐홀츠 계전기, 충격 압력 계전기
• 유면계, 방압 장치, 온도 계전기

60 ① ② ③

E를 전압, r을 1차로 환산한 저항, x를 1차로 환산한 리액턴스라고 할 때 유도 전동기의 원선도에서 원의 지름을 나타내는 것은?

① $E \cdot r$

② $E \cdot x$

③ $\dfrac{E}{x}$

④ $\dfrac{E}{r}$

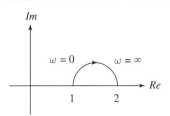

61 ① ② ③

그림의 벡터 궤적을 갖는 계의 주파수 전달 함수는?

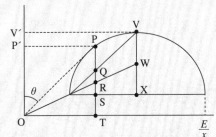

Im

$\omega = 0$ → $\omega = \infty$

1   2   *Re*

① $\dfrac{1}{j\omega + 1}$

② $\dfrac{1}{j2\omega + 1}$

③ $\dfrac{j\omega + 1}{j2\omega + 1}$

④ $\dfrac{j2\omega + 1}{j\omega + 1}$

62 ① ② ③

근궤적에 관한 설명으로 틀린 것은?

① 근궤적은 실수축에 대하여 상하 대칭으로 나타난다.

② 근궤적의 출발점은 극점이고 근궤적의 도착점은 영점이다.

③ 근궤적의 가지 수는 극점의 수와 영점의 수 중에서 큰 수와 같다.

④ 근궤적이 s 평면의 우반면에 위치하는 K의 범위는 시스템이 안정하기 위한 조건이다.

60

- 원선도의 정의
  - 유도 전동기에 대한 시험의 결과를 평면상에 그림으로 나타내어 여러 가지 전동기의 특성을 파악할 수 있다.
  - 원선도의 예

[원선도 그림: V', P', V, P, Q, W, R, X, S, θ, O, T, $\dfrac{E}{x}$]

- 원선도의 특성
  - 원선도의 지름: $\dfrac{E}{x}$ 에 비례
  - 역률: $\cos\theta = \dfrac{\overline{OP'}}{\overline{OP}}$

61

위상각이 (+)이므로 분자가 분모보다 커야 한다.

$\dfrac{j2\omega + 1}{j\omega + 1}$ 에서

- $\omega = 0 : G(j\omega) = 1$

- $\omega = \infty : G(j\omega) = \dfrac{j2 + \dfrac{1}{\omega}}{j + \dfrac{1}{\omega}} = 2$

[암기 포인트]
이와 같은 문제는 보기에 값을 대입하여 구하는 것이 좋다.

62

근궤적의 성질
- 근궤적의 출발점($K=0$): $G(s)H(s)$의 극점으로부터 출발한다.
- 근궤적의 종착점($K=\infty$): $G(s)H(s)$의 영점에서 끝난다.
- 근궤적은 항상 실수축에 대해 대칭이다.
- 근궤적의 개수는 영점(Z) 수와 극점(P) 수 중 큰 것과 일치한다.

63 ⬛⬛⬛

제어 시스템에서 출력이 얼마나 목표값을 잘 추종하는지를 알아볼 때, 시험용으로 많이 사용하는 신호로 다음 식의 조건을 만족하는 것은?

$$u(t-a) = \begin{cases} 0\,(t < a) \\ 1\,(t \geq a) \end{cases}$$

① 사인 함수   ② 임펄스 함수

③ 램프 함수   ④ 단위 계단 함수

64 ⬛⬛⬛

특성 방정식 $s^2 + Ks + 2K - 1 = 0$인 계가 안정하기 위한 K의 범위는?

① $K > 0$ ② $K > \dfrac{1}{2}$

③ $K < \dfrac{1}{2}$ ④ $0 < K < \dfrac{1}{2}$

65 ⬛⬛⬛

상태 공간 표현식 $\begin{cases} \dot{x} = Ax + Bu \\ y = Cx \end{cases}$ 로 표현되는 선형 시스템에서

$A = \begin{bmatrix} 0 & 1 & 0 \\ 0 & 0 & 1 \\ -2 & -9 & -8 \end{bmatrix}$, $B = \begin{bmatrix} 0 \\ 0 \\ 5 \end{bmatrix}$, $C = [\,1\ 0\ 0\,]$, $D = 0$, $x = \begin{bmatrix} x_1 \\ x_2 \\ x_3 \end{bmatrix}$

이면 시스템 전달 함수 $\dfrac{Y(s)}{U(s)}$는?

① $\dfrac{1}{s^3 + 8s^2 + 9s + 2}$

② $\dfrac{1}{s^3 + 2s^2 + 9s + 8}$

③ $\dfrac{5}{s^3 + 8s^2 + 9s + 2}$

④ $\dfrac{5}{s^3 + 2s^2 + 9s + 8}$

정답 및 해설

63

문제에 주어진 $u(t-a)$는 시간이 a만큼 지연 된 단위 계단 함수를 말한다.

64

주어진 특성 방정식을 루드표로 작성하면 다음과 같다.

차수	제1열	제2열
s^2	1	$2K-1$
s^1	K	0
s^0	$\dfrac{K \times (2K-1) - 1 \times 0}{K} = 2K-1$	0

제어계가 안정하려면 루드표의 제1열의 부호 변화가 없어야 한다.

$K > 0$, $2K - 1 > 0 \rightarrow K > \dfrac{1}{2}$

$\therefore K > \dfrac{1}{2}$

65

보기 ③의 전달 함수로부터 미분 방정식을 구한다.

$\dfrac{Y(s)}{U(s)} = \dfrac{5}{s^3 + 8s^2 + 9s + 2}$

$\Rightarrow s^3 Y(s) + 8s^2 Y(s) + 9s Y(s) + 2Y(s) = 5U(s)$

$\therefore \dfrac{d^3}{dt^3} y(t) + 8 \dfrac{d^2}{dt^2} y(t) + 9 \dfrac{d}{dt} y(t) + 2y(t) = 5u(t)$

위 미분 방정식으로부터 보조 행렬식 A 및 B를 구한다.

• 상태 방정식의 계수 행렬 특성은 3차 방정식인 경우 1행 및 2행 요소는 $\begin{bmatrix} 0 & 1 & 0 \\ 0 & 0 & 1 \end{bmatrix}$로 불변이다.

단지, 3행 요소가 $2 \rightarrow -2$로, $9 \rightarrow -9$로, $8 \rightarrow -8$로 변경된다.
즉, 계수 행렬 A는 다음과 같다.

$A = \begin{bmatrix} 0 & 1 & 0 \\ 0 & 0 & 1 \\ -2 & -9 & -8 \end{bmatrix}$

• 또한 보조 행렬 B는 3차 방정식인 경우 1행 및 2행 요소는 $\begin{bmatrix} 0 \\ 0 \end{bmatrix}$으로 불변이다. 단지, 3행 요소가 u 앞의 계수 5가 된다.
즉, 보조 행렬 B는 다음과 같다.

$B = \begin{bmatrix} 0 \\ 0 \\ 5 \end{bmatrix}$

$\therefore$ 보기 ③의 전달 함수와 문제에 주어진 행렬식 A, B가 일치하는 것을 알 수 있다.

66

Routh-Hurwitz 표에서 제1열의 부호가 변하는 횟수로부터 알 수 있는 것은?

① s-평면의 좌반면에 존재하는 근의 수
② s-평면의 우반면에 존재하는 근의 수
③ s-평면의 허수축에 존재하는 근의 수
④ s-평면의 원점에 존재하는 근의 수

67

그림의 블록 선도에 대한 전달 함수 $\frac{C}{R}$는?

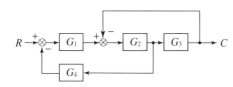

① $\dfrac{G_1 G_2 G_3}{1 + G_1 G_2 + G_1 G_2 G_4}$　② $\dfrac{G_1 G_2 G_4}{1 + G_1 G_2 + G_1 G_2 G_3}$

③ $\dfrac{G_1 G_2 G_3}{1 + G_2 G_3 + G_1 G_2 G_4}$　④ $\dfrac{G_1 G_2 G_4}{1 + G_2 G_3 + G_1 G_2 G_3}$

68

신호 흐름 선도의 전달 함수 $T(s) = \dfrac{C(s)}{R(s)}$로 옳은 것은?

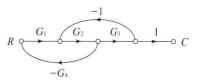

① $\dfrac{G_1 G_2 G_3}{1 - G_2 G_3 + G_1 G_2 G_4}$　② $\dfrac{G_1 G_2 G_3}{1 + G_1 G_2 G_4 + G_2 G_3}$

③ $\dfrac{G_1 G_2 G_3}{1 + G_1 G_3 - G_1 G_2 G_4}$　④ $\dfrac{G_1 G_2 G_3}{1 - G_1 G_3 - G_1 G_2 G_4}$

69

함수 e^{-at}의 z 변환으로 옳은 것은?

① $\dfrac{z}{z - e^{-aT}}$　② $\dfrac{z}{z - a}$

③ $\dfrac{1}{z - e^{-aT}}$　④ $\dfrac{1}{z - a}$

66

특성 방정식 $a_0 s^4 + a_1 s^3 + a_2 s^2 + a_3 s + a_4 = 0$에서 제어계가 안정하기 위한 필수 조건

• 특성 방정식의 모든 계수의 부호가 같아야 한다.
• 특성 방정식의 모든 차수가 존재해야 한다.
• 루드표를 작성하여 제1열의 부호 변화가 없어야 한다.(부호 변화 개수는 s 평면의 우반 평면에 존재하는 근의 수를 의미한다.)

67

주어진 블록 선도의 전달 함수를 메이슨 공식에 적용하여 구하면 다음과 같다.

$$\frac{C}{R} = \frac{\sum 경로}{1 - \sum 폐루프}$$

$$= \frac{G_1 \times G_2 \times G_3}{1 - (-G_2 \times G_3) - (-G_1 \times G_2 \times G_4)}$$

$$= \frac{G_1 G_2 G_3}{1 + G_2 G_3 + G_1 G_2 G_4}$$

68

$$T(s) = \frac{C(s)}{R(s)} = \frac{\sum 경로}{1 - \sum 폐루프}$$

$$= \frac{G_1 \times G_2 \times G_3 \times 1}{1 - (G_1 \times G_2 \times (-G_4)) - (G_2 \times G_3 \times (-1))}$$

$$= \frac{G_1 G_2 G_3}{1 + G_1 G_2 G_4 + G_2 G_3}$$

69

시간 함수: $f(t)$	라플라스 변환: $F(s)$	z 변환: $F(z)$
임펄스 함수 $\delta(t)$	1	1
단위 계단 함수 $u(t) = 1$	$\dfrac{1}{s}$	$\dfrac{z}{z-1}$
속도 함수 t	$\dfrac{1}{s^2}$	$\dfrac{Tz}{(z-1)^2}$
지수 함수 e^{-at}	$\dfrac{1}{s+a}$	$\dfrac{z}{z - e^{-aT}}$

70 [1][2][3]

불대수식 중 틀린 것은?

① $A \cdot \overline{A} = 1$
② $A + 1 = 1$
③ $A + A = A$
④ $A \cdot A = A$

71 [1][2][3]

커패시터와 인덕터에서 물리적으로 급격히 변화할 수 없는 것은?

① 커패시터와 인덕터에서 모두 전압
② 커패시터와 인덕터에서 모두 전류
③ 커패시터에서 전류, 인덕터에서 전압
④ 커패시터에서 전압, 인덕터에서 전류

72 [1][2][3]

4단자 회로망에서 4단자 정수가 A, B, C, D일 때, 영상 임피던스 $\dfrac{Z_{01}}{Z_{02}}$은?

① $\dfrac{D}{A}$
② $\dfrac{B}{C}$
③ $\dfrac{C}{B}$
④ $\dfrac{A}{D}$

73 [1][2][3]

RL 직렬 회로에서 $R = 20[\Omega]$, $L = 40[\mathrm{mH}]$일 때, 이 회로의 시정수[sec]는?

① 2×10^3
② 2×10^{-3}
③ $\dfrac{1}{2} \times 10^3$
④ $\dfrac{1}{2} \times 10^{-3}$

74 [1][2][3]

2 전력계법을 이용한 평형 3상 회로의 전력이 각각 $500[\mathrm{W}]$ 및 $300[\mathrm{W}]$로 측정되었을 때, 부하의 역률은 약 몇 $[\%]$인가?

① 70.7
② 87.7
③ 89.2
④ 91.8

정답 및 해설

70

불대수식의 성질
- $A \cdot \overline{A} = 0$
- $A + 1 = 1$
- $A + A = A$
- $A \cdot A = A$

71

- 커패시터(C)에 흐르는 전류 $i_c = C \dfrac{dv(t)}{dt}$에서 전압 $v(t)$가 아주 짧은 시간(dt) 동안에 급격히 증가하면 커패시터에 흐르는 전류는 순간적으로 무한대가 되어 커패시터 소자가 파괴되므로 커패시터에서는 전압이 급격히 변화할 수 없다.

- 인덕터(L) 양단에 걸리는 전압 $e_L = L \dfrac{di(t)}{dt}$에서 전류 $i(t)$가 아주 짧은 시간(dt) 동안에 급격히 증가하면 인덕터에 걸리는 전압은 순간적으로 무한대가 되어 인덕터 소자가 파괴되므로 인덕터에서는 전류가 급격히 변화할 수 없다.

72

영상 임피던스 $Z_{01} = \sqrt{\dfrac{AB}{CD}}$, $Z_{02} = \sqrt{\dfrac{BD}{AC}}$ 이다.

$$\dfrac{Z_{01}}{Z_{02}} = \dfrac{\sqrt{\dfrac{AB}{CD}}}{\sqrt{\dfrac{BD}{AC}}} = \dfrac{A}{D}$$

73

$$\tau = \dfrac{L}{R} = \dfrac{40 \times 10^{-3}}{20} = 2 \times 10^{-3} [\mathrm{sec}]$$

74

$$\cos\theta = \dfrac{P_1 + P_2}{2\sqrt{P_1^2 + P_2^2 - P_1 P_2}}$$

$$= \dfrac{500 + 300}{2\sqrt{500^2 + 300^2 - 500 \times 300}} = 0.918$$

∴ 역률은 91.8[%]이다.

75 ⒈ ⒉ ⒊

비정현파 전류가 $i(t) = 56\sin\omega t + 20\sin 2\omega t + 30\sin(3\omega t + 30°)$ $+ 40\sin(4\omega t + 60°)$로 표현될 때, 왜형률은 약 얼마인가?

① 1.0   ② 0.96
③ 0.55   ④ 0.11

76 ⒈ ⒉ ⒊

대칭 6상 성형(Star) 결선에서 선간 전압 크기와 상전압 크기의 관계로 옳은 것은?(단, V_l: 선간 전압 크기, V_p: 상전압 크기)

① $V_l = V_p$ ② $V_l = \sqrt{3}\, V_p$
③ $V_l = \dfrac{1}{\sqrt{3}}\, V_p$ ④ $V_l = \dfrac{2}{\sqrt{3}}\, V_p$

77 ⒈ ⒉ ⒊

인덕턴스가 $0.1[\mathrm{H}]$인 코일에 실효값 $100[\mathrm{V}]$, $60[\mathrm{Hz}]$, 위상 30도인 전압을 가했을 때 흐르는 전류의 실횻값 크기는 약 몇 $[\mathrm{A}]$인가?

① 43.7   ② 37.7
③ 5.46   ④ 2.65

78 ⒈ ⒉ ⒊

3상 불평형 전압 V_a, V_b, V_c가 주어진다면, 정상분 전압은? (단, $a = e^{j2\pi/3} = 1\angle 120°$이다.)

① $V_a + a^2 V_b + a V_c$

② $V_a + a V_b + a^2 V_c$

③ $\dfrac{1}{3}(V_a + a^2 V_b + a V_c)$

④ $\dfrac{1}{3}(V_a + a V_b + a^2 V_c)$

79 ⒈ ⒉ ⒊

송전 선로가 무손실 선로일 때 $L = 96[\mathrm{mH}]$이고 $C = 0.6[\mu\mathrm{F}]$이면 특성 임피던스$[\Omega]$는?

① 100   ② 200
③ 400   ④ 600

80 ⒈ ⒉ ⒊

$f(t) = \delta(t - T)$의 라플라스 변환 $F(s)$는?

① e^{Ts} ② e^{-Ts}
③ $\dfrac{1}{s}e^{Ts}$ ④ $\dfrac{1}{s}e^{-Ts}$

75

왜형률 $= \dfrac{\text{고조파의 벡터 합}}{\text{기본파}} = \dfrac{\sqrt{20^2 + 30^2 + 40^2}}{56} = 0.96$

76

대칭 n상 결선의 선간 전압과 상전압의 관계

$V_l = 2V_p \sin\dfrac{\pi}{n}[\mathrm{V}]$ 에서 $n = 6$상이므로

$V_l = 2V_p \sin\dfrac{\pi}{n} = 2V_p \sin\dfrac{\pi}{6} = 2V_p \sin 30° = V_p[\mathrm{V}]$

77

유도성 리액턴스를 구한다.
$X_L = \omega L = 2\pi f L = 2\pi \times 60 \times 0.1 = 37.7[\Omega]$
따라서 전류의 실횻값은 아래와 같다.

$I = \dfrac{V}{X_L} = \dfrac{100}{37.7} = 2.65[\mathrm{A}]$

78

3상 대칭분 전압

• 영상 전압: $V_0 = \dfrac{1}{3}(V_a + V_b + V_c)$

• 정상 전압: $V_1 = \dfrac{1}{3}(V_a + a V_b + a^2 V_c)$

• 역상 전압: $V_2 = \dfrac{1}{3}(V_a + a^2 V_b + a V_c)$

79

$Z_0 = \sqrt{\dfrac{Z}{Y}} = \sqrt{\dfrac{R + j\omega L}{G + j\omega C}} = \sqrt{\dfrac{L}{C}} = \sqrt{\dfrac{96 \times 10^{-3}}{0.6 \times 10^{-6}}}$

$= 400[\Omega]$

80

시간 추이 정리를 이용한다.
$f(t) = \delta(t - T) \rightarrow F(s) = 1 \times e^{-Ts} = e^{-Ts}$

81 [1] [2] [3]

고압 가공전선로의 지지물로 철탑을 사용한 경우 최대 경간은 몇 [m] 이하이어야 하는가?

① 300   ② 400
③ 500   ④ 600

82 [1] [2] [3]

폭발성 또는 연소성의 가스가 침입할 우려가 있는 것에 시설하는 지중함으로서 그 크기가 몇 [m³] 이상의 것은 통풍장치 기타 가스를 방산시키기 위한 적당한 장치를 시설하여야 하는가?

① 0.9   ② 1.0
③ 1.5   ④ 2.0

83 [1] [2] [3]

사용전압 35,000[V]인 기계기구를 옥외에 시설하는 개폐소의 구내에 취급자 이외의 자가 들어가지 않도록 울타리를 설치할 때 울타리와 특고압의 충전 부분이 접근하는 경우에는 울타리의 높이와 울타리로부터 충전 부분까지 거리의 합은 최소 몇 [m] 이상이어야 하는가?

① 4   ② 5
③ 6   ④ 7

84 [1] [2] [3]

다음의 ⓐ, ⓑ에 들어갈 내용으로 옳은 것은?

> 과전류 차단기로 시설하는 퓨즈 중 고압 전로에 사용하는 비포장퓨즈는 정격전류의 (ⓐ)배의 전류에 견디고 또한 2배의 전류로 (ⓑ)분 안에 용단되는 것이어야 한다.

① ⓐ 1.1 ⓑ 1   ② ⓐ 1.2 ⓑ 1
③ ⓐ 1.25 ⓑ 2   ④ ⓐ 1.3 ⓑ 2

정답 및 해설

81

고압 가공전선로 경간의 제한(한국전기설비규정 332.9)
고압 가공전선로의 경간은 다음 표에서 정한 값 이하이어야 한다.

지지물의 종류	경간[m]
목주·A종 철주 또는 A종 철근 콘크리트주	150
B종 철주 또는 B종 철근 콘크리트주	250
철탑	600

82

지중함의 시설(한국전기설비규정 334.2)
• 지중함은 견고하고 차량 기타 중량물의 압력에 견디는 구조일 것
• 지중함은 그 안의 고인 물을 제거할 수 있는 구조로 되어 있을 것
• 폭발성 또는 연소성의 가스가 침입할 우려가 있는 것에 시설하는 지중함으로서 그 크기가 1[m³] 이상인 것에는 통풍장치 기타 가스를 방산시키기 위한 적당한 장치를 시설할 것
• 지중함의 뚜껑은 시설자 이외의 자가 쉽게 열 수 없도록 시설할 것

[암기 포인트] 지중함 – 1[m³]

83

특고압용 기계기구의 시설(한국전기설비규정 341.4)

사용전압의 구분	울타리의 높이와 울타리로부터 충전 부분까지 거리의 합계 또는 지표상의 높이
35[kV] 이하	5[m] 이상
35[kV] 초과 160[kV] 이하	6[m] 이상
160[kV] 초과	6[m]에 160[kV]를 초과하는 10[kV] 또는 그 단수마다 0.12[m]를 더한 값 이상

84

고압 및 특고압 전로 중의 과전류 차단기의 시설(한국전기설비규정 341.10)
고압 전로에 사용하는 퓨즈는 크게 포장퓨즈와 비포장퓨즈로 나누어진다.

종류	불용단전류	용단전류	용단시간
비포장퓨즈	1.25배	2배	2분
포장퓨즈	1.3배		120분

85 1 2 3

지중전선로를 직접 매설식에 의하여 시설하는 경우에는 매설 깊이를 차량 기타 중량물의 압력을 받을 우려가 있는 장소에서는 몇 [cm] 이상으로 하면 되는가?

① 40

② 60

③ 80

④ 100

86 1 2 3

저압 가공전선이 건조물의 상부 조영재 옆쪽으로 접근하는 경우 저압 가공전선과 건조물의 조영재 사이의 이격거리는 몇 [m] 이상이어야 하는가?(단, 전선에 사람이 쉽게 접촉할 우려가 없도록 시설한 경우와 전선이 고압 절연전선, 특고압 절연전선 또는 케이블인 경우는 제외한다.)

① 0.6

② 0.8

③ 1.2

④ 2.0

87 1 2 3

변압기의 고압 측 전로와의 혼촉에 의하여 저압 측 전로의 대지전압이 150[V]를 넘는 경우에 2초 이내에 고압 전로를 자동차단하는 장치가 되어 있는 6,600/220[V] 배전선로에 있어서 1선 지락전류가 2[A]이면 변압기 중성점 접지저항값의 최대는 몇 [Ω]인가?

① 50

② 75

③ 150

④ 300

88

KEC 적용에 따라 삭제되었습니다.

89

KEC 적용에 따라 삭제되었습니다.

85

지중전선로의 시설(한국전기설비규정 334.1)
지중전선로를 직접 매설식에 의하여 시설하는 경우에는 매설깊이를 차량 기타 중량물의 압력을 받을 우려가 있는 장소에는 1[m] 이상, 기타 장소에는 0.6[m] 이상으로 하고 또한 지중 전선을 견고한 트라프 기타 방호물에 넣어 시설하여야 한다.

86

저압 가공전선과 건조물의 접근(한국전기설비규정 222.11)

건조물 조영재의 구분	접근 형태	이격거리
상부 조영재	위쪽	2[m](전선이 고압 절연전선, 특고압 절연전선 또는 케이블인 경우는 1[m]) 이상
	옆쪽 또는 아래쪽	1.2[m](전선에 사람이 쉽게 접촉할 우려가 없도록 시설한 경우에는 0.8[m], 케이블인 경우에는 0.4[m]) 이상
기타의 조영재	–	1.2[m](전선에 사람이 쉽게 접촉할 우려가 없도록 시설한 경우에는 0.8[m], 또는 케이블인 경우에는 0.4[m]) 이상

87

변압기 중성점 접지(한국전기설비규정 142.5)
• 일반적으로 변압기의 고압·특고압 측 전로 1선 지락 전류로 150을 나눈 값과 같은 저항 값 이하
• 1초 초과 2초 이내에 고압·특고압 전로를 자동으로 차단하는 장치를 설치할 때는 300을 나눈 값 이하

$$\therefore R = \frac{300}{I_g} = \frac{300}{2} = 150[\Omega]$$

90 ▮1▮2▮3▮

폭연성 분진 또는 화약류의 분말이 존재하는 곳의 저압 옥내배선은 어느 공사에 의하는가?

① 금속관공사
② 애자공사
③ 합성수지관공사
④ 캡타이어케이블공사

91 KEC 적용에 따라 삭제되었습니다.

92 ▮1▮2▮3▮

저압 옥내전로의 인입구에 가까운 곳으로서 쉽게 개폐할 수 있는 곳에 개폐기를 시설하여야 한다. 그러나 사용전압이 $400[\text{V}]$ 이하인 옥내전로로서 다른 옥내전로에 접속하는 길이가 몇 $[\text{m}]$ 이하인 경우는 개폐기를 생략할 수 있는가?(단, 정격전류가 $16[\text{A}]$ 이하인 과전류 차단기 또는 정격전류가 $16[\text{A}]$를 초과하고 $20[\text{A}]$ 이하인 배선용 차단기로 보호되고 있는 것에 한한다.)

① 15
② 20
③ 25
④ 30

93 ▮1▮2▮3▮

지중전선로는 기설 지중약전류 전선로에 대하여 다음의 어느 것에 의하여 통신상의 장해를 주지 아니하도록 기설 약전류 전선로로부터 충분히 이격시키는가?

① 충전전류 또는 표피작용
② 충전전류 또는 유도작용
③ 누설전류 또는 표피작용
④ 누설전류 또는 유도작용

94 KEC 적용에 따라 삭제되었습니다.

95 ▮1▮2▮3▮

일반 주택 및 아파트 각 호실의 현관등은 몇 분 이내에 소등되는 타임스위치를 시설하여야 하는가?

① 1분
② 3분
③ 5분
④ 10분

90
폭연성 분진 위험장소(한국전기설비규정 242.2.1)
폭연성 분진 또는 화약류의 분말이 존재하는 곳에는 금속관공사 및 케이블공사(캡타이어케이블을 사용하는 것은 제외)를 적용한다.

92
저압 옥내전로 인입구에서의 개폐기의 시설(한국전기설비규정 212.6.2)
사용전압이 $400[\text{V}]$ 이하인 옥내전로로서 다른 옥내전로(정격전류가 $16[\text{A}]$ 이하인 과전류 차단기 또는 정격전류가 $16[\text{A}]$를 초과하고 $20[\text{A}]$ 이하인 배선용 차단기로 보호되고 있는 것에 한한다)에 접속하는 길이 $15[\text{m}]$ 이하의 전로에서 전기의 공급을 받을 때 개폐기를 생략할 수 있다.

93
지중약전류전선의 유도장해 방지(한국전기설비규정 334.5)
지중전선로는 기설 지중약전류 전선로에 대하여 누설전류 또는 유도작용에 의하여 통신상의 장해를 주지 아니하도록 기설 약전류 전선로로부터 충분히 이격시키거나 기타 적당한 방법으로 시설하여야 한다.

95
점멸기의 시설(한국전기설비규정 234.6)
• 「관광진흥법」과 「공중위생관리법」에 의한 관광숙박업 또는 숙박업(여인숙업을 제외한다)에 이용되는 객실의 입구등은 1분 이내에 소등되는 것
• 일반 주택 및 아파트 각 호실의 현관등은 3분 이내에 소등되는 것
[암기 포인트] 타임스위치
• 숙박업 – 1분
• 주택 및 아파트 – 3분

96 1 2 3

발전소에서 장치를 시설하여 계측하지 않아도 되는 것은?

① 발전기의 회전자 온도
② 특고압용 변압기의 온도
③ 발전기의 전압 및 전류 또는 전력
④ 주요 변압기의 전압 및 전류 또는 전력

97 1 2 3

백열전등 또는 방전등에 전기를 공급하는 옥내전로의 대지전압은 몇 [V] 이하이어야 하는가?

① 440   ② 380
③ 300   ④ 100

98 1 2 3

66,000[V] 가공전선과 6,000[V] 가공전선을 동일 지지물에 병행설치하는 경우, 특고압 가공전선으로 사용하는 경동연선의 굵기는 몇 [mm²] 이상이어야 하는가?

① 22   ② 38
③ 50   ④ 100

99 1 2 3

저압 또는 고압의 가공전선로와 기설 가공약전류 전선로가 병행할 때 유도작용에 의한 통신상의 장해가 생기지 않도록 전선과 기설 약전류 전선 간의 이격거리는 몇 [m] 이상이어야 하는가?(단, 전기 철도용 급전선로는 제외한다.)

① 2   ② 3
③ 4   ④ 6

100 1 2 3

가공전선로의 지지물에 하중이 가하여지는 경우에 그 하중을 받는 지지물의 기초 안전율은 특별한 경우를 제외하고 최소 얼마 이상인가?

① 1.5   ② 2
③ 2.5   ④ 3

96

계측장치(한국전기설비규정 351.6)
• 발전기·연료전지 또는 태양전지 모듈(복수의 태양전지 모듈을 설치하는 경우에는 그 집합체)의 전압 및 전류 또는 전력
• 발전기의 베어링(수중 메탈을 제외한다) 및 고정자(固定子)의 온도
• 정격출력이 10,000[kW]를 초과하는 증기터빈에 접속하는 발전기의 진동의 진폭(정격출력이 400,000[kW] 이상의 증기터빈에 접속하는 발전기는 이를 자동적으로 기록하는 것에 한한다)
• 주요 변압기의 전압 및 전류 또는 전력
• 특고압용 변압기의 온도

97

옥내전로의 대지전압의 제한(한국전기설비규정 231.6)
백열전등 또는 방전등에 전기를 공급하는 옥내의 대지전압은 300[V] 이하로 하여야 한다.

98

특고압 가공전선과 저고압 가공전선 등의 병행설치(한국전기설비규정 333.17)
특고압 가공전선은 케이블인 경우를 제외하고는 인장강도 21.67[kN] 이상의 연선 또는 단면적이 50[mm²] 이상인 경동연선이어야 한다.

99

가공약전류 전선로의 유도장해 방지(한국전기설비규정 332.1)
저압 가공전선로(전기철도용 급전선로는 제외한다) 또는 고압 가공전선로(전기철도용 급전선로는 제외한다)와 기설 가공약전류 전선로가 병행하는 경우에는 유도작용에 의하여 통신상의 장해가 생기지 아니하도록 전선과 기설 약전류 전선 간의 이격거리는 2[m] 이상이어야 한다.

100

가공전선로 지지물의 기초의 안전율(한국전기설비규정 331.7)
가공전선로의 지지물에 하중이 가하여지는 경우에 그 하중을 받는 지지물의 기초의 안전율은 2(이상 시 상정하중에 대한 철탑의 기초의 안전율은 1.33) 이상이어야 한다.

2018년 전기기사 필기

시행일자

1회 3. 4
2회 4. 28
3회 8. 19

시험정보

과목명	문항수	시간(분)	필기합격률
전기자기학	20	20	
전력공학	20	20	
전기기기	20	20	
회로이론 및 제어공학	20	20	**27%**
전기설비 기술기준	20	20	
합 계	100	100	

※ 한국전기설비규정(KEC) 적용으로 성립되지 않는 문제는 해설과 정답을 생략하였습니다. 온라인 OMR 이용 시 해당 문제의 정답은 ①로 체크하여 주시면 정답 처리됩니다.

합격기준

과목당 40점 이상 (100점 만점 기준)
전과목 평균 60점 이상 (100점 만점 기준)

시험분석

전기자기학	1회	난이도 中		과난도 08, 12　빈출 02, 11, 16
	2회	난이도 下		과난도 10, 19　빈출 09, 17
	3회	난이도 中		과난도 11, 19, 20　빈출 10, 16

전력공학	1회	난이도 下		과난도 27, 30, 35　빈출 22, 23, 28
	2회	난이도 下		과난도 23　빈출 26, 31, 35
	3회	난이도 下		과난도 29　빈출 33, 34, 38

전기기기	1회	난이도 上		과난도 54　빈출 47, 49, 57
	2회	난이도 上		과난도 49, 59　빈출 42, 43
	3회	난이도 上		과난도 44, 50　빈출 45, 53

회로이론 및 제어공학	1회	난이도 下		과난도 80　빈출 67, 68, 72, 76
	2회	난이도 中		과난도 63, 80　빈출 68, 75
	3회	난이도 中		과난도 70, 78, 80　빈출 64, 73, 74, 77

전기설비 기술기준	1회	난이도 上		과난도 87, 88, 100　빈출 84, 91, 98
	2회	난이도 上		과난도 86, 94　빈출 84, 93
	3회	난이도 下		과난도 86, 96, 100　빈출 84, 94, 97

전기자기학

1회독	월	일
2회독	월	일
3회독	월	일

자동채점

01 1 2 3

평면도체 표면에서 $r[\mathrm{m}]$의 거리에 점 전하 $Q[\mathrm{C}]$가 있을 때 이 전하를 무한원까지 운반하는 데 필요한 일은 몇 $[\mathrm{J}]$인가?

① $\dfrac{Q^2}{4\pi\varepsilon_0 r}$

② $\dfrac{Q^2}{8\pi\varepsilon_0 r}$

③ $\dfrac{Q^2}{16\pi\varepsilon_0 r}$

④ $\dfrac{Q^2}{32\pi\varepsilon_0 r}$

빈출
02 1 2 3

역자성체에서 비투자율 μ_s은 어느 값을 갖는가?

① $\mu_s = 1$

② $\mu_s < 1$

③ $\mu_s > 1$

④ $\mu_s = 0$

03 1 2 3

비유전율 ε_{r1}, ε_{r2}인 두 유전체가 나란히 무한 평면으로 접하고 있고 이 경계면에 평행으로 유전체의 비유전율 ε_{r1} 내에 경계면으로부터 $d[\mathrm{m}]$인 위치에 선 전하 밀도 $\rho[\mathrm{C/m}]$인 선상 전하가 있을 때 이 선 전하와 유전체 ε_{r2} 간의 단위 길이당의 작용력은 몇 $[\mathrm{N/m}]$인가?

① $9 \times 10^9 \times \dfrac{\rho^2}{\varepsilon_{r2}d} \times \dfrac{\varepsilon_{r1}+\varepsilon_{r2}}{\varepsilon_{r1}-\varepsilon_{r2}}$

② $2.25 \times 10^9 \times \dfrac{\rho^2}{\varepsilon_{r2}d} \times \dfrac{\varepsilon_{r1}-\varepsilon_{r2}}{\varepsilon_{r1}+\varepsilon_{r2}}$

③ $9 \times 10^9 \times \dfrac{\rho^2}{\varepsilon_{r1}d} \times \dfrac{\varepsilon_{r1}-\varepsilon_{r2}}{\varepsilon_{r1}+\varepsilon_{r2}}$

④ $2.25 \times 10^9 \times \dfrac{\rho^2}{\varepsilon_{r1}d} \times \dfrac{\varepsilon_{r1}-\varepsilon_{r2}}{\varepsilon_{r1}+\varepsilon_{r2}}$

04 1 2 3

점 전하에 의한 전계는 쿨롱의 법칙을 사용하면 되지만 분포되어 있는 전하에 의한 전계를 구할 때는 무엇을 이용하는가?

① 렌즈의 법칙

② 가우스의 정리

③ 라플라스의 방정식

④ 스토크스의 정리

정답 및 해설

01

전기 영상법에 의하여 점 전하와 영상 전하 간의 거리는 $d = 2r[\mathrm{m}]$이므로 서로 작용하는 힘은 다음과 같다.

$$F = \frac{-Q^2}{4\pi\varepsilon_0 (2r)^2} = \frac{-Q^2}{16\pi\varepsilon_0 r^2}[\mathrm{N}]$$

따라서 무한 원점으로 운반하는 데 필요한 일은

$$W = \int_r^\infty F dr = \int_r^\infty \frac{-Q^2}{16\pi\varepsilon_0 r^2}\,dr = -\frac{Q^2}{16\pi\varepsilon_0 r}[\mathrm{J}]$$

02

자성체의 종류

• 상자성체
  - 상자성체의 예: 백금(Pt), 알루미늄(Al), 산소(O_2) 등
  - 상자성체의 비투자율: $\mu_s > 1$(1보다 약간 크다.)

• 역자성체
  - 역자성체의 예: 은(Ag), 구리(Cu), 비스무트(Bi) 등
  - 역자성체의 비투자율: $\mu_s < 1$(1보다 작다.)

• 강자성체
  - 강자성체의 예: 철(Fe), 니켈(Ni), 코발트(Co) 등
  - 강자성체의 비투자율: $\mu_s \gg 1$(1보다 매우 크다.)

03

• 두 유전체가 무한 평면으로 경계를 이루고 있는 전기 영상법에 관한 내용으로서 전기 영상법을 이용하여 푼다.

• 비유전율 ε_{r2} 영역의 영상 전하는

$$\rho' = \frac{\varepsilon_1 - \varepsilon_2}{\varepsilon_1 + \varepsilon_2}\rho = \frac{\varepsilon_{r1} - \varepsilon_{r2}}{\varepsilon_{r1} + \varepsilon_{r2}}\rho\,[\mathrm{C/m}]$$

$$F = QE = \rho'E = \frac{1}{2\pi\varepsilon_1} \times \frac{\rho'\rho}{2d} = \frac{\rho'\rho}{4\pi\varepsilon_0\varepsilon_{r1}d}$$

$$= 9 \times 10^9 \times \frac{\rho^2}{\varepsilon_{r1}d} \times \frac{\varepsilon_{r1} - \varepsilon_{r2}}{\varepsilon_{r1} + \varepsilon_{r2}}\,[\mathrm{N/m}]$$

04

가우스의 법칙

• 임의의 폐곡면 S를 관통하는 전기력선의 총수는 그 폐곡면 내에 존재하는 전하량 Q의 $\dfrac{1}{\varepsilon_0}$배와 같다.

• 가우스의 법칙은 대칭적인 전하 분포(전하의 밀도 분포 균일)일 경우에 전계의 세기를 구하는 데 유용한 법칙이다.

정답 01 ③ 02 ② 03 ③ 04 ②

05 1 2 3

패러데이관(Faraday Tube)의 성질에 대한 설명으로 틀린 것은?

① 패러데이관 중에 있는 전속수는 그 관속에 진전하가 없으면 일정하며 연속적이다.

② 패러데이관의 양단에는 양 또는 음의 단위 진전하가 존재하고 있다.

③ 패러데이관 한 개의 단위 전위차당 보유 에너지는 $\frac{1}{2}$[J]이다.

④ 패러데이관의 밀도는 전속 밀도와 같지 않다.

06 1 2 3

공기 중에 있는 지름 $6[\text{cm}]$인 단일 도체구의 정전 용량은 몇 $[\text{pF}]$인가?

① 0.34
② 0.67
③ 3.34
④ 6.71

07 1 2 3

유전율이 ε_{r1}, $\varepsilon_{r2}[\text{F/m}]$인 유전체 경계면에 단위 면적당 작용하는 힘은 몇 $[\text{N/m}^2]$인가?(단, 전계가 경계면에 수직인 경우이며 두 유전체의 전속 밀도 $D_1 = D_2 = D$이다.)

① $2\left(\dfrac{1}{\varepsilon_1} - \dfrac{1}{\varepsilon_2}\right)D^2$
② $2\left(\dfrac{1}{\varepsilon_1} + \dfrac{1}{\varepsilon_2}\right)D^2$

③ $\dfrac{1}{2}\left(\dfrac{1}{\varepsilon_1} + \dfrac{1}{\varepsilon_2}\right)D^2$
④ $\dfrac{1}{2}\left(\dfrac{1}{\varepsilon_2} - \dfrac{1}{\varepsilon_1}\right)D^2$

05

패러데이관

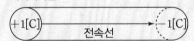

한쪽 끝은 $+1[\text{C}]$, 다른 쪽 끝은 $-1[\text{C}]$으로 이루어져 있고 1개의 전속이 $+1[\text{C}]$에서 $-1[\text{C}]$으로 이동하는 가상적인 관으로 다음과 같은 특징이 있다.

• 패러데이관 양단에는 $(+)$, $(-)$인 단위 전하가 존재한다.
• 패러데이관 내의 전속 수는 일정하며, 물질 내의 패러데이관 수와 전속선의 수는 같다.
• 패러데이관의 밀도는 전속 밀도와 같다.
• 전하가 없는 지점에서 패러데이관은 연속이다.
• 패러데이관의 단위 전위차당 보유 에너지는 $\frac{1}{2}$[J]이다.

06

반지름 $r = 3[\text{cm}] = 3 \times 10^{-2}[\text{m}]$이므로
$C = 4\pi\varepsilon_0 r = 4\pi \times 8.854 \times 10^{-12} \times 3 \times 10^{-2}$
$= 3.34 \times 10^{-12}[\text{F}] = 3.34[\text{pF}]$

07

유전체에 작용하는 힘

• 전계가 경계면에 수평으로 입사되는 경우$(\varepsilon_1 > \varepsilon_2)$
 − 경계면에 생기는 각각의 힘 f_1과 f_2가 압축력으로 작용한다.
 − 단위 면적당 압축력의 크기는 다음과 같이 구한다.
$$f = f_1 - f_2 = \frac{1}{2}(\varepsilon_1 - \varepsilon_2)E^2[\text{N/m}^2]$$

• 전계가 경계면에 수직으로 입사되는 경우$(\varepsilon_1 > \varepsilon_2)$
 − 경계면에 생기는 각각의 힘 f_1과 f_2가 인장력으로 작용한다.
 − 단위 면적당 인장력의 크기는 다음과 같이 구한다.
$$f = f_2 - f_1 = \frac{1}{2}\left(\frac{1}{\varepsilon_2} - \frac{1}{\varepsilon_1}\right)D^2[\text{N/m}^2]$$

08 1 2 3

진공 중에 균일하게 대전된 반지름 $a[\mathrm{m}]$인 선 전하 밀도 $\lambda_l[\mathrm{C/m}]$의 원환이 있을 때 그 중심으로부터 중심축상 $x[\mathrm{m}]$의 거리에 있는 점의 전계의 세기는 몇 $[\mathrm{V/m}]$인가?

① $\dfrac{a\lambda_l x}{2\varepsilon_0(a^2+x^2)^{\frac{3}{2}}}$ ② $\dfrac{a\lambda_l x}{\varepsilon_0(a^2+x^2)^{\frac{3}{2}}}$

③ $\dfrac{\lambda_l x}{2\varepsilon_0(a^2+x^2)^{\frac{3}{2}}}$ ④ $\dfrac{\lambda_l x}{\varepsilon_0(a^2+x^2)^{\frac{3}{2}}}$

09 1 2 3

내압 $1,000[\mathrm{V}]$ 정전 용량 $1[\mu\mathrm{F}]$, 내압 $750[\mathrm{V}]$ 정전 용량 $2[\mu\mathrm{F}]$, 내압 $500[\mathrm{V}]$ 정전 용량 $5[\mu\mathrm{F}]$인 콘덴서 3개를 직렬로 접속하고 인가 전압을 서서히 높이면 최초로 파괴되는 콘덴서는?

① $1[\mu\mathrm{F}]$ ② $2[\mu\mathrm{F}]$
③ $5[\mu\mathrm{F}]$ ④ 동시에 파괴된다.

10 1 2 3

내부 장치 또는 공간을 물질로 포위시켜 외부 자계의 영향을 차폐시키는 방식을 자기 차폐라 한다. 다음 중 자기 차폐에 가장 좋은 것은?

① 비투자율이 1보다 작은 역자성체
② 강자성체 중에서 비투자율이 큰 물질
③ 강자성체 중에서 비투자율이 작은 물질
④ 비투자율에 관계없이 물질의 두께에만 관계되므로 되도록 두꺼운 물질

11 1 2 3

$40[\mathrm{V/m}]$인 전계 내의 $50[\mathrm{V}]$ 되는 점에서 $1[\mathrm{C}]$의 전하가 전계 방향으로 $80[\mathrm{cm}]$ 이동하였을 때 그 점의 전위는 몇 $[\mathrm{V}]$인가?

① 18 ② 22
③ 35 ④ 65

정답 및 해설

08

• 원환 미소 부분의 선 전하에 의한 중심축상 $x[\mathrm{m}]$인 곳의 전계의 세기

$$dE = \frac{\lambda_l\,dl}{4\pi\varepsilon_0 r^2}[\mathrm{V/m}]$$

• x 방향의 전계의 세기는 다음과 같이 구한다.

$$dE_x = dE\cos\theta = dE\times\frac{x}{r} = \frac{\lambda_l\,dl\,x}{4\pi\varepsilon_0 r^3}[\mathrm{V/m}]$$

따라서 x 방향의 전계의 세기

$$E_x = \int_0^{2\pi a}\frac{\lambda_l x}{4\pi\varepsilon_0 r^3}dl = \frac{\lambda_l x}{4\pi\varepsilon_0 r^3}[l]_0^{2\pi a}$$

$$= \frac{\lambda_l a x}{2\varepsilon_0 r^3} = \frac{a\lambda_l x}{2\varepsilon_0(a^2+x^2)^{\frac{3}{2}}}[\mathrm{V/m}]$$

09

각 콘덴서에 저장되는 전하량을 구하면
$$Q_1 = C_1 V_1 = 1\times1,000 = 1,000[\mu\mathrm{C}]$$

$$Q_2 = C_2 V_2 = 2\times750 = 1,500[\mu\mathrm{C}]$$
$$Q_3 = C_3 V_3 = 5\times500 = 2,500[\mu\mathrm{C}]$$
따라서 전하량이 가장 적은 $C_1 = 1[\mu\mathrm{F}]$ 콘덴서가 가장 먼저 파괴된다.

10

자속은 비투자율이 큰 물체 쪽으로 모이려는 성질이 있다. 자기 차폐를 하기 위해서는 비투자율이 큰 물질로 차폐시켜야 한다. 따라서 강자성체 중에서 비투자율이 큰 물질(철, 니켈, 코발트)이 적당하다.

11

$1[\mathrm{C}]$의 전하가 전계 방향으로 $80[\mathrm{cm}]$ 이동하면서 발생하는 전압 강하를 구해 보면
$$V = Ed = 40\times0.8 = 32[\mathrm{V}]$$
따라서 $80[\mathrm{cm}]$ 떨어진 지점에서의 전위
$$V' = 50 - 32 = 18[\mathrm{V}]$$

12 1 2 3

그림과 같이 반지름 a[m]의 한 번 감긴 원형 코일이 균일한 자속 밀도 $B[\text{Wb/m}^2]$인 자계에 놓여 있다. 지금 코일면에 자계와 나란하게 전류 I[A]를 흘리면 원형 코일이 자계로부터 받는 회전 모멘트는 몇 $[\text{N} \cdot \text{m/rad}]$인가?

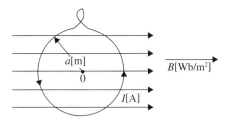

① $\pi a B I$ ② $2\pi a B I$
③ $\pi a^2 B I$ ④ $2\pi a^2 B I$

13 1 2 3

다음 조건들 중 초전도체에 부합되는 것은?(단, μ_r은 비투자율, χ_m은 비자화율, B는 자속 밀도이며 작동 온도는 임계 온도 이하라 한다.)

① $\chi_m = -1$, $\mu_r = 0$, $B = 0$
② $\chi_m = 0$, $\mu_r = 0$, $B = 0$
③ $\chi_m = 1$, $\mu_r = 0$, $B = 0$
④ $\chi_m = -1$, $\mu_r = 1$, $B = 0$

14 1 2 3

$x = 0$인 무한평면을 경계면으로 하여 $x < 0$인 영역에는 비유전율 $\varepsilon_{r1} = 2$, $x > 0$인 영역에는 $\varepsilon_{r2} = 4$인 유전체가 있다. ε_{r1}인 유전체 내에서 전계 $E_1 = 20a_x - 10a_y + 5a_z [\text{V/m}]$일 때 $x > 0$인 영역에 있는 ε_{r2}인 유전체 내에서 전속 밀도 $D_2[\text{C/m}^2]$는? (단, 경계면상에는 자유 전하가 없다고 한다.)

① $D_2 = \varepsilon_0 (20a_x - 40a_y + 5a_z)$
② $D_2 = \varepsilon_0 (40a_x - 40a_y + 20a_z)$
③ $D_2 = \varepsilon_0 (80a_x - 20a_y + 10a_z)$
④ $D_2 = \varepsilon_0 (40a_x - 20a_y + 20a_z)$

12

코일면에 자계와 나란하게 전류를 흘렸으므로 $\theta = 0°$이다.
따라서 원형 코일에 작용하는 회전 모멘트

$T = NBIS\cos\theta = 1 \times BI \times \pi a^2 \times \cos 0°$
$\quad = \pi a^2 BI [\text{N} \cdot \text{m/rad}]$

13

자화의 세기
$B = \mu_0 H + J [\text{Wb/m}^2]$에서
$J = B - \mu_0 H = \mu_0 (\mu_r - 1)H = \chi H [\text{Wb/m}^2]$
초전도체에서의 $\mu_r = 0$이므로
$\chi = \mu_0 (\mu_r - 1) \Rightarrow \chi_m = \dfrac{\chi}{\mu_0} = \mu_r - 1 = 0 - 1 = -1$
$B = \mu_0 \mu_r H = 0$

14

전계가 x 방향으로 진행하므로 x 방향 전속밀도의 법선 성분이 연속이다. 따라서 $D_{n1} = D_{n2}$, $\varepsilon_{r1} E_{n1} = \varepsilon_{r2} E_{n2}$을 만족한다.
y 방향과 z 방향은 경계면에 대해 접선 방향이므로 전계의 y, z 방향 성분이 연속이다. 따라서 $E_{t1} = E_{t2}$를 만족한다.
$\dot{E}_1 = 20a_x - 10a_y + 5a_z$이고 a_x는 법선 성분을 a_y, a_z은 접선 성분을 나타내므로

법선 성분 $E_{n1} = 20a_x \rightarrow E_{n2} = \dfrac{\varepsilon_1}{\varepsilon_2} E_{n1} = \dfrac{2}{4} \times 20a_x = 10a_x$

접선 성분 $E_{t1} = -10a_y + 5a_z \rightarrow E_{t2} = -10a_y + 5a_z$

유전체 내 전계 $\dot{E}_2 = E_{n2} + E_{t2} = 10a_x - 10a_y + 5a_z$

$\therefore \dot{D}_2 = \varepsilon_2 \dot{E}_2 = \varepsilon_0 \varepsilon_{r2} \dot{E}_2 = \varepsilon_0 (40a_x - 40a_y + 20a_z) [\text{C/m}^2]$

15

평면파 전파가 $E = 30\cos(10^9 t + 20z)j\,[\mathrm{V/m}]$로 주어졌다면 이 전자파의 위상 속도는 몇 $[\mathrm{m/s}]$인가?

① 5×10^7
② $\dfrac{1}{3} \times 10^3$

③ 10^9
④ $\dfrac{3}{2}$

16

자속 밀도가 $10\,[\mathrm{Wb/m^2}]$인 자계 중에 $10\,[\mathrm{cm}]$ 도체를 자계와 $30°$의 각도로 $30\,[\mathrm{m/s}]$로 움직일 때, 도체에 유기되는 기전력은 몇 $[\mathrm{V}]$인가?

① 15
② $15\sqrt{3}$

③ $1,500$
④ $1,500\sqrt{3}$

17

그림과 같이 단면적 $S = 10\,[\mathrm{cm^2}]$, 자로의 길이 $l = 20\pi\,[\mathrm{cm}]$, 비투자율 $\mu_s = 1,000$인 철심에 $N_1 = N_2 = 100$인 두 코일을 감았다. 두 코일 사이의 상호 인덕턴스는 몇 $[\mathrm{mH}]$인가?

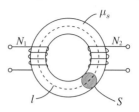

① 0.1
② 1
③ 2
④ 20

18

1[μA]의 전류가 흐르고 있을 때, 1초 동안 통과하는 전자 수는 약 몇 개인가?(단, 전자 1개의 전하는 1.602×10^{-19}[C]이다.)

① 6.24×10^{10}
② 6.24×10^{11}
③ 6.24×10^{12}
④ 6.24×10^{13}

19

균일하게 원형 단면을 흐르는 전류 I[A]에 의한 반지름 a[m], 길이 l[m], 비투자율 μ_s인 원통 도체의 내부 인덕턴스는 몇 [H]인가?

① $10^{-7}\mu_s l$
② $3 \times 10^{-7}\mu_s l$
③ $\dfrac{1}{4} \times 10^{-7}\mu_s l$
④ $\dfrac{1}{2} \times 10^{-7}\mu_s l$

20

한 변의 길이가 10[cm]인 정사각형 회로에 직류 전류 10[A]가 흐를 때, 정사각형의 중심에서의 자계 세기는 몇 [A/m]인가?

① $\dfrac{100\sqrt{2}}{\pi}$
② $\dfrac{200\sqrt{2}}{\pi}$
③ $\dfrac{300\sqrt{2}}{\pi}$
④ $\dfrac{400\sqrt{2}}{\pi}$

18

총 전하량 $Q = It = 1 \times 10^{-6} \times 1 = 10^{-6}$[C]

1초 동안에 통과한 전자의 개수

$n = \dfrac{Q}{e} = \dfrac{10^{-6}}{1.602 \times 10^{-19}} = 6.24 \times 10^{12}$개

19

원통 도체의 내부 인덕턴스

$L = \dfrac{\mu l}{8\pi} = \dfrac{\mu_0 \mu_s l}{8\pi}$[H]

$\therefore L = \dfrac{4\pi \times 10^{-7}\mu_s l}{8\pi} = \dfrac{1}{2} \times 10^{-7}\mu_s l$[H]

20

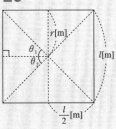

정사각형의 한 변의 길이를 l[m]이라 하면 각 변이 만드는 자계는 비오-사바르의 공식을 이용하여 구한다.

$r = \dfrac{1}{2}l$[m], $\theta_1 = \theta_2 = \dfrac{\pi}{4}$ 이므로 변 하나가 만드는 자계의 크기

$H = \dfrac{I}{4\pi r}(\sin\theta_1 + \sin\theta_2) = \dfrac{I}{4\pi \times \dfrac{1}{2}l}(\sin\dfrac{\pi}{4} + \sin\dfrac{\pi}{4})$

$= \dfrac{\sqrt{2}I}{2\pi l}$[H]

따라서 네 변이 만드는 정사각형의 중심 자계의 크기는

$H_4 = H \times 4 = \dfrac{2\sqrt{2}I}{\pi l}$[H]

여기서 $l = 10$[cm] $= 0.1$[m]이고 $I = 10$[A]이므로

$H_4 = \dfrac{2\sqrt{2}I}{\pi l} = \dfrac{2\sqrt{2} \times 10}{\pi \times 0.1} = \dfrac{200\sqrt{2}}{\pi}$[A/m]

21 1 2 3

송전선에서 재폐로 방식을 사용하는 목적은?

① 역률 개선
② 안정도 증진
③ 유도 장해의 경감
④ 코로나 발생 방지

빈출
22 1 2 3

설비 용량이 $360[\text{kW}]$, 수용률 0.8, 부등률 1.2일 때 최대 수용 전력은 몇 $[\text{kW}]$인가?

① 120
② 240
③ 360
④ 480

빈출
23 1 2 3

배전 계통에서 사용하는 고압용 차단기의 종류가 아닌 것은?

① 기중 차단기(ACB)
② 공기 차단기(ABB)
③ 진공 차단기(VCB)
④ 유입 차단기(OCB)

24 1 2 3

SF_6가스 차단기에 대한 설명으로 틀린 것은?

① SF_6가스 자체는 불활성 기체이다.
② SF_6가스는 공기에 비하여 소호 능력이 약 100배 정도이다.
③ 절연 거리를 적게 할 수 있어 차단기 전체를 소형, 경량화할 수 있다.
④ SF_6가스를 이용한 것으로서 독성이 있으므로 취급에 유의하여야 한다.

정답 및 해설

21
재폐로 방식은 사고 발생 시 차단기를 즉시 개방시키고 사고 제거 후 다시 투입하는 동작을 자동적으로 행하는 방식이다. 정전 시간을 최소화하여 계통의 안정도를 증대시키는 효과가 있다.

22
최대 수용 전력$[\text{kW}] = \dfrac{\text{설비 용량} \times \text{수용률}}{\text{부등률}}$ 에서

최대 수용 전력 $= \dfrac{360 \times 0.8}{1.2} = 240[\text{kW}]$

23
고압용 차단기 종류
• VCB(진공 차단기)   • GCB(가스 차단기)
• OCB(유입 차단기)   • ABB(공기 차단기)

• MBB(자기 차단기)
ACB(기중 차단기)는 소호 매질을 일반 대기 상태에서 자연 소호 원리를 적용한다. 고압에서는 소호 능력이 작아 사용하지 못하고 주로 저압용으로 사용되는 차단기이다.

[암기 포인트] 기중 차단기(ACB)는 저압용 차단기

24
SF_6가스의 성질
• 불활성 기체이다.
• 절연 성능이 뛰어나다.
• 무색, 무취의 무독성 기체이다.
• 공기에 비하여 소호 능력이 약 100배 정도이다.

25

송전 선로의 일반 회로 정수가 $A = 0.7$, $B = j190$, $D = 0.9$ 일 때, C의 값은?

① $-j1.95 \times 10^{-3}$
② $j1.95 \times 10^{-3}$
③ $-j1.95 \times 10^{-4}$
④ $j1.95 \times 10^{-4}$

26

부하 역률이 0.8인 선로의 저항 손실은 0.9인 선로의 저항 손실에 비해서 약 몇 배 정도 되는가?

① 0.97
② 1.1
③ 1.27
④ 1.5

27

단상 변압기 3대에 의한 $\triangle$ 결선에서 1대를 제거하고 동일 전력을 V 결선으로 보낸다면 동손은 약 몇 배가 되는가?

① 0.67
② 2.0
③ 2.7
④ 3.0

28

피뢰기의 충격 방전 개시 전압은 무엇으로 표시하는가?

① 직류 전압의 크기
② 충격파의 평균치
③ 충격파의 최대치
④ 충격파의 실효치

25

$AD - BC = 1$ 의 관계식에 의해

$$C = \frac{AD - 1}{B} = \frac{0.7 \times 0.9 - 1}{j190} = j1.95 \times 10^{-3}$$

26

전력 손실과 역률의 관계$\left(P_l \propto \dfrac{1}{\cos^2\theta} \right)$를 이용하여

$$\frac{P_{l1}}{P_{l2}} = \left(\frac{\cos\theta_2}{\cos\theta_1} \right)^2 = \left(\frac{0.9}{0.8} \right)^2 = 1.27$$

27

• $\triangle$ 결선

$$P_{\triangle} = 3P_1 = 3VI \,[\text{W}]$$에서 $I = \frac{P_{\triangle}}{3V} [\text{A}]$이므로

$\triangle$ 결선에서의 전력 손실은

$$P_l = 3I^2 R = 3\left(\frac{P_{\triangle}}{3V} \right)^2 R = \frac{P_{\triangle}^2 R}{3V^2} \,[\text{W}]$$

• V 결선

$$P_V = \sqrt{3}\,P_1 = \sqrt{3}\,VI \,[\text{W}]$$에서 $I = \frac{P_V}{\sqrt{3}\,V}[\text{A}]$

조건에서 $\triangle$ 결선과 동일 전력을 V 결선으로 보낸다 하였으므로 $P_V = P_{\triangle}$이다. 즉, $I = \frac{P_V}{\sqrt{3}\,V} = \frac{P_{\triangle}}{\sqrt{3}\,V}[\text{A}]$

$\therefore$ V 결선에서의 전력 손실은

$$P_l{}' = 2I^2 R = 2\left(\frac{P_{\triangle}}{\sqrt{3}\,V} \right)^2 R = 2 \times \frac{P_{\triangle}^2 R}{3V^2} = 2P_l \,[\text{W}]$$로서 $\triangle$ 결선에 비해 2배가 된다.

28

충격 방전 개시 전압
피뢰기의 충격 방전 개시 전압은 충격파의 최댓값에서 기기의 절연이 위협이 되므로 반드시 최대치로 표시한다.

---

29 ▮1▮ ▮2▮ ▮3▮

단상 2선식 배전 선로의 선로 임피던스가 $2+j5[\Omega]$이고 무유도성 부하 전류 $10[\text{A}]$일 때 송전단 역률은?(단, 수전단 전압의 크기는 $100[\text{V}]$이고, 위상각은 $0°$이다.)

① $\dfrac{5}{12}$ 　　　　② $\dfrac{5}{13}$

③ $\dfrac{11}{12}$ 　　　　④ $\dfrac{12}{13}$

30 ▮1▮ ▮2▮ ▮3▮

그림과 같이 전력선과 통신선 사이에 차폐선을 설치하였다. 이 경우에 통신선의 차폐 계수(K)를 구하는 관계식은?(단, 차폐선을 통신선에 근접하여 설치한다.)

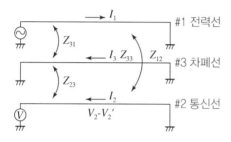

① $K=1+\dfrac{Z_{31}}{Z_{12}}$ 　　　　② $K=1-\dfrac{Z_{31}}{Z_{33}}$

③ $K=1-\dfrac{Z_{23}}{Z_{33}}$ 　　　　④ $K=1+\dfrac{Z_{23}}{Z_{33}}$

31 ▮1▮ ▮2▮ ▮3▮

모선 보호에 사용되는 계전 방식이 아닌 것은?

① 위상 비교 방식
② 선택 접지 계전 방식
③ 방향 거리 계전 방식
④ 전류 차동 보호 방식

32 ▮1▮ ▮2▮ ▮3▮

% 임피던스와 관련된 설명으로 틀린 것은?

① 정격 전류가 증가하면 % 임피던스는 감소한다.
② 직렬 리액터가 감소하면 % 임피던스도 감소한다.
③ 전기 기계의 % 임피던스가 크면 차단기의 용량은 작아진다.
④ 송전 계통에서는 임피던스의 크기를 옴값 대신에 % 값으로 나타내는 경우가 많다.

정답 및 해설

29

부하가 무유도성(저항 부하)이므로 부하의 저항은
$R=\dfrac{V}{I}=\dfrac{100}{10}=10[\Omega]$
따라서 부하와 선로의 합성 임피던스는
$Z=2+j5+10=12+j5[\Omega]$
위의 값으로 역률을 구하면
$\cos\theta=\dfrac{R}{Z}=\dfrac{R}{\sqrt{R^2+X^2}}=\dfrac{12}{\sqrt{12^2+5^2}}=\dfrac{12}{13}$

30

차폐선을 설치하지 않은 경우의 통신선 유도 전압은
$E_m=-Z_{12}I_1[\text{V}]$
차폐선을 설치한 경우의 통신선 유도 전압은
$E_m^{'}=-Z_{12}I_1+Z_{23}I_3=-Z_{12}I_1+\dfrac{Z_{23}Z_{31}I_1}{Z_{33}}$
$=-Z_{12}I_1\left(1-\dfrac{Z_{23}Z_{31}}{Z_{12}Z_{33}}\right)[\text{V}]$

조건에서 차폐선을 통신선에 근접 설치$(Z_{31}\fallingdotseq Z_{12})$하였으므로
$E_m^{'}=-Z_{12}I_1\left(1-\dfrac{Z_{23}Z_{31}}{Z_{12}Z_{33}}\right)=-Z_{12}I_1\left(1-\dfrac{Z_{23}Z_{12}}{Z_{12}Z_{33}}\right)$
$=-Z_{12}I_1\left(1-\dfrac{Z_{23}}{Z_{33}}\right)[\text{V}]$

차폐선이 없을 경우의 유도 전압과 비교해 보면 $K=1-\dfrac{Z_{23}}{Z_{33}}$ 만큼 유도 전압이 감소됨을 알 수 있다.

31

모선(Bus) 보호 방식
• 전압 차동 방식　　　　• 위상 비교 방식
• 전류 차동 방식　　　　• 거리 계전 방식

32

$\%Z=\dfrac{I_nZ}{E}\times100=\dfrac{I_n}{I_s}\times100[\%]$에서 정격 전류 I_n이 증가하면 % 임피던스도 증가한다.

33 ▮1▮2▮3▮

A, B 및 C상 전류를 각각 I_a, I_b 및 I_c라 할 때

$I_x = \dfrac{1}{3}(I_a + a^2 I_b + a I_c)$, $a = -\dfrac{1}{2} + j\dfrac{\sqrt{3}}{2}$ 으로 표시되는

I_x 는 어떤 전류인가?

① 정상 전류
② 역상 전류
③ 영상 전류
④ 역상 전류와 영상 전류의 합

34 ▮1▮2▮3▮

그림과 같이 "수류가 고체에 둘러싸여 있고 A로부터 유입되는 수량과 B로부터 유출되는 수량이 같다."고 하는 이론은?

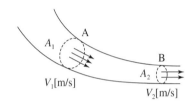

① 수두 이론
② 연속의 원리
③ 베르누이의 정리
④ 토리첼리의 정리

35 ▮1▮2▮3▮

4단자 정수가 A, B, C, D인 선로에 임피던스가 $\dfrac{1}{Z_T}$ 인 변압

기가 수전단에 접속된 경우 계통의 4단자 정수 중 D_0는?

① $D_0 = \dfrac{C + DZ_T}{Z_T}$ 　　② $D_0 = \dfrac{C + AZ_T}{Z_T}$

③ $D_0 = \dfrac{D + CZ_T}{Z_T}$ 　　④ $D_0 = \dfrac{B + AZ_T}{Z_T}$

36 ▮1▮2▮3▮

대용량 고전압의 안정 권선(Δ 권선)이 있다. 이 권선의 설치 목적과 관계가 먼 것은?

① 고장 전류의 저감
② 제3고조파 제거
③ 조상설비 설치
④ 소내용 전원 공급

33

대칭분 전류

• 영상 전류: $I_0 = \dfrac{1}{3}(I_a + I_b + I_c)$[A]

• 정상 전류: $I_1 = \dfrac{1}{3}(I_a + aI_b + a^2 I_c)$[A]

• 역상 전류: $I_2 = \dfrac{1}{3}(I_a + a^2 I_b + aI_c)$[A]

34

연속의 원리는 "완전히 밀폐된 수관의 어느 임의의 두 지점에 통과한 물의 유량은 서로 같다."는 법칙이다. 즉, $A_1 V_1 = A_2 V_2$이다.

35

$\begin{bmatrix} A_0 & B_0 \\ C_0 & D_0 \end{bmatrix} = \begin{bmatrix} A & B \\ C & D \end{bmatrix} \begin{bmatrix} 1 & \dfrac{1}{Z_T} \\ 0 & 1 \end{bmatrix} = \begin{bmatrix} A & \dfrac{A}{Z_T} + B \\ C & \dfrac{C}{Z_T} + D \end{bmatrix}$ 이므로

$D_0 = \dfrac{C}{Z_T} + D = \dfrac{C + DZ_T}{Z_T}$

36

조상설비가 설치된 변전소에서는 $Y - Y - \Delta$ 결선 형태의 3권선 변압기를 적용한다. 3차 측(Δ 결선 측)에 조상설비를 설치하여 제3고조파 제거하고 변전소 내에서 사용되는 전원(소내용 전원)을 공급한다.

37 1 2 3

한류 리액터를 사용하는 가장 큰 목적은?

① 충전 전류의 제한
② 접지 전류의 제한
③ 누설 전류의 제한
④ 단락 전류의 제한

38 1 2 3

변압기 등 전력 설비 내부 고장 시 변류기에 유입하는 전류와 유출하는 전류의 차로 동작하는 보호 계전기는?

① 차동 계전기
② 지락 계전기
③ 과전류 계전기
④ 역상 전류 계전기

39 1 2 3

3상 결선 변압기의 단상 운전에 의한 소손 방지 목적으로 설치하는 계전기는?

① 차동 계전기　　　　② 역상 계전기
③ 단락 계전기　　　　④ 과전류 계전기

40 1 2 3

송전 선로의 정전 용량은 등가 선간 거리 D가 증가하면 어떻게 되는가?

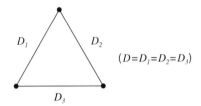

$(D=D_1=D_2=D_3)$

① 증가한다.
② 감소한다.
③ 변하지 않는다.
④ D^2에 반비례하여 감소한다.

37

한류 리액터
한류 리액터는 계통에 직렬로 설치되는 리액터로서 $I_s = \frac{100}{\%Z} I_n$[A]에서 분모의 %임피던스 값을 증가시켜 단락 전류를 제한하는 역할을 한다.

38

비율 차동 계전기
비율 차동 계전기(차동 계전기)는 변류기를 통한 차동 회로에 억제 코일과 동작 코일의 차전류를 이용하여 변압기, 발전기, 모선을 보호하는 계전기이다.

39

3상 변압기에서 1상이 결상되어 단상 운전이 되면 불평형이 발생하고 불평형에서는 역상 전류가 유기되므로 역상 계전기를 적용하여 보호한다.

[암기 포인트] 소손 방지 – 역상 계전기

40

송전 선로의 정전 용량 $C = \dfrac{0.02413}{\log_{10}\dfrac{D}{r}}$ [μF/km]에서 선간거리 D가

증가하면 정전 용량 C 값은 이에 반비례하여 감소한다.

41 1 2 3

단상 직권 정류자 전동기의 전기자 권선과 계자 권선에 대한 설명으로 틀린 것은?

① 계자 권선의 권수를 적게 한다.
② 전기자 권선의 권수를 크게 한다.
③ 변압기 기전력을 적게 하여 역률 저하를 방지한다.
④ 브러시로 단락되는 코일 중의 단락 전류를 많게 한다.

42 1 2 3

단상 직권 전동기의 종류가 아닌 것은?

① 직권형
② 아트킨손형
③ 보상 직권형
④ 유도 보상 직권형

43 1 2 3

동기 조상기의 여자 전류를 줄이면?

① 콘덴서로 작용
② 리액터로 작용
③ 진상 전류로 됨
④ 저항손의 보상

44 1 2 3

권선형 유도 전동기에서 비례 추이에 대한 설명으로 틀린 것은?(단, S_m은 최대 토크 시 슬립이다.)

① r_2를 크게 하면 S_m은 커진다.
② r_2를 삽입하면 최대 토크가 변한다.
③ r_2를 크게 하면 기동 토크도 커진다.
④ r_2를 크게 하면 기동 전류는 감소한다.

41

단상 직권 정류자 전동기(만능 전동기)
• 정의: 계자 권선과 전기자 권선이 직렬로 연결되어 있어 직류, 교류 모두에서 사용할 수 있는 전동기이다.

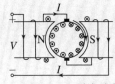 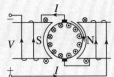

▲ 단상 직권 정류자 전동기

• 구조
 – 계자극에서 발생하는 철손을 줄이기 위해 성층 철심으로 한다.
 – 약계자, 강전기자형으로 한다.
  1) 계자 권선에서 리액턴스 영향으로 역률이 나빠지므로 약계자 구조
  2) 약계자에 의한 토크 부족을 보상하기 위해 강전기자 구조
 – 보상 권선 설치: 역률 개선, 전기자 반작용 억제, 누설 리액턴스 감소
 – 저항 도선 설치: 변압기 기전력에 의한 단락 전류 감소
 – 변압기 기전력
  직권 정류자 전동기의 브러시에 의해 단락되는 코일 내의 전압
  $e_t = 4.44 f \phi N[\mathrm{V}] \, (e_t \propto \phi \propto I)$
 – 회전 속도가 고속일수록 역률이 개선된다.(주로 고속도 운전)
 – 브러시로 단락되는 코일 내의 단락 전류를 많게 하면 정류가 불량하므로 단락 전류를 작게 하는 것이 좋다.
• 용도: 기동 토크와 고속 회전수가 필요한 미싱, 소형 공구, 치과 의료용 기기

42

단상 직권 전동기의 종류
• 직권형
• 보상 직권형
• 유도 보상 직권형

[참고]
단상 반발 전동기
• 정의: 회전자 권선을 브러시로 단락하고 전원에 고정자 권선을 접속해 회전자에 유도 전류를 공급하는 직권형 교류 정류자 전동기이다.

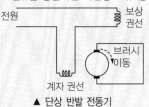

▲ 단상 반발 전동기

• 특징
 – 기동 토크가 매우 크다.
 – 브러시를 이동해 연속적인 속도 제어가 가능하다.
• 종류: 아트킨손형, 톰슨형, 데리형

43

동기 조상기
• 과여자 운전 시: 역률은 진상이 되므로 콘덴서로 작용
• 부족 여자 운전 시: 역률은 지상이 되므로 리액터로 작용

44

최대 토크(T_m)는 2차 저항(r_2) 및 슬립(S)과 상관없으므로 일정하다.

45

전기자 저항 $r_a = 0.2[\Omega]$, 동기 리액턴스 $x_s = 20[\Omega]$인 Y 결선의 3상 동기 발전기가 있다. 3상 중 1상의 단자 전압 $V = 4,400[V]$, 유도 기전력 $E = 6,600[V]$이다. 부하각 $\delta = 30°$라고 하면 발전기의 출력은 약 몇 $[kW]$인가?

① 2,178 　　　　　② 3,251
③ 4,253 　　　　　④ 5,532

46

반도체 정류기에 적용된 소자 중 첨두 역방향 내전압이 가장 큰 것은?

① 셀렌 정류기 　　　② 실리콘 정류기
③ 게르마늄 정류기 　④ 아산화동 정류기

47

동기 전동기에서 전기자 반작용을 설명한 것 중 옳은 것은?

① 공급 전압보다 앞선 전류는 감자 작용을 한다.
② 공급 전압보다 뒤진 전류는 감자 작용을 한다.
③ 공급 전압보다 앞선 전류는 교차 자화 작용을 한다.
④ 공급 전압보다 뒤진 전류는 교차 자화 작용을 한다.

48

변압기 결선 방식 중 3상에서 6상으로 변환할 수 없는 것은?

① 2중 성형 결선 　　② 환상 결선
③ 대각 결선 　　　　④ 2중 6각 결선

정답 및 해설

45

$$P = 3 \times \frac{EV}{x_s} \sin\delta = 3 \times \frac{6,600 \times 4,400}{20} \times \sin 30°$$
$$= 2,178 \times 10^3 [W] = 2,178[kW]$$

46

실리콘 정류기
역방향 내전압이 가장 큰 반도체 정류기 소자

47

전기자 반작용
• 동기 발전기의 전기자 반작용의 종류

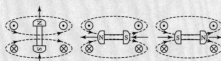

교차 자화 작용　　　감자 작용　　　증자 작용
▲ 전기자 반작용의 종류

　– 교차 자화 작용: 전류와 전압이 동위상(R 부하)일 때 발생한다.(발전기의 유기 기전력이 일정하지 않게 된다.)

　– 감자 작용: 전류가 전압보다 90° 뒤진 지상 전류(L 부하)일 때 발생한다.(전압이 떨어진다.)
　– 증자 작용: 전류가 전압보다 90° 앞선 진상 전류(C 부하)일 때 발생한다.(전압이 상승한다.)
• 동기 전동기에서는 위의 내용이 반대가 된다.
　– 감자 작용: 진상 전류(C 부하)일 때 발생
　– 증자 작용: 지상 전류(L 부하)일 때 발생
즉, 동기 전동기에서 공급 전압보다 앞선 전류는 감자 작용을 한다.

48

3상 입력에서 2상 출력을 내는 결선법
• 우드브리지 결선
• 메이어 결선
• 스코트 결선(T 결선): 2상 서보모터 구동용으로 사용

3상 입력에서 6상 출력을 내는 결선법
• 포크 결선(6상 2중 성형 결선): 수은 정류기에 주로 사용
• 환상 결선
• 대각 결선
• 2중 Δ 결선
• 2중 성형 결선

49 1 2 3

실리콘 제어 정류기(SCR)의 설명 중 틀린 것은?

① PNPN 구조로 되어 있다.
② 인버터 회로에 이용될 수 있다.
③ 고속도의 스위치 작용을 할 수 있다.
④ 게이트에 (+)와 (−)의 특성을 갖는 펄스를 인가하여 제어한다.

50 1 2 3

직류 발전기가 $90[\%]$ 부하에서 최대 효율이 된다면 이 발전기의 전부하에 있어서 고정손과 부하손의 비는?

① 1.1   ② 1.0
③ 0.9   ④ 0.81

51 1 2 3

$150[\mathrm{kVA}]$의 변압기의 철손이 $1[\mathrm{kW}]$, 전부하 동손이 $2.5[\mathrm{kW}]$이다. 역률 $80[\%]$에 있어서의 최대 효율은 약 몇 $[\%]$인가?

① 95   ② 96
③ 97.4   ④ 98.5

52 1 2 3

정격 부하에서 역률 0.8(뒤짐)로 운전될 때 전압 변동률이 $12[\%]$인 변압기가 있다. 이 변압기에 역률 $100[\%]$의 정격 부하를 걸고 운전할 때의 전압 변동률은 약 몇 $[\%]$인가?(단, % 저항 강하는 %리액턴스 강하의 $\dfrac{1}{12}$ 이라고 한다.)

① 0.909   ② 1.5
③ 6.85   ④ 16.18

49

게이트에 정(+), 부(−)의 펄스를 인가하여 제어하는 소자는 GTO이다.

50

최대 효율이 되는 부하율을 구하면

$m = \sqrt{\dfrac{P_i}{P_c}}$ 에서 $\dfrac{P_i}{P_c} = m^2 = 0.9^2 = 0.81$ 이다.

51

• 최대 효율이 되는 부하율

$m = \sqrt{\dfrac{P_i}{P_c}} = \sqrt{\dfrac{1}{2.5}} \fallingdotseq 0.632$

• 변압기의 최대 효율

$$\eta = \frac{\text{최대 효율 시 출력}}{\text{최대 효율 시 출력} + P_i + m^2 P_c} \times 100[\%]$$

$$= \frac{150 \times 0.632 \times 0.8}{150 \times 0.632 \times 0.8 + 1 + 0.632^2 \times 2.5} \times 100[\%] \fallingdotseq 97.4[\%]$$

[암기 포인트] 최대 효율 $= \dfrac{m P_a \cos\theta}{m P_a \cos\theta + P_i + m^2 P_c} \times 100[\%]$

52

전압 변동률 $\delta = p\cos\theta + q\sin\theta[\%]$을 이용한다.

$12 = p \times 0.8 + q \times 0.6 = \dfrac{q}{12} \times 0.8 + q \times 0.6$

$\therefore q = 18[\%]$, $p = \dfrac{18}{12} = 1.5[\%]$

역률이 $100[\%]$일 때 전압 변동률은 다음과 같다.
$\delta = p\cos\theta + q\sin\theta = 1.5 \times 1 + 18 \times 0 = 1.5[\%]$

53 [1] [2] [3]

권선형 유도 전동기 저항 제어법의 단점 중 틀린 것은?

① 운전 효율이 낮다.
② 부하에 대한 속도 변동이 작다.
③ 제어용 저항기는 가격이 비싸다.
④ 부하가 적을 때는 광범위한 속도 조정이 곤란하다.

54 [1] [2] [3]

부하 급변 시 부하각과 부하 속도가 진동하는 난조 현상을 일으키는 원인이 아닌 것은?

① 전기자 회로의 저항이 너무 큰 경우
② 원동기의 토크에 고조파가 포함된 경우
③ 원동기의 조속기 감도가 너무 예민한 경우
④ 자속의 분포가 기울어져 자속의 크기가 감소한 경우

55 [1] [2] [3]

단상 변압기 3대를 이용하여 3상 $\Delta - Y$ 결선을 했을 때 1차와 2차 전압의 각변위(위상차)는?

① $0°$　　　　　　② $60°$
③ $150°$　　　　　④ $180°$

56 [1] [2] [3]

권선형 유도 전동기의 전부하 운전 시 슬립이 $4[\%]$이고, 2차 정격 전압이 $150[V]$이면 2차 유도 기전력은 몇 $[V]$인가?

① 9　　　　　　② 8
③ 7　　　　　　④ 6

57 [1] [2] [3]

3상 유도 전동기의 슬립이 s일 때 2차 효율$[\%]$은?

① $(1-s) \times 100$　　　② $(2-s) \times 100$
③ $(3-s) \times 100$　　　④ $(4-s) \times 100$

정답 및 해설

53

권선형 유도 전동기의 저항 제어법의 단점
• 운전 효율이 낮다.
• 부하에 대한 속도 변동이 크다.
• 제어용 저항기는 가격이 비싸다.
• 부하가 적을 때에는 광범위한 속도 조정이 곤란하다.

54

난조 발생 원인
• 전기자 회로의 저항이 너무 큰 경우
• 원동기 토크에 고조파가 포함된 경우
• 원동기의 조속기 감도가 너무 예민한 경우
• 부하가 급격하게 변한 경우

55

$\Delta - Y$ 결선을 했을 때 1차와 2차 전압의 각변위(위상차)로는 $30°$, $-30°$, $150°$가 있다.

56

$E_{2s} = s E_2 = 0.04 \times 150 = 6[V]$

57

3상 유도 전동기의 슬립이 s일 때 2차 효율$[\%]$

$$\eta_2 = \frac{2차 \ 출력}{2차 \ 입력} \times 100 = \frac{P_0}{P_2} \times 100 = \frac{(1-s)P_2}{P_2} \times 100$$

$$= (1-s) \times 100[\%]$$

58 ☐ 1 ☐ 2 ☐ 3

직류 전동기의 회전수를 $\frac{1}{2}$로 하려면 계자 자속을 어떻게 해야 하는가?

① $\frac{1}{4}$로 감소시킨다. ② $\frac{1}{2}$로 감소시킨다.

③ 2배로 증가시킨다. ④ 4배로 증가시킨다.

59 ☐ 1 ☐ 2 ☐ 3

사이리스터 2개를 사용한 단상 전파 정류회로에서 직류 전압 $100[\mathrm{V}]$를 얻으려면 PIV가 약 몇 $[\mathrm{V}]$인 다이오드를 사용하면 되는가?

① 111 ② 141
③ 222 ④ 314

60 ☐ 1 ☐ 2 ☐ 3

교류 발전기의 고조파 발생을 방지하는 방법으로 틀린 것은?

① 전기자 반작용을 크게 한다.
② 전기자 권선을 단절권으로 감는다.
③ 전기자 슬롯을 스큐 슬롯으로 한다.
④ 전기자 권선의 결선을 성형으로 한다.

61 ☐ 1 ☐ 2 ☐ 3

개루프 전달 함수 $G(s)$가 다음과 같이 주어지는 단위 부궤환 계가 있다. 단위 계단 입력이 주어졌을 때, 정상 상태 편차가 0.05가 되기 위해서는 K의 값은?

$$G(s) = \frac{6K(s+1)}{(s+2)(s+3)}$$

① 19 ② 20
③ 0.95 ④ 0.05

58

직류 전동기 역기전력 $E = \frac{pZ}{60a}\phi N[\mathrm{V}]$이다. 따라서 회전수와 자속의 관계는 $N \propto \frac{E}{\phi}$이므로 회전수 N을 $\frac{1}{2}$로 하려면 계자 자속 ϕ를 2배로 늘려야 한다.
(단, p: 극수, Z: 도체수, a: 병렬 회로수, ϕ: 자속[Wb], N: 분당 회전수[rpm])

59

• 단상 전파 정류회로(중간 탭)의 최대 역전압
$PIV = 2\sqrt{2}\,E[\mathrm{V}]$
• 교류 실효 전압과 직류 전압의 관계
$E_d = \frac{2\sqrt{2}}{\pi}E[\mathrm{V}]$

$\therefore PIV = 2\sqrt{2} \times \frac{\pi}{2\sqrt{2}}E_d = \pi E_d = 100\pi = 314[\mathrm{V}]$

(단, E: 교류 신호 전압[V], E_d: 직류 전압[V])

60

교류 발전기의 고조파 발생을 방지하는 방법
• 전기자 권선을 단절권으로 감는다.
• 전기자 슬롯을 사구(스큐 슬롯)로 한다.
• 전기자 권선의 결선을 성형으로 한다.

61

위치 편차

$e_p = \dfrac{1}{1+\lim\limits_{s \to 0} G(s)} = \dfrac{1}{1+\lim\limits_{s \to 0}\dfrac{6K(s+1)}{(s+2)(s+3)}}$

$\quad = \dfrac{1}{1+\dfrac{6K}{6}} = \dfrac{1}{1+K} = 0.05$

$1 = 0.05(1+K) \rightarrow 20 = 1+K$

$\therefore K = 19$

62

제어량의 종류에 따른 분류가 아닌 것은?

① 자동 조정
② 서보 기구
③ 적응 제어
④ 프로세스 제어

63

개루프 전달 함수 $G(s)H(s) = \dfrac{K(s-5)}{s(s-1)^2(s+2)^2}$ 일 때 주어지는 계에서 점근선의 교차점은 얼마인가?

① $-\dfrac{3}{2}$
② $-\dfrac{7}{4}$
③ $\dfrac{5}{3}$
④ $-\dfrac{1}{5}$

64

단위 계단 함수의 라플라스 변환과 z 변환 함수를 구하면?

① $\dfrac{1}{s}$, $\dfrac{z}{z-1}$
② s , $\dfrac{z}{z-1}$
③ $\dfrac{1}{s}$, $\dfrac{z-1}{z}$
④ s , $\dfrac{z-1}{z}$

65

다음 방정식으로 표시되는 제어계가 있다. 이 계를 상태 방정식 $\dot{x}(t) = Ax(t) + Bu(t)$로 나타내면 계수 행렬 A는?

$$\frac{d^3c(t)}{dt^3} + 5\frac{d^2c(t)}{dt^2} + \frac{dc(t)}{dt} + 2c(t) = r(t)$$

① $\begin{bmatrix} 0 & 1 & 0 \\ 0 & 0 & 1 \\ -2 & -1 & -5 \end{bmatrix}$
② $\begin{bmatrix} 0 & 1 & 0 \\ 1 & 0 & 0 \\ 5 & 1 & 2 \end{bmatrix}$
③ $\begin{bmatrix} 0 & 0 & 1 \\ 1 & 0 & 0 \\ 0 & 5 & 2 \end{bmatrix}$
④ $\begin{bmatrix} 0 & 1 & 0 \\ 0 & 0 & 1 \\ -2 & -1 & 0 \end{bmatrix}$

62

제어량의 종류에 따른 분류
서보 기구, 자동 조정, 프로세스 제어
[암기 포인트] 프로는 서서 자!

63

주어진 전달 함수에서 극점과 영점을 구한다.
Z(영점) = 5, P(극점) = 0, 1, 1, −2, −2이다.
이를 점근선의 교차점 공식에 대입한다.
점근선의 교차점

$= \dfrac{극점의 합(\sum P) - 영점의 합(\sum Z)}{극점 수(P) - 영점 수(Z)}$

$= \dfrac{(0+1+1-2-2)-(5)}{5-1} = -\dfrac{7}{4}$

64

시간 함수: $f(t)$	라플라스 변환: $F(s)$	z 변환: $F(z)$
임펄스 함수: $\delta(t)$	1	1
단위 계단 함수: $u(t) = 1$	$\dfrac{1}{s}$	$\dfrac{z}{z-1}$
속도 함수: t	$\dfrac{1}{s^2}$	$\dfrac{Tz}{(z-1)^2}$
지수 함수: e^{-at}	$\dfrac{1}{s+a}$	$\dfrac{z}{z-e^{-aT}}$

65

상태 방정식의 계수 행렬의 특성(3차 방정식인 경우)

• 계수 행렬 A

 − 1행 및 2행 요소(불변): $\begin{bmatrix} 0 & 1 & 0 \\ 0 & 0 & 1 \end{bmatrix}$

 − 3행 요소(부호 반대): $\begin{bmatrix} -2 & -1 & -5 \end{bmatrix}$

$\therefore A = \begin{bmatrix} 0 & 1 & 0 \\ 0 & 0 & 1 \\ -2 & -1 & -5 \end{bmatrix}$

66

안정한 제어계에 임펄스 응답을 가했을 때 제어계의 정상 상태 출력은 얼마인가?

① 0
② $+\infty$ 또는 $-\infty$
③ $+$의 일정한 값
④ $-$의 일정한 값

67

그림과 같은 블록선도에서 $\dfrac{C(s)}{R(s)}$의 값은?

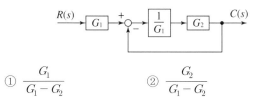

① $\dfrac{G_1}{G_1 - G_2}$
② $\dfrac{G_2}{G_1 - G_2}$
③ $\dfrac{G_2}{G_1 + G_2}$
④ $\dfrac{G_1 G_2}{G_1 + G_2}$

68

신호 흐름 선도에서 전달 함수 $\dfrac{C}{R}$를 구하면?

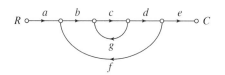

① $\dfrac{abcdg}{1 - abcde}$
② $\dfrac{abcde}{1 - cg - bcdf}$
③ $\dfrac{abcde}{1 - cg - cgf}$
④ $\dfrac{abcde}{1 + cg + cgf}$

69

특성 방정식이 $s^3 + 2s^2 + Ks + 5 = 0$가 안정하기 위한 K의 값은?

① $K > 0$
② $K < 0$
③ $K > \dfrac{5}{2}$
④ $K < \dfrac{5}{2}$

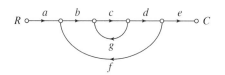

66

안정한 제어계는 지수 함수처럼 $\lim\limits_{t \to \infty} f(t) = k$과 같이 시간을 무한대로 보냈을 때 그 결과 값이 어느 한 값으로 수렴하는 제어계를 말한다. 문제에서 안정한 제어계에 임펄스 응답(임펄스 함수를 입력으로 가한 응답)을 가했다고 하였으므로 $\lim\limits_{t \to \infty} e^{-t} \times \delta(t)$를 의미하는데, 임펄스 함수는 $t = \infty$에서 그 크기가 0($t = \infty$)이므로 역시 제어계의 시간을 무한대로 진행하였을 때 출력 응답은 0이 된다.

67

주어진 블록선도에 메이슨 공식을 적용하여 전달 함수를 구한다.

$$\frac{C(s)}{R(s)} = \frac{\sum 경로}{1 - \sum 폐루프} = \frac{G_1 \times \dfrac{1}{G_1} \times G_2}{1 - \left(-\dfrac{1}{G_1} \times G_2\right)} = \frac{G_2}{1 + \dfrac{G_2}{G_1}}$$

$$= \frac{G_1 G_2}{G_1 + G_2}$$

68

주어진 신호 흐름 선도에 메이슨 공식을 적용하여 전달 함수를 구한다.

$$\frac{C(s)}{R(s)} = \frac{\sum 경로}{1 - \sum 폐루프} = \frac{a \times b \times c \times d \times e}{1 - (c \times g) - (b \times c \times d \times f)}$$

$$= \frac{abcde}{1 - cg - bcdf}$$

69

주어진 특성 방정식을 루드표로 작성하면 다음과 같다.

차수	제1열	제2열
s^3	1	K
s^2	2	5
s^1	$\dfrac{2 \times K - 1 \times 5}{2} = \dfrac{2K - 5}{2}$	0
s^0	5	0

제어계가 안정하려면 루드표의 제1열의 부호 변화가 없어야 한다.

$$\frac{2K - 5}{2} > 0 \rightarrow K > \frac{5}{2}$$

따라서 안정하기 위한 조건은 $K > \dfrac{5}{2}$이다.

70 [1] [2] [3]

다음과 같은 진리표를 갖는 회로의 종류는?

입력		출력
A	B	
0	0	0
0	1	1
1	0	1
1	1	0

① AND   ② NOR

③ NAND   ④ EX-OR

71 [1] [2] [3]

대칭 좌표법에서 대칭분을 각 상전압으로 표시한 것 중 틀린 것은?

① $E_0 = \frac{1}{3}(E_a + E_b + E_c)$

② $E_1 = \frac{1}{3}(E_a + aE_b + a^2 E_c)$

③ $E_2 = \frac{1}{3}(E_a + a^2 E_b + aE_c)$

④ $E_3 = \frac{1}{3}(E_a^2 + E_b^2 + E_c^2)$

72 [1] [2] [3]

$R - L$ 직렬 회로에서 스위치 S가 1번 위치에 오랫동안 있다가 $t = 0^+$에서 위치 2번으로 옮겨진 후, $\frac{L}{R}$[s] 후에 L에 흐르는 전류[A]는?

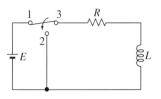

① $\frac{E}{R}$ ② $0.5\frac{E}{R}$

③ $0.368\frac{E}{R}$ ④ $0.632\frac{E}{R}$

73 [1] [2] [3]

분포 정수 회로에서 선로 정수가 R, L, C, G이고 무왜형 조건이 $RC = GL$과 같은 관계가 성립될 때, 선로의 특성 임피던스 Z_0는?(단, 선로의 단위 길이당 저항을 R, 인덕턴스를 L, 정전 용량을 C, 누설 컨덕턴스를 G라고 한다.)

① $Z_0 = \frac{1}{\sqrt{CL}}$ ② $Z_0 = \sqrt{\frac{L}{C}}$

③ $Z_0 = \sqrt{CL}$ ④ $Z_0 = \sqrt{RG}$

정답 및 해설

70

다음 그림과 같은 논리 회로에 대해 논리식을 구한다.

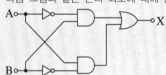

$X = \overline{A} \cdot B + A \cdot \overline{B}$

위 출력과 같이 나오는 회로를 배타적 논리 회로(Exclusive OR)라고 한다. 이를 무접점 회로와 진리표로 표현한다.

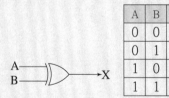

A	B	X
0	0	0
0	1	1
1	0	1
1	1	0

71

대칭분 전압

• 영상 전압: $E_0 = \frac{1}{3}(E_a + E_b + E_c)$[V]

• 정상 전압: $E_1 = \frac{1}{3}(E_a + aE_b + a^2 E_c)$[V]

• 역상 전압: $E_2 = \frac{1}{3}(E_a + a^2 E_b + aE_c)$[V]

72

문제에서 스위치를 1에서 2로 옮겼다는 의미는 회로의 전압을 끊었다는 의미이므로 이때의 과도 전류는 아래와 같다.

$i(t) = \frac{E}{R}e^{-\frac{R}{L}t}$ [A]

$i\left(\frac{L}{R}\right) = \frac{E}{R}e^{-\frac{R}{L} \times \frac{L}{R}} = \frac{E}{R}e^{-1} = 0.368\frac{E}{R}$[A]

$(\because e^{-1} = 0.368)$

[암기 포인트] $i(t) = \frac{E}{R}e^{-\frac{R}{L}t}$

73

분포 정수 회로에서 무손실($R = G = 0$)과 무왜형($LG = RC$)에서의 특성 임피던스는 아래와 같다.

$Z_0 = \sqrt{\frac{Z}{Y}} = \sqrt{\frac{R + j\omega L}{G + j\omega C}} = \sqrt{\frac{L}{C}}$[Ω]

74 [1] [2] [3]

그림과 같은 4단자 회로망에서 하이브리드 파라미터 H_{11}은?

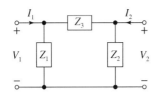

① $\dfrac{Z_1}{Z_1 + Z_3}$ 　　② $\dfrac{Z_1}{Z_1 + Z_2}$

③ $\dfrac{Z_1 Z_3}{Z_1 + Z_3}$ 　　④ $\dfrac{Z_1 Z_2}{Z_1 + Z_2}$

75 [1] [2] [3]

내부 저항 $0.1[\Omega]$인 건전지 10개를 직렬로 접속하고 이것을 한 조로 하여 5조 병렬로 접속하면 합성 내부 저항은 몇 $[\Omega]$인가?

① 5 　　② 1

③ 0.5 　　④ 0.2

76 [1] [2] [3]

함수 $f(t)$의 라플라스 변환은 어떤 식으로 정의되는가?

① $\displaystyle\int_0^\infty f(t) e^{st}\, dt$ 　　② $\displaystyle\int_0^\infty f(t) e^{-st}\, dt$

③ $\displaystyle\int_0^\infty f(-t) e^{st}\, dt$ 　　④ $\displaystyle\int_{-\infty}^\infty f(-t) e^{-st}\, dt$

77 [1] [2] [3]

대칭 좌표법에서 불평형률을 나타내는 것은?

① $\dfrac{\text{영상분}}{\text{정상분}} \times 100$ 　　② $\dfrac{\text{정상분}}{\text{역상분}} \times 100$

③ $\dfrac{\text{정상분}}{\text{영상분}} \times 100$ 　　④ $\dfrac{\text{역상분}}{\text{정상분}} \times 100$

74

문제에 주어진 π형 회로에서 하이브리드 파라미터 H_{11}은 2차 측에 있는 Z_2 임피던스를 단락한 상태에서 1차 측에서 본 합성 임피던스이므로 $H_{11} = \dfrac{Z_1 Z_3}{Z_1 + Z_3}$ 의 병렬 합성이 된다.

75

내부 저항 $0.1[\Omega]$인 건전지 10개를 직렬로 연결했을 때의 합성 저항값은 $0.1 \times 10 = 1[\Omega]$이다. 이것을 한 조로 하여 5조 병렬로 접속하였기 때문에 병렬 합성 저항값은 $R = \dfrac{1}{5} = 0.2[\Omega]$이다.

76

라플라스 변환은 시간함수가 0[초]에서 ∞[초]까지 경과하였을 경우의 주파수 변화에 대한 함수로서 라플라스 변환식은 아래와 같다.

$$F(s) = \int_0^\infty f(t) e^{-st}\, dt$$

77

전압이나 전류의 불평형은 역상 성분 때문에 발생하는 것이므로 불평형률 관계식은 아래와 같다.

불평형률 $= \dfrac{\text{역상분}}{\text{정상분}} \times 100[\%] = \dfrac{V_2}{V_1} \times 100[\%] = \dfrac{I_2}{I_1} \times 100[\%]$

[암기 포인트] 불 $= \dfrac{\text{역}}{\text{정}}$

78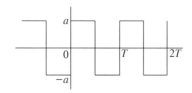

그림의 왜형파를 푸리에의 급수로 전개할 때, 옳은 것은?

① 우수파만 포함한다.
② 기수파만 포함한다.
③ 우수파·기수파 모두 포함한다.
④ 푸리에의 급수로 전개할 수 없다.

79 [1] [2] [3]

최대값이 E_m인 반파 정류 정현파의 실횟값은 몇 [V]인가?

① $\dfrac{2E_m}{\pi}$

② $\sqrt{2}\,E_m$

③ $\dfrac{E_m}{\sqrt{2}}$

④ $\dfrac{E_m}{2}$

80 [1] [2] [3]

그림과 같이 $R[\Omega]$의 저항을 Y 결선으로 하여 단자의 a, b 및 c에 비대칭 3상 전압을 가할 때, a 단자의 중성점 N에 대한 전압은 약 몇 [V]인가?(단, $V_{ab}=210[\text{V}]$, $V_{bc}=-90-j180[\text{V}]$, $V_{ca}=-120+j180[\text{V}]$)

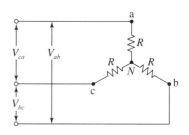

① 100
② 116
③ 121
④ 125

정답 및 해설

78

주어진 파형은 정현 대칭파이면서 반파 대칭파이므로 이때 존재하는 고조파의 차수는 홀수(기수)만 남게 된다.

[암기 포인트] 고조파 차수가 홀수: 기수
고조파 차수가 짝수: 우수

79

대표적인 교류 파형

종류	파형	평균값	실횟값
정현파	∿	$\dfrac{2}{\pi}V_m$	$\dfrac{1}{\sqrt{2}}V_m$
반파 정류파	⌒	$\dfrac{1}{\pi}V_m$	$\dfrac{1}{2}V_m$
구형파	⊓⊔	V_m	V_m
반 구형파	⊓	$\dfrac{1}{2}V_m$	$\dfrac{1}{\sqrt{2}}V_m$
삼각파	◿	$\dfrac{1}{2}V_m$	$\dfrac{1}{\sqrt{3}}V_m$

[암기 포인트] 반파 정류: 실횟값 $=\dfrac{V_m}{2}$, 평균값 $=\dfrac{V_m}{\pi}$

80

구하는 상전압 $V_a=I_aR_a[\text{V}]$이다.
R을 $Y\to\Delta$ 변환하면 평형 부하이므로 $3R[\Omega]$이다.
Δ 결선에서 상전류 $I_a=I_{ab}-I_{ac}[\text{A}]$

$$I_{ab}=\frac{V_{ab}}{3R}[\text{A}],\ I_{ac}=\frac{V_{ac}}{3R}[\text{A}]$$

$$I_a=\frac{210}{3R}-\frac{-120+j180}{3R}=\frac{110-j60}{R}[\text{A}]$$

상전압 V_a는 아래와 같다.

$$V_a=\frac{110-j60}{R}\times R=110-j60[\text{V}]$$

$$\therefore\ |V_a|=\sqrt{110^2+60^2}\fallingdotseq 125.3[\text{V}]$$

[별해] 위 풀이 방법이 너무 복잡하고 어려우면 아래와 같이 약식으로 구하면 된다. a상의 전압을 구하는 문제이므로 다른 조건은 오차가 크고, a상에서 가장 가까운 V_{ca}를 기준으로 하여 상전압을 구하면 된다.

$$V_a=\frac{\sqrt{(-120)^2+180^2}}{\sqrt{3}}\fallingdotseq 125[\text{V}]$$

81

태양전지 모듈의 시설에 대한 설명으로 옳은 것은?

① 충전 부분은 노출하여 시설할 것
② 출력 배선은 극성별로 확인 가능토록 표시할 것
③ 전선은 공칭단면적 1.5[mm²] 이상의 연동선을 사용할 것
④ 전선을 옥내에 시설할 경우에는 애자공사에 준하여 시설할 것

82

저압 옥상전선로를 전개된 장소에 시설하는 내용으로 틀린 것은?

① 전선은 절연전선일 것
② 전선은 지름 2.5[mm] 이상의 경동선일 것
③ 전선과 그 저압 옥상전선로를 시설하는 조영재와의 이격거리는 2[m] 이상일 것
④ 전선은 조영재에 내수성이 있는 애자를 사용하여 지지하고 그 지지점 간의 거리는 15[m] 이하일 것

83

무대, 무대마루 밑, 오케스트라 박스, 영사실 기타 사람이나 무대 도구가 접촉할 우려가 있는 곳에 시설하는 저압 옥내배선, 전구선 또는 이동전선은 사용전압이 몇 [V] 이하이어야 하는가?

① 60   ② 110
③ 220   ④ 400

84

과전류차단기로 시설하는 퓨즈 중 고압 전로에 사용하는 포장 퓨즈는 정격전류의 몇 배의 전류에 견디어야 하는가?

① 1.1   ② 1.25
③ 1.3   ④ 1.6

81
태양광 설비의 시설(한국전기설비규정 522.1)
• 전선은 공칭단면적 2.5[mm²] 이상의 연동선 또는 이와 동등 이상의 세기 및 굵기의 것일 것
• 옥내에 시설할 경우에는 합성수지관공사, 금속관공사, 금속제 가요전선관공사 또는 케이블공사로 시설할 것
• 모듈의 출력 배선은 극성별로 확인 가능하도록 표시할 것
• 충전 부분은 노출되지 아니하도록 시설할 것

82
옥상전선로(한국전기설비규정 221.3)
저압 옥상전선로는 전개된 장소에 따르고 또한 위험의 우려가 없도록 시설하여야 한다.
• 전선은 인장강도 2.30[kN] 이상의 것 또는 지름 2.6[mm] 이상의 경동선을 사용할 것
• 전선은 절연전선(OW 전선 포함) 또는 이와 동등 이상의 절연 성능이 있는 것을 사용할 것
• 전선은 조영재에 견고하게 붙인 지지주 또는 지지대에 절연성·난연성 및 내수성이 있는 애자를 사용하여 지지하고 또한 그 지지점 간의 거리는 15[m] 이하일 것

• 전선과 그 저압 옥상전선로를 시설하는 조영재와의 이격거리는 2[m](전선이 고압 절연전선, 특고압 절연전선 또는 케이블인 경우에는 1[m]) 이상일 것

83
전시회, 쇼 및 공연장의 전기설비(사용전압)(한국전기설비규정 242.6.2)
무대, 무대마루 밑, 오케스트라 박스, 영사실 기타 사람이나 무대 도구가 접촉할 우려가 있는 곳에 시설하는 저압 옥내배선, 전구선 또는 이동전선은 사용전압이 400[V] 이하이어야 한다.

84
고압 및 특고압 전로 중의 과전류차단기의 시설(한국전기설비규정 341.10)
과전류차단기로 시설하는 퓨즈 중 고압 전로에 사용하는 포장 퓨즈(퓨즈 이외의 과전류차단기와 조합하여 하나의 과전류차단기로 사용하는 것을 제외한다)는 정격전류의 1.3배의 전류에 견디고 또한 2배의 전류로 120분 안에 용단되는 것 또는 해당 규정에 적합한 고압 전류 제한 퓨즈이어야 한다.

2018년 1회

85 1 2 3

철도·궤도 또는 자동차도 전용터널 안 전선로의 시설방법으로 옳은 것은?

① 저압 전선은 지름 2.6[mm]의 경동선의 절연전선을 사용하였다.
② 고압 전선은 절연전선을 사용하여 합성수지관공사로 하였다.
③ 저압 전선을 애자사용배선에 의하여 시설하고 이를 레일면상 또는 노면상 2.2[m]의 높이로 시설하였다.
④ 고압 전선을 금속관공사에 의하여 시설하고 이를 레일면상 또는 노면상 2.4[m]의 높이로 시설하였다.

86 1 2 3

저압 옥측전선로에서 목조의 조영물에 시설할 수 있는 공사방법은?

① 금속관공사
② 버스덕트공사
③ 합성수지관공사
④ 연피 또는 알루미늄 케이블공사

87 1 2 3

특고압을 직접 저압으로 변성하는 변압기를 시설하여서는 아니 되는 변압기는?

① 광산에서 물을 양수하기 위한 양수기용 변압기
② 전기로 등 전류가 큰 전기를 소비하기 위한 변압기
③ 교류식 전기철도용 신호회로에 전기를 공급하기 위한 변압기
④ 발전소, 변전소, 개폐소 또는 이에 준하는 곳의 소내용 변압기

85

터널 안 전선로의 시설(한국전기설비규정 335.1)
철도·궤도 또는 자동차 전용 터널 안 전선로

전압	전선의 굵기	사용방법	애자사용 공사 시 높이
저압	인장강도 2.30[KN] 이상의 절연전선 또는 지름 2.6[mm] 이상의 경동선의 절연전선	• 애자사용공사 • 케이블공사 • 금속관공사 • 가요전선관공사 • 합성수지관공사	노면상, 레일면상 2.5[m] 이상
고압	인장강도 5.26[KN] 이상의 것 또는 지름 4[mm] 이상의 경동선의 고압 절연전선 또는 특고압 절연전선	• 애자사용공사	노면상, 레일면상 3[m] 이상

86

옥측전선로(한국전기설비규정 221.2)
저압 옥측전선로는 다음의 공사방법에 의할 것
• 애자공사(전개된 장소에 한한다.)
• 합성수지관공사
• 금속관공사(목조 이외의 조영물에 시설하는 경우에 한한다.)
• 버스덕트공사(목조 이외의 조영물(점검할 수 없는 은폐된 장소는 제외한다.)에 시설하는 경우에 한한다.)
• 케이블공사(연피 케이블, 알루미늄피 케이블 또는 무기물절연(MI) 케이블을 사용하는 경우에는 목조 이외의 조영물에 시설하는 경우에 한한다.)

87

특고압을 직접 저압으로 변성하는 변압기의 시설(한국전기설비규정 341.3)
특고압을 직접 저압으로 변성하는 변압기는 다음의 것에 한하여 시설할 수 있다.
• 전기로 등 전류가 큰 전기를 소비하기 위한 변압기
• 발전소·변전소·개폐소 또는 이에 준하는 곳의 소내용 변압기
• 교류식 전기철도용 신호회로에 전기를 공급하기 위한 변압기

88 1 2 3

케이블트레이공사에 사용하는 케이블트레이의 시설기준으로 틀린 것은?

① 케이블트레이 안전율은 1.3 이상이어야 한다.
② 비금속제 케이블트레이는 난연성 재료의 것이어야 한다.
③ 전선의 피복 등을 손상시킬 돌기 등이 없이 매끈해야 한다.
④ 금속제 트레이는 접지공사를 하여야 한다.

89 1 2 3

전로에 대한 설명 중 옳은 것은?

① 통상의 사용상태에서 전기를 절연한 곳
② 통상의 사용상태에서 전기를 접지한 곳
③ 통상의 사용상태에서 전기가 통하고 있는 곳
④ 통상의 사용상태에서 전기가 통하고 있지 않는 곳

90 1 2 3

최대 사용전압 23[kV]의 권선으로 중성점 접지식 전로(중성선을 가지는 것으로 그 중성선에 다중접지를 하는 전로)에 접속되는 변압기는 몇 [V]의 절연내력 시험전압에 견디어야 하는가?

① 21,160　　　　② 25,300
③ 38,750　　　　④ 34,500

91 1 2 3

고압 가공전선으로 경동선 또는 내열 동합금선을 사용할 때 그 안전율은 최소 얼마 이상이 되는 이도로 시설하여야 하는가?

① 2.0　　　　② 2.2
③ 2.5　　　　④ 3.3

88

케이블트레이의 선정(한국전기설비규정 232.41.2)
• 수용된 모든 전선을 지지할 수 있는 적합한 강도의 것이어야 한다. 이 경우 케이블트레이의 안전율은 1.5 이상으로 하여야 한다.
• 전선의 피복 등을 손상시킬 수 있는 돌기 등이 없이 매끈하여야 한다.
• 금속제 케이블트레이 시스템은 기계적 또는 전기적으로 완전하게 접속하여야 하며 금속제 트레이는 접지공사를 하여야 한다.
• 비금속제 케이블트레이는 난연성 재료의 것이어야 한다.

[암기 포인트] 케이블트레이의 안전율은 1.5

89

용어 정의(한국전기설비규정 112)
전로란 통상의 사용상태에서 전기가 통하고 있는 곳을 말한다.

90

변압기 전로의 절연내력(한국전기설비규정 135)

접지방식	최대 사용전압	시험전압 (최대 사용 전압 배수)	최저 시험전압
비접지	7[kV] 이하	1.5배	500[V]
	7[kV] 초과	1.25배	10.5[kV]
중성점 접지	60[kV] 초과	1.1배	75[kV]
중성점 직접접지	60[kV] 초과 170[kV] 이하	0.72배	–
	170[kV] 초과	0.64배	
중성점 다중접지	25[kV] 이하	0.92배	–

따라서 절연내력 시험전압은 $23,000 \times 0.92 = 21,160$[V]

91

고압 가공전선의 안전율(한국전기설비규정 332.4)
고압 가공전선은 케이블인 경우 이외에는 안전율이 경동선 또는 내열 동합금선은 2.2 이상, 그 밖의 전선은 2.5 이상이 되는 이도로 시설하여야 한다.

[암기 포인트] 내열 동합금선 또는 경동선의 안전율은 2.2 이상

92 KEC 적용에 따라 삭제되었습니다.

93 ◻1◻2◻3◻

고압 보안공사에서 지지물이 A종 철주인 경우 경간은 몇 [m] 이하인가?

① 100   ② 150
③ 250   ④ 400

94 KEC 적용에 따라 삭제되었습니다.

95 ◻1◻2◻3◻

가공전선로 지지물의 승탑 및 승주 방지를 위한 발판 볼트는 지표상 몇 [m] 미만에 시설하여서는 아니 되는가?

① 1.2   ② 1.5
③ 1.8   ④ 2.0

96 ◻1◻2◻3◻

과부하 보호장치는 분기점에 설치해야 하나, 단락의 위험과 화재 및 인체에 대한 위험성이 최소화되도록 시설된 경우, 분기회로의 보호장치는 분기회로의 분기점으로부터 몇 [m]까지 이동하여 설치할 수 있는가?

① 2   ② 3
③ 4   ④ 5

97 ◻1◻2◻3◻

사용전압이 60[kV] 이하인 경우 전화선로의 길이 12[km]마다 유도전류는 몇 [μA]를 넘지 않도록 하여야 하는가?

① 1   ② 2
③ 3   ④ 5

98 ◻1◻2◻3◻

발전소·변전소·개폐소 또는 이에 준하는 곳에서 개폐기 또는 차단기에 사용하는 압축공기장치의 공기압축기는 최고 사용압력의 1.5배의 수압을 연속하여 몇 분간 가하여 시험을 하였을 때에 이에 견디고 또한 새지 아니하여야 하는가?

① 5   ② 10
③ 15   ④ 20

정답 및 해설

93

고압 보안공사(한국전기설비규정 332.10)
경간은 다음 표에서 정한 값 이하이어야 한다.

지지물의 종류	경간[m]
목주, A종 철주 또는 A종 철근 콘크리트주	100
B종 철주 또는 B종 철근 콘크리트주	150
철탑	400

95

가공전선로 지지물의 철탑오름 및 전주오름 방지(한국전기설비규정 331.4)
발판 볼트 등은 지표상 1.8[m] 미만에 시설하여서는 안 된다. 다만, 다음의 경우에는 그러지 아니하다.
• 발판 볼트를 내부에 넣을 수 있는 구조
• 지지물에 철탑오름 및 전주오름 방지 장치를 시설한 경우
• 취급자 이외의 자가 출입할 수 없도록 울타리 담 등을 시설한 경우
• 산간 등에 있으며 사람이 쉽게 접근할 우려가 없는 곳

96

과부하 보호장치의 설치 위치(한국전기설비규정 212.4.2)
과부하 보호장치는 분기점에 설치해야 하나, 단락의 위험과 화재 및 인

체에 대한 위험성이 최소화되도록 시설된 경우, 분기회로의 보호장치는 분기회로의 분기점으로부터 3[m]까지 이동하여 설치할 수 있다.

97

유도장해의 방지(한국전기설비규정 333.2)
• 사용전압이 60[kV] 이하인 경우에는 전화선로의 길이 12[km]마다 유도전류가 2[μA]를 넘지 아니할 것
• 사용전압이 60[kV]를 넘는 경우에는 전화선로의 길이 40[km]마다 유도전류가 3[μA]를 넘지 아니할 것

[암기 포인트] 유도전류
• 12[km] – 2[μA]
• 40[km] – 3[μA]

98

절연가스 취급설비(한국전기설비규정 341.16)
발전소·변전소·개폐소 또는 이에 준하는 곳에 시설하는 가스절연 기기는 최고 사용압력의 1.5배의 수압(수압을 연속하여 10분간 가하여 시험을 하기 어려울 때에는 최고 사용 압력의 1.25배의 기압)을 계속하여 10분간 가하여 시험을 한 경우에 이에 견디고 또한 새지 아니할 것

99 ⬚①②③

금속덕트공사에 의한 저압 옥내배선 시설에 대한 설명으로 틀린 것은?

① 저압 옥내배선 덕트에 접지공사를 한다.
② 금속덕트는 두께 1.0[mm] 이상인 철판으로 제작하고 덕트 상호 간에 완전히 접속한다.
③ 덕트를 조영재에 붙이는 경우 덕트 지지점 간의 거리를 3[m] 이하로 견고하게 붙인다.
④ 금속덕트에 넣은 전선의 단면적의 합계가 덕트의 내부 단면적의 20[%] 이하가 되도록 한다.

100 ①②③

그림은 전력선 반송 통신용 결합장치의 보안장치를 나타낸 것이다. S의 명칭으로 옳은 것은?

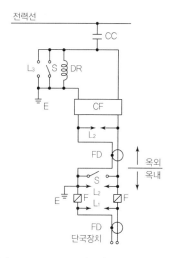

① 동축케이블   ② 결합 콘덴서
③ 접지용 개폐기   ④ 구상용 방전갭

99

금속덕트공사(한국전기설비규정 232.31)
금속덕트공사에 의한 저압 옥내배선은 다음에 따라 시설하여야 한다.
• 전선은 절연전선(옥외용 비닐절연전선을 제외한다)일 것
• 금속덕트에 넣은 전선의 단면적(절연피복의 단면적을 포함한다)의 합계는 덕트의 내부 단면적의 20[%](전광표시 장치 기타 이와 유사한 장치 또는 제어회로 등의 배선만을 넣는 경우에는 50[%]) 이하일 것
• 덕트에 접지공사를 할 것
• 금속덕트 안에는 전선에 접속점이 없도록 할 것
• 폭이 40[mm] 이상이고 또한 두께가 1.2[mm] 이상인 철판 또는 동등 이상의 기계적 강도를 가지는 금속제의 것으로 견고하게 제작한 것일 것
• 덕트를 조영재에 붙이는 경우에는 덕트의 지지점 간의 거리를 3[m] 이하로 하고 또한 견고하게 붙일 것

100

전력선 반송 통신용 결합장치의 보안장치(한국전기설비규정 362.11)

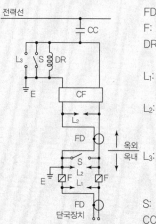

FD: 동축케이블
F: 정격전류 10[A] 이하의 포장 퓨즈
DR: 전류 용량 2[A] 이상의 배류 선륜
L₁: 교류 300[V] 이하에서 동작하는 피뢰기
L₂: 동작 전압이 교류 1,300[V]를 초과하고 1,600[V] 이하로 조정된 방전갭
L₃: 동작 전압이 교류 2[kV]를 초과하고 3[kV] 이하로 조정된 구상 방전갭
S: 접지용 개폐기 / CF: 결합 필터
CC: 결합 커패시터(결합 안테나를 포함한다)
E: 접지

전기자기학

1회독	월	일
2회독	월	일
3회독	월	일	자동채점

01

매질 1의 $\mu_1 = 500$, 매질 2의 $\mu_2 = 1,000$이다. 매질 2에서 경계면에 대하여 $45°$로 자계가 입사한 경우 매질 1에서 경계면과 자계의 각도에 가장 가까운 것은?

① $20°$　　② $30°$
③ $60°$　　④ $80°$

02

대지의 고유 저항이 $\rho[\Omega \cdot m]$일 때 반지름 $a[m]$인 그림과 같은 반구 접지극의 접지 저항$[\Omega]$은?

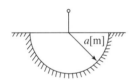

① $\dfrac{\rho}{4\pi a}$　　② $\dfrac{\rho}{2\pi a}$
③ $\dfrac{2\pi\rho}{a}$　　④ $2\pi\rho a$

03

히스테리시스 곡선에서 히스테리시스 손실에 해당하는 것은?

① 보자력의 크기
② 잔류 자기의 크기
③ 보자력과 잔류 자기의 곱
④ 히스테리시스 곡선의 면적

04

다음 (가), (나)에 대한 법칙으로 알맞은 것은?

> 전자 유도에 의하여 회로에 발생되는 기전력은 쇄교 자속 수의 시간에 대한 감소 비율에 비례한다는 (가)에 따르고 특히, 유도된 기전력의 방향은 (나)에 따른다.

① (가) 패러데이의 법칙, (나) 렌츠의 법칙
② (가) 렌츠의 법칙, (나) 패러데이의 법칙
③ (가) 플레밍의 왼손 법칙, (나) 패러데이의 법칙
④ (가) 패러데이의 법칙, (나) 플레밍의 왼손 법칙

정답 및 해설

01

자성체의 경계면 조건에서
$$\frac{\mu_1}{\mu_2} = \frac{\tan\theta_1}{\tan\theta_2} \Rightarrow \frac{500}{1,000} = \frac{\tan\theta_1}{\tan45°}$$
(단, θ_1: 투과각, θ_2: 입사각)
따라서 매질 1에서의 자계의 투과 각도를 구하면
$$\tan\theta_1 = \frac{500}{1,000} \times \tan45° = 0.5$$
$$\therefore \theta_1 = \tan^{-1}0.5 = 26.56°$$
매질 1에서 경계면과 자계의 세기가 이루는 각은
$$\theta = 90° - 26.56° = 63.4° \fallingdotseq 60°$$

02

반구형 접지극의 정전 용량
$$C = \frac{4\pi\varepsilon a}{2} = 2\pi\varepsilon a\,[\text{F}]$$
따라서 반구형 접지극의 접지 저항은
$$R = \frac{\varepsilon\rho}{C} = \frac{\varepsilon\rho}{2\pi\varepsilon a} = \frac{\rho}{2\pi a}\,[\Omega]$$

03

강자성체에서 발생하는 히스테리시스 현상을 그린 곡선을 히스테리시스 곡선이라고 하며, 이 곡선의 면적이 히스테리시스 손실의 크기를 나타낸다.

04

패러데이의 법칙
$$e = N\frac{d\phi}{dt}\,[\text{V}]$$
즉, 패러데이의 법칙은 유도 작용에 의해서 생기는 기전력으로 자속의 시간적 변화율에 비례하여 발생한다.

렌츠의 법칙
위 식에서 유도 작용에 의해서 생기는 기전력은 자속의 시간적 변화율을 방해하는 방향으로 생긴다는 것으로 유도 전압의 방향성을 나타낸 법칙이다.

05

N회 감긴 환상 코일의 단면적이 $S[\mathrm{m}^2]$이고 평균 길이가 $l[\mathrm{m}]$이다. 이 코일의 권수를 2배로 늘리고 인덕턴스를 일정하게 하려고 할 때, 다음 중 옳은 것은?

① 길이를 2배로 한다.

② 단면적을 $\frac{1}{4}$배로 한다.

③ 비투자율을 $\frac{1}{2}$배로 한다.

④ 전류의 세기를 4배로 한다.

06

무한장 솔레노이드에 전류가 흐를 때 발생되는 자장에 관한 설명으로 옳은 것은?

① 내부 자장은 평등 자장이다.
② 외부 자장은 평등 자장이다.
③ 내부 자장의 세기는 0이다.
④ 외부와 내부의 자장의 세기는 같다.

07

자기 회로에서 키르히호프의 법칙으로 알맞은 것은?(단, R: 자기 저항, ϕ: 자속, N: 코일 권수, I: 전류이다.)

① $\sum_{i=1}^{n} \phi_i = \infty$

② $\sum_{i=1}^{n} N_i \phi_i = 0$

③ $\sum_{i=1}^{n} R_i \phi_i = \sum_{i=1}^{n} N_i I_i$

④ $\sum_{i=1}^{n} R_i \phi_i = \sum_{i=1}^{n} N_i L_i$

08

전하 밀도 $\rho_s[\mathrm{C}/\mathrm{m}^2]$인 무한 판상 전하 분포에 의한 임의 점의 전장에 대하여 틀린 것은?

① 전장의 세기는 매질에 따라 변한다.
② 전장의 세기는 거리 r에 반비례한다.
③ 전장은 판에 수직 방향으로만 존재한다.
④ 전장의 세기는 전하 밀도 ρ_s에 비례한다.

05

환상 솔레노이드의 자기 인덕턴스

$$L = \frac{\mu S N^2}{l} = \frac{\mu S N^2}{2\pi a}[\mathrm{H}]$$

위 식에서 권수(N)를 2배로 늘리더라도 인덕턴스를 일정하게 하는 방법은

• 비투자율(μ_s)을 $\frac{1}{4}$배로 한다.

• 철심의 단면적(S)을 $\frac{1}{4}$배로 한다.

• 철심의 길이(l)를 4배로 한다.

06

무한장 솔레노이드의 자기 인덕턴스

$$L = \frac{\mu S N^2}{l} \Rightarrow \mu S n^2 [\mathrm{H}/\mathrm{m}]$$

• 무한장 솔레노이드의 철심 내부의 자장은 평등 자장이다.

• 무한장 솔레노이드의 철심 외부는 누설 자속이 없으므로 자장은 존재하지 않는다.

07

임의의 폐자기 회로에 있어 각 부의 자기저항과 자속의 총합은 폐자기 회로의 기자력의 총합과 같다.

$$\sum_{i=1}^{n} R_i \phi_i = \sum_{i=1}^{n} N_i I_i$$

08

무한 평면 도체에 의한 전계 세기

$$E = \frac{\rho_s}{2\varepsilon_0}[\mathrm{V}/\mathrm{m}]$$

• 전장의 세기는 매질에 따라 변한다.
• 전장의 세기는 거리와 무관하다.
• 전장은 판에 수직 방향으로만 존재한다.
• 전장의 세기는 전하 밀도 ρ_s에 비례한다.

빈출
09 ☐1 ☐2 ☐3

한 변의 길이가 l[m]인 정사각형 도체 회로에 전류 I[A]를 흘릴 때 회로의 중심점에서 자계의 세기는 몇 [AT/m]인가?

① $\dfrac{2I}{\pi l}$

② $\dfrac{I}{\sqrt{2}\,\pi l}$

③ $\dfrac{\sqrt{2}\,I}{\pi l}$

④ $\dfrac{2\sqrt{2}\,I}{\pi l}$

과난도
10 ☐1 ☐2 ☐3

반지름 a[m]의 원형 단면을 가진 도선에 전도 전류 $i_c = I_c \sin 2\pi ft$[A]가 흐를 때 변위 전류 밀도의 최댓값 J_d는 몇 [A/m²]가 되는가?(단, 도전율은 σ[S/m]이고, 비유전율은 ε_r이다.)

① $\dfrac{f\varepsilon_r I_c}{4\pi \times 10^9 \sigma a^2}$

② $\dfrac{\varepsilon_r I_c}{4\pi f \times 10^9 \sigma a^2}$

③ $\dfrac{f\varepsilon_r I_c}{9\pi \times 10^9 \sigma a^2}$

④ $\dfrac{f\varepsilon_r I_c}{18\pi \times 10^9 \sigma a^2}$

11 ☐1 ☐2 ☐3

대전 도체 표면 전하 밀도는 도체 표면의 모양에 따라 어떻게 분포하는가?

① 표면 전하 밀도는 뾰족할수록 커진다.
② 표면 전하 밀도는 평면일 때 가장 크다.
③ 표면 전하 밀도는 곡률이 크면 작아진다.
④ 표면 전하 밀도는 표면의 모양과 무관하다.

12 ☐1 ☐2 ☐3

일정 전압의 직류 전원에 저항을 접속하여 전류를 흘릴 때 저항값을 20[%] 감소시키면 흐르는 전류는 처음 저항에 흐르는 전류의 몇 배가 되는가?

① 1.0배

② 1.1배

③ 1.25배

④ 1.5배

정답 및 해설

09

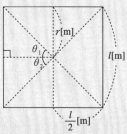

정사각형의 한 변의 길이를 l[m]이라 하면 각 변이 만드는 자계는 비오-사바르의 공식을 이용하여 구한다.

$r = \dfrac{1}{2}l$[m], $\theta_1 = \theta_2 = \dfrac{\pi}{4}$ 이므로 변 하나가 만드는 자계의 크기는

$$H = \frac{I}{4\pi r}(\sin\theta_1 + \sin\theta_2) = \frac{I}{4\pi \times \frac{1}{2}l}\left(\sin\frac{\pi}{4} + \sin\frac{\pi}{4}\right)$$

$$= \frac{\sqrt{2}\,I}{2\pi l}\,[\mathrm{AT/m}]$$

따라서 네 변이 만드는 정사각형의 중심 자계의 크기는

$$H_4 = H \times 4 = \frac{2\sqrt{2}\,I}{\pi l}\,[\mathrm{AT/m}]$$

10

전도 전류 밀도

$$i_c = \frac{\frac{I_c}{\sqrt{2}}}{S} = \frac{I_c}{\sqrt{2}\times\pi a^2} = \sigma E\,[\mathrm{A/m^2}]$$

$$E = \frac{I_c}{\sqrt{2}\times\pi a^2 \times \sigma}\,[\mathrm{V/m}]$$

변위 전류 밀도

$$i_d = \frac{\partial D}{\partial t} = \varepsilon\frac{\partial E}{\partial t} = \omega\varepsilon E = 2\pi f\varepsilon_0\varepsilon_r E$$

변위 전류 밀도의 최댓값을 구하면

$$J_d = \sqrt{2}\,i_d = \sqrt{2}\times 2\pi f\varepsilon_0\varepsilon_r E$$

$$= \sqrt{2}\times 2\pi f\varepsilon_0\varepsilon_r \times \frac{I_c}{\sqrt{2}\times\pi a^2 \times \sigma}$$

$$= 2f\varepsilon_0\varepsilon_r \times \frac{I_c}{a^2 \times \sigma} = \frac{f\varepsilon_r I_c}{18\pi \times 10^9 \sigma a^2}\,[\mathrm{A/m^2}]$$

11

전하 밀도는 도체가 뾰족한 부분으로 집중되려는 성질이 있어 표면 전하 밀도는 뾰족할수록 커진다.

12

원래 저항에서의 전류

$$I_1 = \frac{V}{R}\,[\mathrm{A}]$$

저항값을 20[%] 감소시켰을 때의 전류

$$I_2 = \frac{V}{0.8R} = 1.25\frac{V}{R} = 1.25 I_1\,[\mathrm{A}]$$이므로 처음 저항에 흐르는 전류의 1.25배가 된다.

13 1 2 3

유전율이 ε인 유전체 내에 있는 점 전하 Q에서 발산되는 전기
력선의 수는 총 몇 개인가?

① Q

② $\dfrac{Q}{\varepsilon_0 \varepsilon_s}$

③ $\dfrac{Q}{\varepsilon_s}$

④ $\dfrac{Q}{\varepsilon_0}$

14 1 2 3

내부 도체의 반지름이 $a[\mathrm{m}]$이고, 외부 도체의 내 반지름이
$b[\mathrm{m}]$, 외 반지름이 $c[\mathrm{m}]$인 동축 케이블의 단위 길이당 자기 인
덕턴스는 몇 $[\mathrm{H/m}]$인가?

① $\dfrac{\mu_0}{2\pi} \ln \dfrac{b}{a}$

② $\dfrac{\mu_0}{\pi} \ln \dfrac{b}{a}$

③ $\dfrac{2\pi}{\mu_0} \ln \dfrac{b}{a}$

④ $\dfrac{\pi}{\mu_0} \ln \dfrac{b}{a}$

15 1 2 3

공기 중에서 $1[\mathrm{m}]$ 간격을 가진 두 개의 평행 도체 전류의 단위
길이에 작용하는 힘은 몇 $[\mathrm{N}]$인가?(단, 전류는 $1[\mathrm{A}]$라고 한
다.)

① 2×10^{-7}

② 4×10^{-7}

③ $2\pi \times 10^{-7}$

④ $4\pi \times 10^{-7}$

16 1 2 3

공기 중에서 코로나 방전이 $3.5[\mathrm{kV/mm}]$ 전계에서 발생한다
고 하면 이때 도체의 표면에 작용하는 힘은 약 몇 $[\mathrm{N/m^2}]$인
가?

① 27

② 54

③ 81

④ 108

2018년 2회

13

• 공기(진공) 중에서의 전기력선의 수

$$\int E ds = \frac{Q}{\varepsilon_0}$$

• 유전체 중에서의 전기력선의 수

$$\int E ds = \frac{Q}{\varepsilon_0 \varepsilon_s}$$

14

• 동심 원통 도체(동축 케이블)

$$L_e = \frac{\mu_0 l}{2\pi} \ln \frac{b}{a} \ [\mathrm{H}]$$

• 단위 길이당 동심 원통 도체

$$L = \frac{\mu_0}{2\pi} \ln \frac{b}{a} \ [\mathrm{H/m}]$$

15

평행 도선 사이에 작용하는 힘

• 간격이 $d[\mathrm{m}]$만큼 떨어진 두 평행 도선에 각각 전류 I_1, I_2를 흘리면
두 도체에서 발생하는 자계에 의하여 힘이 작용한다.

• 이 두 도선에는 전류의 방향에 따라서 힘의 종류가 다르다.
  - 두 도선에 흐르는 전류가 같은 방향일 경우에는 흡인력이 작용한다.
  - 전류가 반대 방향일 경우에는 반발력이 작용한다.

• 작용하는 힘은 다음 식과 같다.

$$F = \frac{\mu_0 I_1 I_2}{2\pi d} = \frac{4\pi \times 10^{-7} \times 1 \times 1}{2\pi \times 1} = 2 \times 10^{-7} [\mathrm{N/m}]$$

16

단위 면적당 작용하는 힘

$$f = \frac{1}{2} \varepsilon_0 E^2 = \frac{1}{2} \times 8.854 \times 10^{-12} \times \left(3.5 \times \frac{10^3}{10^{-3}}\right)^2$$

$$= 54.23 \fallingdotseq 54 [\mathrm{N/m^2}]$$

정답 13 ② 14 ① 15 ① 16 ②　　　　　　　　　　　　　　2018년 전기기사 필기 2회 **525**

17 ① ② ③

무한장 직선 전류에 의한 자계의 세기[AT/m]는?

① 거리 r에 비례한다.
② 거리 r^2에 비례한다.
③ 거리 r에 반비례한다.
④ 거리 r^2에 반비례한다.

18 ① ② ③

전계 $E = \sqrt{2}\,E_e \sin\omega\left(t - \dfrac{x}{c}\right)$[V/m]의 평면 전자파가 있다. 진공 중에서 자계의 실횻값은 몇 [A/m]인가?

① $0.707 \times 10^{-3} E_e$
② $1.44 \times 10^{-3} E_e$
③ $2.65 \times 10^{-3} E_e$
④ $5.37 \times 10^{-3} E_e$

19 ① ② ③

Biot-Savart의 법칙에 의하면 전류소에 의해서 임의의 한 점 P에 생기는 자계의 세기를 구할 수 있다. 다음 중 설명으로 틀린 것은?

① 자계의 세기는 전류의 크기에 비례한다.
② MKS 단위계를 사용할 경우 비례 상수는 $\dfrac{1}{4\pi}$이다.
③ 자계의 세기는 전류소와 점 P와의 거리에 반비례한다.
④ 자계의 방향은 전류소 및 이 전류소와 점 P를 연결하는 직선을 포함하는 면에 법선 방향이다.

20 ① ② ③

$x > 0$인 영역에 $\varepsilon_1 = 3$인 유전체, $x < 0$인 영역에 $\varepsilon_2 = 5$인 유전체가 있다. 유전율 ε_2인 영역에서 전계가 $\dot{E}_2 = 20a_x + 30a_y - 40a_z$[V/m]일 때, 유전율 ε_1인 영역에서의 전계 $\dot{E}_1$[V/m]은?

① $\dfrac{100}{3}a_x + 30a_y - 40a_z$
② $20a_x + 90a_y - 40a_z$
③ $100a_x + 10a_y - 40a_z$
④ $60a_x + 30a_y - 40a_z$

정답 및 해설

17
무한장 직선 도체에 의한 자계 세기

$$H = \frac{I}{2\pi r}\,[\text{AT/m}]$$

즉, 자계의 세기는 거리 r에 반비례한다.

18
전계의 실횻값은 E_e이므로 자계의 실횻값은

$$\frac{E_e}{H_e} = \sqrt{\frac{\mu_0}{\varepsilon_0}} = 377$$

$$\therefore H_e = \frac{E_e}{377} = 2.65 \times 10^{-3} E_e\,[\text{A/m}]$$

19
비오-사바르의 법칙(Biot-Savart's law)

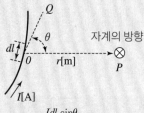

$$dH = \frac{Idl\sin\theta}{4\pi r^2}\,[\text{AT/m}]$$

(r: P점까지의 거리[m])

- 자계의 세기는 전류의 크기에 비례하고, 점 P와의 거리의 제곱에 반비례한다.
- 자계의 세기는 전류소와 점 P와의 거리의 제곱에 반비례한다.
- 자계의 방향은 전류소 및 이 전류소와 점 P를 연결하는 직선을 포함하는 면에 법선 방향이다.

20
전계는 x 방향으로 진행하므로 경계면에서 전속밀도의 x(법선)성분과 전계의 y, z(접선)성분은 같다.

따라서 $\dot{D}_{1n} = \dot{D}_{2n}$, $\dot{E}_{1t} = \dot{E}_{2t}$을 만족하고 유전율이 ε_2인 영역에서의 전계는 다음과 같다.

$$\dot{E}_2 = \dot{E}_{2n} + \dot{E}_{2t} = 20a_x + 30a_y - 40a_z$$

- 전계 $\dot{E}_1$의 법선 성분

$$\dot{D}_{1n} = \dot{D}_{2n}$$

$$\varepsilon_1 \dot{E}_{1n} = \varepsilon_2 \dot{E}_{2n}$$

$$\therefore \dot{E}_{1n} = \frac{\varepsilon_2}{\varepsilon_1}\dot{E}_{2n} = \frac{5}{3} \times 20a_x = \frac{100}{3}a_x$$

- 전계 $\dot{E}_1$의 접선 성분

$$\dot{E}_{1t} = \dot{E}_{2t} = 30a_y - 40a_z$$

$$\therefore 전계 \; \dot{E}_1 = \dot{E}_{1n} + \dot{E}_{1t} = \frac{100}{3}a_x + 30a_y - 40a_z\,[\text{V/m}]$$

21 1 2 3

전력량 $1[\text{kWh}]$를 열량으로 환산하면 약 몇 $[\text{kcal}]$인가?

① 800
② 256
③ 539
④ 860

22 1 2 3

$22.9[\text{kV}]$, Y 결선된 자가용 수전 설비의 계기용 변압기의 2차 측 정격 전압은 몇 $[\text{V}]$인가?

① 110
② 220
③ $110\sqrt{3}$
④ $220\sqrt{3}$

23 1 2 3

순저항 부하의 부하 전력 $P[\text{kW}]$, 전압 $E[\text{V}]$, 선로의 길이 $l[\text{m}]$, 고유 저항 $\rho[\Omega \cdot \text{mm}^2/\text{m}]$인 단상 2선식 선로에서 선로 손실을 $q[\text{W}]$라 하면 전선의 단면적$[\text{mm}^2]$은 어떻게 표현되는가?

① $\dfrac{\rho l P^2}{q E^2} \times 10^6$
② $\dfrac{2\rho l P^2}{q E^2} \times 10^6$
③ $\dfrac{\rho l P^2}{2 q E^2} \times 10^6$
④ $\dfrac{2\rho l P^2}{q^2 E} \times 10^6$

24 1 2 3

동작 전류의 크기가 커질수록 동작 시간이 짧게 되는 특성을 가진 계전기는?

① 순한시 계전기
② 정한시 계전기
③ 반한시 계전기
④ 반한시 정한시 계전기

21

$1[\text{kWh}] = 1,000 \times 60 \times 60 [\text{W} \cdot \text{sec}] = 36 \times 10^5 [\text{J}]$
$= 36 \times 10^5 \times 0.24 [\text{cal}] = 864,000 [\text{cal}] ≒ 860 [\text{kcal}]$

22

• PT(계기용 변압기)의 2차 측 정격 전압은 110[V]
• CT(변류기)의 2차 측 정격 전류는 5[A]

[암기 포인트] PT 2차 측 전압: 110[V], CT 2차 측 전류: 5[A]

23

단상 2선식 선로에서 전력 손실 $P_l = 2I^2 R[\text{W}]$ 식을 이용하여

$P_l = q = 2I^2 R = 2 \times \left(\dfrac{P \times 10^3}{E}\right)^2 \times \rho \dfrac{l}{A}$

$\therefore A = 2 \times \left(\dfrac{P \times 10^3}{E}\right)^2 \times \rho \dfrac{l}{q} = \dfrac{2\rho l P^2}{q E^2} \times 10^6 [\text{mm}^2]$

24

• 순한시(순시) 계전기: 최소 동작 전류가 흐르면 즉시 동작하는 계전기
• 정한시 계전기: 최소 동작 전류가 흐르면 일정한 시간이 지난 후 동작하는 계전기
• 반한시 계전기: 동작 전류가 작을 때에는 느리게 동작하고, 동작 전류가 커질수록 빨리 동작하는 계전기
• 반한시성 정한시 계전기: 반한시 계전기와 정한시 계전기를 조합한 것으로 어느 전류값까지는 반한시성이지만 그 이상이 되면 정한시로 동작하는 것

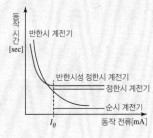

25 ☐1 ☐2 ☐3

소호 리액터를 송전 계통에 사용하면 리액터의 인덕턴스와 선로의 정전 용량이 어떤 상태로 되어 지락전류를 소멸시키는가?

① 병렬 공진
② 직렬 공진
③ 고임피던스
④ 저임피던스

26 ☐1 ☐2 ☐3

동기 조상기에 대한 설명으로 틀린 것은?

① 시충전이 불가능하다.
② 전압 조정이 연속적이다.
③ 중부하 시에는 과여자로 운전하여 앞선 전류를 취한다.
④ 경부하 시에는 부족 여자로 운전하여 뒤진 전류를 취한다.

27 ☐1 ☐2 ☐3

화력 발전소에서 가장 큰 손실은 무엇인가?

① 소내용 동력
② 송풍기 손실
③ 복수기에서의 손실
④ 연도 배출 가스 손실

28 ☐1 ☐2 ☐3

정전 용량 $0.01[\mu\text{F/km}]$, 길이 $173.2[\text{km}]$, 선간 전압 $60[\text{kV}]$, 주파수 $60[\text{Hz}]$인 3상 송전 선로의 충전전류는 약 몇 $[\text{A}]$인가?

① 6.3
② 12.5
③ 22.6
④ 37.2

정답 및 해설

25
소호 리액터
- 병렬 공진을 이용하여 지락 전류를 소멸시킨다.
- 대지 정전 용량과 공진을 일으키는 유도성 리액터로 접지하는 방식이다.
- 지락 전류가 최소가 되어 통신선에 대한 유도 장해가 줄어든다.

26
동기 조상기
- 동기 전동기를 무부하로 과여자 및 부족 여자로 운전하는 것
- 과여자 운전: 진상 무효 전력을 계통에 공급
- 부족 여자 운전: 지상 무효 전력을 계통에 공급
- 계통의 시충전 운전(신설 송전 선로를 무부하 상태에서 예비로 운전해 보는 것)이 가능
- 전압 조정이 연속적

27
복수기
복수기는 증기 터빈에서 방출된 습증기를 냉각수로 응축시켜 급수로 환원시키는 설비이다. 습증기가 가지고 있는 열량을 냉각수가 대부분 빼앗으므로 열손실이 화력 발전 전체 열량 손실의 50[%]를 차지하여 가장 많이 발생한다.

[암기 포인트] 큰 손실이 일어나자 화가 나서 '복수'를 함

28
충전 전류
$$I_c = \frac{E}{X_c} = \omega CE = 2\pi f CE = 2\pi f C\left(\frac{V}{\sqrt{3}}\right)$$
$$= 2\pi \times 60 \times (0.01 \times 10^{-6} \times 173.2) \times \frac{60,000}{\sqrt{3}} = 22.6[\text{A}]$$

29 [1] [2] [3]

발전 용량 $9,800[\text{kW}]$의 수력 발전소 최대 사용 수량이 $10[\text{m}^3/\text{s}]$일 때, 유효 낙차는 몇 $[\text{m}]$인가?

① 100   ② 125

③ 150   ④ 175

30 [1] [2] [3]

차단기의 정격 차단 시간은?

① 고장 발생부터 소호까지의 시간
② 트립 코일 여자부터 소호까지의 시간
③ 가동 접촉자의 개극부터 소호까지의 시간
④ 가동 접촉자의 동작 시간부터 소호까지의 시간

31 [1] [2] [3]

부하 전류의 차단 능력이 없는 것은?

① DS   ② NFB

③ OCB   ④ VCB

32 [1] [2] [3]

전선의 굵기가 균일하고 부하가 송전단에서 말단까지 균일하게 분포되어 있을 때 배전선 말단에서 전압 강하는?(단, 배전선 전체 저항 R, 송전단의 부하 전류는 I이다.)

① $\dfrac{1}{2}RI$ ② $\dfrac{1}{\sqrt{2}}RI$

③ $\dfrac{1}{\sqrt{3}}RI$ ④ $\dfrac{1}{3}RI$

33 [1] [2] [3]

역률 개선용 콘덴서를 부하와 병렬로 연결하고자 한다. Δ 결선 방식과 Y 결선 방식을 비교하면 콘덴서의 정전 용량$[\mu\text{F}]$의 크기는 어떠한가?

① Δ 결선 방식과 Y 결선 방식은 동일하다.

② Y 결선 방식이 Δ 결선 방식의 $\dfrac{1}{2}$이다.

③ Δ 결선 방식이 Y 결선 방식의 $\dfrac{1}{3}$이다.

④ Y 결선 방식이 Δ 결선 방식의 $\dfrac{1}{\sqrt{3}}$이다.

29

수력 발전소의 이론 출력 $P = 9.8QH[\text{kW}]$식에 의해

$$H = \frac{P}{9.8Q} = \frac{9,800}{9.8 \times 10} = 100[\text{m}]$$

30

차단기의 정격 차단 시간: 차단기의 트립 코일 여자부터 아크의 완전 소호까지의 시간으로서 보통 3~8[cycle] 정도이다.

31

• 차단기(CB): 소호 장치가 있으므로 부하 전류, 과전류 및 고장 전류 차단이 가능하다.
  – NFB(No Fuse Breaker): 배선용 차단기(MCCB)
  – OCB: 유입 차단기
  – VCB: 진공 차단기
• 단로기(DS): 소호 장치가 없으므로 무부하 상태에서만 개폐가 가능하다.(부하 전류 및 고장 전류는 차단 불가)

[암기 포인트] 무부하 개폐는 단로기(무단개폐)

32

말단 부하에 비해서 균등 부하의 전압 강하 및 전력 손실비

구분	전압 강하(e)	전력 손실(P_l)
말단 부하	IR	I^2R
균등 부하	$\dfrac{1}{2}IR$	$\dfrac{1}{3}I^2R$

33

• Y 결선

$$Q = 3\omega C_Y E^2 = 3\omega C_Y \left(\frac{V}{\sqrt{3}}\right)^2 = \omega C_Y V^2 \ \Rightarrow \ C_Y = \frac{Q}{\omega V^2}\,[\mu\text{F}]$$

• Δ 결선

$$Q = 3\omega C_\Delta E^2 = 3\omega C_\Delta V^2 \Rightarrow \ C_\Delta = \frac{Q}{3\omega V^2}\,[\mu\text{F}]$$

$$\frac{C_\Delta}{C_Y} = \frac{\dfrac{Q}{3\omega V^2}}{\dfrac{Q}{\omega V^2}} = \frac{1}{3}\left(\therefore C_\Delta = \frac{1}{3}C_Y[\mu\text{F}]\right)$$

34 1 2 3

송전 선로에서 고조파 제거 방법이 아닌 것은?

① 변압기를 Δ 결선한다.
② 능동형 필터를 설치한다.
③ 유도 전압 조정 장치를 설치한다.
④ 무효 전력 보상 장치를 설치한다.

빈출
35 1 2 3

송전 선로에 댐퍼(Damper)를 설치하는 주된 이유는?

① 전선의 진동 방지 ② 전선의 이탈 방지
③ 코로나 현상의 방지 ④ 현수 애자의 경사 방지

36 1 2 3

$400[kVA]$ 단상 변압기 3대를 $\Delta-\Delta$ 결선으로 사용 하다가 1대의 고장으로 $V-V$ 결선을 하여 사용하면 약 몇 $[kVA]$ 부하까지 걸 수 있겠는가?

① 400 ② 566
③ 693 ④ 800

37 1 2 3

직격뢰에 대한 방호 설비로 가장 적당한 것은 어느 것인가?

① 복도체 ② 가공 지선
③ 서지 흡수기 ④ 정전 방전기

38 1 2 3

선로 정수를 평형되게 하고, 근접 통신선에 대한 유도 장해를 줄일 수 있는 방법은?

① 연가를 시행한다.
② 전선으로 복도체를 사용한다.
③ 전선로의 이도를 충분하게 한다.
④ 소호 리액터 접지를 하여 중성점 전위를 줄여준다.

39 1 2 3

직류 송전 방식에 대한 설명으로 틀린 것은?

① 선로의 절연이 교류 방식보다 용이하다.
② 리액턴스 또는 위상각에 대해서 고려할 필요가 없다.
③ 케이블 송전일 경우 유전체손이 없기 때문에 교류방식보다 유리하다.
④ 비동기 연계가 불가능하므로 주파수가 다른 계통 간의 연계가 불가능하다.

정답 및 해설

34
고조파 제거 방법
• 고조파 제거 필터(수동 필터, 능동 필터) 설치
• 변압기 Δ 결선(제3고조파 제거)
• 직렬 리액터 설치(제5고조파 제거)
• 무효 전력 보상 장치 설치

35
전선의 진동 방지 장치
• 댐퍼
• 아머로드
• 클램프

36
변압기 1대 고장 후(단상 변압기 2대 V 결선)출력
$P_v = \sqrt{3}P_1 = \sqrt{3}\times400 \fallingdotseq 693[kVA]$
(P_v : V 결선 출력[kVA], P_1: 변압기 1대 용량[kVA])

37
• 가공 지선: 직격뢰 및 유도뢰로부터 전력선 보호
• 서지 흡수기: 내부 이상 전압 억제

38
연가의 목적
• 선로 정수의 평형($C_a \neq C_b \neq C_c \Rightarrow C_a = C_b = C_c$)
• 전력선 근처에 설치된 통신선에 대한 정전 유도 장해 감소

[암기 포인트] 연가: 선로 정수의 평형

39
직류 송전 방식
• 전력 손실이 교류 송전 방식보다 작다.
• 선로의 절연이 교류 방식보다 용이하다.
• 지중 케이블 송전 시 유전체손이 없다.
• 주파수가 다른 계통 간의 비동기 연계가 가능하다.
• 주파수가 0이므로 리액턴스 영향이 없어 안정도가 우수하다.

40 `1` `2` `3`

저압 배전 계통을 구성하는 방식 중 캐스케이딩(Cascading)을 일으킬 우려가 있는 방식은?

① 방사상 방식
② 저압 뱅킹 방식
③ 저압 네트워크 방식
④ 스포트 네트워크 방식

41 `1` `2` `3`

동기 발전기의 전기자 권선을 분포권으로 하면 어떻게 되는가?

① 난조를 방지한다.
② 기전력의 파형이 좋아진다.
③ 권선의 리액턴스가 커진다.
④ 집중권에 비하여 합성 유기 기전력이 증가한다.

42 `1` `2` `3`

부하 전류가 2배로 증가하면 변압기의 2차 측 동손은 어떻게 되는가?

① $\frac{1}{4}$로 감소한다.
② $\frac{1}{2}$로 감소한다.
③ 2배로 증가한다.
④ 4배로 증가한다.

43 `1` `2` `3`

동기 전동기에서 출력이 $100[\%]$일 때 역률이 1이 되도록 계자 전류를 조정한 다음에 공급전압 V 및 계자 전류 I_f를 일정하게 하고 전부하 이하에서 운전하면 동기 전동기의 역률은?

① 뒤진 역률이 되고 부하가 감소할수록 역률은 낮아진다.
② 뒤진 역률이 되고 부하가 감소할수록 역률을 좋아진다.
③ 앞선 역률이 되고 부하가 감소할수록 역률은 낮아진다.
④ 앞선 역률이 되고 부하가 감소할수록 역률은 좋아진다.

2018년 2회

40

저압 뱅킹 방식
• 고장 보호 방식이 적당할 때 공급 신뢰도가 향상된다.
• 전압 강하 및 전력 손실이 작다.
• 캐스케이딩을 일으킬 우려가 있다.(캐스케이딩은 배전 선로 어느 한 곳의 사고로 인해 다른 건전한 변압기나 선로에 사고가 확대되는 현상)

[암기 포인트] 캐스케이딩-뱅킹을 연결시켜서 외움

41

집중권과 분포권
• 집중권: 매극 매상의 도체를 1개 슬롯에 집중시켜 권선하는 방법
• 분포권: 매극 매상의 도체를 2개 이상의 슬롯에 분포시켜 권선하는 방법
• 분포권의 장단점
  – 고조파를 감소시켜 파형을 개선한다.
  – 누설 리액턴스가 감소한다.
  – 집중권에 비해 기전력이 감소한다.

[암기 포인트] 분포권-파형 개선

42

동손 $P_c = I^2 R[\text{W}]$에서 $P_c \propto I^2$의 관계이므로 부하 전류가 2배로 증가하면 동손은 4배로 증가한다.

43

부하의 대부분은 유도성 부하이므로, 유도성 부하가 감소하면 상대적으로 용량성 부하가 많아지고 진상 전류가 증가한다. 따라서 위상 특성 곡선의 역률이 1인 지점에서 오른쪽(진상 전류 방향)으로 이동하게 되므로 역률은 감소하고 앞선 역률이 된다.

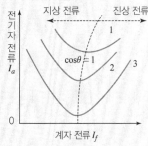

▲ 위상 특성 곡선(V 곡선)

44 ⃞1 ⃞2 ⃞3

유도 기전력의 크기가 서로 같은 A, B 2대의 동기 발전기를 병렬 운전할 때 A 발전기의 유기 기전력 위상이 B보다 앞설 때 발생하는 현상이 아닌 것은?

① 동기 화력이 발생한다.
② 고조파 무효 순환 전류가 발생된다.
③ 유효 전류인 동기화 전류가 발생된다.
④ 전기자 동손을 증가시키며 과열의 원인이 된다.

45 ⃞1 ⃞2 ⃞3

직류 기기의 철손에 관한 설명으로 틀린 것은?

① 성층 철심을 사용하면 와전류손이 감소한다.
② 철손에는 풍손과 와전류손 및 저항손이 있다.
③ 철에 규소를 넣게 되면 히스테리시스손이 감소한다.
④ 전기자 철심에는 철손을 작게 하기 위해 규소 강판을 사용한다.

46 ⃞1 ⃞2 ⃞3

직류 분권 발전기의 극수 4, 전기자 총 도체수 600으로 매분 600 회전할 때 유기 기전력이 220[V]라 한다. 전기자 권선이 파권일 때 매극당 자속은 약 몇 [Wb]인가?

① 0.0154　　　　　② 0.0183
③ 0.0192　　　　　④ 0.0199

47 ⃞1 ⃞2 ⃞3

어떤 정류 회로의 부하 전압이 50[V]이고 맥동률 3[%]이면 직류 출력 전압에 포함된 교류분은 몇 [V]인가?

① 1.2　　　　　② 1.5
③ 1.8　　　　　④ 2.1

48 ⃞1 ⃞2 ⃞3

3상 수은 정류기의 직류 평균 부하 전류가 50[A]가 되는 1상 양극 전류 실효값은 약 몇 [A]인가?

① 9.6　　　　　② 17
③ 29　　　　　④ 87

정답 및 해설

44

동기 발전기의 병렬 운전 조건
• 기전력의 크기가 같을 것
  – 크기가 다르면 발전기 내부에서는 무효 순환 전류가 흘러 단자 전압을 같게 만들지만 발전기의 온도 상승을 초래한다.
  – 대책: 여자 전류를 조정한다.(여자 전류를 증가시킨 발전기는 역률 저하, 여자 전류를 감소시킨 발전기는 역률 향상)
• 기전력의 위상이 같을 것
  – 위상이 다르면 발전기 내부에서는 유효 순환 전류(동기화 전류)가 흘러 위상을 같게 만들지만 발전기의 온도 상승을 초래한다.
  – 대책: 원동기의 출력을 조절한다.(위상이 앞선 발전기에서 위상이 뒤진 발전기 측으로 동기 화력을 발생시켜 위상을 맞춘다.)
• 기전력의 파형이 같을 것
  – 파형이 다르면 2대의 발전기의 순시값이 같지 않아 고조파 순환 전류가 발생해 발전기 과열의 원인이 된다.
  – 대책: 병렬 운전 발전기의 파형을 일치시킨다.
• 기전력의 상회전 방향이 같을 것(3상의 경우)
  – 상회전 방향이 다르면 어느 순간 두 발전기는 단락 상태가 되어 발전기 파손을 초래한다.
  – 대책: 동기 검정기 등을 이용해 상회전 방향을 일치시킨다.

[암기 포인트] 발전기 병렬 운전 시 위상이 다를 때 발생 현상
동기 화력, 동기화 전류, 동손 증가

45

직류 기기의 철손
• 성층 철심을 사용하면 와전류손이 감소한다.
• 철손에는 히스테리시스손과 와전류손이 있다.
• 철손을 작게 하기 위해 전기자 철심에는 규소 강판을 사용한다.
동손(저항손)은 권선 저항에 의해서 생기는 손실이다.

46

직류 발전기의 유기 기전력 $E = \dfrac{pZ\phi N}{60a}$ [V]를 이용한다.

$\phi = \dfrac{60a \times E}{pZN} = \dfrac{60 \times 2 \times 220}{4 \times 600 \times 600} ≒ 0.0183[\text{Wb}]$

(파권의 경우 병렬 도체수 $a = 2$)

47

맥동률 $= \dfrac{교류분}{직류분}$ 을 이용한다.

교류분 = 맥동률 × 직류분 $= 0.03 \times 50 = 1.5[\text{V}]$

48

수은 정류기의 전류비 $\dfrac{I_a}{I_d} = \dfrac{1}{\sqrt{m}}$ 을 이용한다.(m은 상수)

$I_a = \dfrac{I_d}{\sqrt{m}} = \dfrac{50}{\sqrt{3}} ≒ 29[\text{A}]$

49 ① 2 ③

그림은 동기 발전기의 구동 개념도이다. 그림에서 2를 발전기라 할 때 3의 명칭으로 적합한 것은?

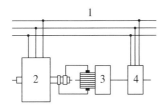

① 전동기　　　　　② 여자기
③ 원동기　　　　　④ 제동기

50 ① 2 ③

유도 전동기의 2차 회로에 2차 주파수와 같은 주파수로 적당한 크기와 적당한 위상의 전압을 외부에서 가해주는 속도 제어법은?

① 1차 전압 제어　　　② 2차 저항 제어
③ 2차 여자 제어　　　④ 극수 변환 제어

51 ① 2 ③

변압기의 1차 측을 Y 결선, 2차 측을 $\triangle$ 결선으로 한 경우 1차와 2차 간의 전압의 위상차는?

① 0°　　　　　　② 30°
③ 45°　　　　　　④ 60°

52 ① 2 ③

이상적인 변압기의 무부하에서 위상 관계로 옳은 것은?

① 자속과 여자 전류는 동위상이다.
② 자속은 인가 전압보다 90° 앞선다.
③ 인가 전압은 1차 유기 기전력보다 90° 앞선다.
④ 1차 유기 기전력과 2차 유기 기전력의 위상은 반대이다.

53 ① 2 ③

정격 출력 $50[\mathrm{kW}]$, 4극 $220[\mathrm{V}]$, $60[\mathrm{Hz}]$인 3상 유도 전동기가 전부하 슬립 0.04, 효율 $90[\%]$로 운전되고 있을 때 다음 중 틀린 것은?

① 2차 효율 $= 96[\%]$
② 1차 입력 $= 55.56[\mathrm{kW}]$
③ 회전자 입력 $= 47.9[\mathrm{kW}]$
④ 회전자 동손 $= 2.08[\mathrm{kW}]$

49

1. 모선　　　　　3. 여자기
2. 동기 발전기　　4. 유도 전동기

[암기 포인트] 동기 발전기의 구동 개념도 순서
발전기-여자기-전동기(발여전 '반려견')

50

2차 여자 제어법
외부에서 회전자 슬립링에 2차 주파수와 같은 슬립 주파수 전압(E_c)을 인가하여 속도를 제어하는 방식으로 세르비우스 방식과 크레머 방식이 있다.

51

• 변압기 $Y-\triangle$, $\triangle-Y$ 결선의 각변위: 30°, -30°(330°), 150°, 210°
• 변압기 $\triangle-\triangle$, $Y-Y$ 결선의 각변위: 0°, 180°

52

이상 변압기란 손실을 무시하고 자기 포화를 고려하지 않았을 때의 변압기로, 자속과 여자 전류는 동위상이다.

53

• 2차 입력(회전자 입력)
$$P_2 = \frac{P_0}{1-s} = \frac{50}{1-0.04} \fallingdotseq 52[\mathrm{kW}]$$

• 2차 효율: $\eta_2 = \dfrac{2차 출력}{2차 입력} = \dfrac{50}{52} \fallingdotseq 0.96 (\therefore 96[\%])$

• 1차 입력: $P_1 = \dfrac{전부하 출력}{전부하 효율} = \dfrac{50}{0.9} \fallingdotseq 55.56[\mathrm{kW}]$

• 2차 동손(회전자 동손)
$$P_{c2} = sP_2 = 0.04 \times 52 = 2.08[\mathrm{kW}]$$

---

54 ▮1 ▮2 ▮3

저항 부하를 갖는 정류 회로에서 직류분 전압이 $200[\mathrm{V}]$일 때 다이오드에 가해지는 첨두 역전압(PIV)의 크기는 약 몇 $[\mathrm{V}]$인가?

① 346 　　　　　　② 628
③ 692 　　　　　　④ 1,038

55 ▮1 ▮2 ▮3

3상 변압기를 1차 Y, 2차 Δ로 결선하고 1차에 선간 전압 $3,300[\mathrm{V}]$를 가했을 때의 무부하 2차 선간 전압은 몇 $[\mathrm{V}]$인가?(단, 전압비는 $30:1$이다.)

① 63.5 　　　　　　② 110
③ 173 　　　　　　④ 190.5

56 ▮1 ▮2 ▮3

직류 발전기의 유기 기전력과 반비례하는 것은?

① 자속 　　　　　　② 회전수
③ 전체 도체수 　　　　④ 병렬 회로수

57 ▮1 ▮2 ▮3

일반적인 3상 유도 전동기에 대한 설명 중 틀린 것은?

① 불평형 전압으로 운전하는 경우 전류는 증가하나 토크는 감소한다.
② 원선도 작성을 위해서는 무부하 시험, 구속 시험, 1차 권선 저항 측정을 하여야 한다.
③ 농형은 권선형에 비해 구조가 견고하며 권선형에 비해 대형 전동기로 널리 사용된다.
④ 권선형 회전자의 3선 중 1선이 단선되면 동기 속도의 $50[\%]$에서 더 이상 가속되지 못하는 현상을 게르게스 현상이라 한다.

58 ▮1 ▮2 ▮3

변압기 보호 장치의 주된 목적이 아닌 것은?

① 전압 불평형 개선
② 절연 내력 저하 방지
③ 변압기 자체 사고의 최소화
④ 다른 부분으로의 사고 확산 방지

정답 및 해설

54

단상 전파(중간탭) 정류 회로의 최대 역전압은 $PIV = 2\sqrt{2}\,E[\mathrm{V}]$ 교류 실효 전압과 직류 전압의 관계는 아래와 같다.

$$E_d = \frac{2\sqrt{2}}{\pi}E[\mathrm{V}]$$

$$\therefore PIV = 2\sqrt{2} \times \frac{\pi}{2\sqrt{2}}E_d = \pi E_d \fallingdotseq 628[\mathrm{V}]$$

(단, E: 교류 실효 전압$[\mathrm{V}]$, E_d: 직류 전압$[\mathrm{V}]$)

55

• 변압기 1차 측 상전압: $V_{p1} = \dfrac{3,300}{\sqrt{3}}[\mathrm{V}]$

• 변압기 2차 측 상전압: $V_{p2} = \dfrac{3,300}{\sqrt{3}} \times \dfrac{1}{30} = \dfrac{110}{\sqrt{3}}[\mathrm{V}]$

• 변압기 2차 측 선간 전압: $V_{l2} = V_{p2} = \dfrac{110}{\sqrt{3}} \fallingdotseq 63.5[\mathrm{V}]$

[암기 포인트] 선간 전압, 상전압이 문제에 나오면 일단 $\sqrt{3}$이 곱해지거나 나눠질 것이라고 의심해보고 접근할 것

56

$E = \dfrac{pZ\phi N}{60a}[\mathrm{V}]$에서 유기 기전력($E$)과 병렬 회로수($a$)와는 반비례한다.

57

권선형에 비해 농형은 구조가 견고하지만 토크가 작기 때문에 소형 전동기로 널리 사용된다.

58

변압기 보호 장치 목적
• 절연 내력 저하 방지
• 변압기 자체 사고의 최소화
• 다른 부분으로의 사고 확산 방지

59 ① ② ③

직류기에서 기계각의 극수가 P인 경우 전기각과의 관계는 어떻게 되는가?

① 전기각 $\times 2P$

② 전기각 $\times 3P$

③ 전기각 $\times \left(\dfrac{2}{P}\right)$

④ 전기각 $\times \left(\dfrac{3}{P}\right)$

60 ① ② ③

3상 권선형 유도 전동기의 전부하 슬립 $5[\%]$, 2차 1상의 저항 $0.5[\Omega]$이다. 이 전동기의 기동 토크를 전부하 토크와 같도록 하려면 외부에서 2차 삽입할 저항$[\Omega]$은?

① 8.5

② 9

③ 9.5

④ 10

61 ① ② ③

$G(s) = \dfrac{1}{0.005s(0.1s+1)^2}$ 에서 $\omega = 10[\mathrm{rad/s}]$일 때 이득 및 위상각은?

① $20[\mathrm{dB}]$, $-90°$

② $20[\mathrm{dB}]$, $-180°$

③ $40[\mathrm{dB}]$, $-90°$

④ $40[\mathrm{dB}]$, $-180°$

62 ① ② ③

그림과 같은 논리 회로는 어느 것인가?

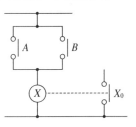

① OR 회로

② AND 회로

③ NOT 회로

④ NOR 회로

59

기하각(기계각)= 전기각$\times \dfrac{2}{P}$

60

$R = \dfrac{1-s}{s}r_2 = \dfrac{1-0.05}{0.05}\times 0.5 = 9.5[\Omega]$

61

• 전달함수

$G(j\omega)\Big|_{\omega=10} = \dfrac{1}{0.005j\omega(0.1j\omega+1)^2}\Big|_{\omega=10} = \dfrac{1}{j0.05(j+1)^2}$

$= \dfrac{1}{j0.05(-1+2j+1)} = -10$

• 전달함수의 크기

$|G(j\omega)|_{\omega=10} = |-10| = 10$

• 이득

$g = 20\log_{10}10 = 20[\mathrm{dB}]$

• 위상각

$G(j\omega)\Big|_{\omega=10} = \dfrac{1}{j0.05(-1+2j+1)} = \dfrac{1}{0.1j^2}$ 이므로

$\theta = \dfrac{\angle 0°}{\angle 180°} = \angle -180°$이다.

62

문제에 주어진 논리 회로의 동작 진리표를 작성한다.

A	B	X
0	0	0
0	1	1
1	0	1
1	1	1

입력 중 적어도 1개 이상이 '1'이면 '1'이 출력되므로 주어진 회로는 OR 회로이다.

63 `1` `2` `3`

그림은 제어계와 그 제어계의 근궤적을 작도한 것이다. 이것으로부터 결정된 이득 여유값은?

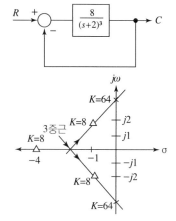

① 2

② 4

③ 8

④ 64

64 `1` `2` `3`

그림과 같은 스프링 시스템을 전기적 시스템으로 변환했을 때 이에 대응하는 회로는?

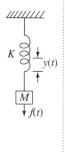

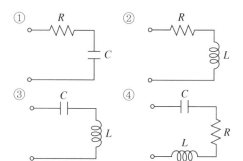

65 `1` `2` `3`

$\dfrac{d^2}{dt^2}c(t)+5\dfrac{d}{dt}c(t)+4c(t)=r(t)$ 와 같은 함수를 상태 함수로 변환하였다. 벡터 A, B의 값으로 적당한 것은?

$$\frac{d}{dt}x(t)=Ax(t)+Br(t)$$

① $A=\begin{bmatrix} 0 & 1 \\ -5 & -4 \end{bmatrix}$, $B=\begin{bmatrix} 0 \\ 1 \end{bmatrix}$

② $A=\begin{bmatrix} 0 & 1 \\ 5 & 4 \end{bmatrix}$, $B=\begin{bmatrix} 0 \\ 1 \end{bmatrix}$

③ $A=\begin{bmatrix} 0 & 1 \\ -4 & -5 \end{bmatrix}$, $B=\begin{bmatrix} 0 \\ 1 \end{bmatrix}$

④ $A=\begin{bmatrix} 0 & 1 \\ 4 & 5 \end{bmatrix}$, $B=\begin{bmatrix} 0 \\ 1 \end{bmatrix}$

정답 및 해설

63

주어진 근궤적에서 교점은 64이고, 기울기는 8이므로 이득 여유는

$GM=\dfrac{64}{8}=8$ 이다.

[참고]

이득 여유가 [dB] 값인 경우 $20\log|GM|=20\log 8 ≒ 18\text{[dB]}$

64

주어진 물리계를 방정식으로 표현한다.

$f(t)=M\dfrac{d^2y(t)}{dt^2}+Ky(t) \rightarrow f(t)=M\dfrac{d}{dt}v(t)+K\displaystyle\int v(t)\,dt$

위 방정식과 등가인 전기 회로 방정식과 비교한다.

$e(t)=L\dfrac{di(t)}{dt}+\dfrac{1}{C}\displaystyle\int i(t)\,dt$

따라서 인덕턴스 L과 정전 용량 C의 직렬 회로와 같다.

65

상태 방정식 계수 행렬의 특성(2차 방정식)

• 계수 행렬 A

 – 1행 요소(불변): $\begin{bmatrix} 0 & 1 \end{bmatrix}$

 – 2행 요소(부호 반대): $\begin{bmatrix} -4 & -5 \end{bmatrix}$

 – $A=\begin{bmatrix} 0 & 1 \\ -4 & -5 \end{bmatrix}$

• 계수 행렬 B

 – 1행 요소(불변): $\begin{bmatrix} 0 \end{bmatrix}$

 – 2행 요소($r(t)$ 의 계수): $\begin{bmatrix} 1 \end{bmatrix}$

 – $B=\begin{bmatrix} 0 \\ 1 \end{bmatrix}$

66 [1] [2] [3]

전달 함수 $G(s) = \dfrac{1}{s+a}$ 일 때 이 계의 임펄스 응답 $c(t)$를 나타내는 것은?(단, a는 상수이다.)

①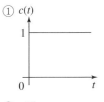

②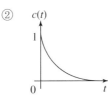

③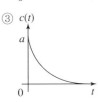

④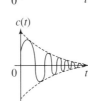

67 [1] [2] [3]

궤환(Feedback) 제어계의 특징이 아닌 것은?

① 정확성이 증가한다.
② 대역폭이 증가한다.
③ 구조가 간단하고 설치비가 저렴하다.
④ 계의 특성 변화에 대한 입력 대 출력비의 감도가 감소한다.

빈출
68 [1] [2] [3]

이산 시스템(Discrete Data System)에서의 안정도 해석에 대한 설명으로 옳은 것은?

① 특성 방정식의 모든 근이 z 평면의 음의 반평면에 있으면 안정하다.
② 특성 방정식의 모든 근이 z 평면의 양의 반평면에 있으면 안정하다.
③ 특성 방정식의 모든 근이 z 평면의 단위원 내부에 있으면 안정하다.
④ 특성 방정식의 모든 근이 z 평면의 단위원 외부에 있으면 안정하다.

69 [1] [2] [3]

노내 온도를 제어하는 프로세스 제어계에서 검출부에 해당하는 것은?

① 노   ② 밸브
③ 증폭기   ④ 열전대

66

주어진 전달 함수를 라플라스 역변환하여 시간 함수를 구한다.

$$C(s) = R(s)\,G(s) = 1 \times \frac{1}{s+a} \rightarrow c(t) = e^{-at}$$

따라서 시간이 경과함에 따라 지수적으로 감소하는 응답이 나오는 파형이 된다.

67

궤환 제어계(폐루프 제어계)
• 오차를 검출하는 비교부가 있으므로 정확도가 뛰어나다.
• 구조가 복잡하고 설치비가 비싸다.

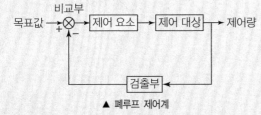

▲ 폐루프 제어계

68

이산 시스템 = z 평면상에서의 제어 시스템

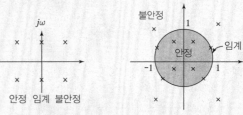

▲ s 평면에서의 안정도   ▲ z 평면에서의 안정도

[암기 포인트]

이산 시스템의 안정 조건은 특성 방정식의 모든 근이 z 평면의 단위원 "내부"

69

열전대
열전대는 제벡효과를 이용하여 서로 다른 금속체 접합점에 온도차가 생기면 열기전력이 발생하는 소자이며 프로세스 제어계에서 검출부에 해당한다.

정답   66 ②   67 ③   68 ③   69 ④

70 1 2 3

단위 부궤환 제어 시스템의 루프 전달 함수인 $G(s)H(s)$가 다음과 같이 주어져 있다. 이득 여유가 20[dB]이면 이때의 K의 값은?

$$G(s)H(s) = \frac{K}{(s+1)(s+3)}$$

① $\dfrac{3}{10}$ ② $\dfrac{3}{20}$

③ $\dfrac{1}{20}$ ④ $\dfrac{1}{40}$

71 1 2 3

$R = 100[\Omega]$, $X_c = 100[\Omega]$이고 L만을 가변할 수 있는 $R-L-C$ 직렬 회로가 있다. 이때 $f = 500[\text{Hz}]$, $E = 100[\text{V}]$를 인가하여 L을 변화시킬 때 L의 단자 전압 E_L의 최대값은 몇 [V]인가?(단, 공진 회로이다.)

① 50   ② 100

③ 150   ④ 200

72 1 2 3

어떤 회로에 전압을 115[V] 인가하였더니 유효 전력이 230[W], 무효 전력이 345[Var]를 지시한다면 회로에 흐르는 전류는 약 몇 [A]인가?

① 2.52   ② 5.6

③ 3.6   ④ 4.5

73 1 2 3

시정수의 의미를 설명한 것 중 틀린 것은?

① 시정수가 작으면 과도 현상이 짧다.

② 시정수가 크면 정상 상태에 늦게 도달한다.

③ 시정수는 τ로 표기하며 단위는 초[sec]이다.

④ 시정수는 과도 기간 중 변화해야 할 양의 0.632[%]가 변화하는 데 소요된 시간이다.

정답 및 해설

70

허수부 $s = j\omega = 0$에서의 $G(s)H(s)$의 크기를 구한다.

$$|G(s)H(s)| = \left| \frac{K}{(s+1)(s+3)} \right|_{s=0} = \frac{K}{3}$$

이득 여유가 20[dB]이라고 주어졌으므로

$$GM = 20[\text{dB}] = 20\log_{10}\frac{1}{|G(s)H(s)|} = 20\log\frac{3}{K}$$

$$\log\frac{3}{K} = 1 \rightarrow 10^1 = \frac{3}{K}$$

$$\therefore K = \frac{3}{10}$$

71

$R-L-C$ 직렬 회로에서 공진 회로라고 하였으므로 $X_L = X_c$이다. 따라서 회로의 전류를 제어하는 소자는 저항 $R = 100[\Omega]$ 밖에 없다.

$$I = \frac{V}{R} = \frac{100}{100} = 1[\text{A}]$$

따라서 L의 단자전압 E_L은 아래와 같다.

$$E_L = IX_L = IX_c = 1 \times 100 = 100[\text{V}]$$

72

문제에 주어진 조건을 이용하여 피상 전력을 계산한다.

$$P_a = \sqrt{P^2 + Q^2} = \sqrt{230^2 + 345^2} ≒ 414.6[\text{VA}]$$

따라서 회로에 흐르는 전류는 아래와 같다.

$$I = \frac{P_a}{V} = \frac{414.6}{115} ≒ 3.6[\text{A}]$$

73

시정수는 정상 전류(100[%]) 값의 63.2[%]에 도달되는 시간이다. 따라서 시정수 값이 작다는 것은 과도현상이 이에 비례해서 짧아진다는 것을 의미한다.

74 ▢1▢2▢3

무손실 선로에 있어서 감쇠 정수 α, 위상 정수를 β라 하면, α 와 β의 값은?(단, R, G, L, C는 선로 단위 길이당의 저항, 컨덕턴스, 인덕턴스, 커패시턴스이다.)

① $\alpha = \sqrt{RG}$, $\beta = 0$

② $\alpha = 0$, $\beta = \dfrac{1}{\sqrt{LC}}$

③ $\alpha = 0$, $\beta = \omega\sqrt{LC}$

④ $\alpha = \sqrt{RG}$, $\beta = \omega\sqrt{LC}$

빈출
75 ▢1▢2▢3

어떤 소자에 걸리는 전압이 $100\sqrt{2}\cos\left(314t - \dfrac{\pi}{6}\right)$[V]이고, 흐르는 전류가 $3\sqrt{2}\cos\left(314t + \dfrac{\pi}{6}\right)$[A]일 때 소비되는 전력 [W]은?

① 100

② 150

③ 250

④ 300

76 ▢1▢2▢3

그림 (a)와 그림 (b)가 역회로 관계에 있으려면 L의 값은 몇 [mH]인가?

(a)   (b)

① 1

② 2

③ 5

④ 10

77 ▢1▢2▢3

2개의 전력계로 평형 3상 부하의 전력을 측정하였더니 한쪽의 지시가 다른 쪽 전력계 지시의 3배였다면 부하의 역률은 약 얼마인가?

① 0.46

② 0.55

③ 0.65

④ 0.76

74

전파 정수 $\gamma = \sqrt{ZY} = \sqrt{(R+j\omega L)(G+j\omega C)} = \alpha + j\beta$ [1/m]
(단, α: 감쇠 정수, β: 위상 정수)
무손실 선로는 $R = G = 0$ 이므로
$\alpha = 0$, $\beta = \omega\sqrt{LC}$ [rad/m]

75

$P = VI\cos\theta = 100 \times 3 \times \cos(-30° - 30°)$
$\quad = 300\cos(-60°) = 150$[W]

76

문제에 주어진 두 역회로에서 각각의 값은 아래와 같다.
$L_1 = 4$[mH], L_2, $C_1 = 2[\mu F]$, $C_2 = 5[\mu F]$
따라서 이를 역회로 조건 $\left(\dfrac{L_1}{C_1} = \dfrac{L_2}{C_2}\right)$에 대입한다.

$\therefore L_2 = \dfrac{L_1}{C_1} \times C_2 = \dfrac{4 \times 10^{-3}}{2 \times 10^{-6}} \times 5 \times 10^{-6}$
$\quad = 10 \times 10^{-3}$[H] $= 10$[mH]

77

2 전력계법의 역률공식
$\cos\theta = \dfrac{P_1 + P_2}{2\sqrt{P_1^2 + P_2^2 - P_1 P_2}}$
주어진 조건에 따라 $3P_1 = P_2$라고 하면
$\cos\theta = \dfrac{P_1 + 3P_1}{2\sqrt{P_1^2 + (3P_1)^2 - P_1 \times 3P_1}}$
$\quad = \dfrac{4P_1}{2\sqrt{7P_1^2}} = \dfrac{4}{2\sqrt{7}} \fallingdotseq 0.76$

78

$F(s) = \dfrac{1}{s(s+a)}$ 의 라플라스 역변환은?

① e^{-at}

② $1 - e^{-at}$

③ $a(1 - e^{-at})$

④ $\dfrac{1}{a}(1 - e^{-at})$

79

선간 전압이 $200[\mathrm{V}]$인 대칭 3상 전원에 평형 3상 부하가 접속되어 있다. 부하 1상의 저항은 $10[\Omega]$, 유도 리액턴스 $15[\Omega]$, 용량 리액턴스 $5[\Omega]$가 직렬로 접속된 것이다. 부하가 $\triangle$ 결선일 경우 선로 전류[A]와 3상 전력[W]은 약 얼마인가?

① $I_l = 10\sqrt{6}$, $P_3 = 6,000$

② $I_l = 10\sqrt{6}$, $P_3 = 8,000$

③ $I_l = 10\sqrt{3}$, $P_3 = 6,000$

④ $I_l = 10\sqrt{3}$, $P_3 = 8,000$

80

공간적으로 서로 $\dfrac{2\pi}{n}[\mathrm{rad}]$의 각도를 두고 배치한 n개의 코일에 대칭 n상 교류를 흘리면 그 중심에 생기는 회전자계의 모양은?

① 원형 회전자계

② 타원형 회전자계

③ 원통형 회전자계

④ 원추형 회전자계

78

문제에 주어진 $F(s)$ 함수를 부분분수 전개한다.

$F(s) = \dfrac{1}{s(s+a)} = \dfrac{A}{s} + \dfrac{B}{s+a}$

$A = \dfrac{1}{s(s+a)} \times s \Big|_{s=0} = \dfrac{1}{s+a}\Big|_{s=0} = \dfrac{1}{a}$

$B = \dfrac{1}{s(s+a)} \times (s+a) \Big|_{s=-a} = \dfrac{1}{s}\Big|_{s=-a} = -\dfrac{1}{a}$

$\therefore F(s) = \dfrac{1}{a} \times \dfrac{1}{s} - \dfrac{1}{a} \times \dfrac{1}{s+a} = \dfrac{1}{a}\left(\dfrac{1}{s} - \dfrac{1}{s+a}\right)$

따라서 위 식을 라플라스 역변환하면 아래와 같다.

$f(t) = \dfrac{1}{a}(1 - e^{-at})$

79

• 1상의 임피던스

$Z_p = R + j(X_L - X_c) = 10 + j(15-5) = 10 + j10[\Omega]$

• $\triangle$ 결선 시 선전류

$I_l = \sqrt{3}\, I_p = \sqrt{3} \times \dfrac{V_p}{Z_p} = \sqrt{3} \times \dfrac{200}{\sqrt{10^2 + 10^2}}$

$= 10\sqrt{6}\,[\mathrm{A}]$

• 3상 전력

$P_3 = 3 I_p^2 R = 3 \times \left(\dfrac{10\sqrt{6}}{\sqrt{3}}\right)^2 \times 10 = 6,000[\mathrm{W}]$

80

원형 회전자계는 대칭 전원에서 발생하는 자계이고, 타원형 회전자계는 비대칭 전원에서 발생하는 자계이다. 문제에서 주어진 전원은 대칭 n상 전원이므로 원형 회전자계가 발생한다.

81 1 2 3

애자공사에 의한 저압 옥내배선 시설 중 틀린 것은?

① 전선은 인입용 비닐절연전선일 것
② 전선 상호 간의 간격은 6[cm] 이상일 것
③ 전선의 지지점 간의 거리는 전선을 조영재의 윗면에 따라 붙일 경우에는 2[m] 이하일 것
④ 전선과 조영재 사이의 이격거리는 사용전압이 400[V] 이하인 경우에는 2.5[cm] 이상일 것

82 1 2 3

저압 및 고압 가공전선의 높이는 도로를 횡단하는 경우와 철도를 횡단하는 경우에 각각 몇 [m] 이상이어야 하는가?

① 도로: 지표상 5, 철도: 레일면상 6
② 도로: 지표상 5, 철도: 레일면상 6.5
③ 도로: 지표상 6, 철도: 레일면상 6
④ 도로: 지표상 6, 철도: 레일면상 6.5

83 KEC 적용에 따라 삭제되었습니다.

84 1 2 3 (빈출)

접지공사의 접지극을 시설할 때 동결 깊이를 감안하여 지하 몇 [cm] 이상의 깊이로 매설해야 하는가?

① 60 ② 75
③ 90 ④ 100

2018년 2회

81
애자공사(한국전기설비규정 232.56)
• 전선은 절연전선(옥외용 비닐절연전선 및 인입용 비닐절연전선 제외)일 것
• 이격거리

전압		전선과 조영재와의 이격거리		전선 상호 간격	전선 지지점 간의 거리	
					조영재의 상면 또는 측면	조영재에 따라 시설하지 않는 경우
저압	400[V] 이하	25[mm] 이상		0.06[m] 이상	2[m] 이하	–
	400[V] 초과	건조한 장소	25[mm] 이상			6[m] 이하
		기타의 장소	45[mm] 이상			

82
저고압 가공전선의 높이(한국전기설비규정 고압: 332.5, 저압: 222.7)

설치장소		가공전선의 높이
도로 횡단		지표상 6[m] 이상
철도 또는 궤도 횡단		레일면상 6.5[m] 이상
횡단 보도교 위	저압	노면상 3.5[m] 이상 단, 절연전선 또는 케이블인 경우 3[m] 이상
	고압	노면상 3.5[m] 이상
일반장소		지표상 5[m] 이상. 단, 절연전선 또는 케이블을 사용한 저압 가공전선으로서 교통에 지장이 없도록 하여 옥외조명용에 공급하는 경우 4[m]까지 감할 수 있다.

84
접지극의 시설 및 접지저항(한국전기설비규정 142.2)
접지극은 지하 0.75[m] 이상으로 하되 동결 깊이를 감안하여 매설할 것

85 KEC 적용에 따라 삭제되었습니다.

86 1 2 3

발전용 수력설비에서 필댐의 축제재료로 필댐의 본체에 사용하는 토질재료로 적합하지 않은 것은?

① 묽은 진흙으로 되지 않을 것
② 댐의 안정에 필요한 강도 및 수밀성이 있을 것
③ 유기물을 포함하고 있으며 광물성분은 불용성일 것
④ 댐의 안정에 지장을 줄 수 있는 팽창성 또는 수축성이 없을 것

87 1 2 3

전기울타리용 전원장치에 전기를 공급하는 전로의 사용전압은 몇 [V] 이하이어야 하는가?

① 150　　　　　　② 200
③ 250　　　　　　④ 300

88 1 2 3

사용전압이 22.9[kV]인 특고압 가공전선로(중성선 다중접지식의 것으로서 전로의 지락이 생겼을 때에 2초 이내에 자동적으로 이를 전로로부터 차단하는 장치가 되어 있는 것에 한한다)가 상호 간 접근 또는 교차하는 경우 사용전선이 양쪽 모두 케이블인 경우 이격거리는 몇 [m] 이상인가?

① 0.25　　　　　　② 0.5
③ 0.75　　　　　　④ 1.0

89 1 2 3

전력계통의 일부가 전력계통의 전원과 전기적으로 분리된 상태에서 분산형전원에 의해서만 가압되는 상태를 무엇이라 하는가?

① 계통연계　　　　　　② 접속설비
③ 단독운전　　　　　　④ 단순 병렬운전

정답 및 해설

86

필댐 축제재료(기술기준 제145조)
필댐의 본체에 사용하는 토질재료는 다음에 적합한 것이어야 한다.
• 댐의 안정에 필요한 강도 및 수밀성이 있을 것
• 댐의 안정에 지장을 줄 수 있는 팽창성 또는 수축성이 없을 것
• 묽은 진흙으로 되지 않을 것
• 유기물을 포함하지 않으며 광물성분은 불용성일 것

87

전기울타리(한국전기설비규정 241.1)
• 사용전압: 250[V] 이하
• 전선: 지름 2[mm] 이상의 경동선
• 전선과 이를 지지하는 기둥과의 이격거리: 25[mm] 이상
• 전선과 다른 시설물 또는 수목과의 이격거리: 0.3[m] 이상

88

25[kV] 이하인 특고압 가공전선로의 시설(한국전기설비규정 333.32)
특고압 가공전선이 다른 특고압 가공전선과 접근 또는 교차하는 경우의 이격거리는 다음 표에서 정한 값 이상일 것

전선의 종류	이격거리[m]
어느 한쪽 또는 양쪽이 나전선인 경우	1.5
양쪽이 특고압 절연전선인 경우	1
한쪽이 케이블이고 다른 한쪽이 케이블이거나 특고압 절연전선인 경우	0.5

89

용어 정의(한국전기설비규정 112)
단독운전이란 전력계통의 일부가 전력계통의 전원과 전기적으로 분리된 상태에서 분산형전원에 의해서만 운전되는 상태를 말한다.

90

고압 가공인입선이 케이블 이외의 것으로서 그 전선의 아래쪽에 위험표시를 하였다면 전선의 지표상 높이는 몇 [m]까지로 감할 수 있는가?

① 2.5
② 3.5
③ 4.5
④ 5.5

91

특고압의 기계기구·모선 등을 옥외에 시설하는 변전소의 구내에 취급자 이외의 자가 들어가지 못하도록 시설하는 울타리·담 등의 높이는 몇 [m] 이상으로 하여야 하는가?

① 2
② 2.2
③ 2.5
④ 3

92

이동형의 용접 전극을 사용하는 아크 용접장치의 용접변압기의 1차측 전로의 대지전압은 몇 [V] 이하이어야 하는가?

① 60
② 150
③ 300
④ 400

93

지중전선로를 직접 매설식에 의하여 시설하는 경우에 차량 기타 중량물의 압력을 받을 우려가 없는 장소의 매설깊이는 몇 [cm] 이상이어야 하는가?

① 60
② 100
③ 120
④ 150

90

고압 가공인입선의 시설(한국전기설비규정 331.12.1)
- 인장강도 8.01[kN] 이상의 고압절연전선 또는 5[mm] 이상의 경동선 사용
- 고압 가공인입선의 높이는 지표상 3.5[m]까지로 감할 수 있다.(전선의 아래쪽에 위험표시를 할 경우)
- 고압 연접인입선은 시설하여서는 안 된다.

91

발전소 등의 울타리·담 등의 시설(한국전기설비규정 351.1)
고압 또는 특고압의 기계기구·모선 등을 옥외에 시설하는 발전소·변전소·개폐소 또는 이에 준하는 곳에는 울타리·담 등의 높이는 2[m] 이상으로 하고 지표면과 울타리·담 등의 하단 사이의 간격은 0.15[m] 이하로 할 것

92

아크 용접기(한국전기설비규정 241.10)
이동형 용접 전극을 사용하는 아크 용접장치는 다음에 의하여 시설한다.
- 용접변압기는 절연변압기일 것
- 용접변압기의 1차 측 전로의 대지전압은 300[V] 이하일 것
- 용접변압기의 1차 측 전로에는 용접변압기의 가까운 곳에 쉽게 개폐할 수 있는 개폐기를 시설할 것

93

지중전선로의 시설(한국전기설비규정 334.1)
지중전선로를 직접 매설식에 의하여 시설하는 경우에는 매설깊이를 차량 기타 중량물의 압력을 받을 우려가 있는 장소에는 1.0[m] 이상, 기타 장소에는 0.6[m] 이상으로 하고 또한 지중전선을 견고한 트라프 기타 방호물에 넣어 시설하여야 한다.

94

94 1 2 3

특고압을 옥내에 시설하는 경우 그 사용전압의 최대한도는 몇 [kV] 이하인가? (단, 케이블트레이공사는 제외한다.)

① 25 　　　　　② 80
③ 100 　　　　　④ 160

95

95 1 2 3

샤워 시설이 있는 욕실 등 인체가 물에 젖어 있는 상태에서 전기를 사용하는 장소에 콘센트를 시설할 경우 인체감전보호용 누전차단기의 정격감도전류는 몇 [mA] 이하인가?

① 5 　　　　　② 10
③ 15 　　　　　④ 20

96

96 　KEC 적용에 따라 삭제되었습니다.

97

97 1 2 3

전로의 사용전압이 200[V]인 저압 전로의 전선 상호 간 및 전로 대지 간의 절연저항은 몇 [MΩ] 이상이어야 하는가?

① 0.1 　　　　　② 1.0
③ 0.3 　　　　　④ 0.5

정답 및 해설

94

특고압 옥내 전기설비의 시설(한국전기설비규정 342.4)
- 사용전압은 100[kV] 이하일 것. 다만, 케이블트레이공사에 의하여 시설하는 경우에는 35[kV] 이하일 것
- 전선은 케이블일 것
- 케이블은 철재 또는 철근 콘크리트제의 관·덕트 기타의 견고한 방호 장치에 넣어 시설할 것

95

콘센트의 시설(한국전기설비규정 234.5)
욕조나 샤워 시설이 있는 욕실 또는 화장실 등 인체가 물에 젖어 있는 상태에서 전기를 사용하는 장소에 콘센트를 시설하는 경우에는 다음에 따라 시설하여야 한다.
- 「전기용품 및 생활용품 안전관리법」의 적용을 받는 인체감전보호용 누전차단기(정격감도전류 15[mA] 이하, 동작시간 0.03초 이하의 전류동작형의 것에 한한다) 또는 절연변압기(정격용량 3[kVA] 이하인 것에 한한다)로 보호된 전로에 접속하거나, 인체감전보호용 누전차단기가 부착된 콘센트를 시설하여야 한다.
- 콘센트는 접지극이 있는 방적형 콘센트를 사용하여 접지하여야 한다.

97

저압전로의 절연성능(기술기준 제52조)
전기사용 장소의 사용전압이 저압인 전로의 전선 상호 간 및 전로와 대지 사이의 절연저항은 개폐기 또는 과전류차단기로 구분할 수 있는 전로마다 다음 표에서 정한 값 이상이어야 한다.

전로의 사용전압[V]	DC시험전압[V]	절연저항[MΩ]
SELV 및 PELV	250	0.5
FELV, 500[V] 이하	500	1.0
500[V] 초과	1,000	1.0

※ 특별저압(Extra Low Voltage : 2차 전압이 AC 50[V], DC 120[V] 이하)으로 SELV(비접지회로 구성) 및 PELV(접지회로 구성)은 1차와 2차가 전기적으로 절연된 회로, FELV는 1차와 2차가 전기적으로 절연되지 않은 회로

98 [1] [2] [3]

( ) 안에 들어갈 내용으로 옳은 것은?

> 유희용 전차에 전기를 공급하는 전로의 사용전압은 직류의
> 경우는 (Ⓐ)[V] 이하, 교류의 경우는 (Ⓑ)[V] 이하이어야
> 한다.

① Ⓐ 60   Ⓑ 40   ② Ⓐ 40   Ⓑ 60
③ Ⓐ 30   Ⓑ 60   ④ Ⓐ 60   Ⓑ 30

99 [1] [2] [3]

철탑의 강도 계산을 할 때 이상 시 상정하중이 가하여지는 경
우 철탑의 기초에 대한 안전율은 얼마 이상이어야 하는가?

① 1.33   ② 1.83
③ 2.25   ④ 2.75

100 [1] [2] [3]

발전기를 자동적으로 전로로부터 차단하는 장치를 반드시 시
설하지 않아도 되는 경우는?

① 발전기에 과전류나 과전압이 생긴 경우
② 용량 5,000[kVA] 이상인 발전기의 내부에 고장이 생긴
   경우
③ 용량 500[kVA] 이상의 발전기를 구동하는 수차의 압유
   장치의 유압이 현저히 저하한 경우
④ 용량 2,000[kVA] 이상인 수차 발전기의 스러스트 베어
   링의 온도가 현저히 상승하는 경우

98

유희용 전차 전원장치(한국전기설비규정 241.8.2)
유희용 전차에 전기를 공급하는 전원장치는 다음에 의하여 시설하여야
한다.
• 전원장치의 2차 측 단자의 최대 사용전압은 직류의 경우 60[V] 이하,
  교류의 경우 40[V] 이하일 것
• 전원장치의 변압기는 절연 변압기일 것

99

가공전선로 지지물의 기초의 안전율(한국전기설비규정 331.7)
가공전선로의 지지물에 하중이 가하여지는 경우에 그 하중을 받는 지
지물의 기초의 안전율은 2 이상이어야 한다. 단, 이상 시 상정하중에
대한 철탑의 기초에 대하여는 1.33 이상이어야 한다.

100

발전기 등의 보호장치(한국전기설비규정 351.3)
발전기에는 다음의 경우에 자동적으로 이를 전로로부터 차단하는 장치
를 시설하여야 한다.
• 발전기에 과전류나 과전압이 생긴 경우
• 용량이 500[kVA] 이상의 발전기를 구동하는 수차의 압유장치의 유
  압이 현저히 저하한 경우
• 용량 100[kVA] 이상의 발전기를 구동하는 풍차의 압유장치의 유압
  이 현저히 저하한 경우
• 용량이 2,000[kVA] 이상인 수차 발전기의 스러스트 베어링의 온도
  가 현저히 상승한 경우
• 용량이 10,000[kVA] 이상인 발전기의 내부에 고장이 생긴 경우

01 1 2 3

전기력선의 설명 중 틀린 것은?

① 전기력선은 부전하에서 시작하여 정전하에서 끝난다.

② 단위 전하에서는 $\frac{1}{\varepsilon_0}$개의 전기력선이 출입한다.

③ 전기력선은 전위가 높은 점에서 낮은 점으로 향한다.

④ 전기력선의 방향은 그 점의 전계의 방향과 일치하며 밀도는 그 점에서의 전계의 크기와 같다.

02 1 2 3

그 양이 증가함에 따라 무한장 솔레노이드의 자기 인덕턴스 값이 증가하지 않는 것은 무엇인가?

① 철심의 반경 ② 철심의 길이
③ 코일의 권수 ④ 철심의 투자율

03 1 2 3

유전율 ε, 전계의 세기 E인 유전체의 단위 체적에 축적되는 에너지는?

① $\frac{E}{2\varepsilon}$ ② $\frac{\varepsilon E}{2}$

③ $\frac{\varepsilon E^2}{2}$ ④ $\frac{\varepsilon^2 E^2}{2}$

04 1 2 3

비투자율 1,000인 철심이 든 환상 솔레노이드의 권수가 600회, 평균 지름 20[cm], 철심의 단면적 10[cm²]이다. 이 솔레노이드에 2[A]의 전류가 흐를 때 철심 내의 자속은 약 몇 [Wb]인가?

① 1.2×10^{-3} ② 1.2×10^{-4}
③ 2.4×10^{-3} ④ 2.4×10^{-4}

05 1 2 3

단면적 $S[\text{m}^2]$, 단위 길이당 권수가 $n_0[\text{회}/\text{m}]$인 무한히 긴 솔레노이드의 자기 인덕턴스[H/m]는?

① $\mu S n_0$ ② $\mu S n_0^2$
③ $\mu S^2 n_0$ ④ $\mu S^2 n_0^2$

정답 및 해설

01

전기력선의 성질
• 전기력선은 반드시 정(+)전하에서 나와서 부(−)전하로 들어간다.
• 전기력선의 방향은 그 점의 전계의 방향과 일치한다.
• 전기력선의 밀도는 전계의 세기와 같다.
• 전기력선은 전위가 높은 곳에서 낮은 곳으로 향한다.
• $Q[\text{C}]$의 전하에서 나오는 전기력선의 개수는 $\frac{Q}{\varepsilon_0}$개다. 단위 전하에서는 $\frac{1}{\varepsilon_0}$개의 전기력선이 출입한다.

02

길이 $l[\text{m}]$, 권선수 N인 무한장 솔레노이드 인덕턴스

$$L = \frac{\mu N^2 S}{l} = \frac{\mu_0 \mu_s N^2 \pi r^2}{l}[\text{H}]$$

단위 길이당 인덕턴스(n: 단위 길이당 권수)

$$\frac{L}{l} = \frac{\mu N^2 S}{l^2} = \mu n^2 S[\text{H/m}]$$

$\therefore$ μ, N, S, r 증가 시 L이 증가하고 철심의 길이 l 증가 시 L이 감소한다.

03

유전체의 단위 체적에 축적되는 에너지

$$w = \frac{ED}{2} = \frac{\varepsilon E^2}{2} = \frac{D^2}{2\varepsilon}[\text{J/m}^3]$$

04

환상 솔레노이드의 자계 $H = \frac{NI}{2\pi r}[\text{AT/m}]$

자속 $\phi = BS = \mu HS = \frac{\mu_0 \mu_s SNI}{2\pi r}[\text{Wb}]$

$\therefore$ $\phi = \dfrac{4\pi \times 10^{-7} \times 1,000 \times 10 \times 10^{-4} \times 600 \times 2}{2\pi \times \frac{20}{2} \times 10^{-2}} = 2.4 \times 10^{-3}[\text{Wb}]$

05

무한장 솔레노이드의 자기 인덕턴스

$$L = \frac{\mu S N^2}{l}[\text{H}]$$

따라서 단위 길이당 자기 인덕턴스는

$$\frac{L}{l} = \frac{\mu S N^2}{l^2} = \mu S n_0^2[\text{H/m}](\because N = n_0 l)$$

06 1 2 3

맥스웰의 전자 방정식에 대한 의미를 설명한 것으로 틀린 것은?

① 자계의 회전은 전류 밀도와 같다.

② 자계는 발산하며 자극은 단독으로 존재한다.

③ 전계의 회전은 자속 밀도의 시간적 감소율과 같다.

④ 단위 체적 당 발산 전속 수는 단위 체적당 공간 전하 밀도와 같다.

07 1 2 3

판자석의 세기가 $0.01[\mathrm{Wb/m^2}]$, 반지름 $5[\mathrm{cm}]$인 원형 자석판이 있다. 자석의 중심에서 축상 $10[\mathrm{cm}]$인 점에서의 자위의 세기는 몇 $[\mathrm{A}]$인가?

① 100   ② 175

③ 370   ④ 420

08 1 2 3

길이 $l[\mathrm{m}]$, 지름 $d[\mathrm{m}]$인 원통이 길이 방향으로 균일하게 자화되어 자화의 세기가 $J[\mathrm{Wb/m^2}]$인 경우 원통 양단에서의 전자극의 세기$[\mathrm{Wb}]$는?

① $\pi d^2 J$ ② $\pi d J$

③ $\dfrac{4J}{\pi d^2}$ ④ $\dfrac{\pi d^2 J}{4}$

09 1 2 3

자성체 경계면에 전류가 없을 때의 경계 조건으로 틀린 것은?

① 자계 H의 접선 성분 $H_{1T} = H_{2T}$

② 자속 밀도 B의 법선 성분 $B_{1N} = B_{2N}$

③ 경계면에서의 자력선의 굴절 $\dfrac{\tan\theta_1}{\tan\theta_2} = \dfrac{\mu_1}{\mu_2}$

④ 전속 밀도 D의 법선 성분 $D_{1N} = D_{2N} = \dfrac{\mu_2}{\mu_1}$

06

맥스웰 방정식

• 맥스웰의 제1 방정식
 – 전도 전류 및 변위 전류는 회전하는 자계를 형성
 – 전류와 자계의 연속성 관계를 나타내는 방정식

$$rot\, \dot{H} = i_c + \frac{\partial \dot{D}}{\partial t}$$

• 맥스웰의 제2 방정식
 – 패러데이의 전자 유도 법칙에서 유도된 방정식
 – 자속 밀도의 시간적 변화는 전계를 회전시키고 유기 기전력을 발생

$$rot\, \dot{E} = -\frac{\partial \dot{B}}{\partial t} = -\mu \frac{\partial \dot{H}}{\partial t}$$

• 맥스웰의 제3 방정식(정전계의 가우스 미분형)
 – 정전계의 가우스 법칙에서 유도된 방정식
 – 임의의 폐곡면 내의 전하에서 전속선이 발산

$$div\, \dot{D} = \rho$$

• 맥스웰의 제4 방정식(정자계의 가우스 미분형)
 – 정자계의 가우스 법칙에서 유도된 방정식
 – 외부로 발산하는 자속은 없다.(자속은 연속적이다)
 – 고립된 N극 또는 S극만으로 이루어진 자석은 만들 수 없다.

$$div\, \dot{B} = 0$$

07

판자석(자기 2중층)에서의 자위

입체각 $\omega = 2\pi(1-\cos\theta)\,[\mathrm{sr}]$ 이므로

자위 $U = \dfrac{M}{4\pi\mu_0}\omega = \dfrac{M}{4\pi\mu_0}2\pi(1-\cos\theta) = \dfrac{M}{2\mu_0}(1-\cos\theta)\,[\mathrm{A}]$

$\therefore U = \dfrac{0.01}{2\times 4\pi\times 10^{-7}}\times\left(1-\dfrac{0.1}{\sqrt{0.05^2+0.1^2}}\right) = 420[\mathrm{A}]$

08

자극의 세기는 자화된 원통의 단면적에 자화의 세기를 곱하여 구하면 된다.

자극의 세기 $m = \pi r^2 J = \pi\left(\dfrac{d}{2}\right)^2 J = \dfrac{\pi d^2 J}{4}\,[\mathrm{Wb}]$

09

자성체 경계면의 조건은 전속 밀도 D의 법선 성분과는 무관하다.

---

10 1 2 3

자기 인덕턴스 L_1, L_2와 상호 인덕턴스 M 사이의 결합 계수는?(단, 단위는 [H]이다.)

① $\dfrac{M}{L_1L_2}$

② $\dfrac{L_1L_2}{M}$

③ $\dfrac{M}{\sqrt{L_1L_2}}$

④ $\dfrac{\sqrt{L_1L_2}}{M}$

11 1 2 3

$\sigma = 1\,[\mho/\mathrm{m}]$, $\varepsilon_s = 6$, $\mu = \mu_0$인 유전체에 교류 전압을 가할 때 변위 전류와 전도 전류의 크기가 같아지는 주파수는 몇 [Hz]인가?

① 3.0×10^9

② 4.2×10^9

③ 4.7×10^9

④ 5.1×10^9

12 1 2 3

대지면에 높이 $h\,[\mathrm{m}]$로 평행하게 가설된 매우 긴 선 전하가 지면으로부터 받는 힘은?

① h에 비례

② h에 반비례

③ h^2에 비례

④ h^2에 반비례

13 1 2 3

전계 $\dot{E}$의 x, y, z 성분을 E_x, E_y, E_z라 할 때 $div E$는?

① $\dfrac{\partial E_x}{\partial x} + \dfrac{\partial E_y}{\partial y} + \dfrac{\partial E_z}{\partial z}$

② $i\dfrac{\partial E_x}{\partial x} + j\dfrac{\partial E_y}{\partial y} + k\dfrac{\partial E_z}{\partial z}$

③ $\dfrac{\partial^2 E_x}{\partial x^2} + \dfrac{\partial^2 E_y}{\partial y^2} + \dfrac{\partial^2 E_z}{\partial z^2}$

④ $i\dfrac{\partial^2 E_x}{\partial x^2} + j\dfrac{\partial^2 E_y}{\partial y^2} + k\dfrac{\partial^2 E_z}{\partial z^2}$

정답 및 해설

10

결합 계수

$k = \dfrac{M}{\sqrt{L_1L_2}}$ (단, $0 \le k \le 1$)

11

변위 전류와 전도 전류의 크기가 같을 조건

• $|i_c| = |i_d| \Rightarrow |\sigma E| = |j\omega\varepsilon E|$

• $\sigma = 2\pi f \varepsilon_0 \varepsilon_s$를 만족하므로

$f = \dfrac{\sigma}{2\pi\varepsilon_0\varepsilon_s} = 18\times10^9 \times \dfrac{1}{6} = 3\times10^9\,[\mathrm{Hz}]$

12

선 전하 밀도가 $\lambda\,[\mathrm{C/m^2}]$인 경우 대지면에 의한 영상 전하에 의해 전

계가 발생한다.

$E = -\dfrac{\lambda}{2\pi\varepsilon_0(2h)}\,[\mathrm{V/m}]$이므로 도선에 작용하는 힘

$F = QE = \lambda l\left(-\dfrac{\lambda}{2\pi\varepsilon_0(2h)}\right) = \dfrac{-\lambda^2 l}{4\pi\varepsilon_0 h}\,[\mathrm{N}]$

$\therefore\ F \propto \dfrac{1}{h}$

13

$div\dot{E} = \nabla \cdot \dot{E} = \left(i\dfrac{\partial}{\partial x} + j\dfrac{\partial}{\partial y} + k\dfrac{\partial}{\partial z}\right) \cdot (iE_x + jE_y + kE_z)$

$= \dfrac{\partial E_x}{\partial x} + \dfrac{\partial E_y}{\partial y} + \dfrac{\partial E_z}{\partial z}$

14

평면 도체 표면에서 $d[\mathrm{m}]$ 거리에 점전하 $Q[\mathrm{C}]$가 있을 때 이 전하를 무한 원점까지 운반하는 데 필요한 일$[\mathrm{J}]$은?

① $\dfrac{Q^2}{4\pi\varepsilon_0 d}$ ② $\dfrac{Q^2}{8\pi\varepsilon_0 d}$

③ $\dfrac{Q^2}{16\pi\varepsilon_0 d}$ ④ $\dfrac{Q^2}{32\pi\varepsilon_0 d}$

15

정전 에너지, 전속 밀도 및 유전 상수 ε_r의 관계에 대한 설명 중 틀린 것은?

① 굴절각이 큰 유전체는 ε_r이 크다.
② 동일 전속 밀도에서는 ε_r이 클수록 정전 에너지는 작아진다.
③ 동일 정전 에너지에서는 ε_r이 클수록 전속 밀도가 커진다.
④ 전속은 매질에 축적되는 에너지가 최대가 되도록 분포한다.

16

동심 구형 콘덴서의 내외 반지름을 각각 5배로 증가시키면 정전 용량은 몇 배로 증가하는가?

① 5 ② 10
③ 15 ④ 20

17

3개의 점전하 $Q_1 = 3[\mathrm{C}]$, $Q_2 = 1[\mathrm{C}]$, $Q_3 = -3[\mathrm{C}]$을 점 $P_1(1,0,0)$, $P_2(2,0,0)$, $P_3(3,0,0)$에 어떻게 놓으면 원점에서의 전계의 크기가 최대가 되는가?

① P_1에 Q_1, P_2에 Q_2, P_3에 Q_3
② P_1에 Q_2, P_2에 Q_3, P_3에 Q_1
③ P_1에 Q_3, P_2에 Q_1, P_3에 Q_2
④ P_1에 Q_3, P_2에 Q_2, P_3에 Q_1

14
무한 평면 도체와 점전하 사이의 힘

$$F = \frac{-Q^2}{4\pi\varepsilon_0 (2d)^2} = \frac{-Q^2}{16\pi\varepsilon_0 d^2}[\mathrm{N}]$$

따라서 무한 원점으로 운반하는 데 필요한 일은

$$W = \int_d^\infty F dr = \int_d^\infty \frac{-Q^2}{16\pi\varepsilon_0 r^2} dr = -\frac{Q^2}{16\pi\varepsilon_0 d}[\mathrm{J}]$$

15
• 정전계는 전계 에너지가 최소가 되도록 하는 전하 분포의 전계이다.
  $D = \varepsilon E[\mathrm{C/m^2}]$
• 전속은 매질에 축적되는 에너지가 최소가 되도록 분포한다.

16
동심 구형 콘덴서의 정전 용량

$$C = \frac{4\pi\varepsilon_0 ab}{b-a}[\mathrm{F}]$$

따라서 내외 반지름을 각각 5배로 증가시키면

$$C' = \frac{4\pi\varepsilon_0 \times (5a) \times (5b)}{5b - 5a} = 5 \times \frac{4\pi\varepsilon_0 ab}{b-a} = 5C$$

[암기 포인트] 동심 구형 콘덴서의 정전 용량 $C = \dfrac{4\pi\varepsilon_0 ab}{b-a}[\mathrm{F}]$

17
• 원점에서 정(+)전하에 의한 전계의 세기와 부(−)전하에 의한 전계의 세기 벡터 합은 방향이 반대이므로 감소한다.
• 원점에서 정(+)전하에 의한 전계의 세기가 최대가 되려면 가장 큰 정(+)전하를 원점 가까이에 배치한다.
• 원점에서 부(−)전하에 의한 전계의 세기가 최소가 되려면 가장 큰 부(−)전하를 원점에서 멀리 배치한다.

18 1 2 3

도체나 반도체에 전류를 흘리고 이것과 직각 방향으로 자계를 가하면 이 두 방향과 직각 방향으로 기전력이 생기는 현상을 무엇이라 하는가?

① 홀 효과
② 핀치 효과
③ 볼타 효과
④ 압전 효과

19 고난도 1 2 3

유전율이 $\varepsilon = 4\varepsilon_0$이고 투자율이 μ_0인 비도전성 유전체에서 전자파의 전계의 세기가 $\dot{E}(z, t) = a_y 377\cos(10^9 t - \beta z)[\mathrm{V/m}]$일 때의 자계의 세기 $\dot{H}$는 몇 $[\mathrm{A/m}]$인가?

① $-a_z 2\cos(10^9 t - \beta z)$
② $-a_x 2\cos(10^9 t - \beta z)$
③ $-a_z 7.1 \times 10^4 \cos(10^9 t - \beta z)$
④ $-a_x 7.1 \times 10^4 \cos(10^9 t - \beta z)$

20 고난도 1 2 3

진공 중에서 선 전하 밀도 $\rho_L = 6 \times 10^{-8}[\mathrm{C/m}]$인 무한히 긴 직선상 선 전하가 x축과 나란하고 $z = 2[\mathrm{m}]$ 점을 지나고 있다. 이 선 전하에 의하여 반지름 $5[\mathrm{m}]$인 원점에 중심을 둔 구 표면 S_0를 통과하는 전기력선 수는 몇 개인가?

① 3.1×10^4
② 4.8×10^4
③ 5.5×10^4
④ 6.2×10^4

21 1 2 3

망상(Network) 배전 방식에 대한 설명으로 옳은 것은 어느 것인가?

① 전압 변동이 대체로 크다.
② 부하 증가에 대한 융통성이 적다.
③ 방사상 방식보다 무정전 공급의 신뢰도가 더 높다.
④ 인축에 대한 감전 사고가 적어서 농촌에 적합하다.

정답 및 해설

18

홀(Hall) 효과
도체에 전류를 흘리고 이 전류와 직각 방향으로 자계를 가하면 이 두 방향과 직각 방향으로 분극이 나타나고 기전력이 생기는 현상이 발생한다.

19

• 전자파의 전계와 자계는 방향이 90° 차가 발생하고 전파가 y축 방향이면 자파는 $\pm x$축 방향이다.

$$\eta = \frac{E}{H} = \sqrt{\frac{\mu}{\varepsilon}} = \sqrt{\frac{\mu_0 \mu_s}{\varepsilon_0 \varepsilon_s}} = \sqrt{\frac{\mu_0}{\varepsilon_0}} \times \sqrt{\frac{1}{4}} = \frac{377}{2}[\Omega]$$

• 자계의 세기

$$H = \frac{2}{377} E = \frac{2}{377} \times 377 = 2[\mathrm{AT/m}]$$

• 자계의 방향
자계는 전계와 90° 방향차가 있으므로 $\pm a_x$

$\therefore$ 자계 $\dot{H} = \pm 2\cos(10^9 t - \beta z)a_x[\mathrm{AT/m}]$

20

• 전기력선의 수는 전하를 진공의 유전율 ε_0로 나눈 것
• 원점에서 z축으로 $2[\mathrm{m}]$인 곳의 선 전하의 길이는

$$l = \sqrt{5^2 - 2^2} \times 2 = 2\sqrt{21}[\mathrm{m}]$$이다. 따라서 반지름 $5[\mathrm{m}]$인 구 표면 S_0를 통과하는 전기력선의 개수를 구하면

$$N = \frac{\rho_l l}{\varepsilon_0} = \frac{6 \times 10^{-8} \times 2\sqrt{21}}{8.854 \times 10^{-12}} = 6.21 \times 10^4 \text{ 개}$$

21

망상 배전 방식
• 전압 변동이 작다.
• 부하 증가에 대한 융통성이 크다.
• 무정전 공급 신뢰도가 높다.
• 인축에 대한 감전 사고의 우려가 크다.
• 부하 밀집 지역에 적당하다.

22 `1` `2` `3`

1년 365일 중 185일은 이 양 이하로 내려가지 않는 유량은?

① 평수량　　　　　　② 풍수량
③ 고수량　　　　　　④ 저수량

23 `1` `2` `3`

서지파(진행파)가 서지 임피던스 Z_1의 선로 측에서 서지 임피던스 Z_2의 선로 측으로 입사할 때 투과 계수(투과파 전압 ÷ 입사파 전압) b를 나타내는 식은?

① $b = \dfrac{Z_2 - Z_1}{Z_1 + Z_2}$　　　② $b = \dfrac{2Z_2}{Z_1 + Z_2}$

③ $b = \dfrac{Z_1 - Z_2}{Z_1 + Z_2}$　　　④ $b = \dfrac{2Z_1}{Z_1 + Z_2}$

24 `1` `2` `3`

최소 동작 전류 이상의 전류가 흐르면 한도를 넘는 양과는 상관없이 즉시 동작하는 계전기는 어느 것인가?

① 순한시 계전기　　　② 반한시 계전기
③ 정한시 계전기　　　④ 반한시 정한시 계전기

25 `1` `2` `3`

송전 전력, 송전 거리, 전선의 비중 및 전력 손실률이 일정하다고 하면 전선의 단면적 $A[\mathrm{mm^2}]$와 송전전압 $V[\mathrm{kV}]$와의 관계로 옳은 것은?

① $A \propto V$　　　　　② $A \propto V^2$

③ $A \propto \dfrac{1}{\sqrt{V}}$　　　④ $A \propto \dfrac{1}{V^2}$

26 `1` `2` `3`

선로를 따라 균일하게 부하가 분포된 선로의 전력 손실은 이들 부하가 선로의 말단에 집중적으로 접속되어 있을 때보다 어떻게 되는가?

① $\dfrac{1}{2}$로 된다.　　　② $\dfrac{1}{3}$로 된다.

③ 2배로 된다.　　　④ 3배로 된다.

22

- 갈수량: 1년(365일) 중 355일은 이 유량 이하로 내려가지 않는 유량
- 저수량: 1년(365일) 중 275일은 이 유량 이하로 내려가지 않는 유량
- 평수량: 1년(365일) 중 185일은 이 유량 이하로 내려가지 않는 유량
- 풍수량: 1년(365일) 중 95일은 이 유량 이하로 내려가지 않는 유량

[암기 포인트] 갈-저-평-풍 순서대로 높은 숫자들

23

- 반사 계수: $a = \dfrac{Z_2 - Z_1}{Z_1 + Z_2}$　　　· 투과 계수: $b = \dfrac{2Z_2}{Z_1 + Z_2}$

24

순한시(순시) 계전기는 설정한 최소 동작 전류 이상의 전류가 보호 계전기에 흐르면 그 이상되는 전류 값과는 상관없이 즉시 동작하는 계전기이다.

25

전력 손실 $P_l = \dfrac{P^2 R}{V^2 \cos^2\theta} = \dfrac{P^2 \rho l}{V^2 \cos^2\theta A}$ 에서

전선의 단면적 $A = \dfrac{P^2 \rho l}{V^2 \cos^2\theta P_l}$ 이므로 다음의 관계에 있다.

$$A \propto \dfrac{1}{V^2}$$

26

말단 부하에 비해 균등 부하의 전압 강하 및 전력 손실비

구 분	전압 강하(e)	전력 손실(P_l)
말단 부하	IR	$I^2 R$
균등 부하	$\dfrac{1}{2} IR$	$\dfrac{1}{3} I^2 R$

27 ▢1 ▢2 ▢3

3상 송전 선로에서 선간 단락이 발생하였을 때 다음 중 옳은 설명은?

① 역상 전류만 흐른다.
② 정상 전류와 역상 전류가 흐른다.
③ 역상 전류와 영상 전류가 흐른다.
④ 정상 전류와 영상 전류가 흐른다.

28 ▢1 ▢2 ▢3

배전선의 전압 조정 장치가 아닌 것은?

① 승압기
② 리클로저
③ 유도 전압 조정기
④ 주상 변압기 탭 절환 장치

🔆고난도
29 ▢1 ▢2 ▢3

반지름 $r[\text{m}]$이고, 소도체 간격 S인 4도체 송전선로에서 전선 A, B, C가 수평으로 배열되어 있다. 등가 선간 거리가 $D[\text{m}]$로 배치되고 완전 연가된 경우 송전 선로의 인덕턴스는 몇 $[\text{mH/km}]$인가?

① $0.4605 \log_{10} \dfrac{D}{\sqrt{r S^2}} + 0.0125$

② $0.4605 \log_{10} \dfrac{D}{\sqrt[2]{r S}} + 0.025$

③ $0.4605 \log_{10} \dfrac{D}{\sqrt[3]{r S^2}} + 0.0167$

④ $0.4605 \log_{10} \dfrac{D}{\sqrt[4]{r S^3}} + 0.0125$

30 ▢1 ▢2 ▢3

송전 선로에 복도체를 사용하는 주된 목적은?

① 인덕턴스를 증가시키기 위하여
② 정전 용량을 감소시키기 위하여
③ 코로나 발생을 감소시키기 위하여
④ 전선 표면의 전위 경도를 증가시키기 위하여

정답 및 해설

27
사고 종류에 따른 대칭분 존재 여부
• 1선 지락 사고: 영상분, 정상분, 역상분
• 선간 단락 사고: 정상분, 역상분
• 3상 단락 사고: 정상분

[암기 포인트]

구 분	정상분	역상분	영상분
'1선' 지락	O	O	O
'선간' 단락	O	O	X
'3상' 단락	O	X	X

28
배전선의 전압 조정 장치
• 승압기
• 유도 전압 조정기

• 주상 변압기 탭 절환 장치
리클로저는 배전선로에서 사고 발생 시 즉시 동작하여 고장 구간을 차단하고 그 후에 다시 투입시키는 동작을 반복적으로 하는 자동 재폐로 차단기로서 배전선 보호 장치이다.

29
다도체에서의 인덕턴스

$$L_n = \frac{0.05}{n} + 0.4605 \log_{10} \frac{D}{\sqrt[n]{r S^{n-1}}}$$

$$= \frac{0.05}{4} + 0.4605 \log_{10} \frac{D}{\sqrt[4]{r S^{4-1}}}$$

$$= 0.4605 \log_{10} \frac{D}{\sqrt[4]{r S^3}} + 0.0125 [\text{mH/km}]$$

30
복도체는 단도체에 비해 전선의 굵기가 굵어지는 효과가 있으므로 코로나 발생 임계 전압을 증가시켜 코로나 발생을 억제시키는 역할을 한다.

31 `1` `2` `3`

3상용 차단기의 정격 전압은 $170[\mathrm{kV}]$이고 정격 차단 전류가 $50[\mathrm{kA}]$일 때 차단기의 정격 차단 용량은 약 몇 $[\mathrm{MVA}]$인가?

① 5,000　　　　　② 10,000
③ 15,000　　　　　④ 20,000

32 `1` `2` `3`

그림과 같은 선로의 등가 선간 거리는 몇 $[\mathrm{m}]$인가?

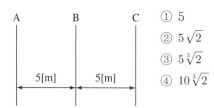

① 5
② $5\sqrt{2}$
③ $5\sqrt[3]{2}$
④ $10\sqrt[3]{2}$

33 `1` `2` `3`

송전 계통의 안정도 향상 대책이 아닌 것은?

① 전압 변동을 적게 한다.
② 고속도 재폐로 방식을 채용한다.
③ 고장 시간, 고장 전류를 적게 한다.
④ 계통의 직렬 리액턴스를 증가시킨다.

34 `1` `2` `3`

송배전 선로의 전선 굵기를 결정하는 주요 요소가 아닌 것은?

① 전압 강하　　　　② 허용 전류
③ 기계적 강도　　　　④ 부하의 종류

2018년 3회

31
3상 차단기의 정격 차단 용량
$$P_s = \sqrt{3}\,VI_s = \sqrt{3}\times170\times50 \fallingdotseq 15,000[\mathrm{MVA}]$$

32
등가 선간 거리
$$D_e = \sqrt[3]{D_1 D_2 D_3} = \sqrt[3]{5\times5\times(5\times2)} = 5\sqrt[3]{2}\,[\mathrm{m}]$$

33
안정도 향상 대책
• 리액턴스를 적게 한다.
 − 복도체 또는 다도체 채용
 − 직렬 콘덴서 설치
 − 발전기나 변압기의 리액턴스 감소
 − 선로의 병렬 회선 수 증가

• 전압 변동을 적게 한다.
 − 중간 조상 방식 채용
 − 고장 구간을 신속히 차단
 − 고속도 계전기, 고속도 차단기 설치
 − 속응 여자 방식 채용
• 계통에 충격을 주지 말아야 한다.
 − 제동 저항기 설치
 − 단락비를 크게 함

34
전선 굵기 결정 3요소
• 허용 전류가 클 것
• 전압 강하가 적을 것
• 전선 가설 시 충분한 기계적 강도가 나올 것

35 ①②③

배전 선로에서 사고 범위의 확대를 방지하기 위한 대책으로 적당하지 않은 것은?

① 선택 접지 계전 방식 채택
② 자동 고장 검출 장치 설치
③ 진상 콘덴서를 설치하여 전압 보상
④ 특고압의 경우 자동 구분 개폐기 설치

36 ①②③

발전기 또는 주변압기의 내부 고장 보호용으로 가장 널리 쓰이는 것은?

① 거리 계전기
② 과전류 계전기
③ 비율 차동 계전기
④ 방향 단락 계전기

37 ①②③

최근에 우리나라에서 많이 채용되고 있는 가스 절연 개폐 설비(GIS)의 특징으로 틀린 것은?

① 대기 절연을 이용한 것에 비해 현저하게 소형화할 수 있으나 비교적 고가이다.
② 소음이 적고 충전부가 완전한 밀폐형으로 되어 있기 때문에 안정성이 높다.
③ 가스 압력에 대한 엄중 감시가 필요하며 내부 점검 및 부품 교환이 번거롭다.
④ 한랭지, 산악 지방에서도 액화 방지 및 산화 방지 대책이 필요 없다.

38 ①②③

변류기 수리 시 2차 측을 단락시키는 이유는?

① 1차 측 과전류 방지
② 2차 측 과전류 방지
③ 1차 측 과전압 방지
④ 2차 측 과전압 방지

정답 및 해설

35

진상 콘덴서를 설치하는 것은 역률을 개선시켜 전압 강하 및 전력 손실을 감소시킨다. 배전 선로에서 사고의 범위가 확대되는 것을 방지하는 역할과는 무관한다.

36

비율 차동 계전기는 발전기, 변압기의 내부 고장 시 양쪽 전류의 벡터 차에 의해 동작하여 차단기를 개로시킨다. 발전기나 변압기의 내부 고장 보호용으로 사용한다.

37

가스 절연 개폐 설비(GIS)에서 사용하는 SF_6 가스는 한랭지에서 날씨가 추워지면 기체가 액체 상태로 액화되므로 액화 방지용 히터 장치가 필요하다.

38

변류기 2차 측을 개방하면 1차 전류가 모두 여자 전류가 되어 2차 권선에 과전압이 유기되어 절연은 파괴되고 소손될 우려가 있다. 따라서 변류기 2차 측을 단락하여 2차 측 과전압을 방지한다.
[암기 포인트] 계기용 변성기 점검 시 주의
• 변류기(CT): 2차 측 단락
• 계기용 변압기(PT): 2차 측 개방

39 ☐1 ☐2 ☐3

기준 선간 전압 $23[\text{kV}]$, 기준 3상 용량 $5,000[\text{kVA}]$, 1선의 유도 리액턴스가 $15[\Omega]$일 때 %리액턴스는?

① 28.36[%]
② 14.18[%]
③ 7.09[%]
④ 3.55[%]

40 ☐1 ☐2 ☐3

화력 발전소에서 재열기의 사용 목적은?

① 증기를 가열한다.
② 공기를 가열한다.
③ 급수를 가열한다.
④ 석탄을 건조한다.

41 ☐1 ☐2 ☐3

일반적인 변압기의 손실 중에서 온도 상승에 관계가 가장 적은 요소는?

① 철손
② 동손
③ 와류손
④ 유전체손

42 ☐1 ☐2 ☐3

2방향성 3단자 사이리스터는 어느 것인가?

① SCR
② SSS
③ SCS
④ TRIAC

2018년 3회

39

%리액턴스

$$\%X = \frac{PX}{10\,V^2} = \frac{5,000 \times 15}{10 \times 23^2} = 14.18[\%]$$

(여기서 $P[\text{kVA}]$, $V[\text{kV}]$, $X[\Omega]$)

40

증기를 가열하기 위해 사용하는 재열기는 보일러에서 발생시킨 과열 증기가 1차적으로 고압 터빈을 돌린 후 온도가 내려간 포화 증기를 다시 보일러 내에 보낸다. 과열 증기를 만든 후 저압 터빈에 보내어 2차적으로 터빈을 돌리는 역할을 한다.

41

• 변압기 손실에는 철손과 동손이 있다.
• 그중 변압기의 유전체손은 다른 손실보다 매우 작으므로 온도 상승에 미치는 영향이 매우 작다.
유전체손의 영향이 큰 것은 전력 케이블이다.

42

• 2단자 소자: SSS, DIAC
• 3단자 소자: SCR, GTO, LASCR, TRIAC(2방향성)
• 4단자 소자: SCS

43 ⬛1 ⬛2 ⬛3

변압기의 권수를 N이라고 할 때 누설 리액턴스는?

① N에 비례한다.　　　② N^2에 비례한다.
③ N에 반비례한다.　　④ N^2에 반비례한다.

44 ⬛1 ⬛2 ⬛3

$200[V]$, $10[kW]$의 직류 분권 전동기가 있다. 전기자 저항은 $0.2[\Omega]$, 계자 저항은 $40[\Omega]$이고 정격 전압에서 전류가 $15[A]$인 경우 $5[kg \cdot m]$의 토크를 발생한다. 부하가 증가하여 전류가 $25[A]$로 되는 경우 발생 토크$[kg \cdot m]$는 얼마로 되겠는가?

① 2.5　　　　　　② 5
③ 7.5　　　　　　④ 10

45 ⬛1 ⬛2 ⬛3

1차 전압 $6,600[V]$, 2차 전압 $220[V]$, 주파수 $60[Hz]$, 1차 권수 $1,000$회의 변압기가 있다. 최대 자속은 약 몇 $[Wb]$인가?

① 0.020　　　　　② 0.025
③ 0.030　　　　　④ 0.032

46 ⬛1 ⬛2 ⬛3

직류 복권 발전기의 병렬 운전에 있어 균압선을 붙이는 목적은 무엇인가?

① 손실을 경감한다.
② 운전을 안정하게 한다.
③ 고조파 발생을 방지한다.
④ 직권 계자 간의 전류 증가를 방지한다.

43

변압기 코일의 자기 인덕턴스

$$L = \frac{\mu S N^2}{l} [H]$$

따라서 누설 리액턴스는

$$X_l = 2\pi f L = \frac{2\pi f \times \mu S N^2}{l} [\Omega]으로 권수의 제곱(N^2)에 비례한다.$$

44

분권 전동기의 전기자 전류를 구한다.

$$I_f = \frac{V}{R_f} = \frac{200}{40} = 5[A] \Rightarrow I_{a1} = I - I_f = 15 - 5 = 10[A]$$

토크는 전기자 전류와 비례하므로 새로운 전기자 전류 및 토크를 구해보면 아래와 같다.

$$I_{a2} = I' - I_f = 25 - 5 = 20[A]$$

$$T_2 = T_1\left(\frac{I_{a2}}{I_{a1}}\right) = 5 \times \left(\frac{20}{10}\right) = 10[kg \cdot m]$$

45

$$E_1 = 4.44 f \phi_m N_1 [V]$$

$$\therefore 최대 자속 \phi_m = \frac{E_1}{4.44 f N_1} = \frac{6,600}{4.44 \times 60 \times 1,000} = 0.025[Wb]$$

46

직류 발전기의 병렬 운전
- 병렬 운전의 조건
  - 극성이 같을 것
  - 단자 전압이 같을 것
  - 외부 특성이 수하 특성일 것
  - 직권, 과복권 발전기의 경우
    병렬 운전이 곤란하므로 반드시 균압선을 설치
- 직류 발전기의 부하 분담
  - 부하 분담이 큰 발전기: 계자 전류(I_f) 증가
  - 부하 분담이 작은 발전기: 계자 전류(I_f) 감소

[암기 포인트] 균압선-('복', '직')권 발전기-운전 안정

47 [1] [2] [3] □

유도 전동기의 2차 여자 제어법에 대한 설명으로 틀린 것은?

① 역률을 개선할 수 있다.
② 권선형 전동기에 한하여 이용된다.
③ 동기 속도 이하로 광범위하게 제어할 수 있다.
④ 2차 저항손이 매우 커지며 효율이 저하된다.

48 [1] [2] [3] □

$50[\Omega]$의 계자 저항을 갖는 직류 분권 발전기가 있다. 이 발전기의 출력이 $5.4[\mathrm{kW}]$일 때 단자 전압은 $100[\mathrm{V}]$, 유기 기전력은 $115[\mathrm{V}]$이다. 이 발전기의 출력이 $2[\mathrm{kW}]$일 때 단자 전압이 $125[\mathrm{V}]$라면 유기 기전력은 약 몇 $[\mathrm{V}]$인가?

① 130
② 145
③ 152
④ 159

49 [1] [2] [3] □

$15[\mathrm{kVA}]$, $3,000/200[\mathrm{V}]$ 변압기의 1차 측 환산 등가 임피던스가 $5.4+j6[\Omega]$일 때 % 저항 강하 p와 % 리액턴스 강하 q는 각각 약 몇 $[\%]$인가?

① $p=0.9$, $q=1$
② $p=0.7$, $q=1.2$
③ $p=1.2$, $q=1$
④ $p=1.3$, $q=0.9$

고난도
50 [1] [2] [3] □

직류기의 온도 상승 시험 방법 중 반환 부하법의 종류가 아닌 것은?

① 카프법
② 홉킨스법
③ 스코트법
④ 블론델법

47
2차 여자 제어법
• 2차 전압과 동상 또는 반대 위상의 외부 전압을 2차 회로에 가해 주면 전동기의 속도를 동기 속도 이하로 광범위하게 제어할 수 있다.
• 1차 무효 전류가 감소하므로 역률을 개선할 수 있다.
보기 ④는 2차 저항 제어법의 특징이다.

48
• 출력이 $5.4[\mathrm{kW}]$인 경우
$$I_f = \frac{V}{R_f} = \frac{100}{50} = 2[\mathrm{A}], \ I = \frac{P}{V} = \frac{5,400}{100} = 54[\mathrm{A}]$$
$$I_a = I + I_f = 54 + 2 = 56[\mathrm{A}], \ E = V + I_a R_a$$
$$\therefore R_a = \frac{E-V}{I_a} = \frac{115-100}{56} = 0.267[\Omega]$$
• 출력이 $2[\mathrm{kW}]$인 경우
$$I_f = \frac{V}{R_f} = \frac{125}{50} = 2.5[\mathrm{A}], \ I = \frac{P}{V} = \frac{2,000}{125} = 16[\mathrm{A}]$$
$$I_a = 16 + 2.5 = 18.5[\mathrm{A}]$$
$$E = V + I_a R_a = 125 + 18.5 \times 0.267 = 130[\mathrm{V}]$$

49
• 1차 측 정격 전류
$$I_{1n} = \frac{15 \times 10^3}{3,000} = 5[\mathrm{A}]$$
• % 저항 강하
$$\%R = p = \frac{I_{1n} \times r_1{}'}{V_{1n}} \times 100 = \frac{5 \times 5.4}{3,000} \times 100 = 0.9[\%]$$
• % 리액턴스 강하
$$\%X = q = \frac{I_{1n} \times x_1{}'}{V_{1n}} \times 100 = \frac{5 \times 6}{3,000} \times 100 = 1[\%]$$

50
직류기 시험 방법
• 토크 측정
 – 전기 동력계: 대형 직류기의 토크 측정에 사용
 – 프로니 브레이크법: 중·소형 직류기의 토크 측정에 사용
 – 보조 발전기 사용법
• 온도 상승 시험법
 – 반환 부하법: 중용량 이상 기계에서 사용(카프법, 블론델법, 홉킨스법 등이 있다.)
 – 실부하법: 전구나 저항 등을 부하로 하여 시험하는 방법이지만 전력 손실이 커 소형에만 사용

51

직류 발전기의 병렬 운전에서 부하 분담 방법은?

① 계자 전류와 무관하다.
② 계자 전류를 증가하면 부하 분담은 감소한다.
③ 계자 전류를 증가하면 부하 분담은 증가한다.
④ 계자 전류를 감소하면 부하 분담은 증가한다.

52

동기기의 기전력의 파형 개선책이 아닌 것은?

① 단절권
② 집중권
③ 공극 조정
④ 자극 모양

53

10극 50[Hz] 3상 유도 전동기가 있다. 회전자도 3상이고 회전자가 정지할 때 2차 1상 간의 전압이 150[V]이다. 이것을 회전 자계와 같은 방향으로 400[rpm]으로 회전시킬 때 2차 전압은 몇 [V]인가?

① 50
② 75
③ 100
④ 150

54

3상 직권 정류자 전동기에 중간 변압기를 사용하는 이유로 적당하지 않은 것은?

① 중간 변압기를 이용하여 속도 상승을 억제할 수 있다.
② 회전자 전압을 정류 작용에 맞는 값으로 선정할 수 있다.
③ 중간 변압기를 사용하여 누설 리액턴스를 감소할 수 있다.
④ 중간 변압기의 권수비를 바꾸어 전동기 특성을 조정할 수 있다.

51

직류 발전기의 병렬 운전
• 계자 전류를 증가시킨 발전기: 자속이 증가해 유기 기전력이 증가한다. 그러므로 출력이 증가해 부하 분담이 증가한다.
• 계자 전류를 감소시킨 발전기: 자속이 감소해 유기 기전력이 감소한다. 그러므로 출력이 감소해 부하 분담이 감소한다.

52

동기기의 유기 기전력의 파형 개선 방법
• 단절권 채용
• 공극 조정
• 분포권 채용
• 자극 모양 개선

53

• 동기 속도
$$N_s = \frac{120f}{p} = \frac{120 \times 50}{10} = 600[\text{rpm}]$$
• 슬립
$$s = \frac{N_s - N}{N_s} = \frac{600 - 400}{600} = 0.333$$
• 2차 전압
$$E_{2s} = sE_2 = 0.333 \times 150 = 50[\text{V}]$$
[암기 포인트] 극수와 주파수가 문항에 주어지면 동기 속도 $N_s = \frac{120f}{p}[\text{rpm}]$를 일단 구해 놓고 풀이한다.

54

3상 직권 정류자 전동기의 중간 변압기 설치 목적

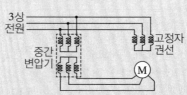

• 실효 권수비를 조정하여 전동기의 특성을 조정하고 정류 전압을 조정한다.
• 직권 특성이기 때문에 경부하 시 속도 상승이 우려되지만 중간 변압기를 사용하여 철심을 포화하면 속도 상승을 제한할 수 있다.

55

단상 직권 정류자 전동기에서 보상 권선과 저항 도선의 작용을 설명한 것으로 틀린 것은?

① 역률을 좋게 한다.
② 변압기 기전력을 크게 한다.
③ 전기자 반작용을 감소시킨다.
④ 저항 도선은 변압기 기전력에 의한 단락 전류를 적게 한다.

56

역률 $100[\%]$일 때의 전압 변동률 ε은 어떻게 표시되는가?

① %저항 강하
② %리액턴스 강하
③ %서셉턴스 강하
④ %임피던스 강하

57

유도자형 동기 발전기의 설명으로 옳은 것은?

① 전기자만 고정되어 있다.
② 계자극만 고정되어 있다.
③ 회전자가 없는 특수 발전기이다.
④ 계자극과 전기자가 고정되어 있다.

58

돌극형 동기 발전기에서 직축 동기 리액턴스를 X_d, 횡축 동기 리액턴스는 X_q라 할 때의 관계는?

① $X_d < X_q$
② $X_d > X_q$
③ $X_d = X_q$
④ $X_d \ll X_q$

55

- 저항 도선: 정류 시 단락 전류 억제
- 보상 권선: 역률을 개선시키고 전기자 반작용 보상

56

전압 변동률 $\varepsilon = p\cos\theta + q\sin\theta$
$\therefore \varepsilon = p \times 1 + q \times 0 = p$(%저항 강하로 표현)

57

유도자형 동기 발전기
- 계자와 전기자를 고정시키고 중앙에 유도자라는 회전자를 설치한 특수 동기 발전기이다.
- 주로 고주파 발전에 사용된다.
- 슬립 링이 필요 없다.

58

돌극기 출력 $P = \dfrac{EV}{X_d}\sin\delta + \dfrac{V^2(X_d - X_q)}{2X_d X_q}\sin2\delta[\text{W}]$에서 직축 리액턴스($X_d$)는 횡축 리액턴스($X_q$)보다 크다.
즉, $X_d > X_q$이다.

59 ①②③

직류 발전기를 3상 유도 전동기에서 구동하고 있다. 이 발전기에 $55[kW]$의 부하를 걸 때 전동기의 전류는 약 몇 $[A]$인가? (단, 발전기의 효율은 $88[\%]$, 전동기의 단자 전압은 $400[V]$, 전동기의 효율은 $88[\%]$, 전동기의 역률은 $82[\%]$로 한다.)

① 125   ② 225
③ 325   ④ 425

60 ①②③

3상 농형 유도 전동기의 기동 방법으로 틀린 것은?

① $Y-\Delta$ 기동   ② 전전압 기동
③ 리액터 기동   ④ 2차 저항에 의한 기동

61 ①②③

일반적인 제어 시스템에서 안정의 조건은?

① 입력이 있는 경우 초기값에 관계없이 출력이 0으로 간다.
② 입력이 없는 경우 초기값에 관계없이 출력이 무한대로 간다.
③ 시스템이 유한한 입력에 대해서 무한한 출력을 얻는 경우
④ 시스템이 유한한 입력에 대해서 유한한 출력을 얻는 경우

62 ①②③

$s^3 + 11s^2 + 2s + 40 = 0$에는 양의 실수부를 갖는 근은 몇 개 있는가?

① 1   ② 2
③ 3   ④ 없다.

정답 및 해설

59

- 발전기 입력

$$P_i = \frac{P_0}{\eta} = \frac{55 \times 10^3}{0.88} = 62,500[W]$$

- 전동기 출력 = 발전기 입력

$$P_o = \sqrt{3}\, VI\cos\theta \times \eta\,[kW]$$

- 전동기 전류

$$I = \frac{P_o}{\sqrt{3}\, V\cos\theta\,\eta} = \frac{62,500}{\sqrt{3}\times 400 \times 0.82 \times 0.88} = 125[A]$$

(P_i: 발전기 입력, P_o: 전동기 출력)

60

3상 농형 유도 전동기의 기동 방식
- 직입(전전압) 기동
- 리액터 기동
- $Y-\Delta$ 기동법
- 기동 보상 기법

61

제어 시스템의 동작이 안정하기 위한 조건은 제어 시스템의 입력이 어느 일정한 입력을 가했을 때 이에 따른 일정한 출력 신호를 내는 제어 장치이다.

62

주어진 특성 방정식의 루드표를 작성하면 다음과 같다.

	제1열	제2열	제3열
s^3	1	2	0
s^2	11	40	0
s^1	$\frac{11\times2 - 1\times40}{11} = -1.64$	$\frac{11\times0 - 1\times0}{11} = 0$	0
s^0	$\frac{-1.64\times40 - 11\times0}{-1.64} = 40$	$\frac{-1.64\times0 - 1\times0}{-1.64} = 0$	0

제1열의 부호 변화가 2번 일어났으므로 우반 평면에 근의 수가 2개 존재하여 불안정하다.

63

다음 그림의 전달 함수 $\dfrac{Y(z)}{R(z)}$는 다음 중 어느 것인가?

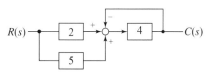

① $G(z)z$

② $G(z)z^{-1}$

③ $G(z)Tz^{-1}$

④ $G(z)Tz$

빈출
64 123

그림과 같은 블록선도에서 전달 함수 $\dfrac{C(s)}{R(s)}$를 구하면?

R(s) ─── [2] ─+→(○)→ [4] ─── C(s)
           ┌─ [5] ─┘

① $\dfrac{1}{8}$

② $\dfrac{5}{28}$

③ $\dfrac{28}{5}$

④ 8

65 123

논리식 $L = \bar{x} \cdot \bar{y} + \bar{x} \cdot y + x \cdot y$를 간략화한 것은?

① $x+y$

② $\bar{x}+y$

③ $x+\bar{y}$

④ $\bar{x}+\bar{y}$

66 123

특성 방정식 $s^2 + 2\delta\omega_n s + \omega_n^2 = 0$에서 감쇠 진동을 하는 제동비 δ의 값은?

① $\delta > 1$

② $\delta = 1$

③ $\delta = 0$

④ $0 < \delta < 1$

63

$\dfrac{Y(z)}{R(z)} = \dfrac{1}{z} \times G(z) = G(z)z^{-1}$

64

주어진 블록선도의 전달 함수를 메이슨 공식에 의해 구해보면 다음과 같다.

$\dfrac{C(s)}{R(s)} = \dfrac{\sum 경로}{1 - \sum 폐루프} = \dfrac{2 \times 4 + 5 \times 4}{1 - (-4)} = \dfrac{28}{5}$

65

$L = \bar{x} \cdot \bar{y} + \bar{x} \cdot y + x \cdot y = \bar{x} \cdot (\bar{y} + y) + x \cdot y = \bar{x} + x \cdot y$

$= (\bar{x} + x) \cdot (\bar{x} + y) = \bar{x} + y$

[암기 포인트] $\bar{A} + A = 1$

66

제동비 값에 따른 제어계의 과도 응답 특성

• $0 < \delta < 1$: 부족 제동(감쇠 진동)

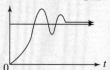

• $\delta > 1$: 과제동(비진동)

• $\delta = 1$: 임계 제동(비진동)

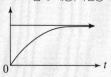

• $\delta = 0$: 무제동(무한 진동)

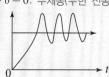

67

다음의 회로를 블록선도로 그린 것 중 옳은 것은?

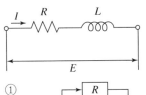

①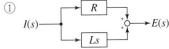

②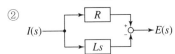

③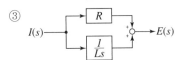

④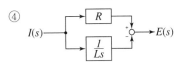

68

일정 입력에 대해 잔류 편차가 있는 제어계는?

① 비례 제어계　　　　② 적분 제어계
③ 비례 적분 제어계　　④ 비례 적분 미분 제어계

69

개루프 전달 함수 $G(s)H(s)$가 다음과 같이 주어지는 부궤환계에서 근궤적 점근선의 실수축과의 교차점은?

$$G(s)H(s) = \frac{K}{s(s+4)(s+5)}$$

① 0 　　　　　　　② -1
③ -2 　　　　　　④ -3

70

$G(j\omega) = \dfrac{K}{j\omega(j\omega+1)}$ 에 있어서 진폭 A 및 위상각 θ는?

$$\lim_{\omega \to \infty} G(j\omega) = A \angle \theta$$

① $A = 0$, $\theta = -90°$ 　② $A = 0$, $\theta = -180°$
③ $A = \infty$, $\theta = -90°$ 　④ $A = \infty$, $\theta = -180°$

정답 및 해설

67

문제에 주어진 $R-L$ 직렬 회로의 전달 함수를 구한다.

$RI(s) + Ls\,I(s) = E(s) \to \dfrac{E(s)}{I(s)} = R + Ls$

①의 블록선도의 전달 함수를 메이슨 공식을 이용하여 구한다.

$\dfrac{E(s)}{I(s)} = \dfrac{경로}{1 - 폐루프} = \dfrac{R + Ls}{1 - 0} = R + Ls$

문제의 회로와 일치하는 것을 알 수 있다.

68

비례 제어(P 제어)는 장치는 간단하나 동작 시간이 느리고 정상 상태에서 잔류 편차가 존재한다.

[암기 포인트] 잔류 편차 '발생'–비례 제어
　　　　　　 잔류 편차 '제거'–비례 적분 제어

69

문제에 주어진 전달 함수로부터 영점은 0개, 극점은 3개(0, -4, -5)이다. 위 영점과 극점을 점근선의 교차점 공식에 대입하면 다음과 같다.

$\dfrac{\sum P - \sum Z}{P - Z} = \dfrac{(0-4-5)-0}{3-0} = -\dfrac{9}{3} = -3$

70

- 진폭 $A = \left| \dfrac{K}{j\omega(j\omega+1)} \right|_{\omega \to \infty} = 0$

- 위상각 $\angle\theta = \dfrac{\angle 0°}{\angle 180°} = \angle -180°$

71

그림과 같이 $10[\Omega]$의 저항에 권수비가 $10:1$의 결합 회로를 연결했을 때 4단자 정수 A, B, C, D는?

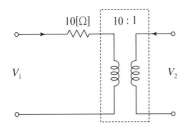

① $A=1$, $B=10$, $C=0$, $D=10$

② $A=10$, $B=1$, $C=0$, $D=10$

③ $A=10$, $B=0$, $C=1$, $D=\dfrac{1}{10}$

④ $A=10$, $B=1$, $C=0$, $D=\dfrac{1}{10}$

72

전류의 대칭분을 I_0, I_1, I_2, 유기 기전력을 E_a, E_b, E_c, 단자 전압의 대칭분을 V_0, V_1, V_2라 할 때 3상 교류 발전기의 기본식 중 정상분 V_1 값은?(단, Z_0, Z_1, Z_2는 영상, 정상, 역상 임피던스이다.)

① $-Z_0 I_0$

② $-Z_2 I_2$

③ $E_a - Z_1 I_1$

④ $E_b - Z_2 I_2$

73

최대값이 I_m인 정현파 교류의 반파정류 파형의 실횻값은?

① $\dfrac{I_m}{2}$

② $\dfrac{I_m}{\sqrt{2}}$

③ $\dfrac{2I_m}{\pi}$

④ $\dfrac{\pi I_m}{2}$

빈출

74

2 전력계법으로 평형 3상 전력을 측정하였더니 한쪽의 지시가 $700[\mathrm{W}]$, 다른 쪽의 지시가 $1,400[\mathrm{W}]$이었다. 피상 전력은 약 몇 $[\mathrm{VA}]$인가?

① $2,425$

② $2,771$

③ $2,873$

④ $2,974$

71

문제에 주어진 회로는 직렬 임피던스와 변압기가 접속된 계통이므로 이를 행렬식으로 작성하여 계산한다.

$$\begin{bmatrix} A & B \\ C & D \end{bmatrix} = \begin{bmatrix} 1 & 10 \\ 0 & 1 \end{bmatrix} \begin{bmatrix} 10 & 0 \\ 0 & \frac{1}{10} \end{bmatrix} = \begin{bmatrix} 10 & 1 \\ 0 & \frac{1}{10} \end{bmatrix}$$

72

발전기 기본식

• 영상분: $V_0 = -Z_0 I_0 [\mathrm{V}]$

• 정상분: $V_1 = E_a - Z_1 I_1 [\mathrm{V}]$

• 역상분: $V_2 = -Z_2 I_2 [\mathrm{V}]$

73

반파정류 파형의 평균값 및 실횻값

• 평균값: $I_a = \dfrac{I_m}{\pi} [\mathrm{A}]$

• 실횻값: $I_a = \dfrac{I_m}{2} [\mathrm{A}]$

74

2전력계법에서의 피상 전력

$$P_a = 2\sqrt{P_1^2 + P_2^2 - P_1 P_2} = 2\sqrt{700^2 + 1,400^2 - 700 \times 1,400}$$
$$= 2,425[\mathrm{VA}]$$

[암기 포인트] 2전력계법 $P_a = 2\sqrt{P_1^2 + P_2^2 - P_1 P_2}$

75 ⓵ ⓶ ⓷

그림과 같은 RC 회로에서 스위치를 넣은 순간 전류는?(단, 초기 조건은 0이다.)

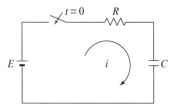

① 불변 전류이다.　　　② 진동 전류이다.
③ 증가 함수로 나타난다.　④ 감쇠 함수로 나타난다.

76 ⓵ ⓶ ⓷

무손실 선로의 정상 상태에 대한 설명으로 틀린 것은?

① 전파 정수 γ은 $j\omega\sqrt{LC}$이다.

② 특성 임피던스 $Z_0 = \sqrt{\dfrac{C}{L}}$이다.

③ 진행파의 전파 속도 $v = \dfrac{1}{\sqrt{LC}}$이다.

④ 감쇠 정수 $\alpha = 0$, 위상 정수 $\beta = \omega\sqrt{LC}$이다.

77 ⓵ ⓶ ⓷

그림과 같은 파형의 파고율은?

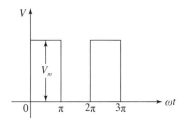

① 1　　　　　　　② $\dfrac{1}{\sqrt{2}}$

③ $\sqrt{2}$　　　　　④ $\sqrt{3}$

75

$R-C$ 직렬 회로의 과도 전류식은 $i(t) = \dfrac{E}{R}e^{-\frac{1}{RC}t}$로서 스위치를 넣는 $t=0$인 순간에서는 $i(t) = \dfrac{E}{R}e^{-\frac{1}{RC}t} = \dfrac{E}{R}e^{-\frac{1}{RC}\times 0} = \dfrac{E}{R}$로서 정상 전류 상태에서 시간이 지나갈수록 전류가 점점 지수적으로 감소하게 된다.

76

무손실 선로의 특성
• 특성 임피던스
$$Z_0 = \sqrt{\frac{Z}{Y}} = \sqrt{\frac{R+j\omega L}{G+j\omega C}} = \sqrt{\frac{L}{C}}\,[\Omega]$$
• 전파 정수
$$\gamma = \sqrt{ZY} = \sqrt{(R+j\omega L)(G+j\omega C)} = \alpha + j\beta$$
(감쇠 정수 $\alpha = 0$, 위상 정수 $\beta = \omega\sqrt{LC}$[rad/m])
• 전파 속도
$$v = \frac{\omega}{\beta} = \frac{\omega}{\omega\sqrt{LC}} = \frac{1}{\sqrt{LC}} = 3\times10^8\,[\text{m/s}]$$

• 파장
$$\lambda = \frac{2\pi}{\beta} = \frac{2\pi}{\omega\sqrt{LC}} = \frac{2\pi}{2\pi f\sqrt{LC}} = \frac{1}{f\sqrt{LC}}$$
$$= \frac{v}{f} = \frac{3\times10^8}{f}\,[\text{m}]$$

77

반구형파의 평균값 및 실횻값은 아래와 같다.
$$V_a = \frac{V_m}{2}, \quad V = \frac{V_m}{\sqrt{2}}$$
따라서 반구형파의 파고율을 구할 수 있다.

파고율 $= \dfrac{\text{최댓값}}{\text{실횻값}} = \dfrac{V_m}{\dfrac{V_m}{\sqrt{2}}} = \sqrt{2}$

[암기 포인트]
$$\dfrac{\text{최댓값}}{\text{실횻값}} = \text{파고율}$$
파형률 $= \dfrac{\text{실횻값}}{\text{평균값}}$

---

78 ① ② ③

회로에서 저항 R에 흐르는 전류 I[A]는?

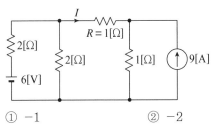

① -1
② -2
③ 2
④ 4

79 ① ② ③

$R=100[\Omega]$, $C=30[\mu \text{F}]$의 직렬 회로에 $f=60[\text{Hz}]$, $V=100[\text{V}]$의 교류 전압을 인가할 때 전류는 약 몇 [A]인가?

① 0.42
② 0.64
③ 0.75
④ 0.87

80 ① ② ③

그림과 같은 파형의 Laplace 변환은?

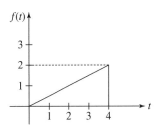

① $\dfrac{1}{2s^2}(1-e^{-4s}-se^{-4s})$
② $\dfrac{1}{2s^2}(1-e^{-4s}-4e^{-4s})$

③ $\dfrac{1}{2s^2}(1-se^{-4s}-4e^{-4s})$
④ $\dfrac{1}{2s^2}(1-e^{-4s}-4se^{-4s})$

78

중첩의 원리

• 6[V] 전압원만 있는 회로(전류원 개방 상태)
  – 회로 전체에 흐르는 전류
  $$I = \frac{6}{2+\dfrac{2\times(1+1)}{2+(1+1)}} = 2[\text{A}]$$
  – 저항 $R=1[\Omega]$에 흐르는 전류(왼쪽에서 오른쪽 방향)
  $$I_1 = \frac{2}{2+1+1}\times 2 = 1[\text{A}]$$

• 9[A] 전류원만 있는 회로(전압원 단락 상태)
  – 저항 $R=1[\Omega]$에 흐르는 전류(오른쪽에서 왼쪽 방향)
  $$I_2 = \frac{1}{1+1+\dfrac{2\times2}{2+2}}\times 9 = 3[\text{A}]$$

I_1, I_2는 서로 전류 방향이 반대이므로
$$I_1 - I_2 = 1-3 = -2[\text{A}]$$

79

저항과 콘덴서 직렬 회로의 임피던스 크기를 구한다.
$$Z = R + \frac{1}{j\omega C} = 100 - j\frac{1}{2\pi\times60\times30\times10^{-6}} = 100 - j88.42[\Omega]$$
$$\therefore |Z| = \sqrt{100^2+88.42^2} = 133.48[\Omega]$$
따라서 회로에 흐르는 전류는 아래와 같다.
$$I = \frac{V}{|Z|} = \frac{100}{133.48} = 0.75[\text{A}]$$

[암기 포인트] $j^2 = (\sqrt{-1})^2 = -1$

80

문제에 주어진 파형의 시간함수는 아래와 같다.
$$f(t) = \frac{2}{4}tu(t) - 2u(t-4) - \frac{2}{4}(t-4)u(t-4)$$
$$= \frac{1}{2}\{tu(t) - 4u(t-4) - (t-4)u(t-4)\}$$

위 식을 라플라스 변환한다.
$$F(s) = \frac{1}{2}\left(\frac{1}{s^2} - \frac{4}{s}e^{-4s} - \frac{1}{s^2}e^{-4s}\right) = \frac{1}{2s^2}(1-e^{-4s}-4se^{-4s})$$

81 １ ２ ３

철근 콘크리트주를 사용하는 25[kV] 교류 전차선로를 도로 등
과 제1차 접근 상태에 시설하는 경우 경간의 최대 한도는 몇
[m]인가?

① 40
② 50
③ 60
④ 70

82 KEC 적용에 따라 삭제되었습니다.

83 １ ２ ３

지중전선로에 있어서 폭발성 가스가 침입할 우려가 있는 장소
에 시설하는 지중함은 크기가 몇 [m³] 이상일 때 가스를 방산
시키기 위한 장치를 시설하여야 하는가?

① 0.25
② 0.5
③ 0.75
④ 1.0

빈출
84 １ ２ ３

최대 사용전압이 220[V]인 전동기의 절연내력 시험을 하고자
할 때 시험전압은 몇 [V]인가?

① 300
② 330
③ 450
④ 500

정답 및 해설

81

25[kV] 이하인 특고압 가공전선로의 시설(한국전기설비규정 333.32)
교류 전차선로의 지지물에는 철주 또는 철근 콘크리트주를 사용하고
또한 그 경간이 60[m] 이하일 것

83

지중함의 시설(한국전기설비규정 334.2)
지중전선로를 시설하는 경우 폭발성 또는 연소성의 가스가 침입할 우
려가 있는 곳에 시설하는 지중함으로 그 크기가 1[m³] 이상인 것은 통
풍장치 기타 가스를 방산시키기 위한 장치를 하여야 한다.

[암기 포인트] 지중함 − 1[m³]

84

회전기 및 정류기의 절연내력(한국전기설비규정 133)

종류			시험전압	시험방법
회전기	발전기, 전동기, 조상기, 기타회전기	7[kV] 이하	1.5배 (최저 500[V])	권선과 대지 간에 연속하여 10분간 가한다.
		7[kV]초과	1.25배 (최저 10,500[V])	
	회전변류기		직류 측의 최대 사용전압의 1배의 교류전압 (최저 500[V])	

시험전압: 220×1.5 = 330[V]
최저 시험전압이 500[V]이므로 시험전압은 500[V]로 한다.

85 〔1〕〔2〕〔3〕

금속덕트공사에 적당하지 않은 것은?

① 전선은 절연전선을 사용한다.
② 덕트의 끝부분은 항시 개방시킨다.
③ 덕트 안에는 전선의 접속점이 없도록 한다.
④ 덕트의 안쪽 면 및 바깥 면에는 산화 방지를 위하여 아연 도금을 한다.

86 〔1〕〔2〕〔3〕

다음 그림에서 L_1은 어떤 크기로 동작하는 기기의 명칭인가?

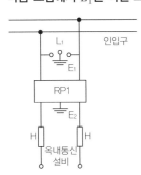

① 교류 1,000[V] 이하에서 동작하는 단로기
② 교류 1,000[V] 이하에서 동작하는 피뢰기
③ 교류 1,500[V] 이하에서 동작하는 단로기
④ 교류 1,500[V] 이하에서 동작하는 피뢰기

87 〔1〕〔2〕〔3〕

옥내에 시설하는 고압용 이동전선으로 옳은 것은?

① 6[mm] 연동선
② 비닐외장케이블
③ 옥외용 비닐절연전선
④ 고압용의 캡타이어케이블

88 〔1〕〔2〕〔3〕

관광숙박업 또는 숙박업을 하는 객실의 입구등에 조명용 전등을 설치할 때는 몇 분 이내에 소등되는 타임스위치를 시설하여야 하는가?

① 1
② 3
③ 5
④ 10

85

금속덕트공사(한국전기설비규정 232.31)
금속덕트공사에 의한 저압 옥내배선은 다음에 따라 시설하여야 한다.
• 전선은 절연전선(옥외용 비닐절연전선을 제외한다)일 것
• 덕트의 뚜껑은 쉽게 열리지 아니하도록 시설할 것
• 덕트의 끝부분은 막을 것
• 덕트 안에는 전선의 접속점이 없도록 한다.
• 덕트의 안쪽 면 및 바깥 면에는 산화 방지를 위하여 아연도금을 한다.

86

특고압 가공전선로 첨가 통신선의 시가지 인입 제한(한국전기설비규정 362.5)

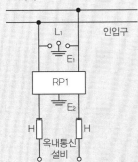

• RP₁: 교류 300[V] 이하에서 동작하고, 최소 감도전류가 3[A] 이하로서 최소 감도전류 때의 응동시간이 1사이클 이하이고 또한 전류 용량이 50[A], 20초 이상인 자복성(自復性)이 있는 릴레이 보안기
• L_1: 교류 1[kV] 이하에서 동작하는 피뢰기
• E_1 및 E_2: 접지
• H: 250[mA] 이하에서 동작하는 열 코일

87

옥내 고압용 이동전선의 시설(한국전기설비규정 342.2)
옥내에 시설하는 고압의 이동전선은 다음에 따라 시설하여야 한다.
• 전선은 고압용의 캡타이어케이블일 것
• 이동전선과 전기사용기계기구와는 볼트 조임 기타의 방법에 의하여 견고하게 접속할 것
• 이동전선에 전기를 공급하는 전로(유도 전동기의 2차 측 전로를 제외한다)에는 전용 개폐기 및 과전류차단기를 각극(과전류차단기는 다선식 전로의 중성극을 제외한다)에 시설하고, 또한 전로에 지락이 생겼을 때에 자동적으로 전로를 차단하는 장치를 시설할 것

88

점멸기의 시설(한국전기설비규정 234.6)
• 호텔, 또는 여관 각 객실 입구등은 1분 이내 소등되는 것
• 일반 주택 및 아파트 각 호실의 현관등은 3분 이내 소등 되는 것

[암기 포인트] 타임스위치
• 숙박업: 1분
• 주택 및 아파트: 3분

---

89 1 2 3

특고압 옥외 배전용 변압기가 1대일 경우 특고압 측에 일반적으로 시설하여야 하는 것은?

① 방전기
② 계기용변류기
③ 계기용변압기
④ 개폐기 및 과전류차단기

90 1 2 3

사용전압이 22.9[kV]인 특고압 가공전선이 도로를 횡단하는 경우 지표상 높이는 최소 몇 [m] 이상인가?

① 4.5
② 5
③ 5.5
④ 6

91 1 2 3

고압 가공전선로의 지지물로서 사용하는 목주의 풍압하중에 대한 안전율은 얼마 이상이어야 하는가?

① 1.2
② 1.3
③ 2.2
④ 2.5

92 1 2 3

가공전선로에 사용하는 지지물의 강도계산에 적용하는 갑종 풍압하중을 계산할 때 구성재의 수직 투영면적 1[m²]에 대한 풍압의 기준으로 틀린 것은?

① 목주: 588[Pa]
② 원형 철주: 588[Pa]
③ 원형 철근콘크리트주: 882[Pa]
④ 강관으로 구성(단주는 제외)된 철탑: 1,255[Pa]

정답 및 해설

89

특고압 배전용 변압기의 시설(한국전기설비규정 341.2)
특고압 전선로에 접속하는 배전용 변압기를 시설하는 경우 다음에 따라야 한다.
• 변압기의 1차 전압은 35[kV] 이하, 2차 전압은 저압 또는 고압일 것
• 변압기의 특고압 측에 개폐기 및 과전류차단기를 시설할 것
• 변압기의 2차 전압이 고압인 경우에는 고압 측에 개폐기를 시설하고 또한 쉽게 개폐할 수 있도록 할 것

90

특고압 가공전선의 높이(한국전기설비규정 333.7)

전압의 범위	일반 장소	도로 횡단	철도 또는 궤도 횡단	횡단보도교의 위
35[kV] 이하	5[m]	6[m]	6.5[m]	4[m] (특고압 절연전선 또는 케이블 사용)
35[kV] 초과 160[kV] 이하	6[m]	6[m]	6.5[m]	5[m] (케이블 사용)
	산지 등에서 사람이 쉽게 들어갈 수 없는 장소 : 5[m] 이상			
160[kV] 초과	일반장소	가공전선의 높이 = 6 + 단수 × 0.12[m]		
	철도 또는 궤도 횡단	가공전선의 높이 = 6.5 + 단수 × 0.12[m]		
	산지	가공전선의 높이 = 5 + 단수 × 0.12[m]		

91

고압 가공전선로의 지지물의 강도(한국전기설비규정 332.7)
고압 가공전선로의 지지물로서 사용하는 목주는 다음에 따라 시설하여야 한다.
• 풍압하중에 대한 안전율은 1.3 이상일 것
• 굵기는 말구(末口) 지름 0.12[m] 이상일 것

92

풍압하중의 종별과 적용(한국전기설비규정 331.6)

풍압을 받는 구분		풍압[Pa]
목주		588
지지물	철주	원형의 것	588
		삼각형 또는 마름모형의 것	1,412
		강관에 의하여 구성되는 4각형의 것	1,117
		기타의 것으로 복재가 전후면에 겹치는 경우	1,627
		기타의 것으로 겹치지 않은 경우	1,784
	철근 콘크리트주	원형의 것	588
		기타의 것	882
	철탑	강관으로 구성되는 것 (단주 제외)	1,255
		기타의 것	2,157

93 ☐1 ☐2 ☐3

3상 4선식 22.9[kV], 중성선 다중접지 방식의 특고압 가공전선 아래에 통신선을 첨가하고자 한다. 특고압 가공전선과 통신선과의 이격거리는 몇 [cm] 이상인가?

① 60
② 75
③ 100
④ 120

94 ☐1 ☐2 ☐3

방전등용 안정기를 저압의 옥내배선과 직접 접속하여 시설할 경우 옥내전로의 대지전압은 최대 몇 [V]인가?

① 100
② 150
③ 300
④ 450

95 ☐1 ☐2 ☐3

특고압용 타냉식변압기의 냉각장치에 고장이 생긴 경우를 대비하여 어떤 보호장치를 하여야 하는가?

① 경보장치
② 속도조정장치
③ 온도시험장치
④ 냉매흐름장치

96 ☐1 ☐2 ☐3

발전소의 개폐기 또는 차단기에 사용하는 압축공기장치의 주 공기탱크에 시설하는 압력계의 최고 눈금의 범위로 옳은 것은?

① 사용압력의 1배 이상 2배 이하
② 사용압력의 1.15배 이상 2배 이하
③ 사용압력의 1.5배 이상 3배 이하
④ 사용압력의 2배 이상 3배 이하

93

전력보안통신선의 시설 높이와 이격거리(한국전기설비규정 362.2)
통신선과 사용전압이 25[kV] 이하인 특고압 가공전선(특고압 가공전선로의 다중 접지를 한 중성선은 제외한다) 사이의 이격거리는 0.75[m] 이상일 것. 다만, 특고압 가공전선이 케이블인 경우에 통신선이 절연전선과 동등 이상의 절연성능이 있는 것인 경우에는 0.3[m] 이상으로 할 수 있다.

94

1[kV] 이하 방전등(한국전기설비규정 234.11)
백열전등 또는 방전등에 전기를 공급하는 옥내의 전로의 대지전압은 300[V] 이하이어야 한다.

95

특고압용 변압기의 보호장치(한국전기설비규정 351.4)
특고압용의 변압기에는 그 내부에 고장이 생겼을 경우에 보호하는 장치를 다음 표와 같이 시설하여야 한다.

뱅크용량의 구분	동작조건	장치의 종류
5,000[kVA] 이상 10,000[kVA] 미만	변압기 내부고장	자동차단장치 또는 경보장치
10,000[kVA] 이상	변압기 내부고장	자동차단장치
타냉식변압기(변압기의 권선 및 철심을 직접 냉각시키기 위하여 봉입한 냉매를 강제 순환시키는 냉각방식을 말한다.)	냉각장치에 고장이 생긴 경우 또는 변압기의 온도가 현저히 상승하는 경우	경보장치

[암기 포인트] 타냉식변압기 - 경보장치

96

압축공기계통(한국전기설비규정 341.15)
발전소·변전소·개폐소 또는 이에 준하는 곳에서 개폐기 또는 차단기에 사용하는 압축공기장치의 주 공기탱크 또는 이에 근접한 곳에는 사용압력의 1.5배 이상 3배 이하의 최고 눈금이 있는 압력계를 시설할 것

97 ① ② ③

최대 사용전압 22.9[kV]인 3상 4선식 다중 접지방식의 지중 전선로의 절연내력 시험을 직류로 할 경우 시험전압은 몇 [V] 인가?

① 16,448
② 21,068
③ 32,796
④ 42,136

98 ① ② ③

교통이 번잡한 도로를 횡단하여 저압 가공전선을 시설하는 경우 지표상 높이는 몇 [m] 이상으로 하여야 하는가?

① 4.0
② 5.0
③ 6.0
④ 6.5

99 ① ② ③

66[kV] 가공전선과 6[kV] 가공전선을 동일 지지물에 병행설치하는 경우에 특고압 가공전선은 케이블인 경우를 제외하고는 단면적이 몇 [mm²] 이상인 경동연선을 사용하여야 하는가?

① 22
② 38
③ 50
④ 100

100 ① ② ③

특고압 가공전선이 도로 등과 교차하는 경우에 특고압 가공전선이 도로 등의 위에 시설되는 때 설치하는 보호망에 대한 설명으로 옳은 것은?

① 보호망은 접지공사를 하지 않는다.
② 보호망을 구성하는 금속선의 인장강도는 6[kN] 이상으로 한다.
③ 보호망을 구성하는 금속선은 지름 1.0[mm] 이상의 경동선을 사용한다.
④ 보호망을 구성하는 금속선 상호의 간격은 가로, 세로 각 1.5[m] 이하로 한다.

정답 및 해설

97

전로의 절연저항 및 절연내력(한국전기설비규정 132)
• 최대 사용전압이 25[kV] 이하이고 중성점 다중접지방식의 시험전압은 0.92배이다.
• 22,900 × 0.92 = 21,068[V]
• 절연내력시험을 직류로 할 경우 시험전압
  21,068 × 2 = 42,136[V](∵ 직류의 사용전압은 교류의 2배가 된다.)

[암기 포인트] 절연내력 시험전압
'다'중접지 - 0.'92'배

98

저압 가공전선의 높이(한국전기설비규정 222.7)
교통이 번잡한 도로를 횡단하여 저압 가공전선을 시설하는 경우 지표상 6[m] 이상이어야 한다.

99

특고압 가공전선과 저고압 가공전선의 등의 병행설치(한국전기설비규정 333.17)
사용전압이 35[kV]를 초과하고 100[kV] 미만인 특고압 가공전선과 저압 또는 고압 가공전선을 동일 지지물에 시설하는 경우 특고압 가공전선은 케이블인 경우를 제외하고는 인장강도 21.67[kN] 이상의 연선 또는 단면적이 50[mm²] 이상인 경동연선일 것

100

특고압 가공전선과 도로 등의 접근 또는 교차(한국전기설비규정 333.24)
특고압 가공전선로는 제2종 특고압 보안공사에 의할 것. 다만, 특고압 가공전선과 도로 등 사이에 보호망을 시설하는 경우에는 제2종 특고압 보안공사에 의하지 아니할 수 있다.
– 보호망을 구성하는 금속선 상호의 간격이 가로, 세로 각 1.5[m] 이하인 것

끝이 좋아야 시작이 빛난다.

– 마리아노 리베라(Mariano Rivera)

여러분의 작은 소리
에듀윌은 크게 듣겠습니다.

본 교재에 대한 여러분의 목소리를 들려주세요.
공부하시면서 어려웠던 점, 궁금한 점,
칭찬하고 싶은 점, 개선할 점, 어떤 것이라도 좋습니다.

에듀윌은 여러분께서 나누어 주신 의견을
통해 끊임없이 발전하고 있습니다.

에듀윌 도서몰 book.eduwill.net
- 부가학습자료 및 정오표: 에듀윌 도서몰 → 도서자료실
- 교재 문의: 에듀윌 도서몰 → 문의하기 → 교재(내용, 출간) / 주문 및 배송

2025 에듀윌 전기기사 필기 7개년 기출문제집

발 행 일	2024년 07월 25일 초판
편 저 자	에듀윌 전기수험연구소
펴 낸 이	양형남
펴 낸 곳	(주)에듀윌
등록번호	제25100-2002-000052호
주 소	08378 서울특별시 구로구 디지털로34길 55
	코오롱싸이언스밸리 2차 3층

* 이 책의 무단 인용 · 전재 · 복제를 금합니다.

www.eduwill.net
대표전화 1600-6700